D1027298

LA MISSION CONTINUE DE JÉSUS SELON MGR LAMBERT DE LA MOTTE (1624-1679) ET LE RENOUVEAU DE L'ÉVANGÉLISATION EN ASIE

TRẦN THỊ TUYẾT MAI
SŒUR MARIE FIAT, AC

LA MISSION CONTINUE DE JÉSUS SELON MGR LAMBERT DE LA MOTTE (1624-1679) ET LE RENOUVEAU DE L'ÉVANGÉLISATION EN ASIE

Avec le concours de l'Institut Catholique de Paris

Préface de Mgr François Bousquet

Thèse sous la direction de Gilles Berceville

LES ÉDITIONS DU CERF

THEOLOGICUM
Faculté de Théologie et de Sciences Religieuses

Institut catholique de Paris
19 rue d'Assas
75006 Paris
Contact :
01 44 39 52 51
contact.theologicum@icp.fr

www.editionsducerf.fr
24, rue des Tanneries
75013 Paris

ISBN 978-2-204-11509-4

Pour mon Papa

PRÉFACE

Voici que vous avez entre les mains une étude qui vous a attiré l'œil, parce que vous vous intéressez à la mission, aux M.E.P. comme on dit, les Missions Étrangères de Paris, l'épopée de leurs fondateurs et leur œuvre en Asie, ou surtout, tout simplement au Viet Nam. Quand vous parviendrez au terme de votre lecture, vous vous apercevrez de toutes les découvertes que cette étude permet. Le rôle du préfacier est de vous donner envie de la lire, mais sans déflorer le sujet. C'est un art difficile entre tous, car il faut quand même décrire un peu de quoi il est question, et ce que cette thèse, puisque telle a été l'occasion de cette recherche et de l'écriture de ce volume, apporte de vraiment nouveau. Mais alors, si l'on embarque, on trouve les justifications au cours de la lecture, ou les preuves à conviction, pour utiliser le langage des enquêteurs… Sans exagérer les points de contact, dans la méthode, entre un roman policier et une enquête historique, avec les conclusions, théologiques ici, que l'on peut en tirer, il reste que le travail de Sœur Marie-Fiat, minutieux, patient, attentif aux grandes lignes de force comme aux détails significatifs, s'apparente à celui d'un fin limier.

Le plan est clair : une première partie décrit « la pensée et les projets de Lambert de la Motte » en faisant la « critique des sources biographiques ». Une deuxième partie se concentre sur le thème théologique qui a fait le titre et l'objet de la thèse : « la théologie du salut chez Lambert de la Motte ; la mission que Jésus continue en nous ». Enfin la troisième partie, entrelaçant étude historique et motif théologique, revient à ce qui inspire la fondation d'une société missionnaire d'un style plus évangélique : « le projet de Lambert de la Motte pour le salut des païens : les Amateurs de la Croix ». (Comme pour les Amantes de la croix, congrégation religieuse à laquelle appartient l'auteure au Viet Nam, le terme d'« amantes » est évidemment à prendre en un sens très fort, très loin du dilettantisme qu'il évoque pour nous dans le langage contemporain, après l'évolution du langage sur l'amour et la passion, depuis le XVIIe siècle).

Plusieurs éléments sont à souligner. D'abord on est transporté dans le monde du héros de l'aventure racontée, et en même temps tenu en haleine, grâce à l'abondance d'une documentation de première main. Le travail est impressionnant et représente dix ans de recherches dans les archives et dans la littérature primaire et secondaire sur le sujet. L'option méthodologique de transcrire les documents manuscrits littéralement, sans en moderniser l'orthographe ni la syntaxe, sans compléter une ponctuation déficiente, est judicieuse, et permet de plonger dans l'époque d'une manière rafraîchissante, comme si l'on était soi-même lecteur des documents originaux.

Cette documentation permet non seulement de camper la figure du fondateur de la Congrégation des Amantes de la Croix au Viet Nam, Lambert de La Motte, mais aussi elle montre qu'il faut en déplacer la représentation que s'en sont faite les historiens successifs. Car ceux-ci ont répété de génération en génération une figure reçue, élaborée par des biographes qui ne s'étaient pas interrogés sur les motivations ou les intérêts stratégiques (politiques et ecclésiaux) de donner un tel portrait de cet évêque missionnaire. Mais il apparaît bien différent, et ses aventures vous passionneront...

Rome désire à cette époque modifier la mission en Asie, pour éviter les inconvénients du système du « patronat », qui a confié aux rois d'Espagne et de Portugal l'exclusivité de la mission dans les pays sous leur juridiction. On va ainsi avoir recours aux français, leur imposant des conditions de voyage incognito que le lecteur découvrira, pour qu'ils puissent éviter les prisons espagnoles ou portugaises. Mais en même temps les missionnaires français doivent conquérir la pleine confiance romaine, et rassurer quant aux projets qu'ils ont. Les communications sont lentes et difficiles entre les différents protagonistes, et il y a des tensions entre ceux qui sont restés à Paris, et ceux qui sont partis, qui rencontrent toutes sortes d'obstacles. Il y a aussi une question récurrente à traiter : la mission doit avoir les moyens, en particulier financiers, de son indépendance politique ; mais comment ne pas tomber dans le mercantilisme ? En même temps prêcher l'évangile demande une vie pauvre, d'autant qu'une existence sobre et solidaire est admirée chez les sages et religieux asiatiques, pour lesquels une vie trop confortable à l'occidentale serait un contre-témoignage. Qu'adviendra-t-il des projets et du combat de Lambert de La Motte ? Vous le saurez en lisant pas à pas. À quoi j'ajouterai volontiers que les documents historiques de la troisième partie éclairent ensuite la synthèse théologique esquissée par Sœur Marie Fiat dans la première partie, sans produire de répétition.

La thèse théologique de Sœur Marie-Fiat elle aussi est intéressante. Il s'agit de la « mission continue » de Jésus à travers non seulement les missionnaires, mais les chrétiens eux-mêmes. La restitution des conditions historiques de ce thème ancien est parlante. Lambert, s'opposant aux activités commerciales de missionnaires développées à l'ombre du « patronat », désire que l'on annonce le Christ dans l'imitation de sa pauvreté et de son dépouillement jusqu'à la croix. Une généalogie de l'inspiration de Lambert est donnée : bien sûr l'Imitation de Jésus-Christ, fonds commun des auteurs spirituels, mais aussi saint Jean Eudes, et des auteurs d'inspiration bérullienne comme Quarré et Bernières entre autres.

Les thèmes sont délicats à traiter : « Jésus continue sa mission en "s'incarnant" en nous ; Jésus continue sa mission en sauvant le monde en nous » ; mais comment articuler qu'il n'y a qu'un unique Sauveur et ne pas transformer les baptisés eux-mêmes en « sauveurs », car le Sauveur est unique, mais en coopérateurs de l'œuvre de salut ? Cela demande en tous les cas de regarder le rôle de l'Esprit-Saint dans la mission continue de Jésus... On trouvera parfois que certaines formules s'expriment en raccourci : « l'Esprit-Saint conduit au bonheur par la croix ». Mais un des grands mérites du travail de Sœur Marie-Fiat est de montrer les lignes de force de la cohérence de la pensée de Lambert de La Motte.

On suivra avec attention le long commentaire sur la tradition d'interprétation de Col 1, 24. Faut-il comprendre : « Je complète en ma chair ce qui manque aux épreuves du Christ », ou bien : « je complète ce qui manque aux épreuves du Christ dans ma chair » ? Ce qui manque, est-ce dans ma chair, ou bien dans les épreuves du Christ ? Sur la « mission continue de Jésus », tous les interprètes sont appelés à la rescousse : Lambert, les spirituels du temps, les Pères de l'Église, les écrits pauliniens, les exégètes ou théologiens contemporains (Ceslas Spicq, Bernard Sesboüé). Le chapitre sur « le baptême [qui] permet à la mission de Jésus de se continuer en nous » souligne la modernité toute traditionnelle de la conception de Lambert de La Motte selon laquelle c'est la participation de l'ensemble du Peuple de Dieu qui est requise pour la mission.

La conclusion noue le rapport entre histoire et théologie, en résumant le rapport entre la vie et la pensée de Mgr Lambert. Puis est reprise la question du « rapport entre salut et souffrance », dont on voit qu'il concerne non seulement la spiritualité des Amantes de la Croix, mais aussi plus largement la spiritualité des chrétiens asiatiques, qui doivent marquer leur différence avec la compassion bouddhique sans pour autant renoncer aux vertus de la compassion. Il s'agit alors de préciser un rapport à la souffrance, habité et rendu sain et saint par l'imitation du Crucifié, et attentif à l'inspiration de l'Esprit-Saint. Cet « amour pratique » de la croix du Christ est particulièrement bien mis en valeur. Le parcours s'achève enfin avec une brève évocation du renouveau tant désiré par Lambert de La Motte de l'évangélisation en Asie.

Après l'immense et patient travail en archives accompli par Sœur Marie-Fiat sur les documents originaux, en français et en latin, la découverte d'un Lambert de la Motte inconnu, ou du moins donnant une autre image que celle que les biographes ont répété sans avoir souci des données elles-mêmes, mais pour des motifs qui se sont laissé déchiffrer peu à peu, la question devenait : la « mission continue de Jésus » est-elle la base théologique de l'amour de la croix chez Mgr Lambert ? Et quelle est son application à trois étapes de sa vie : son engagement de laïc en tant que magistrat, de prêtre au service des pauvres, d'évêque bâtisseur d'Église ? La réponse, en fait, a élargi la problématique : du projet de Lambert de la Motte, élaboré ensemble lors de trois synodes locaux en 1664, 1670 et 1672, seule la composante féminine a subsisté sous le nom d'Amantes de la Croix, dans les diocèses vietnamiens. Ce qui demeure, la lumière qui continue d'éclairer, c'est le cœur même de la pensée de Lambert de la Motte, l'idée de « la mission continue de Jésus » chez les baptisés. C'est eux que sert la Congrégation des Amantes de la Croix, à qui cela fournit une spiritualité solide et assez unique, par son insistance sur la dimension missionnaire de l'amour de la croix.

C'est encourageant pour les chrétiens du Viet Nam d'aujourd'hui...

Mgr Pr Dr François Bousquet
Recteur de Saint-Louis des Français à Rome
Ancien Vice-recteur à la Recherche de l'Institut Catholique de Paris
Membre du Conseil Pontifical de la Culture
Consulteur du Conseil Pontifical pour le Dialogue Interreligieux
Professeur émérite au *Theologicum*

INTRODUCTION

Pierre Lambert de la Motte est un français né près de Lisieux en janvier 1624, son parcours n'est pas ordinaire. Ainsi, après avoir été magistrat à Rouen pendant neuf ans, pour accéder au sacerdoce il passe à l'âge de 31 ans par le séminaire de Coutances, fondé par son ami Jean Eudes ; c'est donc en 1655 que Lambert de la Motte a été ordonné prêtre à Bayeux, et c'est en 1658 que le pape l'a nommé évêque en vue de la mission d'Extrême-Orient et l'a mis le 9 septembre 1659[1] à la tête du vicariat apostolique de Cochinchine, nouvellement créé.

En fait le pape l'a envoyé pour reprendre en main l'évangélisation de l'Asie, confiée jusqu'alors à la Couronne du Portugal par un système de délégation qu'on appelle le Patronat et qui était devenu inopérant en Asie à cause des revers successifs et de la perte d'influence des portugais notamment face à la Hollande et l'Angleterre, ses concurrents directs dans la région.

Pour cette mission de reprise en main, le Saint-Siège a choisi des prêtres séculiers et après les avoir consacrés dans l'ordre de l'épiscopat, leur a donné des *Instructions* précises en ce sens[2], révélatrices de la volonté du pape de prendre directement en main l'évangélisation de l'Asie.

Mgr Lambert de la Motte est considéré comme cofondateur de la Société des Missions Étrangères de Paris et cofondateur de l'Église du Vietnam, c'est lui qui a institué notre congrégation des Amantes de la Croix. Mais son œuvre ne s'arrête pas là, il exprime une pensée originale à travers une abondante correspondance, des rapports de mission et son journal. Durant

1. Cette date correspondait à la création de l'Église du Vietnam, car en droit canonique, dès lors qu'il y a l'évangile, l'eucharistie et l'évêque, il y a Église (Lumen Gentium 26 ; Canon 368-369. 371, § 1).

2. Propaganda Fide, *Instructio vicariorum apostolicorum ad regna Sinarum Tonchini et Cocincinae proficiscentium 1659.* Nous utilisons la traduction française des Instructions par Mgr Bernard Jacqueline avec la numérotation qu'il a choisie dans *L'esprit missionnaire de la S.C. de Propaganda Fide d'après les Instructions aux vicaires apostoliques des royaumes du Tonkin et de Cochinchine* (1659), *Traduction française des Instructions de 1659,* in *Documents* « Omnis Terra », LXXXI-5, mai 1971, p. 335-345 ; réédités par Jean Guennou et André Marillier, Paris, Archives des Missions Étrangères, 2008.

les 350 ans qui nous séparent de lui, cette pensée n'a pas été étudiée et c'est l'objet de notre thèse[1]. Elle se développe autour du thème de la mission continue de Jésus à partir des trois étapes de son expérience.

Ce terme de *mission continue de Jésus* se rapporte à la double étape de la mission que le Père a confiée à son Fils, l'étape historique il y a deux mille ans et l'étape mystique, celle qui se poursuit aujourd'hui et où intervient le Saint-Esprit[2]. Lambert doit à son maître Jean Eudes sa conception de la « continuation de la vie de Jésus » dans les chrétiens, il insiste sur l'action actuelle et directe de Jésus à travers ses héritiers et disciples par opposition à une simple reprise de sa mission par l'Église. Cette distinction théologique éclaire toute l'œuvre de Pierre Lambert de la Motte.

Nécessité d'un travail en archives pour contrôler ce qu'on sait sur Mgr Lambert de la Motte

Parmi les premiers qui ont écrit sur Lambert, certains ont cherché à décrire un missionnaire en alignant ce qu'ils pensaient être des faits historiques, comme les pèlerinages d'abjection, pour répondre ensuite à la question de savoir à quel courant de pensée il appartenait ; d'autres pour interpréter sa vie et sa pensée ont supposé que Lambert devait être rattaché à l'École française de spiritualité.

Le message que Lambert a voulu nous transmettre et qu'il tenait de son maître, saint Jean Eudes, c'est sa théologie justifiant chez lui toutes ses actions et ses prises de position, elle demeure un critère de vérification pour sa biographie. Cette vérification aurait permis notamment de justifier Lambert de l'accusation de vouloir faire de la Société des Missions Étrangères une nouvelle Congrégation religieuse[3].

---

1. Après avoir résumé la vie de Lambert à partir de la biographie de Brisacier, Jean Guennou conclue dans le Dictionnaire de Spiritualité ascétique et mystique, Tome IX, Beauchesne, Paris, 1976, col. 140-141, article Lambert de la Motte (Pierre) : « Homme d'action autant que de prière, Lambert n'a écrit aucun ouvrage, mais sa correspondance reflète quantité de querelles heureusement dépassées. C'est la raison pour laquelle aucun travail approfondi ne lui a été consacré jusqu'ici ; on pourrait publier des extraits de ses écrits, qui permettraient de le situer parmi les spirituels de son temps ». Jean Guennou ajoute : « François Pallu a joint le nom de Pierre Lambert au sien quand il a publié des *Instructiones ad munera obeunda apostolica perutiles* (instructions et décrets synodaux, 1664) ». Cette thèse permettra d'inverser ce dernier propos de Jean Guennou.

2. Voir Clément Legaré, *La mission continue de Jésus et le bérullien Jean Eudes, sémiotique du discours religieux*, Presse de l'Université du Québec, 2006.

3. Adrien Launay, *Histoire générale de la Société des Missions Étrangères de Paris*, Paris, Téqui, 1894, t. I, p. 178.

Nous n'avons pourtant pas la prétention de nous faire avocat de Lambert et, après avoir lu tant de jugements hâtifs, de vouloir le défendre en en attaquant d'autres. La règle que nous avons tenté de respecter, c'est de nous en tenir aux faits et aux écrits concordants des témoins de l'époque, laissant au lecteur le soin de juger, s'il y a lieu, notamment en ce qui concerne les rapports entre Lambert et les religieux missionnaires d'Asie liés aux intérêts du Portugal, et entre Lambert et les membres de sa Procure de Paris. Elle portait le nom de séminaire parce qu'elle était chargée du recrutement autant que des moyens financiers, elle devait étudier les candidatures missionnaires lors d'un séjour de quelques semaines sinon de quelques jours.

Avant d'affirmer quoi que ce soit sur Lambert il nous a fallu plusieurs années avec l'aide des archivistes des Missions Étrangères pour explorer les manuscrits, notamment ceux qui n'ont jamais été publiés, ni jamais utilisés, écrits non seulement par Lambert mais par tous les acteurs de cette période historique des Missions d'Asie. C'est à partir de l'exhumation de ces manuscrits originaux en langue française du XVIIe siècle ou en latin, que se sont éclairés des points essentiels ignorés ou maintenus dans l'ombre depuis plus de 350 ans.

En son temps le Père Guennou, archiviste des Missions Étrangères de Paris, avait rédigé une transcription[1] dactylographiée des œuvres de Lambert en en corrigeant et modernisant l'orthographe et en ajoutant la ponctuation absente, mais la comparaison avec les manuscrits montre que cette transcription comporte quelques erreurs[2]. Cette transcription est cependant très précieuse car aujourd'hui on peut facilement la scanner ou la numériser et la transformer en traitement de texte, ce qui permet de pratiquer des recherches systématiques en particulier celle de l'occurrence de certains mots caractéristiques chez Lambert[3].

Notre recherche ne s'est pas arrêtée à ce qui avait été écrit par Lambert, elle s'est étendue aux écrits de tous ses compagnons de mission, de ses relations françaises et de beaucoup de ses contemporains, textes qui nous ont donné de précieuses indications. C'est pourquoi, parallèlement à la

1. Jean GUENNOU a gardé des cahiers de notes sur sa transcription. Ces cahiers se trouvent aux Archives des Missions Étrangères dans des boîtes portant le nom de Lambert de la Motte. On notera plus loin les réflexions que ses recherches ont suscitées chez lui.

2. Dans l'introduction de son article sur Lambert de la Motte, maître spirituel (*Échos de la rue du Bac*, n° 256, de février 1991, p. 33), J. GUENNOU écrit : « Le style, encore proche du latin, pourrait décourager bien des lecteurs, Lambert écrit au courant de la plume, sans se corriger, ses phrases sont parfois longues ; il emploie le participe présent plus que de nos jours ; enfin nous sommes plus exigeants qu'il n'était sur la coordination et la subordination des membres de la phrase ».

3. Dans douze ou treize cents pages de transcription des textes de Lambert par J. GUENNOU, on a 120 fois le mot "sacrifice"; 112 fois le mot "amour"; 103 fois le mot "providence"; 62 fois le mot "bonheur"...

consultation en bibliothèques de nombreux ouvrages anciens ou récents, notre travail sur les archives a duré des années.

Parmi les documents examinés se trouvaient les courriers manuscrits qui nous apportaient le plus de renseignements fiables parce qu'aucune censure extérieure ne s'appliquait alors sur ces documents originaux. Les lettres de Lambert envoyées de Thaïlande se trouvaient en général chez le destinataire en l'occurrence la plupart du temps à Paris, par contre les lettres qu'on écrivait à Lambert ont dû être renvoyées à Paris après sa mort. Une correspondance s'analyse par le texte de deux correspondants et on perd beaucoup à n'en pouvoir lire qu'un seul. La plupart des biographes ont oublié cet aspect et se sont contentés de ne retenir que les lettres écrites par Lambert. Or Lambert devait attendre longtemps les réponses à ses lettres, les délais de route (aller-retour) entre la Thaïlande et l'Europe n'étant pas loin de quatre années. Quand ils résident ou séjournent en Europe, quelques-uns des protagonistes de l'histoire de Lambert ont de vrais échanges de lettres qui sont très instructifs sur le caractère et les intentions cachées de chacun ; c'est le cas entre Lesley à Rome et Gazil à Paris[1] et entre de Bourges à La Rochelle et Gazil à Paris.

Gazil apprécie que Lesley lui rapporte constamment le point de vue du Saint-Siège, les craintes de Rome vis-à-vis de Paris ; en retour ce sont des éléments rassurants que Gazil l'invite à transmettre à Rome. De son côté, Jacques de Bourges veut rassurer Gazil sur la censure royale.

Retenu pendant 3 ans à La Rochelle dans l'attente d'une place gratuite sur un bateau en partance, Jacques de Bourges a eu un très intéressant échange de correspondance avec Gazil sur la censure royale, sur celle que pratiquait l'éditeur pour anticiper celle-là et sur l'autocensure de l'auteur qui anticipait les deux autres. Il s'ensuit que les textes publiés ont pu être transformés, réduits ou complétés pour être conformes au point de vue officiel[2]. Au XXe siècle pourtant les lettres de Pallu ont été publiées par Adrien Launay avec certaines lignes en pointillés correspondant à des passages supprimés dont l'intérêt n'a pourtant rien de mineur. Par la suite, certains manuscrits de Lambert, devant être publiés sans doute par Jean Guennou, comportent des passages rayés.

Dans les archives des Missions Étrangères de Paris, il y a 1615 volumes, classés à la fois de manière géographique et chronologique. Il fallait d'abord connaître les déplacements de Lambert avant de chercher les documents le concernant. Ceux-ci ne sont pas regroupés et il faut les chercher dans les

1. Les Archives des Missions Étrangères de Paris possèdent environ 68 lettres de Lesley dont une bonne partie à Gazil et au séminaire de Paris, surtout en 1664 (13 lettres) et en 1665 (14 lettres).

2. Pour les historiens de notre temps, les récits, relations et biographies de cette époque doivent être considérés comme des produits toxiques à l'égard desquels doit s'appliquer le principe de précaution. Cela consiste à ne pas prendre pour acquis tout ce qui, à cette époque, est publié ou destiné à l'être

volumes de Paris, de Rome, du Siam, du Tonkin et de Cochinchine. Ils sont réunis aux autres documents de l'époque, mais placés à leur date, c'est-à-dire entre le départ en mission de Lambert en 1660 et sa mort en 1679. Pour aider la recherche, Adrien Launay a achevé une table analytique comprenant 12 volumes de 600 à 1000 pages chacun, analysant et résumant le contenu de chacun des 1615 volumes de documents ; il a aussi dressé une table alphabétique en 4 volumes portant sur les noms de personnes et de lieux, et sur quelques thèmes généraux. Il a aussi édité plusieurs livres contenant des transcriptions de documents manuscrits mais à propos des *Lettres de Mgr François Pallu* que Launay a transcrites et éditées, Frédéric Mantienne estime que « beaucoup d'erreurs de transcription altèrent parfois sensiblement le sens du texte »[1].

Parmi les manuscrits de Lambert conservés en Archives, certains sont de sa main, d'autres sont des copies écrites par l'un ou l'autre de ses compagnons, ainsi son *Abrégé de Relation* a été dupliqué pour être diffusé à ses correspondants. Pour Lambert il n'y a qu'un *Abrégé de Relation* dont il adresse entre 1662 et 1664 la première partie à ses correspondants ; il en rédige peu à peu la suite[2] jusqu'à son voyage au Tonkin en 1669-1670[3]. Son premier voyage en Cochinchine en 1671-1672 fait l'objet d'une suite particulière de *Relation*, cette fois-ci en latin[4], et le *Journal* de Lambert note la rédaction de la relation de son second voyage en Cochinchine en 1675-1676[5].

1. Frédéric MANTIENNE, *Les relations politiques et commerciales entre la France et la péninsule Indochinoise* (XVIIe siècle), Paris, Les Indes savantes, 2001, p. 38, note 4. En 2008, Frédéric Mantienne a rédigé une recension critique des *Lettres de Monseigneur Pallu*, écrites de 1654 à 1684, réalisée par Adrien LAUNAY.

2. Ce récit est désigné sous différents titres par les historiens, mais chez l'auteur lui-même il porte invariablement le nom d'*Abrégé de Relation*, par exemple, il parle le 11 février 1664 à Gazil d'*Abrégé de Relation* (AMEP, vol. 858, p. 73) comme il le fait avec tous ses correspondants depuis 1662 mais il adresse dans le même temps à Jacques de Bourges "la suite de notre Relation" (AMEP, vol. 121, p. 565). Il lui envoie un an plus tard, le 20 janvier 1665 (AMEP, vol. 858, p. 105) son *Abrégé de Relation* qu'il a continué "jusqu'à présent". Le 16 octobre 1664 Mgr Lambert a précisé à M. Fermanel, père (AMEP, vol. 858, p. 92) qu'il lui envoie la continuation de son *Abrégé de Relation*, après la Première Partie envoyée en 1662 (AMEP, vol. 858, p. 1) ; il lui enverra encore une suite en 1668 (AMEP, vol. 858, p. 139). Le 4 novembre 1666, c'est la suite de l'*Abrégé de Relation* que Mgr Lambert adresse aussi à Pallu (AMEP, vol. 876, p. 420), de même en 1668 (AMEP, vol. 876, p. 571). Le 12 novembre 1676, c'est encore *l'Abrégé de la continuation de sa Relation* que Mgr Lambert adresse aux Directeurs de Paris (AMEP, vol. 858, p. 255). Il s'en suit qu'aux yeux de Mgr Lambert, son *Abrégé de Relation* constitue une seule œuvre continuellement mise à jour. Certaines copies portent le titre de "Brève Relation" ou de "Relation sommaire".

3. Pierre LAMBERT DE LA MOTTE, *Abrégé de Relation*, AMEP, vol. 855, p. 159-180 ; cf. vol. 677, p. 115-136, 175, 179-218, 334-335 ; cf. Guennou, transc., § 100-132.

4. *Id.*, texte en latin relatant son premier voyage en Cochinchine en 1671-1672, suite de *l'Abrégé de Relation*, AMEP, vol. 876, p. 715-730 (transc. et trad. J. Ruellen, MEP).

5. On lit dans le *Journal* de Lambert à la date du 18 novembre 1675 (AMEP, vol. 877, p. 571) : « L'évêque de Bérithe a travaillé à la continuation de la Relation de Cocincine

Il est bon de se familiariser avec diverses écritures pour bien interpréter les documents de Lambert. Par ailleurs au cours des siècles, les archivistes ont effectué des copies des manuscrits originaux abîmés pour en sauvegarder le contenu et en permettre la lecture aujourd'hui. Le déchiffrage de l'écriture cursive reste une difficulté, elle comporte des caractéristiques individuelles et d'autres caractéristiques liées à l'époque, on est alors dans le domaine de la paléographie pour lequel des livres peuvent aider à déchiffrer un certain nombre de types d'écriture[1].

Nous avons choisi de présenter les écrits de Lambert dans leur forme originale en remplaçant seulement l'écriture cursive par des caractères d'imprimerie, c'est-à-dire dans les conditions de la lecture des manuscrits, avec les mêmes difficultés dues à une absence quasi complète de ponctuation, une grammaire et une orthographe sans règle admise par tous.

Le français du XVIIe siècle utilise des abréviations conventionnelles bien plus nombreuses qu'aujourd'hui. Les textes du XVIIe siècle comportent aussi des mots inconnus aujourd'hui, ils sont à chercher dans des dictionnaires spécialisés du XVIIe siècle, celui de Furetière et la 1re édition du *Dictionnaire de l'Académie Française*. Il y a aussi des mots dont le sens a évolué et qui sont comme des pièges pour la compréhension. Le premier travail est donc la lecture. On peut dire que les écrits de Lambert comportent deux langues, le français du XVIIe siècle qu'il faut apprendre comme une langue étrangère, même si l'on est français, et la langue latine qui est utilisée dans tous les rapports de Lambert avec Rome et que nous avons dû nécessairement étudier pendant plusieurs années. Nous avons consulté les documents en latin qui se trouvent aux Archives des Missions Étrangères de Paris, mais aussi à Rome dans les Archives historiques de la Sacrée Congrégation de la Propagation de la Foi[2], également aux Archives Nationales de France à Paris qui bénéficient de certains regroupements des documents religieux parisiens à la Révolution Française de 1789 et de

depuis la dernière jusqu'à présent ». La rédaction de la Relation de Cocincine se poursuit les 4, 7, 9, 14 avril 1676 (AMEP, vol. 877, p. 583) et les 1er et 3 mai 1676 (AMEP, vol. 877, p. 584) où il est expressément écrit qu'il l'a achevée. Mais on n'a pu encore la localiser.

1. Emmanuel Poulle, *Paléographie des Écritures cursives en France du XVe au XVIIe siècle*, Genève, librairie Droz, 1966 et Maurice Prou, *Manuel de Paléographie latine et française du VIe au XVIIe siècle*, suivi d'un dictionnaire des abréviations, Paris, Picard, 1892.

2. Les Archives historiques de la Sacrée Congrégation de la Propagation de la Foi contiennent des milliers de pages traitant de cette période et de l'œuvre des vicaires apostoliques; on trouve les lettres reçues par la Sacrée Congrégation, les résumés des réponses apportées, les notes annuelles sur la situation de chaque mission, les propositions de décision, les décrets, brefs et bulles. Tous ces documents sont soit en latin, soit en italien, et il paraît difficile de ne pas en tenir compte si l'on veut rentrer dans la compréhension des faits concernant l'histoire de Mgr Lambert et de Pallu.

documents de la papauté amenés de Rome par Napoléon Ier en 1808 et renvoyés ensuite à Rome.

Nous avons utilisé les manuscrits de Lambert pour contrôler la vérité historique de ses biographies mais aussi pour y étudier une théologie que nous avons découverte en examinant les rapports entre Lambert et saint Jean Eudes. La caractéristique de cette théologie de Lambert, c'est qu'en dehors du fait que tous ses points sont reliés par des enchaînements logiques, elle est étroitement reliée à l'histoire personnelle du théologien et explique la plupart de ses engagements. C'est à partir de l'intuition christologique de Jean Eudes que Lambert a repensé toute l'activité missionnaire de l'Église, cette christologie justifie toutes les prises de position qui ont été attribuées jusqu'à maintenant à d'autres buts.

Le résultat actuel des études sur la pensée de Lambert de la Motte

Pierre Lambert de la Motte quitte définitivement la France en 1660[1] avant la mort du cardinal Mazarin (1661) qui marque le début du pouvoir personnel et absolu du roi Louis XIV avec pour conséquence la prise en main en France du religieux par le politique.

Même si Bénigne Vachet, un secrétaire et compagnon de Lambert a écrit des *Mémoires* qui traitent de la vie de Lambert, le texte de base reste la *Vie de M. de Beryte*[2]. Il est attribué à Jacques-Charles de Brisacier et est resté longtemps manuscrit. Il aurait été écrit en 1685, six ans après la mort de son

1. 1660 est considéré comme le début du « classicisme français » en littérature et dans les arts, nous sommes alors dans le « grand siècle » français, le règne de Louis XIV.

2. Ce texte manuscrit, à la fois anonyme et sans titre, est attribué à Jacques-Charles de Brisacier par une note des Archives des MEP souvent reprise. Elle indique : « Cette biographie, attribuée à Jacques-Charles de Brisacier, fut composée en 1685, année où Mgr de St Vallier, nommé coadjuteur de Mgr. de Montmorency-Laval, partit pour le Canada, cf. de Rochemonteix, *Les Jésuites et la Nouvelle France au XVIIe siècle*, III, p. 306 ». Mais une lettre de J.-C. de Brisacier à François Lefebvre, datée de février 1685 et conservée par les AMEP, au volume 9, p. 543-548, mentionne le départ de Mgr de St Vallier pour le Canada et deux autres lettres au même destinataire et datées également de 1685 annoncent la rédaction par Brisacier et ses collègues d'une *Vie de M. de Beryte* (ou de Berithe). Il existe quatre exemplaires de cet ouvrage : 1. AMEP, vol. 122 (autographe) ; 2. AMEP, vol. 122B (copie) ; 3. Jean Guennou, dactylographié ; 4. Guennou, imprimé en 1995, non publié (Les exemplaires de Guennou se trouvent en AMEP, Lambert de la Motte, boîte 2). Il en existe aussi au volume 122 une table des matières titrant et numérotant les paragraphes avec pour titre : *Vie de Mgr Lamothe Lambert, évêque de Béryte*. Jean Guennou a repris ce titre sous la forme : *Vie de Monseigneur de La Motte Lambert*. Nous suivons ici le titre donné par Jacques-Charles de Brisacier dans sa lettre du 8 juillet 1685 : *Vie de M. de Beryte*.

héros, et c'est à lui que tous les autres biographes ont fait référence depuis 350 ans, y compris les Archivistes des Missions Étrangères. De siècle en siècle les auteurs se succèdent en se confortant les uns les autres alors que leur source commune reste invérifiée. On n'a jamais mis en doute l'existence d'un *Journal intime* de Lambert que seul Brisacier aurait consulté et utilisé. On n'a jamais cherché à savoir quel rapport Brisacier entretenait avec Lambert du vivant de ce dernier, comment, par exemple, après avoir toujours nié tout caractère surnaturel aux inspirations de Lambert, Brisacier pouvait écrire que Lambert avait tout appris de l'Esprit Saint. On n'a pas lu la lettre que Pallu adressait en 1677[1] pour exhorter Brisacier, Gazil et les membres du séminaire à se réconcilier avec Lambert contre lequel ils n'avaient cessé de se battre[2]. Dès lors on n'a pas cherché à savoir quel motif poussait Brisacier à écrire, toute autre affaire cessante, une telle « Vie édifiante » sur Lambert, quelques années après sa mort.

C'est alors que nous avons dû nous rendre à l'évidence : notre recherche pour être scientifiquement valable devait passer par un examen critique de la valeur de l'œuvre sur laquelle reposait tout ce que nous avions appris sur la vie de Lambert.

En effet, dans cette biographie, Brisacier ne dit rien des *Instructions* que Rome a données à Lambert en l'envoyant en Asie, il omet ce que Lambert considère partout comme l'œuvre de sa vie, les Amateurs de la Croix, dont son Corps apostolique est le prélude, il oublie les tractations avec le Vatican pour y faire admettre les trois vœux, enfin et surtout il ne dit pas un mot du débat que Lambert soutint durant tout son ministère à propos du financement des missions par le commerce des missionnaires.

Pourquoi de tels silences de la part de Brisacier ? Si personne ne semble s'être posé la question, notre thèse aidera peut-être à trouver quelques réponses. Brisacier qui prétend posséder un document introuvable de Lambert, paraît pourtant n'avoir jamais eu l'occasion de lire les nombreux documents autographes de Lambert conservés dans les Archives des Missions Étrangères. On peut se demander pourquoi a été écrite peu de temps après sa mort une vie de Lambert qui, tout en se présentant comme une hagiographie, tient si peu compte de ses préoccupations essentielles[3].

---

1. François PALLU, *Lettres de Monseigneur Pallu*, écrites de 1654 à 1684, établi par Adrien LAUNAY, présentation et appareil critique par Frédéric Mantienne, Les Indes savantes, 2008, p. 231-233, L. n° 76, écrite à Rome le 3 novembre 1877 à M. de BRISACIER (AMEP, vol. 103, p. 364).

2. *Ibid.*, p. 218-219 (version imprimée incomplète), L. n° 69 de F. PALLU aux Procureurs Généraux du 3 septembre 1673 (AMEP, vol. 102, p. 507-523 ; vol. 27, p. 322-335).

3. Jean GUENNOU : "Peut-on se fier à une telle biographie ?" (AMEP, Lambert de la Motte, boîte 9, Notes du journal et divers).

Eric Suire, spécialiste des biographies religieuses des XVIIe et XVIIIe siècles, peut nous éclairer sur ce sujet.

Durant 350 ans on colporta les erreurs de Brisacier en y ajoutant une fausse accusation, celle d'affirmer à tort que Lambert a voulu faire des Missions Étrangères une Congrégation religieuse[1] ; puis une autre accusation se fit jour, celle de jansénisme, et on prétendit que Lambert, mystique exalté, ne pouvait être un bon théologien. Pendant plus de trois siècles aucune étude des sources ne fut entreprise en France pour confirmer ou infirmer ces accusations. Et pourtant les documents existent pour les réfuter[2].

Henri Chappoulie écrivait en 1943 qu'il y avait chez Lambert des expressions familières à Jean de Bernières et aux mystiques normands « entièrement tournés vers les raffinements de la perfection intérieure »[3]. Mais l'archiviste des Missions Étrangères, Jean Guennou, réfute l'affirmation d'une influence de Jean de Bernières sur Lambert. Par ailleurs il reconnaît que la Congrégation Apostolique voulue par Lambert n'était pas une Congrégation religieuse[4].

C'est un archiviste des Missions Étrangères de Paris, Henri Sy[5], qui a commencé à déchirer le voile sur Lambert en publiant des documents inédits qui permettent d'éclairer la volonté des responsables de la Procure de Paris[6] de régenter l'ensemble des Églises d'Asie, confiées par Rome aux seuls vicaires apostoliques. Cette volonté hégémonique est en grande partie responsable de l'opposition constante des procureurs à Lambert. Le conflit se poursuivit avec ses successeurs pendant un siècle et ce sont les missionnaires

1. La même accusation avait atteint saint Vincent de Paul pour la même raison : les trois vœux qu'il avait imposés aux lazaristes.

2. François Deydier écrit à ses amis de Toulon que le jansénisme est une cause d'exclusion pour les missionnaires apostoliques (lettre à ses amis de Toulon du 20 janvier 1665, AMEP, vol. 116, p. 563) et Lambert se mettra violemment en colère contre Pallu quand il découvrira que Pallu présente à Rome la Congrégation Apostolique comme un nouvel ordre religieux dont Lambert serait le premier supérieur (Lettre de Lambert à Pallu du 31 janvier 1668, AMEP, vol. 876, p. 575 ; cf. Guennou, transc., L. n° 111).

3. Henri Chappoulie, *Aux origines d'une Église, Rome et les missions d'Indochine au XVIIe siècle*, t. 1, Paris, Bloud et Gay, 1943, p. 142. commentant P. Lambert de la Motte, *Abrégé de Relation*, AMEP, vol. 121, p. 657-658 ; cf. J. Guennou, transc., § 23.

4. Jean Guennou, *Missions Étrangères de Paris*, Paris, Fayard, 1986, p. 123-124 : C'est selon lui une explication superficielle de dire que Lambert a puisé dans le *Chrétien Intérieur* de Jean de Bernières, « Bernières est aussi lyrique à l'égard du Saint-Sacrement qu'à l'égard de la Croix ; il a, de plus, consacré un livre à la solitude, un autre à l'oraison ».

5. Henri Sy, *La Société des Missions Étrangères – Les débuts : 1653-1663*, Paris, Églises d'Asie, collection Études et Documents n° 6, 1999, et *La Société des Missions Étrangères – La fondation du Séminaire : 1663-1700*, Paris, Églises d'Asie, collection Études et Documents n° 10, 2000.

6. À l'époque, les membres du séminaire n'allaient pas en mission hors de l'Europe.

qui finirent par l'emporter dans la seconde partie du XVIIIe siècle en prenant en mains leur Société.

Dans la biographie de Lambert écrite par Brisacier, c'est le nombre d'informations non corroborées par les écrits de Lambert et de ses contemporains qui crée le doute chez Jean Guennou dans ses notes[1], notamment à propos de la difficulté de trouver à Paris en 1685 des témoins de l'enfance de Lambert et à propos du projet que l'on aurait fait en 1654 à l'Ermitage de Caen de proposer Lambert comme évêque du Québec alors qu'il n'était à ce moment-là qu'un simple laïc. Dans ses notes également Guennou ne semble pas tout à fait convaincu de l'existence du *Journal intime* de Lambert.

Une théologie « si peu connue » : la mission continue de Jésus

En termes de spiritualité, Lambert pratiquait la retraite des 40 jours d'inspiration ignacienne en référence avec les 40 jours au désert que Jésus vécut pour préparer sa vie publique, comme celle entre le 14 octobre et le 25 novembre 1663[2] et celle du 25 décembre 1676 au 3 février 1677[3], et Lambert passait chaque jour de longs moments aux pieds du crucifix[4] et organisait souvent les 40 heures d'adoration devant le Saint Sacrement exposé[5] pour lequel il avait une grande dévotion.

Les deux premiers biographes de Lambert, Brisacier et Vachet, s'accordent pour dire qu'il avait acquis une solide formation théologique

1. J. Guennou, AMEP, Lambert de la Motte, boîte 9, Notes du journal et divers.

2. P. Lambert de la Motte, Lettre à M. Duplessis, AMEP, vol. 121, p. 556 ; cf. Guennou, transc., L. n° 55, le 25 novembre 1663; *Abrégé de Relation*, AMEP, vol. 121, p. 657 ; cf. Guennou, transc., § 22.

3. *Id.*, *Journal* du 25 décembre 1676 au 3 février 1677, AMEP, vol. 877, p. 595-596 ; cf. Simonin, transc., p. 243-251.

4. *Id.*, Lettres au cardinal Antoine Barberini, AMEP, vol. 857, p. 161 ; cf. Guennou, transc., L. n° 20, le 6 mars 663 ; à Messieurs de la Compagnie des Missions, AMEP, vol. 121, p. 520 ; cf. L. n° 25, en juin 1663; à M. l'abbé du Val-Richer, vol. 121, p. 533 ; cf. L. n° 34, en juin 1663 ; à Vincent de Meur, AMEP, vol. 121, p. 557 ; cf. L. n° 54, le 25 novembre 1663 ; à M. Duplessis-Montbar, AMEP, vol. 121, p. 557 ; cf. L. n° 55, le 25 novembre 1663; à Gazil, AMEP, vol. 121, p. 576 ; cf. L. n° 70, en 1664; à M. d'Argençon du 20 janvier 1665, AMEP, vol. 858, p. 111 ; cf. L. n° 85 ; à Vincent de Meur du 20 janvier 1665, AMEP, vol. 121, p. 591 ; cf. L. n° 88 ; à Brisacier du 16 novembre 1676, AMEP, vol. 858, p. 361 ; cf. L. n° 172 ; *Abrégé de Relation*, AMEP, vol. 121, p. 666. 675. 397. 711 ; cf. § 26. 31. 41. 49.

5. *Id.*, *Journal*, AMEP, vol. 877, p. 553, les 24-25 décembre 1674; p. 558, les 14, 15 avril 1675; p. 560, le 1er juin 1675; p. 858, le 23 mai 1676; Lettres à Mgr Pallu, 17 octobre 1666, AMEP, vol. 858, p. 125 ; 4 novembre 1666, vol. 876, p. 420; *Abrégé de Relation*, AMEP, vol. 121, p. 663, n° 25.

à Rouen de la part d'un maître indépendant mais ils différaient sur le moment où il l'avait acquise. Pour Vachet, c'était avant son sacerdoce[1], et pour Brisacier, c'était après[2]. Tous deux convenaient que les occupations de Lambert ne facilitaient pas les études théologiques et Brisacier trouva bon pour l'édification de ses lecteurs de prétendre que Lambert avait tout appris directement de l'Esprit Saint[3]. Il aurait mieux valu que le biographe leur donne le contenu de ce savoir.

Après la déchristianisation provoquée par les guerres de religion, Jean Eudes trouvait le thème de la mission continue de Jésus approprié à une nouvelle évangélisation de l'Europe. Lambert pour qui la différence entre évangéliser ou ré-évangéliser n'était pas fondamentale, appliquait la même théologie à l'implantation de l'Évangile en terre païenne.

Les lettres que Lambert envoie en France et à Rome tranchent avec les rapports d'activité habituels chez les autres missionnaires ; il n'y dit pas seulement de manière très concrète ce qu'il fait mais pourquoi et au nom de quoi il le fait ; c'est l'apport de l'expérience de dix ans de la magistrature qu'il a exercée à Rouen avant sa vocation ecclésiastique. Sa pensée ne part de la spéculation théologique que pour aboutir aux situations concrètes et inversement il ne traitera des problèmes concrets de la mission qu'en les rattachant à la théologie.

Certains ont voulu voir en Lambert un mystique par le développement de sa vie intérieure et parce qu'il exerçait sa pensée logique à partir des intuitions reçues au cours de longues méditations quotidiennes. On ne peut pourtant pas comprendre la pensée de Lambert si l'on s'attache à y découvrir les éléments d'une spiritualité classique. Certes on pourrait ainsi relever une série de thèmes de spiritualité, le primat de l'oraison, la méditation de la croix, l'abandon au Saint-Esprit et à la Providence, l'importance du sacrifice, etc. Mais c'est sa synthèse qui constitue la véritable spiritualité de Lambert englobant pour lui toutes les autres[4]. Il l'a tirée des

1. Bénigne Vachet, AMEP, vol. 877, p. 681 : « Il était assez savant pour lui, mais il fallait le devenir pour les autres. En très peu d'années, on le vit avec étonnement un excellent théologien, un jurisconsulte consommé qui n'ignorait rien de l'histoire ecclésiastique, possédant à fond l'Écriture et les Canons et les Pères ».

2. D'après Brisacier : « Il fit cette étude sous la Direction d'un habile et vertueux Prestre d'Irlande qui ayant jusqu'alors repeté la theologie dans l'université de Paris se rendit a Roüen aupres de luy pour y faire la mesme fonction » (J.-C. de Brisacier, AMEP, vol. 122, p. 44, n° 99 = vol. 122B, p. 29 = Jean Guennou, dartylographié, p. 33 = J. Guennou, imprimé en 1995, non publié, p. 23, AMEP, Lambert de la Motte, boîte 2).

3. J.-C. de Brisacier, AMEP, vol. 122, p. 45, n° 102 = vol. 122B, p. 30 = Jean Guennou, dartylographié, p. 34 = Jean Guennou, imprimé en 1995, non publié, p. 24, AMEP, Lambert de la Motte, boîte 2.

4. P. Lambert de la Motte, Lettre à Vincent de Meur et aux amis de Paris, relations d'oraison du 3 novembre 1663, AMEP, vol. 116, p. 560 ; cf. Guennou, transc., L. n° 53 bis :

enseignements théologiques de saint Jean Eudes sans pour autant développer la même dévotion aux cœurs de Jésus et de Marie, ni même parler des états et mystères de Jésus qui font de Jean Eudes un vrai bérullien. Nous tirons cependant ce rapprochement du travail du théologien eudiste, Clément Legaré[1], qui a mis en lumière le thème de la mission continue de Jésus dans les œuvres eudésiennes. Or c'est dans le séminaire eudiste de Coutances que Lambert, ami et bienfaiteur de Jean Eudes, s'est préparé au sacerdoce.

On a l'habitude de dire aujourd'hui avec Vatican II et *Lumen Gentium* que c'est l'Église qui continue la mission de Jésus[2] après l'Ascension où il prend place à la droite de Dieu ; l'Esprit Saint est alors donné pour permettre à l'Église d'accomplir sa mission, la présence de Jésus se maintenant à nos côtés par sa Parole et par l'eucharistie.

La doctrine de la Mission continue de Jésus chez Jean Eudes et Lambert n'est pas contradictoire avec ce qui est pour nous habituel, mais elle met l'accent plus sur l'œuvre de Dieu que sur l'œuvre de l'homme. Elle consiste à dire qu'après l'Ascension ce n'est pas l'Église qui poursuit par elle-même la mission de Jésus avec l'aide de l'Esprit Saint mais c'est Jésus qui poursuit en l'Église son œuvre d'enseignement dans le monde et de salut par la croix. La nuance peut paraître imperceptible à certains car dans cette conception particulière, l'Incarnation de Jésus demeure après sa Résurrection, son Ascension et sa Glorification, mais elle se poursuit en se développant, toujours par l'opération du Saint-Esprit, en un Corps qui est l'Église et en chacun des membres qui la composent.

Pour que la mission de Jésus se continue, les baptisés doivent lui laisser la disposition de tous les moyens humains dont ils disposent eux-mêmes pour agir, c'est-à-dire mémoire, intelligence et volonté, ainsi que tous les dons de la grâce mais aussi leur chair et leur sensibilité capables de souffrir et de vivre le mystère de la croix par amour[3]. C'est l'Esprit Saint qui opère

---

« Dans ce corps seroient receues toutes sortes de personnes qui en seroient jugées dignes mesme des religieux de quelque ordre que ce fut supposant que cette divine compagnie eut lapprobation du St Siege sans quoy il ny faut pas penser parce quen ce cas cet institut seroit iugé sans doute le plus parfait de tous les autres ordres particuliers qui sont dans la Ste Eglise puis quil contiendroit en soi les perfections de tous les autres eminemment et les surpasseroit en ses veües en ses moyens et en sa fin ».

1. C. Legaré, *La mission continue de Jésus et le bérullien Jean Eudes, sémiotique du discours religieux.*

2. *Lumen Gentium*, chap III, 20 : « Cette mission divine, confiée par le Christ aux Apôtres, devra durer jusqu'à la fin du monde ».

3. Ignace de Loyola : « Prenez, Seigneur, et recevez toute ma liberté, ma mémoire, mon intelligence et toute ma volonté, tout ce que j'ai et possède, Vous me l'avez donné : à vous, Seigneur, je le rends » (*Exercices Spirituels*, § 234).

ce développement de l'Incarnation[1] et de la Rédemption chez ceux qui se soumettent à lui par un acte conscient et volontaire.

Le baptême est pour lui le moment où Jésus nous fait entrer dans son dessein d'amour pour le monde et nous y fait participer en lui permettant d'étendre son Incarnation à son Corps mystique. En revêtant le Christ nous mettons à sa disposition une chair nouvelle pour qu'il y continue et achève[2] l'œuvre de la Rédemption :

> « Puisque le dessein que Dieu a eu en mourant pour le salut de tous les hommes a esté pour les obliger de mourir a eux mesmes et de ne vivre qu'a luy, suivant la doctrine du grand apostre aux Corinthiens, ch. 5 et pro omnibus mortuus est Christus ut qui sibi vivunt iam non sibi vivant sed ei qui pro ipsis mortuus est et resurrexit [2 Co 5, 15]. Il est du devoir d'un pasteur particulierement dans une eglise naissante de faire cognoistre cette verité si peu connue aux chrestiens »[3].

L'essentiel de la conduite de celui qui accepte de laisser le Christ agir en lui pour qu'il continue sa mission de salut dans le monde, c'est précisément, pour n'y pas faire obstacle, de mourir à soi-même, excluant toute recherche de soi dans l'abandon de toutes ses facultés à la conduite de l'Esprit Saint pour que notre vie ne soit plus à nous-même mais au Christ et pour pouvoir dire avec saint Paul : « Ce n'est plus moi qui vis mais c'est le Christ qui vit en moi » (Ga 2, 20).

Les promesses du baptême sont essentielles pour Lambert comme elles le sont pour la plupart des grands spirituels du XVIIe siècle en France. Alors que Bérulle règle la question de leur renouvellement nécessaire par le vœu de servitude et Condren par le vœu d'hostie, Jean Eudes choisira la confession générale et après lui Louis-Marie Grignion de Montfort proposera la consécration à Jésus par Marie. C'est aussi pour renouveler les vœux du baptême que Lambert optera pour une forme nouvelle et non religieuse des trois vœux de pauvreté, chasteté et obéissance ; il la proposera à tous ceux qui se destinent à l'évangélisation de l'Asie. Pour lui, il s'agit aussi de ne pas faire obstacle à l'annonce de l'Évangile par des comportements manifestement opposés à la sainteté aux yeux des Asiatiques.

Pour servir d'introduction à la pensée de Lambert et pour comprendre de quelle façon il mélange le concret et l'abstrait, les grandes perspectives et les problèmes immédiats, nous prendrons à titre d'exemple deux lettres représentatives de toute sa correspondance, une lettre écrite au prince de

1. Il n'y a pas de nouvelle Incarnation, car c'est avec son corps ressuscité que Jésus est dans la gloire du Père, mais il y a une extension de ce corps à toute l'humanité.

2. Cf. Le Plérôme, l'achèvement mystique du Christ dans l'Église.

3. P. Lambert de la Motte, *Abrégé de Relation,* AMEP, vol. 677, p. 209 ; cf. Guennou, transc., § 122.

Conti, frère du Grand Condé, et une autre en latin au Secrétaire de la Sacrée Congrégation de la Propagation de la Foi.

L'avantage de présenter d'amblée ces deux lettres au lecteur, c'est de lui permettre un contact direct avec le personnage à étudier et une immersion dans son époque, assez éloignée de la nôtre.

Exceptionnellement nous présenterons ces deux lettres dans leur intégralité, car Lambert de la Motte y révèle sa personnalité complexe, fascinante aux yeux de ceux qui l'ont rencontré à Rouen, à Rome et sur le terrain missionnaire. On peut être frappé par l'élégance de son français, certains passages lyriques évoquent Corneille natif de Rouen et avocat au Parlement de Rouen[1] où Lambert a pu le rencontrer, on lit en effet dans la première lettre : « Je suis banni à perpétuité de l'Europe par un décret que j'adore, pour venir finir ma vie en ces extrémités du monde »[2]. C'est aussi un langage judiciaire, Lambert se dit ici condamné à l'exil à perpétuité par la justice de Dieu qu'il adore. On peut trouver des formes d'attendus, d'articles de jugement, quand l'ancien magistrat Lambert a un jugement à porter sur quelque chose ou quelqu'un. En fait, il n'avance rien s'il ne l'a pas étayé par plusieurs arguments. Nous avons choisi de citer intégralement deux de ses lettres, car son style témoigne de la prédominance chez lui de la raison sur l'émotion alors qu'on a voulu le présenter comme un mystique déraisonnable.

Ce qui parle chez Lambert, c'est à la fois la sincérité de son cœur et la logique rigoureuse de son intelligence. Le contenu de ses lettres diffère profondément des comptes rendus par lesquels les missionnaires espèrent maintenir l'intérêt de leurs bienfaiteurs. Lambert parle avec fermeté, n'hésitant pas à développer une démonstration tout en livrant son intériorité la plus profonde. Il n'y avait sans doute pas une grande différence entre le langage oral de Lambert et son langage écrit. La puissance de conviction de son style, c'est ce qui avait pu si rapidement venir à bout des réticences romaines à l'envoi de vicaires apostoliques français en Asie[3].

Dans ses lettres en latin, Lambert, ancien magistrat, montre sa familiarité avec cette langue qui est celle du droit romain, employée encore au XVIIe siècle comme langue juridique en France. Il en exploite et même accentue la

1. Leur rencontre est en effet probable. Pierre Corneille né en 1606 et mort en 1684, s'est inscrit en juin 1624 comme avocat au Parlement de Rouen. Il acquiert deux charges en 1628 qu'il revend en 1650 quand Mazarin le nomme Procureur, mais cela lui porte tort à Rouen en pleine Fronde et il est destitué l'année suivante. Il doit quitter le Parlement de Rouen sans autre revenu que son théâtre et la traduction en vers de l'Imitation de Jésus-Christ. Lambert, quant à lui, exerce en qualité de Conseiller au Parlement de Rouen de 1646 à 1656.

2. On trouve souvent le verbe 'bannir' dans l'œuvre de Pierre Corneille, comme dans *Médée* où il écrit : 'et banni que je suis, je leur suis plus qu'un roi' ou comme dans *La Suivante* : 'parce que j'aime trop, j'ai banni ce que j'aime'.

3. B. VACHET, *Mémoires de Vachet*, AMEP, vol. 110, p. 47-48.

précision et la clarté, comme on va le voir dans la seconde lettre écrite en latin[1] au Secrétaire de la Sacrée Congrégation de la Propagation de la Foi. Cette lettre est bâtie comme une plaidoirie en faveur de la nomination d'autres vicaires apostoliques pour l'Asie, les arguments se suivant dans un ordre étudié. Un dernier argument va être ajouté à cette lettre pour provoquer un effet qui peut être mis au compte d'une parfaite sincérité ou d'une suprême intelligence : c'est la présentation de la démission de sa charge épiscopale. Si le pape n'est pas convaincu par les arguments de Lambert, il lui suffit d'accepter sa démission qui lui a été adressée par l'intermédiaire de Jacques de Bourges[2].

Lambert avait peut-être une autre raison personnelle de se démettre, n'avait-il pas reçu comme Instruction de se contenter de tenir Rome au courant de ce qu'il verrait concernant l'état des Missions ? Or il avait dénoncé au public français le commerce des religieux et leur effet qu'il jugeait pernicieux. Si telle était la raison de Lambert ses opposants ne pourront obtenir de Rome l'acceptation de cette démission, en fait elle hâtera la prise de position du pape en faveur de Lambert. C'est Mgr Alberici qui refusera par écrit cette démission[3].

Après ce contact direct avec la personne de Lambert, permis par ces deux lectures, nous pourrons aller plus avant dans son étude et en particulier dans l'étude de sa pensée inséparable de sa vie.

La lecture complète de deux lettres de Lambert a un autre intérêt, celui d'apprécier la relation que leur auteur établit entre trois composantes, le constat des situations concrètes, le commerce des clercs qui s'oppose à l'annonce de l'Évangile, le développement d'un thème théologique comme celui de la mission continue de Jésus et l'exposé d'un projet ecclésiologique destiné à permettre le développement du christianisme en Asie[4]. La lettre en français à destination de Paris traite surtout des deux premiers sujets sans développ-

1. Le latin étant aussi la langue officielle de l'Église.

2. Ce que Launay appelle 'démission' adressée au Roi Louis XIV par Lambert n'est en fait qu'une demande de transfert de titre (bénéfice ou pension) a son successeur N (sans doute Jacques de Bourges).

3. Mgr Alberici, Lettre à Lambert en latin, AMEP, vol. 121, p. 32 : « Par ailleurs Votre Grandeur apprendra par Jacques de Bourges avec quelle bienveillance le Siège Apostolique et cette Sacrée Congrégation embrasse cette Mission et chacun d'entre vous et combien ils comptent sur votre piété et votre dévouement à l'égard de la religion catholique pour promouvoir le culte divin. C'est pourquoi, bien que les Cardinaux aient vraiment apprécié votre humble désir de démissionner de cette province, vous leur feriez néanmoins plaisir si vous ne cessiez pas de cultiver cette vigne, sûrs que vous recevrez de Dieu la suprême récompense de votre piété et reporterez la plus haute louange sur la Sacrée Congrégation, je fais donc savoir à Votre Grandeur qu'elle vous ordonne de ne jamais abandonner votre effort pour le progrès de la sainte foi et prie que Dieu vous accorde le plus grand bonheur. À Rome, le 2 juin 1665 » (Trad. J. Ruellen).

4. Ces trois points incontournables chez Mgr Lambert sont volontairement ignorés de J.-C. de Brisacier, ce qui réduit considérablement la valeur et l'intérêt de la biographie qu'il nous propose et que pourtant les auteurs modernes s'obstinent à citer. Ces points feront l'objet de développements dans notre thèse.

per le troisième qui se réduit à une invitation à améliorer le recrutement et la sélection des missionnaires. Par contre la lettre en latin à destination de Rome ne traite pas de théologie mais développe le scandale du commerce des religieux et propose une solution dans une réforme de l'Église en Asie.

Une lettre de Mgr Lambert de la Motte au prince de Conti[1]

Armand, prince de Conti (1629-1666), appartient à la branche cadette des Bourbon-Condé, frère du Grand Condé, marié à la nièce du cardinal Mazarin depuis 1654, père de famille. C'est un laïc dévot comme il en a existé d'autres dans la première moitié du XVIIe siècle, tels Gaston de Renti, Jean de Bernières et Pierre Lambert de la Motte quand il était magistrat au Parlement de Normandie à Rouen. Lambert lui a déjà écrit un an plus tôt, le 10 juillet 1663. Il se confie au prince de Conti avec la confiance issue de leur relation commune avec Pallu, évêque *in partibus2* d'Héliopolis (Baalbeck au Liban) comme Lambert est évêque *in partibus* de Bérithe (Beyrouth au Liban). La lettre commence par une référence à l'invitation de Paul (1 Tm 2, 2) à prier pour les détenteurs de l'autorité dont dépendent la paix et la piété de l'Église :

> « Mgr,
> N. S. J. C. Crucifié soit le seul objet de nostre ame[3].
> Je souhaitterois qen quelque façon que nos Missions ne vous fussent pas si redevables affin de paroistre plus desjnteressé me donnant Lhonneur de vous

1. P. Lambert de la Motte, Lettre au Prince de Conti, AMEP, vol. 121, p. 585-586, cf. Guennou, transc., L. n° 79, en 1664.

2. Ces évêques "*in partibus infidelium*" (dans les territoires des infidèles) occupent des sièges épiscopaux vacants du fait de l'expansion musulmane au Proche Orient ou en Afrique du Nord. Sur le plan ecclésiologique, on donne ainsi de manière fictive une assise territoriale à leur épiscopat ; sur le plan missionnaire, c'est une invitation symbolique à reconquérir ces évêchés perdus ou à en trouver la compensation en terre païenne. Les vicariats apostoliques sont des circonscriptions ecclésiastiques provisoires placées directement sous administration du Saint-Siège en attendant que soient créés des évêchés dès que la communauté catholique est suffisamment importante et que les prêtres autochtones sont suffisamment nombreux. Cela a été le cas pour le Vietnam.

3. L'usage de commencer ses lettres par une maxime propre à l'auteur est alors courante chez les hommes d'Église. Bérulle avait choisi : « La grâce de Jésus-Christ Notre Seigneur soit avec vous pour jamais ! », Saint Vincent de Paul a opté pour la même maxime : « La grâce de Notre Seigneur soit avec vous pour jamais ». Le choix de Lambert exprime sa spiritualité de la croix. L'amour de la croix est pour lui l'amour de Jésus crucifié qui est l'objet de toutes ses méditations et de sa contemplation. Jean Guennou (*Missions Étrangères de Paris*, p. 124) signale que c'est en 1662 après sa retraite de 40 jours lors de son arrivée au Siam que Lambert ajouta « Crucifié » à « Jésus-Christ ».

escrire. nostre cher Prelat Mgr d'heliopolis ma raconté la maniere que vous avez tenüe en Son Endroit peu de iour avant son départ dont jay recu une ioye indicible parce que Vostre Altesse na peu agir de la sorte sans en avoir receu une grace particuliere de la bonté de Dieu. Il ne mestoit pas necessaire de cette nouvelle obligation[1] pour mengager a prier pour[2] votre sanctiffication puisque[3] ie suis banny aperpetuité de LEurope par un decret que iadore pour venir finir ma vie en ces extremitez du monde. Il ne sest presque point passé de iours que ie n'ay fait des vœux a la divine miséricorde pour ce sujet[4] cest une pensée que iay que ceux qui sont fort engagé au service de Jesus Christ doivent extremement prier pour les grands princes parce que de leurs bonnes ou de leurs mauvaise vie depent le salut ou la danation de plusieurs. Cest aussy ce me semble la plus grande marque de reconnoissance quon leur doit et dont ils doivent faire plus destime ».

Quitte à paraître toujours intéressé dans ses lettres au Prince de Conti, Lambert commence sa lettre par une demande qui lui est imposée par l'urgence de la charité à l'égard de la situation des deux mille employés français de la Compagnie des Indes hollandaises[5] qui ne peuvent pratiquer leur religion. Il s'agit pour le Prince de soutenir auprès de Louis XIV une demande d'intervention que Lambert vient d'adresser au roi et dont on parlera plus loin[6] :

« Je supplie très humblement V Altesse de trouver bon que iela prie d'un grand œuvre de Charité qui est de faire instances pres du Roy pour la Liberté et le salut d'environ 2000 de ses sujets qui sont engagé aservir la Compagnie d'hollande lesquels ne peuvent pas morallement parlant bien mourir parce que on ne leurs permets pas de vivre en catholique ny den professer la Religion au lieu mesme ou il y a des Eglises[7] nous avons veüe plusieurs de ces pauvres françois qui nous ont bien donné de la douleur considerant le perils ou ils estoient ; pour n'estre pas Infidelle aux mouvement que i'en ay eu ie me donne lhonneur d'en escrire a S.M. et croyant que ie pouvois en cette occasion sortir de ma vocation ie luy envoie un estat de quelque chose quil sera peutêtre bien aise[8]

1. La transcription des manuscrits de Lambert est le premier obstacle à surmonter, nous n'avons pas suivi ici Jean Guennou qui a transcrit « occasion » au lieu de « obligation ». Nous montrons seulement à titre d'exemple quelques choix d'interprétation que nécessitent les manuscrits des textes de Lambert.

2. Guennou transcrit « par » au lieu de « pour ».

3. Guennou transcrit « parce que » au lieu de « puisque ».

4. Guennou place un point à cet endroit.

5. Cette compagnie commerciale est à l'origine de l'expansion hollandaise en Indonésie et de la fondation de Batavia, aujourd'hui Jakarta, la capitale de l'Indonésie.

6. P. Lambert de la Motte, Lettre au roi Louis XIV, AMEP, vol. 121, p. 583 ; cf. Guennou, transc., L. n° 78.

7. Guennou place un point à cet endroit.

8. Guennou transcrit « aisé » = « facile » au lieu de « aise » = « content ».

> de scavoir particulierement s'il prenoit resolution de rompre avec les hollandois qui font voir par leurs actions quils sont les plus grands ennemis que la Religion Catholique puisse avoir dans les Indes[1] et en tous ces quartiers ».

Lambert alerte aussi tous ses correspondants en leur transmettant son *Abrégé de Relation*[2].

Pour Lambert, les hommes de pouvoir sont responsables du bien public non seulement par des interventions directes mais par le choix de ceux qui les représentent auprès de leur peuple. En France, cela s'étend au pouvoir de nomination dans les charges ecclésiastiques. Lambert a déjà rappelé au roi Louis XIV sa responsabilité dans ce domaine[3]. C'est la sainteté des impétrants et non les services qu'ils ont rendus à la couronne qui doit guider le choix du roi. Dans sa lettre au prince de Conti, Lambert l'encourage à user de son influence pour qu'il en soit ainsi dans les nominations des missionnaires, qu'ils soient réguliers ou séculiers. Lambert espère que le prince de Conti pourra obtenir que l'aptitude de tous les religieux français qu'on veut envoyer en Asie du Sud-est soit vérifiée par le séminaire des Missions Étrangères :

---

1. Pour l'Europe du XVIIe siècle, l'Extrême Orient était constitué de deux entités géographiques : la Chine et ses satellites historiques et les Indes (et non pas l'Inde) constituées de tous les pays bordant l'Océan indien depuis les frontières orientales de la Perse jusqu'aux frontières occidentales du Vietnam et depuis l'Ile de Madagascar jusqu'à l'Indonésie (« îles des Indes »). Au Siam, Lambert se situe à l'extrémité des Indes (AMEP, vol. 121, p. 656). On parle d'Indes en référence au fleuve Indus jusqu'où Alexandre le Grand établit son empire et la civilisation grecque ; l'au-delà de l'Indus, les Indes, c'était le reste du monde qui ne bénéficiait pas de la civilisation grecque. Les Indes représentent alors les peuples lointains et les pays qu'on ne connaît pas. Mais cette définition est essentiellement géographique. On donne le nom d'Indochine (Indes et Chine) à une région limitrophe ayant reçu les influences des Indes (Cambodge et Laos) et de la Chine (Vietnam). Mais la difficulté ne s'arrête pas là car la découverte de la rotondité de la terre amena les Européens à rechercher les Indes par ce qu'ils croyaient être un raccourci en naviguant plein ouest sur l'Océan Atlantique, c'est ainsi qu'en 1492 Christophe Colomb aborda les Caraïbes qui étaient pour lui les îles des Indes. On parla ainsi des « Indes occidentales » à propos du nouveau continent découvert. Au XIXe siècle la reine d'Angleterre Victoria a été couronnée Impératrice des Indes à cause des régions asiatiques que l'Angleterre possédait à titre de colonies, on y trouve aujourd'hui des états comme le Pakistan, le Bengla Desh, l'Inde, Ceylan (Sri Lanka), la Birmanie, la Malaisie, Singapour, l'Ile Maurice, etc. Pour les Indes, on parlerait aujourd'hui plus simplement d'Asie du Sud et d'Asie du Sud-Est.

2. P. LAMBERT DE LA MOTTE, *Abrégé de Relation*, AMEP, vol. 121, p. 656. 680; cf. Guennou, transc., § 21. 33.

3. *Id.*, Lettre au roi, AMEP, vol. 121, p. 523-524 ; cf. Guennou, transc., L. n° 27, juin ?, 1663.

« Que si le Roy vouloit quelque jour[1] envoyer aux lieux où ils se sont établis[2] soit pour les interests de la Religion, ou de l'estat je conjure V.A. au nom[3] de Dieu d'avoir lœil que les Ecclesiastiques ou les Religieux quon destineroit a venir icy en soient jugé digne par les préposé du seminaire des Missions Estrangers de Paris[4] autrement on perdra ceux qui ne sont point appellés en ces emplois et lon n'avancera rien en la conversion des ames ».

Dans sa lettre, Lambert donne la raison de cette exigence, c'est la menace que fait peser sur le christianisme d'Asie le commerce des jésuites portugais, et pour exprimer cette raison Lambert passe du « Je » au « Nous », car il est mandaté au Siam pour l'écrire au nom de tous :

« Nous avons cette exemple funeste devant les yeux de presque tous les ministres de l'Évangile et particulierement des pères Jésuittes des provinces des Indes et du Japon[5] lesquels ayant quitté leurs profession pour faire ouvertement le commerce ont ruiné tout les fondements du christianisme que le grand St François Xavier y avoit jettez, donnant donc entrée a lavarice qui est au sentiment de lApostre la racine de tous les maux. Ils ont ouvert la porte aux horribles[6] dereglements et au pernicieuses maximes dans lesquels ils vivent en ces lieux-là ».

Dans sa lettre précédente, Lambert avait appuyé sur cette exigence de pauvreté très importante pour ce dévot qu'est le prince de Conti qui appartient à une des familles les plus riches de France[7]. La dénonciation

1. « quelque jour » (= « un jour » = « plus tard) et non « quelques jours » comme Guennou le transcrit.

2. GUENNOU transcrit « sont établis ».

3. Chez GUENNOU : « Je conjure à V.A. au nom de Dieu » au lieu de « Je conjure V.A. au nom de Dieu ».

4. Lambert donne ici au séminaire de la rue du Bac son titre définitif qui n'implique pas encore la création d'une Société des Missions Étrangères de Paris. On remarque que Lambert ne parle pas du Supérieur et des Directeurs de ce séminaire mais seulement de « préposés », terme qui renvoie aux fonctions hiérarchiques. Lambert, Pallu et leurs collaborateurs en mission se considèrent chacuns comme envoyés de la Sacrée Congrégation de la Propagation de la Foi.

5. La province du Japon est alors réduite à la Chine autour du port de Macao et la province des Indes se maintient essentiellement dans celui de Goa.

6. GUENNOU transcrit « terribles » au lieu de « horribles ».

7. P. LAMBERT DE LA MOTTE, Lettre au prince de Conti du 10 juillet 1663, AMEP, vol. 121, p. 525 ; vol. 857, p. 173 ; cf. Guennou, transc., L. n° 28 : « Monseigneur, Je suis obligé de vous avoüer qu'ayant fait un point de perfection de mourir dans lesprit de tous les hommes ie n'ay pas eu Lexactitude que ie devois pour me donner Lhonneur de vous escrire de peur quen me procurant par mes lettres le souvenir d'un grand Prince ie ne trouvasse vie dans vostre esprit qui est un des plus considérable apuis quun homme puisse avoir. Cette veüe qui paroitra peut-etre un scrupule dans la vie spirituelle ne l'est cependant pas puis quelle est renfermé dans ce precepte Evangelique de parfaite imitation de Jésus Christ qui porte que si on ne renonce a tout il n'y a pas moyen destre son Disciple si on ne reconnoist pas cette verité cest assurement faute de lumiere car qui peut douter que ce ne soit la une très grande

du commerce des religieux du patronat portugais est présentée comme une décision synodale et même comme la raison d'être de la tenue du synode de 1664.

En poursuivant sa lettre au Prince de Conti Lambert reconnaît que le pays, où Rome envoie ses missionnaires, présente beaucoup d'éléments favorables à l'évangélisation, mais seulement pour les missionnaires dont la pureté de vie est manifeste :

> « C'est pour eviter un si epouvantable malheur que nous avons creu devoir tenir le sinode que nous envoyons a Rome et en france affin que ceux qui viendront icy scachent la pureté de vie que nostre estat demande : nous pouvons assurer que si nous envoye[1] en tous ces lieux des missionnaires qui soient saints ou qui le veulent estre a quelque prix que ce soit, ils trouveront des avantages qu'ils ne rencontreront pas ailleurs pour cooperer a la conversion des ames ».

Cette insistance sur la sainteté des évangélisateurs pour obtenir la conversion sincère des païens était déjà celle de Bartholomé de Las Casas en Amérique comme nous le verrons en début de troisième partie. Selon Lambert, la sainteté, à laquelle il faut que les missionnaires s'engagent, est la conséquence d'une visée théologique. Il s'agit de permettre à Jésus-Christ de poursuivre sa mission sur la terre et de continuer l'œuvre de Rédemption en son Corps qui est l'Église. En concluant sa lettre au Prince de Conti, Lambert évoque ce qui est demandé au serviteur de l'Évangile : non pas le refus de la vénalité, de l'avarice, de l'intérêt pour le profit, mais une démonstration d'abnégation, d'oubli de soi et de sacrifice dans la parfaite imitation de Jésus-Christ :

> « Estant vray que beaucoup de ces peuples sont susceptibles de lamour et de la connoissance de Jesus Christ et que si les affaires de lEglises sont reduites au misérable estat ou elles sont cest la faute de ces ministres. Je tremble en escrivant ces choses a V.A. dans la veüe de ma misere et de mon neant et finis par le desir insatiable dobtenir de N. S quil continue dans moy le mistere de son Incarnation, de sa pretrise, de son Immolation, de penitent et supliant publique et enfin de son inomigneuse mort. Cest pour cela que ie le conjure de sunir a ma chetive ame d'une façon particuliere pour faire et souffrire ce quil faisoit et souffroit dans

---

richesse et comment avec cela accorder cette maxime estonnante du fils de Dieu quil est plus difficile qu'un Riche entre au ciel qu'un chameau nentre par le trou d'une Eguille si ce nest en suivant le conseil de LApostre possedant toutes choses comme ne les possedant pas parce que dit-il la figure de ce monde passe. Le sens de ces parolles me paroist remarquable en ce quil assure que tout ce qui est créé n'est qu'une figure. Si cela est il n'y a rien de Reel ainsy il ne seroit pas mesme permis a un homme sage dy faire quelque fondement ou bien lon peut dire que cette figure n'est que pour nous representer les biens de l'autre vie dont cette Idée nous est donné pour nous y conduire par le createur de lunivers ».

1. GUENNOU transcrit « je puis vous assurer que si on envoie » au lieu de « nous pouvons assurer que si vous envoiez ».

> son esstat passible ie ne vois pas qu'on puisse autrement bien accomplir ce qui manque a la passion de J.-C. a l'imitation du grand Apostre *adimpleo ea quae desunt passionum Christi* toutes les autres croix me paroissent peu considerables soit qu'on les endure avec patience, resignation, complaisance ou amour de Dieu parce que tout cela ne sont que des sacrifices dun homme au lieu que l'estat dont ie parle cest Jesus Christ qui souffre et opere immédiatement par luy mesme dans nos corps et dans nos ames. Sy Javois plus des temps ie ne craindrois point de lasser V.A. a lentretenir d'une si rare, si importante, et si divine matiere mais ie suis obligé de vous demander encor congé après vous avoir rendüe mes très humbles respects, en qualité, etc. »

Dans sa Lettre précédente, Lambert avait dit au prince de Conti que la vraie pauvreté n'est pas l'absence de richesse mais de vivre comme si l'on n'était propriétaire de rien (1 Co 7, 30). Pour Lambert, les richesses sur lesquelles on s'accroche pour que notre vie reste sous notre contrôle au lieu de l'offrir au Christ, ce sont nos facultés humaines, la mémoire, l'intelligence, la volonté. Pour lui les vœux de perfection n'ont pas de sens s'ils ne concernent pas ces facultés[1].

La pauvreté spirituelle correspond à la soumission de tout notre être et de nos facultés à l'Esprit Saint pour que s'y poursuive l'Incarnation de Jésus comme on va le voir dans la lettre suivante. Pour Lambert, nous ne sommes plus là au simple niveau de la morale, de la pratique de la charité, ni au niveau d'une spiritualité de l'abandon, on entre dans la question de notre participation à la mission du Christ, le salut du monde.

Lambert, en se désolidarisant du mal qui est commis dans la communauté chrétienne, prend le risque du schisme qui durera jusqu'à la fin de sa vie malgré ses efforts. Il a pu constater que le bouddhisme et l'Islam prennent en Asie des visages différents par des tendances différentes, ce n'est pas cette variété constatée chez les chrétiens qui crée le scandale en Asie mais c'est, comme pour les pharisiens de l'Évangile, la différence entre ce qui est dit et ce qui est fait au sein de la communauté chrétienne, une exigence de

1. P. Lambert de la Motte, Lettre au prince de Conti du 10 juillet 1663, vol. 857, p. 173 (autographe) ; cf. Guennou, transc., L. n° 28 : « La necessité destre pauvre dans le sens de l'Evangile ma fait souvent penser qu'on devoit un peu plus expliquer en quoy consiste cette pauvreté et que ce nest pas seulement dans la possession des trois vœux de Religion mais que cest particulierement a se priver a jamais de lusage et de la faculté des puissances de lame si ce nest en tant quelles sont mües du divin esprit pour agir suivant son bon plaisir car en effet quest ce que de renoncer aux choses exterieures si on ne renonce a soy mesme, quest ce que de fuir lhonneur si lon conserve en soy sa propre estime, quest ce que de haïr les creatures si lon sayme, et enfin quest ce que de quitter les biens de fortune si l'on retient ceux de nature, faute de cette intelligence on rampe dans le christianisme et dans beaucoup de Religions et puisquil ne faut jamais esperer davoir part a la perfection de la vie de lesprit si lon ne suit les parolles et les exemples de Jesus Christ dans un abandon total et dans les lumineuses obscurites de la foy » (Dans une copie en AMEP, vol. 121, p. 525, 'divin esprit' est remplacé par 'St Esprit').

conversion qui, en Asie, n'est pas constatable chez ceux qui prétendent y exhorter les Infidèles.

Une lettre de Mgr Lambert de la Motte au Secrétaire de la Sacrée Congrégation de la Propagation de la Foi[1]

Les lettres en latin de Lambert sont nombreuses, elles concernent essentiellement le pape et la Curie à qui il doit rendre compte régulièrement comme c'est une obligation pour les envoyés particuliers du Saint-Siège. En tant que missionnaire de la Sacrée Congrégation de la Propagation de la Foi, Lambert doit justifier la décision qu'il a prise de renvoyer en Europe Jacques de Bourges, l'un de ses compagnons au Siam :

> « Seigneur très illustre,
> Alors qu'il était décidé que j'écrive à votre illustre Seigneurie toutes les fois que l'occasion se présentait, récemment cela n'a pas été suffisant pour moi, mais cela s'est accompli par notre frère parisien, le très célèbre monsieur de Bourges qui a quitté cette ville il y a quatre mois, pour se rendre à Rome à cause des Missions et de la religion catholique »[2].

La vraie raison de ce retour, c'est la nécessité de témoigner oralement de ce que Lambert a écrit sur la conduite des religieux du patronat portugais en Asie ; ce qu'il a à en dire ne pouvant être cru s'il n'y a que des écrits pour l'affirmer, il faut disposer de la déposition orale de témoins :

> « Si le Dieu très haut et très grand aura béni ce projet mûrement préparé, nous espérons la solution de nombreux doutes et aussi le remède à de très grands maux ; en effet les choses restent comme elles sont, à cause de la corruption des religieux de ces régions, surtout de la société de Jésus »[3].

Lambert affirme que ce qui est en cause, c'est la mission que lui a confiée la Sacrée Congrégation de la Propagation de la Foi en 1658 :

---

1. *Id.*, Lettre au Secrétaire de la Sacrée Congrégation de la Propagation de la Foi, du 9 février 1664, AMEP, vol. 857, p. 201. 203 ; cf. Guennou, transc., L. n° 69, trad. I. Noye, PSS.

2. « *Illustrissime Domine. Cum apud me statuerem toties scribere Illustrissimae Vestrae Dominationi quoties sese offeret occasio non est mihi satis id nuper explevisse per Clarissimum fratrem nostrum Dominum De Bourges Parisinum, qui a quatuor mensibus ex hac urbe discessit causa Missionum atque Catholicae Religionis Romam petiturus* ».

3. « *Si huic Consilio mature habito benedixerit Deus Optimus Maximus, speramus multorum solutionem dubiorum nec non maximorum malorum medelam, rebus enim manentibus ut sunt propter corruptionem religiosorum istarum partium, maxime Societatis Jesu* ».

« Presque aucune occasion ne nous est laissée de travailler utilement et fructueusement dans nos missions, parce que, si par la miséricorde de Dieu nous faisons quelque bien peu à peu, aussitôt par la jalousie, le mauvais exemple, la fausse doctrine de très mauvais ministres, on s'en moque, on le déchire, on le tourne de bien en mal »[1].

Les Infidèles ne peuvent pas faire de distinction entre les mauvais missionnaires et les bons ; le mauvais exemple des premiers enlève tout crédit à la prédication des seconds. Pour Lambert, on ne peut continuer l'évangélisation en ordre dispersé, il faut que les mêmes critères soient appliqués aux religieux et aux séculiers, sous la responsabilité de la Sacrée Congrégation de la Propagation de la Foi :

« C'est pourquoi, si on accorde quelque foi à nos paroles, nous pouvons avec prudence soutenir par un avis commun bien assuré ceci : soit qu'il faut déplacer tous les religieux loin de leur mission, soit qu'il faut en envoyer d'autres qui seront estimés dignes des fonctions divines par la Sacrée Congrégation. La raison de cet avis, c'est que nous avons remarqué que les missionnaires rencontrés jusqu'ici, et aussi ceux que nous n'avons pas vus, nous en sommes certains, sont envoyés sur le lieu de mission par faveur, pour gagner de l'argent, par des cadeaux, sur la demande de quelque autre célébrité, sans qu'on ait examiné s'ils sont capables de remplir ces fonctions. Il s'ensuit que tous, sauf cas très rare, devraient être écartés des missions »[2].

Pour Lambert, tout le mal vient des critères de sélection des missionnaires. Il faut que Rome renvoie en Europe ceux qu'on n'aurait jamais dû envoyer : « Il faut modifier les charges missionnaires de tous les religieux », « ils doivent être déchargés de leur mission ». Et Lambert donne l'exemple en présentant sa démission pour forcer Rome à reconsidérer pour lui-même ses critères de sélection. Aux yeux de Lambert, ces critères sont ceux qui vont servir pour l'entrée dans le Corps Apostolique qu'il envisage de soumettre au pape avec les trois vœux qui y sont attachés. Dans ce cadre, les religieux de tous les Ordres pourront trouver leur place sans crainte d'inobservance de leurs règles propres selon le principe : « Qui peut le plus, peut le moins » :

1. « *Nullus nobis fere relictus est locus utiliter et fructuose laborandi in nostris missionibus, quia si misericors Deus per nos nonnihil boni successu temporis operatur, statim invidia, malo exemplo, prava doctrina pessimorum ministrorum illudetur, concidit, sus deque vertitur* ».

2. « *Quamobrem, si fides aliqua habeatur nostris dictis, possumus prudenter tutâque conferentiâ asserere aut removandos esse omnes religiosos a suis missionibus, aut mittendos esse alios, qui a Sacra Congregatione divinorum munerum digni judicabuntur. Ratio hujus rei est quia animadvertimus missionarios quos vidimus hactenus, idem de iis quos non sumus intuiti pro certo habemus, missi in loca missionum, favore, lucrandi gratia, muneribus, aut rogatu alterius viri nominis, nulla facta consideratione utrum sint harum functionum capaces ; hinc oritur ut omnes, exceptis paucissimis, a missionibus arceri deberent* ».

« Qu'il me soit permis à ce propos de répandre mes larmes, de constater un si grand aveuglement de ceux qui sont liés par les vœux de religion, et qui ont fait profession de la vie parfaite ; qu'il me soit permis également de dire au Souverain Pontife et à la Sacrée Congrégation qui n'ignorent pas mes écrits, que les abus de ce genre ne peuvent absolument pas être supportés plus longtemps ; enfin qu'il me soit permis de demander au nom de Notre Seigneur Jésus Christ quelque soulagement à ces maux très graves. Pour cette raison, j'avertirai qu'il est extrêmement nécessaire de s'assurer le plus soigneusement possible de la science, l'honnêteté, la foi, la patience, la pénitence et la prière de ceux qui doivent être envoyés à l'avenir dans ces parties du monde entier les plus lointaines. En effet la vie apostolique que nous devons mener n'est pas l'exercice du soldat chrétien, mais l'exercice des parfaits. C'est pourquoi, souvent et très souvent, ayant conscience de ma misère, j'ai proposé à Sa Sainteté et à la Sacrée Congrégation, par mes dernières lettres, qu'un autre soit nommé à ma place ; en suppliant, je sollicite la même chose dans cette présente lettre[1].

« Depuis le départ de notre cher frère, il a plu à la miséricorde de Dieu de préserver d'une façon étonnante la vue de sept personnes, hommes et femmes. Le premier dimanche de l'Avent de l'année dernière, un enfant de sept ou huit ans, est tombé dans une maladie très grave, durant huit jours. Pendant tout cet intervalle, ses parents ont fait bien de fois des libations de vin à leurs idoles, pour faire revenir le fils à la santé, mais en vain. Sur les conseils de quelques-uns de nos néophytes qui étaient présents là, le père et la mère ont été convaincus de nous demander d'aller à leur maison. Avec leur accord, aussitôt un des missionnaires se rend à leur invitation ; il voit un triste spectacle : partout la lamentation ; il demande si les parents veulent que l'enfant mourant soit baptisé et qu'il soit dédié au Dieu Unique et Tout-Puissant, qui est capable, et au-delà, de rendre la santé si c'est ce qu'il a lui-même prévu, lui qui aurait même le pouvoir de ressusciter quelqu'un d'entre les morts. Sur leur nouvel accord, il vient à l'esprit du missionnaire de réciter le début du Saint Evangile de Saint Jean ; et comme on en était arrivé à ces paroles vivifiantes : "Et le Verbe s'est fait chair", aussitôt l'enfant d'ouvrir les yeux, de regarder les assistants, et de sourire. Alors, on ordonne qu'il soit amené dans notre chapelle consacrée à Saint Joseph, pour qu'il soit baptisé dans les fonds baptismaux selon les rites de notre Sainte Mère

1. « *Mihi liceat hoc loco fundere lacrimas, cernendo tantam caecitatem eorum qui votis religionis obstringuntur, quique vitam perfectam professi sunt, liceat pariter dicere Summo Pontifici Sacraeque Congregationi illa quae scripsi non ignorantibus ejusmodi abusus ferri diutius nequaquam posse, liceat tandem in nomine Domini Nostri Jesu-Christi his gravissimis malis solatium aliquod petere. Ob eam causam monebo eorum, qui mittendi sunt in posterum in illas totius orbis partes remotissimas, scientiam probitatem, fidem, longanimitatem, paenitentiam et orationem mirum in modum opus esse quam diligentissime explorare, vita enim apostolica, quam gerere debemus, non est christiani militis sed exercitium perfectorum. Quâpropter saepe saepius, cognita meâ miseria ultimis meis litteris proposui Suae Sanctitati Sacraeque Congregationi ut in meum locum alter sufficeretur, idem in hac praesenti epistola supplex efflagito* ».

l'Église[1]. Quelques jours plus tard, ses parents avec cinq autres de la famille ont déclaré vouloir devenir chrétiens, qui tous ont obtenu la grâce ineffable de la nouvelle naissance après deux mois pendant lesquels ils ont participé aux leçons du christianisme. Ces débuts favorables ont facilement donné à penser que la Bonté infinie souhaite, pour les temps à venir, se faire connaître en ce royaume. C'est pourquoi, pour nos missionnaires venant ici, nous avons décidé de laisser un des nôtres qui puisse protéger les prémices de la mission et aussi s'occuper à la conversion du reste du troupeau. À ceci s'ajoute ici une raison de grande importance qui concerne l'opportunité d'envoyer des lettres en Europe et d'en recevoir, ce qui maintenant paraît impossible, s'il ne reste personne qui puisse accomplir cette tâche »[2].

Les résultats de l'évangélisation dépendront du nombre de missionnaires que la Sacrée Congrégation de la Propagation de la Foi pourra envoyer. Lambert rapporte qu'il essaye de son côté de susciter des vocations missionnaires :

> « J'oublie cet espoir que nous avons de voir un jour dans cet état des ouvriers envoyés par la Sacrée Congrégation dont nous pensons que les travaux seront bien utiles, comme il est vrai de dire que parmi des nations que nous avons parcourues il n'y en a aucune qui soit moins étrangère à la religion catholique.

1. Alors que ce miracle a lieu à Juthia en 1664 après le départ de Jacques de Bourges, Vachet et Brisacier racontent un miracle analogue situé en Cochinchine, bien plus tard, celui d'un nourrisson de 8 à 10 mois que Lambert ressuscite en le déposant sur l'autel. Il n'est plus question de proclamation de la Parole de Dieu, de baptême et de conversion, mais on insiste sur le caractère extraordinaire de l'événement (AMEP, vol. 111, p. 5 ; vol. 122, p. 162, § 295).

2. « *Ab exitu charissimi fratris nostri, placuit divinae misericordiae septem utriusque sexus oculos preservare, modo mirabili. Prima dominica adventus anni praeteriti, puer septem aut octo annorum incidit in gravissimum morbum, per spatium octo dierum. Toto hoc intervallo, parentes illius multoties idolis suis libarunt vinorum, filium in pristinam sanitatem vindicandi causa, sed frustra. Cum igitur moribundus esset, consilio quorumdam nostrorum neophytorum, qui ibi aderant, persuasum fuit patri et matri, ut rogarent nos suam domum adire. Illis assentientibus, statim unus e missionaribus progreditur invitatus, videt triste spectaculum : undique luctus ; postulat a parentibus utrum velint puerum morientem baptisari eumque soli Deo Omnipotenti dicari, qui ultra sufficiens est, si ita ipsi visum est, restituere sanitatem, qui etiam a mortuis suscitare valeat. His similiter consentientibus, venit in mentem missionarii recitare initium Sancti Evangelii secundum Joannem, cumque perventum esset ad illa vivifica verba :* « *Et Verbum caro factum est* », *mox puer aperire oculos, praesentes intueri, arridere. Tunc in capellam nostram, quae est sacra Sancto Josepho jubetur adduci ut fonte baptismatis, cum caeremoniis Sanctae Matris Ecclesiae initiaretur. Nonnullis praeteritis diebus, parentes ipsius cum quinque aliis gentilibus declararunt se velle fieri christianos, qui gratiam ineffabilem regenerationis post duos menses, quibus interfuerunt doctrinae christianae, sortiti sunt universi. Illa fausta initia in animum facile induxerunt quod infinita bonitas optat, futuris temporibus, in hoc regno dare sui notitiam. Idcirco huc venientibus nostris missionariis statuimus relinquere unum e nostris, qui primitias missionis custodire, necnon conversioni superstitis gregi vacare valeat. Accedit huc ratio magni ponderis, quae pertinet ad oportunitatem scribendi in Europeam litterasque ex eâ recipiendi, quod nunc videtur impossibile, nisi remaneat huc aliquis cujus ope et executione mandetur* ».

« Quant à notre départ ou vers quel lieu nous irons cette année, cela dépend de l'arrivée de nos missionnaires que nous attendons de jour en jour. Car s'ils abordent en un moment opportun auquel nous pouvons aller dans les Royaumes qui nous sont confiés, on pense faire appel à un bateau suffisant qui puisse nous conduire en diverses régions. Mais si par quelque motif providentiel nous ne le pouvons pas, nous partirons pour le Cambodge ; de là la voie terrestre vers la Cochinchine ou vers le Royaume du Laos est aisée, et là les bateaux de plusieurs tribus ne manquent pas. Mais en vérité, il ne faut pas voir trop loin, si d'ici trois ans, nous ne recevions aucun message ; puisque grâce à Dieu nous utiliserons cette année pour aller dans quelque lieu de notre juridiction, une autre année nous écrirons d'ailleurs, l'année suivante les lettres seront envoyées à Madraspatam, ensuite en Angleterre. On ne peut pas faire plus court.

« Ce délai écoulé, nous désirons ardemment l'aide de nos amis d'Europe. En effet, j'ai écrit à un docteur de la faculté de Paris, et à mon unique jeune frère et à d'autres membres de ma famille, hommes certes de grand influence, pour qu'ils viennent à nos missions en vue de donner leur vie pour le Christ notre Seigneur et pour nos frères ; quoi de plus juste ! Quoi de plus souhaitable ! Quoi de plus divin ! »[1].

Mais la Sacrée Congrégation de la Propagation de la Foi ne peut continuer à prendre en mains la Mission en Asie du Sud-Est sans organiser elle-même une Société des Missions. Le titre de Missionnaire apostolique est un titre donné par la Sacrée Congrégation, elle l'a donné à des Lazaristes, entre autres, sur la demande de saint Vincent de Paul, saint Louis-Marie Grignion de Montfort l'a obtenu en 1706 ; aussi Lambert proposa-t-il à Rome une organisation de missionnaires apostoliques qui regrouperait séculiers et religieux sous la direction romaine sous le nom de Congrégation apostolique :

1. « *Omitto illam spem quam habemus videndi aliquando in hoc statu operarios a S. Congragatione missos quorum labores valde fore utiles arbitramur, cum verum sit dicere inter nationes quas peragravimus nullas esse quae a Religione Catholicâ minus sint alienae.*

« *Quod spectat ad exitum nostrum vel ad quem locum pergemus hoc anno, id est invectum propter adventum nostrorum missionariorum, quos de die in diem expectamus. Nam si huc apellunt oportuno tempore, quo possumus ire in regna nobis commissa, est in animo advocare unam navim sufficientem, quae possit nos ducere in varias regiones. Si vero, ob, aliquam providentiam, non valemus, in Cambogiam proficiscemur; hinc iter terrestre ad Cochinchinam aut ad regnum Laos est apertum, nec ibi desunt naves multarum gentium. Verum non nimium duci debet, si ab hinc, a tribus annis nulla nuntia a nobis accipiantur, quandoquidem hunc annum, Deo favente, insumemus ad petendum aliquem locum nostrae jurisdictionis, altero fori scribemus, sequenti vero mittentur litterae Madraspatarum, deinde in Angliam : id brevius fieri non potest.*

« *Hoc termino elapso, ardenter cupimus auxilium nostrorum amicorum ex Europâ. Scripsi etenim doctori Facultatis Parisiensis et fratri meo unico minori aliisque familiaribus, viris quidem magni momenti, ut ad missiones nostras accedant, vitam pro Christo Domino et pro fratribus nostris ponendi causâ ; quid justius, quid optabilius [optabilis], quid divinius ?* ».

« J'ai transmis aux mêmes, peut-être avec trop de simplicité, un bref projet que j'ai eu de créer une Société pour travailler utilement dans ces régions, pour qu'il soit communiqué à un grand nombre de prêtres et de religieux que j'ai sus capables pour un tel institut. J'ai fait cela dans ce but de le faire pénétrer à Rome, sans l'ordre et le commandement de qui rien de semblable ne peut obtenir une heureuse conclusion, ni être béni de Dieu »[1].

« Une chose me reste à inculquer : que les hommes choisis par le Souverain Pontife ou la Sacrée congrégation pour remplir la charge épiscopale dans ces pays soient parfaits en toute chose. Car je crains que si une grande dignité était confiée à quelqu'un qui n'est pas mort en Christ, il n'agisse comme d'autres missionnaires vivant en ces lieux, qui abusent complètement des privilèges accordés par le Saint Siège. Que votre Illustrissime Seigneurie juge ce qu'un évêque qui s'est détourné du droit chemin aura à faire et quel remède devra lui être appliqué, s'il ne veut pas obéir aux commandements du Souverain Pontife et de la Sacrée Congrégation, et on peut en rapprocher les religieux de la Compagnie de Jésus, qui proclament assez ouvertement qu'ils fermeront à jamais la porte à nos missions. Que serait-ce, dis je, s'ils possédaient l'autorité épiscopale ? J'ai déjà bien des fois entendu des paroles semblables que nous n'osons pas dire parce qu'elles sont scandaleuses, en effet tant que nous sommes en vie nous ne redoutons rien »[2].

La réussite de l'évangélisation dépend aussi des critères que Rome choisit pour nommer les évêques. La Sacrée Congrégation de la Propagation de la Foi a demandé aux vicaires apostoliques d'agir en étroite collaboration. Cette collaboration étroite sera confirmée par le choix de Rome de nommer un Administrateur général des Missions pour l'Asie du Sud-Est. Il ne s'agit pas pour Lambert d'ajouter une nouvelle famille religieuse mais d'affermir le caractère communautaire de l'Église et de rappeler ses exigences communes.

La réflexion de Lambert à propos de sa survie laisse à penser que des méthodes expéditives pourraient être utilisées contre lui et ses missionnaires. La solution, c'est que le pape confie à Lambert le pouvoir de consacrer des évêques en cas de besoin. Cela lui sera accordé. Lambert insiste pour que la

1. « *Ad ipsosmet misi, forte cum nimiâ simplicitate, brevem ideam quam habui erectionis Societatis ad utiliter laborandum in istis regionibus, ut communicetur multis sacerdotibus et religiosis, quos novi ad talem institutum idoneos. Id egi eo consilio ut Romae insinuetur, sine cujus jussu et approbatione nihil simile felicem exitum sortiri potest, vel a Deo benedici* ».

2. « *Unum mihi restat inculcandum, ut ii quos elegerit Summus Pontifex aut S. Congregatio ad obeundum munus episcopale in his terris, sint omni exceptione majores. Vereor enim ne, si tanta dignitas credatur alicui non mortuo in Christo, agat more aliorum missionariorum degentium in istis locis, qui omnino privilegiis [privilegium ?] Sanctae Sedis abutuntur. Judicet Ill. [Illustrissima] Vestra Dominatio quid facturus esset episcopus a recta viâ deflectus, et quale remedium adhibendum esset, si nollet obedire mandatis Summi Pontificis (&) S. Congregationis, et id comparatione ad religiosos Societatis Jesu, qui satis manifeste proferunt se ostium nostrarum missionum in perpetuum clausuros. Quid esset, inquam, si authoritate episcopali potirentur ? Jam multoties audivimus similia verba, quae ob scandalum timemus, nam quoad nostram vitam nihil pertimescimus* ».

Sacrée Congrégation de la Propagation de la Foi garde le contrôle de l'évangélisation de l'Asie sans laisser les religieux s'opposer au clergé séculier.

« Néanmoins pourtant des évêques sont nécessaires : il n'y a guère qu'une seule manière pour réparer les dommages subis par la religion, et ce qui me fait voir une si grande nécessité, c'est ceci : si j'avais su ces conséquences pendant que j'étais en Europe j'aurais fortement demandé que la possibilité nous soit donnée de consacrer licitement l'un ou l'autre envoyés de la Sacrée Congrégation, à la place des Évêques qui allaient mourir. En effet dans ces missions défaillantes, le travail des ouvriers de la Sacrée Congrégation est inutile, à cause des religieux qui méprisent profondément les prêtres séculiers ; or ils craignent en effet trop les Évêques, principalement pour cette raison qu'ils peuvent donner les saints ordres et enseigner la sainte doctrine à beaucoup de gens qui, une fois détournés du chemin de la perdition, prendront parti pour les missionnaires de la Sacrée Congrégation, et ainsi le pouvoir des religieux disparaîtra. Outre cela, étant posé que les titres épiscopaux soient convenablement dotés, il vaut la peine, semble-t-il, de créer dans ces régions des Ordinaires qui cependant devront toujours être nommés et être placés par le Saint Siège et la Sacrée Congrégation, et cela surtout pour deux raisons : l'une paraît nécessaire pour limiter les privilèges des religieux selon l'esprit du Concile de Trente ; l'autre pour que de telle manière les Évêques et les peuples soient liés les uns aux autres par un amour et un pacte mutuels »[1].

Lambert montre au Saint-Siège l'impressionnante détermination des envoyés de la Sacrée Congrégation qui, malgré leur petit nombre, se partage le monde qui leur est offert par Dieu : deux restent au Siam pour poursuivre l'œuvre commencée, et les autres dont un laïc associé à eux, vont au Cambodge, au Tonkin, en Chine.

« À peine avais-je fermé cette lettre que j'avais écrite en attendant un messager, est arrivé ici l'Illustrissime Mgr Évêque d'Héliopolis avec messieurs Louis Chevreuil, Pierre Brindeau, Antoine Hainques, et Louis Laneau, missionnaires, hommes vraiment angéliques, et en même temps Mr Philippe Chamesson,

1. « *Nihilominus tamen necessarii sunt Episcopi : unus est fere modus ad resarcienda damna religionis et certe video tantam necessitatem in eo quod, si cognovissem consequentias dum in Europâ versarer, fortiter postulassem ut nobis data fuisset facultas licite consecrandi unum aut alterum a S. Congregatione missos, vice Episcoporum qui morituri erant. Deficientibus enim in his missionibus, incassus est labor operariorum S. Congregationis, ob religiosos, qui sacerdotes saeculares penitus contemnunt ; metuunt autem nimis Episcopos, propter hoc potissimum quod possunt sacris ordinibus initiari et docere sacram doctrinam multos, qui, cum sint semel a viâ perditionis aversi, stabunt a partibus missionariorum S. Congregationis, sicque potestas eorum evanescet. Praeter hoc, posito quod tituli episcopatuum convenienter dotentur, operae praetium videtur creare Ordinarios in his partibus, qui tamen semper nominandi et collocandi erunt a Sancta Sede Sacrâque Congregatione, idque maxime propter duo, quorum alterum apparet necessarium ad limitanda religiosorum privilegia ad mentem Concilii Tridentini, alterum ut tali modo Episcopi et populi invicem mutuo amore atque faedere devinciantur* ».

noble français, d'une piété remarquable. Tous ont jugé bon de laisser deux prêtres pour maintenir et augmenter notre petit troupeau, et surtout au bénéfice des missions. Pendant ce temps, pour que nous puissions nous rendre cette année dans plusieurs lieux de ces missions, je me donne totalement, j'espère, avec la grâce de Dieu. Après beaucoup de délibérations, l'occasion manquant de se rendre cette année au Cambodge et au Tonkin dans le même bateau, comme cela paraît vraisemblable, il fut décidé que l'Illustrissime Seigneur d'Héliopolis ira au Tonkin, et là moi je l'accompagnerai, aussitôt sur le même bateau j'irai en Chine ensemble avec deux missionnaires très célèbres et notre noble français. Dieu fasse que la porte nous soit ouverte !

Fait à Siam, cité royale du même royaume, année 1664 après l'Incarnation, cinquième des Ides de Février (le 9 février).

Le serviteur très humble et très obéissant de votre illustrissime Seigneurie
Pierre, Évêque de Bérithe, Vicaire Apostolique[1] »[2].

Ces deux lettres sont comme un préambule qui peut nous introduire à la compréhension de l'ensemble de la correspondance de Lambert ; on trouvera les trois points dominants chez lui répétés sans cesse et développés dans tous ses écrits.

Pour bien comprendre le chemin emprunté par Lambert, il faut commencer, comme on l'a dit, par se dégager du portrait que Brisacier a fait de lui six ans après sa mort. Pour approcher de plus près la vérité, on devra d'abord confronter chaque point de cette biographie considérée par certains comme officielle avec l'ensemble des écrits de Lambert. C'est certes une étude historique longue, mais qui permet de jeter les bases pour comprendre la pensée de Lambert. Elle s'est élaborée à partir d'expériences systématiquement oubliées par Brisacier dans le but de rendre plausible la figure d'un autre Lambert. Cela sera l'objet de notre première partie.

1. Le vicaire apostolique, du fait de sa dépendance directe de la Sacrée Congrégation de la Propagation de la Foi créée en 1622, pouvait être considéré comme un légat du pape, ne tenant sa nomination que de lui, indépendant des pressions politiques et donc finalement plus puissant qu'un autre évêque nommé sur proposition des rois européens.

2. « *Scriptâ hac epistolâ nuntium expectante minime clausâ, huc appulit Illustr. Dom. Episcopus Heliopolitanus cum Dominis Ludovico Chevreuil, Petro Brindeau, Antonio Hincques et Ludovico Laneau, missionariis, viris certe angelicis, unâ cum D. Philippo Chamesson, nobili Gallo, eximiae pietatis. Placuit omnibus relinquere duos sacerdotes ad conservationem et augmentum nostri parvi gregis, maximeque* ob *utilitatem missionum. Interea ut possimus hoc anno ingredi varia loca earumdem, me totum do, et Deo favente, spero. Multis initis deliberationibus, decretum est, deficiente occasione petendi hoc anno Cambogiam et Tunquinum in eadem navi, ut id verisimile apparet, Illustr. Dominum Heliopoleos in Tunquinum, meque ibi ipsum comitantem statim in ipsamet navi, unâ cum duobus clarissimis missionariis et cum nostro nobili Gallo in Sinas iturum. Faxit Deus ut ostium nobis aperiatur ! Datum Sioni, civitate regiâ ejusdem Regni, anno Incarnationis millesimo sexcentesimo sexagesimo quarto, quinto Idus Februarii. Illustrissimae Vestrae Dominationis. Humillimus et obsequentissimus servus, Petrus, Episcopus Berithensis, Vicarius Apostolicus* ».

Ensuite il sera possible de rentrer dans la pensée de Lambert dont on trouve des éléments chez Jean Eudes. Il s'agit de la *Mission continue de Jésus*, perspective qui nous est moins familière que celle où Jésus vient nous aider à poursuivre son œuvre dans le monde, notamment par le don du Saint-Esprit. Jean Eudes et Lambert n'ont pas utilisé ce terme de *Mission continue de Jésus* mais il s'agissait pour eux d'une théologie montrant la continuation de l'œuvre de salut que le Père a demandé à son Fils d'accomplir en l'envoyant dans le monde. C'est pour la même œuvre de salut que le Père a envoyé son Fils et que le Fils nous envoie, d'autant plus que c'est lui qui se charge d'accomplir cette œuvre en nous. Il ne faudrait donc pas comprendre notre titre dans le sens de l'Histoire de l'Église et de la missiologie.

Cette question théologique fait l'objet de la deuxième partie et ses applications se retrouvent dans la dernière partie. Ce sont les vœux du baptême qui constituent un contrat avec Jésus, un contrat par lequel nous faisons le don de nous-mêmes afin qu'il agisse en nous par l'opération du Saint-Esprit.

La question de l'actualisation de ces vœux par les adultes qui ont été baptisés enfants se pose plus pour Jean Eudes que pour Lambert qui baptise des adultes ou des nouveau-nés moribonds mais elle se pose néanmoins pour tous les Européens qui viennent en Asie. Lambert a vu dans les débordements constatés dans la conduite des religieux les conséquences de l'absence de confirmation personnelle de la promesse baptismale qui consiste à renoncer pour toujours à Satan et à tout ce qui conduit au mal. Cette promesse constitue, aux yeux de Jean Eudes et de Lambert, un vœu de perfection qui dépasse les trois vœux religieux classiques par une intention d'immédiateté.

C'est dans le cadre d'une nouvelle vision de l'Église que Lambert soumet à Rome la formule de ses trois vœux à l'intention de ceux qui veulent s'engager dans l'évangélisation de l'Asie. Il leur propose un cadre pour l'engagement de ces vœux, ce sera le Corps apostolique sous la conduite des évêques, organe central d'un cadre plus grand offert à tous les fidèles, les Amateurs de la Croix.

C'est à tous les chrétiens d'Asie, hommes et femmes reconnaissants envers Jésus d'avoir souffert pour les sauver, que s'ouvraient ses Amateurs de la Croix. C'est à tous ceux, prêtres, religieux et laïcs, qui s'engageaient en Europe dans la vie apostolique qu'était destiné le Corps apostolique avec un mode de vie matérielle et spirituelle le mieux adapté pour permettre à Jésus de continuer lui-même sa Mission de salut dans le monde.

Notre thèse sera donc aussi de montrer que tout ce que dit Lambert de la Motte vient d'une théologie assez précise qui est celle de la mission continue de Jésus et qu'il développe de façon rigoureuse en juriste qu'il est. Nous montrerons aussi l'application qu'il en fait dans la situation missionnaire qui est la sienne et comment il n'a pas voulu fonder un ordre religieux comme on l'a accusé d'en avoir le projet.

PREMIÈRE PARTIE

LA PENSÉE ET LES PROJETS DE LAMBERT DE LA MOTTE

Critique des sources biographiques

CHAPITRE 1
L'INVENTAIRE DES DOCUMENTS

Le travail en Archives

Dépouillement des Archives des MEP et des Archives romaines

L'histoire de celui qu'on nommera Mgr de Bérithe à partir de sa consécration épiscopale le 11 juin 1660 s'appuie sur un grand nombre de documents divers en majeure partie restés sous forme manuscrite dans les Archives des Missions Étrangères de Paris. C'est alors un champ largement sous-exploité qui s'est ouvert à nous et qui justifie nos prises de positions nouvelles non seulement sur la vie mais surtout sur la pensée de cet évêque missionnaire jusqu'ici pratiquement inconnue.

La bibliographie contenue dans les livres, mémoires ou thèses sur Lambert est très significative pour estimer la valeur des résultats obtenus. A-t-on exploité toutes les Archives des Missions Étrangères de Paris dans les originaux en vieux français du XVIIe siècle et en latin ? A-t-on cherché dans les Archives de la Propagation de la Foi à Rome et dans les Archives Nationales à Paris ? A-t-on rassemblé les documents contemporains de Lambert qui parlent de lui en dehors de ces Archives ? Celui qui, comme nous, a fait ce travail ne peut que constater que ces œuvres biographiques ne reflètent pas toutes la vérité historique sur Lambert et même travestissent parfois gravement son portrait et sa pensée. Il nous a alors paru nécessaire de nous demander pourquoi de tels travestissements de la vérité ont été faits, du vivant même de Lambert, car c'est cette antériorité de la falsification qui donnait aux biographes des siècles suivants la garantie d'authenticité et la force de persuasion.

Les archives des Missions Étrangères de Paris contiennent la majeure partie des documents attribués à Lambert de la Motte[1]. L'exploitation de ces documents se heurte à de nombreux obstacles :

1. Ces Archives, avec leurs 1543 volumes, sont fort riches pour tout ce qui concerne la Société des Missions Étrangères de Paris et ses membres.

Le premier obstacle, c'est la transcription de textes manuscrits souvent peu lisibles et sur des supports papier quelquefois en mauvais état. À la suite d'Adrien Launay (1853-1927) et d'Henri Sy (1878-1942)[1], Jean Guennou (1915-2002) a fait un gros travail de transcription pour le *Journal* de Lambert, ses lettres et son *Abrégé de Relation*. Ces trois auteurs ont d'ailleurs publié des livres d'histoire des Missions Étrangères.

Il y a deux types de documents manuscrits, les documents autographes et les copies. Les copies sont soignées afin d'être lues avec facilité tandis que les originaux sont souvent écrits au fil de la pensée et peuvent être difficilement déchiffrables ; c'est le cas de l'écriture de Lambert, reconnaissable entre toutes, précisément à cause des difficultés de lecture : elle est petite, empâtée au fil des années sans doute en raison de l'état de santé de l'auteur ; les caractères sont verticaux, souvent détachés les uns des autres, sur des lignes serrées, plus ou moins horizontales, sans majuscules, sans ponctuation, sans paragraphes. On ne s'étonnera donc pas que ceux qui ont été amenés à étudier les textes se soient contentés des copies sans vérifier leur exactitude par rapport aux originaux existants[2]. Certains correspondants de Lambert ont gardé les originaux des lettres qu'il leur avait adressées et ont fourni des copies aux Missions Étrangères. Force est alors de s'en contenter.

Il faut ajouter que la compréhension des textes est encore rendue plus difficile par la langue employée ; ils sont écrits en français du XVIIe siècle différent du français moderne tant pour le vocabulaire que pour la grammaire et l'orthographe[3].

---

1. En deux ouvrages, Henri Sy, archiviste des MEP, a regroupé par thèmes tous les documents intéressant le séminaire de la rue du Bac et les épisodes parisiens et romains de l'histoire des Missions Étrangères de 1653 à 1700. Même s'il suit nécessairement, du fait de son propos, plus l'histoire de Pallu que celle de Lambert, il reste le plus objectif possible et livre une large documentation sur les épisodes les moins favorables au séminaire (Voir H. Sy, *La Société des Missions Étrangères – Les débuts: 1653-1663* et H. Sy, *La Société des Missions Étrangères – La fondation du Séminaire*).

2. Dans l'*Abrégé de Relation*, AMEP, vol. 876, p. 547-570, Guennou inverse § 72 et 73 par rapport à l'ordre de Lambert. Après les § 83 à 87, Lambert a ajouté une lettre à Pallu (p. 555-557) et il a poursuivi plus loin avec les § 88 et 89 pour introduire une nouvelle fois la lettre à Pallu (p. 568-570) ; Guennou a supprimé la première mention de la lettre pour ne garder que la seconde au § 90.

3. Au XVIIe siècle, ni l'orthographe, ni la grammaire ne sont pas encore fixés, la ponctuation est rare, les apostrophes, les tirets et les accents manquent; on voit écrit « i » pour « j », « y » pour « i », « u » pour « v » et l'inverse: « z » pour « s », « oi » pour « ai », parfois « eü » pour « u » ; l'accent circonflexe ne couvre pas encore les voyelles précédant un « s » muet (pas encore de ô pour os, pas encore de ê pour es...). La compréhension des textes n'est souvent possible qu'en les lisant à haute voix. Mais le sens des mots peut avoir changé du tout au tout, ainsi: « arrêter de jeûner » veut dire « décider de jeûner », le contraire du sens d'aujourd'hui. Destinée à fixer la langue, la première édition du Dictionnaire de l'Académie Française date de 1694. Nous avons consulté ce dictionnaire et d'autres comme celui de Furetière.

Il reste encore à traduire de nombreux textes latins[1]. Certains ont été traduits par le Père Joseph Ruellen (MEP), M. Dolfosse, et Mme Élisabeth de Pirey. À partir des manuscrits, le Père Irénée Noye a opéré les corrections nécessaires autant dans la transcription que dans la traduction.

Près de 200 lettres de Lambert ont été transcrites et numérotées par Jean Guennou[2]. Il a modernisé l'orthographe et ajouté la ponctuation manquante, pas toujours avec à propos, mais il a gardé le vocabulaire du XVIIe siècle dont le sens a souvent beaucoup évolué.

La *Brève relation du voyage des missionnaires apostoliques envoyés immédiatement du Saint-Siège pour les royaumes de la Chine, Tonquin, Cochinchine, Laos, île d'Hainan*, de 1660 à 1662, écrite par Lambert, a été transcrite avec la ponctuation et l'orthographe originales[3] par Jean Guennou qui a aussi transcrit toute la relation de 1660 à 1670 avec la ponctuation et l'orthographe d'aujourd'hui. Pour en faciliter la lecture et les références, Jean Guennou a numéroté les sous-titres apportés à cette relation par Lambert ou par les copistes. Adrien Launay en avait dispersé des extraits dans ses livres sur le Siam, sur le Tonkin et la Cochinchine selon que les textes traitent de l'un de ces pays ou d'un autre. Il existe encore une relation latine du voyage de Lambert en Cochinchine (1671-1672)[4], en version non corrigée et en version retouchée.

Quant au *Journal* quotidien de Lambert de 1674 à 1678, il a été partiellement publié par Adrien Launay dans *Histoire de la Mission de Siam (1662-1811)*, sous le nom de 'journal de la mission'[5] ; la transcription entière de ce *Journal* a été faite par Henri Simonin avec le concours de Jean Guennou et achevée le 20 avril 1961. Un travail de vérification des textes est encore nécessaire. Un *Journal intime* écrit par le jeune Lambert aurait été lu à Paris après sa mort par Brisacier, l'auteur de sa biographie, sans qu'il songe à le conserver pour la postérité : il reste introuvable et rien n'a pu confirmer son existence depuis 350 ans.

Les documents directs de Lambert ne donnent en fait que peu de renseignements sur son enfance et sa jeunesse, et sur les conditions dans lesquelles il a été nommé évêque, vicaire apostolique et envoyé en Asie du Sud-est. Si, pour présenter une biographie complète, le biographe cherche à combler ces

1. Comme pour Pallu, sur les 794 pages de lettres de Pallu publiées par Adrien Launay, 20 % sont en latin non traduits, environ 165 pages.

2. Il existe également une version corrigée par Jean GUENNOU.

3. Sauf quelques manques comme la lettre de Lambert aux Directeurs du Séminaire en 1668 (AMEP, vol. 877, p. 379-381).

4. P. LAMBERT DE LA MOTTE, AMEP, vol. 876, p. 687-713 ; 715-730.

5. Adrien LAUNAY, *Histoire de la mission de Siam – Documents historiques*, (1662-1811), t. I, 1re éd. Paris, Téqui, 1920 ; 2e éd. Paris, Missions Étrangères de Paris, Les Indes savantes, 2000, p. 51-60.

vides en ajoutant aux faits prouvés des faits plausibles et si cette entorse à la vérité l'entraîne à gommer certains faits peu édifiants à ses yeux, c'est un faux portrait de Lambert qui est présenté au lecteur, en contradiction avec celui qui ressort des documents d'Archives dont le véritable historien doit se contenter. Cela vaut pour la biographie de Lambert comme pour celle de Pallu.

Louis Baudiment, dans son livre[1], a beaucoup utilisé un ouvrage anonyme daté de 1662, dont on a le texte dans les Archives des Missions Étrangères avec pour titre *Mémoire pour servir à la vie de Pallu*[2]. Cet ouvrage peut-il permettre d'éclairer la vie de Lambert dans les années qui précèdent son départ en mission ou est-il aussi sujet à caution ? La méthode de discernement des documents envoyés au Saint Siège à cette époque-là relève du doute méthodique : tout fait rapporté par une seule source est jugé sans intérêt, tout fait rapporté deux fois de manière contradictoire est jugé digne d'intérêt et entraîne une enquête[3]. C'est ce type de discernement que je me suis efforcé de mettre en œuvre moi-même en compulsant les documents d'archives pour étudier la vie et la pensée de Lambert.

Alors qu'une polémique s'était introduite entre les missionnaires et le séminaire des Missions Étrangères à propos de l'organisation de la Société, deux ouvrages au titre similaire veulent rectifier la vérité historique par rapport à ce qui a été publié par le séminaire sur l'origine de la Société. Le premier ouvrage est daté de 1751 et intitulé *Mémoire pour les Évêques François, Vicaires Apostoliques pour les Royaumes de Siam, Tonquin, Cochinchine, etc., leurs Co-Adjuteurs, et Missionnaires François en ces Royaumes, Contre les Directeurs du Séminaire des Missions Étrangères, établi rue du Bacq, Fauxbourg Saint-Germain.* L'autre Mémoire date de 1767 et est intitulé *Mémoire pour les Sieurs Girard, Manach et Le Loutre, Missionnaires du Séminaire des Missions Étrangères dans les Indes Occidentales*[4], *Appellans comme*

1. Louis BAUDIMENT, *François Pallu, Principal fondateur des Missions Étrangères (1626-1684)*, Paris, Archives des Missions Étrangères, 2006. Il a utilisé aussi un document intitulé *Mémoire de l'origine du Séminaire des missions pour les pays étrangers*, s'arrêtant en 1664 (A.N., M 204, dossier 1, n° 3).

2. *Mémoire pour servir à la vie de Mgr Pallu*, AMEP, vol. 106, p. 277-352 ; vol. 123.

3. Lettre de Lesley à Gazil, le 17 juillet 1662, AMEP, vol. 200, p. 166-167 : « Il y a eu des relations contraires a celles des jesuittes et on ne s'estonne pas icy de cela, icy car comme ie vous dits c'est une chose si ordinaire a present qu'on ne se fie plus a rien et moins a ces relations qui ne sont point contredites, car quand ces relations sont contredites, en les confrontant on descouvre quelque verité avverée et solide sur laquelle on se fonde ; en se resolvant, ces contradictions donc n'ont point produites autres effects ny consequences sinon une attente de ce que nous rapporteront les 3 evesques auxquels on est resolu de croire ».

4. 'Les Indes Occidentales', c'est l'Amérique, mais plus précisément dans ce cas, il s'agit du Québec, province du Canada actuel. À cette époque, le séminaire de la rue du Bac formait les missionnaires autant pour le Québec que pour l'Asie, mais seuls les missionnaires pour l'Asie sont considérés comme faisant partie des Missions Étrangères de Paris.

d'abus, Contre les Supérieur et Directeurs du Séminaire des Missions Étrangères établi à Paris Rue du Bacq.

Cette polémique doit nous rendre prudents sur ce que rapportent les livres publiés au XVIIe siècle sur les origines de la Société des Missions Étrangères. C'est à partir de 1666 que le séminaire des Missions Étrangères a fait publier quelques *relations de voyage* ; l'une est attribuée à Jacques de Bourges, intitulée : *Relation du voyage de Monseigneur l'Évêque de Beryte, vicaire apostolique, du royaume de la Cochinchine, par la Turquie, la Perse, les Indes, & c. jusqu'au royaume de Siam, & autres lieux*[1] ; une autre est attribuée à Pallu, c'est la *Relation Abrégée des Missions et des Voyages des Evesques François, envoyez aux Royaumes de la Chine, Cochinchine, Tonquin, & Siam,* par Messire François Pallu, Evesque d'Heliopolis[2].

Les supérieur et directeurs présentent eux-mêmes un autre ouvrage *Relation des missions des evesques françois aux royaumes de Siam, de la Cochinchine, de Camboye et du Tonkin, etc...* divisé en quatre parties[3]. Plus tard paraîtront la *Relation des missions et des voyages des evesques vicaires apostoliques, et de leurs ecclesiastiques, és Années 1672, 1673, 1674 & 1675*[4], et la *Relation des missions et des voyages des evesques vicaires apostoliques, et de leurs ecclesiastiques, és Années 1676 & 1677*[5].

Bénigne Vachet[6] a écrit des *Mémoires pour servir à l'histoire générale des missions et aux archives du séminaire de Paris,* dans lesquels il a rassemblé trente-quatre abrégés de vie des Évêques et missionnaires qu'il a connus, comme Pierre Brindeau, Louis Laneau, Philippe de Chameson, Guillaume Mahot, Claude Guiart, Gabriel Bouchard, Pierre Langlois, Jean de Courtaulin, Claude Chandebois, Claude Gayme, René Forget, Charles Sevin[7]. Ils

1. À Paris, chez Denis Bechet, 1666 (2e édition en 1668, 3e édition en 1683).

2. À Paris, chez Denis Bechet, 1668. À Rome en 1669, une petite plaquette de propagande a été éditée en italien comprenant des extraits d'une lettre de Lambert à Pallu et un résumé de son *Abrégé de Relation.*

3. À Paris, chez Pierre Le Petit, Edme Couterot et Charles Angot, 1674 ; Attribué par Adrien LAUNAY à Luc Fermanel de Favery, mais présenté par les Supérieur et Directeurs du séminaire des Missions Étrangères.

4. À Paris, chez Charles Angot, 1680.

5. À Paris, chez Charles Angot, 1680.

6. B. VACHET fait partie de ceux qui sont partis en mission : né en 1641, c'est par le passage à Dijon de Jacques de Bourges puis de Vincent de Meur qu'il a connu l'existence des Missions Étrangères. Prêtre en décembre 1668, il a été reçu dans cette société par Pallu lors de son premier retour en Europe. Avec Pierre Langlois, ancien membre de la congrégation de Jean Eudes, il est parti le 13 février 1669 pour le Siam; en 1671 il a accompagné Lambert en Cochinchine où il resta pendant 14 ans, et il revint en France avec les ambassades siamoises de 1684 puis de 1686 et resta au séminaire des MEP jusqu'à sa mort en 1720.

7. Dans les archives des MEP, on retrouve ailleurs quelques-uns de ces abrégés de vie de taille variable comme celui de Brindeau daté de 1670 (AMEP, vol. 733, p. 219-230), et celui de Hainques (AMEP, vol. 127, p. 1-140 ; vol. 733, p. 233-338).

semblent être la reproduction de textes plus anciens rédigés à l'occasion de la mort de leurs héros. Sur le terrain missionnaire, Vachet était l'homme des nécrologies. Mais pour l'histoire des missions, cette galerie de portraits rend difficile la lecture de la chronologie des événements. La vie de Lambert et celle de Pallu servent alors de trame à l'histoire des missions.

Une biographie de Lambert plus complète a été écrite peu après sa mort par Jacques-Charles de Brisacier qui n'avait pas connu physiquement Lambert. Si cette biographie, intitulée *Vie de M. de Beryte*, n'a pas été publiée à l'époque, c'est sans doute du fait de la chute à la fin du XVIIe siècle des ventes de tels récits à but d'édification auxquels les gens ne croyaient plus à cause de leur invraisemblance. La reprise commerciale ne se fera qu'à partir de 1720 avec des critères d'objectivité différents[1]. Après une prédominance des jésuites dans l'hagiographie[2], les jansénistes vont fournir dès la fin du XVIIe siècle et au XVIIIe les auteurs et les lecteurs, de sorte qu'on ne pourra pas s'informer de la vie de ceux qu'ils considéraient comme leurs adversaires, comme Jean Eudes, le maître de Lambert[3].

Les Archives Nationales ont aussi été exploitées par Henri Sy dans ses livres sur la Société des Missions Étrangères[4]. Les Archives nationales françaises regroupent en effet les documents de l'Ancien Régime (avant 1789), les archives héritées de la royauté et les archives privées confisquées à la Révolution française. On y trouve les archives des paroisses et des séminaires du diocèse de Paris. Ainsi se trouve un fonds qui concerne

1. Eric SUIRE, *La sainteté française de la Réforme catholique (XVIe-XVIIIe siècles) d'après les textes hagiographiques et les procès de canonisation*, Presses Universitaires de Bordeaux, 2001 (thèse de doctorat en histoire), p. 47, 60, 73. Les années 1540-1670 sont glorieuses pour le genre hagiographique, « dès les années 1670, les gros livres ont du mal à se vendre » (p. 73) ; cf. Eric SUIRE, *Sainteté et lumières. Hagiographie, Spiritualité et propagande religieuse dans la France du XVIIIe siècle*, Paris, Honoré Champion Éditeur, 2011, p. 42 : « Les années 1680-1715 correspondent indéniablement à une crise de l'édition française, précédant l'essor des années 1720-1770. L'enchaînement de faits marquants depuis la Révocation de l'édit de Nantes, la défaite des casuistes et la controverse autour des rites chinois, jusqu'aux condamnations de Fénelon en 1699 et de Quesnel en 1713, a cependant maintenu une forte activité éditoriale dans le domaine religieux ».

2. *Id.*, *La sainteté française de la Réforme catholique (XVIe-XVIIIe siècles)*, p. 65. L'auteur conteste la restriction du terme aux seules Vies de saints canonisés citant le cas des Vies de saint Vincent de Paul qui s'inspirent toutes de l'œuvre d'Abelly écrite moins de 4 ans après la mort du saint : « Faut-il considérer que l'ouvrage d'Abelly n'est pas une Vie de saints parce que cette sainteté n'était pas encore officielle à la date de sa publication ? » (E. SUIRE, *Sainteté et lumières, Hagiographie, Spiritualité et propagande religieuse dans la France du XVIIIe siècle*, p. 46-47).

3. *Id.*, *La sainteté française*, p. 66-67. Il fallut attendre 1905-1906 pour avoir une Vie complète de Jean Eudes.

4. H. SY, *La Société des Missions Étrangères – Les débuts* ; *La Société des Missions Étrangères – La fondation du Séminaire.*

le séminaire des Missions Étrangères[1] comme le mémoire de l'origine du Séminaire pour les Pays Étrangers[2]. Les Archives nationales sont aussi détentrices d'une part des Archives du Vatican concernant les années 1421 à 1808. C'est en effet lors de cette dernière année que l'empereur Napoléon 1er en ordonna le transfert à Paris. Après la chute de l'empereur les archives furent restituées au Vatican à l'exception de documents jugés de peu d'intérêt ou gravement détériorés lors de leur transport[3].

À Rome les archives de la Sacrée Congrégation pour l'Évangélisation des Peuples (héritière de la *Propaganda Fide*) contiennent des documents au sujet de Lambert et de Pallu, la plupart en latin écrit par les vicaires apostoliques et les missionnaires mais aussi en italien sous forme de résumés de l'état des Missions.

Premières découvertes à partir de ce dépouillement

Au Vietnam existait un Groupe de Recherche de la Spiritualité des Amantes de la Croix. Ce groupe avait été fondé par l'archevêque de Saïgon le 25 août 1985 et rassemblait les membres de 7 congrégations de Saïgon ; il fut élargi ensuite à toutes les autres congrégations des Amantes de la Croix du Vietnam. Il a publié 2 livres sur Lambert, leur fondateur : *La Biographie et les écrits de Lambert*, en 1986 (réédité en 1998), et *La Spiritualité de Lambert*, en 1987. Il ne possédait au début que peu de documents, les livres d'Adrien Launay, celui de Jean Guennou, et 16 écrits de Lambert dont les Règles des Amateurs et des Amantes de la Croix et quelques lettres en latin et en français. Et tout un travail de traduction a été entrepris.

Dans l'esprit de Vatican II, le groupe a cherché à ce que les diverses congrégations diocésaines des Amantes de la Croix issues de Lambert de la Motte aient une même Constitution qui fut acceptée le 2 février 2000 après un temps de probation de quatre années. Le groupe a rédigé ensuite tous

1. Les volumes de comptes : H^5 3309-3310, *3311-*3322, les titres de fondation et administration : M// 203-205 et MM// 501-526, correspondances des missionnaires : MM// 527-533, K// 1230, 1374-1375, les titres de biens : S// 6866-6879, S*6874-S*6979…

2. AN, M// 204, doss. 1, n° 3.

3. Dans les Inventaires des Archives nationales, aux dossiers L 85 à 163 se trouvent les *Répertoires de la Sacrée Congrégation des Évêques et des Réguliers* contenant, pour chaque séance, le résumé très succinct des affaires soumises par voie de requête (avec l'indication des diocèses, généralement italiens, ou des Ordres religieux d'où elles proviennent et de la décision prise) pour les années 1594-1810. Les dossiers L 372 à 399 concernent les Inventaires d'archives du Vatican, dressés au début du XIXe s. Les dossiers K 1334 pour la Sacrée congrégation de la *Propaganda Fide* pour l'Orient : copies de lettres. Les dossiers M 879 à 884 pour les Suppliques en cour de Rome provenant de diocèses de tous pays. [XVIe s.] – XVIIe s. Les dossiers AB XIX 532-549 pour le Fonds de la nonciature de France pour les années 1621-1672.

les documents nécessaires à la réintroduction des Amateurs de la Croix et établi l'histoire de l'ensemble des 24 congrégations diocésaines.

En tant qu'Amantes de la Croix nous ne possédions de notre fondateur qu'une brève constitution et une lettre adressée aux deux premières consacrées. Nous pensions que notre héritage direct était bien mince, d'autant plus que chacune des branches issues de notre fondateur commun, avait été marquée, au cours des siècles qui ont suivi, par des influences diverses assez fortes pour creuser des différences marquantes, mais nous avions conscience d'être dans l'histoire de l'Église du Vietnam les premières religieuses vietnamiennes et c'est cela qui nous unissait le plus.

Le nom même d'Amantes de la Croix posait plus de questions qu'il ne donnait de réponses à l'intérieur de la Congrégation comme à l'extérieur. J'ai été envoyée à Paris en tant que membre du Groupe de recherche pour me former et m'informer. Dès l'été 2007, je me familiarisais avec le XVIIe siècle et l'École Française de spiritualité par la découverte des richesses des Archives parisiennes, celles des Missions Étrangères, celles des eudistes, des oratoriens, des sulpiciens, des lazaristes, richesses que seul Paris propose dans le monde. Ensuite ce fut la rédaction de mon mémoire de licence canonique : « *Aux sources de l'Église du Vietnam : Les instructions romaines de 1659, enjeu théologique et missiologique* » où j'étudiais les *Instructions* que Rome avait données à Lambert. Cela me fit approfondir la recherche aux Archives des Missions Étrangères et me procura un éclairage nouveau de la personnalité de Lambert. Je compris que je devais désormais élargir mes connaissances au-delà des limites étroites des textes attribués à Lambert, et ma thèse en théologie allait m'en fournir l'occasion. Les documents découverts aux Archives des Missions Étrangères permettaient d'évoquer un Lambert théologien qui n'avait été étudié par aucun biographe, en même temps les textes soulevaient bien des questions sur le portrait qu'on avait fait de lui depuis 350 ans. La connaissance de Lambert ne m'apparaissait plus seulement liée à la quantité des documents rassemblés mais à leur fiabilité.

Comme souvent dans les recherches historiques, il y a eu un rôle pour ce qu'on appelle le facteur chance, et que Lambert aurait nommé : « des providences ». Ce fut notamment le cas de la nécrologie de Lambert qu'on avait confondue avec une copie des *Mémoires* de Vachet écrits bien plus tard ; une lettre de Vachet venait expliquer les conditions dans lesquelles fut rédigée cette nécrologie au Siam et dénoncer les erreurs publiées en France sur les circonstances de l'envoi en mission de Lambert par le pape[1]. Le récit du voyage de Lambert au Siam avait aussi subi de fortes altérations comme en

1. Deux lettres de Vachet à un des directeurs du séminaire, datée du 20 juillet 1682, AMEP, vol. 859, p. 145 ; datée du 14 octobre 1682, AMEP, vol. 859, p. 150.

témoignent des lettres de Jacques de Bourges qui en a assuré la publication en France.

J'apprenais beaucoup de la correspondance croisée entre les protagonistes de l'histoire de Lambert, en particulier des nombreuses lettres de Pallu, de Jacques de Bourges, de Michel Gazil et de William (ou Guillaume) Lesley, dans lesquelles s'expriment le caractère et les objectifs cachés de chacun, permettant d'apprécier ce qu'ils disent touchant Lambert, leur pouvoir et leur rôle respectif dans son histoire[1]. Il y avait là une mine d'informations largement inexploitée.

L'histoire de Lambert restait pour moi liée à la biographie de Brisacier achevée à Paris après la mort de l'évêque missionnaire au Siam, mais la question de la crédibilité s'est posée là où elle ne se posait plus pour les autres, c'est-à-dire quand Brisacier se justifiait par la lecture d'un *Journal intime*[2] alors qu'il donnait des informations peu compatibles avec les confidences de Lambert lui-même sur son passé et sur les objectifs de sa vie, notamment celles qu'il faisait à Vincent de Meur en novembre 1664. Un tel *Journal* suit la plupart du temps son auteur jusqu'à sa mort et c'est le directeur de conscience qui s'en réserve généralement l'usage post-mortem. On ne mentionnait pas au Siam l'existence d'un tel *Journal* qui aurait pu servir de support à la nécrologie de son auteur ; à Paris personne d'autre que Brisacier ne témoigne l'avoir vu.

Avec les autres membres du séminaire, Brisacier ne paraissait pas le plus indiqué pour écrire une Vie édifiante sur Lambert contre lequel tous se seraient ligués par différentes actions dont une lettre de Pallu du 3 septembre 1673 leur avait fait l'inventaire. En 1685, six ans après la mort de Lambert, l'œuvre de Brisacier peut-elle être alors une œuvre de réconciliation ? Ou bien est-elle une instrumentalisation de sa vie dans un autre but que de le servir ? Nous verrons en détail ces thèmes et ces références dans la suite de notre étude.

Une recherche de l'historien Eric Suire sur les biographies religieuses du XVIIe siècle montre comment, non seulement on y négligeait la vérité historique mais encore on n'hésitait pas à y inventer abondamment en donnant

1. C'est la correspondance de Gazil (fondateur du séminaire de la rue du Bac) qui est la plus nombreuse et la plus riche en information avec celle de Mgr Pallu (vicaire apostolique du Tonkin) qui a fait l'objet d'une publication et d'une réédition en 2008. On verra que le rôle de Lesley (rédacteur ou traducteur pour la Sacrée Congrégation de la Propagation de la Foi) est sans doute surestimé par les biographes de Mgr Lambert et que le rôle de Gazil est sans doute sous-estimé. Par contre Jacques de Bourges (prêtre misionnaire et premier compagnon de Mgr Lambert) est mal perçu par beaucoup, on le voit à travers son récit de voyage plus ethnographique que missionnaire. Quant à Mgr Pallu, l'appréciation de son rôle a longtemps dépendu inversement de celle qu'on avait de Mgr Lambert.

2. J.-C. de BRISACIER, *Vie de M. de Beryte*, vol. 122, p. 9, § 23.

des justifications imaginaires. Ce qui dévoile le mieux les enjeux de notre étude sur la pensée de Lambert, c'est la confrontation des manuscrits de Lambert avec ce qui a été publié sur lui. Dans l'élaboration de la pensée théologique de Lambert, l'Histoire intervenait à son fondement avec le rejet de la compromission entre évangélisation et commerce et à sa conclusion par la proposition d'une structure ecclésiale renouvelée. Notre étude théologique ne pouvait pas s'exempter d'une certaine étude historique, d'autant plus qu'il fallait y éclairer un débat et de fortes oppositions, du temps de Lambert mais aussi dans la suite quand on attribua à Lambert l'ambition de créer un nouvel ordre religieux.

En présentant notre sujet de thèse, nous étions loin d'avoir découvert son contenu, mais nous étions séduits par la perspective d'étudier les rapports entre la théologie et l'expérience humaine en écrivant : « Il faudra rechercher l'existence d'une évolution rendant compte chez Lambert de la Motte de la manière dont sa théologie se modifie ou se développe à la faveur des trois étapes de son expérience spirituelle personnelle de laïc dévot, de prêtre missionnaire, et d'évêque, bâtisseur d'Église ». C'est donc l'articulation entre les prises de position de Lambert en son temps et l'exposé de sa théologie qui va être mis en lumière, notamment à partir de ses lettres et de l'*Abrégé de Relation* qui y est souvent joint.

Cependant notre souci a été de limiter au strict nécessaire la partie purement historique de notre travail, consacré à mettre en lumière la théologie de Lambert. Celle-ci ne se trouve pas rassemblée dans un traité théologique, mais elle est dispersée dans des œuvres disparates comme Clément Legaré l'a montré pour la théologie de saint Jean Eudes. C'est précisément de la théologie de Jean Eudes qu'est inspirée celle de Lambert avec des variantes non négligeables. La thèse va devoir alors plonger dans l'histoire de la théologie, les sources scripturaires et patristiques, les relais indispensables que sont saint Thomas d'Aquin et la scolastique, jusqu'au Concile de Trente et sa conception de l'Église.

Les documents sur la vie laïque de Lambert

Les documents sur la jeunesse et la carrière laïque de Lambert

1° En ce qui concerne l'état civil de Lambert, laissons aux historiens le soin de débattre du lieu et de la date de naissance ou de baptême[1].

---

1. La date du baptême qui a été lue avant juin 1944 par Henri de Frondeville sur le registre paroissial de Saint-Jacques de Lisieux, c'est le 16 janvier 1624 (H. de Frondeville, *Pierre Lambert de la Motte, Évêque de Béryte, 1624-1679*, Paris, Spes, 1925, p. 7, note 1). Cette

Quant au prénom de baptême, certains parlent de « Pierre Marie » comme Adrien Launay[1] et M. Floquet, propriétaire du château de Formentin[2]. Marie ne correspond évidemment pas au prénom usuel du futur évêque de Bérithe mais aurait pu figurer dans les prénoms inscrits dans le registre de baptême, souvent composés (Pierre-Marie) ou multiples (Pierre, Marie) au XVIIe siècle[3], mais si Frondeville a bien lu Pierre seul sur le registre, on peut considérer que Pierre est l'unique prénom de Lambert.

La famille de Lambert possède un blason qui a été utilisé dans l'héraldique épiscopale de Mgr de Bérithe en ajoutant mitre, crosse, chapeau épiscopal à dix glands de part et d'autre, et qu'on retrouve dans son sceau sans les couleurs (émaux). Il s'agit d'un blason « d'azur au lion rampant d'or, au chef de gueules chargé de trois étoiles d'argent »[4], c'est

date est en contradiction avec les dates de naissance et de baptême de la tradition familiale fournies par le *Journal* de Lambert qui signale au 28 janvier 1677 l'anniversaire de la naissance et au 15 février 1677 l'anniversaire du baptême (AMEP, vol. 877, p. 595. 597, cf. Simonin, transc., p. 249. 253). Pour le lieu de naissance, soit la ville de Lisieux, soit la maison paternelle de la Boissière, commune limitrophe de Saint-Pierre-des-Ifs, dans le diocèse de Lisieux, comme le dit Adrien Launay dans une note suivante.

La contestation de la date de naissance de Lambert n'est pas la seule de ce type. L'année 1576 était la date de naissance de saint Vincent de Paul proposée par son premier biographe, Abelly, sur la foi des dimissoriales du 13 septembre 1600 (on y trouve l'âge requis pour le sacerdoce). Mais le Père Coste s'appuya sur des affirmations du saint pour remplacer 1576 par 1581, partant du principe que M. Vincent devait être le meilleur témoin de son âge (cf. André DODIN, *St Vincent de Paul et la charité*, « Maitres spirituels », Éditions du Seuil, 1960, réédition de 1965, p. 143).

1. A. LAUNAY, dans son *Histoire générale de la Société des Missions Étrangères*, t. I, p. 3, note 1, cite le *Bulletin de la commission des antiquités de la Seine-Inférieure*, t. VI, p. 264 : « Pierre Marie Lambert, sieur de la Boissière et de la Motte, fils de Pierre Lambert, sieur de la Motte, vice-bailli d'Evreux, et de Catherine Heudey de Pommainville et de Bocquencey, né à la Boissière, le 28 janvier 1624 ». Ajouter Marie a aussi l'avantage de différencier le fils du père qui s'appelait aussi Pierre Lambert.

2. AMEP, vol. 45, p. 1110-1112 : En faisant le don aux Missions Étrangères de Paris d'une copie d'un portrait de Pierre Marie Lambert de la Motte le 7 mai 1852, M. Floquet l'accompagne d'une notice biographique familiale liée à la terre de Formentin qui est devenue la sienne : « La Terre de Formentin (canton de Cambremer, arrondissement de Pont-l'Évêque, Calvados) a appartenu, pendant 250 ans environ, à la famille Lambert, dans laquelle naquit, vers 1618, Pierre Marie Lambert, évêque de Béryte, mort à Siam, le 15 juin 1679. Le père de ce prélat était qualifié de Seigneur de Formentin, de la Boissière, de La Motte-Frondeville ».

3. Jean-Pierre LETHUILLIER, « Les prénoms de la noblesse bas-normande (XVIIe-XVIIIe siècles), in *Les Noblesses normandes* (XVI-XIXe siècle), sous la direction Ariane BOLTANSKI et Alain HUGON, Actes du colloque international de Cerisy-la-Salle, 10-14 septembre 2008, Coll. « Histoire », Presses universités de Rennes, 2011, p. 233-247.

4. Henri de FRONDEVILLE, *Les Présidents du Parlement de Normandie, 1499-1790 – Recueil généalogique*, Paris, Picard et Rouen, Lestringent, 1953, p. 576.

le même blason original que pour la famille Lambert de Frondeville[1]. Membre du Parlement de Normandie, Pierre Lambert aurait appartenu à la noblesse de robe, mais son père est mort dans les armées du roi, et pourrait se situer plus haut dans la noblesse d'épée et en tant vi-bailli pourrait se situer plus bas dans la noblesse de cloche, réservée à la magistrature municipale (avocat, échevin, conseiller)[2], dont faisait partie son grand oncle paternel, Robert Lambert, officier municipal de Lisieux, qui a été anobli[3] sans finance en mars 1586.

Il paraît pourtant sûr que la famille de Lambert est noble. Cela a pu avoir des conséquences sur l'éducation de Lambert et sur son état d'esprit : un noble est dépositaire de ce qu'il a reçu de ses pères afin de le transmettre aux générations suivantes. Pour des nobles, la foi chrétienne constitue le premier patrimoine à transmettre. C'est la noblesse de cœur qu'un noble doit montrer en ne déméritant pas, il doit tenir son rang en étant un exemple pour les classes sociales inférieures par le courage, l'honnêteté, le respect de la parole donnée. Au XVIIe siècle, ces caractéristiques permettent à la noblesse française d'être surreprésentée chez les saints comme François de Sales, Jeanne de Chantal, Louise de Marillac, etc. Cette représentation a diminué depuis le Moyen Âge. Mais elle en représente encore 33,33 % au XVIIe siècle alors qu'elle n'en représentera plus que 21 % le siècle suivant[4].

2° Lambert a pour parent un orateur et écrivain connu pour sa lutte contre le Jansénisme, il s'agit d'Ange Lambert[5] (1596-1661, capucin sous le nom de Zacharie de Lisieux parce qu'il est né à Lisieux). Cette relation familiale ainsi que son amitié avec Jean Eudes et Jean de Bernières rendent peu vraisemblable l'accusation de jansénisme portée contre le vicaire apostolique[6].

---

1. Jean de VAULCHIER, Jacques Amable de SAULIEU, Jean de BODINAT, *Armorial de l'ANF* (Association d'entraide de la Noblesse Française), précédé de *Héraldique et Noblesse* par Hervé PINOTEAU, ANF, éd. du Gui, 2004, blason n° 581.

2. Jean MEYER, *La noblesse française à l'époque moderne (XVIe-XVIIIe siècle)*, coll. « Que sais-je ? », Paris, Presses Universitaires de France, 1991, p. 26-27.

3. Lambert (Robert), 1588 (décembre) : d'azur au lion rampant d'or et au chef de gueules chargé de 3 étoiles d'or, inscription relevée dans la *Table alphabétique des blasons contenus dans les registres mémoriaux de la Cour des Aides 1575-1789 (3 B 7-58)*, Rouen, Archives départementales de la Seine-Maritime, 2007, citant 3 B 10, fol. 28 (Les registres mémoriaux de la Cour des aides de Normandie contiennent notamment l'enregistrement de lettres de noblesse. Beaucoup de ces lettres sont accompagnées de blasons peints qui ont fait l'objet du présent relevé, établi par Brigitte GUILLEMOT en 1996 et complété des reproductions des blasons par Christèle Potvin en 2007).

4. E. SUIRE, *La sainteté française de la Réforme catholique (XVIe-XVIIIe siècles)*, p. 411, 418-421.

5. *Dictionnaire de spiritualité, ascétique et mystique*, Paris, Beauchesne, 1937-1995, vol. 16, 1994, col. 1583-1585.

6. Raoul ALLIER, *La cabale des dévots (1627-1666)*, Paris, Armand Colin, 1902, Chapitre XIX, p. 182 ; cf. Le Comte René de VOYER d'ARGENSON, *Annales de la Compagnie du Saint-Sacrement*, publiées et annotées par Dom Henri BEAUCHET-FILLEAU, O.S.B.,

En fait c'est sa dénonciation du commerce des jésuites qui va le faire traiter de janséniste[1]. Lambert s'en réjouit en écrivant à Gazil, le 11 février 1664 :

> « Il ce peut faire que c'est la grace que N. S. me veut faire que de vouloir que ie meure pour la verité et la justice si toutefois Il n'ayme mieux m'accorder cette faveur incomparable de finir mes iours sur un gibet pour la foy et le salut de mes frères. Je vous supplie destre exacte a me bien mander tous les honneurs qu'on me rendra en eludant les tesmoignages que ie rend a la verité, tout ce quon dira de ma conduitte, si ie ne suis pas mesme un peu soubconné d'estre jeanseniste et si lon ne dit point que ie suis fort abusé dans ma voye, si en ma personne on ne decrie pas la belle et inconnue vie de la foy alleguant que tout ce que iay dit, escrit ou fait, ne peut venir que d'un esprit dont il faut avoir pitié et prier Dieu pour luy. Il n'est pas croyable le goust que je prends a toutes ces choses, parce que ie scay combien elles me seront utile »[2].

Comme en d'autres occasions, Lambert espère que les accusations portées contre lui l'aideront à gagner le ciel par les prières qu'on fera pour le pardon de ses fautes alors que l'éloge de sa foi les ferait oublier. On voit que l'accusation de jansénisme était considérée par lui comme la pire des calomnies qu'on pouvait dire à son égard.

3° Pour la datation de sa carrière, les archives départementales de Seine-Maritime conservent les lettres patentes recevant Pierre Lambert comme magistrat à la Cour des Aides du Parlement de Rouen avec dispense d'âge (il a alors 22 ans) le 3 juin 1646[3]. La Cour des Aides était chargée de contrôler la levée des impôts.

Marseille, 1900, p. 181, 165, 172-173. 185. C'est la Compagnie du Saint-Sacrement qui mena le combat contre les jansénistes mais, pour s'opposer aux Provinciales, elle trouva bon de soutenir un livre de Pirot que les jésuites avaient publiés *l'Apologie des casuistes contre les calomnies des jansénistes* qui fut condamné par Rome le 26 août 1659. Ce soutien fut sans doute pour quelque chose dans la disparition de la Compagnie du Saint-Sacrement.

1. Raoul ALLIER, *La cabale des dévots*, p. 350 : « Les confrères de Caen (de la Compagnie du Saint-Sacrement) étaient obsédés par l'horreur du jansénisme. Ils le voyaient partout. En relations constantes avec les congrégations d'hommes que le p. Bagot, jésuite, avait fondées à Paris dans les faubourgs Saint-Marcel et Saint-Germain, ils accusaient de jansénisme quiconque éprouvait la moindre froideur pour les fils de saint Ignace. Les disciples de M. de Bernières-Louvigny prétendaient qu'il découvrait ces hérétiques "au flairer, comme les chiens font leur gibier" ; mais "lui-même disait qu'il n'avait pas l'odorat si subtil ; la marque à laquelle il les connaissait était quand on improuvait conduite ou que l'on était opposé aux Jésuites" ».

2. P. LAMBERT DE LA MOTTE, Lettre à Gazil du 11 février 1664, AMEP, vol. 858, p. 73 ; vol 121, p. 568 ; cf. Guennou, transc., L. n° 64.

3. Adrien LAUNAY, *Histoire de la mission de Cochinchine 1658-1823*, Documents historiques, t. 1 : 1658-1728, Paris, MEP-Les Indes savantes, 2000, p. 1.

4° Les archives départementales de Seine-Maritime conservent aussi la lettre du Roi du 30 juin 1656[1] prenant acte de l'ordination sacerdotale de Pierre Lambert[2], de sa démission de la Cour des Aides après dix ans d'exercice, de sa nomination de directeur du Bureau des Pauvres Valides de Rouen, poste vacant à la suite de la mort de Pierre Damiens, Conseiller au Parlement de Rouen. Le roi nomme alors Pierre Lambert, seigneur et patron de la Boissière, Conseiller honoraire de la Cour des Aides avec dispense de durée d'exercice actif (10 ans au lieu des 20 ans requis)[3].

Des documents sur l'engagement politique et religieux de Lambert laïc

1° Un épisode moins connue de la vie de Pierre Lambert, c'est sa participation à la Fronde parlementaire de Normandie qui a fait l'objet d'études historiques particulières. On peut y lire que pour faire exécuter ses arrêts, le Parlement de Rouen, hostile à Mazarin, nomme en 1649 trois délégués chargés de détourner la recette des impôts pour le compte de la province de Normandie dirigée par le duc de Longueville. Il s'agit de représentants des cours souveraines[4], un conseiller des requêtes, Duval de Bonneval, un maître des comptes, Carré, et un conseiller à la cour des Aides, Lambert de la Motte[5], qui, à vingt-cinq ans, jouit déjà d'une estime suffisante pour se voir attribuer cette mission de confiance.

---

1. Vincent Maroteaux, Marie-Christiane de La Conte, *Cour des Aides (1440-1790)*, Sous-série 3B, Rouen, Archives départementales de la Seine-Maritime, 2006, p. 15, citant *Mémorial* 3B 39, folio 68.

2. Toutes les mentions sont faites au nom de Pierre Lambert sans mention de La Motte, il succède en 1646 à Jacques de Fry pour occuper l'office 16 de conseiller général de la Cour des Aides; son successeur sera en 1655 Germain Le Tellier (*Ibid*, p. 150, pour les attributions, voir p. 5-8).

3. A. Launay, *Histoire de la mission de Cochinchine*, t. 1, p. 1-2.

4. Chambre des requêtes: chambre qui a précédé la cour de Cassation pour la vérification de la régularité des procédures judiciaires ; Chambre des comptes: cour souveraine, organisée en 1320, qui était chargée de l'examen des comptes des agents financiers du roi et de la conservation du domaine royal.

Cour des aides: la cour souveraine à laquelle appartenait le contentieux suprême en matière d'impositions (de 1355 à 1790) (Dictionnaire Robert).

5. Amable Floquet, *Histoire du Parlement de Normandie*, Rouen, Edouard Frère, 1842, t. V, p. 288-289. 291 ; Paul Logié, *La Fronde en Normandie*, Amiens, chez l'auteur, 1952, t. II, p. 79, citant Bib. nat., fr., ms. 18940, f. 89 et suiv. ; Reg. secr., t. XXVI, f. 117 v° et suiv. Pour l'implication des cours souveraines dans la Fronde parlementaire, voir Janczukiewick Jérôme, « Le renouvellement de la Paulette en 1648 » in revue *Dix-septième siècle*, Paris, P.U.F., 2002/1, n° 214, p. 3-14.

Les trois délégués ne réussirent pas leur mission en Basse Normandie, car ils furent accueillis avec froideur à Caen[1]. Duval de Bonneval, comme un bon fonctionnaire désireux de servir le Roi et le bien public[2], rendit compte au Parlement de Rouen ; son état d'esprit reflète vraisemblablement celui de ses deux compagnons : « Les officiers de Basse-Normandie, écrit-il, prennent si peu de part à l'intérest public, qu'ils ne veulent point s'engager avec ceulx qui en ont entrepris la cause ; de sorte qu'ilz sont continuellement en garde contre tout ce qu'on leur peut proposer en faveur du party. Les trésoriers de France se refusent à laisser sortir les deniers de leurs receptes ; les élus, les commis et toutes les personnes dépendantes de leur juridiction, se refusent à reconnoistre les députez du Parlement »[3]. On attribuait ces résultats décevants au double jeu de Mâtignon, lieutenant général en Basse-Normandie[4], pourtant parent du duc de Longueville. On voit que pour Lambert et ses collègues il s'agissait au contraire de servir Longueville pour servir le roi et l'intérêt public.

Cet épisode de la Fronde « parlementaire » a été la seule mission politique confiée à Lambert par son employeur, le Président du Parlement de Rouen ; car très vite le Parlement de Paris, devant la menace d'une ingérence espagnole, négocie avec Mazarin. Le 11 mars 1649, la paix de Rueil met fin à ce premier épisode de la Fronde.

2° Les largesses de Pierre Lambert forment aussi des pièces administratives qui ont leur valeur historique. On note sa participation financière à la conférence de Cambremer dirigée par Dominique George, abbé du Val-Richer, pour former les prêtres en lien avec les Conférences des Mardis instituées par saint Vincent de Paul[5]. Cette formation sacerdotale continue

1. Raymond Bazin, *Les grandes époques normandes, la Fronde en Normandie*, ouvrage historique, Dieppe, Imprimerie dieppoise, 1908, p. 50.

2. « Le 8 janvier 1649, le Parlement de Paris rendait un arrêt par lequel le cardinal Mazarin était déclaré ennemi du roi et de l'État, perturbateur du repos public et il était enjoint à tous les sujets du roi de *lui courir sus* ! La guerre était déclarée entre le Parlement et la Cour » (*Ibid.*, p. 19).

La même année, à Rouen, le duc de Longueville « rappela ce qu'il avait déjà fait pour le service du roi et le bien de la province et fut très applaudi par les anciens conseillers. Le premier président engagea alors avec le duc, un dialogue au cours duquel il lui exprima les craintes qu'il éprouvait et Longueville l'assura à nouveau de son désir de servir le roi, en tout et partout » (*Ibid.*, p. 43). Voir aussi Jean Meyer, *La noblesse française*, p. 54 : on se targuait de servir le « Bien public », en n'obéissant pas au Roi mineur et dominé, pour favoriser les droits du Roi quand il serait adulte et bien informé.

3. A. Floquet, *Histoire du Parlement de Normandie*, t. V, p. 289.

4. *Ibid.*, p. 291.

5. L'abbaye du Val-Richer est comptée parmi les lieux d'implantation des Conférences des Mardis (cf. ADodin, *St Vincent de Paul et la charité*, p. 47) ; l'auteur anonyme de la vie de Boudon a dit que Dominique George a établi ses conférences à l'instar de celles de Saint Vincent de Paul, son intime ami (Pierre Collet, *La vie de M. Henri-Marie Boudon, grand Archidiacre d'Évreux*, t. I, Paris, chez Jean-Thomas Herissant, 1753, p. 208)

rentre en effet à l'époque dans les préoccupations des membres de l'École française :

> « Le règlement de la conférence de Cambremer, créée le 26 septembre 1649, était extrêmement précis et portait la marque de l'esprit d'organisation minutieuse caractéristique de l'époque et inculqué à ses fondateurs par leur formation ignacienne. Elle comportait de nombreux officiers : directeur, deux assistants, secrétaire, interprète de l'Écriture sainte, récapitulateur ou répétiteur, expositeur de l'auteur que l'on suit à la conférence, proposant en la conférence, solliciteur des malades et des services des confrères défunts de la compagnie, cérémoniaires communs et particuliers, sacristains, députés chargés de recevoir les externes, économes, portiers. La conférence avait lieu tous les quinze jours à 10 heures en hiver et à 11 heures en été ; elle comportait un ordre du jour précis et durait deux heures et demie »[1].

Lambert manifeste son intérêt pour cet objectif. Aux Archives des Missions Étrangères se trouvent trois lettres manuscrites de Lambert adressées à l'Abbé du Val-Richer et à la Conférence de Cambremer, *La Semaine religieuse de Bayeux* de mai 1918 a publié une autre lettre de Lambert à Dominique George, du 19 novembre 1676, d'après une copie manuscrite, sans doute de la main de Dominique George lui-même et conservée aux archives du Calvados (série H. Abbaye du Val-Richer)[2].

3° La relation privilégiée de Pierre Lambert et Jean Eudes est marquée par une abondance de documents.

On y trouve les preuves de la participation financière de Pierre Lambert aux missions et aux séminaires eudistes. On note son don de cinq cents livres pour la fonte des trois cloches du séminaire eudiste de Coutances, de trois cents livres pour la fondation du même séminaire ; on note aussi sa participation financière à la mission eudiste de Lisieux[3] d'octobre-novembre 1653[4]. Dans le décompte qu'il fait, le Père D. Boulay y ajoute 300 livres pour le séminaire de Lisieux et surtout Lambert va porter entièrement la création du séminaire eudiste de Rouen, avec son frère Nicolas il

1. Françoise FAUCONNET-BUZELIN, *Le père inconnu de la mission moderne : Pierre Lambert de la Motte, premier vicaire apostolique de Cochinchine, 1624-1679*, Paris, Archives des Missions Étrangères, 2006, p. 3 note 13, citant Dom Dominique GEORGE *et l'Abbaye du Val-Richer*, Lisieux, Association Le Pays d'Auge, 1993.

2. J. GUENNOU en a fait une copie dactylographiée (cf. Guennou, transc., L. n° 172 bis).

3. Paul MILCENT, *Un artisan du renouveau chrétien au XVIIe siècle, S. Jean Eudes*, Paris, Cerf, 1985, p. 268, citant p. Costil, *Annales de la Congrégation de Jésus et Marie*, livre IV, chapitre 28 : Archives eudistes, manuscrit 27, p. 448 ; J. Martine, *Vie du Révérend Père Jean Eudes*, livre IV, chapitre 68 : Archives eudistes, manuscrit 17, p. 306. Une des trois cloches de Coutances baptisée du nom de Marie, le 4 septembre 1655, a eu Jean de Bernières pour parrain et Marie des Vallées pour marraine (p. 267).

4. Charles BERTHELOT du CHESNAY, *Les missions de saint Jean Eudes, contribution à l'histoire des missions en France au XVIIe siècle*, Paris, Procure des Eudistes, 1967, p. 307.

se porte caution à hauteur de 23 000 livres pour l'achat d'une maison où sera fondé le séminaire de Rouen et il s'engage à l'entretien de 10 prêtres dans la communauté avec le don d'un ciboire[1]. Ces apports financiers furent décisifs, car du fait de l'absence des 10 000 livres promises par M. d'Ormanville, le séminaire de Rouen aurait échappé à Jean Eudes pour être attribué aux Jansénistes qui le briguaient[2].

Jean Eudes peut ratifier à Paris le contrat de donation le 9 novembre 1658[3], il reste à faire accepter la présence des Eudistes à Rouen. Les jansénistes, évidemment, se déchaînent, tandis que François de Harlay s'efforce de calmer les esprits tout en soutenant fermement le projet. Enfin, le 14 janvier 1659, le Parlement enregistre les lettres patentes et le séminaire, dirigé par Thomas Manchon, peut ouvrir à la mi-février. Jean Eudes écrit alors au supérieur de Coutances : « Dieu bénisse ceux qui y ont contribué, spécialement M. de la Boissière (un des noms donnés à Pierre Lambert) à qui, après Dieu et nos amis du ciel, nous avons toute l'obligation de cette affaire, y ayant travaillé depuis neuf mois avec un zèle, une patience et une persévérance merveilleuse »[4].

De son côté, Jean Eudes a accueilli Lambert à Coutances pour le préparer au sacerdoce, et il a soutenu son projet de mission en Asie, puisqu'il a permis le départ de trois Eudistes avec Pallu au nom de sa congrégation[5], comme il en ressort du texte de Jean Eudes :

---

1. Denis Boulay, *Vie du vénérable Jean Eudes*, Paris, René Haton, 1907, p. 252-253. Lambert convainquit l'archevêque de Rouen de faire appel à Jean Eudes pour fonder à Rouen un séminaire. Une Lettre de Lambert à Jean Eudes, datée de 1658, traite de cette fondation, elle a été publiée en 1880 (Julien Martine, *Vie du Révérend Père Jean Eudes*, Caen, Le Blanc-Hardel, 1880, t. 2, p. 18, citant livre V, chapitre 8, manuscrit 17, p. 333-334), elle est reproduite dans le livre du Père D. Boulay, p. 247). Lambert y écrit au nom du jeune archevêque de Rouen, François de Harlay de Champvallon (2e du nom : 1625-1695) pour recommander le secret de la négociation où l'on retrouve des proches et procureurs de Lambert, les Rouennais Luc Fermanel de Favery (1632-1688) et son père. La négociation aboutit à la signature d'un accord au jour de l'Ascension 1658 (N° 54 du journal ou mémorial des bienfaits de Dieu (Memoriale beneficiorum Dei) de Jean Eudes dans *Œuvres complètes*, Paris, Gabriel Beauchesne et Cie, 1911, t. XII, p. 117).

2. Jean Eudes, *Œuvres complètes*, Vannes, Lafolye Frères, 1905, t. XI, Lettre XXVI de 1659 à M, d'Ormonville, p. 72, note 2.

3. C. B. du Chesnay, *Les missions de saint Jean Eudes*, p. 276.

4. J. Eudes, *Œuvres complètes*, Vannes, Lafolye Frères, 1905, t. X, p. 426.

5. P. Milcent, *Un artisan du renouveau chrétien au XVIIe siècle, S. Jean Eudes*, p. 346, citant J. Martine, *Vie du R.P. Jean Eudes*, livre V, chap. 29-30 : manuscrit 17, p. 366 ; P. Costil, *Annales de la Congrégation de Jésus et Marie*, livre VI, chap. 17 : manuscrit 27, p. 716 ss ; P. Costil, *Fleurs de la Congrégation de Jésus et Marie*, livre II, chap. 27 : manuscrit 31, p. 576 ss ; J. Guennou, « Les Missions étrangères de Paris et les Eudistes », dans *Notre Vie, revue eudiste de spiritualité et d'information (1978-1971)* t. X (1964-1965), p. 65 ss., voir aussi t. XI, p. 18.

« Jean Eudes, prêtre missionnaire, supérieur de la congrégation de Jésus et Marie, à tous ceux qui ces lettres verront, salut. Sur ce qui nous a été exposé par notre cher et très frère Pierre Sasseval, prêtre missionnaire de notre Congrégation, qui, ayant su qu'il se perd un nombre presque innombrable d'âmes dans le royaume de la Chine, et dans les autres qui en sont voisins, faute d'ouvriers évangéliques qui leur prêtent la main pour les tirer de la perdition et les mettre sur le chemin du salut, il aurait conçu un très ardent désir de se joindre avec plusieurs autres ecclésiastiques qui se disposent à se transporter dans ces régions. Mais, parce qu'il ne veut rien faire qu'avec la perfection d'une parfaite obéissance aux supérieurs que Dieu lui a donnés, il nous suppliait d'avoir ce dessein agréable et d'y donner notre approbation, consentement et permission [...]. Allez au nom et de la part de notre petite Congrégation pour faire dans la Chine et les autres lieux où la Providence vous conduira, ce qu'elle voudrait faire par tout l'univers, avec l'effusion de son sang jusqu'à la dernière goutte, pour y détruire la tyrannie de Satan et y établir le royaume de Dieu. Mais souvenez-vous que cet œuvre étant tout apostolique, vous avez besoin d'une intention très pure pour n'y chercher que la gloire de Dieu, d'une très profonde humilité et défiance de vous-même, d'une très grande confiance en son infinie bonté, d'une entière soumission à sa très adorable volonté et à celle des Prélats qui vous tiendront sa place, d'une patience invincible dans les travaux, d'un zèle très ardent du salut des âmes, et d'une très sincère cordialité pour les autres ecclésiastiques, et spécialement pour les religieux de la sainte Compagnie de Jésus, avec lesquels nous vous prions très instamment de vivre toujours dans une parfaite union et intelligence. Méditez souvent ces vertus, demandez-les instamment à Dieu, et tachez de les pratiquer fidèlement. Plaise à la divine Bonté de vous les donner en perfection, avec toutes les autres grâces qui vous sont nécessaires et convenables pour accomplir parfaitement sa très sainte volonté, et pour vous comporter partout comme un vrai missionnaire de la Congrégation de Jésus et Marie, et comme un véritable enfant de leur très aimable Cœur »[1].

Dans cette lettre, Jean Eudes montre que les trois missionnaires partent au nom de sa congrégation, alors qu'on les classa aux Missions Étrangères comme des anciens Eudistes[2].

---

1. J. EUDES, *Œuvres complètes*, t. X, p. 448-450. Cette lettre montre aussi qu'il n'y avait pas de divergence entre Lambert et Jean Eudes concernant l'amitié et le respect envers les jésuites et qu'en conséquence l'opposition que Lambert a pu montrer par la suite ne venait pas d'une prévention quelconque, mais vraiment du scandale insupportable occasionné à Ispahan par la découverte de leurs pratiques commerciales.

2. Gérard MOUSSAY et Brigitte APPAVOU, *Répertoire des membres de la Société des Missions Étrangères (1659-2004)*, ordre alphabétique suivi de l'ordre chronologique, Paris, AMEP, 2004, p. 51 (Sesseval-Danville) et p. 52 (Brunel), Barthélemy Meunier n'y figure pas sans doute parce qu'il est mort à Paris le 10 août 1661 avant de partir ; Pierre de Saisseval-Danville (ou Sesseval-Danville) est parti de Marseille avec Mgr Pallu le 2 janvier 1662 et mort à Gameron en Perse (aujourd'hui l'Iran), le 8 décembre 1662 ; René Brunel, parti avec son confrère et mort en Inde à Masulipatam, le 7 août 1663.

On ne sait pas si Jean Eudes a présenté Lambert à Jean de Bernières ; le seul élément objectif se rapportant à cette hypothèse est une cloche offerte par Lambert au séminaire de Coutances avec pour parrain Jean de Bernières et pour marraine Marie des Vallées. Jean de Bernières est mort le 3 mai 1659 et nous ne possédons pas de lettre de Lambert avant cette date. Partant du récit de Brisacier, Jean Guennou, archiviste des Missions Étrangères de Paris, a cherché des preuves ou des témoignages de confirmation, notamment pour le passage de Lambert et de Jean de Bernières au Carmel de Pontoise, mais il n'en a pas trouvé trace[1].

4° Par contre, on trouve dans la correspondance de saint Vincent de Paul (notamment à Edme Jolly) bien des éléments sur l'envoi par Rome d'évêques au Tonkin et en Cochinchine, et aussi sur la fondation du séminaire des Missions Étrangères à Paris. Il signe deux pétitions, l'une au pape en juillet 1653, l'autre à la *Propaganda Fide* en septembre 1653. Il sollicite avec quelques autres la nomination de deux ou trois évêques pour le Tonkin et la Cochinchine avec mission d'ordonner des prêtres autochtones ; cela va dans le sens du rapport d'Alexandre de Rhodes[2] mais non dans le sens de la pratique de la Compagnie de Jésus, comme en témoigne la lettre de Vincent de Paul au Père Bagot[3]. Alexandre de Rhodes avait pris contact avec le

1. On peut trouver toutes les lettres de J. GUENNOU sur ce sujet et leurs réponses dans les Archives (AMEP, Lambert de la Motte, boîte n° 10).

2. Saint VINCENT de PAUL, *Correspondance, Entretiens, Documents, I. Correspondance*, édition publiée et annotée par Pierre Coste, Paris, Librairie Lecoffre. J. Gabalda, 1922, t. V (août 1653-juin 1656), lettre 1655, p. 11-15 ; AMEP, vol. 114, p. 434 ; cf. Le Comte René de VOYER d'ARGENSON, *Annales de la Compagnie du Saint-Sacrement*, p. 139-140 : l'auteur note à la date du 14 août 1653 que la Compagnie du Saint-Sacrement « prit part aux desseins du P. de Rhodes, jésuite, qui partoit pour le Tonquin avec des missionnaires de son ordre. Elle lui donna pour cet effet une somme fort considérable, et elle a toujours témoigné grand zèle pour aider et favoriser ces voyages apostoliques. Ce fervent Jésuite, grand imitateur de saint François Xavier, avoit voyagé pendant 40 années dans les royaumes du Levant, particulièrement dans le Tonquin où l'on croit qu'il a baptisé plus de cent mille personnes, et il y avoit fort examiné les moyens de perpétuer solidement la religion catholique dans ces pays idolâtres. Ses projets ont eu de grands succès dans la suite par l'envoi de trois évêques françois, vicaires apostoliques, et d'un grand nombre d'ecclésiastiques, qui, dans le royaume de Siam au Tonquin, et dans la Cochinchine, ont travaillé puissamment à établir le royaume de Jésus-Christ. Il s'en est imprimé d'excellentes et de très véritables relations, qui ont été fort agréables aux personnes zélées pour la conversion des infidèles, et c'est là où je renvoie mes lecteurs pour s'instruire plus à fond d'un grand et très saint ouvrage dont je ne dis qu'un mot en passant ».

3. *Ibid.*, t. VI, (juillet 1656 – novembre 1657), lettre 2145 du 24 septembre 1656, p. 91. Vincent de PAUL y accuse les jésuites de ne pas ordonner d'autochtones, mais Henri Sy a écrit que c'était là l'opinion communément admise en Europe à cette époque : « Dans un article très documenté de la Revue *d'Histoire des Missions* (1932, p. 475-505), le p. Brou a établi que de 1601 aux environs de 1640, 40 à 50 japonais furent ordonnés prêtres : 7 du clergé séculier, les autres appartenant à divers Ordres religieux, il en donne la liste nominative » (H. SY, *La Société des Missions Étrangères – Les débuts*, p. 88 et 207, note 207).

Père Bagot et les jeunes ecclésiastiques étudiants en théologie, externes du Collège de Clermont, pour leur expliquer ses projets[1].

La première pétition parle d'évêques *in partibus* soumis au Saint Siège, seule possibilité dans le cadre du patronat portugais[2] ; l'autre pétition assure à la Sacrée Congrégation que l'argent nécessaire a été trouvé[3] ainsi que trois candidats dont les noms ne sont pas mentionnés. Vincent de Paul rappelle cette demande au cardinal Antoine Barberini, alors Préfet de la Sacrée Congrégation de la Propagation de la Foi, datée du 6 ou 7 février 1654. Il lui dit qu'il a eu du retard à rassembler la somme nécessaire à l'entretien des trois évêques ; il montre aussi que leur envoi doit correspondre au besoin d'une meilleure information sur la réalité de l'état de la religion chrétienne dans ce pays lointains, ce qui suppose de la part de saint Vincent de Paul un doute sur la fiabilité des rapports qu'on en fait[4].

Saint Vincent de Paul suit l'affaire et est au courant du voyage à Rome des cinq prêtres dont Pallu pour obtenir l'accord du pape, il écrit en 1657 :

> « On m'écrit de Rome que cinq ou six prêtres français qui ont été ici à l'ordination, sont allés à Rome pour se jeter aux pieds du Pape et s'offrir à travailler aux Indes, et que le Pape les a loués de leur zèle et leur a dit: "Je désirerais être en état de pouvoir faire la même chose ; autrefois, avant d'être ce que je suis, j'ai eu des mouvements de le demander ; mais ce qui m'en a empêché, ce sont les paroles que j'ai lues dans le livre du bienheureux François de Sales, évêque de Genève : ne rien demander et ne rien refuser." Le Pape lui-même, comme vous venez d'entendre, loue le dessein de ces prêtres français qui ont eu ce courage d'aller s'offrir pour cet effet à Sa Sainteté »[5].

Edme Jolly tient Vincent de Paul informé de tout ce qui se passe à Rome comme dans sa lettre du 25 septembre 1657 à laquelle Vincent de Paul répond le 19 octobre en lui disant : « Quant à ces Messieurs qui parlent d'aller au Tonkin et à la Cochinchine, j'ai su qu'ils n'ont point d'autre dessein. Nous en avions un ici en retraite ces jours passés, qui se prépare au voyage »[6]. Plus tard Vincent de Paul écrira à Edme Jolly : « Dieu soit loué,

---

1. François Pallu, *Histoire du schisme*, AMEP, vol. 856, p. 409-412
2. Saint Vincent de Paul, *I. Correspondance*, t. IV, Lettre 1637, p. 623-624.
3. La Marguerie, Barillon de Morangis et Drouard collectèrent les fonds nécessaires le 23 avril 1654, 200 écus de revenus par vicaire apostolique (Adrien Launay, *Documents historiques relatifs à la Société des missions étrangères*, t. 1, Vannes, Lafolye frères, 1904, p. 518. 522).
4. Saint Vincent de Paul, *I. Correspondance*, t. V, lettre 1702, p. 71 (Archives de la Propagande, *India, China, Japonia*, 1654, vol. 193, fol. 400).
5. *Id.*, *Entretiens*, n° 172, répétition d'oraison du 30 août 1657, t. XI, p. 424.
6. *Id.*, *Correspondance*, t. VI (juillet 1656 – novembre 1657), lettre 2417 du 19 octobre 1657, p. 537-538. Coste en 1931 dans sa biographie de saint Vincent de Paul, s'appuie sur cette seule référence pour dire : « Pendant ce temps, à Paris, un autre prêtre, Pierre Lambert de la Motte, qui se sentait appelé, lui aussi, à l'évangélisation des infidèles, multipliait les visites

Monsieur, de ce que ces Messieurs du Tonkin sont venus à bout de leur affaire et de ce que vous avez reçu chez vous M. Pallu pendant l'absence des autres ! »[1].

Cela n'a pas été la seule rencontre des lazaristes avec Pallu et les missionnaires d'Asie, ils se sont rencontrés à Fort-Dauphin (Madagascar) où des lazaristes avaient fondé une mission et où Jacques de Bourges a fait escale en 1667[2]. De son côté, Pallu y a attendu la saison propice pour repartir le 14 août 1671. Son séjour a été relaté par Monsieur Roguet dans une lettre à Monsieur Alméras, datée de Fort-Dauphin, le 26 octobre 1671[3].

On constate que les oratoriens, les eudistes, les lazaristes et les sulpiciens ont été en rapport avec ceux que saint Vincent de Paul appelait « ces Messieurs du Tonkin », l'exploitation des Archives des premiers était donc nécessaire. Mais c'est maintenant à l'exploitation complète des Archives des Missions Étrangères qu'il nous faut procéder.

---

aux personnages les plus influents pour les intéresser à l'entreprise. Il eut plusieurs entrevues avec Vincent de Paul avant et pendant la retraite qu'il fit à Saint-Lazare. Le saint approuva sa résolution et lui conseilla d'aller prêter main forte, à Rome, à Pallu, qui commençait à perdre courage » (Pierre Coste, *Le grand saint du grand siècle, Monsieur Vincent*, volume III, Paris, Desclée de Brouwer, Paris, 1931, p. 330).

1. *Ibid.*, lettre 2452 du 9 novembre 1657, p. 593.

2. Lettres de Marie-Ignace Roguet à René Alméras du 15 octobre 1667, de René Alméras à Louis Bourrot du 1er mars 1970, de Edme Jolly à Marie-Ignace Roguet du 14 juin 1674, conservées dans les Archives de la Mission à Paris.

3. *Mémoires de la Congrégation de la Mission*, t. 9, Paris, Maison principale de la C.M., 1867, p. 481-486.

CHAPITRE 2
LA HIÉRARCHISATION DES TÉMOIGNAGES SUR LAMBERT

Le témoignage de Lambert sur lui-même

Ce que Lambert dit de sa jeunesse et de sa vocation

La correspondance de Lambert fournit certaines confidences sur son enfance qui ne cadrent pas toujours avec ce qu'en disent ses biographes. C'est dans une lettre du 3 novembre 1664, à Vincent de Meur, supérieur du séminaire des Missions Étrangères depuis le 11 juin 1664, que Lambert se confie pour noter les prémices de sa vocation. À Lisieux où il est né, il songe d'abord à la vie religieuse et part à la recherche d'une congrégation qui lui convienne, et n'en trouve pas même s'il reconnaît que certaines vivent « dans la pureté de leur institut ». À l'âge de 9 ans, le Seigneur va lui répondre qu'il existe une autre sorte de personnes et donc de vocation qui lui conviendrait plus que les autres, ce sont les Amateurs de la Croix : « Leur vie me paroissoit si admirable que si jeusse su en rencontrer quelque part j'aurois fait tous mes efforts a quelque prix que ceu esté pour estre en une telle compagnie », mais le Seigneur lui fit comprendre qu'il n'en trouvera pas encore sur la terre[1].

Son père meurt alors qu'il a onze ans et demi et sa mère alors qu'il a seize ans, c'est la mort de ses parents qui va le conduire à prendre ses responsabilités d'aîné (il a deux sœurs et un frère) pour devenir très tôt magistrat, avec dispense d'âge.

Puis alors qu'il a atteint le sommet de sa carrière, sans doute vers 1650, c'est un appel de Dieu qui le décide à tout quitter pour suivre le Christ, mais il mettra cinq ans pour y parvenir.

Une lettre de Lambert, de février 1664 au Père jésuite Le Faure[2] nous apprend comment il fut son élève à Caen pendant quatre ans et demi, ce qui semble correspondre à l'intervalle entre la mort de son père en 1635 et la mort de sa mère en 1640. Il lui rappelle le rapport affectueux qu'ils ont entretenu dans ces années-là.

---

1. P. Lambert de la Motte, Lettre à Vincent de Meur du 3 novembre 1663, AMEP, vol. 116, p. 559-560 ; cf. Guennou, transc., L. n° 53 bis.

2. *Id.*, Lettre au Père Le Faure, AMEP, vol. 121, p. 570-571 ; cf. L. n° 67, février 1664.

De façon indirecte Lambert nous donne des indications chronologiques précieuses en parlant de la façon dont on doit discerner une vocation missionnaire : « Il ne faut pas se contenter d'un homme de bonne volonté fervent et devot, si ce n'est qu'il eut passé dix années consecutives dans une oraison intime avec nostre Seigneur et dans le service du prochain, sans cela il est fort a craindre que les missionnaires ne viennent a dechoir de leur interieur »[1]. Si on applique à Lambert lui-même cet avis, on peut en conclure que Lambert en partant en 1660, avait donc dix ans de méditation et d'œuvres charitables, cela permet de dater le début à 1650. Dans la lettre à Vincent de Meur du 3 novembre 1664, il avait dit qu'il mit cinq ans pour se dégager du monde. Sachant qu'il fut ordonné prêtre en 1655, c'est en 1650 que se situerait son second appel, sans doute à l'occasion de sa rencontre avec Dominique George et Jean Eudes.

Le fait d'être une vocation tardive sera ressenti comme un mal par Lambert. Il ne tient pas compte de son rôle de soutien de famille pour se donner des circonstances atténuantes[2]. À tout progrès de sa vie spirituelle[3], il considère plutôt les obstacles qu'il a mis à la grâce dans le passé, ce qui le maintient dans l'humilité. À plusieurs reprises Lambert va évoquer son regret d'avoir perdu du temps en se détachant trop tard des vues et ambitions du monde et de n'avoir pas embrassé plus tôt le sacerdoce ; c'est ce qu'il dit à Monsieur Voyer d'Argençon en se reprochant d'avoir « satisfait de mauvaises grâces bien tard et avec bien de l'infidélité » au conseil évangélique de tout quitter pour suivre Jésus[4], et quand il lui donne de ses nouvelles le 20 janvier 1665, il répète encore : « Pour ce qui regarde les spirituelles nous vous pouvons assurer que nous ne trouvons poin de condition si heureuse que la nostre regrettant tous les jours de lavoir embrassée si tart »[5].

Une autre confidence de Lambert traite de sa direction spirituelle[6]. Il écrit à Gazil :

---

1. *Id.*, *Abrégé de Relation*, AMEP, vol. 121, p. 610 : Réflexion sur les qualités des missionnaires de la Chine ; cf. § 2.

2. Au XVIIe siècle, dans les familles nobles, seul le cadet pouvait choisir la prêtrise comme ce fut le cas pour Nicolas Lambert, mais l'aîné devait suivre son père dans l'armée pour la noblesse d'épée et dans la magistrature pour la noblesse de robe comme pour Pierre Lambert. Par contre Jean Eudes fut consacré au service de l'autel par ses parents avant sa naissance (Eric Suire, *La sainteté française de la Réforme catholique XVIe-XVIIIe siècles*, p. 243).

3. Lettre de Lambert à Pallu de 1668 (?) (AMEP, vol. 876, p. 555-558 ; cf. Guennou, transc., *Abrégé de Relation*, § 90) où il parle de l'application de la discipline le soir en disant regretter de n'en avoir pas eu connaissance plus tôt.

4. P. Lambert de la Motte, Lettre à son procureur, le comte René de Voyer d'Argençon, AMEP, vol. 121, p. 518 ; cf. Guennou, transc., L. n° 24, mai 1663.

5. *Id.*, Lettre du 20 janvier 1665, AMEP, vol. 858, p. 111 ; cf. L. n° 85.

6. Pour Brisacier, le Père Jésuite Julien Hayneuve est le premier directeur spirituel de Lambert, il se trouve à Rouen à partir de 1647, alors que Lambert a 23 ans. Brisacier précise

> « Toutes les fois que i'ouvre le nouveau testament et que Jy vois les moyens d'acquerir la sainteté en si peu de parolles, ie maccuse d'avoir tant perdu du temps autrefois a consulter les hommes qui ne tenoient pas ce langage et regrettant de m'estre bien voulu tromper Ie dis qu'avoi-je a faire autre choses qu'a renoncer a tout et suivre J.-C. me falloit-il un eclercissement ou une caution plus grande que son St Évangile. Mais quelle remede a cella sinon de pleurer son infidelité et de gemir son ingratitude jusqu'au dernier soupire de la vie. Soyons donc sage a nos despens et prenons cette resolution de pratiquer a l'aveugle les oracles du Fils de Dieu qui regardant nostre vocation, croyant que sans doute c'est ce qu'il nous faut faire pour agreer davantage a la Divine bonté, parce que, examiner si on suivra un Conseil Evangelique, cest perdre la grace qui nous est donné de le pouvoir mettre en pratique »[1].

Lambert a écrit aussi aux Ecclésiastiques de la Conférence (de Cambremer) en leur parlant de son bonheur d'avoir tout quitté pour le Christ : « Mon seul regret est d'avoir tant tardé à le faire d'avoir douté et d'avoir cherché un autre Directeur que l'Évangile »[2].

Pour Lambert c'est donc en 1650 (5 ans avant son ordination) qu'il aurait dû choisir le sacerdoce s'il n'en avait pas été dissuadé par ceux auprès desquels il prenait habituellement conseil. Aussitôt prêtre, c'est le Père Hallé, un Minime, qu'il choisit pour le guider et qu'il gardera en mission. C'est donc à partir d'une expérience malheureuse que Lambert décide de prendre conseil auprès d'un homme qui ne tient pas le même langage que ceux qu'il consultait précédemment.

Dans les biographies de Lambert on n'a pas pris en compte suffisamment le revirement de spiritualité qu'on peut dater de 1655. Lambert devient alors disciple de saint François de Paule mettant en avant la pauvreté et la modestie de l'évangélisateur.

Un réseau de relations influentes révélé par la correspondance de Lambert

– L'archevêque de Rouen : La correspondance de Lambert donne des indications sur les relations qu'il a établies avant son départ en mission. Ainsi il écrivit le 10 juillet 1663 à l'archevêque de Rouen qui a été son

---

qu'il conférait tous les jours avec Lambert qui logeait près du collège des jésuites (J.-C. de Brisacier, *Vie de M. de Beryte*, vol. 122, p. 5, § 14).

1. P. Lambert de la Motte, Lettre à Gazil, AMEP, vol. 121, p. 529 ; cf. Guennou, transc., L. n° 30, juin ?, 1663.

2. *Id.*, Lettre aux Ecclésiastiques de la Conférence, AMEP, vol. 121, p. 531 ; cf. L. n° 32, juin ?, 1663.

supérieur entre son ordination et son départ en mission et grâce auquel il a pu obtenir le séminaire pour saint Jean Eudes :

> « Il y a peu de personnes qui ayent tant de sujets de se plaindre comme vous avez, de ce que ie suis parti de france sans vous faire mes adieux parce quil est malaisé de rencontrer quelqu'un qui ait plus d'obligation de le faire. Cependant ie suis dans cette pensée que si ie vous en dis la veritable cause, vous ne me donnerez pas tout a fait le tort. Cette raison est lhonneur dune amitié particulier dont V G ma toujour gratifié et qui dans cette occasion me parut desavantageuse en ce quelle pouvoit mettre obstacle ama bonne fortune en me voulant rétenir dans vostre province dont ie suis originaire. Iavoüe donc quen ce rencontre vous me devîntes suspect et que pour cette mesme occasion ie regardais tous mes amis tous mes emplois et tous les engagements de pieté comme des ennemis de ma felicité »[1].

Mais une autre crainte se fit jour chez Lambert, c'était la revendication de l'archevêque de Rouen concernant la direction des missions religieuses françaises partant du port de Rouen pour le Canada[2]. Lambert encore à Paris s'en est ouvert le 30 janvier 1660 au secrétaire de la Sacrée Congrégation de la Propagation de la Foi qu'il considérait comme son supérieur immédiat, à propos de Mgr François de Montmorency-Laval, vicaire apostolique au Canada[3] :

> « En écrivant cette lettre à votre Illustre Seigneurie, il ne m'a pas semblé inutile de mettre sous vos yeux la situation actuelle de l'Église du Canada[4]. Les

---

1. *Id.*, Lettre à l'Archevêque de Rouen, AMEP, vol. 121, p. 514 ; cf. L. n° 22, le 10 juillet 1663. À la fin de cette lettre, Lambert a parlé de l'Assemblée du Clergé de France dont l'archevêque est le président, et il souhaite être encore considéré comme l'un des membres de cette assemblée et que la France se sente responsable du recrutement des missionnaires : « Sy Messeigneurs vouloient bien nous considerer comme missionnaire de leur corps cette mission qui est un des plus grands dessein qui se puisse iamais projetter, pour l'interest de la gloire de Dieu et le salut du prochain, en recevroit une utilité admirable, parce que les Evesques qui seroient envoyé en ces quartiers, estant unis au corps le plus auguste de la chrestienté, auroient les avantages qu'apporteroit infailliblement une telle union dont l'effet seroit d'attacher cette mission à la France, de la rendre perpetuel, et de la pourvoir d'exellens ouvriers apostoliques » (p. 516).

2. Lesley écrit en 1666 à Gazil pour lui dire que Rome ne veut pas que les missionnaires prennent leurs pouvoirs des évêques du port d'embarquement (AMEP, vol. 200, p. 550).

3. Canonisé par le pape François en 2014 (fête le 6 mai). Lambert témoigne ici de son amitié pour Montmorency-Laval comme dans une autre lettre adressée vers 1668 au Père Le Faure : « Dans ce mesme temps le Roy, a envoyé quelques troupes au Canadas sous la conduite dun capitaine aux gardes pour avancer les conquestes de ce nouveau monde qui a fort bien reussy ayant subiugué trois ou quatre nations assez proches de Quebek ou il y a un st evesque de la maison de Laval fort de mes Amis qui est le premier evesque du Canadas » (Lettre de Lambert au Père Le Faure, AMEP, vol. 877, p. 763 ; cf. Guennou, transc., L. n° 114, novembre 1668).

4. Dit aussi Nouvelle-France, Québec, la Belle Province.

affaires de la religion vont très bien grâce à la prudence et l'exemple de l'illustre évêque de Pétrée qui y a les pouvoirs de vicaire apostolique »...

« Il est vraiment à craindre que les prêtres déjà envoyés ou qui seront envoyés par Mgr l'archevêque de Rouen, qui prétend que cette Nouvelle-France fait partie de son diocèse et dont le pouvoir extraordinaire fait souvent obstacle à l'ordinaire, ne sèment la zizanie parmi les fidèles. Aussi il faudrait que la prudence de votre Illustre Seigneurie mette en garde et empêche que de toutes ces affaires naissent des oppositions et des dissensions. Il ne serait pas difficile de remédier à ces difficultés si, à la place de "évêque *in partibus*", ce même Seigneur évêque de Pétrée était nommé par Sa Sainteté titulaire d'une partie. Il faudrait que cela ait été exposé par Votre Illustre Seigneurie, à cause du respect que je dois, moi, au Saint-Siège, à la Sacrée Congrégation. En effet, comme le dit archevêque doit dans quatre mois être à la tête du clergé gallican, il créera peut-être du tumulte dans cette assemblée. Surtout qu'en ces moments si difficiles pour l'Église de France elle comprend bien des partisans de cette attitude »[1].

Ce que Lambert proposa à Rome, Louis XIV l'appliquerait en considérant le Canada comme un prolongement de la France et en usant de son pouvoir de nommer les évêques de son Royaume, il prendrait la décision de nommer évêque titulaire de Québec celui que le pape avait nommé en avril 1658 évêque *in partibus* de Pétrée[2].

– Madame la Duchesse d'Aiguillon: Elle finança les missions et les œuvres sociales de Lambert comme elle avait financé celles de saint Vincent de Paul. Sa maison familiale du Havre peut avoir été l'occasion de contacts personnels avec Lambert lorsqu'il dirigeait les œuvres sociales de Rouen. Par lettre en français du 10 octobre 1662 au préfet de la Propagation de la Foi, le cardinal Antoine Barberini, Lambert écrivit qu'il avait choisi Madame la Duchesse d'Aiguillon[3] pour servir d'intermédiaire à Paris pour le courrier entre Rome et le Siam. C'est Rome qui avait donné *l'Instruction* à Lambert de dupliquer ses courriers en les envoyant par des voies différentes[4]

1. P. Lambert de la Motte, Lettre en latin au secrétaire de la Sacrée Congrégation de Propagation de la Foi, APF, SOGC, vol. 227, fol. 32-33, trad. J. Ruellen.

2. A. Launay, *Histoire générale de la Société des Missions Étrangères,* t. 1, p. 158.

3. AMEP, vol. 857, p. 141 ; cf. Guennou, transc., L. n° 12. Marie-Madeleine de Vignerot (ou de Wignerod), née en 1604, était un personnage considérable, elle était la nièce du cardinal de Richelieu qui la maria à Monsieur de Combalet en 1620 mort six mois après. Elle rentra au Carmel de Paris mais n'obtint pas la permission de prononcer ses vœux. Le 1er janvier 1638 le cardinal, premier ministre du roi Louis XIII, lui conféra les titres de duchesse d'Aiguillon et de pair de France. Elle soutint Vincent de Paul et Olier avant de s'occuper des Missions Étrangères. Elle mourut le 7 avril 1675 (A. Bonneau-Avenant, *La duchesse d'Aiguillon, 1604-1673,* Paris, 1875, p. 464).

4. La Sacrée Congrégation de la Propagation de la Foi trouvait un intérêt capital à garantir ses liaisons avec ses envoyés Mgrs Lambert et Pallu (B. Jacqueline, *Traduction française des Instructions de 1659*, Avant de partir I, 3 : « Fixez clairement de quelle façon et suivant quelle manière le Nonce vous adressera de très fréquentes lettres et vice-versa vous à lui et ainsi au

mais la Sacrée Congrégation de la Propagation de la Foi visait essentiellement le parcours entre l'Europe et l'Asie, ce dispositif devait avoir pour effet de permettre à Lambert de toujours communiquer avec Rome quelles que soient les oppositions à Paris.

Entre Madame d'Aiguillon et Lambert la confiance était mutuelle ; elle avait 56 ans en 1660 alors que Lambert avait 20 ans de moins et Pallu 22 ans de moins ; elle se situait comme une mère avec ses enfants. Dès mars 1653 Madame d'Aiguillon avait réuni les fonds pour procurer une rente annuelle pour les trois évêques qui seraient envoyés au Tonkin et en Cochinchine comme en témoigne une lettre du nonce Mgr Bagno au cardinal Pamphili à la Propagation de la Foi[1]. Le pape Alexandre VII adressa le 30 septembre 1658 à la duchesse d'Aiguillon un Bref de remerciement pour ce qu'elle avait fait en faveur des envoyés de la Sacrée Congrégation de la Propagation de la Foi[2].

– Madame de Miramion était aussi contributrice[3] ; c'est elle qui mit à la disposition des missionnaires et de leurs recrues son château de La Couarde (Gallius, Yvelines)[4].

Pallu cita ensemble Madame d'Aiguillon et Madame de Miramion parmi ceux qui ne connaissaient pas le latin et devraient recevoir une traduction

Siège Apostolique. C'est pourquoi aussi dans les lieux maritimes ou ports, que des hommes de confiance soient désignés par vous, non seulement en Europe mais dans toute l'Asie et surtout sur le littoral de vos missions, qui aient ou reçoivent cette charge et transmettent vos lettres aussi sûrement que possible », et Instruction pour le lieu même de la mission III, 6 : « Pour que les lettres arrivent en toute sécurité à destination, envoyez-les par plusieurs secrétaires et plusieurs itinéraires, et souvent même en plusieurs copies par le même itinéraire. Sachez donc bien à quel point la correspondance est un devoir qui vous est recommandé et ordonné : s'il arrive de le négliger, n'en doutez pas, aucun écart de conduite de votre part ne sera plus sensible à la Sacrée Congrégation, et il n'est rien qu'elle vous pardonnera plus difficilement »).

1. Texte italien (Arch. Prop. India, China, Japonia, 1654, vol. 193 ; fol. 393-394) et traduction française dans A. LAUNAY, *Documents historiques relatifs à la Société des Missions Étrangères de Paris*, p. 514-515.

2. BONNEAU-AVENANT, *La duchesse d'Aiguillon*, p. 422. Le biographe de la Duchesse assure que dans son testament elle stipula que si ses héritiers mouraient sans postérité, elle donnait son duché d'Aiguillon moitié à l'Hôpital général, moitié à la maison des Missions Étrangères, ce qui correspond à ses deux centres d'intérêt (p. 464).

3. Madame de Miramion était fille de Jacques Bonneau, frère de Thomas Bonneau ; celui-ci s'était marié avec Anne Pallu, tante de François Pallu (BONNEAU-AVENANT, *Madame de Miramion, 1629-1696*, Paris, Didier, 1875).

4. H. SY, *La Société des Missions Étrangères – Les débuts*, p. 51, 99-103 ; L. BAUDIMENT, *François Pallu, Principal fondateur des Missions Étrangères*, p. 88. 108. Mgr Pallu liste les relations de la Duchesse d'Aiguillon dans une lettre qu'il lui écrit le 23 mars 1663 (AMEP, vol. 101, p. 157) ; outre ses nièces, il cite la marquise de Vigean, la comtesse d'Auray, Madame Fouquet, Madame de Miramion, Mademoiselle de Lamoignon, Monsieur de Bretonvilliers, Monsieur le curé de Saint-Sulpice, les prieures du grand et du petit couvent des Carmélites et particulièrement la Mère Marie de Saint-Bernard.

française du projet en latin de création d'une Congrégation Apostolique, le grand projet de Lambert pour structurer la mission en Asie[1].

– La famille royale: Lambert écrivait au Roi Louis XIV et à des gens influents comme ceux qu'il avait connus durant la Fronde de Normandie, c'est-à-dire la famille même du roi, les Bourbon: le frère et la sœur du grand Condé, c'est-à-dire Armand prince de Conti et Anne-Geneviève qui avait épousé le duc de Longueville, gouverneur de Normandie. Quand Lambert écrivit à Louis XIV en 1663[2], il s'adressait à celui à qui l'Église avait confié le choix des évêques en France (les vicaires apostoliques échappaient à cette procédure, le pape s'en réservait le choix) ; pour Lambert la responsabilité du roi était de choisir des prélats qui ne déshonoreraient pas l'Église.

– Jusqu'en 1664, Lambert écrivait aux "Bons Amis"[3], c'est-à-dire à la communauté fondée et dirigée par le Père Bagot S.J.[4] et dont faisaient partie François Pallu, François de Montmorency-Laval[5] et Pierre Piques,

---

1. F. PALLU, *Lettres de Monseigneur Pallu*, p. 80-85, L. n° 21 aux Directeurs du Séminaire des Missions Étrangères (AMEP, vol. 116, p. 539).

2. P. LAMBERT DE LA MOTTE, Lettre au roi Louis XIV, AMEP, vol. 121, p. 523-524 ; cf. Guennou, transc., L. n° 27.

3. *Id.*, Lettres à Messieurs de la rue Saint-Dominique, juin 1663, AMEP, vol. 121, p. 541 ; à Fermanel prêtre, et à la communauté de Saint-Josse, datée de février 1664, vol. 121, p. 561-562 ; au Révérend Père Bagot de la Compagnie de Jésus, datée de février 1664, vol. 121, p. 569 ; à la communauté de Saint-Josse, nos Amis de Paris, le 20 octobre 1665, vol. 121, p. 587-589. Lambert parle de ses "bons amis" dans ses lettres à d'autres correspondants comme: à Mme la Duchesse d'Aiguillon, le 10 octobre 1662, vol. 858, p. 11 ; à Vincent de Meur, juin 1663, vol. 121, p. 527 ; à Fermanel prêtre, le 9 juillet 1663, vol. 857, p. 171 ; au Mr Duplessis, 11 juillet 1663, vol. 860, p. 2 et le 25 novembre 1663, vol. 121, p. 556 ; à Nicolas Lambert, le 25 novembre 1663, vol. 121, p. 557, mais cette expression cesse à partir de 1665.

Le terme "*Bons Amis*" rappelle celui de AA abréviation d'Assemblée d'amis, ou plutôt d'*Associatio amicorum*, mais ce sont deux réalités différentes.

4. H. SY, *La Société des Missions Étrangères – Les débuts*, p. 31-32 ; L. BAUDIMENT, *François Pallu, Principal fondateur des Missions Étrangères*, p. 28. 33. Sous la direction spirituelle du Père Bagot, jésuite, cinq "Bons Amis" de Paris (dont François de Laval-Montigny, François Pallu, Luc Fermanel de Favery, Bernard Gontier, Henri Boudon) s'installent à l'auberge de la Rose Blanche, en 1650 puis louent bientôt une maison de la rue Coupeaux (aujourd'hui Lacépède) où d'autres "Bons Amis" viennent s'installer (dont Vincent de Meur, Louis Chevreuil, les frères Ango de Maizerets, Pierre Piques, Michel Gazil de la Bernardière, Jean Dudouyt) ; ils emménagèrent ensuite rue Saint Dominique. Pallu aurait écrit le coutumier de cette petite communauté (*Ibid.*, p. 32). Voir aussi un *Mémoire des Missions Étrangères contre les Supérieur et Directeurs du Séminaire des Missions Étrangères établi à Paris Rue du Bac*, Paris, Cellot, 1767, p. 5-8, qui associe Lambert à cette petite communauté, mais il n'a jamais logé à Paris parce qu'il était alors magistrat à Rouen.

5. Le Comte R. de VOYER d'ARGENSON, *Annales de la Compagnie du Saint-Sacrement*, p. 192 : « Le 28e de ce mois [28 décembre 1659], la Compagnie reçut une lettre de M. l'évêque de Pétrée, de la maison de Laval-Montigny, vicaire apostolique en Canada, et depuis premier évêque titulaire de Québec, qui l'assurait de son estime, et que bien qu'il fût séparé d'elle de

les premiers impétrants pour les vicariats apostoliques d'Extrême-Orient ; en 1663, Lambert s'adressait à ses "Bons Amis" de la rue Saint Dominique, là où il pensait les trouver encore avec le Père Bagot et Vincent de Meur[1] ; et en 1664 il leur écrivit à la paroisse Saint-Josse quand il sut qu'ils y avaient suivi M. Piques, le nouveau curé. En effet, Piques lassé d'attendre une décision de Rome le concernant accepta cette charge. Mais alors que Lambert leur écrivait encore à Saint-Josse, les Bons Amis logeaient déjà dans l'ancien hôtel de l'évêque de Babylone, reconnu par le roi Louis XIV en tant que Séminaire des Missions Étrangères, ce que Lambert ne sut que plus tard. Ils n'y formaient plus la communauté des Bons Amis, mais étaient Supérieur et Directeurs du Séminaire pour former des missionnaires autant pour le Canada que pour le Tonkin et la Cochinchine.

C'était bien plus tôt que la communauté de la rue Saint-Dominique s'était portée candidate pour accueillir et former le Séminaire des Missions Étrangères. Une lettre adressée vers 1658 à la Sacrée Congrégation de la Propagation de la Foi en témoigne, elle demanda de permettre la création d'un séminaire, agrégé à Elle, au sein de cette communauté qui avait huit ans d'existence et qui avait toujours eu le souci des missions. C'était ce souci des missions qui avait justifié l'intérêt de la communauté pour la requête d'Alexandre de Rhodes de porter secours à la mission du Tonkin en réclamant au pape la création de diocèses tonkinois et cochinchinois, la nomination d'évêques français comme pour le Canada, et l'envoi de missionnaires pour épauler les jésuites trop peu nombreux.

Dans cette lettre inspirée par le Père Bagot, les membres de sa communauté en étaient cités par ordre d'importance, il y avait d'abord deux Conseillers du Roi, Victor Méliand qui était aussi Aumônier du Roi et Pierre Lambert « prêtre, conseiller du roi dans sa cour subsidiaire de Normandie et administrateur général du grand hôpital de la ville de Rouen ». Le chanoine Pallu ne venait qu'en quatrième position avant Vincent de Meur et Louis Chevreuil, tous deux bacheliers de Sorbonne. Gazil qui n'était que

---

plus de 1200 lieues, il ne le serait jamais d'esprit. Je fus chargé de lui faire réponse au nom de la Compagnie et de le remercier des marques qu'il lui donnait de son affection si constante ; c'était un prélat de très grand mérite, d'une vertu singulière et d'un parfait détachement ». Bertrand de LATOUR, *Mémoires sur la vie de Monsieur de Laval, premier évêque de Québec*, Cologne, J.-F. Motiens, 1761, t. I, p. 25. Il donne à tort Lambert comme colocataire de Pallu, de Laval, Chevreuil, de Meur et Fermanel.

1. P. LAMBERT DE LA MOTTE, Lettre à Vincent de Meur et aux Amis de Paris, datée de septembre 1662 AMEP, vol. 116, p. 554-559 ; cf. Guennou, transc., L. n° 39 ; Lettre à la communauté de la rue Saint-Dominique, datée de juillet 1663, AMEP, vol. 121, p. 541-544 ; cf. Guennou, transc., L. n° 39. Deux ou trois jours avant son départ pour la Chine avec Deydier (juin 1663), Lambert adressait à Vincent de Meur une autre lettre : « en veüe de vous exorter et plusieurs de nos bons amis de venir en ces extremité du monde » AMEP, vol. 121, p. 527; cf. Guennou, transc., L. n° 29.

prêtre n'arrivait qu'en septième position avant deux simples clercs, Nicolas Lambert et Luc Fermanel[1]. Cet ordre d'importance montre surtout l'intérêt de faire mention de Lambert pour impressionner la Cour pontificale. Avec Pallu son nom était déjà retenu à Rome pour la mission de Chine, du Tonkin et de Cochinchine[2].

On retiendra par ailleurs que Lambert n'a jamais logé à Paris parce qu'il était alors magistrat à Rouen. Dans sa courte lettre au Père Bagot du 10 février 1664, rien ne rappelait une appartenance de Lambert à la communauté des « Bons Amis », il s'y prévalait plutôt de ses rapports d'amitié avec le général des Jésuites à Rome[3].

Des membres parisiens de la Compagnie du Saint-Sacrement[4]. Le secret qui entoure la Compagnie est justifié au départ par le conseil évangélique

---

1. Luc Fermanel est fils de Pierre Fermanel, tuteur de Lambert et toujours vivant en 1669, comme l'indique une lettre de Lambert à Pallu datée du 21 janvier 1669, conseiller du Roi et receveur payeur de la Chambre des Comptes de Normandie, à Rouen; sa fille, son frère également conseiller du Roi et le Lieutenant Fermanel vivent chez lui de sorte que Lambert qui les connaît les salue à la fin de chacune de ses lettres.

2. Supplique adressée à la Sacrée Congrégation de la Propagation de la Foi en 1658, Arch. Prop. Asia, vol. 226, fol. 18, texte italien et traduction française dans A. LAUNAY, *Documents historiques relatifs à la Société des Missions Étrangères de Paris*, p. 520, qui donne son titre au document et le résume ainsi: « Supplique présentée en 1657-1658 à la Sacrée Congrégation de la Foi par les ecclésiastiques de la rue Saint-Dominique demandant l'autorisation d'établir le séminaire des Missions Étrangères. Leur but est la mission dans les campagnes et l'évangélisation des Infidèles, ils ont tout ce qu'il faut pour commencer, argent, hommes, maison » (résumé établi par Launay pour AMEP, vol. 200, p. 37). Vincent de Meur, premier supérieur du séminaire de la Rue du Bac, s'appliqua à organiser des missions dans les campagnes.

3. P. LAMBERT DE LA MOTTE, Lettre au Révérend Père Bagot de la Compagnie de Jésus, du 10 février 1664, AMEP, vol. 121, p. 569 ; cf. Guennou, transc., L. n° 66.

4. Le Comte R. de VOYER d'ARGENSON, *Annales de la Compagnie du Saint-Sacrement*, p. 196-197: « La première de ces voies qui forment l'esprit de la Compagnie et qui lui est absolument essentielle, c'est le secret [...] ; la seconde de ces voies particulières à la Compagnie, c'est d'agir avec le concours de plusieurs [...]; la troisième de ces voies, c'est la subordination des membres entre eux, et de tous ensemble à l'égard du Supérieur [...]; la quatrième voie, c'est l'application particulière non seulement à honorer, mais à faire honorer partout le Saint-Sacrement de l'autel [...]; la cinquième, c'est que comme la Compagnie est cachée et toujours appliquée à honorer et à faire honorer le Très-Saint-Sacrement de l'autel, elle y doit être continuellement unie pour y adorer un Dieu caché et pour prendre en cette union toute sa force, sa grâce et sa lumière, afin d'agir dans ses emplois d'une manière cachée, simple et soumise, et avec uniformité d'esprit et de conduite avec ses membres ; la sixième, c'est de travailler à la perfection de son corps et de ses membres [...]; la septième voie qui fait le fond des œuvres de la Compagnie, c'est d'entreprendre tout le bien possible, et d'éloigner tout le mal possible en tous temps, en tous lieux et à l'égard de toutes personnes [...]; la huitième et dernière, qui est la voie excitative [...], elle excite sans cesse à entreprendre tout le bien possible et à éloigner tout le mal possible ceux qu'elle juge propres à ces fins, sans se manifester elle-même, et n'ayant pour but que la charité ; toutes ses voies doivent être simples, secrètes, douces, prudentes, excitatives et charitables ».

de ne pas proclamer ses bonnes actions. Comme le propre d'une société secrète est de se cacher, toutes les affirmations des uns ou des autres à son sujet ne sont que des conjectures et nous nous garderons de trop épiloguer à son sujet. Jusqu'en 1660, date de sa suppression par Mazarin, le secret ne concernait pas l'existence de la Compagnie mais le nom de ses membres et ce qu'ils y faisaient[1]. Après la suppression, c'est son existence même qui fut secrète[2], les assemblées de ses membres continuèrent surtout en Province et furent désignées en tant que Aa, assemblées d'amis[3], le soutien des Missions Étrangères et le choix de leur séminaire pour y accueillir les candidats furent les derniers actes officiels de la Compagnie à Paris.

Lambert écrit à son responsable que l'on connaît parce qu'il a écrit les Annales parisiennes de la Compagnie, il s'agit du rouanais Christophe Duplessis Montbar[4]. C'est le comte René de Voyer d'Argenson, secrétaire

1. *Ibid.*, p. 142 : « Le 5e de février [1654], on se plaignit dans la Compagnie que le secret n'étoit pas bien gardé et que la liberté que se donnoient les particuliers de retenir chez eux des papiers qui la découvroient causoit beaucoup de désordres à cet égard. Cela obligea le Supérieur de prier instamment ceux qui en avoient de les rapporter fidèlement pour les remettre au dépôt, ce qui s'exécuta. Mais ces plaintes revenoient de temps à autre, et la Compagnie a toujours témoigné grand zèle pour retirer tous les papiers qui pouvoient la rendre publique ».

2. *Ibid.*, p. 229-230 : « Le 4e de mai, un jeudi, l'Assemblée se trouva chez moi au nombre de 18 ou 19. Les choses s'y passèrent à l'ancienne manière de la Compagnie. Plusieurs y rendirent compte de l'état des Compagnies des Provinces dont ils étoient correspondants et assurèrent qu'elles continuoient de s'assembler avec grand zèle et beaucoup de prudence et de secret. On pria les autres de s'informer de celles dont ils avoient soin et dont on n'avoit point encore eu de nouvelles si certaines. M. du Plessis, Supérieur, fit rapport en gros de tout ce qui s'étoit passé depuis la cessation de la Compagnie en 1660, et l'Assemblée fut édifiée et consolée de voir que, pendant ce temps de persécution, il s'étoit fait tant de bonnes œuvres et si considérables par les membres de la Compagnie qui n'avoient pas laissé d'agir avec bénédiction pendant sa cessation. Le 17e de mai, M. du Plessis fit une ample relation à l'Assemblée de tout ce qui s'étoit passé jusqu'alors dans la mission et dans le voyage des vicaires apostoliques en Orient. Il rapporta ce qui s'étoit fait pour l'établissement du Séminaire des Missions Étrangères, qui étoit l'ouvrage de l'assemblée des Missions et qui a été le dernier enfant de la Compagnie. Ce lui doit être le plus cher, puisqu'elle l'a enfanté en mourant ; aussi semble-t-il que par un coup de la divine Providence il a été l'héritier de sa conduite, de ses secrets et de son esprit ».

3. *Ibid.*, p. 225, l'auteur note la consigne qui fut alors donnée : « Que ceux qui seraient conviés aux assemblées y viendraient sans aucune suite ; que le nom d'ami serait changé, et qu'on en résoudrait un autre à la première assemblée ; mais je ne vois pas que cela se soit exécuté, et le nom d'ami est demeuré toutes les fois qu'entre les confrères on voulait parler de la Compagnie ».

4. Le comte René de Voyer d'Argenson a été choisi comme procureur de Lambert et de Pallu (L. Baudiment, *François Pallu, Principal fondateur des Missions Étrangères,* p. 93) ; Le Comte R. de Voyer d'Argenson, *Annales de la Compagnie du Saint-Sacrement,* p. 185, l'auteur rapporte que le 17 avril 1659 Pallu vint faire part de son départ pour les Indes suivant les ordres du pape. La Compagnie s'engagea à aider au financement d'un séminaire pour

et annaliste de la Compagnie qui le révèle. La Compagnie comprend des laïcs et des prêtres séculiers mais les religieux en sont exclus s'ils obéissent à un Père général comme les jésuites et les dominicains[1]. Saint Vincent de Paul et Ollier en ont fait partie[2], mais pas le Père Bagot, malgré ce que certains ont écrit. Par contre les Bons Amis partageaient tous les objectifs de la Compagnie du Saint-Sacrement et en faisaient sans doute tous partie.

René de Voyer d'Argenson reste discret sur les noms de ses confrères de la Compagnie sauf après leur décès, comme Gaston de Renty[3] ou Cotolendi

---

les Missions à Paris. D'après Baudiment, Pallu aurait été affilié à la Compagnie à Tours (Baudiment, *Ibid.*, p. 93, citant le manuscrit 1307 de la bibliothèque municipale de Tours). Les auteurs du *Mémoire des Missions Étrangères contre les Supérieur et Directeurs du Séminaire des Missions Étrangères établi à Paris Rue du Bac* (1767) disent que l'origine de la Société des Missions Étrangères de Paris est « couverte d'une sorte d'obscurité, parce que celle-ci prend sa source dans une de ces assemblées secrètes, dont le mystère a pu couvrir la piété particulière, comme il a pû devenir suspect au zèle public, autrefois fort communes, aujourd'hui prohibées et abolies, en un mot dans une Congrégation de jeunes gens élevés à La Flèche ; ils s'assembloient chaque semaine récitoient des Prières communes, et s'occupoient de bonnes Œuvres » (p. 5). Il y a là une confusion entre les Bons Amis du Père Bagot et la Compagnie du Saint-Sacrement.

1. Le Comte R. de Voyer d'Argenson, *Annales de la Compagnie du Saint-Sacrement*, p. 115 : l'auteur note pour 1649 : « Il faut savoir que l'esprit de cette Compagnie est un esprit fort général, qui ne se borne à rien de particulier. Il renferme le désir de procurer toutes sortes de biens. Il n'a pas plus d'affection pour un ordre que pour l'autre, parce qu'elle estime et qu'elle approuve tout ce que la sainte Église approuve ; et pour conserver son esprit général, elle n'en veut prendre aucun particulier. Cependant il n'y a point d'ordre ni de Congrégation qui n'ait le sien spécial que je distingue d'avec les autres. Et comme il se pourroit faire que les personnes de ces congrégations, par leurs talents et leurs rares qualités, s'autoriseroient dans la Compagnie et obligeroient les confrères d'entrer dans leur esprit particulier en laissant l'esprit général ou en s'écartant de lui, c'est ce qui a donné sujet d'exclure toutes sortes de personnes liées dans des communautés ou des congrégations soumises à un général. Et j'ai appris par tradition que ceux qui ont le plus établi cette maxime, ont été les trois principaux religieux ou prêtres de congrégations qui aient jamais entré dans la Compagnie : le P. Philippe d'Angoumois, capucin, le Père Suffren, jésuite, et le P. de Condren, général de l'Oratoire. C'étoient trois personnages d'un mérite extraordinaire et très éclairés dans la vie intérieure et dans la conduite de toutes choses. Comme ils avoient conçu une haute idée de la Compagnie du St-Sacrement pour la rendre promotrice de toutes les grandes œuvres et de tous les biens généraux, ils crurent qu'elle ne devoit se renfermer à rien de particulier, et c'est ce qui a fait dresser l'article 18e des Résolutions si précisément pour exclure tous les religieux et tous les prêtres soumis à un Général ».

2. *Ibid.*, p. 218, l'auteur note : « Ce même jour [8 avril 1657] on recommanda aux prières de la Compagnie l'âme de M. l'abbé Olier, fondateur du Séminaire de Saint-Sulpice, qui avoit été un des principaux confrères de la Compagnie et qui était mort en opinion de sainteté ».

3. *Ibid.*, p. 110-111, l'auteur écrit son panégyrique « Ce fut cette année, le 24e de mai [1649], que M. de Renty, si connu dans le monde par sa naissance illustre et par les services qu'il avoit rendus à l'armée, mais beaucoup plus dans la vie privée par les admirables exemples qu'il a donnés de toutes les vertus chrétiennes, quitta la terre pour aller au ciel. Il a été durant plusieurs années une des plus éclatantes lumières de cette Compagnie, par son assiduité aux

qui avait demandé à en faire partie avant de suivre Lambert en Extrême-Orient et de mourir au cours de son voyage[1]. Si quelqu'un reçoit chez lui une assemblée ou s'il y exerce une fonction telle que Supérieur, Directeur et Secrétaire, cela peut être considéré comme un signe d'appartenance, c'est le cas d'Antoine de Morangis et de Jean de Garibal qui ont acheté le séminaire de la rue du Bac à l'évêque de Babylone contre un usufruit et une rente, le cas d'Armand Poitevin et de Michel Gazil à qui ce séminaire fut confié au début, d'Antoine Pajot de la Chapelle et de François Bésard ; on voit que François Pallu et Jacques de Bourges sont traités en familiers tandis que Lambert est presque inconnu, il suit toujours Pallu (Monsieur d'Héliopolis ou Monsieur du Tonkin) et cet ordre est toujours affirmé par les membres de la Compagnie.

Comme les membres de la Compagnie étaient cooptés et tenus de garder le secret de leur appartenance et de celle des autres[2], on ne peut prouver ou infirmer que Lambert en ait fait partie, mais il apparaît clairement que celui-ci n'était pas considéré comme un des leurs par ceux qui y appartenaient.

Selon les *Annales de la Compagnie du Saint-Sacrement de René du Voyer d'Argençon*, la première action extérieure était le renseignement, ainsi saint Vincent de Paul demandait qu'on s'informe du véritable état de l'évangélisation des païens et qu'on recherche les pauvres honteux et cachés afin de les secourir. Pour secourir les pauvres honteux, la Compagnie prévoyait de les accueillir dans un Hôpital général dans chaque grande ville, l'Hôpital Général de Paris (La Pitié-Salpétrière) fut l'œuvre de Saint Vincent de Paul et de Madame d'Aiguillon[3] ; l'Hôpital de Rouen dirigé par Lambert

---

assemblées, par le succès des œuvres qu'elle confioit à ses soins, et par les discours excellents qu'il lui a faits, étant supérieur, en diverses occasions ».

1. *Ibid.*, p. 218-219 : « M. Cotolendi, évêque de Métellopolis, vicaire apostolique à la Chine, désira d'être admis dans la Compagnie avant son départ ; la chose fut agréée : il y fut reçu le même jour et il y prit séance », « Dans l'assemblée du 19e de juillet [1661], qui se tint chez M. de Morangis, on résolut une assemblée de missions étrangères qui se fit l'après dîner chez M. l'Hoste. M. l'évêqne de Metellopolis, Cotolendi, provencial, prit congé de la Compagnie pour aller au Levant, et dit que le lendemain il célébreroit la Messe au Noviciat des Jésuites où plusieurs se trouvèrent pour recevoir sa dernière bénédiction. Dieu ne voulut pas que ce bon prélat travaillât longtemps dans sa mission, car en arrivant au royaume de Golconde, il mourût de la dysenterie faute de remèdes, dont il eut une extrême joie en regardant la mort comme venant d'un ordre positif de la divine Providence qui le faisoit finir là faute de secours ».

2. Dans les listes de membres de la Compagnie recueillies grâce à la publication des Annales du comte René de Voyer d'Argenson, il existe une confusion possible entre M. Lambert de la Motte et M. Lambert Aux Couteaux, assistant de saint Vincent de Paul (Pierre COSTE, *Le grand saint du grand siècle, Monsieur Vincent*, p. 317).

3. Le Comte R. de VOYER d'ARGENSON, *Annales de la Compagnie du Saint-Sacrement*, p. 91, l'auteur note : « Ce dessein fut heureusement conduit et avec tant de zèle que l'avis qui en fut donne le 28e d'avril de cette année 1643 fut suivi de celui de l'entière exécution et

allait donc dans le même sens qu'un projet de la Compagnie, sans pour autant y être lié. Quant aux Missions Étrangères, c'est le projet sur lequel la Compagnie a le plus investi[1].

C'est pour financer les Missions d'Asie de manière pérenne que la Compagnie s'est lancé dans le commerce maritime[2]. Il s'agissait de construire deux vaisseaux et Lambert a lui-même versé de l'argent pour la construction du premier vaisseau, le Saint-Louis, et engagé M. Fermanel à y contribuer[3]. Il semble s'être associé au projet jusqu'à ce qu'il ait reçu les *Instructions* de Rome de ne pas prendre la voie intégralement maritime, mais de gagner la voie terrestre vers la Chine ou l'Inde ; c'est pourquoi il évoque ce projet dans ses lettres en parlant de « notre vaisseau »[4], alors que le Saint-Louis est déjà perdu et qu'il n'apprendra la nouvelle du naufrage qu'en 1664 à l'arrivée de Pallu.

La Compagnie du Saint Sacrement pourrait approuver Lambert pour sa condamnation du commerce des religieux du patronat portugais, parce qu'affrontée au même besoin de financement des missions, elle l'avait satisfait par ses membres laïques sans demander aux missionnaires d'y participer. Lors de son voyage au Tonkin, Lambert utilisera le vaisseau de Junet,

---

du parfait établissement de cet hôpital que l'on en reçut le 24e d'avril 1645, de sorte qu'en deux ans cet important ouvrage fut achevé, Madame la duchesse d'Aiguillon et M. Vincent eurent grande part à ce bon œuvre. Les fruits en ont été merveilleux, et Dieu y verse encore aujourd'hui beaucoup de bénédiction ».

1. *Ibib.*, p. 135, 139, l'annaliste parle à la date du 26 février 1653 « de grands projets et de grandes entreprises de missions étrangères auxquelles la Compagnie s'intéressa puissamment [...], comme les Hébrides, les Orcades, l'Hibernie, la côte d'Angleterre et les îles de l'Amérique », lieux des premières missions des lazaristes, mais à la fin de 1652 Alexandre de Rhodes était venu à Paris pour intéresser les Français à son projet d'évêques français pour le Tonkin et la Cochinchine. Aussi le 14 août 1653, d'Argenson dit que la Compagnie, « prit part aux desseins du p. de Rhodes, qui partait pour le Tonkin avec des missionnaires de son ordre ».

2. R. Allier, *La cabale des dévots*, p. 154. « Elle (la Compagnie) est en même temps tourmentée par la difficulté qu'il y a à transporter les nouveaux missionnaires en Extrême-Orient, les Portugais leur refusant le passage parce qu'ils sont Français, et les Hollandais parce qu'ils sont prêtres romains. Le 7 août 1659, du Duplessis Montbar lui propose la création d'une Compagnie de commerce qui supprimera cet obstacle. Les confrères entrent dans cette vue. Les négociations commencent aussitôt. On s'entend avec la *Compagnie française de l'orient et de Madagascar ;* et l'on fonde la *Compagnie de la Chine pour la propagation de la Foi et l'établissement du commerce dans l'Empire de la Chine, les royaumes du Tonkin et de la Cochinchine et îles* adjacentes » (Voir le Mémoire sur la fondation d'une société de commerce en Extrême-Orient et sur le secours que cette compagnie pourrait donner aux missionnaires, par Christophe Duplessis-Montbar, AMEP, vol.114, fol. 436-443).

3. H. Sy, *La Société des Missions Étrangères – Les débuts,* p. 137 ; P. Lambert de la Motte, Lettre à M. Fermanel, AMEP, vol. 121, p. 563-564 ; cf. Guennou, transc., L. n° 60, février 1664.

4. P. Lambert de la Motte, Lettre à M. Fermanel, *Ibid.* ; Lettre à Mme la Duchesse d'Aiguillon, 6 mars 1663, AMEP, vol. 858, p. 19-21 ; cf. Guennou, transc., L. n° 17.

négociant français de Masulipatam, comme couverture de son expédition[1], mais le commerce ne se pratiquera jamais dans les locaux de ses missions et il se contentera des subsides envoyés d'Europe.

Un talent particulier pour la diplomatie mis au service de Dieu

La diplomatie a abouti là où la force était tenue en échec. Elle est une des qualités essentielles de Lambert, même si, à Paris, on pensait qu'il en manquait totalement. Pourtant tout seul Lambert obtenait des succès là où des forces conjuguées échouaient. Il a d'abord offert sa compétence à ses amis ; appelé par Pallu à Rome, il y a enlevé les préventions de la Curie qui ne voulait pas faire confiance à des Français pour être vicaires apostoliques en Asie. Auparavant, Lambert avait permis à saint Jean Eudes d'avoir un séminaire à Rouen en bravant les oppositions. Mais c'est au Siam que son talent fut reconnu au point que les ambassadeurs accrédités à la cour du roi de Siam lui soumettaient leurs requêtes pour que Lambert les défende. Certains y ont vu une dangereuse dérive vers la politique, mais l'abondance des textes de Lambert montre dans quel esprit ses interventions ont été faites.

La diplomatie de Lambert demanderait une étude particulière, elle montre aussi un désir sincère d'entrer en dialogue avec l'autre. En 1667, Lambert avertit Pallu de l'action de la reine d'Achem, le plus grand royaume de Sumatra, en vue de convertir à l'Islam le roi de Siam[2]. Lambert constata la venue de nombreux musulmans dans la région et craignit sérieusement que le pays ne passe rapidement sous leur coupe[3] ; leur force augmentait

1. Lambert a demandé à Junet de l'emmener au Tonkin en qualité d'aumônier avec Jacques de Bourges et Gabriel Bouchard déguisés en matelots. Au Tonkin Junet établira un comptoir commercial de la Compagnie des Indes Orientale à Phô-hiên, et Jacques de Bourges y pourra demeurer comme gérant avec François Deydier comme adjoint, mais leur action commerciale se limitera à l'attente d'un hypothétique bateau de la Compagnie française. C'est dans les locaux commerciaux de Phô-hiên que Lambert convoquera le premier synode du Tonkin. Il écrit alors : « Sil estoit permis aux missionnaires d'estre marchands ce seroit en ceste occasion mais dans la connoissance certaine que jay quil est impossible destre bon missionnaire et marchand il faudroit mieux sil ny avoit rien a faire en ces quartiers pour un missionnaire qua ceste condition sen retourner en Europe que de sengager dans le commerce qui ne se peut faire sans perdre sa vocation » (Lettre de Lambert aux directeurs de Paris, AMEP, vol. 877, p. 380).

2. P. Lambert de la Motte, Lettre à Pallu du 19 octobre 1667, vol. 876, p. 223, cf. Guennou, transc., L. n° 109 ; cf. *Relation des missions des evesques françois aux royaumes de Siam, de la Cochinchine, de Camboye et du Tonkin, etc.*. divisé en quatre parties (avec présentation du supérieur et des directeurs des Missions Étrangères), à Paris chez Pierre Le Petit, Edme Couterot et Charles Angot, 1674, p. 11-12.

3. P. Lambert de la Motte, Lettre à M. Chamesson du 3 septembre 1673, AMEP, vol. 858, p. 270 ; cf. Guennou, transc., L. n° 143 ; Lettre à M. Baron à Surate du 16 novembre 1676, AMEP, vol. 419, p. 302 ; cf. L. n° 174 ; AMEP, vol. 990, p. 88.

vite, notamment à Tenasserim[1], au point qu'ils seraient en état de s'emparer du Siam à la mort de Phra Naraï comme l'estimaient les missionnaires qui priaient Dieu que cela n'arrive pas[2]. En 1668, Lambert est revenu sur l'effort des ambassadeurs musulmans d'Achem et de Golconde pour convertir Phra Naraï[3]. Ils se sont appuyés sur l'exemple d'autres rois convertis à l'Islam et sont venus avec des docteurs du Coran. Ils ont obtenu la construction d'une mosquée et de bains publics comme les chrétiens avaient obtenu la construction d'une cathédrale, comme preuve de la tolérance bouddhiste. La tolérance bouddhiste pouvait autant entraver les conversions à l'Islam qu'elle avait entravé les conversions au christianisme[4].

Le *Journal* de Lambert entre 1674 et 1678 rend assez bien compte de ses activités diplomatiques ; une cinquantaine d'allusions aux « Mores » (musulmans) permettent d'apprécier l'attitude de Lambert vis-à-vis de l'ambassadeur du royaume musulman de Golconde. Alors que tout lui indiquait qu'au Siam l'Islam prendrait de vitesse le christianisme, Lambert accueillait l'ambassadeur avec sincérité et respect, car Lambert avait connu la religion musulmane lors de son voyage missionnaire. Depuis cette rencontre il considérait toujours que c'était le mauvais exemple des religieux chrétiens qui amenait les conversions à l'Islam[5]. Par ailleurs les missionnaires apostoliques montraient la charité chrétienne et ne faisaient pas de distinction entre les malades musulmans et les autres[6].

Ainsi on peut imaginer la confiance qu'on pouvait avoir envers l'évêque de Bérithe quand, à la demande de l'ambassadeur de Golconde, Lambert fit les démarches pour obtenir un passeport du roi de Siam et permettre à Obra Sinocat, un mandarin (grand fonctionnaire siamois) converti à l'Islam, de prendre un bateau pour la Mecque afin d'y faire le pèlerinage des musulmans[7]. Le même ambassadeur était aussi venu pour que Lambert l'aide au rapprochement de son roi avec Louis XIV après l'assassinat, quatre ou cinq ans auparavant, du chef du comptoir français de Masulipatan, M. Malfosse, sur ordre du gouverneur du lieu. Lambert se contenta d'abord de répondre qu'il écrirait en France ou à M. Baron à Surate pour éviter les suites fâcheuses de cette affaire[8]. Mais le roi de

---

1. *Id.*, *Journal* du 11 juin 1674, AMEP, vol. 877, p. 541 ; cf. transc., p. 34.

2. *Id.*, *Journal* du 26 janvier 1677, AMEP, vol. 877, p. 595 ; cf. transc., p. 249.

3. *Id.*, *Abrégé de Relation*, AMEP, vol. 121, p. 747 ; cf. § 73 ; cf. AMEP, vol. 851, p. 246.

4. *Id.*, Lettre à Pallu du 19 octobre 1667, vol. 876, p. 223 ; cf. L. n° 109.

5. *Id.*, *Journal* du 6 octobre 1677, AMEP, vol. 877, p. 565 ; cf. transc., p. 289.

6. *Id.*, *Journal* du 10 septembre 1677, AMEP, vol. 877, p. 604 ; cf. transc., p. 285.

7. *Id.*, *Journal* du 12 décembre 1676, AMEP, vol. 877, p. 594 ; cf. transc., p. 241. Le passeport est obtenu le 15 décembre et remis le 19 décembre à Obra Sinocat qui a été plein de reconnaissance envers Lambert. Il ne faut le confondre avec l'Obra qui dirige l'ambassade siamoise (voir le 10 août 1676).

8. *Id.*, Lettre à l'archevêque de Paris du 29 décembre 1677, AMEP, vol. 858, p. 386-387 ; cf. L. n° 182.

Golconde voulait obtenir que le roi du Siam écrive à Louis XIV pour qu'il pardonne à son pays et Lambert dût parler en ce sens à Phra Naraï[1]. On comprend que l'ambassadeur rendit souvent visite à Lambert pour lui faire d'autres demandes d'intervention, il lui présenta d'autres musulmans pour lui parler de religion[2] et vint le saluer en ami avant de quitter son ambassade[3]. C'est cette relation que certains commentateurs jugent comme une dérive inacceptable vers la politique.

Si Lambert est intervenu volontiers et avec efficacité en faveur d'un ambassadeur d'un pays musulman, il a agi avec encore plus d'empressement en faveur de l'ambassadeur de Cochinchine, son vicariat apostolique, quand il a été sollicité par lui et il n'a pas manqué d'entretenir avec lui des rapports de courtoisie[4]. Évidemment Lambert était plein de zèle pour intervenir aussi en faveur des chrétiens, notamment ceux qui ont été victimes de l'expansion hollandaise à Ceylan et en Indonésie et conduits à travailler pour la Compagnie néerlandaise des Indes orientales sans pouvoir pratiquer leur foi catholique. Peut-on prétendre que Lambert a fait de la politique en confiant à Louis XIV le sort de deux milliers de ces catholiques persécutés ?[5]

Mais Lambert est aussi sollicité par les Arméniens non catholiques[6] pour qu'il intervienne en leur faveur alors qu'ils sont traités injustement par les musulmans. Un catholique vient aussi se plaindre pour la même raison auprès des évêques[7]. Le 10 novembre 1676 deux Arméniens chrétiens se convertissent à l'Islam et les musulmans du Siam font une grande fête[8].

Si la sainteté de Lambert s'exprima dans ses actes, c'est bien, contrairement à ce que certains ont écrit, surtout dans sa diplomatie, domaine qui se prête pourtant ordinairement à tous les compromis sinon à toutes les compromissions.

---

1. *Id.*, Lettre aux directeurs du séminaire du 10 novembre 1676, AMEP, vol. 857, p. 379 ; cf. L. n° 169 ; Lettre à M. Baron à Surate du 16 novembre 1676, AMEP, vol. 419, p. 302 ; cf. L. n° 174 ; Lettre à l'archevêque de Paris du 29 décembre 1677, AMEP, vol. 858, p. 386-387 ; cf. L. n° 182 ; *Journal* du 16 mai 1676, AMEP, vol. 877, p. 585 ; cf. transc., p. 204 ; *Journal* du 30 mai 1676, AMEP, vol. 877, p. 586 ; cf. transc., p. 207.

2. *Id.*, *Journal* du 30 juin 1677, AMEP, vol. 877, p. 602 ; du 15 septembre 1677, p. 604 ; cf. transc., p. 275. 285.

3. *Id.*, *Journal* du 28 janvier 1678, AMEP, vol. 877, p. 608 ; cf. transc., p. 304.

4. *Id.*, *Journal* du 13 mai 1677, AMEP, vol. 877, p. 600 ; du 26 juillet 1677, p. 603 ; du 10 mai 1678, p. 613 ; cf. transc., p. 267. 278. 318.

5. *Id.*, Lettre au roi Louis XIV, AMEP, vol. 121, p. 584 ; cf. L. n° 78 ; Lettre au prince de Conti, AMEP, vol. 121, p. 585 ; cf. L. n° 79 ; Lettre au Conseiller Fermanel du 25 mars 1662, AMEP, vol. 971, p. 5-6 ; cf. L. n° 5 ; *Abrégé de Relation*, AMEP, vol. 121, p. 624-625 ; cf. § 11 ; et p. 680 ; cf. § 33.

6. *Id.*, *Journal* du 16 septembre 1677, AMEP, vol. 877, p. 604 ; cf. transc., p. 286.

7. *Id.*, *Journal* du 15 octobre 1677, AMEP, vol. 877, p. 606 ; cf. transc., p. 290.

8. *Id.*, *Journal* du 10 novembre 1676, AMEP, vol. 877, p. 593 ; cf. transc., p. 235. Voir aussi *Journal* du 13 janvier 1678, AMEP, vol. 877, p. 610 ; cf. transc., p. 302.

On voit alors pourquoi le roi du Siam imposa à Lambert d'accompagner l'ambassade siamoise qui devait partir pour la France et ne lui permit d'aller en Cochinchine qu'avec la promesse de revenir à temps pour son départ[1]. Phra Naraï écrivit d'ailleurs au roi de Cochinchine pour qu'il accueille Lambert et ne s'oppose pas à son retour au Siam[2], ce qui ne convenait pas à Lambert qui aurait préféré rester dans son vicariat.

On a fait de Lambert un commerçant parce qu'il s'était introduit au Tonkin avec deux de ses prêtres en présentant au roi des raisons commerciales. On a fait aussi de Lambert un marchand d'armes. Dans le *Journal* de Lambert, on trouve des éclaircissements sur l'affaire des canons offerts au roi de Cochinchine. En fait celui-ci, très amateur des canons français[3], a donné au Père Marquès, jésuite, le prix de canons qui ne lui ont jamais été livrés du fait d'un naufrage[4]. Aussi les Européens qui souhaitaient entrer dans son Royaume devaient d'abord honorer la commande des canons faite au Père Marquès, c'était le cas de Lambert. Pour entrer dans son vicariat Lambert demanda à François Baron, directeur de la Compagnie Française des Indes Orientales, en poste à Surate, de livrer des canons au roi de la Cochinchine[5]. En 1674, les missionnaires français ont été réquisitionnés au Siam pour fondre des canons[6]. Dans l'affaire des canons comme dans celle des interventions de Lambert auprès des rois, on ne peut se limiter à quelques documents qui ne nous donnent qu'une vue partielle et partiale des choses. Dans les deux cas la situation d'exception où se trouve le Siam est à prendre en compte. Les princes de cette région du monde sentaient bien la menace des états musulmans qui les entouraient de la Malaisie au sud des Philippines en passant par l'Indonésie.

Dès 1663 le roi Phra Naraï avait secrètement confié au supérieur local des jésuites, Thomas Valgrenier (Tomaso Valguarnera), la construction des remparts de la capitale[7]. En 1676, le signe de menace était que le roi de Siam cherchait à fortifier ses frontières, comme la ville de Capain en Juin[8] et surtout celle de Tenasserim en septembre[9] ; il demanda l'aide des missionnaires français. Ne pas se préoccuper de la défense nationale, c'était

1. *Id.*, *Journal* du 12 mai 1674, AMEP, vol. 877, p. 538 ; cf. transc., p. 24 ; Lettre à M. Baron à Surate du 16 novembre 1676, AMEP, vol. 419, p. 302-303, cf. L. n° 174.

2. *Id.*, Lettre aux directeurs du séminaire du 8 juillet 1675, AMEP, vol. 858, p. 301 ; cf., L. n° 161 ; *Journal* du 9 octobre 1675, AMEP, vol. 877, p. 568 ; cf. transc., p. 139.

3. *Id.*, Lettre à M. Baron du 16 novembre 1676, AMEP, vol. 419, p. 302 ; cf. L. n° 174.

4. *Id.*, *Journal* du 9 juin 1674, AMEP, vol. 877, p. 541 ; cf. transc., p. 33.

5. *Id.*, Lettre à M. Baron du 16 novembre 1676, AMEP, vol. 419, p. 302.

6. *Id.*, *Journal* du 22 juin 1674, AMEP, vol. 877, p. 541 ; cf. transc., p. 38.

7. *Id.*, Lettre à Fermanel prêtre, AMEP, vol. 857, p. 170-171; cf. L. n° 44; Abrégé de Relation, AMEP, vol. 121, p. 654; cf. § 21.

8. *Id.*, *Journal* du 16 juin 1676, AMEP, vol. 877, p. 587 ; cf. transc., p. 210.

9. *Id.*, *Journal* du 6 septembre 1676, AMEP, vol. 877, p. 590 ; cf. transc., p. 224

se conduire en étrangers. Ces fortifications ont pu d'ailleurs protéger le pays contre l'expédition militaire française de 1688. Mais encore fallait-il mettre des canons sur les fortifications pour les rendre efficaces. Les quatre royaumes du Siam, du Tonkin[1], de la Cochinchine[2] et du Cambodge[3] étaient à la recherche de canons et de fondeurs de canons, montrant que la menace extérieure était prise au sérieux.

Pallu en 1664 devait présenter cette situation préoccupante au pape et à Louis XIV[4]. Seul Louis XIV pouvait répondre à l'appel des deux mille catholiques maltraités par les Hollandais. Seul le pape pouvait envoyer assez de missionnaires pour occuper le terrain convoité par les musulmans. Dans les deux cas l'objectif de Lambert était le salut des âmes. Pour lui le commerce des religieux exposait le christianisme à la critique et fragilisait la position des chrétiens catholiques face à l'Islam, mais aussi face aux compagnies commerciales néerlandaise et anglaises, en pleine expansion et soucieuses d'écarter toute concurrence. Pour pouvoir utiliser les vaisseaux hollandais et anglais, il fallait montrer que les missionnaires apostoliques ne faisaient pas eux-mêmes de commerce. Les hollandais ouvraient le courrier qu'on leur confiait pour voir s'il ne contenait rien contre eux[5].

Pour les monarques locaux Lambert représentait nécessairement la France, qu'il le veuille ou non, et ils le prenaient comme intermédiaire pour s'adresser à son roi. La première ambassade fut une ambassade siamoise et

1. Le roi du Siam prête à Pallu en partance pour le Tonkin 6 pièces de canon de bronze, de la poudre et des boulets (P. Lambert de la Motte, *Journal* du 21 mai 1674, AMEP, vol. 877, p. 539 ; cf. transc., p. 28). Le roi du Tonkin ouvrirait ses portes à qui lui fournirait un fondeur de canons: "Si l'on vouloit gagner les bonnes grâces de ce Roy icy, il lui faudroit amener un fondeur de canons. C'est un des plus grands moyens dont on puisse se servir pour avancer les affaires de la religion au Tunkin ; au jugement de tout le monde, un homme de cette profession sera icy un des plus grands seigneurs de l'Estat et, s'il estoit zélé qui y feroit beaucoup de bien" (Lettre aux directeurs de Paris, AMEP, vol. 877, p. 380).

2. Le roi de Cochinchine accueilla Lambert en lui disant qu'il serait heureux que les français lui offrent des pièces de canon, ce qui obligeait Lambert à lui en offrir (P. Lambert de la Motte, *Journal* du 9 octobre 1675, AMEP, vol. 877, p. 568 ; cf. transc., p. 139 ; Lettre à M. Baron à Surate du 16 novembre 1676, AMEP, vol. 419, p. 302 ; cf. Guennou, transc., L. n° 174). Joan de Cruz (Jean de la Croix), le fondeur de canons du roi de Cochinchine, était devenu un personnage important.

3. Le Siam fournit au Cambodge à sa demande des canons, de la poudre et du plomb (P. Lambert de la Motte, *Journal* du 8 octobre 1674, AMEP, vol. 877, p. 548 ; cf. Simonin, transc., p. 64).

4. *Id.*, *Abrégé de Relation*, AMEP, vol. 121, p. 747; cf. § 73 ; Lettre à Mgr Pallu de 1667, AMEP, vol. 857, p. 223; cf. L. n° 109 ; Lettre à Mgr Pallu de 1668, AMEP, vol. 876, p. 571; cf. L. n° 111 ; Lettre à M. de Chamesson du 3 décembre 1673, AMEP, vol. 858, p. 270; cf. L. n° 143.

5. *Id.*, Lettre au Conseiller Fermanel, du 23 janvier 1662, AMEP, vol. 971, p. 2-3 ; cf. L. n° 4.

non une ambassade française ; le roi du Siam en avait pris l'initiative en exigeant un évêque comme traducteur. Lambert étant malade[1], Gayme et Vachet durent le remplacer et Gayme ne parvint jamais en Europe. Alors que Lambert dans une lettre à Pallu datée du 19 octobre 1667 envisageait des relations diplomatiques et commerciales normales entre le Siam et la France sans préjudice pour l'un et l'autre de ces pays[2], leur réalisation ne fut pas ce qu'il en attendait. Le roi de France mit de côté Mgr Laneau et son clergé, il s'appuya sur un aventurier, Constance Phaulkon, et sur le Père Tachard, les missionnaires apostoliques seraient évincés.

Le Père Tachard qui avait organisé avec Constance Phaulkon l'expédition française au Siam, mit son échec sur le compte du manque de coopération des vicaires apostoliques et leurs missionnaires qu'on avait pourtant volontairement mis de côté[3]. Cette accusation du Père Guy Tachard devrait dédouaner Laneau et ses missionnaires de celle d'avoir servi la politique de la France au détriment de leur mission apostolique. Tachard avait rapporté en France un *Mémoire de M. Constance au Roi au sujet de la religion*, daté du 2 janvier 1688 et qui est un « réquisitoire violent contre les Missions Étrangères et tout ce qu'elles avaient fait au Siam depuis l'arrivée de Mgr Lambert en 1662 »[4].

Lambert parle de la situation internationale dans plusieurs lettres, mais conformément aux *Instructions* romaines de 1659, il ne s'est jamais mêlé de la politique intérieure des États.

Deux lettres adressées à Louis XIV éclairent la diplomatie de Lambert et permettent de vérifier sur quoi repose l'accusation d'ingérence politique formulée par certains. Lambert ne se conduit pas en courtisan mais met le roi en face de ses responsabilités en matière de foi ; ces responsabilités, Louis XIV les revendique lui-même en dirigeant de plus en plus le clergé de France qu'il choisit selon le privilège qu'il a reçu de la papauté. Dès lors la dégradation des mœurs des ecclésiastiques, séculiers et réguliers, peut lui être directement imputée et Lambert ne se prive pas de le lui faire comprendre. Aussi après avoir fait le constat de la situation de l'Église en Asie, Lambert supplie Louis XIV d'y remédier en ne nommant aux postes de responsabilité des diocèses et des ordres religieux que ceux qui en sont

1. *Id.*, Lettre à Philippe de Chamesson, du 3 décembre 1673, AMEP, vol. 858, p. 270; cf. L. n° 143 : il y exprime son inquiétude devant l'extension de l'Islam au Siam. Les lettres de Louis XIV et du pape ont été reçues par le roi Phra Naraï.

2. *Id.*, Lettre à Pallu du 19 octobre 1667, AMEP, vol. 857, p. 222-223.

3. Dirk Van Der Cruysse, *Louis XIV et le Siam*, Paris, Fayard, 1991, p. 426 : « Le P. Tachard estimait que le moment était venu de faire payer aux Missions Étrangères l'humiliation qu'elles avaient fait subir autrefois aux Jésuites ». De son côté Constance Phaulkon écrit à Brisacier pour se plaindre des Missions Étrangères (AMEP, vol. 850, p. 351).

4. D. Van Der Cruysse, *Ibid.*, p. 427 (citant A.N., Col. C/1/24, f. 110-125).

dignes sur le plan de la foi. En prenant pour confesseur le Père François de La Chaise, un jésuite, Louis XIV n'est peut-être pas en état de souscrire au point de vue de Lambert. Lambert fait ici entrer la religion dans la politique plutôt que l'inverse, en ce sens qu'il propose au roi de vivre son métier de roi aussi saintement que son prédécesseur saint Louis :

> « Ces grands deireglement dont ie rend conte a Sa Sainteté et a la Sacré Congregation de la Propagation de la Foy que cette affaire regarde particulierement ne venant que de lignorance et du mauvais exemples du clergé, de la pernicieuse moralle, de lambition, des grosses usures des grands commerces publics, et des abus intollerables des jesuittes qui ont eu icy plusieurs prelatures me font jetter au pieds de V. M. et vous supplier au nom de Dieu de ne gratifier personne des dignitez episcopales et des autres benefices qui soient a vostre nomination qui ne soit solidement vertueuse et qui ne tienne pour regle de ses actions et de la Doctrine les maximes infaillibles du fils de Dieu. Vous avez cette haute prerogative de lEglise qui sest raporté a vous de luy donner des prelats qui ne luy fissent pas d'outrage et de deshonneur. Ce droit Sire lui appartenoit parce quelle vouloit que ce fut le clergé qui pourvut aux Eglises vacantes demandoit même le consentement du peuple. Cependant elle a trouvé bon de mettre entre vos mains tous ses interests en ce regard et ceux du peuple en vous regardant comme le fils ainé de lEglise et le pere de vos sujets. Si V. M. veut bien prendre ce soin destre exacte en ce choix qui est de la derniere consequence vous attirerez sur vostre sacré personnes et sur vostre grand estat des benedictions du ciel incroyables. Nous lisons dans les histoires stes que lorsque Dieu a voulu chatier quelque nation une des plus grandes punitions quil ayt exercé sur elle a esté de permettre quils eussent des chef qui fussent indignes du sacerdoce et de la royauté et cest par une raison toute contraire que nous admirons le bon heur de la France qui est visiblement toute comblé des Benefices de Dieu parce quelle a cette avantage destre gouverné par le plus pieux et le plus grand Prince qui se puisse voir et que les metropoles et les cathedrales peuvent faire l'estime de toute lEglise Militante apres cette tres humble priere jen demande encore une autre à V. M. avec Vostre permission que cest de faire souvent reflection sur la sublimité de vostre estat et de penser serieusement aux actions de grace que vous devez à Jesus Christ qui est mort pour vous qui vous a tant aymé qui vous amis le sceptre en mains et la couronne sur la teste ces prodigieuses faveurs demandent autant que vostre condition le peut permettre que vous luy rendiez chaque jour un temps considerable vos hommages et vos adorations a l'Exemple du Roi David du grand St Louis et de tant dautres saints souverins a cette sainte pratique la divine Bonté attachera tant de grace quelle vous donnera un rang dans le ciel esgal a celuy que vous tenez sur la terre. Cest Sire le sujet des vœux que ie fais tous les jours a Dieu par une application particuliere en qualitez d'un de vos plus fideles et desinteressé sujet et lequel ie continuerez toute ma vie, dans les extremité du monde »[1].

---

1. P. Lambert de la Motte, Lettre au roi Louis XIV, AMEP, vol. 121, p. 523-524, cf. Guennou, transc., L. n° 27.

Dans la seconde lettre qui semble reprendre et prolonger la précédente et qui devrait dater de 1664, l'année qui suit celle du retour de Jacques de Bourges en Europe, l'objectif est clair : il s'agit d'une intervention en faveur des fidèles catholiques que l'expansion hollandaise en Asie a laissés sans protection et livrés aux protestants ; ces fidèles sont comme des brebis dont les bergers n'étaient que des mercenaires seulement préoccupés de leur profit. Mais ils ont raison d'avoir recours à Louis XIV qui se proclame le Roi Très chrétien, héritier spirituel de l'empereur Constantin qu'on appelait l'Évêque extérieur, et dont la nation est la Fille aînée de l'Église. Tel semble être le fil de l'argumentation de Lambert qui prépare l'essentiel de son plaidoyer en forme d'exposé des faits, la situation dramatique des pauvres catholiques de l'île de Ceylan (Sri Lanka) dont il s'est fait l'avocat :

> « Je me donnay lhonneur descrire lan passé a Vostre Majesté par un de vos sujets qui est allé expres en Europe pour donner connoissance du pitoyable estat ou est la Religion catholique dans les Indes et dans toutes ces extremitez du monde, par la faute des ministres de l'Evangile et particulierement par lavarice, lambition, le relache et les pernitieuses maxime des Peres Jesuites de tous ces quartiers. Lorsque ie rend conte a vostre Majesté de ces choses ie vous regarde comme lEvesque exterieur de lEglise. Ce terme n'est pas nouveau Sire il a esté autrefois donné a des Empereurs qui ne vous surpassoient point, n'y en Zele ny en puissance. Cest dans cette même vue que V. M. me permettra de luy donner encor un avis des plus important et qui vous touche se semble de plus pres cest au suiet d'environ 2000 françois qui se sont malheureusement engagé au services de la Compagnie d'hollande pour venir en tous ces lieux ou elles cest establie depuis le Cap de bonne Esperance jusque au Japon, ces pauvres gens sont fort a plaindre, pour la rigueur quon exerce en leurs endroit, mais beaucoup davantage de ce quaucun deux ne peut ouir la messe ny faire aucune fonction dun Catholique sans recevoir un plus mauvais traitement que sils avoit commis un grand crime. Cest ce que nous avons appris de ceux que nous avons veüe ces années passées et qui nous ont esté confirmé par ceux qui sont continuellement icy. Nous n'avons peu entendre leurs disgraces sans une extreme compassion, n'y les refuser de presenter une tres humble Requeste a V. M. en leur faveur et de tous ceux qui sont aux gages de cette compagnie pour vous suplier d'avoir pitié de leurs miseres. Ce qui rend la cause de plusieurs d'entre eux plus favorable cest quon ne veut pas leur accorder de sen retourner a cause de la necessité qu'on a deux. Ie me serviray de cette occasion pour dire a V. M. que cette compagnie passe les limites du commerce et quaujourdhuy, dans lIsle de ceylan dependant autrefois du Royaume de Tafanapatam, après avoir chassé les religieux de tous les lieux ou estoient les Portugais, on a donné la conduite des paroisses a leurs ministres heretiques. Jay pensé Sire quil estoit de mon obligation d'informer le premier et le plus grand Roy chrestien de ces desordres affin que vous nignoriez point une choses quil est bon que vous scachiez »[1].

1. *Id.*, Lettre au roi Louis XIV, AMEP, vol. 121, p. 583 ; cf. L. n° 78.

Il paraît difficile de voir dans ces deux lettres la preuve d'une ingérence du domaine religieux dans le domaine politique. Elles paraissent au contraire tout à l'honneur de Lambert. C'est ainsi qu'il faut considérer son intervention auprès de Louis XIV en faveur des travailleurs catholiques que la Hollande retenait en les forçant à ne plus pratiquer leur religion. Un évêque ne peut se laver les mains en considérant les injustices comme du seul ressort de la politique. C'est de cette façon qu'il faut aussi considérer l'intervention que Lambert a faite au Siam en faveur de l'ambassadeur de Golconde, aidant un musulman à partir pour La Mecque et à faire ainsi son salut selon la foi de l'Islam. Dans ces circonstances où l'Islam mettait en péril l'œuvre d'évangélisation de Lambert, son acte relève de l'héroïcité. Si la sainteté de Lambert apparaît, c'est bien là où d'autres le condamnaient.

On a présenté le désir de Lambert que s'établissent entre le Siam et la France des rapports diplomatiques et commerciaux, comme une désobéissance par rapport aux *Instructions romaines de 1659*, et une duplicité ou une niaiserie conduisant nécessairement le Siam à subir la colonisation de la part de la France[1]. Certains ont présenté les choses comme la volonté de Lambert d'obtenir des avantages politiques pour son pays au Siam.

---

1. B. Jacqueline, Traduction française des Instructions de 1659, III B (Conduite avec les princes) :

N° 8 - N'offusquer en rien souverains et fonctionnaires du pays :

« Si quelque roi, seigneur ou dignitaire, écoutant la voix de Dieu, se montre bienveillant envers vous ou manifeste de l'inclination pour la religion chrétienne, soyez-en reconnaissants. Mais de peur d'exciter l'envie, ne réclamez ni privilèges, ni exemptions, ni tribunaux spéciaux ; ne cherchez en aucune façon à réduire l'étendue de leur juridiction. Si toutefois, sans attirer la haine de personne, vous avez obtenu quelque avantage propre à aider le développement de la foi, ne vous vantez pas de l'avoir acquis de plein droit, mais précisez qu'il vous est venu de lui par pure bienveillance. Et évitez absolument de lui inspirer la plus petite crainte pour sa personne ou ses droits : il faut fuir jusqu'à l'ombre de tout soupçon de cet ordre ».

N° 9 - Interdiction de s'intéresser à la politique :

« Soyez si éloignés de la politique et des affaires de l'État que vous n'acceptiez jamais de prendre en charge une administration civile, même si on vous le demande formellement et qu'on vous fatigue d'instantes prières. La Sacrée Congrégation l'a toujours strictement et expressivement interdit, et elle continuera à l'interdire. C'est pourquoi vous avez le devoir, vous et vos compagnons, de vous en garder très soigneusement. On vous a sans nul doute appris que la Sacrée Congrégation serait fort mécontente de celui qui se mêlerait de pareilles choses ou qui s'y laisserait mêler, non seulement dans le cas où cela tourne au préjudice de la religion et à détourner les missionnaires de leur tâche, mais tout autant lorsque brille l'espoir le plus certain de voir par ce moyen la religion accrue et la foi largement propagée.

« Sur ce point, il ne vous servira de rien d'invoquer l'exemple d'autres missionnaires, serait-ce des religieux, exemple que peut-être vous apporteriez comme excuse à votre conduite. Au contraire, montrez-vous hardiment comme un modèle pour eux, afin qu'ils apprennent de vous, et les populations avec eux, quel est le véritable esprit du Saint-Siège. Ce n'est pas par des habiletés de ce genre que la parole de Dieu doit être répandue, mais par la charité, le

Deux remarques s'imposent, Lambert ne fait pas allusion au roi du Siam dans ces deux lettres à Louis XIV, car c'est le roi du Siam qui a toujours été demandeur de l'établissement de relations officielles régulières avec la France et c'est la raison pour laquelle il y a envoyé une seconde ambassade après qu'il eut appris le naufrage de la première. Quand Lambert a écrit à Pallu le 19 octobre 1667 pour montrer à Louis XIV le bienfait d'établir ces relations, il ne s'agissait pas pour lui d'obtenir au Siam la conversion d'un peuple par la conversion de son roi[1]. Lambert traitait le roi du Siam comme une âme à sauver à qui il donnait les moyens de sa conversion en lui montrant l'exemple d'un grand roi qui a l'avantage d'avoir des chrétiens comme sujets. Les musulmans feront pareil mais avec des exemples moins probants. Lambert ne cachait pourtant pas les difficultés d'une telle conversion dans le cadre de la tolérance bouddhiste :

> « Il semble mesme que la grace veüille operer quelque chose dans le cœur du Roy de Siam, car depuis peu il a voulu voir à fond ce qu'enseigne la Religion chrestienne, ce qui nous ayant esté raporté, nous crumes luy devoir faire present d'un recueil d'Images en taille douce de tous les misteres de la vie et passion de Nostre Seigneur, des douze Apostres, des quatres Evangelistes, des fondateurs des principales Religions[2] et des deux Saints des plus illustres des chaques ordres et des quatres fins derniers que nous avions fait relier en france, avec des feuillets blancs entre chasque image pour y escrire ce quelle signifie, cestait dans la pensée

mépris des choses humaines, une attitude modeste, une vie simple, la patience, l'oraison, et les autres vertus apostoliques.

« Bien plus, mettez tous vos soins à faire comprendre à tous combien de telles pratiques sont éloignées de l'esprit de la Sacrée Congrégation, avec quelle rigueur et quelle sévérité elle les interdit à ses ministres, avec quelle indignation elle en recevrait la nouvelle si, par des relations de missionnaires elle venait à apprendre des faits de ce genre. Ainsi donc, que l'on sache et proclame hautement que vous et les vôtres, vous avez en horreur de telles pratiques, que vous ne tendez qu'à des intérêts spirituels et au salut des âmes, que vos travaux, vos désirs et votre esprit sont rigoureusement dirigés vers les choses célestes à l'exclusion de toutes les autres.

« Si vous voyez l'un d'entre vous tomber dans une telle absurdité, renvoyez-le sans délai de la mission, allez jusqu'à le chasser du pays, car on ne peut rien imaginer de plus dangereux pour vous et de plus préjudiciable à la cause de Dieu qui repose entre vos mains ».

N° 10 - Comment décourager les appels des princes :

« Si toutefois, il arrive que les princes réclament un jour ou l'autre vos conseils, alors, mais non sans vous être fait beaucoup prier et en alléguant notre présente défense, vous leur donnerez des avis loyaux et justes, ayant une saveur d'éternité. Cependant abandonnez rapidement le palais et la cour et retirez-vous dans vos diocèses pour y vaquer aux fonctions sacrées. Plutôt que d'être obligés de rester, feignez une totale ignorance des affaires politiques et une inaptitude complète à l'administration civile, de façon à vous éloigner au plus vite avec leur propre agrément de ce lieu plein de périls ».

1. P. Lambert de la Motte, Lettre à Pallu du 19 octobre 1667, vol. 876, p. 222-223 ; cf. Guennou, transc., L. n° 109.

2. Principaux ordres religieux.

quil en demanderoit l'explication, en effect deux ou trois iours apres qu'il l'eut receu il envoya dire qu'il desiroit extrememement scavoir ce que signifioient ces portraits et quon luy feroit plaisir de luy en escrire dans les feüillets blanc l'explication en langue de Siam, cet ouvrage a occupé environ deux mois Mr Laneau qui scait lire escrire et parler cette langue. il a eu cet avantage de s'estre bien fait entendre dans les choses de la religion pour en avoir appris les termes dans les temps qu'il a demeuré avec les prestres des Idoles.

« Si tost que cette piece fut en sa perfection, elle fut presentée au Roy qui en donna la communication aux plus considérables docteurs de sa cour lesquels apres avoir leu et examiné ces livres en firent leurs raports au Roy et luy dirent que la Religion chrestienne estoit bonne, qu'elle enseignoit des choses fort relevées, et cepandant que celle dont le Roy et eux faisoient profession estoit aussy bonne.

« On a sceu depuis que le Roy a dit en quelques rencontre, parlant de nostre religion, qu'elle luy plaisoit, et asseurement depuis ce temps la il nous favorise davantage. car s'estant souvenu de l'ordre qu'il avoit donné de nous envoyer des materiaux necessaires pour le batiment de nostre eglise, et ayant seeu la negligence de ses officiers a l'executer il donna un nouveau commandement d'y satisfaire ; en suitte de quoy on nous a livré le bois necessaire pour cela, et averti nostre interprete de se faire livrer ce qu'il faut de briques et autres materiaux, le ministre mesme avoit tellement a cœur, que l'ordre du Roy fut executé, et d'ailleurs il a tant d'estime pour nous quayant trouvé dans une sale du palais, ou il avoit pour quelques affaires temporelles fait assembler les Jesuittes, le commissaire du St office et quelques seculiers portugais il luy demanda en leur presence. Si les officiers du Roy avoient fourny ce qu'il avoit desiré estre livré aux Missionnaires francois pour leur batiment, et ayant repondu que cela estoit bientost fait il dist, He bien, voila les present du Roy accompli mais ie n'ay pas encore fait le mien ; dites de ma part a Mr l'Evesque que ie veux aussy contribuer à faire son Eglise.

« Voyant ces premieres traces de la grace dans le cœur de ce Roy, il faut, Monseigneur, que ie vous expose une pensée qui m'est venue dont vous ferés tel usage qu'il vous plaira, c'est qu'ayant appris les grands desseins que nostre genereux Monarque a pour l'establissement du commerce aux Indes, il me semble que cette ville estant un lieu tres avantageux pour cela on pouroit insinuer au Roy d'envoyer un ambassadeur en cette cour a l'exemple des holandois qui y ont bien reussy affin de traitter avec luy du commerce que l'on peut faire dans ce Royaume, et par mesme moyen que S. M. tres chrestienne conviast ce Roy de vouloir embrasser nostre religion comme estant tres sainte et la plus propre a faire regner les princes qui la professent dans une supreme authorité parce qu'elle oblige par ses Loix les Chrestiens d'estre fideles et tres obeissants a leurs souverains a penne d'estre damnés et lui representant d'ailleurs qu'il doit a la religion catolique la prosperité et grandeur de ses estats que luy et ses predecesseurs ont si heureusement possedé depuis tant de siecles. La pensée qu'il a que toutes les religions sont bonnes luy sera touiours escouter bien favorablement les propositions qui luy seroient faittes de la nostre, ce que i'ay raporté cy dessus des sentiments qu'il a tesmoigné avoir de nostre Religion en est une assés grande preuve. Mais nous en avons aussy une autre de cette dangereuse facilité a escouter toutes les propositions qu'on luy fait sur le changement de Religion et qui devroit bien faire penser serieusement a la proposition que ie fais, c'est quil n'y a pas longtemps que la Reyne d'Achem qui est le plus considerable Royaume de l'Isle de Sumatra et qui gouverne a la place de son frere qui est mahometam sollicita le Roy de Siam par son solemnnelle ambassade d'embrasser l'alcoram. Le Roy fist une tres belle reception a son ambassadeur et mesme l'on a remarqué depuis ce temps la qu'il gratifie beaucoup ceux de cette malheureuse secte. I'avoüe que l'exemple de cette princesse infidele si zelée pour le progres de sa meschante loy m'a fait naistre la pensée de vous faire cette proposition »[1].

Cette proposition faite au Roi de France d'établir une ambassade et un comptoir commercial au Siam n'était donc pas vraiment motivée par l'espoir de convertir le roi de ce pays mais plutôt d'y contrer l'influence grandissante de l'Islam. Lambert a répondu à la curiosité du roi du Siam envers la religion chrétienne, mais cette curiosité, une fois satisfaite, s'est reportée sur la religion musulmane. Le seul argument que Louis XIV aurait pu employer, c'était l'avantage que le christianisme aurait pu procurer au roi du Siam pour exercer son métier de roi mais Lambert ne semble pas avoir pensé qu'on puisse ainsi convaincre Phra Naraï.

Les historiens pensent que Phra Naraï craignait plus les Hollandais que les musulmans car il avait dû signer avec les premiers un traité commercial très défavorable le 22 août 1664[2]. Le roi de Siam voyait dans un rapprochement avec la France un moyen d'écarter la menace hollandaise. Mais derrière les appétits commerciaux des Hollandais, Lambert voyait une autre menace, celle de l'Islam, proposé à Phra Naraï non seulement par la reine d'Achem mais aussi par le roi de Perse[3]. Si, comme l'écrit Robert Costet, « Mgr Lambert se faisait des illusions sur la liberté du roi à changer la longue tradition religieuse de son royaume »[4], un événement dut le faire réfléchir sur les possibilités de son apostolat, c'est la guérison du frère du roi demandée à Dieu et obtenue à la prière des chrétiens. Au lieu de déclencher les conversions espérées cette guérison jeta un froid sur les rapports entre le souverain et les missionnaires.

1. Pierre Lambert de la Motte, Lettre à Pallu du 19 octobre 1667, AMEP, vol. 857, p. 221-223.

2. Robert Costet, *Siam – Laos, Histoire de la Mission*, Paris, Églises d'Asie, coll. « Études et Documents », n° 17, 2002, p. 37.

3. D. Van Der Cruysse, *Louis XIV et le Siam*, p. 295-307. Au sujet de la proposition de Lambert Robert Costet (*Ibid.*, p. 76) écrit : « Remarquons que Mgr Lambert n'avait rien d'un esprit colonialiste, mais suggérait d'établir des relations d'égal à égal entre la France et le Siam par l'intermédiaire du commerce ».

4. R. Costet, *Siam – Laos, Histoire de la Mission*, p. 76.

Les textes montrent que c'est le roi de Siam qui a pris l'initiative de se faire instruire de la religion chrétienne, c'est le roi de Siam qui a pris l'initiative d'envoyer une ambassade en France en décembre 1680, un an après la mort de Lambert, elle fit naufrage aux abords de Madagascar avec Gayme qui servait d'interprète, cela ne découragea pas Phra Naraï qui envoya une seconde ambassade.

Lambert n'avait pas du tout le sentiment de s'écarter de sa mission de pasteur en tentant d'améliorer les rapports entre le Siam et le pays d'où venaient les missionnaires. C'est la paix pour son troupeau qu'il recherchait et il ne voyait rien de contraire à ses initiatives dans les *Instructions romaines* qu'il avait reçues en 1659.

La nécrologie de Lambert cautionnée par Laneau, son disciple

Vachet écrit des *Mémoires pour servir à l'histoire générale des missions et aux archives du séminaire de Paris*

Bénigne Vachet a écrit ses *Mémoires* après la mort de Pallu, mais il aura contre lui un préjugé défavorable de la part des archivistes et biographes des Missions Étrangères, plutôt à cause de son style qui apparaît comme emphatique et hagiographique. Certes Vachet a un héros pour lequel il a une admiration inconditionnelle mais ce n'est pas Lambert : « Si l'on cherche le portrait d'un parfait ecclésiastique, le modèle achevé d'un Évêque et d'un zélé missionnaire, on le rencontrera dans M. François de Pallu qui fut Évêque d'Héliopolis, vicaire apostolique du Tonquin »[1].

Dans sa Préface, Vachet prétend cependant être objectif : « Dans les controverses qu'on a vues naître de nos temps, parmi les ouvriers de l'Évangile, lorsqu'il a fallu justifier les uns pour condamner les autres, j'ai tâché de me tenir dans un juste équilibre, pour ne rien avancer contre la vérité, ou qu'il fût trop hardi ou trop mou : je n'ai pas même épargné M.M. du séminaire des Missions Étrangères ; et les Vicaires Apostoliques, tout grands saints qu'ils paraîtront dans leur vie, n'ont pas été exempts de ma critique, quand leur rôle un peu trop outré m'a paru condamnable ».

Vachet ne traite que d'un conflit important entre le séminaire et Pallu à propos des vœux sur l'ascèse, sans attribuer la paternité de ces vœux à

1. B. Vachet, « Mémoires pour servir à l'histoire générale des missions et aux archives du séminaire de Paris », in *Annales de la Congrégation des Missions Étrangères*, Paris, Imprimerie Victor Goupy et Compagnie, t. I, n° 2, 1866, p. 90 (Ce document sera cité sous le nom *Mémoires imprimés*, n°, date, p.).

Lambert. Après avoir parlé de l'importance de l'ascèse dans ce qui fut le creuset des Missions Étrangères, la communauté de la rue Coupeau où cohabitaient ceux qui allaient partir en mission et ceux qui allaient s'occuper du séminaire de la rue du Bac, Vachet raconte comment les premiers, étant arrivés, décidèrent de renforcer leur ascèse par des vœux et comment les seconds, qui n'y connaissaient rien, jugèrent ces vœux inappropriés au travail des missionnaires et empêchèrent Pallu d'obtenir l'accord de Rome[1]. En étudiant tous les documents conservés dans les Archives des Missions Étrangères de Paris sur cette affaire, on pourrait conclure que Vachet n'a pas été tenu au courant de ses tenants et aboutissants.

Pour Vachet, l'initiative des Missions Étrangères est d'abord à attribuer, non à Rome et à la Sacrée Congrégation de la Propagation de la foi, mais à la fondation de la communauté très fermée[2] de la rue Coupeau avec le Père Bagot à l'instar de la Compagnie de Jésus. Il rejoint ainsi le point de vue d'Henry-Marie Boudon.

Ensuite Vachet place la fondation du séminaire au centre de l'histoire de l'évêché de Babylone ; elle est liée peut-être aux démêlés judiciaires qui ont eu à l'époque un retentissement à Paris. Comme Vachet, l'archiviste des Missions Étrangères Henri Sy a lui aussi séparé en deux les origines des Missions Étrangères, l'histoire du groupe du Père Bagot de 1653 à 1663[3] et l'histoire du séminaire de la rue du Bac installé dans l'hôtel de l'évêque de Babylone[4]. Après ces deux premiers chapitres, Vachet donne un nouveau départ à son histoire en refaisant partir les Missions Étrangères de la rencontre à Paris de deux jésuites, le Père Alexandre de Rhodes qui revenait du Tonkin et le Père Bagot dont il a déjà été question à son premier chapitre.

Vachet a-t-il aussi écrit une nécrologie de Lambert ?

La découverte d'une œuvre inconnue d'un peintre connu, d'un nouveau document en histoire, d'un nouveau témoignage du passé en archéologie, voilà qui est extrêmement gratifiant pour le chercheur, nous pensons avoir eu ce bonheur, non en trouvant l'introuvable mais en retrouvant un document déclassé qui ne pouvait plus servir à personne, égaré dans les Archives des Missions Étrangères sans doute depuis l'origine, sans sujet, ni titre, ni repère pour le retrouver parmi des masses d'autres documents, mais décrit

1. *Ibid.*, n° 1, 1865, p. 50.

2. On ne pouvait y entrer que par cooptation et on devait en accepter les règles de vie.

3. C'est le sujet du livre de H. Sy, *La Société des Missions Étrangères – Les débuts (1653-1663).*

4. C'est le sujet du livre de H. Sy, *La Société des Missions Étrangères – La fondation du Séminaire (1663-1700).*

suffisamment par son auteur pour éveiller notre attention s'il tombait sous nos yeux.

Bien qu'il ait connu en mission la plupart de ceux dont il retrace la vie, Vachet est mal considéré en tant que biographe ; un tel a priori a conduit à négliger l'importance d'un manuscrit qui est apparu à Adrien Launay comme une copie de la biographie de Lambert écrite par Vachet ; le mot « copie » est d'ailleurs inscrit en surcharge sur la première page du document, mais le document s'interrompt en milieu de page sans qu'il soit question de la fin de la vie de Lambert. Launay classe le manuscrit sous le titre « *Détails biographiques sur la vie de Mgr Lambert* »[1]. Une simple comparaison avec la biographie complète montre qu'il ne peut s'agir d'une copie, car les différences sont nombreuses et la dimension plus modeste fait penser plus à une ébauche qu'à une copie.

Nos recherches s'étendant à l'entourage peu exploré de Lambert, nous avons trouvé une lettre datée du 20 juillet 1682 où Vachet fait allusion à un texte adressé au séminaire des Missions Étrangères ; il l'a envoyé inachevé pour profiter du retour d'un missionnaire, le Père Gayme. C'est un abrégé d'une œuvre ultérieure qui devait être plus développée et plus élaborée sur la vie de Lambert, et destinée à rectifier de fausses relations diffusées en Europe, notamment sur l'origine des Missions d'Asie. Pour les événements dont il n'a pas été lui-même témoin[2], Vachet s'est fait corriger par Louis Laneau, vicaire apostolique du Siam (Mgr de Métellopolis). Cette nécrologie devait en effet contenir des faits que Vachet ne pouvait connaître par lui-même (il vivait en Cochinchine) mais que Laneau connaissait en tant que collaborateur direct de Lambert au Siam depuis 1664 et que Duchesne a appris :

> « Dans peu d'années nous vous donnerons de nouvelles matières pour les belles relations que vous produisez au jour. Comme elles ne sont pas encore relues, ie n'en parle que pour le raport qu'on m'en a faict. A la vérité ce n'a pas esté sans quelques déplaisirs que i'ay ouy qu'on y avoit inserré des faicts qui ne concordent pas entièrement à la vérité par la trop légère preuve de raison de quelques personnes d'icy qui n'en estoient pas assez informés[3]. Si nostre bon Dieu conduit à bon port Monsr Gayme[4], il vous sera facile de le remarquer dans

1. AMEP, vol. 877, p. 676-709. La notice nécrologique, conçue comme un panégyrique, commence par : « Il y a des hommes qui sont heureux dès le berceau... ». Le texte est aussi paginé de manière impaire de la page 1 à la page 29.

2. Dans les *Mémoires imprimés,* à partir de la page 169, Vachet s'y exprime par le « Je » et le « nous » en tant que témoin.

3. Vachet parle de deux types de personnes, celles qui sont venues du Siam et ont parlé des commencements des Missions Étrangères sans en avoir une bonne connaissance et celles qui sont venues de France et lui ont révélé les erreurs introduite dans les relations publiées.

4. Gayme est parti en 1680 en France avec la première ambassade siamoise qui sombra en 1681 avec le vaisseau Soleil d'Orient. La nécrologie est partie en 1680, sans doute écrite dans les 6 mois précédents suivant la mort de Lambert.

> un petit ouvrage que i'ay adressé à Mesrs du Séminaire de Paris, c'est l'abrégé de la vie de feust Monseigneur l'Evesque de Bérythe, quoyque ie l'ay dressé bien à la haste et très imparfaictement puisque i'ay esté obligé d'envoyer l'original sans pouvoir trouver le temps de l'achever. I'ose cependant me flatter qu'on y descouvrira assez à clair le commencement et le progrès de ces missions non seulement de ce qui les touche en général mais mesme de plusieurs particularités qui m'ont parus très considérables. Monseigneur de Métellopolis et Monsr Duchesne[1] l'ont leu d'un bout à l'autre et parce que le premier est tesmoin oculaire de la plus grande partie que cette ouvrage contient et que l'autre est très bien instruict de tout ce qui s'est passé »[2].

Il est difficile de ne pas penser que le texte inachevé que nous avons pu consulter dans les Archives des Missions Étrangères, est la première nécrologie de Lambert envoyée par Vachet en Europe en juillet 1682 et tombée totalement dans l'oubli comme si elle n'était qu'un double des *Mémoires* qu'il écrivit plus tard, longtemps après la mort de Lambert. On comprendra que c'est une découverte capitale pour la connaissance de la vie et de la pensée de Lambert, elle porte la garantie de Laneau, peu sollicitée par les historiens.

Un autre élément d'appréciation de cette découverte est l'existence d'une copie manuscrite du document concerné[3], acquise par la Bibliothèque Nationale et placée à la suite d'un faire-part[4] de la mort de Lambert contenant le récit de ses derniers moments.

L'abrégé de la vie de feu Monseigneur l'Évêque de Bérythe comme Vachet l'appelle dans sa lettre, se présente avec toutes les caractéristiques d'une nécrologie ; il est inachevé comme le dit Vachet et a pour titre :

> « Monsgr de Bérithe – Siam
> Juin 1679 »

« Juin 1679[5] » étant la date exacte de sa mort, une biographie aurait indiqué plutôt : 1624-1679. De plus, ce texte est archivé entre deux lettres de M. Gayme parlant de la mort de Lambert. Mais si Vachet reprend cette nécrologie de commande dans ses *Mémoires*, il l'utilise à d'autres fins, des

1. Laneau est témoin oculaire de ce qui s'est passé au Siam depuis son arrivée avec Pallu en 1664 et il a été le plus proche collaborateur et le confident de Lambert ; c'est à ce titre qu'il a relu le texte de Vachet. Par contre Duchesne n'a pas connu Lambert mais c'est en Europe qu'il a été instruit de tout ce qui s'est passé avant le départ de Lambert et qu'il a pu ensuite contrôler la véracité du récit de Vachet.

2. Lettre de VACHET, AMEP, vol. 859, p. 145.

3. *Mémoire sur la Motte-Lambert*, B.N.F, ms NAF. 9376, fol. 130r-142r.

4. *Ibid.*, fol. 126r-129r.

5. En mentionnant "Juin 1679" en titre de sa *Vie de M. de Beryte,* comme Bénigne Vachet l'avait fait pour sa nécrologie de Lambert, Jacques-Charles de Brisacier a sans doute l'idée de censurer l'œuvre de son confrère par une autre nécrologie.

variantes importantes apparaissent notamment par rapport aux rôles respectifs de Pallu et de Lambert.

Cette nécrologie de Lambert suit les codes de ce genre littéraire particulier. Bien construite, elle est écrite pour ceux qui l'ont connu et a pour objectif, non de tout dire sur la vie de Lambert et sur son œuvre, mais plutôt d'en dresser le portrait tel que ceux qui l'ont connu aient envie de se le rappeler. Si elle suit la chronologie, c'est pour l'émailler de petites anecdotes comme les deux qui sont rapportées au début pour illustrer l'abandon de Lambert à la Providence, comme les retournements de Colbert et du Secrétaire de la Sacrée Congrégation de la Propagation de la Foi, face à la personnalité de Lambert et son opiniâtreté et comme à la fin les deux expériences charismatiques pour illustrer la foi intrépide de Lambert.

Comme en toute notice nécrologique, l'auteur y donne un raccourci de biographie. Il écrit que Lambert est sorti d'une famille très noble, il note qu'à l'âge de 9 ans, la maturité de Lambert était en avance, cela correspond à ce qu'en dit Lambert à Vincent de Meur à propos de sa spiritualité. Il est le seul à parler de l'assassinat de son oncle maternel. Cet assassinat aurait conduit Lambert à rechercher la solitude à l'Ermitage de Caen auprès de Jean de Bernières qui le donnait en exemple et qui ne tarissait pas d'éloges à son égard. La notice révèle que quelques années se passèrent pendant lesquelles Lambert fit des études de théologie, de droit et d'histoire ecclésiastiques[1]. Il fut alors ordonné prêtre par l'Archevêque de Rouen qui l'aida à obtenir une charge de conseiller clerc du Parlement de Rouen (dont il a été membre laïc) et qui le nomma « supérieur majeur de l'hôpital général » de Rouen. C'est pour servir l'hôpital général que Lambert alla à Paris :

> « Comment un seul homme a-t'il pu venir à bout d'un ouvrage si admirable ? Il y rencontra des obstacles de toutes part, du cotté du parlement, du cotté de la cour, du cotté même des ecclésiastiques et des relligieux. Sa fermeté et sa constance surmonteront toutes les difficultés, étant venu à Paris pour demander des graces et des privilèges pour son hopital Mr de Colbert ne vouloit pas même l'écouter. Sa patience et son assiduité en vinrent à bout de telle manière que lui aiant accordé tout ce qu'il demandoit, son secrétaire lui dit : Mr comment vous êtes vous laissé gagner à ce prêtre ? Mr de Colbert lui répondit : aiés un peu a faire à lui et voiés si on peut lui rien refuser »[2].

Ici Lambert use de patience avec les grands, la nécrologie prépare les esprits à comprendre comment Lambert saura retourner en sa faveur l'hostilité de la Curie romaine, comme il parviendra à surmonter les

1. B. Vachet, [*Nécrologie de Lambert*], AMEP, vol. 877, p. 679-681.

2. *Ibid.*, p. 682. Colbert n'était pas encore à cette époque surintendant des Finances de Louis XIV mais il appartenait aux services financiers du roi depuis 1651 et à ce titre il avait pu recevoir Lambert.

obstacles physiques et moraux qui se présenteront sur le chemin de sa mission[1]. Vachet veut souligner cet aspect de la personnalité de Lambert dans sa lettre du 20 juillet 1682 en ajoutant à la nécrologie son témoignage personnel de missionnaire en Cochinchine : « Monseigneur de Berythe ayant laissé une grande reputation de sa personne dans toute la Cochinchine il me fut bien plus facil qu'auparavant de négocier les interests de cette Eglise. Toute la Cour esperant de revoir ce prelat dans la prochaine occasion, plusieurs des plus grands Seigneurs me sollicitoient à plusieurs reprises d'aller à sa rencontre »[2].

Parlant de Lambert, le jugement de la nécrologie ne semble pas excessif : « Il n'étoit pas moins en estime dans le Parlement de Rouen. Son intégrité inviolable faisoit beaucoup d'honneur à ce corps auguste qui dans une affaire assez difficile et très délicatte le députa au pays de Gex sur la frontière de Genève pour informer sur les lieux et sur son rapport rendre un arrest définitif. Il en épargna la peine à ses confrères, car d'un mutuel consentement il accommoda les parties »[3].

Le récit continue à partir de l'affaire de Gex qui est un épisode professionnel tout à fait plausible comme c'est le cas pour ce qui le conduit à Paris. Mais en y allant, Lambert avait vécu un « trait de providence » peu ordinaire : rentrant pour prier dans une église sur le chemin de Gex, il y rencontra une veuve, mère de quatre enfants, qui avait été dépouillée de tous ses biens ; or il se trouvait que ceux qui avaient commis ce forfait dépendaient de sa juridiction de Rouen et Lambert n'eut alors qu'à écrire à Rouen pour régler cette affaire et rendre ainsi justice à cette veuve[4]. Vachet ne reproduit pas exactement la nécrologie dans ses *Mémoires* ; par exemple il modifie le caractère providentiel de cet épisode en en situant l'endroit dans la juridiction de Rouen, ce qui revenait à rendre naturelle son intervention en faveur de la veuve[5]. Le récit de la nécrologie se poursuit à Annecy :

> « Le différend de Gex étant terminé, M. Lambert fut à Annecy pour révérer les précieuses reliques de saint François de Sales pour lequel il avoit une dévotion toute particulière. Voici un second trait de providence qui n'est pas moins admirable que le 1er. Il y avoit à Paris une société de vertueux et savans ecclésiastiques qui ne s'étoient rassemblés que pour leur perfection particulière. Le Rév. P. de Rhodes chercha inutilement par toute l'Europe des ecclésiastiques pour

1. *Ibid.*, p. 681-682.
2. B. Vachet, Lettre à un directeur du 20 juillet 1682, AMEP, vol. 859, p. 145.
3. *Id.*, [*Nécrologie de Lambert*], AMEP, vol. 877, p. 683 ; *Mémoires imprimés*, n° 1, 1865, p. 50.
4. *Ibid.*, p. 683-684.
5. B. Vachet, *Mémoires imprimés*, n° 1, 1865, p. 50-51 (B. Vachet, *Mémoires Manuscrits*, AMEP, vol. 110B, p. 45-46).

entreprendre à leurs frays une nouvelle mission dans les indes, le révérend père Bagot qui était leur directeur le mena un jour diner chez eux, il les vit et conféra avec eux[1], et sans balance il crut que c'étoit là les personnes que dieu avoit destiné au gouvernement des missions, six de leur compagnie furent députés pour aller à Rome... »[2].

Le troisième chapitre des *Mémoires* de Vachet se raccroche alors à la nécrologie en développant les conditions du départ pour Rome de Pallu et de ses amis après le passage à Paris d'Alexandre de Rhodes. La jonction se fait avec le voyage de Lambert à Gex et à Annecy[3] pour raconter ensuite la réception par le pape des candidats à la mission d'Asie recrutés par le Père Bagot et la Compagnie du Saint-Sacrement.

La nécrologie présente le voyage à Rome d'une façon sobre :

« ... Ils furent présentés à Innocent dix[4] qui en fut d'abord très satisfait mais qui dans la suite lui proposa des conditions fort onéreuses. Ces M.M. avoient sans s'en apercevoir des ennemis secrets en qui ils se confioient le plus et des quels ils suivoient les conseils. Ainsi ce n'est pas merveilles que leurs affaires tiroient en longueur, il y avoit déjà 18 mois qu'ils poursuivoient leurs desseins sans que le dernier jour fut plus avancé que le 1er et enfin ils étoient près de sortir de Rome pour revenir en France lorsqu'un d'entre eux dit à la compagnie qu'il ne falloit encore rien précipiter avant que d'écrire à M. Lambert, leur ami intime[5] dont ils connaissoient l'élévation d'esprit dans les grandes affaires afin de se résoudre sur la détermination qu'il leur insinueroit »[6].

---

1. *Id.*, [*Nécrologie de Lambert*], AMEP, vol. 877, p. 684-686. Ce récit correspond à ce qu'a raconté en 1699 Henri-Marie Boudon qui situe l'épisode en 1651 (*La vie de M. Henri-Marie Boudon,* p. 124-128).

2. Vachet écrit dans ses *Mémoires*: « Le différent de Gex étant terminé, M. Lambert fut à Annecy pour vénérer les précieuses reliques de st François de Sales pour lequel il avait une dévotion singulière. Voici le second trait de Providence qui n'est pas moins admirable que le premier. Les M.M. qui étaient à Rome jugèrent à propos de lui envoyer un homme qui fut bien informé de tout ce qui se passait » (B. VACHET, *Mémoires imprimés,* n° 1, p. 51 ; *Mémoires Manuscrits*, AMEP, vol. 110B, p. 46).

3. Lambert n'est ainsi présenté qu'à la page 50 des *Mémoires* de Vachet, il disparaît à nouveau cinq pages plus loin: « Pour revenir à M. de Pallu... ».

4. Pape de 1644 à 1655.

5. Parmi les cinq qui négociaient avec Pallu pour l'envoi des vicaires apostoliques en Asie, il y avait sans doute les deux autres postulants au départ, François de Montmorency-Laval et Pierre Piques; il y avait aussi Vincent de Meur sans doute accompagné de Michel Gazil puisque les cinq fréquentaient à Paris le foyer dirigé par le jésuite Jean Bagot. Adrien LAUNAY parle de Miliand *(Histoire générale de la Société des Missions Étrangères de Paris*, t. I, p. 25) Au *Mémorial de la Société des Missions Étrangères, deuxième Partie 1658-1913,* Paris, Séminaire des Missions Étrangères, 1916, p. 449, notice biographique de Vincent de Meur, il fait mention de Méliand. Dans le premier chapitre de ses Mémoires (*Mémoires imprimés*, p. 12), Vachet place Chevreuil parmi eux.

6. B. VACHET, [*Nécrologie de Lambert*], AMEP, vol. 877, p. 685.

Vachet reprend cet épisode dans ses *Mémoires* mais introduit une modification importante : il supprime la naïveté des négociateurs[1] et donne à Pallu la direction des opérations et l'inspiration qui permet de débloquer l'opposition de Rome et en définitif la fondation des Missions Étrangères ; le héros de Vachet n'est pas Lambert mais Pallu :

> « Le pape, désabusé de ses préventions contre les Français, les reçut très favorablement, il écouta avec une attention merveilleuse la petite harangue que lui fit M. de Pallu au nom de tous et il leur promit une issue favorable de cette affaire, après qu'ils se fussent engagés à n'être point à charge au Saint-Siège et à donner dans Rome une caution solvable pour fonder les trois vicariats avant de partir pour les missions. Ces promesses[2] faisaient croire à ces Messieurs qu'ils étaient déjà bien avancés. Leurs affaires cependant reculaient insensiblement, mais ils n'en pouvaient pénétrer la cause… La plus grande partie de ces Messieurs s'imaginant qu'il n'y avait plus rien à espérer, concluaient de repasser en France pour y continuer leur ancienne vie. Mais M. de Pallu s'éleva contre ce sentiment, et il représenta à ses compagnons que peut-être l'affaire ne réussissait pas parce qu'ils n'avaient pas parmi eux un habile négociateur. Il leur dit donc qu'avant de prendre une telle résolution, il jugeait à propos d'écrire à M. de La Motte Lambert, leur fidèle ami, pour lui faire savoir les difficultés et les obstacles qu'ils trouvaient en leur chemin »[3].

Dans ses *Mémoires* Vachet rejoint alors tout à fait la nécrologie qui note : « On jugea à propos de lui envoier un homme qui fût bien informé de tout ce qui se passoit. Celui-cy passant par le Piedmont eu la même curiosité d'aller à Annecy ; il se logea dans la même auberge où était M. Lambert, et, s'étant reconnu, il lui rendit le paquet qu'il portoit à Rouen »[4].

En 1682 Vachet s'oppose aux mensonges qu'on publie à Paris sur Lambert

Dans sa lettre du 20 juillet 1682 Vachet a noté qu'il a rétabli la vérité sur les commencements et les progrès des Missions Étrangères par rapport à

1. Selon Guillaume de Vaumas (*L'Éveil missionnaire de la France – d'Henri IV à la fondation du séminaire des Missions Étrangères*, thèse de doctorat de Lettres, Lyon, Imprimerie Express, 1942, p. 401), « Les choses traînèrent en longueur, parce que Meur et Pallu, qui étaient peu défiants, s'en ouvraient à leurs pires ennemis. Craignant de s'y briser, ils firent appel à un ami, Pierre Lambert de la Motte, qu'ils avaient mis au courant de leurs projets » (faisant allusion au récit du *Mémoire sur la Motte-Lambert*, B.N. mss. n.a.f., 9376, fol. 131 que nous avons cité ci-dessus, AMEP, vol. 877, p. 685).

2. Certaines corrections et suppressions ont été faites sur le manuscrit pour la publication, par exemple Vachet avait écrit ici : « Toutes ces belles promesses qui ne coûtent rien dans cette cour » (B. Vachet, *Mémoires Manuscrits*, AMEP, vol. 110B, p. 44).

3. B. Vachet, *Mémoires imprimés*, n° 1, p. 49 ; *Mémoires Manuscrits*, AMEP, vol. 110B, p. 44-45.

4. *Id.*, [*Nécrologie de Lambert*], AMEP, vol. 877, p. 686 ; *Mémoires imprimés*, n° 1, p. 51 ; *Mémoires Manuscrits*, AMEP, vol. 110, p. 46.

une relation publiée à Paris antérieurement, sans doute celle qui est prêtée à Jacques de Bourges (publiée en 1666 et rééditée en 1668 et 1683) et que Vachet n'a pas eu l'occasion de lire avant son départ de France en 1669, mais dont il a entendu parler par la bouche des nouveaux arrivants au Siam.

Il semble que les supérieur et directeurs du séminaire de Paris ont profité du livre de voyage de Jacques de Bourges, pour y introduire leur version des circonstances de la naissance des Missions Étrangères. Cette version accréditait auprès du public et de la postérité que les Français avaient été tout de suite reçus chaleureusement à Rome par le pape et par Mgr Alberici, secrétaire de la Congrégation de la propagation de la foi, de sorte qu'à la Curie tout le monde s'affaira pour les satisfaire au plus vite. C'est Pallu qui aurait mené la négociation et qui aurait reçu du pape le privilège de désigner les deux autres prêtres que le pape nommerait évêques afin qu'ils partent ensemble en Asie, ce que Pallu aurait fait en choisissant Lambert et Cotolendi[1]. Vachet qui était pourtant apparemment plus attaché à Pallu qu'à Lambert ne pourra se résoudre à laisser se propager ce mensonge et rappellera la vérité des faits par sa lettre du 20 juillet 1682 (à un directeur du séminaire ?)[2]. Cette lettre restée oubliée dans les Archives des Missions Étrangères de Paris aurait dû être une sérieuse mise en garde pour les historiens qui croient pouvoir s'appuyer sur les sources les plus anciennes. Elle révèle qu'à Paris subsistaient de fortes oppositions à Lambert capables d'opérer à son détriment des falsifications notoires de son histoire.

Revenons à ce que Vachet et ses confrères en mission tiennent pour la vérité. À la suite de la rencontre à Annecy du porteur de la lettre que Pallu lui adressait, les événements se précipitent dans la vie de Lambert. Il part aussitôt à Rome où il trouve ces Messieurs[3] ; il s'agissait pour lui d'obtenir

1. Jacques de Bourges, *Relation du Voyage de Monseigneur l'Évêque de Beryte, au royaume de la Cochinchine, par la Turquie, la Perse, les Indes, etc. jusqu'au royaume de Siam et autres lieux*, Préface et notes de Jean-Pierre Duteil, Paris, Gérard Monfort, 2000, (1re éd. Paris, Denis Béchet, 1666), p. 20 : « Monsieur de la Motte Lambert, ci-devant conseiller de la Cour des Aides en Normandie et depuis directeur du grand Hôpital des Valides de Rouen, fut proposé par Monseigneur l'évêque d'Héliopolis pour être le second évêque. Il y avait de longue main une particulière habitude entre eux. Monsieur de la Motte Lambert, étant allé à Rome en ce temps, prit une connaissance fort exacte de cette affaire et proposa plusieurs avis utiles pour en faciliter l'expédition ». Toutes les références à ce livre sont prises dans l'édition de 2000.

2. Lettre de Vachet à un directeur du séminaire (?) du 20 juillet 1682, AMEP, vol. 859, p. 145.

3. D'autres documents montrent que Pallu était resté seul à Rome après l'échec des négociations avec la Sacrée Congrégation de la Propagation de la Foi qui se méfiait alors des Français. Louis Baudiment nous dit que Pallu logeait seul à Rome chez les lazaristes après l'échec de la négociation à cinq (L. Baudiment, *François Pallu, Principal fondateur des Missions Étrangères*, p. 53, note 1, citant Coste, *Saint Vincent de Paul*, t. VI, p. 593).

L. Baudiment (d'après le *Mémoire anonyme des Archives Nationales, Mémoire de l'origine du Séminaire pour les Pays Estrangers*, A.N.M. 204, doss. 1, n° 3, p. 36 et suiv.) nous révèle que

une audience du Monseigneur Slusius[1], secrétaire de la *Propaganda Fide*, afin de régler l'affaire de ces Messieurs. La nécrologie nous rapporte :

« Ce prélat romain avoit de l'aversion pour toutes les nouvautés. Il avoit toujours refusé d'écouter ces Messieurs, et quand M. Lambert se présenta, il ne voulut pas le voir. M. Lambert ne se rebuta pas, il entreprit de vaincre cet esprit revêche par un moien bien singulier. Tous les matins, il étoit à la porte de son palais, et quand M. Slusius montoit en carosse, il lui faisoit une profonde révérence. Ce secrétaire le rencontroit partout, soit à l'entrée et à la sortie de l'église, soit à son retour chez lui, il voiait toujours les révérences avec une modestie qui auroit charmé tout autre que lui. Il y avoit déjà huit jours que cette cérémonie continuoit, lorsqu'une fois M. Slusius aiant fait arrêter son carosse pour parler à une dame de très grande qualité, M. Lambert s'approcha de la portière et fit la révérence à l'ordinaire. Le secrétaire ne pouvoit pas le voir, parce qu'il lui tournoit le dos, mais la dame s'en étant aperçue lui dit: "Monseigneur, voilà un ecclésiastique qui a quelque chose à vous dire". M. Slusius s'étant retourné, et voiant M. Lambert qui lui faisoit une seconde révérence, en s'adressant à la dame il lui dit: « Madame, cet ecclésiastique me tue par ses révérences et par sa modestie. – Eh bien ! répliqua-t-elle, donnés-lui un moment d'audience ».

« M. Slusius, poursuit le texte, descendit de carrosse, et il entra dans une petite allée qui étoit ouverte, où il fit venir M. Lambert, et en peu de mots, d'un visage qui paraissoit irrité, il lui dit: "Monsieur, que faut-il que je fasse pour me délivrer de vos importunités ? – C'est, Monsieur, lui répliqua-t-il, de me donner une seule audience favorable, après quoi vous ne me verrés plus. – J'en

---

Pallu « devait raconter plus tard que, demeuré seul à Rome, il avait souvent admiré comment, isolé, étranger, peu connu, sans "rien qui le rendist considérable en cette cour où il faut avoir du crédit, être bien vestu et bien suivi", il avait eu cependant tout de suite la facilité pour traiter de son dessein avec des personnages influents; il se montrait spécialement reconnaissant envers un "prêtre anglais ou écossais, secrétaire du Cardinal Charles Barberini" qui avait mis à sa disposition, avec une grande bonté son temps et ses relations. Cet homme bienveillant s'appelait M. Lesley, et nous le retrouverons fréquemment dans les négociations ultérieures » (*Ibid.*, p. 58). L'auteur écrit: « François Pallu sentit alors le besoin d'être aidé. Parmi ses amis, parmi ceux dont l'esprit de sacrifice était plus absolu, il y en avait un, fils de magistrat comme lui, dont la présence lui semblait spécialement souhaitable en ces heures décisives: c'était Pierre Lambert de la Motte, jadis avocat à la cour des Aides de Rouen, prêtre depuis 1655, ancien commensal des maisons de la rue Coupeaux et de la rue Saint-Dominique. Précisément Lambert se trouvait à Annecy, c'est-à-dire à mi-chemin de Rome, quand il reçut la lettre de Pallu. Il se décida vite à rejoindre son ami; le 18 novembre 1657, il était près de lui » (*Ibid.*, p. 59, citant AMEP, vol. 122, p. 87).

1. En fait, il s'agissait non de Slusius mais d'Alberici avec qui Lambert est resté en relation. En rédigeant ses *Mémoires*, Vachet n'a pas corrigé l'erreur qu'on lit ici dans la nécrologie. L. BAUDIMENT souligne cette erreur (*François Pallu, Principal fondateur des Missions Étrangères*, p. 60, note 1), c'est Monseigneur Alberici, qui était secrétaire de la Propagation de la Foi de 1657 à 1664 alors que Slusius était secrétaire aux Brefs comme le dit Pallu (*Lettres de Monseigneur Pallu*, p. 149, L. n° 48, à M. Lesley du 28 décembre 1670, AMEP, vol. 107, p. 11).

suis content, dit M. Slusius, demain à 8 heures du matin rendés-vous chés moi". Cette réponse consola merveilleusement M. Lambert. Il ne manqua pas de se trouver à l'heure précise. Le secrétaire sachant qu'il étoit dans son antichambre le fit entrer dans son cabinet où ils demeurèrent enfermés jusqu'à 7 heures du soir, car il s'y fit apporter à dîné. Heureuse conférence qui convertit entièrement le cœur de M. Slusius, puisqu'il contracta depuis ce moment une amitié si parfaite avec M. Lambert, que rien n'a été capable de l'altérer jusqu'au dernier soupir, s'étant toujours porté pour le protecteur spécial et désintéressé de la mission des évêques vicaires apostoliques françois, écrivant régulièrement tous les ans à son ami Mgr de Bérythe »[1].

Effectivement la suite montre la réalité de cette affection et du soutien de la *Propaganda Fide* à Lambert. Celui-ci ne songe pas à quitter Rouen et son hôpital général, qu'il veut regagner le plus vite possible dès lors que les affaires de ces Messieurs sont réglées. Le secrétaire de la *Propaganda Fide* a un autre objectif qu'il cache d'abord à Lambert, celui d'en faire un vicaire apostolique pour l'Asie. C'est à l'occasion d'une audience d'adieu avec le Saint Père que cette décision sera révélée, celle de nommer Lambert évêque de Bérithe. C'est le pape lui-même qui le lui annonça en lui disant : « Je vous retiens pour mon vicaire apostolique en Cochinchine » et c'est ensuite que s'adressant à Pallu il lui dit : « Je vous déclare mon vicaire apostolique au Tonkin »[2]. Pallu sera pourtant sacré évêque en premier et aura ainsi la préséance sur Lambert, mais l'ordre des désignations est révélateur de la façon dont Rome considérait Lambert. L'inversion opérée dans la relation publiée à Paris est aussi révélatrice d'un point de vue tout à fait opposé à celui de Rome.

Lambert va attendre jusqu'à son départ pour être sacré évêque à Paris, il explique sa conduite au pape en 1659 par une lettre qui en dit long sur sa personnalité :

---

1. L'épisode est raconté en B. VACHET, [*Nécrologie de Lambert*], AMEP, vol. 877, p. 686-689 et avec peu de variante en B. VACHET, *Mémoires Manuscrits*, AMEP, vol. 110B, p. 47-48 (*Mémoires imprimés*, p. 51-53).

2. *Id.*, [*Nécrologie de Lambert*], p. 689-691 ; *Mémoires imprimés*, p. 53-55 ; *Mémoires Manuscrits*, AMEP, vol. 110B, p. 49 ; Voir J.-C. de BRISACIER, *Vie de M. de Beryte*, vol. 122, p. 116, § 197. Contrairement au témoignage de Vachet, Brisacier donne l'interprétation officielle qui fut longtemps celle de la Société des *Missions Étrangères*, à savoir que le choix du pape s'est porté sur Pallu et que c'est Pallu qui a choisi Lambert pour le présenter au pape : « On luy avoit ecrit de Rome que tout etoit conclud et arreté, que le Pape avoit nommé pour premier Evêque M. Pallu, qu'il luy avoit ordonné d'en choisir luy-mesme deux autres ; que M. Pallu pour obeir a sa Sainteté luy avoit donné les noms de M. de la Motte Lambert Directeur du Bureau de Roüen, et de M. Cotolendy curé de la plus considerable paroisse de la ville d'aix, que le St Pere avoit agrée l'un et l'autre et qu'il falloit penser desormais a les faire sacrer tous trois, l'un sous le titre d'heliopolis pour estre vicaire apostolique du Tonquin, le second sous le titre de Berite pour le vicariat de la Cochinchine, et le dernier sous le titre de Méllopolis pour le vaste Empire de la Chine ».

« Comme il y a quelques jours l'évêque d'Héliopolis m'a rapporté qu'il ne pouvait espérer les privilèges concédés aux évêques si ma Consécration n'était pas d'abord faite, il m'est venu à l'esprit de rendre compte de ce retard à votre illustre Seigneurie, comme je crois être totalement engagé par devoir de charité tant par l'administration générale de l'hôpital d'une province que par le règlement de procès de toute sorte ; pour cette raison tous mes amis estimaient qu'il fallait continuer à les garder jusqu'au moment de notre voyage, du fait que la dignité épiscopale d'un côté ne s'accordait pas avec ces occupations ; mais puisque votre illustrissime Seigneurie me semble pas du tout approuver mon attitude sur ce point, j'ai décidé d'entrer quelques jours en retraite pour demander à Dieu tout Puissance la miséricorde pendant un certain temps avant la Consécration et ainsi me préparer à remplir la charge épiscopale »[1].

Ce texte montre qu'à Rouen on avait des difficultés pour laisser partir un tel collaborateur qui mettait au service de ses fonctions à l'Hôpital général, ce qu'il avait appris à la Cour des Aides. Lambert va devoir s'enfuir de Rouen en catimini, sans saluer son évêque à qui il présentera plus tard ses excuses.

Vachet rapporte le récit de témoins et témoigne de ce qu'il a vu et entendu

La nécrologie suit Lambert avec sa grave maladie à Lyon en route pour son embarquement de Marseille[2] ; son voyage est présenté comme une épreuve pour la confiance en Dieu : le Père Raphael[3], supérieur des capucins d'Ispahan « qui n'ignorait rien de ce qui se passait dans les Indes » tenta de le décourager en misant sa grande bibliothèque sur le pari que les missionnaires n'arriveraient ni en Cochinchine ni au Tonkin[4].

1. P. Lambert de la Motte, Lettre au pape du 22 août 1659, APF, SOCG, vol. 227, fol 28 ; trad. J. Ruellen.

2. B. Vachet, [*Nécrologie de Lambert*], AMEP, vol. 877, p. 691-692. Lambert fait sans doute allusion à cette maladie en écrivant à Jacques de Bourges (AMEP, vol. 121, p. 565 ; cf. Guennou, transc., L. n° 63, février 1664) à propos de son vœu sur le jeûne qu'il devait réaliser dès son arrivée dans sa juridiction apostolique (en Cochinchine et en Chine) mais qu'il commença de réaliser dès le Siam : « Cela marriva estant a l'oraison un apres midy ou sagissant de vivre ou de mourir, Dieu qui maime beaucoup me prolongea la vie que ie luy avois autrefois demandé lequel estoit prest a expier ».

3. Frédéric Jacquin, *Le voyage en Perse au XVIIe siècle*, Paris, Belin, 2010, p. 12. L'auteur dit que « le père Raphaël du Mans qui, par les relations qu'il entretient à la cour du shâh où il sert de traducteur, est un informateur privilégié pour les étrangers de passage dans la capitale safavide ».

4. B. Vachet, [*Nécrologie de Lambert*], AMEP, vol. 877, p. 692 ; et Bénigne Vachet dans le texte manuscrit (AMEP, vol. 110B, p. 56) y est dit : « ce capucin qui connaissait les jésuites à fond dit à M. de Béritte : Si jamais vous entrez dans le Tonquin, je m'oblige de vous

La nécrologie parle ensuite brièvement des premières années de mission de Lambert, de la persécution violente dont il fut victime en arrivant au Siam de la part des Portugais chez qui il avait d'abord logé[1], elle raconte comment un officier[2] lui conseilla de se tenir sur ses gardes et de ne rien manger ni boire sinon ce qu'il lui enverrait dans une boîte fermée[3]. Dans son Mémoire de 1664 adressé à Rome, Jacques de Bourges confirme cette tentative d'assassinat par des Portugais sans dire de quel Portugais il s'agit :

> « Les Portugais, religieux et laïques, qui avoient, dans le commencement, traité Monseigneur de Berithe avec quelque civilité et respect, voyant ses sentiments sur quelques désordres qui se passoient publiquement et avec scandale dans Siam, et apprenant les ordres du Roi de Portugal contre les Evesques françois, changèrent aussitost toute leur courtoisie en une aversion mortelleet se mirent à regarder Monseigneur de Berithe comme un ennemy de leur Prince, voyant qu'en effet, il estoit entré dans les Indes sans prendre attache du Portugal, et ensuite quelques-uns d'entre eux prennent résolution d'en venir aux mains. Des desseins si extrêmes ne pouvant se prendre ni s'exécuter sans beaucoup de bruit, il fut aisé de conjecturer par le changement si grand et si subit qu'ils firent paroistre, qu'ils pourroient enfin accomplir ce qu'ils méditaient, ce qui obligea Monseigneur l'Evesque de Berithe de se retirer de nuict de la maison et du quartier où il avoit jusqu'alors demeuré parmy les Portugais, et cela sans doute par une conduite spéciale de la divine Providence ; car depuis, les Portugais eux-mesmes lui ont advoué, dans une rencontre particulière, que deux d'entre eux s'estoient chargés de le venir assassiner dans sa maison »[4].

---

y envoyer toute cette bibliothèque et je ne m'en réserverai qu'un seul bréviaire et une Bible. M. Deydier prenant la parole lui répondit : « C'en est trop, mon Père, et vous seriez très fâché d'une telle perte ; il est inutile de nous menacer des jésuites quand nous avons Dieu et le St Siège de notre côté ». La *Nécrologie* attribue à Lambert la réponse : « Mon R.P. vous parlez en homme et vous ne faites pas attention que c'est Dieu qui nous envoie ».

1. P. Lambert de la Motte, *Abrégé de Relation*, AMEP, vol. 121, p. 635 ; cf. Guennou, transc., § 15 : « Il est maintenant facile de juger les raisons que cette Compagnie a eu pour n'avoir jamais voulu admettre aucune personne dans les lieux ou elle cest etablie et pourquoy il est venu un ordre de Portugal si promptement a Goa par leque on eut a arrester les Evesques francois au cas qu'ils passassent sur les terres de ceste etat comme il n'y a peu estre exécuté on la ensuite envoyé a tous les endroits ou il y a des Jésuites aux injonctions d'empescher leur passage a quelque prix que ce soit ce commandement qui arriva un peu avant les festes de Noel en cette Ville fut un sujet de grande deliberation parmy ceux de la nation portugaise et produisit ce bon effet que plusieurs d'entr'eux qui estoient mal ensemble se reunirent dans cette rencontre les missionnaires s'étant bien doutées de cela par de fortes conjectures et en ayant depuis appris la nouvelle quitterent le quartier des Portugais ou ils n'estoient pas en seureté ».

2. Pour Vachet, c'est un officier hollandais.

3. B. Vachet, [*Nécrologie de Lambert*], AMEP, vol. 877, p. 693. Dans le manuscrit de Vachet supprimé pour sa publication, il est clairement dit que la menace vient des jésuites (*Mémoires Manuscrits*, AMEP, vol. 110 B, p. 58-59) ; *Mémoires imprimés*, p. 65.

4. Jacques de Bourges, *Mémoire adressé aux Cardinaux*, AMEP, vol. 249, p. 16, publié en novembre 1904 par A. Launay (*Documents historiques relatifs à la Société des Missions*

On possède aussi la version portugaise de l'arrivée de Lambert dans la capitale du Siam, elle est écrite par le Père jésuite Valguarnera à la Sacrée Congrégation de la Propagation de la Foi :

> « Sur les affaires de Siam, j'avoue sans détours tout ce qui m'est arrivé avec Mgr l'évêque de Béryte. Dès qu'il débarqua à Siam, je me portai immédiatement de notre maison vers lui et je fis tout pour qu'il vienne à l'église que j'avais alors fit surgir de terre et à notre domicile, ce qu'après mille prières je finis par obtenir, et je le reçus avec autant de manifestation de joie sincère que je pus. À peine eut-il profité de notre hospitalité qu'il quitta notre maison pour celle d'un habitant de la ville, et, sous l'inspiration de je ne sais qui, il manifesta un esprit de désaffection envers nos affaires, d'autant plus qu'il prit domicile plus loin de chez nous dans le camp de certains Cochinchinois que j'avais moi-même instruits des mystères chrétiens et purifiés par le Baptême »[1].

Cet épisode est aussi traité par Vachet dans ses *Mémoires* mais il n'a pas la même justification, dans la nécrologie plus sobre il constitue le point culminant d'une suite d'obstacles semés sur la route de Lambert depuis sa maladie à Lyon. En suivant la nécrologie, on passe au récit de l'arrivée de Pallu au Siam :

> « La première chose dont il fallut convenir fut de dresser des Constitutions apostoliques afin que les missionnaires qui seroient dispersés dans divers royaumes conservassent la même règle, les mêmes sentiments, la même doctrine et la même discipline. Mgr de Bérithe s'en étoit déjà fait un plan dans son esprit, il avait aussi déjà mis par écrit les principales matières de ce grand ouvrage et on emploia que quelques mois à y mettre la dernière main. C'est tout dire qu'à Rome le pape et la Sacrée Congrégation en furent si charmés que, non contents de l'approuver avec des éloges magnifiques, ils le firent encore imprimer à leurs frays et dépenses »[2].

Étrangères de Paris, p. 43). Dans le livre qu'il publie sur son voyage Jacques de Bourges oublie l'hostilité des jésuites, comme il l'oublie dans son Mémoire mais les cardinaux ne peuvent se tromper sur les religieux dont il est question dans la capitale du Siam, ce qui n'est pas le cas pour le public français.

1. Henri Alexander CHAPPOULIE, *Une controverse entre missionnaires à Siam au XVII*e *siècle, le Religiosus negociator du jésuite français J. Tissanier*, Paris, 1943, la Lettre du 10 octobre 1673 du Père Thomas Valguarnera adressée à la Sacrée Congrégation de la Propagation de la Foi, p. 57-58 : "Quoad Sionenses Res fateo ringenue omnia quae mihi cum domino episcopo Berytensi acciderunt. Cum primum ille Sionem appulit è vestigio, e nostra domo, ad illum me contuli, et enixe rogavi ut ad templum quod jam tunc e fundamentis excitaveram, domiciliumque nostrum se conferret, quod post multas preces vix tandem obtinui, et qua potui liberalis animi laeta significatione excepi. Vix hospitio usus, ad cujusdam civis domum e nostra divertit, et ex insperato nescioquam prae se tulit erga res nostras animi alienationem eoque majore quo longius domicilium fixit a nostris aedibus in pago quorumdam Coccincinensium quos ego christianis sacris instructos Baptismo jam expiaveram" (trad. Ruellen).

2. B. VACHET, [*Nécrologie de Lambert*], AMEP, vol. 877, p. 693-694. Il s'agit des *Instructions aux missionnaires* appelées *Monita*, ainsi la nécrologie en désigne Lambert comme

C'est sans doute l'influence de Laneau qui a fait écrire que la part de Lambert dans la rédaction des *Monita* a été prépondérante dans la mesure où elle s'associait naturellement au projet de Congrégation Apostolique que Vachet présente dans la foulée par le biais de vœux, non les trois vœux religieux, conçus par Lambert comme purement intérieurs, mais les vœux d'ascèse proposés à Rome à l'initiative de Pallu et qui furent rejetés par la Curie comme incompatibles avec l'activité missionnaire.

Contrairement à la nécrologie, dans ses *Mémoires* Vachet ne désigne pas Lambert comme l'auteur des *Instructions aux missionnaires*, les *Monita* qui firent l'admiration à Rome. Il semble même que pour Vachet on avait attendu Pallu pour faire ce travail[1]. Quant aux vœux de la Congrégation Apostolique, Vachet les présente dans les *Mémoires* d'abord comme une initiative collective des vicaires apostoliques et de leurs missionnaires dans l'esprit de l'ascèse pratiquée dans la communauté de vie de la rue Coupeau. Ensuite il montre l'hostilité complète des membres du séminaire à l'ascèse que Pallu leur propose à son retour en Europe[2].

La nécrologie parle ensuite de l'institution des Amantes de la Croix, de la tentative d'empoisonner Lambert, de la faute du copiste d'un document du Saint-Siège qui empêche Lambert de procéder à la consécration d'un évêque du Siam, du choix et du sacre de Laneau. La nécrologie parle de la considération dont Lambert jouissait de la part des autorités du Siam[3] et donne « deux traits très extraordinaires de la vie de M. de Berithe » pour montrer que « c'était un homme d'une foi inébranlable ». Le premier trait lié à la prière de Lambert est le retour à la vie d'un enfant de 8 mois devant plus de 60 témoins[4] ; le second trait est un cas d'exorcisme envers une épouse stérile qui présentait tous les signes d'une possession diabolique : après la

l'auteur. Les *Mémoires* de Vachet parlent des *Monita* (*Mémoires imprimés,* p. 123-124 et *Mémoires Manuscrits*, AMEP, vol. 110B, p. 109-110) sans les attribuer particulièrement à Lambert.

1. Vachet est conscient de la difficulté d'attribuer à Pallu la paternité des *Monita* alors qu'il vient seulement de débarquer sur le terrain missionnaire et alors que Lambert y est depuis plus de deux ans ; il écrit : « Ce qu'il y a de plus merveilleux, c'est que ces hommes, qui n'avaient encore aucune expérience de leurs missions, aient pu prévoir tous les incidents qui y sont arrivés, et en même temps suggérer les moyens de s'en défendre et de les éviter. C'est ce qui a fait et fait encore l'admiration des missionnaires qui les ont suivis, et qui, bien des années après leur mort, ont trouvé dans ce livre divin la solution des nouvelles difficultés qui les embarrassaient et que la prudence humaine n'aurait jamais pu prévoir » (*Mémoires imprimés*, p. 124).

2. B. Vachet, , *Mémoires imprimés,* p. 123-128.

3. *Id.*, [*Nécrologie de Lambert*], AMEP, vol. 877, p. 696-700.

4. *Ibid.*, p. 701. Dans une lettre au secrétaire de la Sacrée Congrégation de la Propagation de la foi, du 9 février 1664, Lambert a parlé d'une guérison d'un garçon de 7 à 8 ans (AMEP, vol. 857, p. 201. 203).

réception des sacrements, le démon fut chassé et la femme enfanta[1]. C'est ensuite l'épisode de la détention de Pallu à Manille en 1674[2] et la nécrologie s'interrompt.

En fait, Vachet s'est souvent écarté de la nécrologie de Lambert qu'il avait pourtant rédigée mais qui était sans doute une œuvre de commande par laquelle Laneau voulait honorer son Maître mort trois ans auparavant ; elle lui aura servi essentiellement à s'opposer à la version parisienne de la naissance des Missions Étrangères véhiculée par le livre attribué à Jacques de Bourges, à expliquer comment a pu aboutir soudainement la très longue négociation des membres de la Compagnie du Saint-Sacrement pour obtenir de Rome la nomination de Français comme évêques *in partibus* pour le Tonkin et la Cochinchine. Seuls ceux qui avaient accompagné Lambert et Pallu en mission en avaient diffusé les vraies raisons et Vachet avait suivi leur témoignage. Vachet achève cet emprunt à la nécrologie par la consécration épiscopale de Lambert après une retraite qu'il fit à Paris. Le lieu du sacre serait l'église des Filles du Saint-Sacrement de la rue Cassette à Paris[3], alors que Frondeville la situe en l'église de la Visitation-Sainte-Marie de la rue Saint Antoine[4].

Aussi après avoir mentionné le sacre de Lambert à Paris, Vachet quitte Lambert pour parler du sacre de Pallu à Rome. En disant dans ses *Mémoires* : « Pour revenir à M. d'Héliopolis »[5], il avertit ses lecteurs qu'il quitte la copie pure et simple de la nécrologie de Lambert[6].

On voit ensuite que c'est Pallu qui a décidé d'attendre pour partir en Asie la construction en Hollande d'un vaisseau de la Compagnie commerciale spécialement fondée par la Compagnie du Saint-Sacrement pour permettre le transport des missionnaires. Vachet nomme ce bateau 'le Texel' alors qu'il s'appelle en fait 'le Saint-Louis' et qu'il fera naufrage devant l'île de Texel.

Contrairement à ce que dit Vachet, Lambert n'a pas attendu le lancement du bateau pour partir en 1660 par la voie demandée par Rome. Alors que les vicaires apostoliques ont reçu l'instruction de prendre à l'Est le chemin des caravanes pour la Chine en se tenant éloignés des possessions portugaises, Pallu persiste à vouloir prendre la voie maritime et atteindre le Siam par le Cap de Bonne Espérance ; c'est le naufrage du bateau qui a contraint Pallu à suivre le chemin de terre déjà parcouru par Lambert à travers le Proche et le

1. B. Vachet, [*Nécrologie de Lambert*], AMEP, vol. 877, p. 702-708.

2. *Ibid.*, p. 708-709.

3. *Ibid.*, p. 691 ; *Mémoires Manuscrits*, AMEP, vol. 110B, p. 49-50.

4. Henri de Frondeville, *Pierre Lambert de la Motte*, p. 33.

5. B. Vachet, *Mémoires Manuscrits*, AMEP, vol. 110B, p. 50 ; le texte publié corrige « Pour revenir à M. de Pallu » sans doute parce que le lecteur n'est pas encore suffisamment familiarisé avec le titre épiscopal de Pallu.

6. *Id.*, *Mémoires imprimés*, p. 55.

Moyen-Orient avec la traversée de la péninsule indienne, la route directe de la Chine étant coupée par des opérations militaires[1].

Ensuite dans les *Mémoires* de Vachet vient le voyage de chacun des trois Vicaires apostoliques vers leurs lieux de mission. Mais Vachet est encore tributaire des récits des autres, il faut attendre le récit de son arrivée au Siam pour que Vachet puisse parler des événements en utilisant le « je », le « nous » et le « moi ». Son premier témoignage direct qu'on ne peut remettre en cause, c'est sa première entrevue avec Lambert à qui on vient d'apprendre le seul refus que Rome lui opposa :

> « Il me ramena dans sa chambre où il y avait deux couverts préparés. Ma surprise n'en resta pas à ce premier appareil, car, quand je vis qu'on nous servait une fricassé de poulet, et qu'on apportait une bouteille de vin, je demeurai quasi hors de moi-même, et je ne savais que dire. Ce prélat qui s'en aperçut, me dit en riant : « N'est-il pas vrai que vous ne vous attendriez pas à faire si bonne chère ?» Je lui avouai tout simplement que ce que je voyais démentait l'idée qu'on m'avait donnée de sa personne, puisque j'étais persuadé qu'on ne mangeait point de viande et qu'on ne buvait point de vin, ni même qu'on ne déjeunait jamais dans le Séminaire, et que tout le contraire se présentait à mes yeux ».
>
> « L'on ne vous a pas trompé, me répliqua-t-il, car il y a plus de trois ans que nous menons ici une vie austère ; nous avions cru qu'elle convenait à des missionnaires et nous nous y étions engagés avec plaisir, mais, du moment que le Souverain Pontife, les cardinaux de la Congrégation et nos amis de Paris refusent de l'approuver, et le rejetant, comme me l'écrit M. d'Héliopolis, je n'ai pas balancé un moment à embrasser leur sentiment, et je suis comme vous le voyez le premier à me condamner. J'ai déjà donné mes ordres pour qu'à dîner on sert de la viande ; nos Messieurs feront peut-être quelque difficulté, mais j'espère que mon exemple les portera à m'imiter »[2].

---

1. B. Jacqueline, *Traduction française des Instructions de 1659*, II, 1 : Au cours du voyage (l'itinéraire) : « Le voyage par terre, au travers de la Syrie et de la Mésopotamie sera de beaucoup plus sûr pour vous que celui par l'Océan Atlantique et le Cap de Bonne Espérance et il faut surtout vous défier des régions et des lieux qui, de quelque manière, dépendent des Portugais que vous ne saluerez même pas pour autant que vous pourrez. Arrivés sur place, ni Macao, ni les autres pays qui obéissent au Roi de Portugal, même s'ils sont compris dans les limites de votre administration, ne relèvent de votre charge. C'est pourquoi, il faut partir par la Perse ou la Mongolie, ou même par mer s'il s'offre à vous, opportunément, quelque bateau que vous sachiez avec certitude destiné à la Chine mais qui n'aborde pas aux lieux indiqués ci-dessus ». On voit bien que pour Rome l'hypothèse d'un bateau partant pour la Chine et qui ne fasse pas escale dans un port tenu par les Portugais, ne se présente qu'à partir du Golfe Persique.

2. B. Vachet, *Mémoires Manuscrits*, AMEP, vol. 110B, p. 166. Pallu racontera comment lui-même a cessé cette abstinence après la décision de Rome : « Sachant que l'obéissance est préférable au sacrifice, le jour même que le Souverain Pontife approuva ce que la Sacrée Congrégation avait décidé, je mangeai de la viande et bus du vin » (A. Launay, *Histoire générale de la Société des Missions Étrangères de Paris* t. I, p. 176-177), Pallu écrit à Deydier une

Vachet parle de la sérénité de Lambert qui n'ignore pas que c'est à l'acharnement du séminaire de Paris qu'il doit la décision négative de Rome : « Il était extrêmement frugal, il mangeait fort peu et ne buvait jamais de vin. Quelque répugnance qu'il eut pour la viande, son obéissance si prompte pour le Saint-Siège et pour les remontrances que lui firent des amis de Paris, que dès le lendemain qu'il en eut connaissance, il fit servir de la viande sur la table et fut le premier qui en mangea. Les missionnaires se regardaient les uns les autres, n'osant pas encore toucher, il les rassura en leur disant que telle était l'intention de Rome et de Paris »[1].

Brisacier donne en 1685 cette version de l'attitude de Lambert en lui attribuant la paternité des vœux d'ascèse :

> « Entre les témoignages solides qu'il donna pour lors de sa vertu dans sa retraite on doibt principalement compter la soumission de jugement et le détachement de volonté avec lequel il quitta de certaines pratiques d'austeritér, qu'il avoit soutenues jusqu'alors avec courage et que Rome n'avoit pas jugé praticables par des hommes apostoliques qui a l'exemple de Jesus Christ model de tous les apostres doivent mener au dehors une vie commune[2]. Cet Evêque c'etoit tracé pour luy mesme et pour les Missionnaires un plan de vie très mortifiée et très parfaite, et quoy qu'il sy fut determiné par des raisons qu'il estimoit fortes, des

lettre où s'expriment bien des sentiments contradictoires : « Je ne crois pas qu'on puisse plus travailler et agir que j'ay fait pour la deffence de tous les vœux, cella m'a fait tort et en France et à Rome... Je vous confesse, pour mon particulier, que je n'ay jamais esprouvé plus de grâce et de miséricorde, et une protection de Dieu plus sensible que depuis le moment que je me suis engagé dans ces vœux. À Dieu ne plaise que je ne veuille par là justifier nostre conduitte et maintenir ce qui a esté très justement censuré. Je vois fort bien en quoy nous avons excédé, et ce qu'il y a à retenir et à rejetter. J'aymerois mieux mourir que de m'escarter d'un iota des bornes qui nous ont esté prescrites, et quand ce ne serait que pour marquer le respect et l'obéissance que je dois et veux rendre toutte ma vie au Saint-Siège, et mesme aux docteurs, dont il luy plaist quelquefois de prendre les advis. Si je me sens jamais porté à me mortifier par l'observance des choses extérieures que nous avions vouées, j'affecteray toujours, au moins au dehors, de faire le contraire » (Voir F. PALLU, *Lettres de Monseigneur Pallu*, p. 141-142, L. n° 47 à M. Deydier du 28 décembre 1670, AMEP, vol. 107, p. 11).

1. B. VACHET, *Mémoires Manuscrits*, AMEP, vol. 111B, p. 60-61. Lambert confie à Jacques de Bourges comment il s'est déterminé à supprimer la viande de son alimentation ; cf. Lettre de Pierre Lambert à Jacques de Bourges, janvier 1664, (AMEP, vol. 121, p. 564). Pour Lambert, c'était une bonne inspiration de pratiquer l'ascèse qui était considérée dans le pays comme une marque de vertu. Il donna cet argument à ses compagnons pour le faire adopter dans la Congrégation Apostolique (*Idée d'une Congrégation Apostolique*, manuscrit en latin inédit, AMEP, vol. 109).

2. Les Mémoires de Vachet nous révèlent que ce ne sont pas là les raisons de Rome mais très exactement celles des supérieur et directeurs du séminaire des Missions Étrangères de Paris qui ne sont jamais allés en mission (B. VACHET, *Mémoires imprimés*, p. 126). Brisacier ne peut révéler cette incohérence sans se condamner lui-même, en tant que représentant du séminaire et, pour se justifier lui-même, Brisacier attribue la paternité de la vie ascétique vécue au Siam au seul Lambert, alors que Vachet l'attribue à une décision collective.

> qu'il sceut que le St Siege auquel il en avoit exposé le fonds et les motifs ne l'approuvoit pas, il laissa sans peine par obeissance ce qu'il avoit embrassé avec plaisir par un bon zele, et il apprit a tout le monde que les meilleurs choses en elles mesmes cessent de l'estre a nostre egard lorsque nos superieurs les ayant examinées ne les jugent pas convenables a nostre état ou a nos Personnes »[1].

Qu'est ce que Lambert a dit lui-même sur ces vœux ? Ce sera le sujet de notre troisième partie.

Vachet est censuré quand on le publie en 1865. Toutes ses références à une opposition des jésuites sont effacées. Cela commence lorsque la communauté de la rue Coupeau décide d'apporter son concours aux missions du Tonkin et à Alexandre de Rhodes, confrère du Père Bagot; après une retraite de discernement, « le P. Bagot les ayant rassemblés, leur dit nettement que Dieu lui avait fait connaître que cette entreprise était son propre ouvrage et qu'il en était si persuadé que, quoiqu'il prévit bien que cela ne ferait pas plaisir à la Compagnie, il ne pouvait cependant leur conseiller autre chose que ce qu'il avait plu à Dieu de lui manifester »[2]. Lors du passage de Lambert à Ispahan, on tait aux lecteurs que les capucins l'ont prévenu de l'oppositiion des jésuites portugais qui feront tout pour l'empêcher d'atteindre la Cochinchine et le Tonkin[3]. Et il n'est plus fait mention qu'à leur arrivée au Siam les fidèles des deux paroisses portugaises, celle des jésuites et celle des dominicains, « souhaitaient de tout leur cœur que ceux qui leur servaient de pasteurs fussent semblables à ces nouveaux venus qui vivaient d'une manière si exemplaire qu'elle faisait honte à ceux qui étaient chargés du soin de leur âme »[4].

L'archevêque de Goa ayant exigé de Lambert qu'il lui montre par écrit ses pouvoirs et de qui il les tenait, Lambert choisit la conciliation en proposant de les montrer sur place au grand vicaire portugais qui parut très satisfait. Vachet constate: « Ce n'était pas là le compte des P.P. jésuites qui ne sont pas accoutumés d'en demeurer en si beau chemin. Ils eurent l'adresse ou plutôt la malice de tourner en poison tout ce qui faisait la justification du prélat et des siens »[5]. On oublie évidemment de publier que les Cochinchinois ont soupçonné le Père Barthélemy d'Acosta d'avoir contribué à la mort de Hainques et de Brindeau[6].

Finalement Rome apporta un soutien sans faille à Lambert face aux attaques du Portugal et des religieux liés au patronat portugais ; tel ne fut

1. J.-C. de Brisacier, *Vie de M. de Beryte*, vol. 122, p. 151-152, § 275.
2. B. Vachet, *Mémoires Manuscrits (M. mn)*, AMEP, vol. 110B, p. 40-41 ; B. Vachet, *Mémoires imprimés (M. imp)*, p. 48.
3. *Ibid.*, *M. mn*, p. 56 ; *M. imp*, p. 62-63.
4. *Ibid.*, *M. mn*, p. 57 ; *M. imp*, p. 64.
5. *Ibid.*, *M. mn*, p. 58 ; *M. imp*, p. 64-65.
6. *Ibid.*, *M. mn*, p. 170 ; *M. imp*, p. 190.

pas le cas dans l'autre opposition dont parle aussi Vachet, celle de Gazil et des membres du séminaire de Paris. La biographie de Lambert par Jacques-Charles de Brisacier n'a pas besoin d'être censurée, son auteur s'étant censuré lui-même et ayant supprimé toute allusion à une quelconque opposition à Lambert, qu'elle vienne des jésuites ou qu'elle vienne des membres du séminaire. Mais en même temps Brisacier a supprimé tout ce qui tenait à cœur à Lambert et qui avait suscité tout de suite cette opposition, la dénonciation du commerce des religieux et la création d'un nouvel organisme missionnaire dépendant directement du Saint-Siège et non du séminaire de Paris. Une vraie biographie de Lambert doit donc démêler le faux du vrai à partir de critères objectifs. On a vu que Vachet est l'auteur de deux récits sur les origines des vicariats apostoliques d'Asie : le premier qui date de 1682 a Lambert pour héros principal et porte la garantie de Laneau ; le second fait partie des *Mémoires* de Vachet et est bien plus tardif, il a Pallu pour héros principal. Ces deux récits malgré leurs différences s'opposent au récit officiel de ces origines publié en France par le séminaire de Paris. C'est ce récit que Jacques de Bourges va choisir de soutenir, nous allons essayer de savoir pourquoi en continuant de mettre à jour des documents inédits.

CHAPITRE 3
L'INSTRUMENTALISATION DE LA FIGURE ET DE L'ŒUVRE DE LAMBERT

Les écrits de Jacques de Bourges

De Bourges transforme en exploration le voyage missionnaire de Lambert

Sous la signature d'un compagnon de Lambert, Jacques de Bourges, est publiée en 1666 : « *La relation de voyage de Monseigneur l'évêque de Bérithe, vicaire apostolique au royaume de la Cochinchine, par la Turquie, la Perse, les Indes, & c. jusqu'au royaume de Siam, & autres lieux, etc.* ». Dans ses lettres, Lambert affirme bien être l'auteur d'un *Abrégé de la Relation* dans lequel il a donné les raisons du retour précipité en Europe de Jacques de Bourges dont celui-ci doit témoigner mais qu'il ne donne pas dans son livre[1]. À Rome, on s'apercevra vite en effet que le texte de Jacques de Bourges, publié à Paris, ne correspond pas au récit manuscrit envoyé par Lambert[2]. Les correspondants de Lambert qui ont reçu son *Abrégé de Relation* pensent que c'est ce que Jacques de Bourges va publier, c'est le cas de Monsieur Duplessis Monbar qui en a fait la lecture aux membres de la Compagnie du Saint-Sacrement[3].

---

1. P. Lambert de la Motte, Lettre à M. Lesley, AMEP, vol. 121, p. 535, cf. Guennou, transc., L. n° 36, juin 1663.

2. Lettre de Lesley à un directeur du séminaire, datée de 1666 (AMEP, vol. 200, p. 577).

3. Le Comte R. de Voyer d'Argenson, *Annales de la Compagnie du Saint-Sacrement*, p. 234, l'auteur note dans l'assemblée du 26e de juillet 1663 : « M. du Plessis-Montbar rapporta au long tout ce qui s'étoit passé dans celle des missions et le voyage de M. l'évêque de Bérythe de Lambert de Rouen jusqu'à Bassora dont on a fait depuis une belle relation qui est imprimée » et à la date du 22 août 1663 que l'assemblée se tint chez M. de la Chapelle-Pajot, où « il fut rapporté que M. de Meur était parti avec 30 missionnaires pour aller faire une mission en Poitou dont on avait souvent parlé dans les assemblées et à laquelle la Compagnie avoit beaucoup contribué. C'est une des plus éclatantes missions qui se soient faites en ce temps-là » et que « dans cette assemblée, on donna avis du retour de M. de Bourges arrivé de Siam avec des lettres de MM. les évêques d'Héliopolis et de Bérite. Il se fit lors une relation de son voyage par M. Gazil, directeur du Séminaire des Missions Étrangères, qui fut estimée de tout le monde ».

Le paquet de courrier envoyé par Lambert le 10 octobre 1662 devait comprendre une lettre à son frère Nicolas pour qu'il fasse pour ses autres correspondants une série de duplicata de son *Abrégé de Relation* qu'il avait lui-même « dressée » et qu'il lui envoyait[1]. C'est depuis Ispahan que Lambert adresse à Rome son premier *Abrégé de Relation*[2] en utilisant ses compagnons, Jacques de Bourges et Deydier, pour effectuer les premières copies[3]. En commentaire Lambert écrit alors : « Lors de notre voyage, j'ai observé les choses telles qu'elles sont et j'ai soigneusement tout mis par écrit »[4]. Il parle alors des fausses informations qu'on a données du succès des missions de Perse, mais pas encore du commerce lucratif que les religieux y font.

La description de ce commerce aux Indes ne fait partie que de la suite du récit de Lambert racontant le voyage d'Ispahan au Siam et qui sera portée par Jacques de Bourges et par Pallu à leur retour en Europe. Ensuite tous les comptes rendus de mission que Lambert ajoutera année après année porteront le même titre *Abrégé de Relation*[5]. L'Archevêque de Rouen, président de l'Assemblée du Clergé, sera aussi pressenti pour en assurer la diffusion chez les ecclésiastiques. Mais Lambert n'en demande jamais la publication

1. P. Lambert de la Motte, Lettre à la Duchesse d'Aiguillon du 10 octobre 1662 du Siam, AMEP, vol. 858, p. 9-12 ; cf. Guennou, transc., L. n° 10 : « Je ne vous dire rien en cette lettre de nostre voyage, ce seroit superflu vous envoyant l'abregé de la relation que j'en ai faite depuis Hasphaam capitalle de Perse jusques en cette ville. J'envoye l'abregé de la relation a mon frere, afin qu'il vous en fasse transcrire une copie ». Voir aussi Lettre de Mgr Lambert à M. Fermanel, conseiller, du 10 octobre 1662 du Siam : « J'envoie à mon frere un Abregé de la relation de nostre voyage que j'ai dressé depuis Hasphaam capitalle de Perse jusques en cette ville. C'est pourquoy, je ne vous en parle poin » (AMEP, vol. 858, p. 1 ; cf. Guennou, transc., L. n° 8).

2. *Id.*, Lettres au pape, Ispahan, 7 août 1661, APF, SOCG, vol. 227, fol. 60-61 et au Secrétaire de la Propagation de la Foi, Ispahan, sans date, APF, SOCG, vol. 227, fol. 56-59 (trad. Ruellen et Dolfosse).

3. Guennou fait la liste (AMEP, Lambert de la Motte, boîte 13) des copies et de leurs copistes utilisés par Mgr Lambert, les deux premiers copistes sont Jacques de Bourges et Deydier, ses premiers compagnons et leurs copies relatent le voyage jusqu'aux portes d'Ispahan.

4. P. Lambert de la Motte, Lettre en latin au Secrétaire de la *Propagation de la Foi*, Ispahan, sans date, APF, vol 227, fol. 56-59, trad. J. Ruellen.

5. *Id.*, Lettre à M. Fermanel, conseiller, du 16 octobre 1664 : « Ie ne desespere pas de pouvoir aller a la Chine avec un ambassadeur du Roy legitime qui est en cette cour avec lequel iay fait habitude ainsy que vous laprendré par la continuation de mon abregé de relation que jenvoiroy a Mr vostre fils par le beau frere de Mr Millon qui part dans un mois ou six semaines pour Europe (AMEP, vol. 858, p. 91-93 ; cf. Guennou, transc., L. n° 74). Voir aussi Lettre de Lambert à Monsieur Duplessis Montbar : « Jescris a fort peu de personne en france cette fois icy n'en ayant point le loisir et me reservant a continuer l*abrégé* de nostre Itinéraire touchant ce qui se sera passé durant nostre sejour icy lors que nous en seront partie ainsy donc suivant lattrait que i'en aye et qui dure toujours ie me suis attaché a informer Rome de l'estat de la Religion et des missionnaires de ces pays » (AMEP, vol. 861, p. 1, cf. L. n° 16, le 6 mars 1663).

en livre pour l'information du public comme les œuvres des grands voyageurs de son temps.

Le premier travail de l'historien qui cherche à dégager le vrai du faux dans la biographie de Lambert devrait être au moins de comparer ce que Jacques de Bourges publie de son voyage missionnaire de France au Siam avec ce que Lambert en a dit dans les premiers envois de son *Abrégé de Relation*, manuscrits diffusés à ses correspondants et dont Jacques de Bourges avait été un des copistes. Cette comparaison montre tant de contradictions qu'on peut parler de censure.

Notre travail systématique aux Archives des Missions Étrangères nous a permis de dédouaner en partie Gazil qui n'aurait été que le correcteur de la langue française pour le récit du voyage. Dans sa correspondance de La Rochelle où il attend un embarquement problématique, Jacques de Bourges ne cache pas qu'il a censuré lui-même la relation de voyage de Lambert. De plus il fallait avoir fait le voyage pour ajouter ce qu'il a ajouté comme les descriptions pittoresques, pour transformer ce qu'il a transformé comme l'appréciation des autres religions.

Jacques de Bourges ne pense pas comme Lambert, il se propose de s'appuyer sur le premier voyage des missionnaires apostoliques en Asie du Sud-est pour faire connaître les Missions Étrangères. Pour les rares Français qui ont lu l'*Abrégé* rédigé par Lambert, Jacques de Bourges joue sur la différence des titres, il écrit la relation complète tandis que Lambert n'en a diffusé que l'abrégé. En même temps le livre suit le voyage de Jacques de Bourges avec ou sans Lambert, avec Lambert jusqu'au Siam et sans Lambert quand celui-ci l'envoie à Tennaserim et ensuite en Europe. Car comme pour justifier pleinement la signature de Jacques de Bourges, le livre se termine en contradiction avec le titre de l'ouvrage par son séjour personnel au Siam et son retour seul sur un vaisseau anglais, par le Cap de Bonne Espérance, les îles de Sainte-Hélène et de l'Ascension et son arrivée à Londres avant de gagner Paris.

Au début du livre de Jacques de Bourges, il y a une justification des différences que ne manqueraient pas de relever ceux qui ont été destinataires de l'*Abrégé de Relation* de Lambert. À Lambert appartient la démarche spirituelle du missionnaire, à Jacques de Bourges le récit exotique d'un grand voyageur :

> « Le dessein qu'on se propose, en donnant au jour cette relation est de satisfaire au désir d'un grand nombre de personnes de piété, qui par leur zèle pour la propagation de la foi ont pris part au succès de la mission de trois évêques français envoyés depuis cinq ans à la Chine et qui, ayant appris l'heureuse marche de Mgr l'évêque de Béryte (qui partit le premier de Paris) jusqu'au royaume de Siam, ont témoigné en désirer savoir les principales circonstances. J'aurais pu me dispenser de ce travail parce que Mgr l'évêque de Béryte et les ecclésiastiques

qui l'ont accompagné ne s'étant proposé durant leur voyage que le but de leur mission, ils se sont peu appliqués à remarquer les choses qui sont ordinairement observées avec soin par les voyageurs curieux, qui ne laissent rien échapper à leur diligence. Cependant comme l'affection que l'on a pour quelque chose fait que l'on en estime et que l'on en veut savoir jusqu'aux moindres particularités, les mêmes personnes[1] m'ont diverses fois sollicité de communiquer au public toute la suite de leur voyage, dans la vue que tous ceux qui sont zélés pour la conversion des Chinois et des autres peuples de l'Asie en pourraient tirer quelque profit »[2].

« Puisque je me suis principalement proposé en cette narration l'utilité des missionnaires qui seront appelés à nous suivre ou de ceux qui voudraient faire ce voyage, je remarquerai en détail de quelle façon on marche en caravane. Ces choses paraissent de peu de conséquence, mais il faut savoir que l'on rend un grand service à un pauvre voyageur quand on ne lui donnerait qu'un seul avis : on est plus étonné que l'on ne peut dire de se trouver presque seul de son langage au milieu d'une nation infidèle, que l'on n'ose même interroger de peur de montrer son ignorance »[3].

Jacques de Bourges qui est originaire de Paris écrit dans sa *Relation du voyage de Monseigneur de Beryte* qu'il en est parti avec Lambert le 18 juillet 1660 alors que l'*Abrégé de Relation* écrit par Lambert parle du 18 juin. Mais même avec quelques écarts la chronologie du voyage reste assez proche dans les deux relations et on suit la trame de l'*Abrégé de Relation* grâce à de nombreux passages reproduits in extenso.

En s'embarquant à Marseille, port de la mer Méditerranée, Lambert a choisi la route maritime par rapport à la route océane qui partait de La Rochelle, port de l'Océan Atlantique, d'où embarquerait plus tard Jacques de Bourges à son retour au Siam. Cette route de la Méditerranée suit la latitude de la grande route commerciale terrestre, appelée route de la soie, parce qu'elle permet aux nombreuses caravanes venues de Chine d'en rapporter la soie jusqu'en Turquie, cette route par la terre est jalonnée d'hôtels pour caravanes ; arrivé au Golfe Persique on peut la quitter pour gagner l'Inde par la mer.

Pour Jacques de Bourges, la Méditerranée et la voie de terre constituent l'itinéraire le plus dangereux, et c'est par là que Rome entendait envoyer ses vicaires apostoliques et leurs missionnaires :

« Il ne restait plus que le chemin de la mer Méditerranée pour aller ensuite par terre traverser la Turquie, mais ce chemin paraissait le plus ennuyeux, le plus

1. Il s'agirait là des personnes de piété dont il a parlé au début, c'est-à-dire des gens de Paris (les membres du séminaire ?) qui ont désiré 'savoir les principales circonstances' du voyage de Lambert et de ses compagnons et qui ont 'sollicité de communiquer au public toute la suite de leur voyage'.

2. J. de Bourges, *Relation du Voyage*, p. 16.

3. *Ibid.*, p. 28.

long, exposé à divers dangers et d'une grande dépense. Et d'ailleurs il y avait sujet de craindre qu'on ne pût éviter après deux mille lieues de marche de retomber entre les mains de quelques-unes de ces nations que l'on soupçonnait être opposée au succès de cette entreprise »[1].

On sait par Lambert que les vicaires apostoliques avaient décidé de ne pas partir ensemble pour limiter les risques de faire échouer leur mission et Lambert s'était proposé pour partir en premier sur cette route qu'il jugeait lui aussi moralement impossible[2].

Pourtant Rome a demandé aux missionnaires de relativiser les dangers de la route de terre car depuis des années le Saint-Siège y envoyait des religieux : « La route par terre, au travers de la Syrie et de la Mésopotamie sera de beaucoup plus sûr pour vous que celui par l'Océan Atlantique et le Cap de Bonne Espérance »[3]. Ce n'est pas ainsi que Jacques de Bourges a présenté les raisons de Rome, il a écrit ainsi : « La Sacrée Congrégation de la Propagation de la Foi désirait beaucoup pour le bien des missions que l'on essayât cette voie et qu'elle devînt facile par l'expérience que l'on en ferait, afin qu'indépendamment de la jalousie des nations qui se sont rendues redoutables sur les mers des Indes, elle puisse aux occasions envoyer par ce chemin les missionnaires qu'elle dessine de faire passer soit à la Chine, soit aux pays circonvoisins »[4].

Les dangers de la route de terre font aussi une différence entre le récit du voyage par Lambert et celui par Jacques de Bourges. Lambert ne parle plus de ces dangers dans son *Abrégé de Relation,* il conseille aux prochains partants d'acheter quelques armes à Marseille pour se faire estimer et craindre par leurs compagnons de caravane. Si Jacques de Bourges insiste sur les dangers des lions et des voleurs notamment entre Alep et Bagdad, c'est sans doute pour justifier le choix de la route de l'Atlantique pour son retour au Siam après accord du supérieur et des directeurs du séminaire de Paris avec la nouvelle Compagnie française des Indes Orientales créée en 1664 par Colbert. On ne peut pas lire l'œuvre de Jacques de Bourges sans tenir compte de ce contexte[5].

Le voyage d'aller de Jacques de Bourges aura été beaucoup plus long, plus pénible et plus onéreux que son voyage de retour en France à travers

1. *Ibid.*, p. 22.

2. P. Lambert de la Motte, Lettre à Chevreuil du 2 octobre 1660, AMEP, vol. 136, p. 67 ; cf. L. n° 1.

3. B. Jacqueline, *Traduction française des Instructions de 1659*, II, 1 : Au cours du voyage (l'itinéraire).

4. J. de Bourges, *Relation du Voyage*, p. 23.

5. Au départ de Lambert (1660) jusqu'à sa mort (1679), il y a eu 5 départs des missionnaires par terre : en 1660, 1661, 1662, 1671 et 1678 et 5 départs des missionnaires par mer : en 1665, 1669, 1672, 1676 et 1679 (AN, MM// 527, p. 14-15).

l'Atlantique sur un vaisseau anglais : « La voie de l'océan conduisant tout d'un trait les prélats et les missionnaires dans le milieu des grandes Indes les eût privés du fruit de cette expérience laborieuse, qui leur a été utile pendant le courant de leur marche, qui a duré plus de deux ans »[1].

En fait, parmi les premiers missionnaires partis de Marseille par la route dite de terre pour le Siam plus de la moitié sont morts en chemin, tous de maladie, aucun par les voleurs et par les lions[2]. Quand en novembre 1665, on choisit la route océane, on y compta aussi des morts par maladie, Nicolas Lambert dans le golfe de Guinée et François Savary en arrivant à Tenasserim. Plus tard en 1671, Louis Lotteaux mourut à Fort Dauphin (Madagascar). Pour ce qui est du temps de voyage sur l'Atlantique le retour de Jacques de Bourges au Siam (1666-1669) et plus tard celui de Pallu (1665-1667) et son second départ (1670-1673) et son troisième départ (1681-1684), sans compter l'attente d'un départ de bateau, durèrent plus de deux ans. Quant à la sécurité du transport, il faut tenir compte des tempêtes sur l'Atlantique comme celle dont fut victime Claude Gayme, traducteur de la première ambassade siamoise, en 1681 aux environs du Cap de Bonne Espérance.

Au départ des vicaires apostoliques, c'est pour ne pas prendre la voie de terre que furent recherchés en France les moyens de prendre la voie de l'Océan Atlantique mais les possibilités étaient très réduites. Jacques de Bourges à son retour sur un navire anglais[3] a dû débarquer à Londres car les navires anglais et hollandais ne passaient pas par la France. Jacques de Bourges a rapporté une initiative tout à fait contraire aux consignes d'extrême discrétion que Rome avait adressées aux trois vicaires apostoliques en 1659, il écrit en effet : « On crut d'abord qu'on pouvait prendre la voie des Portugais, dans l'espérance d'obtenir liberté de passer sur leurs flottes, et pour cet effet on sollicita des passeports. Mais ils jugèrent pour certaines considérations d'État qu'ils n'en devaient pas accorder »[4]. Jacques de Bourges parle ensuite d'un accord avec la Compagnie française de l'orient et de Madagascar et de la création d'une Compagnie française des Indes Orientales avec la construction du premier vaisseau de cette compagnie, le Saint-Louis, et de son naufrage devant l'île de Texel[5].

---

1. J. de Bourges, *Relation du Voyage*, p. 24.

2. Morts en 1662 : Ignace Cotolendi, Pierre Saisseval-Danville, François Périgaud ; Jean Chéreau ; morts en 1663 : Jean Fortis de Claps ; René Brunel ; Jean-Claude Robert.

3. P. Lambert de la Motte, Lettre à Jacques de Bourges, du 10 juillet 1663, AMEP, vol. 121, p. 551 ; cf. L. n° 46. C'est Lambert lui-même qui indique à Jacques de Bourges comment utiliser les vaisseaux anglais ; en décembre un premier bateau anglais part de Tenasserim pour Madraspatan en Inde où il doit arriver à temps pour prendre un autre vaisseau qui part tous les ans pour l'Angleterre.

4. J. de Bourges, *Relation du Voyage*, p. 21.

5. *Ibid.*, p. 19-23.

Si Jacques de Bourges ne mentionne pas Pallu comme auteur de la demande de passeports portugais[1], par contre, il attribue à Pallu la diffusion d'un prospectus de recrutement qui supprima tout secret sur le projet de Rome et la mission des vicaires apostoliques :

> « L'éclat de cette mission se répandit bientôt par la France, car Mgr l'évêque d'Héliopolis ayant publié un écrit qui contenait les motifs de son entreprise et les intentions du Saint-Siège, plusieurs vertueux ecclésiastiques furent excités de se présenter à lui pour une si digne occupation[2]. Ce prélat usa d'un grand discernement dans le choix qu'il en fit et pour mieux y réussir il les retira à dix lieues de Paris afin d'examiner leur vocation et de les préparer par les exercices de la retraite et de l'oraison »[3].

Mis ainsi au courant de l'envoi des trois prélats français et de leur mission, le roi du Portugal ordonna d'intercepter les voyageurs et de les amener à Lisbonne pour qu'ils soient livrés à la justice portugaise. Il s'en fallut de peu pour que les Portugais du Siam reçoivent à temps l'ordre de leur roi pour interrompre la mission des missionnaires apostoliques plus ou moins tragiquement.

Lambert à peine sacré à Paris rejoignit Jacques de Bourges et Deydier à Marseille, ils s'embarquèrent le 27 novembre 1660 et arrivèrent à Malte le 3 décembre dans le récit de Lambert et le 23 décembre pour le récit de Jacques de Bourges. Après Malte, c'est Chypre dont ils partirent le 5 janvier 1661 pour atteindre Alexandrette, puis Alep qu'ils atteignirent le jour de la conversion de saint Paul (25 janvier). C'est le 4 mars qu'ils arrivèrent à Bagdad (que les Européens appellent alors toujours Babylone).

L'arrivée des missionnaires à Bassora le 31 mars 1661 est racontée de manière identique chez Lambert et chez Jacques de Bourges quant à leur logement chez les carmes deschaux italiens (à Schiras ils logeront chez des

1. G. de Vaumas, *L'Éveil missionnaire de la France*, p. 406 : Guillaume de Vaumas indique que la Sacrée Congrégation de la Propagation de la Foi, devant les indiscrétions de Pallu, se garda de lui communiquer tous ses projets, ce qui entraîna Pallu à prendre des initiatives malheureuses comme la demande de passeports.

2. L. Baudiment, *François Pallu, Principal fondateur des Missions Étrangères*, p. 94-97. Jacques de Bourges a eu sans doute le prospectus entre les mains, il y a lu : « Combien se trouve-t-il de bons, de sages et vertueux ecclésiastiques qui sont pleins de zèle et qui ont des qualitez fort propres pour ces emplois » (texte reproduit par Georges Goyau, *Année Missionnaire 1931*, p. 369), Christophe Duplessis Montbar en envoya deux exemplaires à Rome en juillet 1659, il en justifia la diffusion : « Jamais ces illustres Missionnaires n'auroient trouvé de subsistance... si la chose n'estoit cogneüe » (AMEP, vol. 114, p. 325, 345, 374).

3. J. de Bourges, *Relation du Voyage*, p. 21. C'est au château de La Couarde que s'opère le discernement des candidats et Lambert a émis de sérieux doutes sur l'efficacité de ce discernement (P. Lambert de la Motte, Lettre à Chevreuil du 2 octobre 1660, AMEP, vol. 136, p. 68 ; cf. L. n° 1).

carmes deschaux français)[1]. Mais tous deux oublient ce que raconte Pallu dans son *Histoire du schisme*, à savoir la rencontre de Lambert et du Père jésuite Philippe Marini qui avait quitté la Chine pour aller à Rome. Pallu présente cette rencontre comme la vraie naissance du schisme dont il fait l'histoire, Lambert est averti que les jésuites l'empêcheront d'entrer en Chine[2], comme, d'après Vachet, il le sera à Ispahan de la bouche du Père capucin Raphaël.

Après Bassora d'où ils repartent le 22 avril, les missionnaires atteignirent le 27 avril au port de Banderrie sur le Golfe Persique. À cause du mauvais temps, ils renoncèrent à gagner par mer Surate en franchissant le détroit d'Ormuz et choisirent la route de Schiras passant par Ispahan, alors capitale de la Perse, où ils arrivèrent le 23 juin pour en repartir le 26 septembre[3] après avoir su qu'ils ne pourraient pas gagner directement la Chine mais devraient aller à Tenasserim par Commoron (Bandar Abbas), Surate et Masulpatan (Bandar) en évitant les possessions du roi du Portugal.

Ainsi les missionnaires arrivèrent à Commoron le 30 octobre, mais leur vaisseau ne put mettre les voiles que le 1er décembre pour gagner Surate dont ils n'atteignirent le port (Soüally) que le 28 décembre. Ils apprirent alors qu'ils étaient recherchés par le roi du Portugal qui avait transmis ses instructions partout pour qu'ils soient arrêtés et ramenés à Lisbonne au Portugal. Les voyageurs ne s'attardèrent pas et partirent de Surate le 25 janvier 1662 par les chemins de terre qui n'étaient pas encore détrempés par la mousson

---

1. P. Lambert de la Motte, *Abrégé de Relation*, vol. 121, p. 608, cf. § 1 ; J. de Bourges, *Relation du Voyage*, p. 31.

2. F. Pallu, *Histoire du schisme*, AMEP, vol. 856, p. 412-413 : « M. de Berithe partit de france en 1661 en habit deguise afin de n'estre pas connu dans les lieux ou il devait passer, il sembarqua a Marseille pour Alexandrette passa par la Syrie et par la Perse iusqua Bassora il logea en cette ville la chez les PP Carmes deschausses qui y ont une residence dans le [temps ?] qu'il y estoit le P. Philippe Marini y arriva qui venoit de Chine et alloit a Rome deputé de la Province du Japon, ce P. estoit desia instruit quil y avoit des Evesques qui se mettoient en chemin pour aller a la Chine et comme on ne les avoit choisis de leur corps les PP. de cette province avoient eu pris resolution de faire le possible pour les obliger a retourner sur leurs pas M. de Berithe ne se peut si bien deguiser que le P. Marini ne saperçeut quil estoit autre chose que ce quil vouloit paraistre, ainsi il seenquist des PP. Carmes qui pouvoit estre un francais on n'avoit pas peu [cacher ?] à ces religieux la verite des choses et leur bonne reception fit que les missionnaires qui accompagnoient M. de Berithe leur dire qui ils estoient ainsi ces religieux disent au M. Marini quil estoit un Evesque qui sen allait a la chine ce P. ne pût empescher de faire paraître son émotion a cette nouvelle et dans ce premier mouvement il dist a M. de Berithe que cestoit en vain quil prestende aller si loin et quil nentreroit iamais dans les lieux de ses missions et quil ne mestroit iamais les pieds dans la chine cette nouvelle nestonnât point ce prelat qui a cela de propre de ne craindre aucune chose sinon le pesché et qui a pour maxime qu'un évesque ne doit aprehender que de trop craindre. Il s'embarqua a Bassora ».

3. P. Lambert de la Motte, *Abrégé de Relation*, AMEP, vol. 121, p. 614, cf. § 5 ; J. de Bourges, *Relation du Voyage*, p. 40-41.

qui les rend impraticables à partir du mois de mai. Ils sont arrivés le 6 mars sur la côte de Coromandel à Masulpatan et le 27 mars leur vaisseau mit la voile en direction de Tenasserim au Siam où il mit l'ancre le 19 mai. Lambert et ses deux compagnons prirent alors le 30 juin la route pour la capitale du Siam (que les Siamois appelaient Joudia[1], et les Européens appelaient Siam comme le pays, mais qu'on nommait aussi Juthia[2], Judia, Ayutthaya, Ayuthaya, Ayuthia, Ajuthia), après avoir obtenu des passeports. Ils y entrèrent après vingt et un mois de voyage (Marseille 27 novembre 1660 – Juthia 22 août 1662).

Seul Jacques de Bourges pouvait ajouter des témoignages personnels sur ce que Lambert avait vécu durant ce voyage comme dans l'épisode du naufrage à l'arrivée au Siam. La pirogue de l'évêque chavire sur une rivière alors qu'il ne sait pas nager. On retrouve Lambert assis sur le tronc d'arbre flottant qu'il a embouti et Jacques de Bourges ajoute que le feuillage immergé a permis de maintenir hors de l'eau la plupart de ses bagages, notamment son coffre contenant les documents les plus importants. Comme bien d'autres détails, celui-ci implique directement Jacques de Bourges dans la rédaction de son livre. Il se fonde sur ses notes de voyage dont la publication était le mobile alors que Lambert prenait d'autres notes en relation avec l'objectif de sa mission[3].

La route de Paris vers la Perse, l'Inde et le Siam fait l'objet de grands succès de librairie à cette époque. De grands voyageurs s'y disputent la notoriété. Alors que le livre de Jacques de Bourges paraît en 1666, 1668 et 1683, celui de Johann Albrecht von Mandelslo (1616-1644) paraît à partir de 1656 et 1658, et celui de Pietro della Valle (1586-1652) à partir de 1661. Dans sa présentation du livre de Johann Albrecht von Mandelslo, Françoise de Valence dit que la plume de son auteur était pour les deux tiers celle de l'éditeur Adam Olearius. Faute de pouvoir bien écrire lui-même, Jean-Baptiste Tavernier a dû se faire aider par Samuel Chappuzeau et La Chappelle, car il pouvait mieux s'exprimer par la parole que par l'écrit[4].

De même Jacques de Bourges se présente à ses lecteurs comme l'écrivain rédigeant les exploits d'un voyageur, qui en cette occurrence est Mgr de Bérithe. C'est en se cachant derrière la figure d'un évêque missionnaire, qu'il

1. P. Lambert de la Motte, *Abrégé de Relation*, vol. 135, p. 344; vol. 136, p. 63; cf. § 14.

2. Dans ses lettres en latin, Lambert emploie souvent « Juthia » que nous utilisons pour désigner la capitale du Siam (AMEP, vol. 650, p. 185-186 ; vol. 854, p. 17-19; vol. 857, p. 243-245. 263. 271-272; vol. 876, p. 363-365. 383-386. 487. 641-644. 645-650...).

3. Cf. P. Lambert de la Motte, Lettre au Secrétaire de la *Propagation de la Foi*, Ispahan, sans date, APF, SOCG, vol. 227, fol. 56-59 (trad. Ruellen et Dolfosse).

4. Johann Albrecht von Mandelslo, *Voyage en Perse et en Inde*, le journal original traduit et présenté par Françoise de Valence, coll. Magellane n° 42, Paris, Chandeigne, 2008, p. 7. 31.

veut se ranger parmi les auteurs les plus lus de son siècle avant la publication en 1676 des six voyages de Tavernier dont la réputation est déjà faite[1].

Jacques de Bourges transforme en guide touristique l'œuvre de Lambert. Il ajoute des descriptions géographiques, ethnographiques, culturelles, avec les curiosités de la faune et de la flore et les phénomènes naturels. Ce sont les thèmes que l'on retrouve dans les récits d'explorations de l'époque, ils sont identiques chez ceux qui ont parcouru le même chemin et ils confirment l'authenticité du voyage que décrit Jacques de Bourges qui montre sa marque personnelle d'auteur[2].

Ainsi les rapprochements avec le récit de Tavernier sont multiples, c'est la découverte du voyage en caravane sous l'autorité d'un chef de caravane que Tavernier appelle Caravan-bachi[3] avec lequel les Francs (ce qui signifie

---

1. A. Launay rapporte la rencontre entre 1661 et 1662 de Mgr Cotolendi et de Jean-Baptiste Tavernier à l'arrivée à Bassora sur les bords de l'Euphrate. Il écrit que Tavernier est « un des voyageurs les plus célèbres du XVIIe siècle, et dont le nom est resté attaché au grand ouvrage : *Voyages en Turquie, en Perse et aux Indes* (Voir *Relation de voyage de Cotolendi*, AMEP, vol. 136, p. 98 et A. Launay, *Histoire générale de la Société des Missions Étrangères*, t. I, p. 69-70). En 1662 Jean-Baptiste Tavernier termine son 5e voyage. Le titre exact de son livre publié en 1676 est : « Les six voyages de Jean-Baptiste Tavernier, Ecuyer Baron d'Aubonne, qu'il a fait en Turquie, en Perse et aux Indes, pendant l'espace de quarante ans, & par toutes les routes que l'on peut tenir, accompagnez d'observations particulières sur la qualité, la religion, le gouvernement, les coûtumes, & le commerce de chaque païs ; avec les figures, le poids & la valeur de chaque monnoyes qui y ont cours ».

2. J. de Bourges (*Relation du Voyage*) donne des détails sur la caravane de Lambert parcourant le désert d'Alep à Babylone au milieu des brigands et des lions, la chaleur du jour et le froid des nuits, avec la découverte du café turc (p. 28-30). Ensuite c'est le mystère de la fructification des palmiers dattiers de Bassora qui est éclairci, les briques de boue séchée pour construire les maisons, (p. 32), la visite d'un temple hindou bâti par des commerçants indiens très accueillants (p. 33-34), le danger des barques sur le Golfe Persique (p. 36-37), la description du Ramadan, des mosquées et des écoles coraniques (p. 38-40), le développement des sciences en Perse, les jardins d'Ispahan, ses monuments, l'usage du narguilé (p. 42-43) : le voyage se poursuit de caravansérail en caravansérail, visite de bazars (marchés locaux), les parasites et les maladies causées par la mauvaise qualité de l'eau (p. 45-46), les frais du voyage, le prix des denrées (p. 47). À Surat c'est l'arrivée en Inde (au nord de Bombay), avec le culte de Vishnou (p. 49), la curiosité végétale des banians, le culte sanglant de Siva, le respect de toute vie animale, la caste des Brahmanes, l'insensibilité du yogi (p. 50). Le départ de Surat avant la mousson le 21 janvier 1662, les chariots tirés par des buffles (p. 51), les villes fortifiées des Moghols, le sérail de Golconde (proche d'Hyderabad), les mines de diamants (p. 52), le tari ou sur (liqueur extraite d'un palmier), le cocotier et la noix de coco (p. 54), la sauvagerie des habitants des îles Andamans (p. 56-57), le danger des tigres et des éléphants (p. 60-61). Ensuite c'est la description du Siam et des régions traversées par Jacques de Bourges à son retour par le Cap de Bonne-Espérance mais le voyage en mer ne donne pas lieu à autant de descriptions.

3. *Ibid.*, p. 27. Ce chef de la caravane est élu par les marchands selon Jean-Baptiste Tavernier, *Les six voyages de Jean-Baptiste Tavernier, Ecuyer Baron d'Aubonne, en Turquie, en Perse et aux Indes*, Paris, Gervais Crouzier et Claude Barbin, 1676, t. 1, p. 107.

non seulement les Français mais tous les Européens[1]) doivent traiter. Le soir venu, c'est le campement sous tente, soit en plein désert, soit près d'un village sans auberge (caravansérail) ou dont l'auberge est trop petite pour la caravane. Dans ces campements il faut affronter le froid, les voleurs[2] et les lions[3]. Faute de bois on y dormirait souvent sans feu si les excréments secs des bêtes ne servaient de combustibles[4]. Comme Tavernier, Jacques de Bourges traite de l'agriculture, des animaux et aussi des maladies locales comme lorsqu'un long ver s'insinue dans la peau et qu'il faut l'extraire à l'aide d'un bâtonnet[5].

Avec une base commune, entre le texte de Lambert et celui de Jacques de Bourges il y a des ajouts, des suppressions, des transformations et même parfois des contradictions flagrantes comme s'il s'agissait de deux relations de voyage et même de voyages différents sur le même itinéraire.

Certes l'historique de l'instauration des vicariats d'Asie[6] qui ouvre le récit publié par Jacques de Bourges ne peut être son œuvre, car il n'était pas en charge de ce projet. On pense plutôt à la main de Gazil. En même temps on ne peut pas attribuer la plupart des différences à une autre main que celle de Bourges, car en 1666 il n'est pas possible de donner autant de détails sans avoir soi-même suivi le même chemin, ni de corriger le compte rendu de voyage de Lambert en Perse, en Inde et au Siam, de la façon dont cela a été corrigé dans son livre. Nul ne pouvait s'inspirer de l'œuvre de Tavernier qui ne sera publiée que longtemps après celle de Bourges. À l'époque, ces voyages étaient tellement nouveaux qu'on se précipitait pour lire leurs relations, ce qui a permis le succès du livre

---

1. *Ibid.*, de BOURGES, p. 27; TAVERNIER, p. 77.
2. *Ibid.*, de BOURGES, p. 26-29 ; TAVERNIER, p. 77.
3. *Ibid.*, de BOURGES, p. 29-30 ; TAVERNIER, p. 205.
4. *Ibid.*, de BOURGES, p. 28 ; TAVERNIER, p. 92.
5. Le ver « de Guinée » ou « de Médine », cf. J. de BOURGES, *Relation du Voyage*, p. 46 et Johann ALBRECHT von MANDELSLO, *Voyage en Perse*, p. 50, note du journal de l'auteur et note 2 de Françoise de Valence.
6. Le 9 septembre 1659, deux vicariats apostoliques du Tonkin et de la Cochinchine ont été établis, confiés à deux évêques François Pallu et Pierre Lambert de la Motte. Pour François Pallu, évêque *in partibus* d'Héliopolis, on créait le vicariat apostolique du Tonkin en lui donnant des pouvoirs administratifs sur cinq provinces du Sud-Ouest de la Chine : Yunnan, Guizhou, Hunan, Sichuan, Guangxi et sur le Laos ; pour Pierre Lambert de la Motte, évêque *in partibus* de Bérithe (Bérouth), on créait le vicariat apostolique de Cochinchine en lui donnant des pouvoirs administratifs sur des provinces du Sud-Est de la Chine : Zhejiang, Fujian, Guangdong, Jiangxi, et sur l'Ile de Hainan et ainsi que des autres îles voisines. Plus tard, c'est à Nankin en Chine qu'est créé un troisième vicariat apostolique qui sera confié à Ignace Cotolendi avec des pouvoirs administratifs sur des provinces du Nord de la Chine : Shaanxi, Shanxi, Shandong, Beijing (Pékin), la Corée, l'ensemble de la Mandchourie, de la Mongolie (intérieure et extérieure) et du Tian-chan... (Adrien LAUNAY, *Histoire générale de la Société des Missions Étrangères de Paris*, t. I, Paris, Téqui, 1894, p. 41-43).

de Jacques de Bourges réédité deux fois en 1668 et 1673. Avec juste raison on a pu placer Jacques de Bourges parmi les grands voyageurs et découvreurs du XVIIe siècle[1]. Pour atteindre cette notoriété il fallait qu'il la prépare durant le voyage en concentrant son attention sur autre chose que ce qui occupait l'esprit de Lambert.

Jacques de Bourges n'aurait eu que peu de temps pour rédiger son œuvre s'il n'avait dû attendre une année le bon vouloir du vent et des armateurs ; il avait alors confié à Gazil l'amélioration de son style en vue de dédier l'œuvre au roi de France[2], car comme on constate dans sa correspondance son style est lourd et désordonné, il le reconnaît sans peine et laisse le soin à Gazil de faire toutes les corrections nécessaires à ce qu'il juge « le moins tourné », en particulier le chapitre sur les fruits du Siam ; en tant qu'auteur il souhaite néanmoins relire lui-même son œuvre ainsi corrigée avant sa publication comme il l'explique dans sa lettre du 31 décembre 1665[3].

Malgré sa propre censure préalable, Gazil imagine toutes sortes d'opposition à la publication et veut constituer un groupe de relecture pour les prévenir ; il pense qu'il n'a pas suffisamment pris en compte lui-même les oppositions des jésuites soucieux de préserver la réputation de la Compagnie de Jésus[4] et celles de la Compagnie française des Indes orientales qui craint que certaines informations servent à la concurrence hollandaise et anglaise[5].

---

1. Voir F. JACQUIN, *Le voyage en Perse*, p. 14. 25. 49.

2. J. de BOURGES, Lettre à Gazil datée du 3 décembre 1665 (AMEP, vol. 876, p. 203-204) où il écrit : « Si j'avois eu du temps à Paris ou si j'avois le temps icy, je vous donnerois quelque chose un peu mieux ordonné mais comme vous avez assez d'addresse pour donner de la grace a ce qui en est le plus dépourvu, je croy que vous n'attenderez rien de ma part ». Dans sa Lettre à M. Fermanel du 28 décembre 1665 (AMEP, vol. 876, p. 240) de Bourges écrit : « Je me réjouis que Monsieur Gazil soit en estat de travailler en son cabinet, je ne doute point que c'est son application qui rend la relation des voyages de Monseigneur de Bérythe digne d'estre présentée au Roy ». Gazil ajoute au texte des éloges de la grandeur et de la foi du roi Louis XIV (J. de BOURGES, *Relation du Voyage*, p. 93. 95).

3. *Id.*, Lettre à Gazil datée du 31 décembre 1665, AMEP, vol. 876, p. 247-250.

4. *Id.*, Lettre à M. Gazil datée du 4 janvier 1666 à La Rochelle, AMEP, vol. 876, p. 253-254 : « Si neanmoins on doit avoir quelque plus grande liberté c'est en matière de relation ; je ne doute point que les pères jésuites n'ayent assez le désir de voir un ouvrage avant qu'il paraisse au jour, mais la charité avec laquelle vous l'avez escrit vous a rendu aussi circonspect qu'ils pourraient avoir de délicatesse en le lisant ; ainsi je croy qu'ils doivent s'en raporter a vous sans s'en inquiéter davantage et croire que vous estes assez sage pour faire justice a tous et assez bon pour garder la charité envers tous ».

5. *Ibid.*, p. 253-254 : La Compagnie française des Indes Orientales ne facture pas le transport des missionnaires mais elle leur demande en retour des informations qui puissent aider son commerce. Dans sa lettre à Fermanel prêtre du 27 décembre 1665 (AMEP, vol. 876, p. 241) Jacques de Bourges a écrit : « Ne vous scandalisez pas de me voir demander des nouvelles, c'est le payement qu'on rend aux Hollandois et aux Anglois dans les Indes pour les civilités qu'on reçoit d'eux, puisqu'ils veulent bien se contenter d'une reconnaissance aussi légère que celle-là, il ne faut pas la leur refuser ». Ainsi il est plaisant de constater que

Jacques de Bourges trouve qu'il y a là un excès de précaution et des craintes imaginaires ; pour lui l'association avec la Compagnie française des Indes orientales n'est pas une bonne affaire[1], elle allonge les délais de route au lieu de les raccourcir, elle l'a fait attendre un an de mars 1665 à mars 1666 pour accepter de l'embarquer[2].

En cette période d'attente de départ, Jacques de Bourges se voit reprocher par les dirigeants du séminaire la froideur qu'il a manifestée à Rome à l'égard des jésuites et qui serait cause de leur refus de participer au financement des vicaires apostoliques comme ils en ont été sollicités par le séminaire[3]. Jacques de Bourges met en garde Gazil contre le Père Philippe Marini. C'est avec humour qu'il écrit : « Je suis bien resjoui que le bon Père Philippe Marini ait trouvé si grande compagnie pour son retour dans les missions de la Chine ». Mais il avertit que ce retour « ne nous marque rien de bon, je pense que si les choses se réalisoient selon les pensées de ce bon Père il nous donneroit bien de la besogne mais les pensées de Dieu et celles

---

les missionnaires donnent leurs informations commerciales exclusives aux uns et aux autres concurrents en fonction des services rendus aux missions.

1. J. de Bourges, Lettre à Fermanel prêtre, La Rochelle, 8 mars 1666, AMEP, vol. 876, p. 338-339 : « On me toucha bien des particularités qui regardent cette Compagnie des Indes Orientales, lesquelles me font craindre qu'elle n'ait pas grand succès, mais il ne m'est pas permis d'en dire davantage, parce que j'ai promis le secret. Je ne sais pourquoi je trouve ici des personnes qui me parlent ouvertement. Je ne sais s'ils me croient fort habile homme parce que j'ai été dans les Indes. Je ne laisse pas de bien espérer de ce dessein et quoique j'y voie aussi bien que personne bien des oppositions au bon succès, néanmoins le futur est toujours incertain et souvent ce qu'on craint le plus n'arrive jamais ».

2. *Id.*, Lettre à Ferrnanel prêtre, La Rochelle, 31 décembre 1665, AMEP, vol. 876, p. 247-250. .

3. *Id.*, Lettre à Fermanel prêtre, 21 décembre 1665, AMEP, vol. 876, p. 227 : « Nous avons icy assez de correspondance avec les pp jésuittes, et spécialement avec le RP. Recteur qui est une personne sans façon et bien cordialle, il y a plaisir de trouver des personnes comme cela. Je vous dis cecy a cause de la douleur que je porte de ce que vous m'escrivez, que la froideur avec la quelle j'ay agi avec eux a Rome, ou pour mieux dire la plainte de cette froideur, met de l'opposition a ce qu'on souhaitteroit du p. Annat au sujet du brevet des pensions. En vérité, je m'en estonne et j'en porte la douleur, et qu'on prenne de là occasion d'empescher une affaire qui est pour le service de N.-S., car je vous supplie, qu'est-ce qu'eust pu désirer davantage de moy le P Boucher qui est celuy de qui on dit qu'il se plaind. Je ne scache point avoir traitté avec une personne inconnue telle que m'était ce père, avec plus d'ouverture et de cordialité, je suis allé le voir avec monsieur de Brussy, je suis allé le voir seul et plusieurs fois pour recevoir de luy plus de correspondence, et je n'ay rien trouvé de ce que je souhaittois. S'il se plaind de ma froideur, j'aurois sujet de me plaindre de ses glaces. J'en trouvé une personne qui agissoit par surprise et qui prétendoit comme on parle ordinairement me tirer les vers du nez. Il vouloit scavoir de moy par plusieurs interrogations assez addroites, les choses qu'il voyait bien que je ne devois pas luy déclarer. J'advoue que cette manière d'agir me surprit extremement et me glaça le cœur ». Jacques de Bourges s'est alors retenu de lui dire ce qu'il savait des jésuites des Indes.

des hommes sont bien différentes. Si nous pouvions arriver dans nos missions avant que cette inondation de Pères y arrive, nous y trouverions sans doute plus de facilité, car je crains fort l'esprit de ce Père qui ne s'est déjà que trop déclaré »[1].

Gazil finira par se rallier à ce point de vue. Le séminaire va vite se convaincre que les jésuites, et pas seulement les jésuites portugais, voudront se garder le monopole des missions d'Asie en évinçant les missionnaires apostoliques. Le séminaire aura pour principe d'éviter toute position intransigeante et de rechercher toujours la conciliation.

Mais si Jacques de Bourges est prêt à s'autocensurer pour pouvoir être édité, il veut conserver sa liberté de parole et ne consent pas à se censurer dans ses lettres. C'est pourquoi il confirme à ses correspondants la conduite peu chrétienne des jésuites aux Indes et au Siam alors qu'il les a cachées dans la publication de la *Relation de voyage*[2] et il n'a pas fait mystère écrivant à la Sacrée Congrégation de la Propagation de la Foi de la volonté des portugais de se débarrasser de Lambert par tous les moyens[3].

De Bourges écrit pour édifier et satisfaire la curiosité et non pour informer sur Lambert

Des *Lettres édifiantes et curieuses écrites des missions étrangères par quelques missionnaires de la Compagnie de Jésus*, ont été éditées durant tout le XVIIIe siècle, certaines *Lettres* ayant été publiées séparément au XVIIe siècle. Ces *Lettres*, d'usage purement externe à la Compagnie de Jésus, visaient, comme le titre indique, la mise en valeur des succès missionnaires pour édifier les bienfaiteurs et aussi la satisfaction de lecteurs curieux, avides de découvertes géographiques et ethnologiques. À usage interne à la Compagnie de Jésus, de vrais comptes rendus de Mission étaient adressés par les missionnaires à leur hiérarchie. Par les entorses à la vérité, ces *Lettres édifiantes* se rapprochent des Vies édifiantes dont les excès avaient fini à cette époque par en compromettre la crédibilité, même aux yeux des lecteurs les plus dévots.

Ainsi Lambert et Pallu ont eu l'occasion, lors de leur passage à Ispahan, de vérifier la véracité d'une de ces *Lettres édifiantes* écrites quelques années

1. *Id.*, Lettre à Michel Gazil, 31 décembre 1665, AMEP, vol. 876, p. 248. D'autres lettres de Jacques de Bourges avaient déjà prévenu Gazil contre Philippe Marini comme la lettre du 6 janvier 1665 (AMEP, vol. 200, p. 351-357) et celle du 13 janvier 1665 (AMEP, vol. 200, p. 364-366).

2. *Id.*, Lettre à M. Gazil du 27 janvier 1665, AMEP, vol. 200, p. 389-392.

3. Rapport et *Desiderata* de Jacques de Bourges à la Sacrée Congrégation de la Propagation de la Foi lors de son arrivée à Rome en 1664 (AMEP, vol. 249, p. 13).

plus tôt par la Mission de Perse de la Compagnie de Jésus, dirigée par les Pères François Rigordi et Aimé Chézeaud (ou Chezaud) et installée en 1651 à Julfa, sorte de faubourg arménien d'Ispahan[1]. Alexandre de Rhodes les avait rejoints en 1655 avant d'y mourir le 5 novembre 1660. C'est en 1659 qu'avait été publiée à Paris la *Relation*[2] qui, sous couvert d'Alexandre de Rhodes, décrivait une situation religieuse pleine de promesses alors qu'il n'y avait à Julfa que 8 ou 9 familles catholiques romaines pour Lambert. Pour Jacques de Bourges il ne s'y trouve qu'un petit nombre de familles catholiques composées la plupart d'artisans ou de négociants étrangers[3].

Ce n'est pas d'abord le comportement moral des religieux que Lambert va dénoncer en premier en arrivant à Ispahan, mais c'est la falsification des comptes rendus de mission transmis en France et à Rome ; il en fait part au pape :

> « Ce que j'ai écrit dans mes lettres à votre Illustrissime Seigneurie au sujet de la fausseté des relations des pères de la Compagnie de Jésus nous est de plus en plus confirmé de jour en jour par des gens dignes de foi qui viennent des Indes. Cela n'est cependant pas pour nous faire abandonner notre projet, mais il est incroyable d'entendre ces choses. Mais si on doit tirer argument de cet exemple, il est vrai que les relations que le père de Rhodes a écrites au sujet de la Perse sont absolument fausses ; il est pourtant lui-même l'un de ceux qui, par leurs discours et leurs livres en France, ont raconté des merveilles au sujet de la chrétienté du Tonkin, de Cochinchine et de Chine. Je me suis renseigné à ce sujet auprès du père Chézeau, supérieur, qui m'a dit qu'il était tout à fait de cet avis, et m'a assez laissé entendre que c'était celui de Sa Sainteté »[4].

De passage à Ispahan Pallu a voulu avoir la confirmation de ce que le Père Aimé Chézeaud avait dit à Lambert ; il donne le compte rendu de son entretien à un religieux qui pourrait être le Père Bagot :

> « J'ai voulu être informé de tout de la bouche du R. Père Aimée comme Monseigneur de Berite l'avoit esté de la *Relation.* Il m'a dit avec bocoup d'ingenuité toutes les extravagances passées du père Rigordy dont vous ne scavés qu'une partie. Il désavoue positivement la Relation et nommément la lettre qu'on produit de luy. Je ne croy pas que celuy qui la composée l'ayt supposée mais bien y aura aiouté peut estre par Embellissement quelque chose du sien. Il désavoue

1. F. Jacquin, *Le voyage en Perse,* p. 9-10.
2. Alexandre de Rhodes, *Relation de la mission des Pères de la Compagnie de Jésus établie dans le royaume de Perse*, dressée et mise à jour par un père de la même Compagnie, à Paris, chez Jean Hénault, 1659.
3. C'est en donnant le nombre des familles catholiques de Julfa que Lambert et Jacques de Bourges désavouent le rapport des jésuites de Perse (P. Lambert de la Motte, *Abrégé de Relation,* AMEP, vol. 121, p. 615-616 ; cf. Guennou, transc., § 6 ; J. de Bourges, p. 43-44).
4. P. Lambert de la Motte, Lettre en latin au Secrétaire de la *Propagation de la Foi*, Ispahan, du 7 août 1661, APF, SOCG, vol. 227, fol. 62-63, trad. J. Ruellen.

tout comme le père de Rhodes en a écrit et dit que ça a esté contre son sentiment sur le faux exposé d'un bonhomme françois qui asista a quelque conference qu'il eut avec le ministre d'estat. Je ne doute pas que Monseigneur de Berite n'ayt esté surpris de tout et qu'ayant reconnu dans les voyages du Père de Rhodes quelque chose d'Hispahan qu'il n'avoit pas assés examiner pour le rapporter comme il a fait, n'ayt peut estre diminué un peu de la créance qu'il avoit eue jusqu'à lors a tout le livre »[1].

Cet épisode semble ouvrir les yeux de Pallu qui considère que la véracité de tout ce que contient la *Relation,* attribuée prétendument à Alexandre de Rhodes, doit être examinée.

À Ispahan, Lambert confirme son intention de ne rien cacher à Rome de ce qu'il découvrira en chemin :

> « Lors de notre voyage, j'ai observé les choses telles qu'elles sont et j'ai soigneusement tout mis par écrit. On peut me faire confiance car je ne rechercherai rien d'autre que la gloire de Notre-Seigneur Jésus-Christ. Je dirai à votre Illustre Seigneurie ce que j'ai remarqué dans cette ville. Toutes les relations que les pères de la Société de Jésus ont présentées au sujet de l'état de la religion dans ce royaume sont fausses. Cela ne serait que peu de choses si celles au sujet des missions de Chine, du Tonkin et de Cochinchine étaient vraies. Mais s'il faut croire tous les missionnaires de cette ville-ci et les autres du voisinage que nous avons vus, on peut porter le même jugement pour ces autres missions que pour celles-ci »[2].

Dans sa lettre du 7 août 1661, Lambert écrit encore au pape :

> « Trois Français sont arrivés des Indes il y a vingt jours : ils disent qu'il n'y a pas ou très peu de chrétiens en Chine, au Tonkin et en Cochinchine ; tout le monde est du même avis. Pourtant cela ne correspond pas avec les relations des pères de la Compagnie de Jésus. Dans mes dernières lettres, je me suis posé des questions sur ce qu'ont écrit à Votre Sainteté ces mêmes pères en France au sujet de la Perse : il n'y a rien de vrai dans ce qu'ils ont raconté dans leurs écrits »[3].

1. Lettre de Mgr Pallu, Ispahan, sans date, AMEP, vol. 101, p. 183. Cette lettre de Mgr Pallu a été retirée de la publication par A. Launay qui publie la précédente et la suivante dans le même volume. L'attaque contre le Père de Rhodes lui a semblé sans doute indiffusable étant donnée la vénération dont jouissait à juste titre ce jésuite avignonais en Indochine. Lambert a compris que la signature d'Alexandre de Rhodes dans un compte-rendu de mission publié à son époque n'était pas plus crédible que son contenu. Lambert subira lui-même des censures analogues à celles dont le Père de Rhodes fut victime. En condamnant une présentation de l'oeuvre missionnaire favorable mais inexacte, Lambert affirme que ce qui est alors en cause c'est la véracité même de ce qui est annoncé par les missionnaires, l'Évangile, la Parole de Dieu. Chez les religieux la désinformation est pour lui aussi condamnable que le commerce.

2. P. Lambert de la Motte, Lettre en latin au Secrétaire de la *Propagation de la Foi*, Ispahan, sans date, APF, SOCG, vol. 227, fol. 56-59, trad. Ruellen et Dolfosse.

3. *Id.*, Lettre en latin au pape, Ispahan, 7 août 1661, APF, SOCG, vol. 227, fol. 60-61, trad. Ruellen et Dolfosse.

Pallu ne veut pourtant pas généraliser à partir des éléments fragmentaires dont il dispose :

> « O qu'il y a de difference entre les jésuites d'Europe et ceux des Indes et mesme des Portugais. J'en ai trop apris de deux qui ont demeuré icy a nos frais l'un près d'un mois et l'autre près de deux. Comme leurs discours me causoient de l'ennui à peine me resouviens-je d'un comme particulier. Pour eux ils ne nous ont pas beaucoup édifiés n'estant en verité jésuites que d'habit, au moins celuy qui est allé à Rome qui a peine a il dit une seule fois la messe durant tout ce temps. Ce sont des choses particulières qui ne blessent point la sainteté du corps pour lequel je le dis de cœur et devant Dieu j'auroy toujours le respect, l'affection et la confiance que je lui doibs »[1].

Ce sont les *Lettres édifiantes et curieuses* que Rome reçoit et non les vrais Comptes Rendus de mission comme Lesley le dit à Gazil qui lui a adressé la *Relation* de Jacques de Bourges: « J'ai lu les relations du mont Liban, de la Chine ou Cochinchine, imprimées, que vous m'avez envoyées. Elles sont trop belles, car il y a trop de fleurs, et de roses sans aucune épine. Nous avons cent relations semblables dans nos archives, que nous en faisons si peu de cas qu'on les laisse là sans les lire »[2]. Déjà en 1666, Lesley avait demandé qu'on lui envoie à Rome la version non corrigée des *Relations* des vicaires apostoliques[3].

En effet dans les *Instructions* données par la Congrégation de la Propagation de la Foi en 1659 aux vicaires apostoliques avant leur départ, il est spécifié que le courrier doit être dupliqué pour être envoyé à Rome par deux voies différentes[4], et que les informations transmises doivent être scrupuleusement conformes à la vérité concernant l'état des missions: « Observez là avec diligence ce qui touche la propagation de la Foi, le salut des âmes et la gloire de Dieu à promouvoir, l'état de la chrétienté, des missions et des missionnaires »[5].

---

1. F. Pallu, Lettre à un religieux jésuite, peut-être le Père Bagot, AMEP, vol. 101, p. 183.
2. Guillaume Lesley, Lettre aux directeurs du séminaire des MEP du 18 août 1671, AMEP, vol. 201, p. 485. Lesley est un prêtre écossais réfugié à Rome, collaborateur de la Congrégation de *Propaganda Fide.*
3. *Id.*, Lettre à un directeur du séminaire, datée de 1666, AMEP, vol. 200, p. 577.
4. B. Jacqueline, *Traduction française des Instructions de 1659* : Sur le lieu même de la mission, III. 6 (précautions à prendre dans l'expédition des courriers).
5. *Ibid.*, Au cours du voyage, II. 3 (rapport de voyage) ; Sur le lieu même de la mission, III. 5 (devoir de renseigner les cardinaux). Voir H. A. Chappoulie, *Une controverse entre missionnaires à Siam au XVIIe siècle*, la Lettre du 10 octobre 1673 du Père Thomas Valguarnera adressée à la Sacrée Congrégation de la Propagation de la Foi, p. 57 : « *Hactenus siluisse non fuit in causa rerum scribendarum penuria, vel deffectus confidentiae erga Reverendissimam istam Congregationem, Eminentissimi Cardinales, sed quia putevi pluribus viis harum missionum, sive secundos, sive adversos eventus ad Eminentias Vestras pervenisse, praesertim post adventum episcoporum, cum suis praebiteris e Gallia in has Orientis regiones, qui videntur conscribendis*

Une lettre de Guillaume Lesley du 17 Juillet 1662[1] où il déclare à un correspondant parisien (sans doute Gazil) que les révélations de Lambert qui ont tant scandalisé les jésuites n'en sont pas pour le Saint-Siège qui connaissait les faits par ceux-là mêmes qui les ont révélés à Lambert.

Faut-il croire Lesley quand il affirme que pour Rome le but essentiel de l'envoi des trois vicaires apostoliques en Asie est d'y recueillir le plus d'informations crédibles. C'est sur ce dernier point qu'il y a divergence entre Rome et Lambert car celui-ci ne se satisfait pas de connaître le mal sans agir pour y remédier, pensant que le secret a pour effet de le perpétuer.

Lesley évoque aussi comment Rome se tient informé, en interrogeant les nombreux voyageurs qui passent par la ville et en exploitant les rapports qui lui sont adressés et dont on ne garde que les éléments contradictoires qui laissent espérer un point de départ avéré et sur lequel Rome peut enquêter elle-même. En ce qui concerne les informations uniques et non contestées, elles sont précisément contestables pour Rome où l'on pense néanmoins que la vérité sur les informations publiées circule à l'intérieur de la Compagnie

---

litteris *quam diligentissimi. Verum quia cum eam diligentiam admodum celerem deprehenderim, quippe non ulla minus digesta ingerunt et veluti ab animo non satis in Societatem nostram in his regionibus laborantem prono dictata, cogor nostrae Societatis bono nomini et harum missionum a nostris Patribus institutarum sanae doctrinae consulere. Teneor autem duplici titulo : primo visitatoris provinciae hujus Japponiae et vice-provinciae Sinensi a quo nimirum de omnibus reddenda est ratio Deo, et hominibus de sibi commisso grege ; secundo operarii jam antiqui in Sionensi regno et illius nostrae residentiae et illius nostrae residentiae superioris* » : « J'ai gardé le silence jusqu'à maintenant non par manque de matière à écrire, ou manque de confiance envers cette Très Révérende Congrégation, Eminences, mais parce que j'ai pensé que vous sont parvenus par plusieurs voies les événements favorables ou contraires survenus dans ces missions, surtout depuis l'arrivée dans ces régions d'Orient d'évêques venus de France avec leurs prêtres, qui semblent bien pressés d'écrire des lettres. Comme j'ai été vraiment surpris par cet empressement aussi rapide, surtout qu'ils se lancent dans des propos sans distinction et comme dictés par un esprit de dénigrement pour notre Compagnie qui travaille en mission dans ces régions, je me sens contraint, pour le bon renom de la Compagnie et de ces missions établies par nos Pères, à veiller à une saine doctrine. J'y suis tenu à double titre : d'abord à celui de Visiteur de cette province du Japon et vice-province de Chine dont compte doit surtout être rendu à Dieu pour tout, et aux hommes du troupeau à eux confié ; deuxièmement en tant que travailleur déjà vétéran au Royaume de Siam et supérieur de notre résidence en ce pays » (trad. Ruellen).

1. G. Lesley, Lettre à X du 17 juillet 1662 (AMEP, vol. 200, p. 161-180). L'Écossais n'y apparaît que comme un simple traducteur au service du Secrétaire de la Sacrée Congrégation de la Propagation de la Foi, mais il tend à valoriser au maximum son emploi en laissant peu à peu transparaître son ambition, celle d'être choisi comme Procureur des Missions Étrangères à Rome ; pour atteindre son but ce n'est pas les vicaires apostoliques qu'il a choisis, ni son supérieur, le Secrétaire de le Sacrée Congrégation, mais c'est Gazil à qui il confie son intention de chercher un successeur pour sa charge actuelle. Sa lettre expose aussi les activités universelles de son Dicastère, concernant la Suède, le Danemark, la Moscovie, les Indes, la Tartarie, l'Amérique.

de Jésus et qu'il y a moyen d'obtenir les confidences de certains de ses membres.

En faisant publier sa *Relation du voyage de Mgr de Beryte*, Jacques de Bourges a pu considérer qu'il s'agit d'une *Lettre édifiante et curieuse* qui est à l'époque une vérité arrangée pour le grand public alors que *l'Abrégé de Relation* rédigé par Lambert est le Compte rendu de Mission qu'il doit réserver à ses supérieurs. Mais cette conception révèle une profonde divergence de vue entre Lambert et de Bourges, car le vicaire apostolique voyage avec le souci de rendre compte de la vraie situation du christianisme qu'on cache habituellement à Rome. La rétention de l'information et la désinformation sont des éléments du pouvoir politique mais aussi du pouvoir religieux, dans la mesure où on ôte au pape la connaissance des vrais besoins de l'Église. À ses correspondants, Lambert va associer les deux découvertes d'Ispahan, celle qui touche la véracité des rapports missionnaires des jésuites et celle qui touche leur conduite morale, en particulier le mélange du commerce et de l'apostolat[1]. Les informations sont pour Lambert des objets de méditation pour en comprendre les causes et les effets et les voir par rapport au plan de salut de Dieu.

À Ispahan, Lambert et de Bourges font ensemble ces deux découvertes, mais, sur le conseil de ses compagnons, Lambert ne prend pas immédiatement la décision de les diffuser, il se contentera d'alerter Rome des libertés prises avec la vérité dans les rapports qui lui sont adressée de Perse.

Il faudra dix-huit mois de réflexion et de prière pour que Lambert se décide à tout écrire de ce qu'il constate. Cette réflexion transpire dans son *Abrégé de relation* qui semble avoir été écrit au jour le jour durant son voyage. En Perse, il se décide par exemple à écrire qu'il ne peut parler en détail des missions d'Ispahan « sans démentir les relations qui en ont été faites et écrites » et qu'il ne veut pas choquer en rapportant des vues qui « ne sont pas tout à fait conformes à la vie apostolique »[2]. Dans la suite de son texte, Lambert deviendra de plus en plus précis à propos du commerce exercé par les missionnaires eux-mêmes dans les bâtiments de leurs missions.

Mais le délai de réflexion qu'il se donne va lui permettre de dégager son objectif du simple rétablissement de la morale où en restent Jacques de Bourges[3] et Pallu. Ce qui est en cause, c'est la dérive théologique que le commerce suppose chez les religieux; il s'en ouvre assez vite dans son *Abrégé de Relation*,

1. Dans une Lettre à Madame d'Aiguillon (AMEP, vol. 858, p. 10), Lambert suggère que les moyens financiers engendrés par le commerce servent aussi à maîtriser l'information.

2. P. Lambert de la Motte, *Abrégé de Relation*, AMEP, vol. 121, p. 615 ; cf. Guennou, transc., § 6.

3. J. de Bourges, Lettre à Gazil du 26 mai 1665 à Lyon, AMEP, vol. 876, p. 183 : « On peut faire le commerce sans s'enrichir, on peut gagner seulement pour s'entretenir et non pas pour fournir à des frais extraordinaires, comme font ceux d'un voyage très long ».

notamment par la confrontation avec les autres religions qui montrent des vertus que les messagers de l'Évangile ne songent plus à pratiquer.

De Bourges combat la position d'ouverture de Lambert sur les religions

De son côté Lambert a confirmé que son intention était de faire de son récit une préparation spirituelle pour les missionnaires. Après avoir énuméré les qualités requises au départ pour un missionnaire apostolique et qui doivent être vérifiées par ceux qui vont l'envoyer, Lambert affirme que la formation missionnaire est inachevée :

> « Voila en peut de mots les dispositions qui sont adesirer dans les missionnaires de la Chine ce n'est pas que sortant de france avec les qualitez cy dessus marquées il ne leur manque encore plusieurs Choses pour la perfection de leur état qu'ils n'apprendront point aux lieux de leurs naissances, parce que nostre Seigneur aura plusieurs choses à leur dire par les chemins les quelles ils ne pourroient pas porter en leur propre païs conformement a ce passage *Multa habeo vobis dicere, sed non potestis portare modo*[1] mais apres toute il faut s'assurer que s'ils son fidel a recevoir toutes les providences ou plustost toutes les operations divines qui arriveront infailliblement dans leur route Dieu par sa bonté infinie leur decouvrira les plus aults secrets du christianisme qui sont plus ou moins cachez qu'aproportion on quittera tout et soy mesme et qu'on suivra Nostre Seigneur dans les belles et seules seures maximes de son St Évangile »[2].

Le voyage de Marseille au Siam est pour Lambert une occasion de montrer en quoi l'apologie chrétienne est battue en brèches par ceux qui sont chargée de répandre la foi. Par la manière dont ils se conduisent ils rendent inopérantes les raisons de croire au Christ plus qu'aux autres religions. Les pratiquants des autres religions montrent au contraire des vertus qui devraient faire rougir de honte les chrétiens. Jacques de Bourges va dans le sens opposé, il blanchit les missionnaires leur prêtant toutes les vertus et il noircit les païens, leur prêtant tous les vices. Ce travestissement de la vérité ne peut être l'œuvre de Gazil seul, car il demande un minimum de connaissance des religions rencontrées.

Alors que Lambert considère la transformation en mosquée de l'église de saint Pierre à Antioche comme une faute des chrétiens dont la réparation revient à l'Église. Les chrétiens n'avaient pas su faire en sorte que le Christ soit connu et aimé[3]. Par contre, Jacques de Bourges reprend les arguments

1. Jn 16, 12 : "J'ai encore beaucoup à vous dire, mais vous ne pouvez pas le porter à présent".
2. P. Lambert de la Motte, *Abrégé de Relation*, AMEP, vol. 121, p. 610 ; cf. Guennou, transc., § 2.
3. *Ibid.*, p. 615-616 ; cf. § 6.

de la croisade en considérant plutôt les musulmans comme des impies dont les chrétiens ont été les victimes[1]. Cette différence se confirme quand ils parlent de la foi des musulmans et de leurs pratiques d'ascétisme. Pourtant Jacques de Bourges conserve deux commentaires de Lambert sur l'Islam, sans doute n'y voient-ils pas les mêmes choses. Jacques de Bourges y voit une dénonciation d'une religion purement extérieure et sectaire, tandis que Lambert apprécie le témoignage et la fermeté de la foi des musulmans.

Lambert incite d'abord les missionnaires à regarder comment prient les musulmans afin d'être eux-mêmes encouragés à une prière ouverte sans respect humain :

> « Au reste pour la consolation des missionnaires ils peuvent dire tous les jours l'office divin et faire toutes leurs prieres en liberté les turcs ne le trouvant pas mauvais ; au contraire ces infideles semblent nous y convier quand ils font la leur tous les jours en leur maniere sans aucune confusion bien qu'elle soit exterieusement plus humiliante que la nostre »[2].

En reproduisant ce texte Jacques de Bourges ne voit là sans doute que l'aspect extérieur de la religion musulmane. Dans le texte suivant Lambert compare les musulmans et les chrétiens sur le plan de la fidélité à leur foi :

> « Dans l'entretien qu'ils eurent avec ces P.P. durant le sejour quils firent chez eux, ils apprirent la mesme chose qu'ils avoient sceu dans l'état du Turc qu'il n'y a rien affaire pour l'avancement de la religion avec ceux qui suivrent l'alcoran [Le Coran], estant plus fermes dans leurs creances que nous ne sommes la pluspart de nous, dans Celle de nostre Ste foy »[3].

Chez Lambert il n'y a là aucun mépris envers ceux qui maintiennent leur fidélité à leur foi. Ils ne sont pas coupables de s'enferrer dans l'erreur, ce sont plutôt les mauvais exemples des chrétiens qui les y maintiennent[4]. À l'arrivée de Calzeron, Jacques de Bourges présente le jeûne du Ramadan de façon très développée et entièrement négative[5]. L'importance de la condamnation

1. J. de Bourges, *Relation du voyage*, p. 26.
2. P. Lambert de la Motte, *Abrégé de Relation*, AMEP, vol. 121, p. 612 ; cf. Guennou, transc., § 3 ; J. de Bourges, *Relation du voyage*, p. 36.
3. *Ibid.*, Lambert, p. 613 ; cf. § 4 ; de Bourges, p. 39.
4. *Ibid.*, Lambert, p. 621 ; cf. § 8.
5. J. de Bourges, *Relation du voyage*, p. 38-39 : « Nous vîmes en cette ville ce que c'était que le carême des mahométans qu'ils appellent ramadan ou romesan, qui dure pendant une lune entière, c'est-à-dire un mois, suivant le commandement de l'Alcoran. Ils s'abstiennent de boire et de manger pendant tout le jour et quelques-uns des plus zélés et des plus dévots de cette loi avec tant de scrupule et de superstition qu'ils portent un crêpe ou une autre pièce de toile claire devant leur visage, de peur qu'en respirant ils n'attirent quelque moucheron ou quelque goutte de pluie, s'il en tombe, et d'autres allant encore plus avant et en raffinant sur l'observation de ce précepte, n'osent avaler leur salive. Ils se tiennent

de pratiques alimentaires à propos de l'Islam se retrouve chez Jacques de Bourges à propos de l'Hindouisme et du Bouddhisme condamnés pour le refus de la nourriture carnée.

De Bourges ne mentionne pas l'échec des chrétiens vis-à-vis de l'Islam mais se contente de reproduire la suite du passage qui concerne le succès des catholiques vis-à-vis des orthodoxes : « Mais le grand profit que l'on peut faire, selon l'avis unanime des missionnaires qui ont vieilli dans ce pays-là est à l'égard des chrétiens schismatiques, qui sont répandus en grand nombre tant en Turquie qu'en Perse »[1]. Dans ce domaine les deux missionnaires

---

ainsi depuis que le jour commence et leurs docteurs en l'explication de ce commandement ont déterminé que le jour commençait et par conséquent le jeûne quand il fait assez de lumière pour pouvoir discerner la couleur du fil exposé à l'air ; par la même règle que le jeûne et le jour finissaient quand l'œil ne pouvait plus faire la distinction des couleurs du fil. Si ces dévots mahométans passent le jour dans cette abstinence stupide, ils ont soin de se bien récompenser la nuit, parce que dès aussitôt qu'ils ne peuvent plus distinguer les couleurs, il leur est permis d'ouvrir la bouche, de manger et de faire de grands festins qui durent toute la nuit avec plus de dépense et de somptuosité qu'en pas une autre saison de l'année, et c'est pour cela que l'Alcoran recommande que dans ce temps-là chacun ait à prêter libéralement son argent à ceux qui en auraient besoin, à plus fort raison à le dépenser pour soi-même, afin de faire bonne chère, De telle sorte que l'on voit que ces festins nocturnes ne sont pas moins méritoires que l'abstinence du jour. On n'entend toute la nuit que le bruit des chantres, des tambours, des trompettes, des flûtes et autres instruments afin de faire passer plus agréablement le temps. L'excès de leurs religieuses débauches qui durent jusqu'au point du jour est tel qu'ils passent une grande partie de la journée accablés du sommeil ou, s'ils craignent que les fumées de leur grand repas ne suffisent à cet effet, ils appellent à leur secours l'opium et le pavot, et coulent ainsi une grande partie du jour dans le sommeil. Enfin, ils ne négligent rien pour adoucir la rigueur de leur jeûne. Ils tombent néanmoins dans un inconvénient qui est que, transportant leur ramadan chaque année de dix jours, il arrive enfin qu'il tombe dans l'été, où la longueur des jours et la grande chaleur rendent ce jeûne presque insupportable. Il est vrai que tous ne sont pas si scrupuleux et ne croient pas rompre leur jeûne en mangeant, pourvu que l'on n'en voie rien ; mais qui voudrait jeûner exactement selon toute la rigueur de la Loi aurait beaucoup à souffrir durant l'été. L'on voit facilement l'injustice de cette observation mahométane, qui fait passer ses sectateurs par des extrémités si opposées sans leur faire observer aucune médiocrité. Durant la nuit ils vivent dans une intempérance dernière et ne refusent rien à leurs sens, et durant le jour dans une extrême stupidité et oisiveté ; en sorte que leur jeûne est plutôt une disposition à la gourmandise qu'une mortification vertueuse et utile à modérer les passions. Durant ce temps, à peine en trouve-t-on qui veuille travailler, parce que les artisans trouvent facilement à emprunter. Ainsi ce jeûne aboutissant à deux extrémités également blâmables et pernicieuses, l'oisiveté et l'intempérance, et étant cause de plusieurs désordres et d'un grand nombre de péchés qui abondent en ces temps, on ne peut dire qu'il ait Dieu pour auteur, puisqu'il n'a point la vertu pour terme, qui est la fin seule que se propose la vraie religion. Et de cet exercice seul qui paraît le plus haut degré de la vertu des disciples de Mahomet, on peut juger quels sont les égarements et les autres excès de ceux qui en suivent la secte ».

1. *Ibid.*, p. 40.

sont d'accord et, d'après ce qu'on leur rapporte de différents côtés, jugent proche le retour à l'unité autour du Souverain Pontife[1].

Aux yeux de Jacques de Bourges, les hindous et les bouddhistes ne bénéficient pas d'un préjugé favorable, ce qui montre dans quel esprit il s'est préparé à les évangéliser. Ainsi à Bassora la visite d'un temple hindou permet à Lambert de faire la différence entre l'idolâtrie qu'il condamne et les idolâtres qu'il respecte[2]. L'attitude de Jacques de Bourges est beaucoup moins nuancée sur ce sujet[3].

À propos du respect de la vie que prônent les Hindous, Lambert est admiratif: « Ces derniers menent une vie des plus austeres, ne mangent jamais de chair, ne peuvent souffrir qu'on tue aucuns animaux et particulierement de vaches, et pour empecher qu'on ne le fasse a la maison des Anglois ou Hollandois, ils n'obmettent n'y prieres a l'egard des maistres, n'y argent a l'egard des serviteurs »[4].

Par contre Jacques de Bourges est moqueur en écrivant:

> « Ils ne croient pas qu'il y ait un plus grand crime que d'ôter aux animaux la vie que Dieu leur a donnée et que l'on ne peut leur rendre après les en avoir privés. À peine peut-on croire jusqu'où va leur simplicité et leur superstition en ce point. Ils retiennent souvent leur respiration de crainte d'attirer quelque innocent moucheron qui approcherait trop près de leur bouche. C'est pour cela aussi qu'ils n'allument pas volontiers des chandelles, de crainte que le moucheron imprudent ne vienne s'y brûler; d'autres avant que de s'asseoir nettoient l'endroit avec grand soin pour en éloigner jusqu'aux plus petites bestioles. Une des bonnes œuvres qu'ils pratiquent de temps en temps est de racheter à prix d'argent la vie des animaux que les chrétiens et les mahométans destinent à leur nourriture »[5].

Il ne voit pas l'ascétisme et le respect de la vie chez les hindous mais seulement les inconvénients qui en résultent pour lui quand il dit: « Durant notre marche nous eûmes beaucoup à souffrir de la superstition des Indiens, qui ne nous voulurent jamais vendre aucune volaille, sachant bien que nous la demandions pour lui ôter la vie. Il faut donc se contenter de la nourriture du pays, qui peut bien suffire quand on n'est pas malade »[6]. On comprend alors la réaction d'hostilité de Jacques de Bourges vis-à-vis des règles de vie proposées plus tard à leurs missionnaires par les vicaires apostoliques au

---

1. P. Lambert de la Motte, *Abrégé de Relation*, AMEP, vol. 121, p. 606-608. 613-614 ; cf. Guennou, transc., § 1. 5. 6.

2. *Id.*, p. 609 ; cf. § 1 : « quelques-uns de ces idolâtres nous parurent avoir le jugement fort bon dans les choses ordinaires ».

3. Jacques de Bourges, *Relation du voyage*, p. 33.

4. P. Lambert de la Motte, *Abrégé de Relation*, AMEP, vol. 121, p. 616 ; cf. Guennou, transc., § 7.

5. J. de Bourges, *Relation du voyage*, p. 50.

6. *Ibid.*, p. 51-52.

Siam. Pour lui comment pouvait-on se priver de nourriture carnée pour ne pas scandaliser les autochtones ? Pour lui comment ne pas voir dans cette privation une concession au paganisme ?

En 1664, Pallu était venu à Rome, convaincu que la nourriture carnée était un scandale pour les païens et un obstacle à l'évangélisation en milieu bouddhiste[1], il avait proposé un vœu spécial pour que les missionnaires d'Asie s'en dispensent ; mais à l'issue de longues tractations diplomatiques, il n'aboutit qu'à se renier lui-même et devoir officiellement adopter l'avis de Rome qui considérait l'absence de nourriture carnée comme un obstacle aux activités du missionnaire. En dehors d'une prétention stupide de la part des consulteurs du Saint-Siège qui n'avaient pas quitté l'Europe, l'origine de cette prise de position romaine pourrait être le témoignage contradictoire de Jacques de Bourges.

L'arrivée de Lambert à Tenasserim donne l'occasion à la version publiée par Jacques de Bourges de rejoindre le texte manuscrit de *l'Abrégé de la Relation de voyage* sur la rencontre avec un moine bouddhiste (talapoin), mais pour Jacques de Bourges, ce ne sont pas les Bouddhistes qui sont naturellement tolérants, c'est l'exposition de la foi chrétienne par les missionnaires qui les rend tolérants :

> « Au reste il témoigna écouter avec assez de satisfaction, tout ce que nous lui proposâmes de la majesté du créateur, seigneur universel de toutes choses, de la sainteté du christianisme, de la fin dernière, de la vie future et des moyens d'y arriver. Il nous fit entendre qu'il faisait cas des chrétiens et qu'il croyait leur religion bonne sans néanmoins condamner la sienne, et que l'estime que l'on fait en ce pays de la sainteté de la religion chrétienne est la seule cause pour laquelle on y souffre en toute liberté ceux qui la professent »[2].

Pour Lambert au contraire, c'est la tolérance des bouddhistes qui permet aux chrétiens de professer en toute liberté au Siam le christianisme reconnu par eux aussi bonne religion que le bouddhisme : « et c'est a cause de cela seulement qu'ils y ont toute sorte de liberté, on n'y entend les cloches, on y voit les églises ouvertes, on y chante le service divin et on y presche publiquement sans aucun contredit »[3]. Lambert n'aura pas de honte à revêtir l'habit des moines bouddhistes pour justifier l'ascèse chrétienne[4]. Rome finira par l'interdire.

---

1. François PALLU, *Explanatio ideæ Congregationis Apostolicæ*, AMEP, vol. 109, p. 57.
2. J. de BOURGES, *Relation du voyage*, p. 58-59.
3. P. LAMBERT DE LA MOTTE, *Abrégé de Relation*, AMEP, vol. 121, p. 627 ; cf. Guennou, transc., § 12.
4. *Id.*, *Journal* du 22 septembre 1677 : « On a agité si lon pouvoit prendre lhabit d'un talapoin et prescher levangile en cet estat a ca [use des] grands biens qui en reviendroient pour la conversion des Ames et si on devoit laisser cet habit au[x gens] de Siam quil plairoit a Dieu

En résumé, pour Lambert la vue des vertus et des pénitences publiques extraordinaires qu'endurent les adorateurs des autres religions renforce le scandale occasionné dans leur pays par la conduite des prédicateurs de l'Évangile. Voilà pourquoi Jacques de Bourges omet tout récit de Lambert qui pourrait aboutir à pareille conclusion, notamment le seul détail pittoresque du manuscrit de Lambert, la description des sadhus (ou sadous) de l'Inde, ces ascètes nus couverts de cendres :

> « On voit parmy eux des cenobites dans les villes mesmes qu'ils vivent souz un superieur, lesquelles vaquent a la contemplation et se contentent de manger une fois le jour un peu de ris ou d'herbes, on en voit d'autres qui font des penitences publiques extraordinaires comme de couvrir leur chair leurs cheveux et leur barbes de cendres, laisser croistre leurs ongles de 3 ou 4 doits de long, avoir continuellement un bras en l'air, les autres demeurer toujours les bras en croix ou levez au ciel et dans la suite du temps perdre l'usage de ces membres, qui ne peuvent plus reprendre leur assiette naturelle, ensuite de quoy on est obligé par charité de leur donner a boire et a manger comme a des petits enfans faute de quoy ils mouroient infailliblement »[1].

Pallu nous rapportera les conclusions que Lambert tirera de son voyage en Asie. Si tous ces peuples ont la sobriété en si haute estime et s'ils pensent que la sainteté consiste seulement en cela, personne n'y mettra en doute que les ministres de l'Évangile doivent être aussi remarquables sur ce point : « La plupart des Indiens ne vivent que de légumes, de fruits et de riz ; mais surtout les banyans et les prêtres de Brahma qui s'abstiennent totalement de la viande, du poisson et du vin, qu'ils soient malades ou vaillants, même épuisés de vieillesse ou de maigreur »[2]. Il en va de même en Chine et au Japon de sorte que les premiers missionnaires, saint François Xavier et Robert de Nobili ont adopté ce mode de vie pour annoncer l'Évangile[3]. Voilà pourquoi les missionnaires apostoliques l'ont aussi adopté à leur arrivée au Siam.

Le respect et l'admiration que Lambert porte à la vertu des païens ne lui fait pas perdre de vue le salut que Jésus-Christ lui demande de leur annoncer. Le *Journal* de Lambert rend compte de l'intérêt des moines bouddhistes

convertir sur quoy levesque de Berithe [Lambert] a tenu laffirmative pour les [responses quil] a faites a Mgr de Metellopolis [Laneau] qui l'en avoit consulté » (AMEP, vol. 877, p. 605 ; cf. Simonin, transc., p. 286) ; Le 30 septembre 1677 : « Il (Laneau) a esté ravy dapprendre le sentiment que levesque de Berithe luy a envoye sur lhabit des talapoins quon leur peut laysser apres leur baptesme et que les missionnaires le peuvent prendre lors quils ont de grandes esperances de faire du fruit » (vol. 877, p. 605 ; cf. Simonin, transc., p. 287-288).

1. *Id.*, *Abrégé de Relation*, AMEP, vol. 121, p. 621 ; cf. § 8.

2. F. Pallu, *Explanatio ideæ Congregationis Apostolicæ*, AMEP, vol. 109, p. 55, trad. J. Ruellen.

3. *Ibid.*, p. 55-57.

(talapoins) pour sa prédication[1], un intérêt qui apparaît inconcevable à notre époque. Comme les bouddhistes ont une explication logique du monde est-ce qu'il leur a montré une autre explication plus logique du monde qui les a convaincus ? En fait Lambert a distingué en les associant le dialogue interreligieux et l'annonce de la Bonne Nouvelle. Il a envoyé Laneau apprendre la langue siamoise dans un monastère bouddhiste de façon à comprendre et à estimer la démarche des autres religions, à voir dans l'attrait pour la méditation des Asiatiques un élément de préparation qu'il faut christianiser.

Après avoir montré quel niveau de vertu les païens peuvent atteindre, Lambert indique quel niveau de « relâchement » les missionnaires des Indes peuvent atteindre :

---

1. P. Lambert de la Motte, *Journal*, le 8 mai 1674 : « Mgr de Metellopolis [Laneau] a presché la foy a des gentils et a des talapoins quil a convaincus. Le sensible regret de levesque de B. [Lambert], de veoir la perte de tant dames en ce royaume si capable daimer et de connoitre Dieu a continué » (AMEP, vol. 877, p. 538 ; cf. Simonin, transc., p. 22) ; le 15 septembre 1674 : « les gentils disent tout haut quil faut avouer que les Peres francois surpassent de beaucoup leurs talapoins en charité et en bonnes œuvres » (p. 547, transc., p. 59) ; le 27 décembre 1674 : « Il est venu deux talapoins qui se sont venus offrir a Mgr de Métellopolis pour estre ses disciples » (p. 553, transc., p. 80) ; le 5 avril 1675 : « Il [Laneau] dit encore qu'un talapoin, ou prestre des idoles doit dans peu de jours venir demeurer avec luy » (p. 557, transc., p. 98) ; le 15 avril 1675 : « Les deux talapoins ou prestres des idoles ont promis de se faire chrestiens, estant convaincus de la verité dont ils ont este instruits par nostre interprete qui y a employé beaucoup de temps » (p. 558, transc., p. 100) ; le 20 juin 1675 : « On a receu lettre de Mr de Chandebois qui mande que la conversion dun talapoin de consequence est assuree avec celle de sa famille et de plusieurs autres dont on a une grande joye » (p. 561, transc., p. 113) ; le 6 juillet 1676 : « Hier trois talapoins temoignerent quils se vouloient [faire] instruire de nos sts misteres » (p. 588, transc., p. 213) ; le 24 novembre 1676 : « Mgr de Metellopolis a parle de la religion a plusieurs talapoins qui sont venus le rencontrer pour en entendre parler » (p. 593, transc., p. 237) ; le 11 décembre 1676 : « Un talapoin dont on panse la mere dune des plus grandes blessures qui se puisse voir a demandé ce matin destre instruit de nos misteres. On luy a donné un livre en siam pour le y disposer » (p. 595, transc., p. 241) ; le 10 janvier 1677 : « On a receu lettre de Mgr de Metellopolis par nostre interprète d'icy qui mande avoir baptizé un talapoin savant age de 78 ans et un autre vieillard habille homme » (p. 596, transc., p. 246) ; le 22 janvier 1677 : « Il est venu un talapoin voir Mr de Chandebois pour entendre parler de la religion, il a esté satisfait de ce qu'on lui a dit et a promis de revenir » (p. 596, transc., p. 248) ; le 9 février 1677 : « On a receu lettres de Mgr de Metellopolis et de Mr Chevreuil, qui mande quil est venu un homme gentil de grande reputation qui est sorty de chez les talapoins du Ligor lequel demande destre instruit de la religion et destre enseigné pour la pouvoir prescher aux autres cet homme a mené une vie d'ermite dans les bois et garde une grande chasteté toute sa vie » (p. 597, transc., p. 252), (Cet épisode a pu donner à Laneau le thème de son livre *Rencontre avec un sage bouddhiste*) ; le 30 septembre 1677 : « On a receu lettre de Mgr de Metellopolis qui mande quil baptiza dimanche une adulte et quil instruit plusieurs Cateceumenes entre lesquels il y a des talapoins et quil a esté ravy dapprendre le sentiment que levesque de Berite lui a envoyé sur lhabit des talapoins qu on leur peut laysser apres leur baptesme et que les missionnaires le peuvent prendre lorsquils ont de grandes esperances de faire du fruit » (p. 605, transc., p. 287-288).

« Il faut avouër que ce récit et la veuë de toutes ces choses étoient tout a fait sensibles, mais cependant ce qui a donné plus de douleur aux missionnaires, ç'a esté de voir que liberté de prescher nostre Ste foy est tout entiere, l'Eglise de Masulpatant est ouverte comme si on estoit en europe, et il en va de mesme dans les Indes ou il y a des missions establies ; mais bonté infinie, vous n'avez point de ministres qui preschent ny de voix ny d'exemple. Au contraire, considerant leurs maximes et leur maniere de vie ils sont bien plus propres a confirmer les mahometans et les payens dans leurs erreurs et leur idolastrie, que de les en tirer, toutefois il n'y a point de remede pendant qu'on se servira des missionnaires de ces quartiers, ou de ceux qui en auront pris les mauvaises habitudes, le relâche y est en ce point qu'un homme de bien qui voudroit reprendre les desfauts et les vices qui se rencontrent dans le clergé et les ordres religieux, passeroit pour un ennemy public et seroit traite comme tel »[1].

C'est dans la contemplation de la croix du Christ que Lambert s'est résolu à laisser de côté sa diplomatie naturelle pour prendre le chemin des martyrs dont le courage a été d'abord de révéler la vérité sur le péché du monde comme il l'a écrit au Père abbé du Val-Richer :

« Vous laspprendrez par la relation que ien aye dressé ou vous y verré en peu de mots Lhorrible aveuglement et les epouvantable desordre des Religieux de la Compagnie de Jésus des provinces des Indes et du Japon. Je vous avoüe que comme laffaire est de tres grande consequence et quelle va furieusement éclatter, je lay examiné plus d'un an au pied du crucifix auparavant que de la rendre publique mais enfin ayant reconnüe que cestoit une des principalles raisons de mon voyage en ces extremité du monde, jay suivie ce que N. S. demandoit de moy »[2].

De son côté Jacques de Bourges, en enlevant de son texte toute critique des jésuites, a également supprimé tout l'aspect religieux et notamment la bonne disposition de Lambert envers ceux qui pratiquent les autres religions, respect exprimé dans son *Abrégé de Relation*.

De Bourges voyage avec Lambert sans adhérer à ses vues missionnaires

Dans son *Abrégé de Relation*, Lambert ne cherche pas à séduire le lecteur mais essentiellement à donner des informations utiles au missionnaire qui aurait à parvenir à sa terre de mission ; il note le prix de tout ce qui est nécessaire au voyage. Mais, bien qu'il explique les taux de change et le prix de l'or dans les pays traversés, il fait la différence entre la légitime prévoyance et le trafic financier. Il est question de change pour le parcours

1. *Id.*, *Abrégé de Relation*, AMEP, vol. 121, p. 627 ; cf. § 12.
2. *Id.*, Lettre à l'abbé du Val-Richer, AMEP, vol. 121, p. 533 ; cf. L. n° 34.

d'Alep à Basssora[1], pour le voyage en Perse où le change est mauvais[2] et à Surate où il est bon[3]. Lambert suivi par de Bourges conseille aux futurs missionnaires de remplacer une partie de l'argent nécessaire à leur voyage par du gros corail vermeil, ou de l'ambre jaune éclatant ou encore en une douzaine de montres[4].

C'est à Masulpatan (ou Masulipatan) en Inde que l'*Abrégé de Relation* explique comment les missionnaires peu scrupuleux s'enrichissent simplement en jouant sur les taux favorables du change quand on va de l'Inde au Siam. Pour en profiter les missionnaires s'entendent avec les marchands auxquels ils confient de l'argent pour leur faire acheter des marchandises en Inde afin de les vendre au Siam[5].

---

1. *Id.*, *Abrégé de Relation*, AMEP, vol. 121, p. 612 ; cf. § 3.
2. *Ibid.*, p. 616; cf. § 6.
3. *Ibid.*, p. 618; cf. § 7.
4. *Ibid.*, p. 616 ; cf. § 6 ; Jacques de Bourges, *Relation du voyade*, p. 45. On accusera Lambert de faire ici du commerce et Pallu prit sa défense sur ce sujet : dans : *Éclaircissements sur la conduite de M. l'Évêque de Bérithe Vicaire Apostolique de la Cochinchine, etc., pour servir de réponse aux plaintes que l'on fait contre lui* : « L'on ne trouvera pas qu'il ait ouvert des magasins publics, de toute sorte de marchandises venues de divers ports, ni qu'il en ait chargé ses vaisseaux. Mais il faut savoir que la Sacrée Congrégation de la Propagation de la Foi, qui sait distinguer le simple échange d'une chose pour une autre, d'avec le commerce défendu par les Saints Canons aux ecclésiastiques, surtout aux missionnaires apostoliques, n'a pas désapprouvé, mais permis qu'en quelques occasions, ils puissent porter leur viatique, non en espèces d'or, qui ne sont pas toujours venues d'une région à l'autre, mais en d'autres espèces équivalentes qu'elle a limitées à du corail et de l'ambre seulement, parce que le débit de ces deux espèces est assuré et se peut faire seulement par personnes interposées et sans scandale » (AMEP, vol. 117, p. 120). Sur le change de l'or en corail et l'inverse au cours des voyages missionnaires, Jacques de Bourges, alors missionnaire en Cochinchine, demanda le 13 janvier 1665 son avis à la Sacrée Congrégation de la Propagation de la Foi disant : « Les Missionnaires peuvent-ils porter, comme partie de leur viatique, du corail, qui est la monnaie la plus commode, sans aller pour cela contre la défense de faire du commerce ? S'ils portaient tout leur viatique en or, ils subiraient une perte, parce que ce métal est peu recherché ; l'argent est trop incommode, il n'en est pas ainsi du corail, qui peut être revendu ensuite avec bénéfice ». La Sacrée Congrégation répondit que la chose était possible par mode d'échange et sous cet aspect seulement : « Posse per modum permutationis, et in hc specie tantum » (Saint-Siège, *Collectanea : constitutionem, decretorum, indultorum ac instructionum Sanctae Sedis*, Hongkong, Typis societatis missionum ad exteros, 1898, Pars I.- De Personnis, Cap. IV. de Miss. Ap.- VIII. De Negotiatione, n° 250). On ne devait pas comprendre cela comme une vente qui aurait pu se traduire par un commerce mais seulement comme un échange momentané sans bénéfice.
5. P. Lambert de la Motte, *Abrégé de Relation*, AMEP, vol. 121, p. 620; cf. Guennou, transc., § 8 : « Plusieurs personnes donner avis aux missionnaires de donner leur argent a des marchands qui leur rendroient a Tanasserin ou a Siam avec 35 pour 100 de profit en mesme espece ou dégal valeur ; que si on ne faisoit pas cela, mais qu'ils le portassent il y auroit 25 pour 100 aperdre, a cause disoient-ils que l'argent est plus bas dans le royaume de Siam qu'il n'est a Masulpatan, cette voye est pratiquée de tout le monde et leur fut mesme conseillée par le

Quant à Jacques de Bourges, cette activité monétaire lui inspire d'abord plutôt une sagesse qu'une vertu. À suivre l'usage du pays, on risque de perdre davantage que le change, de se faire voler par les marchands et d'être obligé de courir après son argent en revenant en Inde à son point départ ; en conclusion, Jacques de Bourges préfère être prudent :

> « Je n'examine pas en ce lieu si cela se peut pratiquer en conscience, c'est l'usage du pays. J'avertis seulement qu'on se mettrait fort en hasard de n'avoir ni le principal, ni ce grand profit dont on flatte les nouveaux venus pour les surprendre. Car étant arrivés à Tennasserim, nous apprîmes que les correspondants de ces négociants qui avaient promis des gains si considérables étaient tellement pauvres, bien que l'on nous eût fait sonner fort haut leur crédit, qu'assurément nous eûmes été contraints de repasser à Masulipatan pour courir après notre argenté »[1].

Il y a une différence énorme entre la position de Jacques de Bourges (qu'il vient d'exprimer par le « je ») et celle de Lambert. Le commentaire de Lambert dépasse les cas particuliers de quelques individus, il voit dans le rapport à l'argent la cause des échecs apostoliques dans les Indes :

> « Le commerce et l'usure[2] sont les deux pierres d'achoppement des plus celebres ordres dans le Levant et les Indes, cela est si contraire et opposé aux missions qu'on peut dire assurement que ce sont les plus grands obstacles qui se puissent rencontrer dans la vie apostolique, ainsi l'experience le fait voir par les malheurs qu'ils on produit ; c'est sans doute a cause de l'exemption de

---

père Vicaire de ce lieu, qui leur dit que tous les religieux en usoient ainsi, cependant comme ce gain ne se fait par ceux qui prennent cet argent, qu'en consideration des marchandises qu'ils achettent a Masulpatan pour les vendre à Siam ou ils font un profit immense, les missionnaires nestimerent pas le pouvoir faire, ils aimerent mieux porter leur argent que de prendre ce gain et d'eviter cette perte, leur raison fut que n'etant pas marchands et ne le pouvant estre, ils ne pouvoient faire cela et qu'estant toujours obligez a suivre les conseils evangeliques en ce qui regarde leurs maximes et leurs conduites, ils ne devroient pas authoriser une chose laquelle si on peut tolerer, ne peut jamais estre de la perfection chretienne, qui regarde sans difficulté les missionnaires apostoliques ».

1. Pour la suite du récit, Jacques de Bourges se contente de répéter avec Lambert les principes qu'un prêtre ou religieux doit suivre sans mentionner qu'aux Indes ils ne sont pas suivis : « Il ne faut donc pas se laisser charmer aux promesses de ces grands profits, outre qu'il est toujours messéant à un ouvrier évangélique d'en accepter aucun qui ne lui vienne par des voies non seulement permises, mais encore hors de tout soupçon de n'être pas assez pures et conformes à la sainteté de sa condition » (J. de Bourges, *Relation du voyage*, p. 54).

2. Les prêts à taux exorbitants. Il y a aussi les captations d'héritage (P. Lambert de la Motte, *Abrégé de Relation*, AMEP, vol. 121, p. 633 ; cf. Guennou, transc., § 15). Adrien Launay cite un livre des jésuites sur l'enseignement à donner aux néophytes où il est indiqué qu'on ne doit pas instruire les païens de la loi qui interdit l'usure et qu'on ne doit rien dire de l'usure à ceux qu'on prépare au baptême (*Documents historiques relatifs à la Société des Missions Étrangères de Paris*, p. 79).

ces 2 grands vices que le bon Dieu donne une grace et une benediction toute particuliere dans les missions des PP. Capucins françois, au-dessus les autres religieux qui sont dans les grands États de Turquie et les Indes »[1].

Il n'est pas question de ce trafic dans la *Relation* de Jacques de Bourges comme il n'est pas question du constat qu'ont fait les missionnaires à Masulpatan :

> « Les missionnaires scachant que tous les desordres des Indes et peu de progrès qu'on y fait depuis l'establissement du christianisme ne vient que par les fautes des missionnaires qui y ont introduit des maximes larges qu'ils ont eux-mesmes pratiquées, les quelles ensuite allant toujours en croissant, ont etably une loy de depravation si forte dans toutes les conditions qu'il est aujourd'hui impossible de l'abolir, ont creu devoir donner cet avis à tous les missionnaires de suivre toujours en leurs maximes, en leur vie et en leur conduite la pure doctrine de Notre Seigneur J.-C. sans quoy il n'est pas possible de marcher droit dans cette divine vocation, n'y de rien avancer dans la conversion du prochain ».
>
> « Il est vrai que ce qui a beaucoup aidé a rendre les missions infructueuses a esté que les superieurs des ordres ont plus regarde si les religieux qu'ils envoyoient étoient au moins aussi propres pour entretenir le temporel de leurs missions, que pour faire de grands progrez dans le christianisme. C'est avec beaucoup de regret qu'on écrit toutes ces choses, mais comme elles importent a la gloire du bon Dieu et a l'honneur de la Ste Eglise, et qu'il est impossible que dans peu on ne connoisse ces desordres, les missionnaires ont pensé qu'ils etoient obligés d'en donner avis affin que les superieurs majeurs y pussent apporter le remede le plus salutaire qu'ils jugeront »[2].

Lambert ne dénonce le mal constaté en Inde qu'avec l'espoir que les responsables hiérarchiques y portent remède.

Même Tavernier ne craint pas de rendre compte de la contrebande de diamants que les jésuites portugais font avec le royaume de Golconde (aujourd'hui Hyderabad) où des mines sont en activité. Sur dénonciation les douaniers arrêtent deux jésuites qui se sont déguisés en indigènes pour leur trafic[3].

Jacques de Bourges a fait disparaître de son livre tout ce qui concerne le commerce des jésuites, de l'existence duquel il est venu témoigner en Europe, comme Lambert le lui a écrit avant de partir pour la Chine avec Deydier, l'avertissant aussi de sa demande d'être remplacé par lui si Rome accepte sa démission présentée par le même courrier :

---

1. P. Lambert de la Motte, *Abrégé de Relation*, AMEP, vol. 121, p. 620 ; cf. Guennou, transc., § 8.

2. *Id.*, p. 622 ; cf. § 8.

3. J.-B. Tavernier, *Les six voyages de Jean-Baptiste Tavernier, Ecuyer Baron d'Aubonne, en Turquie, en Perse et aux Indes*, t. 2, p. 443.

« Vous considérant comme mon successeur Il est necessaire que vous alliez s'il vous plaist en Europe non seulement pour que cela puisse estre mais aussy pour l'interest de J.-C. et l'honneur de la Ste Eglise qui sont icy outragés et méprisés au point que vous le scavez ce service dans ma pensée est un des plus signalé et des plus difficiles quon puisse rendre en ce monde au bon Dieu. J'ai escrit a ce dessein toutes les lettres que iay veue necessaire que ie vous laisse ouvertes pour que vous n'ignoriez pas ce qui est et que vous puissiez mieux agir les autres qui sont cachettéés ne sont pas de consequence. Jay aussy dressé quelques instructions qui vous remettront en memoire beaucoup de choses »[1].

La démission de Lambert laisse en fait à Rome le choix de le soutenir ou de nommer quelqu'un de plus apte que lui à remplir sa mission[2]. Or le choix de Rome sera de refuser la démission de Lambert, ce qui équivaut à le soutenir. Jacques de Bourges ne parviendra à l'épiscopat qu'en 1679 à la mort de Lambert lorsque Rome coupa le vicariat du Tonkin en deux pour lui donner la partie occidentale.

Ayant rejoint l'Europe par Londres, Jacques de Bourges est passé par Paris pour aller à Rome et il y a reçu les instructions orales ou écrites des supérieur et directeurs du séminaire, notamment celle d'appuyer la démission de Lambert pour la faire aboutir, mais on ne sait pas comment Jacques de Bourges a appliqué ces instructions[3]. Comme il l'écrit dans sa lettre de

1. P. Lambert de la Motte, Lettre à Jacques de Bourges du 11 juillet 1663, AMEP, vol. 121, p. 550 ; cf. Guennou, transc., L. n° 46.

2. *Id.*, Lettre à Lesley de juin 1663, AMEP, vol. 121, p. 535-537 ; cf. L. n° 36. Lambert donne cet argument à plusieurs de ses correspondants : Lettre à Madame de Miramion de juin 1663, AMEP, vol. 121, p. 522-523 ; cf. L. n° 26 ; Lettre à Luc Fermanel de Favery du 9 juillet 1963, AMEP, vol. 857, p. 169-171 ; AMEP, vol. 121, p. 547-548 ; cf. L. n° 44 : « Ienvoye pareillement la demission de mon titre pour faciliter la promotion de quelque excellent sujet en ma place. Iespère que Sa Sainteté et la Sacree Congregation maccorderont la Iuste priere que ie leurs en faict et me permettront demployer le reste de mes Iours à connoistre un vray Dieu et J. C., en quoy consiste la vie Eternelle. Si la divine misericorde a deja recompensé les travaux de quelque un de nos Evesques [Cotolendi, mort le 16 août 1662] il y aura de cette façon plusieurs places a remplir et cest une consolation quon peut jetter les yeux sur des personnes que nous connoissons, qui ne me paroissent pas indignes de cette sublime vocation. Selon ma pensée Mr de Bourges peut-etre de ce nombre neamoins Ien laisse le Iugement a des plus eclairez que ie ne suis ».

3. *État des affaires et des propositions qui doivent être exposées par Mr de Bourges, missionnaire apostolique* (AMEP, vol. 117, p. 274-283). À la page 275, on trouve des conseils pour présenter la démission de Lambert pour qu'elle soit acceptée de Rome sans nuire aux Français :

« 1° Il peut insinuer que mgr de berithe sest toujours veu indigne de ce haut employ de lepiscopat.

« 2° Que son humilité lui a fait voir quil estoit obligé en conscience de representer tout de nouveau son insufisence qui lui est plus connue que iamais.

« 3° Que neantmoins pour ne pas manquer au salut des ames il veut bien travailler en ces royaumes ou il desire vivre et mourir pour la propagation de la foy en qualite de simple ouvrier.

« 4° Que d'ailleurs il est ataqué de quelques infirmités qui lui persuadent quun autre sen acquiteroit mieux que lui.

1672 à Bésard, la fidélité de de Bourges est toute entière acquise au séminaire de Paris : « Je vous prie d'assurer tous nos amis que, quoi qu'ils soient du côté du couchant, j'estimerai toujours que le soleil se lèvera pour moi de ce côté-là[1] ». À Paris, Gazil a tout de suite eu confiance en sa docilité, mais cette confiance n'était-elle pas acquise à Gazil avant même que Jacques de Bourges ne parte de Paris avec Lambert pour son premier voyage missionnaire où il allait montrer tant de divergences de points de vue avec son évêque ? Ces divergences ne seront-elles pas pour quelque chose dans le choix de faire revenir de Bourges prématurément en Europe ?

Plus tard Jacques de Bourges dira que l'échec des vœux et de la Congrégation Apostolique a enlevé toute crédibilité à Lambert[2]. Il s'y était montré hostile dès qu'il en avait eu connaissance en Europe[3].

Son opposition à Lambert se caractérise par les rapports sur Lambert qu'il adresse au séminaire comme un subordonné à ses supérieurs et par les calomnies qu'il utilise pour détacher Deydier de Lambert :

> « Un capitaine anglais nouvellement venu de Siam [...] nous dit qu'il nous apportait un peu de lettres et rien davantage, qu'on pensait et pourvoyait à la mission du Tonkin après toutes les autres, et qu'à Siam chacun tirait de son côté sans qu'on laissât aucune chose pour nous. Ce n'est pas nous qui nous plaignons, c'est ce bon capitaine anglais qui le fait, il eut bien assez de bonté pour nous dire (croyant que nous eussions besoin de consolations) que quand Mgr d'Héliopolis serait ici les choses iraient d'une autre façon et que nous serions mieux pourvus. Nous croyons qu'il dit vrai et nous l'espérons ainsi »[4].

« 5° Qu'on n'aura pas de peine si lon accepte sa demission, d'en subroger un autre en sa place dune sante plus parfaite que la sienne.

En faisant cette proposition il faut avoir egard a la reputation et a la conduite de mgr de berite a celle de la constance francoise fort suspecte a rome et a la bonne estime de toute la mission.

« Il y a toute aparance que cette demission ne sera point acceptée, c'est pourquoy il faut faire entendre de quelle sorte mgr de berithe est disposé de suivre en tout et de consumer sa vie pour accomplir les ordres du St Siege il faut destruire tout soupcon qui pourroit rester que c'est par inconstence, legereté, degoust, desir de retourner en Europe que cette proposition a este conceue, etc. ».

1. J. de BOURGES, Lettre à M. Bésard, Tonkin 23 octobre 1672, AMEP, vol. 650, p. 265 ; Michel GAZIL, Lettre à Mgr Pallu du 14 novembre 1664, AMEP, vol. 4, p. 52-53.

2. *Idem.*, J. de BOURGES : « J'apprends que l'idée de la congrégation apostolique n'a pas été approuvée à Rome et qu'elle a été universellement combattue à Paris de toutes les personnes de piété et de science qui en ont eu connaissance. Cette nouvelle ne m'a pas beaucoup surpris. Elle m'a seulement humilié car en vérité si les clairvoyants se trompent, que ne doivent pas craindre les aveugles et qui est-ce qui pourra désormais s'appuyer sur ses pensées ».

3. *Id.*, Lettre à Bésard du 27 décembre 1678, AMEP, vol. 653, p. 60-62 ; Lettre à Vincent de Meur du 10 mars 1668, AMEP, vol. 971, p. 262 ; Lettre à X du 15 août 1668, AMEP, vol. 971, p. 311.

4. François DEYDIER et J. de BOURGES, Lettre à un directeur, Tonkin, le 27 décembre 1678, AMEP, vol. 653, p. 67.

Ainsi on peut se poser quelques questions sur la sincérité de Jacques de Bourges quand il s'interroge au Tonkin le 27 décembre 1678 sur la froideur manifestée par Lambert à son égard et quand il prétend ne pas être la seule victime de cette attitude contraire, selon lui, au succès de la mission ; il veut confirmer Bésard, son correspondant, dans l'idée que Lambert poursuit au Siam en cachette le style de vie que Rome a refusé en interdisant les vœux de la Congrégation Apostolique[1].

Alors que Lambert a fait du voyage au Siam une préparation spirituelle à l'évangélisation notamment en se remettant en question devant les vertus des autres religions, Jacques de Bourges ne voyait que des vices chez les païens et prétendait rivaliser avec les grands explorateurs et voyageurs de son temps en décrivant toutes les curiosités des pays traversés. On a l'impression que les deux voyageurs ne se sont pas parlé en chemin pour échanger leurs remarques. On comprend que la coopération missionnaire de Lambert avec de Bourges ait été difficile et que la difficulté est antérieure à leur départ de Marseille, comme si déjà à Paris on avait prévenu Jacques de Bourges contre Lambert.

L'attitude de Jacques de Bourges reflète assez bien le fossé d'incompréhension qui séparera toujours Pierre Lambert de la Motte et les supérieur et directeurs du séminaire qui est pour lui, avant tout, la Procure de la rue du Bac.

Là encore l'étude systématique des documents originaux contenus dans les Archives des Missions Étrangères nous a permis de constater que Pallu en appelait en 1677 à la vertu chrétienne de Brisacier et des membres du séminaire pour se réconcilier avec Lambert[2] ; comment dès lors croire que cette réconciliation ait eu lieu alors qu'on ne revient pas sur les positions anciennes dont Vachet a dénoncé le caractère mensonger et qu'il a voulu rectifier par sa nécrologie ?

---

1. J. de Bourges, Lettre à Bésard du 27 décembre 1678, AMEP, vol. 653, p. 60-62: « Vous me dîtes dans une de vos lettres que vous avez appris qu'on recommence de mener à Siam une vie capable de ruiner tous les missionnaires. Je vous dirai que vous en savez plus que nous, et qu'on ne nous écrit de Siam que d'un style si laconique qu'on nous en laisse plus à deviner qu'on ne nous en dit. Il y a deux ans que je reçus une lettre de M. Mahot qui me disait la même chose mais sans oser s'expliquer davantage. J'ajouterai que nouvellement nous avons reçu des lettres de quelques missionnaires de Siam qui témoignent ouvertement leur mécontentement de la conduite que Nosseigneurs (Lambert et Laneau) gardent en leur endroit (…) Depuis mon dernier voyage d'Europe, pour n'avoir pas voulu approuver la Congrégation Apostolique ni tous ces grands vœux et encore moins m'y engager, je n'ai pas eu une bonne parole de Mgr de Bérythe et que telle année Sa Grandeur a envoyé ici lettres à M. Deydier dans lesquelles il faisait ses recommandations à plusieurs Tonkinois, sans faire non plus mention de moi que si jamais il ne m'eût connu, ou qu'il m'eut cru déjà en l'autre monde ».

2. F. Pallu, *Lettres de Monseigneur Pallu*, p. 231-233, L. n° 76 du 3 novembre 1677, à M. de Brisacier (AMEP, vol. 116, p. 364) que Launay attribue à Jacques-Charles.

La version du récit de la naissance des Missions Étrangères donnée par Jacques de Bourges au début de sa Relation du voyage de Mgr de Beryte est le premier essai de la réécriture de l'Histoire entrepris plus tard par Jacques-Charles de Brisacier. On rappelle que le point de départ est le projet d'Alexandre de Rhodes de demander au pape l'envoi au Tonkin et en Cochinchine d'évêques chargés de pérenniser l'œuvre des jésuites par la création d'un clergé autochtone moins vulnérable que des missionnaires européens facilement repérables. Par ailleurs il fallait porter assistance aux missionnaires jésuites trop peu nombreux pour s'occuper d'une communauté chrétienne qui augmentait très rapidement. Le pape retint François Pallu comme le premier des trois évêques qu'il accepta d'envoyer en Asie et il le chargea de lui proposer deux autres noms pour qu'ils fussent ses compagnons. Cet abandon du pape de son privilège de choix des évêques pose question dans le contexte de l'abandon du patronat et du retour au monopole papal. Pallu apparaît comme l'homme de confiance du pape et c'est à Pallu que Lambert doit sa nomination d'évêque.

C'est alors le premier portrait publié de Lambert, Jacques de Bourges détourne les termes de la démission de Lambert[1] qu'il a emportée avec lui pour en faire un trait de caractère permanent. Depuis le début, Lambert aurait montré une peur des responsabilités sous couvert d'humilité, cela tranche avec l'autorité de Pallu en qui le pape a mis sa confiance :

> « Monsieur de la Motte Lambert, ci-devant conseiller de la Cour des Aides en Normandie et depuis directeur du grand Hôpital des Valides de Rouen, fut proposé par Monseigneur l'évêque d'Héliopolis pour être le second évêque. Il y avait de longue main une particulière habitude entre eux. Monsieur de la Motte Lambert, étant allé à Rome en ce temps, prit une connaissance fort exacte de cette affaire et proposa plusieurs avis utiles pour en faciliter l'expédition. Ce fut le fondement de sa vocation aux missions de la Chine, car ayant considéré l'importance de l'envoi des trois évêques, comme on désirait à Rome qu'il réussît, il s'offrit pour accompagner ceux qui seraient évêques, en qualité de simple missionnaire, et fit connaître dès lors qu'il ne trouvait rien de plus grand pour lui, ni de plus avantageux pour son salut que de renoncer à tous les liens qui l'attachaient en France, pour aller chercher une vie pénible parmi des nations infidèles »[2].

Ainsi Lambert aurait refusé d'être évêque tout en acceptant de quitter la France comme simple missionnaire, et la lettre de démission de Lambert que Jacques de Bourges a emportée avec lui réitère ce refus. On a ici un procédé qu'on va retrouver chez Jacques-Charles Brisacier.

---

1. P. Lambert de la Motte, Lettre au pape, du 17 octobre 1653, AMEP, vol. 876, p. 103 ; cf. Guennou, transc., L. n° 47.
2. J. de Bourges, *Relation du voyage*, p. 20.

Pourtant Lambert explique sa démission par d'autres arguments que l'humilité ou le manque de confiance en lui, son passé montre qu'il a l'âme d'un responsable mais depuis son arrivée au Siam il n'a reçu aucun courrier de Rome pour soutenir son action, notamment l'approbation de sa ferme opposition au commerce pratiqué par les missionnaires. Il ne retarde pas son voyage en Chine pour attendre l'avis de Rome, même si, au cours de ce voyage, il risque d'entrer en confrontation plus violente avec le patronat portugais et la Compagnie de Jésus.

Il écrit alors que « si la Sainte Congrégation veut donner un ordre, elle doit le faire dans des conditions où il n'y a plus lieu d'espérer des lettres d'Europe en Asie, ni d'Asie en Europe sinon grâce à un messager nommé à ce titre »[1]. C'est ce que fait Lambert en envoyant Jacques de Bourges à Rome pour y porter sa démission et en envoyant plus tard Pallu porteur du projet de Congrégation Apostolique. Le refus de sa démission ou son acceptation, c'est le geste fort et public qu'attend Lambert pour connaître et faire connaître la position de Rome. Il n'hésite pas pour cela à le faire savoir à ses correspondants, tout en protestant de la sincérité de sa demande, car il en attend avec une totale soumission le discernement de la volonté de Dieu sur sa vie, afin que sa volonté personnelle n'y fasse pas obstacle. Sa vie est offerte pour qu'en lui le Christ perpétue le sacrifice de la croix. Partant pour la Chine, Lambert croit encore pouvoir y obtenir la palme du martyre. C'est ce qu'il écrit à M. Duplessis Montbar où apparaît le fond de sa doctrine théologique qu'on abordera dans la troisième partie :

> « Ayant eu le temps de considerer mon extreme misere qui ne peut pas compatir avec un emplois si divin ie me suis fait justice en ce rencontre en suppliant notre St Pere le pape de nommer quelque personne qui en soit digne à ma place cest dans cette veüe que ienvoye la demission de mon tittre pour quon puisse facilement pourvoir en mon lieu un suiet qui ne fasse pas deshonneur a LEglise contribuez sils vous plaist a ce dessein et vous rendrez un service a N. S. qui ne sera pas petit cela nempechera pas que ie ne rende tout le service que ie pouray dans les missions mais qui sera toujour si peu de choses quil ne meritera pas estre mis en ligne de conte toute mon application nestant desormais que de vouloir mener une vie penitente caché morte a tout et tacher dobtenir de la tres grande bonté et misericordes du bon Dieu par les merite de Jesus Christ par les promesses de son Evangile et par lefficace de ces priers de mourir pour son St amour d'une morte violente par les mains d'un boureau »[2].

1. P. Lambert de la Motte, Lettre à la Sacrée Congrégation de la Propagation de la Foi, du 17 octobre 1653, AMEP, vol. 857, p. 183 ; cf. Guennou, transc., L. n° 52, trad. M. Dolfosse.

2. *Id.*, Lettre à Monsieur Duplessis Montbar, du 11 juillet 1663, AMEP, vol. 121, p. 540 ; cf. L. n° 37. Lambert donne les mêmes raisons au Roi Louis XIV, à M. Lesley, à la communauté de la rue Saint-Dominique, à Nicolas Lambert, à Fermanel prêtre.

Le départ en mission fut sans doute un arrachement pour tous les missionnaires et leur fuite est parfaitement justifiée sans qu'elle remette en cause leur courage, François Pallu aussi a du prendre la fuite de chez ses parents[1], le récit est corroboré par les lettres de Lambert raconte comment il a fui la ville de Rouen, son hôpital général et son archevêque pour éviter qu'on ne le retienne :

> « Apres cela V. G. est trop juste pour ne pas gouter ma raison d'avoir quitté la france sans decouvrir mon dessein a personne, beaucoup de monde m'en auroient dissuadé jaurois eu peine a repondre aux arguments contraires et cependant jespere par la misericorde du bon Dieu qu'ayant suivie ce conseille evangelique ie ne men repentiray jamais si neanmoins vous trouviez que ie neusse pas deu partir sans avoir lhonneur de prendre congé de vous. Je supplierois V. G. de me le pardonner et den recevoir mes tres humbles excuse »[2].

Jacques de Bourges raconte aussi le départ de Lambert : « Il partit secrètement sans en donner avis à personne et fut obligé d'en user de la sorte pour éviter les oppositions que l'on voulait apporter à son départ. Il s'exempta par là de beaucoup de combats qu'il eût été obligé de soutenir contre la plupart de ses proches et de ses amis, qui avaient peine à consentir qu'il quittât la France »[3].

Jacques de Bourges a ce commentaire qui montre une certaine admiration : « Mgr l'évêque de Bérithe ne crut point devoir entrer dans aucune contestation avec ses amis au sujet de son entreprise et donna une leçon utile à ceux qui voudraient le suivre de quelle sorte on peut se comporter en ces occasions »[4].

La *Relation de voyage de Mgr l'évêque de Béryte* par Jacques de Bourges étoffe le portrait de Lambert par le récit de la maladie qui faillit le faire mourir à Lyon et de sa brusque guérison qui lui montra que sa vie et sa mort étaient entre les mains de Dieu. Avec Jacques de Bourges qui l'accompagnait depuis Paris, Lambert gagna Marseille où Deydier les rejoignit. L'évêque de Toulon lui demanda de rester pour les besoins de son diocèse. La réaction de Lambert est assez en accord avec sa lettre du 2 octobre 1660 à Chevreuil[5] où il lui révélait le doute sur sa vocation qu'il avait eu à Marseille

---

1. L. Baudiment (*François Pallu, Principal fondateur des Missions Étrangères,* p. 85), raconte la fuite de Mgr Pallu : « Pour ne pas laisser amollir son courage par les larmes des siens, pour ne pas s'exposer peut-être à faiblir devant le sacrifice qu'il s'imposait et qu'il imposait à son père et à sa mère, car il avait "un bon cœur pour Messieurs ses parents", il partit sans les avoir prévenus, et déjà il était loin quand ils s'aperçurent de sa fuite ».

2. P. Lambert de la Motte, Lettre à l'Archevêque de Rouen, du 10 juillet 1663, AMEP, vol. 121, p. 514-515 ; cf. Guennou, transc., L. n° 22.

3. J. de Bourges, *Relation du voyage,* p. 24.

4. *Idem.*

5. P. Lambert de la Motte, Lettre à Chevreuil, du 2 octobre 1660, AMEP, vol. 136, p. 67 ; cf. Guennou, transc., L. n° 1.

à ce moment-là alors qu'il était harcelé de courrier l'invitant à ne pas partir et à revenir à Paris « pour l'intérêt général de nos missions ». Même Pallu et le Nonce en France se mêlaient à ces adjurations. Les doutes de Lambert ne se dissipèrent que lorsque son bateau fut en pleine mer.

Dans le récit de Jacques de Bourges, Lambert avait répondu à l'évêque de Toulon qu'il lui obéirait s'il lui commandait de s'arrêter. L'évêque de Toulon ne put s'y résoudre, sentant en Lambert une véritable vocation missionnaire. Dans cet épisode que Lambert ne mentionne pas, il semble avoir oublié qu'il était aussi évêque et qu'il avait un troupeau qui l'attendait en Asie. Cela cadre mal avec ce qu'il a écrit aux fidèles de Cochinchine: « Dez que je fus estably pasteur de la Cochinchine par une dispensation extraordinaire de la divine providence, N. S. me donna en mesme temps un amour pour vous inexplicable de la vient que ie partis des extemitez de L'europe le 8 iour de mon sacre pour vous venir ayder dans tous vos besoins et que les fatigues qui sont inseparables d'un si long voyage me donnerent de la satisfaction »[1].

Cette réaction de Lambert rapportée uniquement par Jacques de Bourges pouvait aussi être interprétée comme une faille de caractère expliquant son refus préalable de l'épiscopat et ensuite sa demande pour en être démis. De Bourges oublie les pierres d'achoppement des Missions qu'il était chargé de confirmer et il ne sait pas reconnaître les pierres d'attente que Lambert a découvertes durant leur voyage. Fidèle à ses amis de Paris il reproduit leur jugement sur Lambert qu'on retrouvera dans la biographie de Jacques-Charles de Brisacier.

Les écrits de Jacques-Charles de Brisacier

Jusqu'en 1679 Brisacier est dans le camp des opposants à Lambert

Comme il n'y a pas en fait d'expérience commune entre Lambert et les membres du séminaire, Lambert ne fait pas partie de leur famille, ils n'ont pas grand-chose à partager. Bien que son frère Nicolas[2] et le fils de son tuteur Fermanel aient fait partie des directeurs, Lambert ne parviendra pas à se faire accepter des autres, sans doute pour avoir été choisi par le Saint-Siège en dehors du cadre restreint de la communauté du Père Bagot.

---

1. *Id.*, Lettre aux fidèles de Cochinchine, AMEP, vol. 121, p. 689 ; cf. § 131.

2. Directeur du séminaire le 10 mars 1664, Nicolas ne reste que 8 mois à la rue du Bac et en part le 8 novembre en accompagnant Jacques de Bourges dans son voyage de retour au Siam, ils devaient partir de La Rochelle en mars 1665 mais n'en partirent qu'en mars 1666. Nicolas est mort en mer le 24 juin 1668.

C'est Gazil qui se montrera le plus hostile à Lambert. De son côté Lambert juge dès Marseille que Gazil n'est pas capable de discerner les vocations missionnaires[1].

Très vite une hostilité très vive va se manifester à Paris contre les intuitions de Lambert. Ce n'est pas sur l'existence du commerce et des faux rapports des jésuites que va porter leur différend, mais sur la diffusion de cette information. Jacques de Bourges et François Pallu vont d'ailleurs convaincre leurs amis de Paris que les accusations de Lambert sont véridiques, mais cela ne les rendra pas partisans d'une opposition frontale comme Lambert la pratique.

Lambert considère que ses seuls supérieurs sont à Rome tandis que ses procureurs de Paris doivent rester à ses ordres comme Rome lui en a donné l'instruction. Pour lui le développement de la structure issue des *Instructions* données en 1659 par la Sacrée Congrégation de la Propagation de la Foi passe par la création d'une Congrégation Apostolique qui, comme son nom l'indique, dépendrait directement du Siège Apostolique, c'est-à-dire de la Curie romaine. C'est là sans doute la principale cause de discorde entre Paris et Lambert, car à Paris on entend bien organiser ce développement dans le cadre de l'Église de France. Cela convient tout à fait au roi Louis XIV qui entend gouverner sous le régime de la monarchie absolue, soumettant autant l'Église que le peuple et la noblesse.

Dès qu'ils seront en possession des locaux de la rue du Bac et que le roi aura signé les Lettres patentes y instituant le séminaire, son supérieur et ses directeurs ne se considéreront plus au service de la Sacrée Congrégation de la Propagation de la Foi, en tant que simples procureurs des vicaires apostoliques, comme Pallu et Lambert les nomment encore sur les enveloppes de leurs lettres, mais ils se verront comme les mandataires du roi de France ayant en charge ses missions étrangères.

Plusieurs textes éclairent les objectifs du séminaire de Paris qu'Henri Sy a sortis des Archives des Missions Étrangères de Paris : d'abord des *Éclaircissements de quelques difficultés touchant les affaires de Monseigneur l'Evesque d'Héliopolis*[2] ; ensuite *Divers advis pour la conduitte de Nosseigneurs les Evesques en 9 articles concernant l'exercice des pouvoirs accordés par le Saint-Siège à l'égard des Religieux.* Pour ce qui n'était à l'origine que la Procure de Paris, il s'agit de dicter aux vicaires apostoliques leur manière d'obéir à la Sacrée Congrégation de la Propagation de la Foi et au pape : tolérer les défauts des religieux et non pas les combattre ; laisser aux supérieurs

1. P. Lambert de la Motte, Lettre à Chevreuil du 2 octobre 1660, AMEP, vol. 136, p. 68-69 ; cf. Guennou, transc., L. n° 1.

2. H. Sy, *La Société des Missions Étrangères – La fondation du Séminaire*, p. 125-126 ; voir *Éclaircissements de quelques difficultés touchant les affaires de Monseigneur l'Evesque d'Héliopolis* (AMEP, vol. 116, p. 287-298 ; vol. 5, p. 55-71, copie incomplète du même document).

des religieux le soin de publier le Bref portant interdiction du commerce ; communiquer aux procureurs de Paris les lettres adressées au pape et aux cardinaux ; s'abstenir dans les lettres adressées à l'Europe, de toute plainte contre les religieux[1].

Enfin il y a surtout une déclaration solennelle signée par Pallu le 2 février 1670 en présence de l'évêque de Rodez, du R. P César du Très Saint-Sacrement, carme déchaussé, et de Mr Duplessis Montbar[2]. Pallu s'y engage à n'agir qu'en conformité avec l'avis de la direction du séminaire de Paris. Il promet de n'user envers les religieux que modérément de ses pouvoirs reçus de Rome, notamment dans l'application des directives papales leur interdisant le commerce. Par contre il devra respecter et faire respecter par les autres la décision de la Sacrée Congrégation de la Propagation de la Foi annulant les vœux proposés par Pallu pour les missionnaires comme fondement d'une Congrégation Apostolique. Il devra désormais se méfier de toutes les vues que Lambert aura reçues dans l'oraison, « estant nous mesmes certainement convaincus qu'elles sont suspectes et dangereuses, et qu'il y a plus de seurete de suivre les conduites ordinaires quoyque moins parfaites en apparence que son sens particulier quoyque plus elevé »[3].

La déclaration de Pallu est suivie de l'attestation du 2 février 1670 de Poitevin, Bésard et Fermanel, procureurs et directeurs du séminaire qui s'engagent au nom du séminaire à poursuivre leur service auprès des Missions d'Asie pour autant que Pallu sera fidèle à son serment[4].

C'est le lendemain 3 février 1670 que Pallu entreprit son retour au Siam, il y arriva le 27 mai 1673. Il voulut dans une lettre du 3 septembre 1673 se rétracter de son serment[5]. Dans cette lettre, il leur rappelait que leur devoir ne consistait pas à autre chose que de recruter et de former les candidats missionnaires ; ils devaient laisser aux vicaires apostoliques qui étaient sur place et avaient l'expérience des lieux et des personnes le soin de gouverner les missions. C'est aussi à eux que Dieu a donné la grâce d'état et il a

1. H. Sy, *Ibid.*, p. 126.

2. Il s'agit de membres de la Compagnie du Saint-Sacrement, Louis Abelly, curé de Saint-Josse, est devenu évêque de Rodez (Le Comte R. de Voyer d'Argenson, *Annales de la Compagnie du Saint-Sacrement*, p. 170).

3. Déclaration de Mgr d'Héliopolis, AMEP, vol. 116, p. 300.

4. Attestation du 2 février 1670, AMEP, vol. 116, p. 300-301.

5. F. Pallu, Lettre aux Procureurs Généraux du 3 septembre 1673. Cette lettre a été amputée par Launay pour l'essentiel (*Lettres de Monseigneur Pallu*, p. 218-219, L. n° 69). H. Sy écrit (*La Société des Missions Étrangères – La fondation du Séminaire*, p. 220, note 270) : « Les A.M.E ne possèdent de cette lettre qu'une copie manuscrite (AMEP, vol. 102, p. 507-523). Un recueil de titres, actes, mémoires, imprimé en 1767, la reproduit en entier (AMEP, vol. 27, p. 322-335). Il est permis de se demander si Mgr Pallu l'a réellement envoyée aux directeurs. En tout cas, il n'y est fait aucune allusion dans les correspondances émanées du Séminaire à cette époque ».

béni leurs entreprises. La conversion des païens est une œuvre commune où chacun doit participer à la place où Dieu l'a placé. Certes il peut y avoir partage de conseils et de lumières, mais le dernier mot doit revenir à ceux qui sont affrontés sur place aux réalités locales.

À Paris, on n'a pas fait allusion à ce témoignage jusqu'en 1767, à une époque où les missionnaires se sont décidés à reprendre en main la Société confisquée par les membres de la direction du séminaire[1]. Deux mémoires ont été rédigés au XVIIIe siècle pour servir dans des procès intentés contre les représentants du séminaire de Paris par les missionnaires de l'Asie[2] et du Canada[3], car on y formait aussi les missionnaires du Québec.

Mais il y eut aussi les accusations de Pallu contre les méthodes d'ingérence des supérieurs et des directeurs du séminaire, il entreprit de faire un inventaire de tous les procédés qui étaient employés par eux contre Lambert :

> « Pour peu de reflexion que vous fassiez sur toute votre conduite, vous ne disconviendrez pas que ce serpent infernal abusant de la droiture de vos intentions ne vous ait fait faire et dire beaucoup de choses, et ne se soit servi de votre ministere pour armer contre notre Mission la plus forte batterie qu'il pût faire jouer pour la ruiner entièrement.
>
> « 1° Que peut on inférer ou plus tôt que ne peut on pas conclure de ces paroles injurieuses et comminatoires qui ont été plusieurs fois reiterées contre Monseigneur de Bérithe : s'il ne change d'esprit nous sommes resolus de l'abandonner ? Il m'a dit avoir leu dans un billet écrit en chifre qui m'étoit adressé, et que j'ai trouvé depuis en nos archives : Tous nos amis s'étonnent comment nous avons envoié un esprit fait comme le sien, nous l'allons abandonner[4].
>
> « 2° Vous avez retenu et supprimé des lettres qu'il écrivoit au Pape, à la Sacrée Congrégation, et à Mgr le Secrétaire, ainsi que porte le mesme billet[5].

---

1. J. Guennou, *Les Missions Étrangères de Paris*, p. 216-220. Depuis 1700, les 4 missions existantes (4 vicariats), dirigées sur place par l'administrateur général nommé par Rome, avaient déjà chacune leur procureur envoyé d'Asie pour siéger au sein du séminaire. En 1763, un des plus célèbres membres de la Société, Jean Davoust, missionnaire du Tonkin occidental, est envoyé en Europe pour défendre les intérêts des missions ; il œuvra pour mettre fin au régime particulier du Séminaire et pour l'intégrer à l'ensemble de la Société.

2. *Mémoire pour les Évêques François, Vicaires Apostoliques pour les Royaumes de Siam, Tonquin, Cochinchine, etc., leurs Co-Adjuteurs, et Missionnaires François en ces Royaumes, Contre les Directeurs du Séminaire des Missions Étrangères, établi rue du Bacq, Fauxbourg Saint-Germain*, Paris, De l'imprimerie de J. Lamesle, 1751.

3. *Mémoire pour les Sieurs Girard, Manach et Le Loutre, Missionnaires du Séminaire des Missions Étrangères dans les Indes Occidentales, Appellans comme d'abus, Contre les Supérieur et Directeurs du Séminaire des Missions Étrangères établi à Paris Rue du Bacq*, Paris, De l'imprimerie de L. Cellot, rue Dauphine, 1767.

4. Le menace de l'abandon semble avoir été l'arme privilégiée du séminaire pour faire plier Mgr Pallu, Mgr Lambert et même la Curie romaine.

5. Lesley est obligé de réclamer les lettres retenues par le séminaire (AMEP, vol. 200, p. 327-330) et les relations non censurées (AMEP, vol. 200, p. 580). Il est vrai que Mgr Pallu

« 3° Le dit Seigneur Evesque m'a fait voir deux copies authentiques que vous avez fait faire a Paris de la Bulle qui nous donne à l'un et à l'autre conjointement le pouvoir de nommer et consacrer un successeur à Mgr de Metellopolis, qui etoient toutes deux falsifiées dans un point essentiel, où l'original donne à Mgr de Berithe tout le pouvoir pour la dite consecration, au cas que nous ne pussions pas nous joindre. On a retranché dans les dites copies deux demi lignes entieres qui contiennent cette puissance en sorte qu'il paroit selon la suite du discours des dites copies que ce pouvoir m'est attribué[1].

« 4° Vous mettez en deliberation dans vos conseils les affaires qui ont été resolues a Rome, et vous voulez nous obliger à suivre vos decrets au prejudice de ceux du Saint-Siège. Nous n'avons rien de plus important que les instructions que nous avons dressées. On les a examinées a Rome avec un très grand soin : on les a fait imprimer pour notre usage : on nous en a accordé un tres grand nombre de copies, les quelles étant tombées entre vos mains, vous me mandez fort sechement que vous ne nous les envoiez pas, aiant jugé plus à propos de les retenir[2].

« 5° Vous avez produit au dehors l'idée de la Congregation Apostolique que je vous avois communiquée, avant de la presenter a Rome, sous ce secret que demandent toutes nos affaires, et particulierement celles qui paroissent plus delicates et plus difficiles à resoudre, vous l'avez exposée à la censure de plusieurs qu'il n'étoit pas necessaire ni même convenable de consulter ; on l'a même communiquée a nos émules, je veux dire aux Jésuites qui m'en ont fait des reproches[3].

« 6° Vous m'avez contraint de signer un écrit tout à fait injurieux a nos personnes et à nos caracteres. Le seul respect pour les personnes que vous fites assembler pour lors l'a extorqué de moy, comme aussi pour eviter les extremitez dont j'étois menacé, aux quelles je ne pouvois pas parer autrement pour alors. Toutes les fois que j'y ai pensé du depuis, j'en ai été si indigné que j'ai creu en devoir tout a fait éteindre la memoire en le mettant au feu, ce que j'estime que

n'a pas hésité à supprimer plusieurs lettres de Mgr Lambert : "Je ne lui ay pas dissimulé que j'avois supprimé plusieurs de ses lettres, dans lesquelles je croié qu'il s'emportait et qu'il y avoit au moins autant d'aigreur que de vérités" (*Lettres de Monseigneur Pallu*, p. 87, Lettre de Pallu n° 22, à M. Gazil du 30 mars 1667, AMEP, vol. 101, p. 309).

1. L'audace extrême semble la falsification d'un document signé par le pape Alexandre VII, le Bref *E sublimi* du 28 février 1665, autorisant Mgr Lambert en l'absence de Mgr Pallu à procéder seul au choix et à la nomination d'un vicaire apostolique pour succéder à Mgr Cotolendi, tandis que Mgr Pallu ne pouvait agir seul que si Mgr Lambert était décédé au moment de la réception du Bref. Le privilège de Mgr Lambert fut tout simplement supprimé dans la copie transmise par le séminaire à Mgr Pallu (H. Sy, *La Société des Missions Étrangères – La fondation du Séminaire*, p. 131, citant Jus Pont. de Prop. Fide, I, p. 340. 353 ; AMEP, vol. 363, p. 11 ; vol. 263, p. 19 et vol. 269, p. 47).

2. Il s'agit des *Monita*, rédigées en 1665 et imprimées en 1669, les *Instructions* données par les Vicaires Apostoliques aux nouveaux Missionnaires, et dont Rome avait pris en charge la diffusion. En s'y opposant le séminaire en avait fait disparaître les exemplaires.

3. Mgr Pallu s'est sans doute aperçu que son ami Gazil n'avait pas mérité sa confiance autant qu'il le pensait quand ils présentaient ensemble à Rome en 1668 leurs opinions contraires sur le projet de Congrégation Apostolique et de vœux.

vous devez faire aussi de la copie qui est demeurée entre vos mains, si vous avez soin de votre honneur aussi bien que du notre[1].

« 7° On a par une fausse prudence dechifré[2] Mgr de Bérithe d'une etrange maniere devant les Missionnaires qu'on luy a envoiés, qui ont bien sceu se servir en plusieurs rencontres des belles leçons qui leur ont été données[3]. Je n'aurois jamais fait, s'il me falloit venir dans le detail de tout se qui s'est passé icy depuis leur arrivée. Tout autre que Mgr de Berithe y auroit succombé. Mais il a si bien sceu menager les esprits et moderer toutes choses par sa douceur, par sa patience, et longanimité, par l'exemple d'une vie très sainte, toujours semblable à elle meme, sans s'ébranler jamais en aucune facon pour tout ce qui pourroit arriver, mais particulierement par ses instantes prieres auprès de Notre Seigneur qu'enfin il a ramené tous les esprits écartez, il s'en est rendu le maitre, et en dispose tout comme il lui plaît »[4].

Dans la même lettre du 3 septembre 1673, Pallu réfute les accusations du séminaire qu'il résume ainsi :

« 1° Que la conduite de Mgr de Berithe est remplie d'illusions et doit être tenue tres suspecte ; 2° Qu'il est tellement attaché a son sens qu'il n'en revient jamais ; 3° Qu'il est sorti de France avec une preoccupation d'esprit contre les PP. Jesuites qui lui a fait faire tout ce qu'il a entrepris contre eux ; 4° Qu'il n'est pas capable de la commission de vicaire Apostolique qu'il a receue, et qu'il seroit a souhaiter qu'il n'en eût jamais été chargé ; 5° Que c'est un abus de croire qu'on puisse jamais rien faire dans nos missions si on n'est bien avec les jésuites »[5].

En fait à Paris on jugeait Lambert impossible à « raisonner » ; il fallait le déconsidérer et le faire taire. Gazil qui croit que Brindeau n'a pas confiance en Lambert lui écrit :

« Les causes de cette illusion viennent pour avoir manqué de discernement théologique, pour s'être accoutumé de longue main à juger toutes choses par l'inspiration intérieure pour se plaire à ce qui est extraordinaire et singulier, ce qui étant rare peut causer de l'admiration, qu'il est doux d'être admirable, puisque c'est posséder une excellence singulière. Saint Augustin dit : *Amamus esse soli.* Il y eut aussi de bonne foi et d'un certain zèle dont les personnes dévotes

---

1. Mgr Pallu considère qu'il a subi une grave violence en devant se soumettre au séminaire en 1670 par le biais d'un serment.

2. "Déchiffré" au XVIIe siècle a le sens de *calomnié* (J. Dubois, *Dictionnaire de la langue française classique*, Paris, Belin, 1960).

3. Cette attitude du séminaire, sans doute déjà présente dès le début de la mission de Mgr Lambert, va s'accentuer après l'annulation des vœux de la Congrégation Apostolique ; les nouveaux missionnaires seront invités à surveiller Mgr Lambert pour signaler s'il persévérait dans les vœux annulés. Jacques de Bourges ne quittera pas ce regard critique sur Mgr Lambert qu'il a pu avoir dès son premier départ de Paris.

4. F. Pallu, Lettre aux Directeurs du 3 septembre 1673, AMEP, vol. 102, p. 507-509.

5. *Ibid.*, p. 510-511.

sont quelquefois saisies et presque transportées, de sorte que rien ne leur plait s'il n'est hors du commun »[1].

Si l'on veut se rendre compte de l'état d'esprit des supérieurs et directeurs du séminaire de Paris envers Lambert, il faut lire la lettre du 28 juillet 1667 qui lui a été adressée[2].

L'auteur de la lettre veut d'abord montrer qu'on a à Paris des informations utiles aux Missions qu'on ne possède pas ailleurs, notamment pour l'acheminement du courrier qu'il ne faut pas confier aux Anglais et aux Hollandais[3]. Il s'agit ensuite de montrer à Lambert combien ses intuitions sont mauvaises ; en les suivant Pallu a perdu des années de mission fructueuse et subi la honte de voir ses propositions rejetées par le pape ; en les suivant son frère Nicolas a perdu la vie pour le rejoindre alors que l'attendait au séminaire la poursuite d'une très utile collaboration avec eux[4]. On vise sans doute à déstabiliser Lambert en lui faisant croire que ses intuitions ne viennent pas de Dieu et en lui affirmant savoir que le refus de Rome s'appuie sur des hérésies relevées dans les propositions présentées par Pallu, ce qui est tout simplement mensonger.

On relève deux menaces dans la lettre, la première est celle qui a été utilisée pour convaincre la Sacrée Congrégation de la Propagation de la Foi de rejeter la proposition de Lambert. Elle consiste à dire que l'approbation du projet de Lambert entraînerait instantanément la démission de tous les membres de la direction du séminaire et par voie de conséquence la ruine du projet missionnaire de la Sacrée Congrégation en Asie. Lambert doit bien comprendre que son échec ne sera alors dû qu'à son entêtement orgueilleux à prétendre réaliser ce que les gens sages du passé se sont gardés de faire.

La seconde menace vis-à-vis de Lambert est liée indirectement à la mort de son frère qui ouvre une succession rendue difficile par la chicane de Monsieur d'Estimauville, le beau-frère de Lambert, qui veut vérifier les comptes du séminaire[5] ; Lambert est alors invité à faire un testament qui

1. M. Gazil, Lettre à Pierre Brindeau, 27 janvier 1670, AMEP, vol. 201, p. 325.

2. Lettre des supérieur et directeurs du séminaire à Mgr Lambert du 28 juillet 1667 (AMEP, vol. 4, p. 197-200).

3. Les supérieur et directeurs du séminaire de Paris savent que des doubles du courrier de Mgr Lambert vont directement à Rome en transitant par des vaisseaux anglais ou hollandais.

4. Le récit détaillé de la mort de Nicolas Lambert ne crée pas une rupture de ton dans la lettre, il n'amène pas des condoléances envers son aîné, car, si cette mort est une perte pour tous, elle touche personnellement les membres de la communauté du Père Bagot, et donc du séminaire qui en prend la suite, car Nicolas en a été membre sans doute dès le début en tant qu'étudiant en théologie au collège de Clermont à Paris. En rappelant les circonstances de sa mort, cherche-t-on à culpabiliser Pierre Lambert puisque c'est, pour retrouver son frère Pierre que Nicolas a quitté le séminaire et pris le vaisseau qui devait finalement le conduire à la mort ?

5. P. Lambert de la Motte, Lettre à son frère Nicolas où il parle de leur deux petits neveux (AMEP, vol. 121, p. 560 ; cf. Guennou, transc., L. n° 57) et Lettre aux directeurs de

donne au séminaire quitus par avance de la gestion de ses biens jusqu'au jour de sa mort, faute de quoi ses procureurs cesseront de s'occuper de ses affaires financières et de défendre ses intérêts.

Les membres du séminaire veulent montrer à Lambert qu'ils sont ses véritables supérieurs. Seule la lecture complète permet d'éclairer cet état d'esprit et de considérer la vraie croix qu'a subie Lambert, non des opposants du dehors, comme les jésuites portugais ou l'Inquisition de Goa, mais des opposants du dedans, ses propres procureurs et soutiens de mission. La lettre commence ainsi :

> « Mgr d'Héliopolis ayant trouvé a Alexandrette un vaisseau qui iroit à Ligournes, s'y embarqua pour estre plus proche de Rome où il a esté d'abord ses affaires l'y attirant plustost qu'en France, ou tous ses amis cependant croioient qu'il estoit plus a propos qu'il vint directement affin de concerter toutes les choses qu'il avoit a proposer a Rome qui sont d'une tres difficile execution pour ne pas dire impossible, a moins qu'on ne change bien des points mais je n'entre point sur cette matiere parce que je ne doute point que Mgr d'Héliopolis ne vous informe luy mesme de tout ce qu'il aura fait et du progres de sa negotiation il vous mandera sans doute les instances que nous luy fismes à Ligournes pour venir a Paris avant d'aller a Rome les peines que nous avons euës touchant le proiet qu'il est venu proposer et qui a fait le suiet de son voiage que personne ne peut approuver mais je ne scai s'il vous fera connoistre les fondemens de nos peines dont il y a un tres grand nombre.
>
> « Voici les 2 principales :
>
> « – La 1ere est qu'il ne peut proposer ce proiet qu'il ne perde beaucoup de son credit car comme il est tres constant après les deliberations et les consultations qu'on a faites a Paris par de tres habilles gens que ce proiet contient des choses tendantes a l'heresie opposées à la bonne theologie tres singulieres n'ayant point son exemple, dont les suittes vont directement a la ruine de vos missions, on sera surpris qu'un evesque aye quitté sa mission abandonné tant d'ames qui ont besoin de sa presence, entrepris un voiage tres penible et plein de dangers se mettre en estat d'estre absent de ses fonctions apostoliques pendant plus de six ans, et pourquoi ? pour aporter l'idee d'une congregation si mal digerée si mal fondée qui peche contre les principes de la theologie et du bon sens en verité quelle estime pourra on avoir de luy, quelle douleur ce luy fera d'avoir tant perdu de temps sorti de l'emploi de sa vocation et n'en rapporter que des reproches que nous craignons qu'on ne luy fasse a moins qu'il n'ait de plus solides suiets de son retour a proposer, en verite cela nous inquiete fort.

Paris du 15 juillet 1671 (AMEP, vol. 858, p. 215 ; cf. L. n° 130) où il parle du 3e frère de son neveu. Le 21 juillet 1678, Mgr Lambert écrit dans son *Journal* : « Levesque de Berithe a receu nouvelles comme ses heritiers ont fait partage de son patrimoine sans son ordre et de leur propre authorité. Il a beny N. S. de se voir traiter de son vivant comme un mort » (AMEP, vol. 877, p. 615 ; cf. Simonin, transc., p. 328).

« – La 2eme, c'est que quand mesme il reformera quelque chose a son proiet pour le mettre en estat d'estre approuvé que faira il pour l'executer qui seront les suiets et les membres de cette congregation nous luy avons tous declaré qu'il n'en trouvera point parmi nous autres et c'estoit une des raisons par lesquelles nous voulions l'obliger a n'en point parler qu'il n'en eust conferé avec nous, s'il prend des suiets ailleurs que parmi nous pour composer sa congregation, sera ce agir prudemment que de se (re)confier a des gens qu'il ne conoistra point dans la conduite de toutes vos affaires temporelles et spirituelles dont ils n'auront jamais eu de conoissance, car en ce cas la il faudra bien que nous quittions tout et que nous cedions la conduite du seminaire a ces personnes qui fairont les vœux de cette congregation qui fairont un corps dans l'eglise destiné nominatim a ces emplois en verité quel renversement que cela ne produira il pas dans toutes vos affaires et peut estre qu'apres que Mgr d'Héliopolis aura travaillé dix ans durant a l'erection de cette congregation si parfaite (encore sera ce beaucoup si en si peu de temps il en vient a bout), il trouvera 4 ou 5 personnes qui s'en mettront les quels ne subsisteront pas longtemps dans cet esprit et je doute si vous en aurez mieux establi vos missions. Mais je raisonne un peu en homme et vous n'estes pas surpris de toutes nos craintes car nous n'envisageons pas les choses par des veuës assez sublimes, mais que voulez vous Monseigneur nous n'avons pas de ces hautes lumieres qui nous decouvrent la possibilité de ces proiets si releves, ainsi aies compassion de nous pendant que nous prierons Dieu qu'il nous fasse toujours accomplir ce qui est de meilleur pour vos missions mais non pas ce qui vous paroistra le plus elevé car il y a quelque fois du peril a aller si haut et il est dangereux de se persuader qu'on a decouvert une nature de perfection qui jusques a present a esté inconnue et que tous les patriarches de ces grands ordres qui ont procuré tant de bien à l'eglise n'ont jamais mis en pratique.

« Je ne scai si cette lettre vous sera rendue avant larrivee de M. de Bourges et de ses autres missionnaires ils partirent de La Rochelle au mois de mars 1666 dans les vaisseaux que nostre nouvelle compagnie pour les Indes envoiait au Madagascar et dont deux devoient ensuite aller dans les Indes a Surat ou Madraspatan ou mesme jusques dans la Chine, Mr de Bourges auroit pu partir six mois plus tost mais on crut quil devoit attendre le depart de ces vaisseaux dont la commodité paroissoit assez considerable tant parce quils estoient portes avec leurs paques jusques dans les Indes par mer, que parce quil n'en cousteroit rien la compagnie les defrayant de toutes choses. Cependant nous avons du depuis bien regretté le voiage entrepris de la sorte tant parce quil a esté tres mal conduit ayant esté obliges d'aller relascher au Bresil pour prendre des rafraischissements ce qui leur causa un retardement de plus de 18 mois que par la perte que vous et nous y avons faite de Mr vostre frere que le zele avoit porté a se determiner de vous aller aider dans vos travaux Il mourut le 29 juin 1666 aux costes de Guinee ou une bonnace les arresta pres de six semaines après avoir combattu 27 jours contre une fievre continue et avoir donné pendant ce temps la des marques tres grandes de sa profonde et solide vertu Vous ne pourriez croire combien il a esté regretté par lestime qu'il s'estoit acquise et la tendresse que nous avions tous pour luy a cause de la conoissance de sa tres grande vertu dont il nous avoit donné des marques tres particulieres pendant que nous avions conversé avec luy mais toutes extraordinaires depuis qu'il demeuroit dans le seminaire Dieu les a voulu recompenser de bonne heure, Il avoit fait une donation de 400 livres de rente au seminaire pour l'entretien d'un ecclesiastique qui fust capable d'y faire des conferences et cours de Theologie Il m'avoit laissé son testament qui ne contenoit que la confirmation de cette donation et ordre de faire dire mille messes pour le repos de son ame ce que j'ay fait faire comme en estant executeur et de plus comme estant vostre procureur qui devenez son heritier, j'ay fait faire un service a la Boissiere et ay fait dire un annuel au seminaire pour le repos de son ame. Néanmoins j'ay suiet de craindre que si vous venez a mourir vos héritiers et entr'autres Mr d'Estimauville ne me conteste ces articles et d'autres que je croiroi devoir emploier c'est ce qui m'oblige de vous supplier Monseigneur de m'envoier une procuration la plus ample que vous pourrez vous promettant que j'en useroi avec moderation vous y pourriez nommer Mrs de Meur, Gazil et Bulteau, Sr du Perray, par laquelle vous nous dechargiez de rendre compte a vos heritiers de l'administration de vostre bien[1], sans cela j'aurai peine a continuer d'en prendre soin car vous ne pourriez croire combien Mr d'Estimauville m'a deja fait de peine et les menaces qu'il fait à Helloin. Je plains bien Mme du Douet si elle a jamais rien a demesler avec luy car c'est un esprit chaud et qui paroist ardent pour le bien, vous aussi si vous ne devez pas faire un testament a present que vous pouvez disposer de vostre bien. Il est mort les 2 demoiselles Lambert vos tantes a qui vous faisiez des pensions et par leur mort vostre bien a augmenté d'environ 600 livres de rente. Mr Lambert[2] en mourant fit demande qu'il fasse un testament, du voyage de Mr Almeras, vu lestat de nostre seminaire assez faible »[3].

Gazil se chargea d'annoncer l'échec de Pallu et donc de Lambert à tous les missionnaires d'Asie. Il leur présenta le projet des deux évêques comme la demande de création d'une nouvelle Congrégation religieuse à laquelle on s'attache par des vœux et dans laquelle on pratique des macérations sévères ; il les avertit que le pape avait condamné ce projet et qu'il fallait dénoncer tout signe de son maintien.

---

1. Mgr Lambert dans son testament 8 ans après cette lettre, acceptera cette clause contre Mr d'Estimauville (AMEP, vol. 8, p. 150-153 ; AN, MM// 505, fol. 88-91 ; Une partie de ce testament a été publiée par A. Launay, *Histoire de la mission de Cochinchine,* t. I, p. 238).

2. Jacques de Bourges et Nicolas Lambert partirent de La Rochelle le 14 mars 1666 avec l'escadre de dix vaisseaux du marquis de Montdevergues qui était envoyé par Louis XIV à Madagascar et à l'île Bourbon (Réunion). C'est René Alméras, supérieur des Lazaristes, qui avait organisé, pour les siens et pour les missionnaires apostoliques, la participation à ce voyage de 12 mois, certains bateaux allant ensuite jusqu'à Surate, relais de la Compagnie française des Indes Orientales. Aux Îles Canaries, Nicolas écrivit le 4 mai 1666 à son frère évêque (AMEP, vol. 971, p. 167-174) pour lui annoncer la mort d'un Lazariste touché par la fièvre, il confia : « Cela me donne juste sujet de croire se pourra être bientôt mon tour ».

3. Lettre des supérieur et directeurs du séminaire à Mgr Lambert du 28 juillet 1667 (AMEP, vol. 4, p. 197-200).

Désormais tous les missionnaires qui rejoindront les vicaires apostoliques seront prévenus contre Lambert ; les uns, comme Vachet, se rendront compte de la fausseté des accusations portées contre lui, et d'autres, comme sans doute Jacques de Bourges, seront tentés de lui susciter une opposition permanente. Gazil considérait que le vrai facteur de division ne venait pas de lui mais de Lambert comme on le lui avait écrit sur place en 1667 interprétant une lettre de Brindeau :

> « Je crois que vous aurez vu la lettre de M. Brindeau que j'ai adressée à M. Picques, elle marquera sans doute la petite division que cette vie que quelques-uns avaient entrepris à Siam pouvait causer entre les missionnaires. Ce peut être une tromperie du démon pour empêcher ceux de France d'aller en ces pays et les autres qui y sont de travailler dans le concert nécessaire »[1].

L'auteur de cette lettre croyait que Brindeau manifestait son hostilité envers Lambert en tant qu'auteur de division, mais le 17 février 1670 Brindeau attestait auprès des supérieur et directeurs du séminaire que Lambert était inspiré de Dieu[2].

Ce qui est considéré par le correspondant de Gazil comme une tromperie du démon, c'est ici le style de vie de la Congrégation Apostolique proposée par Lambert. La question se pose alors de savoir comment on en est arrivé au séminaire des missions étrangères à composer en 1685 une Vie édifiante de Lambert alors qu'on l'y considérait comme inspiré par le démon.

Pour quel motif Brisacier écrit-il à sa façon la vie de Lambert en 1685 ? Pourquoi et comment en fait-il un saint ?

Pour comprendre comment Brisacier est passé si rapidemment de l'opposition à Lambert à la reconnaissance de sa sainteté, il faut sans doute envisager une cause extérieure, car Brisacier ne s'est pas pour autant converti aux idées de Lambert et à sa doctrine, il n'a reconnu aucun tort envers lui. S'il s'agit d'une cause intérieure, on peut alors évoquer l'affaire du Siam et ses conséquences sur les Missions Étrangères et peut-être même leur disparition.

En juin 1680, Pallu était de nouveau à Paris pour faire valoir au roi l'intérêt de l'alliance avec le Siam[3]. En 1681, c'est le roi du Siam qui a pris l'initiative d'un rapprochement avec la France, mais une première ambassade siamoise ne réussit pas à gagner la France et se perd en mer corps et biens[4].

1. Lettre de X à M. Gazil, Rome, 25 juillet 1667, AMEP, vol. 201, p. 25-26.
2. Pierre Brindeau, Lettre aux directeurs, 17 février 1670, AMEP, vol. 733, p. 167.
3. D. Van Der Cruysse, *Louis XIV et le Siam*, p. 255-256.
4. G. Moussay et B. Appavou, *Répertoire*, p. 56 (Gayme Claude).

C'est le 25 janvier 1684 qu'une nouvelle ambassade siamoise part pour Versailles avec deux missionnaires désignés pour être interprètes par Laneau[1] : Bénigne Vachet (arrivé au Siam en juillet 1671) et Antoine Pascot (arrivé seulement en juin 1681[2]). Les vents favorables permettent un voyage de 6 mois et l'ambassade arrive à Versailles et Vachet s'efforça d'obtenir un bon accueil pour ses ambassadeurs siamois.

C'est à la mi-décembre 1684 que fut décidé par Louis XIV, avec le ministre Louvois et deux jésuites, François de La Chaise, confesseur du roi, et Jacques Pallu, Provincial de Paris et frère de François Pallu, l'envoi au Siam de jésuites mathématiciens[3].

L'ambassade dirigée par le chevalier de Chaumont (avec l'abbé de Choisy pour adjoint) part de Brest en mars 1685 avec six mathématiciens jésuites, Jean de Fontaney, Jean Gerbillon, Louis Le Comte, Guy Tachard, Claude de Visdelou et Joachim Bouvet. Ils emportaient des traités de physique, d'astronomie, d'anatomie et de botanique ainsi que des cartes et des globes terrestres, mais aussi des pendules, des cadrans solaires, des miroirs, des lunettes, des microscopes, des thermomètres, des baromètres, des boussoles, etc.[4]. Les jésuites trouvaient que c'était là un bon moyen pour séduire le roi du Siam et favoriser sa conversion.

Dans les *Monita* publiés à Rome par la Sacrée Congrégation de la Propagation de la Foi, on trouve le point de vue de Rome sur cette façon de présenter le christianisme par les sciences humaines et les avancées de la civilisation européenne :

> « L'astronomie et les autres sciences mathématiques, la peinture, les arts mécaniques et autres, tout cela est pour le missionnaire une charge et une entrave plutôt qu'un réel secours. Tout le temps qu'il y consacre est pris sur la prière et les autres fonctions apostoliques ; en outre, ils attirent au missionnaire une considération et une renommée qui le remplissent de la fumée d'une vaine gloriole, amuse la curiosité des auditeurs et, en y fixant leur attention, les distrait des choses du salut. Il arrive même parfois que les missionnaires, voulant paraître experts et au courant de ces arts, pour donner ainsi du crédit et de l'autorité à leurs prédications religieuses, obtiennent précisément l'effet

1. D. Van Der Cruysse, *Louis XIV et le Siam*, p. 264 ; Alain Forest, *Les missionnaires français au Tonkin et au Siam, xviie-xviiie siècles*, t. 1 : *Histoire du Siam*, Paris, l'Harmattan, 1998, p. 341-342. C'est l'alliance de la force des armes et de la séduction des sciences que condamnaient les *Monita*, voir François Pallu et Pierre Lambert de la Motte, *Monita ad missionarios S. Congregationis de Propaganda Fide (Instructions aux Missionnaires de la Sacrée Congrégation de la Propagande)*, rédigées en 1665, traduites du latin par Albert Geluy, Paris, AMEP, 2000, p. 43 et 48.

2. *Ibid.*, A. Forest, p. 221.

3. D. Van Der Cruysse, *Louis XIV et le Siam*, p. 280.

4. *Ibid*, p. 287-288.

contraire ; on les croit trop malins, on se méfie d'eux, on leur refuse toute créance »[1].

Lambert donne aux élèves de son collège de Juthia la clé du savoir européen[2]. Il ne cherche pas à éblouir en faisant étalage de la science européenne ou la donner comme un argument pour convaincre les païens avec le danger qu'il dénonce dans son *Abrégé de Relation* :

> « On apprit de ce vaisseau la confirmation des mauvaises nouvelles qu'on avoit euës de la Chine et que les peres Jesuittes qui estoient a Pequin et ailleurs dans le Royaume avoient esté mis en prison la principale cause aquoy lon attribue cette persecution vient du demesle arrive entre les peres et les mathematiciens de la chine touchant la reformation de leur calendrier[3] et quelques points de mathematiques. Cette dispute fait que les affaires de la religion qui sont en fort mauvais estat et que dans toutes les apparences du monde, on va chasser les portugais de Macao qui en estoient desja menacez il y a quelques années »[4].

1. F. Pallu et P. Lambert de la Motte, *Monita*, p. 48.

2. P. Lambert de la Motte, *Abrégé de Relation*, AMEP, vol. 121, p. 685 ; cf. Guennou, transc., § 36 : « Outre les raisons qui sont les plus grandes qu'on puisse avoir, la faveur que V. M. nous a faite de nous envoyer dix de ses sujets pour les instruire aux sciences d'Europe demande de nous une nouvelle reconnoissance et nous fait penser a lestablissement d'un college si V. M. le trouve bon dans sa Ville Royale ou ailleurs ou il vous plaira ordonner pour y apprendre les sçiences qui sont necessaires a Un estat pour le rendre recommandable par toutes les nations de la terre ».

3. Dans la pensée chinoise comme dans celle de la plupart des religions, le calendrier avait un aspect étroitement religieux et mettait l'homme en rapport avec le ciel, lieu attribué aux divinités. En Chine notamment le calendrier renseignait sur les jours fastes ou néfastes et était consulté avant de réaliser telle ou telle entreprise de la vie ordinaire. On comprend alors la réaction des Chinois à la désacralisation du ciel poposée par les mathématiciens jésuites.

4. P. Lambert de la Motte, *Abrégé de Relation*, AMEP, vol. 121, p. 691 ; cf. Guennou, transc., § 40 ; cf. Lettre de Lambert à M. Lesley, du 20 octobre 1670, AMEP, vol. 858, p. 191 ; cf. n° 123 : « Les peres jésuites sont toujours detenus prisonniers a Canton, avec esperance den sortir bientost par le moyen de trois de leur peres qui sont restés a pesquin en qualité desclaves de lempereur de la chine, qui les aime fort, a ce quon dit, pour les mathematiques » ; cf. *Abrégé de Relation*, AMEP, vol. 121, p. 713 ; cf. § 50 : « Ce fut par larrivé de ces vaisseaux quon receut des nouvelles de Macao qui est toujours reduit en une extreme necessité. Les habitans neanmoins ont quelque esperance quon leur permettra le commerce comme auparavant, en payant une somme environ sept cent mille livres. Toutes les lettres portent que 24 ou 25 Religieux qui estoient a la chine ont esté mandé a Pequin et quil y a un arrest de banissement contre eux du mois de septembre 1665. On demeure aussy daccort que le sujet de cette disgrace nest point en haine de la Religion catholique, mais purement par la faute des peres Jesuites, soit pour sestre trompé dans quelques point de mathematiques dont des plus doctes qu'eux ont montré la faute, soit par ce quils ont esté accusés de se vouloir soulever contre lestat, quelquesuns craignent quon ne les aye fait mourir dans les chemins, par quelques ordres secretes, a cause quils estoient parties de pequin incontinent apres larrest de leur condamnation et quon n'avoit pas mesme de leurs nouvelles le 10 mars 1666 » ; cf. *Abrégé de Relation*, AMEP, vol. 121, p. 762-763 ; cf. § 91 : « On aprist par cette vöye des relations escrites de la Chine, la disgrace du pere Jean Adam,

L'ambassade française au Siam ne mettra que quinze mois et quinze jours pour faire l'aller-retour, elle atteint l'embouchure du Chao Phraya le 24 septembre 1685 et elle repartira du même endroit le 22 décembre 1685 mais sans avoir pu remplir sa mission de conversion du roi. Les six jésuites avaient pourtant invité le roi à contempler dans la nuit du 10 au 11 décembre 1685 une éclipse de lune qu'ils avaient calculée et prédite avec précision[1]. Les catholiques n'étaient pas les seuls à vouloir convertir le roi de Siam, une ambassade persane les suivra à Juthia pour tenter de le convertir à l'Islam le 19 décembre 1685 et en repartira le 18 janvier 1687 avec le même échec que les Français[2]. Laneau avait assuré les Français que leur entreprise ne pouvait réussir avec un prince comme Phra Naraï. Vachet écrira dans ses *Mémoires* qu'il appréhendait cette mission dont l'objectif était la conversion au catholicisme du souverain siamois. En tout cas, il pensait que Laneau pouvait y réussir mieux seul à seul avec le roi et que les autres Français n'avaient aucune chance d'y réussir par Phaulkon[3].

En fait Phaulkon, un aventurier grec qui avait obtenu la confiance du roi de Siam, prépara avec le Père Tachard, avant son retour pour la France

jésuitte, lequel aprés avoir esté eslevé à la charge de president des mathematiques de la Chine, s'est veu en fin reduit en un estat des plus miserables du monde. Les principales causes que l'on dict de sa chute sont pour s'eestre faict plusieurs ennemys, lesquels se sont vengés de luy dans la suite des temps d'une estrange maniere. La relation du pere Antonio de Sainte Marie, prefet apostolique de l'ordre des freres mineurs, qui est entre les mains des missionnaires, porte qu'il y eust trois accusations contre les peres Jesuittes. La premiere de ce qu'il disposoit les esprits à une revolte ; la seconde de ce qu'il estoit autheur d'une meschante loy ; et la troisieme de ce qu'il avoit erré en plusieurs points de mathématiques et principalement en assignant un heure malheureuse pour enterrer le fils de l'empereur de la Chine dont il devoit (disoit-on) s'ensuivre des malheurs estranges dans la famille impériale » ; cf. *Abrégé de Relation*, AMEP, vol. 121, p. 767 ; cf. § 95 : « Par l'arrivée de ce vaisseau on aprist que les habitants de Macao avoient esperance que leur commerce se restabliroit avec la Chine, moyenant une somme d'environ six cent mil livres qu'on s'estoit obligé de fournir au gouverneur de la province de Canton qui se chargeroit du succès de ceste affaire. Pour ce qui regarde les affaires de la religion, les religieux missionnaires qui se sont destenus à Canton escrivent que sur la fin de l'année mil six cents soixante et huict, l'empereur fit appeler les trois Jesuittes qui sont restés à Pekim pour scavoir s'ils entendoient bien les mathematiques et que l'un d'eux qui se nomme le pere Verbiest fit quelques demonstrations publiques que leurs adversaires ne purent faire et montrerent des la leur ignorance dans le Calendrier qu'ils avoient presenté au roy; en suite de quoy, ils receurent ordre de sa maiesté de le reformer et d'en faire un nouveau dont ces religieux presument avec fondement qu'ils ne tarderont pas d'estre restablis dans la charge de president de mathematiques que possedoit autrefois le pere Jean Adam, et que par ce moyen, les choses de la religion seront aussi remises en leur premier estat ».

1. D. Van Der Cruysse, *Louis XIV et le Siam*, p. 330. 369. 372 ; Alexandre de Rhodes avait également prédit une éclipse de lune au Vietnam (Jean Lacouture, *Jésuites, une multibiographie*, 1. *Les conquérants*, Paris, Seuil, 1991, p. 310).

2. *Ibid.*, Van Der Cruysse, p. 299-304.

3. A. Launay, *Histoire de la mission de Siam*, t. I, p. 153.

en décembre 1685, tous les détails du « protectorat français » : les jésuites devaient venir habillés en laïcs avec des soldats[1]. Il fit en sorte que le comte de Forbin, un militaire, reste au Siam pour diriger l'armée siamoise et l'ingénieur de La Mare pour reconstruire la forteresse de Bangkok ; c'est là où stationneraient les troupes de Louis XIV. Le retour de l'ambassade française fut l'occasion d'une nouvelle ambassade siamoise beaucoup plus festive que la première. Les Siamois furent accueillis à Brest en juin 1686 avec une énorme curiosité par tout le peuple (la rue principale de Brest a pris le nom de Rue de Siam pour commémorer l'événement). Toute l'argenterie de Versailles avait été sortie pour leur faire honneur[2].

Aussitôt arrivé, le Père Tachard prépara avec Louis XIV et ses ministres la nouvelle expédition française qui serait commandée par Simon de La Loubère : il s'agirait de six cents soldats avec cent soixante canons munis de deux mille boulets. Le Père Tachard deviendrait le supérieur des jésuites français dans les Indes, quatorze autres jésuites sélectionnés en fonction de leurs compétences scientifiques l'accompagneraient. L'escadre française de cette expédition partit le 1er mars 1687 et elle atteignit le Siam fin septembre et début octobre[3]. Très vite il apparut que Constance Phaulkon avait appelé les jésuites pour évincer le vicaire apostolique et ses missionnaires[4]. Au début de 1688, Louis XIV envoya des troupes supplémentaires au Siam. Au début de 1689 c'est le Père Tachard qui revint à Versailles pour rendre compte au roi et faire d'autres demandes[5]. Mais c'était déjà trop tard.

En effet, en mai 1688 ce fut la révolution au Siam et le rêve siamois de Louis XIV s'écroula. Ce fut la décapitation de Constance Phaulkon, la mort en prison de Phra Naraï, la reddition de la garnison française et son renvoi avec la plupart des jésuites et quelques missionnaires apostoliques. Laneau resta héroïquement au Siam et subit les pires sévices[6]. Il écrira le 24 novembre 1689 : « On apprend beaucoup plus dans un noviciat de persécution à la cangue (au cou) et aux fers (aux pieds) qu'en dix années d'études à la Sorbonne »[7]. Ce furent les pires heures du catholicisme au Siam, le travail des vicaires apostoliques depuis 1662 semblait anéanti.

---

1. D. Van Der Cruysse, *Louis XIV et le Siam*, p. 396.
2. *Ibid.*, p. 369. 378. 389. En 2008, une exposition a montré à Versailles la magnificence de cette réception : les ambassadeurs siamois parcoururent la galerie des Glaces où se trouvaient quinze cent personnes, Louis XIV était assis au fond sur son trône d'argent placé sur une estrade de huit marches couverte d'un tapis fleurdelisé à fond d'or et flanquée de torchères d'argent massif de trois mètres de haut et de grands vases également d'argent.
3. *Ibid.*, p. 396-398. 403. 408-410. 419.
4. *Ibid.*, p. 426-427.
5. *Ibid.*, p. 441.444.
6. *Ibid.*, p. 460-465. 471-472
7. *Ibid.*, p. 472 (citant lettre du 24 novembre 1689, AMEP, vol. 862, p. 379).

En fin 1688, le Père Tachard accusa à Rome les vicaires apostoliques d'être les auteurs de la perte de la communauté chrétienne siamoise, cet échec étant dû à « la jalousie, le ressentiment et les autres passions si indignes de gens consacrés à Dieu », ces Messieurs des Missions Étrangères. Pendant dix ans il y aura un relâchement des relations entre la Sacrée Congrégation de la Propagation de la Foi et les missions françaises d'Asie. Le Père Tachard fut chargé par Louis XIV de reprendre contact avec le Siam. Il revint en Asie en 1690-1691 en se présentant comme le supérieur de la mission du Tonkin[1]. À partir de 1688 la Société des Missions Étrangères subit de graves difficultés de recrutement et de financement. Laneau meurt en 1697.

Jacques-Charles Brisacier arriva au séminaire des missions étrangères vers 1670 et en est élu supérieur en 1681, il a eu largement le temps de partager l'opinion de ses collègues, notamment celle de Gazil qui s'opposa nettement à Lambert et qui mourut en 1679, cinq mois avant Lambert. Mais en 1685, Louis XIV pouvait se décider à remplacer les vicaires apostoliques et leurs missionnaires par des jésuites français, et en conséquence à rendre inutile pour l'Asie le séminaire des Missions Étrangères dont Brisacier était alors le supérieur.

En 1685, la défense des intérêts du séminaire passait-il par l'éloge du travail des missionnaires français représenté par la vie d'un héros édifiant ? Malgré tout le contentieux qui a pu exister entre le séminaire et Lambert de son vivant, la notoriété de l'évêque de Bérithe est suffisante pour convenir à Brisacier à condition d'habiller le personnage en fonction de l'objectif recherché. Il est évident que le récit de la vie de Pallu aurait été préférable pour lui et aurait nécessité moins de manipulations, mais la mort de Pallu, survenue en Chine le 29 octobre 1684, n'a sans doute été connue à Paris que beaucoup plus tard.

Brisacier écrit sa *Vie de Mgr de Béryte* en conformité avec la politique royale. Il s'agit alors d'affirmer d'abord que l'antagonisme entre Lambert et les jésuites n'a jamais existé et ensuite que l'action de Lambert a favorisé la politique de Louis XIV au Siam. Brisacier montre comment les relations

1. *Ibid.*, p. 482 ; Alain Forest, *Les missionnaires français au Tonkin et au Siam*, t. 1, p. 236-237. 244-245. Dans le tome IX de *l'Histoire du Christianisme*, Philippe Lécrivain semble prendre le parti de son confrère le Père Tachard en écrivant qu'au Siam « c'est l'échec des Français et plus encore, des missionnaires » (p. 779) et en expliquant plus loin : « Arrivés au Siam en 1665, les Missions étrangères de Paris ont tiré avantage de la volonté du souverain d'apporter un contrepoint à la présence hollandaise. Mais, en 1688, les Français vont trop loin et la révolution qu'ils provoquent met un terme à leurs velléités. Ils s'entendent avec le roi Phra Petraja sur les conditions de leur capitulation mais ne les respectent pas. Et c'est ceci qui conduit Laneau et ses missionnaires en prison » (p. 786). Philippe Lécrivain a préparé les esprits en parlant des maladresses des missionnaires apostoliques dont Bouchard, Courtaulin, Vachet et Mahot, en Cochinchine avec des conséquences qui peuvent être désastreuses notamment pour Deydier et de Bourges au Tonkin (p. 770).

diplomatiques de la France et du Siam ont été initiées par Lambert de la façon la plus favorable.

Brisacier ignorera volontairement tout ce qui a opposé Lambert et le séminaire. Il n'est donc pas question de parler de la vraie vie intérieure et des préoccupations réelles de Lambert qui s'expriment dans sa correspondance et son *Abrégé de Relation* et que le séminaire a toujours considérées comme pernicieuses. Il ne suffit pas seulement de montrer ce qui manque dans cette biographie mais il faut voir le portrait qui a été sciemment élaboré à partir de critères extérieurs au récit.

Au XVIIe siècle, on n'avait pas peur d'inventer pourvu que ce qu'on invente soit moral et permette l'éducation des lecteurs. Avec Brisacier nous entrons dans un type de littérature, celui des Vies édifiantes, qui a ses règles propres et qui offre des particularités en France aux XVIe et XVIIe siècles. Eric Suire écrit ainsi que « sous l'Ancien Régime, les structures politiques et sociales confortent le respect de l'autorité, qu'il s'agisse de la soumission à la majesté royale ou à la majesté divine »[1], et il souligne qu'à l'époque on est plus soucieux d'être dans la ligne du Roi que dans la vérité historique. Il écrit : « Le *Martyrologium gallicanum* et autres Légendiers nationaux publiés au cours du Grand Siècle ont exalté les figures de la sainteté française dans le but de louer la grandeur de l'Église de France, et de flatter la monarchie »[2]. Pour Brisacier, en parlant de Lambert il faudra donc éviter de montrer son attachement trop prépondérant au pape[3].

Le Grand Siècle se distingue par l'abondance des causes de martyrs et de missionnaires, lesquels atteignent le quart des procédures de cette période[4].

Pour comprendre le récit de Brisacier il faut avoir les clés de l'hagiographie de cette époque. Le but recherché n'est pas la restitution du passé mais l'édification de la communauté chrétienne. Mais à la fin du XVIIe siècle le doute était venu sur la véracité de ces récits édifiants et le mot « Légende » qui les désignait[5] prenait déjà le sens négatif qu'il a aujourd'hui.

---

1. E. SUIRE, *La sainteté française de la Réforme catholique*, p. 84. Rome freina les béatifications françaises à cause du gallicanisme de Louis XIV et de son clergé (*Ibid.*, p. 371-376).

2. *Ibid.*, p. 425. Henri de Maupas du Tour chargé d'instruire le procès de béatification de François de Sales s'arrangea pour que la gloire du saint "retombât sur Louis XIV" (*Ibid.*, p. 364).

3. Jean Eudes perdit tout son crédit auprès de Louis XIV quand le roi apprit qu'il avait proposé au pape en 1662 d'engager sa congrégation à soutenir celui-ci par un vœu irrévocable (*Ibid.*, p. 342).

4. *Ibid.*, p. 412.

5. Cf. La *Légende Dorée* de Jacques de VORAGINE (écrite avant 1264) ; la *Legenda Major* de saint Bonaventure sur la vie de saint François d'Assise. Rappelons que le mot latin *Legenda* veut dire : ouvrage à lire, "devant être lu" ou qu'on doit lire et que ce mot n'avais aucun sens négatif jusqu'au XVIIe siècle.

Aussi les auteurs multipliaient les preuves de crédibilité comme des extraits de correspondances[1] et des références à des journaux intimes[2]. Brisacier assure qu'il a eu entre les mains le petit *Journal* de Lambert[3]. Évidemment par cette référence l'auteur veut lier à lui le lecteur dans une dépendance qui tient plus à la croyance qu'à la raison. Si l'on en juge en fonction de la plupart des biographies de Lambert qui s'appuient sur lui, il a pleinement réussi[4]. Nul ne s'étonne de la disparition inexpliquée de ce document dont personne n'a parlé au Siam où Lambert aurait dû le conserver jusqu'à sa mort en 1679. Ses compagnons de mission n'avaient alors aucune raison de le transmettre précipitamment à Paris sans l'utiliser dans la nécrologie écrite au Siam par Vachet.

S'il y avait un événement déterminant que Lambert ait eu à confier à son *Journal*, c'est bien la révélation mystique qu'il eut vers 9 ans, celle de

---

1. C'est le cas de Denis Amelote dans sa *vie du Père de Condren* (Paris, Chez Henry Sara et au Palais, 1643) ; destinées en leur temps à renforcer la crédibilité, les citations de lettres posent plus de questions qu'elles n'en résolvent aux historiens d'aujourd'hui. Une comparaison entre l'édition de 1657 et celle de 1643 amplifie l'impression de manipulation de l'histoire (cf. l'Introduction des *Lettres du Père Charles de Condren* (1588-1641) publiées par Paul Auvray et André Jouffrey, Paris, Cerf, 1943, p. XXXI-XXXVI). Les citations de lettres de Condren sont rarement des copies exactes chez Amelote, le plus souvent il les aménage ou les complète pour leur faire dire ce qui lui convient. Il se sert alors de formules générales pour les présenter, comme « il avait coutume de dire » ou « disait-il ».

2. E. Suire, *Sainteté et lumières. Hagiographie, Spiritualité et propagande religieuse dans la France du xviiie siècle*, p. 161, avec le rappel de la Préface de la *Vie des saints, tirée des auteurs ecclésiastiques, anciens et modernes* (Lyon, Antoine Thomas, 1689) où l'auteur, la bénédictine J. Bouette de Blémur, constatait déjà que le mot « Légendes », désignant étymologiquement un livre « digne d'être lu », était désormais méprisé par les « gens du siècle » qui lui attribuaient le sens de fable. Le titre de l'œuvre d'Adrien Baillet est symptomatique du peu de crédibilité accordée en 1700 aux récits de la vie des saints : *Les vies des saints composées sur ce qui nous est resté de plus authentique et de plus assuré dans leur histoire, disposées selon l'ordre des Calendriers et des Martyrologes. Avec l'histoire de leur culte selon qu'il est établi dans l'Église catholique. Et l'histoire des autres fêtes de l'année*, 2e éd. Paris, Jean de Nully, 1704 (cf. E. Suire : *La sainteté française de la Réforme catholique*, p. 25-27. 30).

3. On a conservé un *Journal* rédigé par Mgr Lambert concernant ses dernières années, de 1674 à 1678. Ce document ne contient pas de longs récits mais des petites notes datées jour après jour ; on peut alors s'étonner du peu de dates précises dans le récit de Brisacier s'il suivait un texte de ce genre.

4. D. Amelote pour sa *Vie du Père de Condren* parue en 1643 a bénéficié au départ du même préjugé favorable avant que les historiens contemporains s'interrogent à son sujet : Amelote a vécu plusieurs années dans l'intimité du Père de Condren. Il écrit à peine quelques mois après la mort de son héros, alors que tous les témoins vivent encore. Il s'informe aux meilleures sources : la sœur du p. de Condren, carmélite, son précepteur M. Le Masson, ses confrères de l'Oratoire sont mis à contribution » (Introduction des *Lettres du Père Charles de Condren*, p. XXXI-XXXII), comme Amelote en témoigne dans sa Préface § III. Brisacier, en suscitant les mêmes méfiances qu'Amelote (amplification et panégyrique) sans en posséder les atouts de crédibilité, a cependant emporté jusqu'ici l'adhésion bien injustifiée des biographes.

la communauté des Amateurs de la Croix, le grand projet de sa vie dont il a fait part à Vincent de Meur dans sa lettre du 3 novembre 1664, mais il n'en est pas question dans l'œuvre de Brisacier[1], comme il n'est pas question de condamner le commerce des religieux alors que Lambert y revient avec insistance. Entre la façon de rendre compte de la mission de Lambert par de Bourges et Gazil et la façon de rendre compte de son enfance, de sa vie et de ses préoccupations par Brisacier, il y a la même suppression de ce qui apparaît comme essentiel dans les textes manuscrits de Lambert. Cela vient du fait que Brisacier puise à la même source, celle des Supérieurs et directeurs du séminaire qui se sont toujours opposés à Lambert.

En prétendant avoir eu sous les yeux le *Journal intime* de Lambert, Brisacier tente de faire croire en une proximité affective entre le personnel du séminaire de Paris et Lambert. Il la fait remonter au temps où Nicolas Lambert faisait partie de la communauté du Père Bagot rue Coupeau ; Lambert aurait été convaincu par son frère que les membres de cette communauté étaient animés de l'Esprit de Dieu et que c'était là la pépinière nécessaire pour les vocations missionnaires en Asie. Brisacier confirme que c'est bien de cette maison de la rue Coupeau qu'est sorti le séminaire des Missions en 1663. Le séminaire est alors présenté comme l'organe central de ce qui sera la Société des Missions Étrangères, appelé à distribuer des missionnaires aux vicaires apostoliques qui sont en lien avec lui. Brisacier donne à Lambert un simple rôle de conseiller qui fait confiance aux membres du séminaire pour qu'ils agissent pour le bien de tous[2]. Celui qui est décrit dans cette biographie, c'est le vicaire apostolique idéal que la communauté de la rue Coupeau rêvait de voir sortir de ses rangs.

---

1. Brisacier situe à 8 ans l'âge où Lambert acquiert la maturité de la foi mais néglige la lettre dont il dispose pour en donner les détails. Pourtant il prétend puiser dans le *Journal intime* de Lambert. De son côté Amelote prétend reproduire une correspondance inconnue pour préciser l'origine de la vocation de Condren : « Si le Fils de Dieu receut toute sa mission lorsqu'il s'incarna, ce ne fut qu'à l'âge de douze ans qu'il commença de la publier. Et à son exemple nostre enfant que le Père éternel a toujours traité comme l'image de son Fils, receut cette mesme année la lumière de sa vocation. Voicy ce qu'il a escrit a une personne de qualité touchant cet âge. Ce fut donc vers cet âge-là qu'estudiant un jour en son cabinet, & veillant à la porte de la sagesse, avec son attention ordinaire à Dieu, comme il estoit sans cesse dans son esprit de sacrifice, s'anéantissant toujours soy-mesme & s'appliquant à Dieu par une très pure et très saincte religion, & convertissant toutes ses lectures en des sujets d'adoration & d'amour, il se trouve tout en un moment l'esprit environné d'une admirable lumière dans la clarté de laquelle la divine Majesté luy parut si immense et si infinie qu'il luy sembloit n'y avoir que ce pur estre qui deust subsister... Cette lumière estoit si pure, & si puissante qu'elle fit une impression de mort en son âme qui ne s'est jamais effacée, il se donna de tout son cœur à Dieu, pour estre réduit à néant en son honneur et pour qu'il ne vive jamais qu'en cette disposition » (D. AMELOTE, *La vie du Père Charles de Condren,* Paris, 1643, p. 40-42).
2. J.-C. de BRISACIER, *Vie de M. de Beryte*, AMEP, vol. 122, p. 76.

Eric Suire donne un exemple du travail de l'imagination des auteurs à propos de *la Vie de la vénérable Mère Jeanne de l'Estonnac*, par le capucin François Julia. Cette biographie comporte beaucoup de réminiscences de récits légendaires composés plusieurs siècles auparavant, et pour son auteur c'est rendre honneur à son héroïne, comme le dit Eric Suire : « Quand il ignore les détails d'un événement de la vie de son héroïne, il n'hésite pas à émettre les hypothèses les plus favorables à sa réputation »[1].

Le cadre imaginaire où Brisacier choisit de placer Lambert conduit à des aberrations, si on se souvient de la position du séminaire sur les propositions de Lambert concernant la Congrégation Apostolique et ses vœux ; à Paris des théologiens de la Sorbonne avaient été alors sollicités pour y trouver des hérésies[2], et en 1670 on fait jurer à Pallu de ne plus jamais tenir compte de ce que Lambert prétendait recevoir dans l'oraison, des vues « suspectes et dangereuses ». Mais en 1685, l'heure n'est plus à de telles condamnations, Lambert est présenté par Brisacier comme un théologien inné qui dépasse ses maîtres grâce à l'enseignement intérieur du Saint-Esprit. Il n'hésite pas à écrire à propos des facilités de Lambert : « Ainsy M. de la Motthe Lambert devint le maistre de son Maistre, instruit qu'il estoit dans l'ecole de Dieu mesme il éclairoit sans y penser, et il echauffoit d'une maniere merveilleuse ceux qui l'approchoient, et l'on ne pouvoit l'entendre parler des choses divines sans eprouver en soy mesme une certaine dilatation de cœur que le St-Esprit est seul capable de donner »[3].

Deux lettres de J. C. Brisacier à M. Lefebvre, procureur à Rome, donnent quelques lumières sur la rédaction de sa *Vie de Mgr de Béryte*. Dans la première du 29 juin 1685 Brisacier écrit : « Nous savons asseurement tout l'egard que nous devons avoir aux avis de nos Mrs du Tonquin, de Siam et d'ailleurs sur nos relations, celle qu'on projettait de faire n'est pas fort avancé, car au lieu d'y travailler et d'y inserer un petit abbregé de la vie de M. de Berithe on a entrepris de faire une vie entiere qui m'occupe depuis pres de deux mois, et qui n'est pas encore achevé »[4]. Dans la seconde lettre du 8 juillet 1685, Brisacier écrit :

1. E. Suire, *La sainteté française de la Réforme catholique*, p. 31, citant François Julia, *la Vie de la vénérable Mère Jeanne de l'Estonnac*, Toulouse, 1671, p. 331.

2. Lettre des supérieur et directeurs du séminaire à Mgr Lambert du 28 juillet 1667 longuement citée plus haut (AMEP, vol. 4, p. 197).

3. J.-C. de Brisacier, *Vie de M. de Beryte*, vol. 122, p. 45, § 102.

4. J.-C. de Brisacier, lettre à Lefèbvre du 29 juin 1685 (AMEP, vol. 9, p. 627). François Lefebvre fut procureur à Rome pendant 18 mois, entre le début de 1684 et la fin de 1685, il fut accrédité auprès des cardinaux par Mgr Pallu mais ne bénéficiait pas de la confiance des Directeurs du séminaire de Paris car il ne partageait pas leurs idées (AMEP, vol. 9, p. 320), la maladie le contraint à la démission et à quitter Rome en octobre 1685.

« On vient de m'envoyer de Paris, Monsieur, vostre lettre commune du 29 juin et la lettre particuliere que vous m'ecrivez de la mesme datte, a l'egard de la derniere ie n'ay rien a vous respondre autre chose que de vous remercier de l'honneur que vous me faites sur l'oubly ou vous vous trouvastes chez M. le cardinal Alt[tieri][1] auquel vous ne dittes rien de la Relation ; vous avez veu par ma derniere response qu'il ne s'agit plus d'une relation mais de la *Vie de M. de Beryte* qui n'est pas encore achevée et pour laquelle il ne nous faut point la permission de Rome »[2].

Cette dernière précision de la part de Brisacier montre que Rome n'est pas destinataire de la *Vie de Lambert* et qu'il n'est pas question de soumettre l'œuvre à sa censure bien que Lambert ait été dépendant de la Sacrée Congrégation de la Propagation de la Foi. Il semble que la décision de la rédiger survint brutalement en avril 1685 sans que la cause en soit explicite. Le manuscrit de l'œuvre de Brisacier montre une écriture composite qui semble prouver que c'est tout le séminaire qui s'attacha à cette tâche dans l'urgence.

Aussi les incohérences n'effraient pas les rédacteurs qui ne semblent pas connaître ce qu'impliquent les responsabilités que portent Lambert à Rouen. Ils montrent Lambert à la fin de 1654, allant s'enfermer dans l'Ermitage de Caen sous la direction de Jean de Bernières qui l'invite à s'engager dans la mission du Canada[3]. Lambert aurait démissionné de sa charge de magistrat le dernier jour d'avril 1655 et Jean de Bernières serait alors venu présenter Lambert à ses amis de Paris comme candidat évêque pour le Vicariat du Canada[4]. En fait Lambert ne sera libéré de sa charge qu'en juin 1656 après 10 ans passés à la Cour des Aydes mais alors sa responsabilité de directeur général de l'hôpital de Rouen occupe tout son temps. Avant d'être évêque en 1658 il aurait fallu qu'il soit d'abord prêtre et, si on suit le récit de Brisacier, ce n'est pas l'ordre des appels de Dieu pour Pierre Lambert[5]. Dans les manuscrits de Lambert, on ne voit aucune allusion à sa relation avec Jean de Bernières et à son désir de partir au Canada. On pourrait penser à une reprise de la biographie de François de Montmorency-Laval (ou Montigny-Laval) qui fut désigné par le pape comme évêque de Pétrée et vicaire apostolique à Québec au Canada.

1. Le cardinal Altieri était préfet de la Sacrée Congrégation de la Propagation de la Foi depuis 1671.

2. J.-C. de Brisacier, lettre à Lefèbvre du 8 juillet 1685 (AMEP, vol. 9, p. 635).

3. J.-C. de Brisacier, *Vie de M. de Beryte*, vol. 122, p. 5-6, § 17.

4. *Ibid.*, p. 10-11, § 26-28.

5. *Ibid.*, p. 5-6, § 17 : « Dans ce temps la on cherchoit en France quelque sujet de merite qu'on pust proposer a Rome pour envoyer en Canada en qualité d'évêque vicaire apostolique ; il fut un de ceux qu'on crut propres a cet employ a la premiere proposition qu'on luy en fit », et plus loin : « Il eut aussy, pour la premiere fois le mouvement de prendre les ordres afin d'etre en etat dassister les ames dans le Pays ou il croyoit estre appelé » (p. 7, § 21).

Brisacier cite rapidement les rencontres de Lambert avec Jean de Bernières, Jean Eudes, l'abbé du Val-Richer, les membres de la Conférence de Cambremer, le Père Simon Hallé, la Duchesse d'Aiguillon[1]. Dans sa biographie de Lambert, Brisacier n'inventait pas tout, ce n'était d'ailleurs pas possible car ses lecteurs disposaient d'autres sources d'information que lui, mais en évoquant des faits vrais il créait souvent un contexte différent qui changeait le sens que Lambert leur avait donné, ce qu'avaient déjà fait ses confrères du séminaire en publiant certaines relations de voyage comme celle de Jacques de Bourges.

Ainsi c'est le cas pour la nouvelle du martyre de 370 japonais des deux sexes en 1661 que Lambert semble être le premier à transmettre en Europe le 10 octobre 1662[2]. Même si le Japon ne figure pas dans ses attributions, Lambert était prêt à lui porter secours en ordonnant des prêtres japonais : « Je informé nostre st pere le pape de leur extresme besoin et la Sacree Congregation, s'ils me veulent envoyer des personnes qui aient vocation au sacerdoce et qui ayent les qualités requises, je les ordonneré et que cest la pour le present tout ce que je puis faire »[3]. Il montre ensuite que l'état du christianisme en Asie continentale peut conduire au même drame qu'au Japon par manque de clergé autochtone[4].

1. J.-C. de Brisacier, *Vie de M. de Beryte*, vol. 122, avec Jean de Bernières (p. 7, § 19), Jean Eudes (p. 24, § 65), l'abbé du Val-Richer (p. 37, § 87) et la Conférence de Cambremer (pp. 47-48, § 105), le Père Simon Hallé (p. 45, § 103), la Duchesse d'Aiguillon (p. 75, § 139). Brisacier ne mentionne pas Marie des Vallées bien que Lambert ait payé la cloche de la chapelle du séminaire de Coutances dont Jean de Bernières et Marie des Vallées étaient parrain et marraine.

2. P. Lambert de la Motte, trois lettres du 10 octobre 1662 : Lettre au cardinal Barberini (AMEP, vol. 857, p. 141), Lettre à la Duchesse d'Aiguillon (AMEP, vol. 858, p. 10) et Lettre à son frère Nicolas Lambert (AMEP, vol. 858, p. 6-7).

3. *Id.*, Lettre à son frère Nicolas Lambert du 10 octobre 1662, AMEP, vol. 858, p. 7.

4. H. Sy note : « Dans un article très documenté de la Revue d'*Histoire des Missions* (1932, p. 475-505), le p. Brou a établi que de 1601 aux environs de 1640, 40 à 50 japonais furent ordonnés prêtres : 7 du clergé séculier, les autres appartenant à divers Ordres religieux, il en donne la liste nominative » (H. Sy, *La Société des Missions Étrangères – Les débuts*, p. 88. 207, note 207). Mais il n'y a là aucune infirmation du fait qu'en 1640, au moment de la fermeture complète du Japon aux étrangers, il n'y avait plus de prêtres autochtones et évidemment pas d'évêques autochtones pour en ordonner : « Dès le pontificat d'Urbain VIII et d'Innocent X, on avait connu la nécessité de promouvoir les Indiens aux ordres sacrés, mais les évêques qui avaient été établis dans les Indes n'entraient pas dans ce dessein des papes, ne choisissaient aucun Indien pour l'élever dans la cléricature, ce qui donna occasion aux plaintes que l'on porta sur ce sujet à la S. C. en particulier contre M. Valente qui a été le dernier évêque du Japon et administrateur de la Chine, lequel pendant plus de 30 années qu'il a deumeré dans la ville de Macao n'a pas consacré un seul prêtre » (BnF, ms, Français 25400, fol. 161-162 : *Précis de tout ce qui s'est passé à Rome sur l'institution des vicaires apostoliques de la Chine, du Tonkin, de la Cochinchine...*).

Mais en 1674, les membres du séminaire des Missions Étrangères avaient repris le récit de Lambert de 1662 sans le placer dans la même argumentation[1], et Brisacier, comme en bien d'autres passages, a suivi ses anciens du séminaire dans sa biographie de Lambert en 1685[2]. Dans ces textes, il y a la preuve que le séminaire possédait au moins la lettre de Lambert à son frère Nicolas pour savoir la vraie pensée de l'évêque de Bérithe mais il n'était pas intéressé à la reproduire.

Brisacier s'intéresse à un passage de la lettre de Lambert du 17 octobre 1666, (dupliquée le 4 novembre 1666) ; cependant il ne la lit pas directement dans le manuscrit, mais à partir de l'interprétation souple qu'en a faite Pallu dans son *Abrégé de Relation* de 1668. On pourrait croire que Brisacier n'a pas d'autres sources que les rares textes publiés et donc déjà censurés.

---

1. *Relation des missions des evesques françois aux royaumes de Siam, de la Cochinchine, de Camboye et du Tonkin,* 1674, p. 4-5.

2. J.-C. de Brisacier, *Vie de M. de Beryte*, vol. 122, p. 136-137, § 241-242 : « Il ne perdit point d'occasion de faire tenter quoy que sans succes lentrée de la Chine et pour ne manquer a rien ayant appris de quelques Japonois que la persecution qui duroit encore dans leur Pays et qui les en avoit fait sortir avoit de puis peu cousté la vie a pres de quatre cens Personnes, il les pria d'écrire a leurs compatriotes qu'il prenoit toute la part imaginable a leurs combats, qu'il avoit déja informé le St-Sièege du besoin extreme ou ils étoient d'estre secourus par des Prestres et que s'ils avoient parmy eux quelques sujets capables du sacerdoce, ils les luy envoyassent au plustost, afin qu'apres les avoir instruits et ordonnés il pust les leur renvoyer pour leur servir d'appuy et de consolation dans leur pressante necessité ».

Abrégé de Relation de Pallu de 1668[1]	Texte de Brisacier de 1685[3]
« Je me sens pressé chaque jour du desir de satisfaire à mes obligations ; Mais quand je considere que l'estat ou je suis m'engage indispensablement à la perfection,	Ie me sens pressé chaque jour de remplir mes obligations mais quand je considere que l'etat ou je suis m'engage indispensablement a la perfection,
j'entre dans une humiliation, profonde, me voyant de tous costez environné d'occasions de déchoir :	j'entre dans une humiliation profonde a la veüe des occasions que j'ay de tous costéz de dechoir.
Mais afin de soutenir mon esprit, & pour le contraindre à se soumettre, j'ay fait faire mon cercueil[2], qui est dans ma chambre, couvert d'une toile noire, je trouve que ce spectacle me sert utilement,	Afin donc de soutenir mon esprit j'ay fait mettre dans ma chambre un cercueil couvert d'une toile noire, cet objet me fait du bien,
il m'avertit que je dois estre plus diligent, qu'il ne me reste plus gueres de temps ; & que je me garde bien d'avoir de l'amour pour ce corps, qui doit bien tost estre enfermé dans ce tombeau, mangé des vers, & réduit en cendres, entrant donc par avance en cette derniere demeure ;	il m'avertit que je n'ay point de temps a perdre, que mes jours s'écoulent, et que je ne dois pas menager un corps qui doit estre bientost mangé des vers, et reduit en cendres ;
je me détrompe aisément de l'amour des choses sensibles que je regarde comme passées pour moy ; j'ay besoin de ce secours, aussi bien la vie d'un homme Apostolique doit estre un exercice de mort continuelle.	ainsy je me detrompe sans peine de la vanité des choses presentes que je regarde déja comme passées, et je comprends que la vie d'un homme apostolique doit estre l'exercice d'une mort continüelle.
Je me confirme de plus en plus en cette pensée, que la grace de convertir les ames est un don extraordinaire, & un pur effet de la bonté de Dieu, lequel en gratifie qui il luy plaist ;	Plus j'avance, plus je suis persuadé que le talent de convertir les ames est un don de pure grace,

1. Abrégé de Relation de Pallu des *et des Voyages des Evesques François, envoyez aux Royaumes de la Chine, Cochinchine, Tonquin, & Siam, par Messire François Pallu, evesque d'Heliopolis*, à Paris, chez Denys Bechet, ruë Saint Iacques, au Compas d'or, & à l'Escu au Soleil, 1668, p. 131-135. L'archiviste des MEP Jean Guennou n'authentifie pas cette lettre comme un nouveau document de Mgr Lambert qui pourrait être une interprétation par Mgr Pallu de la Lettre de Mgr Lambert du 17 octobre 1666 (vol. 858, p. 123-134) reprise le 4 novembre 1666 (vol. 876, p. 420-423). Le cas s'est présenté pour les biographes de Charles de Condren et les éditeurs de ses lettres ; L.-M. Pin « a inséré dans son édition une lettre empruntée à Amelote et prétendue inédite qui est, en réalité, un doublet, une version amplifiée et paraphrasée d'une autre lettre qu'il vient de reproduire et qu'il n'a pas reconnue, preuve irréfutable de la liberté avec laquelle Amelote traite les documents qu'il utilise » (Introduction des *Lettres du Père Charles de* CONDREN, p. XXXIII).

2. C'est François Deydier qui a fait faire ce cercueil pour Mgr Lambert (Lettre de François DEYDIER à Mademoiselle de Richelieu, du 20 janvier 1665, AMEP, vol. 858, p. 108).

3. J.-C. de BRISACIER, *Vie de M. de Beryte*, vol. 122, p. 138-139, § 243.

tout ce que nous pouvons faire de nostre part pour l'obtenir, c'est d'oster les empéchemens à le recevoir par la pratique de l'humilité, de la pauvreté, de l'oraison, & et de la penitence ; nous devons tenir pour suspectes toutes les voyes qui ne nous menent point-là ;	que pour ne pas s'en rendre indigne il faut entrer dans la pratique de l'humilité, de la Penitence, dela pauvreté, et de l'oraison, que toutes les voyes qui ne nous conduisent pas la nous doivent estre suspectes,
(passage cité après ce tableau)………	(passage oublié par Brisacier)……… et que le seul moyen de gagner les ames a Jesus Christ est de les attirer a nous en leur donnant dans nos Personnes l'exemple de sa simplicité, de sa bassesse et de ses vertus
… les pures maximes ausquelles il nous faut tenir, si nous voulons voir revivre parmy les infideles de ces contrées quelque Image du siecle des Saints Apostres ».	Évangeliques. C'est ainsy que nous devons nous conduire si nous voulons faire revivre parmy les Infideles de ces Pays la ferveur du siecle des Saints Apostres.

Brisacier refuse de reproduire un passage intermédiaire qu'il interprète comme concernant les jésuites, voici ce que Pallu avait écrit en 1668 :

> « Nous sçavons que les voyes de l'Evangile sont estroites, celles qui sont trop larges sont dangereuses par tout ; mais on peut assûrer qu'elles sont funestes en ces Pays infideles, par la liberté qu'on y a de tout faire : Ie ne puis me persuader que tant de saints amis de nos Missions, que nous avons à Paris, à Rome, & ailleurs, fussent fort edifiez, si on leur raportoit un jour que nous eussions tenu icy grande table, que nous eussions affecté de nous faire suivre par des troupes d'esclaves, & que pour soustenir la dépense de nostre train nous eussions esté obligez de recourir à des moyens entierement reprouvez. Ie scais bien qu'on a voulu par ces pratiques accrediter icy les Ministres de la Religion, & par une pompe exterieure faire voir aux Payens que ceux qui préchent l'Evangile, ne sont pas gens de neant, comme ils s'imaginent. Pour moy je veux bien par avance me condamner moy-mesme, si je m'oublie jusqu'à ce point, que d'entrer en ces conduites, qui nous sont desfenduës par les regles toutes saintes que l'Eglise nous propose, ausquelles il nous faut attacher simplement & de bonne grace, pour honorer nostre Ministere. Ie ressens une joye particuliere, & je me console durant vostre absence, dans la pensée que vous sçaurez bien proposer à Rome & à Paris, avec fruit & utilité… »[1]

Bien qu'il garde la pensée de Lambert d'utiliser la mauvaise conduite des religieux comme repoussoir, Pallu a une façon personnelle de ne pas trop les impliquer en demandant à ses amis de Paris de lui dire ce qu'ils penseraient de lui et de ses missionnaires s'ils les voyaient festoyant entourés d'esclaves et devant financer leur train de vie dispendieux en s'adonnant aux activités interdites aux clercs, c'est-à-dire agissant comme les « ministres de la religion » au Siam. En 1668, les censeurs qui n'ont pas compris l'allusion

1. F. Pallu, *Relation Abregée des Missions et des Voyages des Evesques François*, p. 133-134.

sous ce terme de « ministres de la religion » ont permis la publication de la *Relation abrégée* de Pallu, mais en 1685 Brisacier ne cherche pas à transmettre à ses lecteurs la pensée de Lambert.

Brisacier expose-t-il ses propres vues sur la sainteté au détriment de la pensée originale de Lambert ?

Pour Lambert, Pallu et lui en qualité d'évêques missionnaires sont appelés à la perfection par état, mais il juge qu'en lui la pratique ne suit pas la théorie et c'est pour se stimuler dans l'application des maximes de l'Évangile qu'il a installé un cercueil dans sa chambre[1].

Chez Brisacier, ce cercueil n'est que la marque d'un stoïcisme chrétien. Suire écrit que « César de Bus s'adonnait à des exercices macabres dans le but de se disposer au trépas... La pratique de se représenter en l'état de cadavre était en usage chez les membres de l'Aa »[2].

Brisacier s'attache à mettre en évidence ce stoïcisme dont il veut faire l'aspect dominant de Lambert. Ainsi il lui fait mépriser le danger lors d'un épisode dramatique en mer en lui prêtant le commentaire suivant : « L'état ou nous sommes ne nous peut pas estre desagreable, et tout ce qui nous doit occuper c'est que nous sommes dans l'ordre de Dieu »[3].

En appuyant sur le stoïcisme vraisemblable de Lambert, Brisacier ne met-il pas en lumière sa propre conception de la sainteté ? Au XVIIe siècle, les hagiographes n'étaient pas des historiens selon l'acception du terme aujourd'hui ; quand les documents leur manquaient, notamment sur la jeunesse de leur héros, ils inventaient des détails qui allaient dans le sens de sa réputation ou selon l'idée qu'ils avaient eux-mêmes de la sainteté[4]. En 1569, dans sa biographie de saint Ignace de Loyola, Pedro da Rivadeneira a tu un épisode raconté dans l'autobiographie du saint, mais jugé incompatible avec l'image qu'il se

1. Lettre de Laneau à Pallu du 4 octobre 1666, AMEP, vol. 858, p. 119 : « Durant le temps de ses douleurs (la colique néphrétique de Lambert), il m'exhortait fort à garder nos vœux et à conseiller aux autres la vie étroite ; il s'est déjà fait faire son cercueil ». Les vœux dont Laneau parle ne semblent pas être l'abstinence de médicaments, même si les douleurs de Lambert cessent en buvant « une porcelaine d'eau bénite ».

2. E. Suire, *La sainteté française de la Réforme catholique*, p. 273 (citant Jacques Bauvais, *La vie du B. Père César de Bus, Fondateur en France de la Congrégation de la Doctrine chrétienne*, p. 63).

3. J.-C. de Brisacier, *Vie de M. de Beryte*, vol. 122, p. 147, § 262. Publiée par le Séminaire de Paris, la *Relation des Missions* de l'année 1672 se limitait à « tout ce qui nous doit occuper, c'est que nous sommes dans l'ordre de Dieu (Les *Relations des Missions et des Voyages des Evesques Vicaires Apostoliques, et de leurs Ecclesiastiques ès années 1672, 1673, 1674 et 1675*, Paris, C. Angot, 1680, p. 6).

4. E. Suire, *La sainteté française de la Réforme catholique*, p. 31. 34.

fait de son maître et il a triplé la longueur d'un autre épisode en introduisant la connaissance d'événements postérieurs à l'action racontée[1].

Selon Eric Suire, des modèles dominants se sont constitués à partir des vies des saints écrites au Moyen Âge, mettant en lumière les vertus chrétiennes :

> « Pour construire leurs récits, les hagiographes ne s'appuient pas sur les particularités de l'existence des serviteurs de Dieu, mais sur ces modèles dominants… Pour ces auteurs, l'originalité d'un comportement ne le rendait pas véridique, c'était la conformité d'un saint à la tradition qui apportait une garantie d'authenticité… Le lecteur du xxe siècle devient soupçonneux quand il découvre dans la Vie de Marguerite-Marie Alacoque des anecdotes déjà présentes dans celle de S. Catherine de Sienne »[2].

Comme pour les biographes de Vincent de Paul, les auteurs de vie de saints suivent deux conceptions de la sainteté, dans la première (qui est une conception statique) les caractéristiques de la sainteté mature sont à rechercher depuis la naissance du héros ; dans la seconde (qui est une conception dynamique) la sainteté est l'aboutissement de conversions successives[3]. Les documents vont être choisis ou mis de côté en fonction du modèle hagiographique que l'on veut suivre. Mais les *Vies édifiantes* du XVIIe ont privilégié les continuités sur les ruptures[4] comme on le voit par exemple dans la Vie de Charles de Condren par Amelote en 1643[5]. C'est ainsi que Brisacier et Vachet décrivent Lambert enfant comme un petit saint, pensant et agissant en adulte[6], et Brisacier montre même chez Lambert des signes de vocation missionnaire précoce[7]. Par contre, quand il s'agit d'autobiographie, le héros considère que la grâce a été première

1. Olivier Ott, « Amour de loin et amour d'en haut, Autobiographie et première biographie d'Ignace de Loyola, essai d'imaginaire comparé » in *La Biographie dans le monde hispanique (XVIe-XXe siècles)*, sous la direction de Jacques Soubeyrous, Cahiers du G.R.I.A.S. n° 8, Publication de l'Université de Saint-Étienne, 2000, p. 22-23. 28-30.

2. E. Suire, *La sainteté française de la Réforme catholique*, p. 35.

3. *Ibid.*, p. 81, citant André Dodin, *St Vincent de Paul et la charité*, coll. « Maîtres spirituels », Paris, Éditions du Seuil, 1965, p. 147.

4. *Ibid.*, E. Suire, p. 248.

5. Charles de Condren y est décrit comme un saint dès le berceau, grandissant en méprisant les jeux de son âge, déjà aussi mûr et aussi sage que lorsqu'il était général de l'Oratoire comme l'écrit encore L.-M. Pin (*Vie du P. Charles de Condren*, Paris-Marseille, 1855, p. 33. 37). Amelote lui donne une facilité incroyable pour les études, un goût profond pour la solitude et la prière.

6. J.-C. de Brisacier, *Vie de M. de Beryte*, vol. 122, p. 1-2, § 2-7 ; B. Vachet, AMEP, vol. 877, p. 678. E. Suire parle du mythe de l'enfant-saint (cf. *La sainteté française de la Réforme catholique*, p. 239).

7. *Ibid.*, Brisacier, p. 3, § 8.

mais que sa réponse a été l'aboutissement de conversions successives ; c'est l'interprétation que Lambert donne à sa vie.

Dans la biographie de Lambert, Brisacier gomme tout ce qui a rapport à ces trois causes de discorde entre Lambert et le séminaire : ses démêlés avec les jésuites, ses intuitions spirituelles et sa proposition de vœux pour la création d'une Congrégation Apostolique.

On peut se demander si ce que Brisacier attribue à Lambert ne vient pas d'emprunts pris dans le milieu dévot. Pour la Compagnie du Saint-Sacrement, c'est avant tout un témoignage extérieur que le catholique doit donner pour lutter contre l'influence des protestants et celle des libres-penseurs qu'on appelait alors « libertins[1] ». Brisacier montre un Lambert passant de pèlerinage en pèlerinage, ce qu'il ne pourra continuer à faire au Siam, mais ses écrits montreraient plutôt une vénération des reliques, les pèlerinages comportant une manifestation extérieure et la vénération des reliques étant, chez Lambert, avant tout une disposition intérieure[2].

Le Lambert que présente Brisacier est conforme aux critères de sainteté de la Compagnie du Saint-Sacrement et des familiers de l'Ermitage de Jean de Bernières mais sans le mysticisme, car il est beaucoup moins question de mysticisme en France dans la seconde moitié du XVIIe siècle[3].

---

1. Ce terme était alors lié à la croyance et non à la morale comme cela le devint plus tard avec « libertinage » Molière écrit en 1664 dans Tartuffe ou l'Imposteur « Je le soupçonne encor/d'être un peu libertin// : je ne remarque point/qu'il hante les églises » (Acte II, scène 2). Il fait dire à son héros, s'adressant à son serviteur : « Laurent, serrez ma haire/avec ma discipline//, et priez que toujours/le Ciel vous illumine//. Si l'on vient pour me voir/je vais aux prisonniers// des aumônes que j'ai/partager les deniers » (Molière, *Le Tartuffe*, édition de Jean Serroy, folio classique, Gallimard, 2013, Acte III, scène 2). Il s'agit de l'ascèse, de la mystique et des œuvres de charité qui étaient les trois caractéristiques de la Compagnie du Saint-Sacrement.

2. Le journal *Bulletin de la Commission des Antiquités de la Seine-Inférieure*, (Tome VI, Rouen, imprimerie Espérance Cagniard), en 1884, a publié un article sur la Chapelle de l'Hospice de Rouen, p. 263-272. Lambert de la Motte a été mentionné : « Il [M. Damiens] eut pour successeur, dans cette pénible fonction, M. de la Motte-Lambert, qui devint plus tard évêque de Béryte. Celui-ci se trouvant à Rome, en 1657, et se préparant déjà aux missions les plus périlleuses et les plus lointaines, se souvint de la maison où il avait fait l'apprentissage des œuvres de la charité : il obtint du pape Alexandre VII le corps entier de saint Basilée, martyr, qu'il s'empressa d'envoyer à l'Hospice (2 mars 1658) ». Mgr Lambert soutiendra la demande des Cochinchinois d'honorer leurs martyrs lors du Têt (Lettre de Mgr Lambert au cardinal Bona, du 4 septembre 1673, AMEP, vol. 858, p. 259. 261, cf. Guennou, transc., L. n° 139). En avril 1667, les actes des martyrs cochinchinois parvinrent au Siam (P. LAMBERT DE LA MOTTE, *Abrégé de Relation*, AMEP, vol. 121, p. 731 ; cf. Guennou, transc., § 67) et à la fin de 1673, Mgr Lambert chargea Philippe de Chamesson de les porter à Rome (A. LAUNAY, *Histoire de la mission de Cochinchine*, t. I, p. 28) mais Chamesson mourut en route en 1674.

3. Dans la seconde partie du XVIIe siècle, le rationalisme cartésien a jeté le discrédit sur les extases, visions et révélations, incontrôlables du dehors, le mysticisme est condamné autant que le laxisme des mœurs car il s'affranchit aussi des règles et génère un désordre qui n'est

Brisacier consacre un chapitre au pèlerinage d'abjection de Lambert quand il alla à pied à Rennes sous l'aspect d'un mendiant[1]. Cela se retrouve dans la vie d'un autre habitué de l'Ermitage de Bernières à Caen, François de Montmorency-Laval (1623-1708) dont son biographe, Bertrand de Latour, dit qu'après son sacerdoce « on l'a vu faire plusieurs longs pèlerinages à pied sans argent, mendiant son pain, et cacher à dessein son nom, afin de ne rien perdre de la confusion, du mépris, et des mauvais traitements ordinaires dans ces occasions, et qui ne furent pas épargnés »[2]. Suire écrit :

> « Vêtements troués et usés, barbe naissante et cheveux en bataille s'immiscent au XVIIIe siècle dans les descriptions physiques des saints, y compris celles des prêtres. Mendier son pain, cacher son nom pour ne pas être identifié, s'exposer au mépris et aux mauvais traitements, s'apparente à un itinéraire de perfection. Les biographies de la fondatrice Jeanne Delanoue, du missionnaire Louis Marie de Grignion ou du premier évêque de Québec François de Laval livrent plusieurs passages révélateurs de cette conception »[3].

On voit bien là que le pèlerinage est rangé plus dans les mortifications que dans les dévotions. Selon Brisacier, Bernières-Louvigny fait partir de son Ermitage de Caen des pèlerinages d'abjection (avec la tenue de mendiant qu'illustrera plus tard Benoît-Joseph Labre). À cette époque, la mission est aussi vécue comme un pèlerinage par l'errance et le partage avec les pauvres, plus tard on assimilera le pèlerinage à l'érémitisme[4].

De rares fois Brisacier prétend citer Lambert, c'est ainsi qu'il lui fait dire pendant son ordination en 1655 : « O mon Jesus, je vay vous produire par le pouvoir miraculeux que vous venez de me confier, produisez vous en moy vous mesme pour y demeurer toujours, et faites que je sois désormais à tout moment une victime qui s'immole pour vous par le mesme amour qui vous fait Immoler sans cesse pour moy »[5]. Pour cette prière, Brisacier a pu s'inspirer du vœu d'hostie de Lambert qu'on trouve dans sa correspondance de 1668 :

> « Il est bien plus iuste Seigneur que IE vous donne un pouvoir absolu sur mon corps et mon sang pour en disposer tout comme il vous plaira. Soyez donc désormais ô mon Dieu le sacrificateur de mon corps et de mon sang comme une chose qui est entièrement à vous, et sur laquelle IE ne pretends plus rien, sinon

---

plus toléré avec la reprise en main politique effectuée par Louis XIV après la Fronde ; 1660 fait date pour un classicisme non seulement littéraire mais aussi religieux après ce qu'on a appelé le baroque français (Jean Calvet, *Histoire de la littérature religieuse de saint François de Sales à Fénelon*, Paris, Del Duca, 1938, « Introduction », p. 15-20).

1. J.-C. de BRISACIER, *Vie de M. de Beryte*, vol. 122, p. 14-22, § 12.

2. E. SUIRE, *La sainteté française de la Réforme catholique*, p. 166, citant Bertrand de LATOUR, *Mémoires sur la vie de Monsieur de Laval*, t. I, p. 8.

3. *Id.*, *Sainteté et lumières. Hagiographie, Spiritualité et propagande religieuse*, p. 328.

4. *Id.*, *La sainteté française de la Réforme catholique*, p. 165.

5. J.-C. de BRISACIER, *Vie de M. de Beryte*, vol. 122, p. 27. § 69

que d'estre le ministre de vos sacrés vouloirs pour agir sur luy conformement à ce que vous m'ordonnerez »[1].

Comme pour un vœu, les circonstances de cette déclaration comportent une grande solennité :

> « J'ay eû un grand desir de tesmoigner un amour extraordinaire à N. S. J. Ch. Je me suis donc adressé à luy pour scavoir comme ie le pouvois faire [...]. L'heure de dire la messe estant venüe, iay esté celebrer, après quoy ie continué mon oraison tout rempli de ioye de consolation et de resolution d'accomplir le bon plaisir de Dieu... Ie me suis escrié interieurement, il est bien plus iuste Seigneur que je vous donne un pouvoir absolu sur mon corps et mon sang pour en disposer tout comme il vous plaira... »[2].

Ce vœu d'hostie que Lambert prononce là de façon très solennelle, correspond bien à ce que Brisacier raconte comme se passant en 1655, non pas dans le contexte du projet des Amateurs de la Croix mais dans celui du sacerdoce, et que Lambert aurait alors oublié de rappeler dans son témoignage de 1668. Sans qu'il y ait là une preuve absolue de l'inventivité de Brisacier, nous considérons qu'on peut avoir encore envers lui un soupçon légitime de falsification de la réalité historique.

On ne peut pas nier que chez Lambert il y a un lien étroit entre la dévotion, la mortification et l'œuvre de Dieu. Mais Brisacier va supprimer ce lien en sortant de leur contexte certaines confidences de Lambert. Incidemment Brisacier montre aussi qu'il n'a jamais pris appui sur un quelconque *Journal* de Lambert. On peut ainsi comprendre comment Brisacier raconte ce qu'il ne sait pas en cherchant à intéresser et édifier le lecteur.

Il faut lire pour cela comment Brisacier traite de la réception des ordres sacrés par Lambert à travers trois « crises » de faiblesse. Durant la remise de la tonsure et des ordres mineurs par l'évêque de Bayeux, Lambert « tomba presqu'en faiblesse. Cela n'empescha pas qu'il ne fût toujours tres occupé dans le fond de son cœur de ce qui se passoit en luy, et la grace qu'il receut fut si sensible quil ne put arrester ses larmes ny cacher tout a fait un petit tremblement qui le saisit pendant qu'il s'immoloit a Dieu de tout son cœur par un mouvement d'amour aussy doux quil estoit ardent »[3]. Dans l'hagiographie, les larmes accréditent la proximité avec le Seigneur. Jacques Marcel affirme que César de Bus versa tant de larmes au cours de son ordination, que ceux qui reçurent les ordres en même temps que lui s'en moquèrent ouvertement[4].

---

1. P. Lambert de la Motte, *Abrégé de Relation*, AMEP, vol. 121, p. 756 ; cf. Guennou, transc., § 83.
2. *Idem.*
3. J.-C. de Brisacier, *Vie de M. de Beryte*, vol. 122, p. 23-24, § 63.
4. E. Suire, *La sainteté française de la Réforme catholique*, p. 295.

Selon Eric Suire, les hagiographes insistent sur la nécessité pour les martyrs d'avoir été préparés à l'épreuve finale, sur le plan spirituel par exemple par un vœu de tout souffrir au service de la gloire de Dieu, et sur le plan physique par des exercices ascétiques[1]. Les mortifications restent aux yeux du peuple chrétien une des marques les plus évidentes de sainteté, surtout quand elles sont pratiquées par des enfants. Eric Suire montre que « l'hagiographie française des XVIIe et du XVIIIe siècles prône un mépris radical à l'égard du corps et de ses exigences qui va bien au-delà des préceptes de la sagesse gréco-romaine pour laquelle la pudeur était inconnue »[2].

Malgré la description par les hagiographes de grâces et de vertus exceptionnelles ainsi que de rudes mortifications, capables de décourager tout essai d'imitation, la littérature d'édification du XVIIe siècle invite tous les chrétiens à la sanctification: « Sans la sainteté nul ne verra Dieu »[3]. Mais Brisacier ne paraît pas entrer dans pareille exhortation à la sainteté par la mortification quand il nous dit que Rome a jugé que certaines pratiques d'austérité n'étaient pas praticables par des hommes apostoliques qui doivent mener au-dehors une vie commune[4]. Il y a là une contradiction avec l'objectif affiché de la Vie édifiante qu'il nous propose, le Lambert qui y est décrit ne peut pas être un homme ordinaire. Sans appuyer sur une expérience mystique suspecte, il parlera néanmoins de miracles obtenus par Lambert. Celui-ci n'a pourtant jamais revendiqué pour lui seul l'exercice du charisme de guérison qu'il attribue d'abord à son confrère Claude Chandebois de Falandin arrivé au Siam en 1673 : « par le moyen de l'huile et de l'eau bénite ». Lambert voit là le renouvellement des grâces obtenues non par tel ou tel mais par la communauté chrétienne en prière dans les Actes de Pentecôte (Actes 4, 29-30). On comprend le silence de Brisacier sur cet aspect communautaire, car pour Lambert le renouvellement des grâces de l'Église primitive[5] passait par la constitution de la Congrégation Apostolique refusée par le séminaire de Paris.

---

1. *Ibid.*, p. 283.

2. *Ibid.*, p. 100.

3. *Ibid.*, p. 438. L'appartenance à la noblesse augmente le caractère exceptionnel des saints, leur éloignement du commun des mortels : « César de Bus, François de Sales, Pierre Quintin et Jean-François Régis, Alain de Solminihac et Jérôme Le Royer de La Dauversière furent gentilhommes ». Le tiers des serviteurs de Dieu décédés au XVIIe siècle font partie de la noblesse. Même si tous ne revendiquent pas ce privilège, il est évident que les nobles considéraient leur lignage comme une grâce reçue de Dieu, ils étaient éduqués pour ne pas en déchoir par une attitude vulgaire sur le plan moral et pour se conduire en responsable et en modèle selon les principes du Pseudo-Denys sur les Corps intermédiaires (*Ibid.*, p. 419). Par contre, le fait d'être nobles n'a pas favorisé la reconnaissance de la sainteté de Jean de Bernières et de Gaston de Renty, parce qu'ils étaient laïcs (*Ibid.*, p. 408).

4. J.-C. de BRISACIER, *Vie de M. de Beryte*, vol. 122, p. 151, § 275.

5. P. LAMBERT DE LA MOTTE, Lettre à Mgr Pallu du 21 janvier 1669, AMEP, vol. 858, p. 151-152 ; cf. Guennou, transc., L. n° 117: « Je considere souvent dans mes pettittes

Lambert constate dans son *Journal* le 9 mai 1676 : « On fut ches Mr de Chandebois qui augmente toujours en grace et qui va dune haute maniere a la perfection. Il nous conta comme il avoit quitté toutes les medecines et onguents et quil ne se servoit presque plus que deau benitte et dhuile benite avec quoy ordinairement il guerissoit les malades ». Et le 28 mai 1676 une décision est prise : « Les evesques ont aresté de se servir desormais de leau et de lhuile benittes pour les malades, apres les veuës quils ont receues de dieu de le faire et les experiences quils ont continuellement des guerisonz qui se font par ce moyen »[1].

Une lettre de Lambert au Père Dominique George et aux membres de la Conférence de Cambremer du 19 novembre 1676 montre le développement des actions charismatiques inaugurées par Chandebois comme on le voit dans le *Journal* de Lambert : « Je leur dois rendre compte de ce que la miséricorde de Dieu opère dans nos églises naissantes, où nous sommes spectateurs de ses merveilles, dans la guérison extraordinaire des malades par l'application de l'huile et de l'eau bénite, des reliques et des sacrements »[2].

Mais Lambert est tout à fait conscient que la guérison des corps ne peut provoquer de conversion à elle seule : elle n'est qu'un témoignage de l'amour de Dieu que les personnes guéries peuvent reconnaître ou ne pas reconnaître comme les neuf lépreux guéris de l'Évangile (Lc 17, 17).

Le 14 novembre 1676, Lambert a constaté dans son *Journal* :

> « On a receu letres de Mr de Chandebois qui escrit que dieu continue doperer des guerisons par le moyen de lhuile et de leau benitte et quil instruit beaucoup de personnes qui lescoutent et approuvent ce quil dit cependant quils ne lui demandent poin le baptesme et quil n'ose les y pousser les voyant tiedes et peu zelés de crainte quils ne gardent pas les commandements de dieu et de leglise apres lavoir receu »[3].

---

meditations que nous sommes dans nos missions au premier siecle du christianisme, je fais reflection quelle estoit la pureté de vie de ceux de ce temps la dans la naissance de leglise, je regarde que nous tenons sans contredit la place des Apostres et des disciples de J.-C. Je rumine sur limportance quil y a denseigner et de prendre la voye estroite ».

1. *Id.*, *Journal*, AMEP, vol. 877, p. 585-586, cf. Simonin, transc., p. 203. 207.

2. *Id.*, Lettre au Père Georges Dominique du 19 novembre 1676, publiée en mai 1918 dans la *Semaine Religieuse de Bayeux* par l'Abbé G. A. Simon (d'après une copie conservée aux Archives du Calvados, série H. Abbaye du Val-Richer), copie par J. Guennou en AMEP, Lambert de la Motte, boîte 4, lettre 172 bis. À l'époque on justifiait que les miracles dont on parle dans les Actes ne s'opèrent plus par la suite au fait qu'ils n'étaient nécessaires que pour les Églises naissantes.

3. P. Lambert de la Motte, *Journal*, AMEP, vol. 877, p. 593 ; cf. Simonin, transc., p. 236.

Lambert décide le 21 décembre de faire une retraite chez Claude Chandebois et la commence le jour de Noël avec un autre confrère nouvellement arrivé, Charles Thomas. Le 3 janvier 1677, Lambert note :

> « Levesque de B. voyant la foy et les guerizons extraordinaires que dieu fait par M. de Chandebois qui sont au nombre de dix depuis qu'il a commencé sa retraite, luy a proposé si lon ne pouvoit pas penser de guerir le roi de sa maladie funeste, ce a quoy il a respondu quil croyoit que cela se pouvoit ce qui a fait prendre resolution den consulter Mgr de Metellopolis pour ensuite faire une neuvaine et de tascher par ce moyen de procurer la gloire de Dieu et la conversion des Ames »[1].

Le 2 février, à la fin de sa retraite de 40 jours, Lambert commence sa neuvaine avec ses compagnons. Le 10 février 1677, il écrit : « On a achevé la neuvaine avec beaucoup de confiance que dieu se faira connoistre par quelques signes extraordinaires, pour lexaltation de son st Nom et de la conversion des Ames en ce Royaume. M. de Chandebois trouve toujours de plus en plus facilité pour la conversion des Ames dans tous les lieux ou il va »[2].

Lambert note dans son *Journal* à la date du 10 janvier 1677 :

> « On a rendu graces à N.-S. de la bonne nouvelle quil donne que le prince frere du Roy a dit a une personne de connoissance luy montrant le crucifix que luy donna autrefois levesque de Berithe quil adoroit Dieu tous les jours et quon priast ce mesme dieu quil luy plut redonner sa santé sur quoy on a eu veuë de la demander extraordinairement a dieu comme un grand acheminement pour metre la Religion en un haut credit dans lesprit du Roy et de toutte cette Cour »[3].

Et à la date du 26 janvier 1677, Lambert note une mauvaise nouvelle :

> « Sur celle quon a receue de la mort du frere du Roy qui estoit destiné pour heritier de la courone on sest appliqué de demander instamment a dieu la santé de celuy qui est estropié lequel est cateceumene lequel pourroit succeder au Roy et favorizer en tout la Religion. Ce qui oblige le plus dinsister aupres de dieu pour obtenir cette grace cest que si le Roy venoit a mourir dans touttes les apparences du monde, les mores sempareroient du Royaume »[4].

Brisacier exclut de son récit l'exercice communautaire des charismes et considère comme un échec la tentative de conversion du second frère du roi du Siam[5] ; il ne parle pas de sa guérison par les prières de Lambert et

1. *Id.*, p. 596 ; transc., p. 245.
2. *Id.*, p. 597 ; transc., p. 252.
3. *Id.*, p. 596 ; transc., p. 246.
4. *Id.*, p. 595 (pagination inversée avec la page 596) ; transc., p. 249.
5. J.-C. de Brisacier, *Vie de M. de Beryte*, vol. 122, p. 140-141, § 246 : « Peu s'en fallut que le second frere du Roy qui avoit communication du receuil d'Images ne se convertit

des chrétiens avec beaucoup de conséquences heureuses pour la Mission[1]. Il parle d'un exorcisme par l'intermédiaire de la croix pectorale de Lambert, c'est-à-dire par son état d'évêque[2]. Le choix de Brisacier n'est jamais de rendre compte de la vraie personnalité de Lambert, même lorsqu'il apparaît prêt à lui rendre honneur comme à un saint. C'est vrai pour parler de ses miracles, c'est vrai aussi pour parler de sa mort. Il décrit minutieusement les phases ultimes de sa maladie depuis le 15 août 1678. Il en profite pour souligner les bonnes dispositions du roi de Siam à son égard comme à l'égard de la France[3]. On a vu que cela faisait partie des objectifs possibles sinon

aussy. Il demanda d'estre instruit et apres plusieurs conferences il confessa hautement qu'il n'y avoit qu'un seul vray Dieu auquel il rendroit desormais ses adorations, mais il en demeura la, et quoy que on le fut voir de temps en temps par son ordre au palais du Roy ou il avoit son appartement et quil fist toujours de grandes caresses à M. de Berite toutes les fois que ce Prelat alloit luy rendre ses respects, il ne pût se resoudre a recevoir le baptesme et a faire profession de la religion Chrétienne ».

1. P. Lambert de la Motte, *Abrégé de Relation* : « En effet peu de temps aprés la Cour estant allé se divertir au lieu de recreation que le roi a à deux lieues de sa ville Royale, il plût à la bonté divine donner des marques de sa misericorde à ce prince d'une maniere remarquable, lorsque l'on y pensoit le moins, et que l'on avoit même quelques pensées que les missionnaires ne viendroient pas à bout de leur promesse, voyla que le sang commenca d'entrer dans les veines des jambes de ce prince paralytique, et la chair à croistre peu à peu à la veüe de toute la Cour. Cette Nouvelle ayant esté aporté par ce devin aux missionnaires, ils en rendirent graces à Dieu et luy dirent qu'ils estoient desgages de leurs paroles et que cela suffisoit pour montrer la toute puissance de Dieu, qu'au reste ils croyoient que les choses demeureroient dans cet estat, iusqu'a ce que le prince eust accomply de son costé ce qu'il avoit promis à Dieu, qui estoit de se faire chrestien au premier signe extraordinaire qui paroistroit, qu'au surplus pour l'achevement de ce qu'ils avoient avancés, se Confiant touiours à la bonté de Dieu tout puissant createur du ciel et de la terre, ils obligeroient leur geste, si le roy et le prince vouloient de leur costé accomplir leurs promesses. Ce fut pour lors qu'on commença à voir qu'il s'agissoit du changement general de religion par tout le royaume et que cette affaire estoit de la derniere Consequence, cela fut cause qu'on sursit toutes choses et que la correspondance qui estoit entre la Cour et les missionnaires au subiet de la religion cessa entièrement » (AMEP, vol. 121, p. 753-754 ; cf. Guennou, transc., § 81).

2. J.-C. de Brisacier, *Vie de M. de Beryte*, vol. 122, p. 161-162, § 294 : « Entre plusieurs merveilles qu'il plut à Dieu d'operer par le ministere du Vicaire Apostolique pour authoriser la foy, on croit en devoir du moins remarquer deux qui se firent a la veüe de tout le monde, dans une mesme bourgade. La premiere regarde une femme qui donnoit de grandes marques de possession, le Prelat y envoya sa croix pectorale par un missionnaire qui depose avoir veu et entendu des choses si extraordinaires qu'il ne croit pas qu'elles pussent se faire sans l'operation du diable, et qui apprit que le démon pendant son absence avoit dit devant plusieurs témoins, qu'il ne sortiroit pas a moins que l'Évêque ne vinst luy mesme ou qu'on lui menast la femme. Des que M. de Beryte en fut informé il dit au missionnaire avec un ton doux et ferme, il n'est pas juste de recevoir la loy du démon, c'est a nous a la luy donner, il sortira sans que i'y aille et sans qu'on m'amene la femme allez, il est deja sorti et la femme est delivrée. En effet, il se trouva que le démon avoit marqué sa sortie au mesme moment que l'Évêque avoit parlé ».

3. *Ibid.*, p. 166-167, § 308 ; cf. Lettre de Gayme à Mgr Pallu, du 31 août 1678 (AMEP, vol. 877, p. 617-618).

probables visés par Brisacier en écrivant sa *Vie de Mgr de Béryte*. En même temps sa Vie édifiante ne pouvait s'achever sans une fin édifiante, la plus proche possible du martyre, imitation parfaite de la mort du Christ[1].

Il traduit alors la célèbre maxime latine d'inspiration stoïcienne qu'on attribue aux saints dans leurs derniers moments[2] : *Auge dolorem, auge patientiam* qui signifie « Si ma douleur augmente, qu'augmente aussi ma patience », Laneau l'a aussi rapportée[3]. Pour Brisacier, la maladie de Lambert a duré une année pour lui permettre d'acquérir la patience qu'il n'avait pas selon les supérieurs et les directeurs du séminaire qui lui prêchaient sans cesse la modération. Les détails cliniques que Brisacier donne sur la maladie et la mort de Lambert sont tirés des nombreuses lettres envoyées par les missionnaires sur place.

Brisacier qui a supprimé dans la biographie de Lambert tout ce qui aurait pu montrer une opposition quelconque entre cet évêque et les jésuites, ne manque pas de souligner leur présence à l'enterrement :

> « Des que la nouvelle de sa mort fut repandüe a Siam, les Ecclésiastiques et les Religieux tant Espagnols que Portugais, Jésuites et Dominicains, qui dans cette ville la partagent le soin de plusieurs Chrestiens dans deux Paroisses vinrent luy rendre les derniers devoirs avec de grands temoignages d'estime de son merite, et d'admiration de sa vertu. Les seculiers mesmes de diverses nations non seulement d'entre les fidèles mais aussy d'entre les Gentils le pleurerent, les uns comme leur Pere et les autres comme un homme extraordinaire qui avoit de quoy attirer les yeux et gagner le cœur de tout le monde. Le Roy qui n'avoit rien épargné pour le sauver et qui croyoit avoir connu mieux que personne ce qu'il valloit, dans les frequentes et familieres audiences dont il l'avoit honoré, fut sensiblement touché de sa perte, et il conserve encore aujourd'hui pour sa mémoire un respect qui va jusqu'a la veneration »[4].

Après avoir ainsi réitéré l'assurance des bonnes dispositions du roi de Siam, Brisacier termine son récit par un éloge funèbre qui souligne le thème qu'il a déjà mis en évidence, celui du service du roi de France par Lambert[5].

Jusqu'à la fin de sa biographie de Lambert, Brisacier s'attache à montrer que Lambert a été un fidèle serviteur de la politique de Louis XIV au Siam et qu'il a entretenu de bonnes relations avec des jésuites. Claude

1. J.-C. de Brisacier, *Vie de M. de Beryte*, vol. 122, p. 167, § 309.
2. *Ibid.*, p. 168, § 313. Saint Vincent de Paul l'aurait prononcé aussi (cf. L'abbé Maynard, *Saint Vincent de Paul, sa vie, son temps, ses œuvres, son influence*, Paris, Ambroise Bray, 1860, t. 4, p. 300 : « il ne s'appliqua plus qu'à se préparer à la mort. Jusqu'ici il l'avait fort redoutée ; désormais, il l'envisagea avec paix et douceur, résignation et patience ; patience surtout, aimant à redire à Dieu : *Auge dolorem, sed auge patientiam* »).
3. Lettre de Laneau aux directeurs datée du 2 novembre 1679, AMEP, vol. 860, p. 25.
4. J.-C. de Brisacier, *Vie de M. de Beryte*, vol. 122, p. 170, § 318-319.
5. *Ibid.*, p. 170-171, § 319-312.

Gayme rapporte à Charles Sevin la dernière décision que Lambert dut prendre au plus fort de sa maladie, concernant Jean de Courtaulin, son provicaire en Cochinchine, qui a décidé de se lancer dans le commerce en achetant pour le compte de la mission et en revendant une cargaison anglaise. Lambert lui donne alors un associé en la personne de Gabriel Bouchard de sorte qu'il ne puisse rien faire sans son accord[1]. Il achève ainsi sa vie en combattant une dernière fois le commerce des clercs comme il l'aura fait durant toute la durée de sa charge épiscopale, mais cela le récit de Brisacier l'ignore superbement.

*

Après avoir examiné les divers documents en possession des Archives des Missions Étrangères de Paris et qui traitent de l'histoire de Lambert, et après avoir opéré une lecture critique par le biais de leur confrontation, il nous reste à faire le même travail par rapport aux documents qui traitent de sa pensée, ce sera notre deuxième partie, et par rapport aux documents qui traitent de ses projets réformateurs au carrefour de la morale, de la théologie et de la spiritualité, ce sera notre troisième partie. D'ores et déjà un autre Lambert s'est dessiné à nos yeux par rapport à ce qu'on écrivait sur lui habituellement. Ce qui nous est apparu alors, c'est une personnalité remarquable qui a été capable de séduire le pape et ses cardinaux, Colbert et même le roi de Siam et sa Cour. Cette séduction tient à beaucoup d'éléments et notamment à la rigueur logique de sa pensée. C'est bien une marque de l'esprit de Lambert formé par dix ans de responsabilité à la Cour des Aydes de Rouen. Sa pensée y réglait juridiquement des cas concrets. Sa théologie ne quittera pas le souci de régler concrètement les problèmes de l'évangélisation de l'Asie.

La critique du récit de voyage de Lambert par Jacques de Bourges nous a amenés à mettre en relief la façon de se comporter envers les autres religions : alors que celle de Jacques de Bourges était marquée par l'intolérance, celle de Lambert l'est par l'accueil et même une certaine admiration. On a fait de Lambert un visionnaire et de Pallu l'homme rationnel qui le pondère[2]. Or dans ses écrits, Lambert se montre comme un magistrat habitué

1. Claude Gayme, Lettre à Charles Sevin du 22 novembre 1679, AMEP, vol. 860, p. 29.

2. A. Forest, *Les missionnaires français au Tonkin et au Siam*, t. I, p. 59. Forest croit pouvoir préciser : « Lambert est un mystique, bientôt confronté à des problèmes imprévus et très concrets sur le terrain. Pallu est un rationnel, bientôt confronté à la nécessité de pérenniser en Europe l'œuvre entreprise. Lambert avance par intuitions, par illuminations donc, parfois dérangeantes. Pallu procède par synthèses visant à concilier ». L'analyse des documents, notamment de ceux qui ont trait à la Congrégation Apostolique, aboutit à renverser les deux portraits. Mgr Lambert y est bien plus rigoureux que Mgr Pallu.

à justifier tous ses jugements par des attendus appuyés sur des lois. Cela lui permet de rentrer aisément dans le langage théologique en soignant la logique des enchaînements.

Selon le crédit que l'on accorde à Brisacier, on va faire de Lambert un disciple des jésuites, en particulier de Julien Hayneuve, avec des touches apportées par ses rencontres, celles apportées par Jean de Bernières, celles de Jean Eudes et bérullisme, etc. Dans cette optique on analysera les thèmes de Lambert et on les comparera aux grands spirituels plus connus que lui. Mais sa pensée n'est pas qu'une suite d'insistances désordonnées de morale ou de spiritualité. Lambert est qualifié par certains d'augustiniste pour ne pas dire de janséniste à cause de son débat avec les jésuites. Une simple étude de son vocabulaire exclut cette accusation. Dans ses écrits la grandeur de Dieu et sa justice ne sont nullement privilégiées.

L'objet de notre étude est de prouver qu'il y a chez Lambert cette assurance que donne une théologie très ancrée dans sa vie. Lambert ne saurait comprendre qu'on puisse prétendre faire de la théologie purement spéculative sans la faire partir de l'expérience pour la faire aboutir à l'expérience. Pour Lambert, c'est l'expérience de Jésus vivant qu'il s'agit de retrouver par la théologie pour la reproduire en nous.

DEUXIÈME PARTIE

LA THÉOLOGIE DU SALUT CHEZ LAMBERT DE LA MOTTE

La mission que Jésus continue en nous

Sans passer par l'étude de la théologie de Lambert, son histoire reste obscure, chacun paraît être en droit d'interpréter les faits à sa façon. Pour Lambert, la conduite des évangélisateurs révélaient une ignorance théologique à laquelle il fallait remédier si l'on voulait évangéliser les masses humaines du continent asiatique. C'est le même constat que Jean Eudes avait fait en France et qui avait conduit à la création des séminaires, il fallait que les futurs prêtres y puisent l'idéal de sainteté sacerdotale partagé par toute l'École française de spiritualité (oratoriens, sulpiciens, eudistes...). Lambert recevra lui aussi la mission de créer des séminaires en Asie pour y former de saints prêtres tout aussi passionnés que lui par l'amour de la croix.

Pour Lambert, c'est la préparation au sacerdoce avec Jean Eudes qui va le faire entrer dans la participation au sacerdoce du Christ par l'offrande de soi-même pour le salut du monde[1]. Avec Jean Eudes, c'est en effet le souci de participer au salut du monde que Lambert apporte en ce XVIIe siècle qui découvre que le monde ne se limite pas à l'Europe chrétienne et qu'il y a des millions d'âmes qui attendent leur salut sans avoir été pour autant maudites par quelque prédestination divine. La consécration épiscopale de Lambert et sa responsabilité dans la construction de nouvelles Églises l'ont conduit à montrer que c'est à l'Église, en tant que communauté, qu'il revient de participer à la Rédemption du monde par la Croix.

Car telle est la mission que le Fils de Dieu a reçue de son Père qui l'a envoyé. Jésus est en effet missionnaire parce qu'il est envoyé pour une mission, celle de sauver le monde, le Père l'a envoyé pour cela. Dans le discours sur le pain de vie et dans celui de la Cène, saint Jean insiste sur cet envoi du Fils par le Père. Alors que pour Jésus le résumé, la synthèse de la Loi

---

1. Cette participation à la croix pour le salut du monde était vécue par Marie des Vallées dirigée par Jean Eudes entre 1641 et 1656. Voir Paul MILCENT article Vallées (Marie des) in *Dictionnaire de Spiritualité*, t. 10 (1880-1952), col. 209 « L'axe majeur de sa vie spirituelle est sans doute la soumission totale, aimante, absolument désintéressée, à la volonté de Dieu sans aucun égard ni au mérite ni à la récompense qu'elle pouvait acquérir... Elle vivait une grande proximité avec le Christ et la Vierge Marie, conversant familièrement avec eux. Parfois, Notre-Seigneur la rabrouait vertement et elle lui répondait sur le même ton. Si elle avait la vive conscience d'une présence, il s'agissait plutôt de visions intellectuelles que d'images sensibles... Elle a vécu très intensément une communion à la passion du Christ... Elle souffrait pour l'Eglise et spécialement pour les prêtres dont les péchés l'accablaient... Elle était animée d'un intense désir apostolique qui s'exprimait en prière aux dimensions universelles ».

ancienne, c'est d'aimer Dieu de toutes ses facultés et son prochain comme soi-même, tandis que son unique commandement, la synthèse de son enseignement, la Loi nouvelle qu'il propose, c'est de nous aimer les uns les autres comme il nous a aimés, c'est-à-dire par le sacrifice total de nous-mêmes. Il nous envoie aussi comme le Père l'a envoyé (Jn 17, 18 ; 20, 21), c'est-à-dire en participant à la même mission, celle de sauver le monde.

Après l'Ascension, l'opération du Saint-Esprit ne consiste plus à faire naître le Fils de Dieu dans le sein de la Vierge Marie, mais à permettre à Jésus ressuscité, siégeant à la droite du Père, de s'incarner dans l'Église pour souffrir la croix en elle jusqu'à la fin du monde, dans une extension spatio-temporelle de la Rédemption. On ne comprend cela que dans l'analogie paulinienne de l'Église où l'Esprit Saint agit comme un influx qui circule entre la tête, le Christ, et le reste du corps, l'Église. Jean Eudes et Lambert s'appuient sur des citations de saint Paul et sur saint Thomas d'Aquin toujours présent en filigrane dans les exposés doctrinaux. Lambert comme Jean Eudes tire ensuite les conséquences de la mission continue de Jésus dans la théologie des sacrements, en particulier le baptême et l'Eucharistie.

CHAPITRE 1
LA VIE DE JÉSUS SE POURSUIT EN SON CORPS MYSTIQUE

Jésus continue sa mission en « s'incarnant » en nous

Le fonds commun de l'*Imitation de Jésus-Christ*

Les auteurs spirituels des XVIe et XVIIe siècles font le constat de la mauvaise conduite et de l'ignorance du clergé européen après les guerres de religion entre protestants et catholiques. C'est le point de départ d'un réveil de la foi catholique par l'ouverture de séminaires et le lancement de missions dans les campagnes déchristianisées. Pour Lambert, la dénonciation du commerce des religieux portugais en Asie va correspondre à la critique du clergé français par les Maîtres spirituels du XVIIe siècle, et permettre non seulement le développement d'une spiritualité basée sur l'imitation de Jésus-Christ par la mort à soi-même comme chez ces auteurs, mais aussi celui d'une théologie basée sur la poursuite de la mission de Jésus en ce monde ; il s'intéresse ainsi au plan divin et à l'action divine qui précède l'action humaine attendue par Dieu. Les livres de spiritualité de l'époque, à la suite de l'*Imitation de Jésus-Christ,* répondent plutôt aux besoins personnels des lecteurs qui y apprennent ce qu'ils doivent faire[1].

On ne peut pas mesurer aujourd'hui l'impact qu'a eu en Europe sur des générations de chrétiens la lecture quotidienne et familiale de *l'Imitation de Jésus-Christ*[2], pourtant écrite en latin par un moine pour ses confrères, mais

1. Lc 3, 10 ; 10, 25 ; Ac 2, 37

2. On attribue ce livre à Thomas A-Kempis, né en 1380 à Kempen près de Cologne en Allemagne. Il l'aurait écrit en latin en 1441 alors qu'il était moine à l'abbaye de Sainte-Agnès, près Zwoll, mais certains lui ont contesté cette paternité, notamment à l'époque de Lambert. Albert Babeau écrit qu'à la fin du XVIIIe siècle la lecture de *l'Imitation* est encore d'usage dans les familles bourgeoises : « Elle se fait même à haute voix dans les maisons où est conservée l'habitude de réciter les prières du soir, en présence de tous les membres de la famille, auxquels se joignent les domestiques » (*Les bourgeois d'autrefois*, Paris, Librairie Firmin – Didot et Cie, 1886, p. 324-325). Dans *La vie rurale dans l'ancienne France* (Paris, Librairie Académique, Didier et Cie, 1885, p. 288), Albert Babeau cite l'*Imitation* comme un des livres qui servaient à certaines familles d'agriculteurs pour apprendre à lire aux enfants. En fait il n'y avait pas

traduite en toutes les langues vernaculaires. Cela n'était pas le cas pour la Bible chez les catholiques jusqu'à une époque récente[1], seule la Vulgate était autorisée ; on en faisait des citations en gardant le latin[2]. C'était la *biblia maxima* que Nicolas Lambert devait emporter avec lui en Asie[3].

Il est donc normal de trouver chez tous les auteurs catholiques des réminiscences de cette lecture de l'Imitation. Avec la *Légende dorée* (une vie des saints), *l'Imitation* formait la bibliothèque de base de tous ceux qui savaient lire. Aux XVIe et XVIIe siècles, toute prédication, tout livre édifiant, toute direction spirituelle, s'appuient sur *l'Imitation de Jésus-Christ* qui prône la mort à soi-même pour laisser Jésus-Christ paraître et agir en chacun.

Saint Ignace de Loyola est entré en retraite dans la grotte de Manrèze muni du *Nouveau Testament* et de l'*Imitation* ; ses *Exercices Spirituels* en sont tout imprégnés[4]. Ce que propose l'auteur de *l'Imitation*, c'est de nous placer

---

d'œuvre de piété ni de sermon qui ne commentent l'*Imitation*. Encore aux XIXe et XXe siècles quand on rassemble en un livre les ouvrages essentiels à la foi, l'*Imitation* est en bonne place : En 1874, J.-R Desbos publie le *Livre d'Or des âmes pieuses*, ou *Cinq livres en un seul*; ce dernier comprend : 1° *L'Imitation de Jésus-Christ*, 2° *Un choix de prières pour tous les temps de l'année*, 3° *Un Paroissien choisi*, 4° *Des neuvaines et pratiques de dévotion*, 5° *Des méditations et lectures pour les dimanches et fêtes*. Augustin Crampon (1826-1894) publie un *Manuel du chrétien* contenant 1° *Les exercices du chrétien*, 2° *Les psaumes*, 3° *Le Nouveau Testament* (traduction du chanoine Crampon), 4° *Le petit office de la Ste Vierge*, 5° *L'Imitation de Jésus-Christ*, (réédité en 1950). Plus tard Edward Montier publie en 1935 *Les livres de chevet du chrétien* : *La Bible - les Évangiles, les Actes des apôtres et l'Apocalypse ; l'Imitation de Jésus-Christ ; l'Introduction à la vie dévote ; Histoire d'une âme*.

1. On ne parle pas encore de lire la Bible dans les milieux catholiques (cf. Anne SAUVY, « Lecture et diffusion de la Bible en France » in *Le siècle des Lumières et la Bible*, sous la direction de Yvon BELAVAL et Dominique BOUREL, Paris, Beauchesne, 1986, p. 27-46). Depuis la fin du XIXe siècle, on voit se déplacer l'intérêt pour l'*Imitation de Jésus-Christ* au profit de l'*Écriture*, dont la traduction en langue vernaculaire est alors autorisée par l'Église catholique le 13 juin 1757 par un Bref du pape Benoît XIV, à condition qu'elle ait des auteurs catholiques et qu'elle soit pourvue de notes explicatives. La France est très réticente et il fallut attendre 150 ans la traduction française de la Bible par le chanoine Augustin Crampon (publiée entre 1894 et 1904), traduction qui est la seule depuis celle du janséniste Louis-Isaac Lemaistre de Sacy (dite la Bible de Port-Royal) dont les 32 volumes étaient parus en 1696. Il fallut attendre encore 50 ans pour que la traduction de la Bible se répande dans les familles françaises.

2. À l'époque, les écrits en français sont émaillés de citations latines non traduites comme pour Lambert Col 1, 24 : « *adimpleo ea quae desunt passionum Christi* » (vol. 121, p. 586, 756).

3. P. LAMBERT DE LA MOTTE, Lettre son frère Nicolas, AMEP, vol. 121, p. 579 ; cf. Guennou, transc., L. n° 73.

4. Victor MERCIER, *Concordance de l'Imitation de Jésus-Christ et des Exercices de Saint Ignace*, Paris, H. Oudin, 1885, p. VIII et IX. Avec la lecture de l'*Imitation* et des *Évangiles*, saint Ignace conseille celle de la vie des saints (*Les Exercices Spirituels*, traduction par François COUREL, S.J., coll. « Christus » n° 5, Paris, Desclée de Brouwer, 1984, Seconde Semaine, § 100) ; J. Brucker, *La doctrine spirituelle de l'Imitation de Jésus-Christ*, Lille, Desclée de Brouwer et Cie, 1885, p. II préface : Le père Gonzalès rapporte que saint Ignace faisait chaque jour une lecture suivie de l'*Imitation*, un chapitre le matin et un autre l'après-midi.

dans une disponibilité pour accueillir la grâce, c'est de mettre en nous le désir d'obtenir miséricorde auprès de Dieu. L'auteur de *l'Imitation* pense que les saints ne peuvent l'être par eux-mêmes, mais que c'est Dieu qui est saint en eux : « Les saints ne se glorifient point de leurs mérites, parce qu'ils ne s'attribuent rien de bon, mais qu'ils attribuent tout à moi, qui leur ai tout donné par une charité infinie »[1].

Lambert a compris cela lorsqu'il écrit à propos du supplément aux souffrances du Christ qui lui était demandé comme à saint Paul : « Alors i'aperçeü une veüe qui ravissoit mon esprit et qui me faisoit connoistre que tout seroit de J. Ch. dans cette action »[2]. L'action du Christ en nous ne diffère pas de son action historique sur la terre, elle en est son imitation. Cependant notre effort à l'imiter serait sans effet si nous ne lui donnions pas notre volonté pour qu'il nous dirige en tout. Quand Lambert écrit aux premières Amantes de la Croix que le but principal de leur Institut « est de continuer la vie souffrante de Jésus Christ en elles »... « et de pratiquer toutes les choses en la place de Jésus Christ »[3], il ne donne pas pour autant l'initiative à l'homme, mais pour lui c'est la volonté du Christ qui doit conduire notre vie et nous faire agir à sa place.

Il y a beaucoup de différence entre un mourir à soi-même, conçu comme un renoncement à sa volonté propre, et un se vaincre soi-même, conçu comme une victoire de sa volonté sur les désirs de la chair. Ce sont des insistances particulières mais non des oppositions inconciliables. Ainsi *l'Imitation* met en rapport notre volonté et la grâce : « Plus un homme renonce parfaitement aux choses d'ici-bas, plus il se méprise et meurt à lui-même, plus la grâce vient à lui promptement, plus elle remplit son cœur, et l'affranchit et l'élève »[4]. Cela amène saint Ignace à son engagement volontaire :

> « Afin d'imiter le Christ notre Seigneur et de lui ressembler effectivement davantage, je veux et je choisis la pauvreté avec le Christ pauvre plutôt que la richesse, les humiliations avec le Christ humilié plutôt que les honneurs, étant égale la louange et la gloire de la divine Majesté ; et je préfère être regardé comme un sot et un fou pour le Christ, qui le premier a passé pour tel, plutôt que comme un sage et un prudent en ce monde »[5].

---

1. L'*Imitation de Jésus-Christ*, traduction française de Lamennais, présentation par le R. P. Chenu, Paris, Cerf, 1989, Livre III, ch. LVIII, 8, p. 229.
2. P. LAMBERT DE LA MOTTE, *Abrégé de Relation*, AMEP, vol. 121, p. 757 ; cf. Guennou, transc., § 83.
3. *Id.*, *Abrégé de Relation*, Lettre à Agnès et Paule du 26 février 1670, AMEP, vol. 677, p. 216 ; vol. 855, p. 178 ; cf. § 128.
4. L'*Imitation de Jésus-Christ.*, Livre IV, ch. XV, 3, p. 269.
5. Saint IGNACE de LOYOLA, *Les Exercices Spirituels*, §. 167.

Il y a dans l'*Imitation* une certaine christianisation du stoïcisme païen. On a déjà parlé de stoïcisme à propos de la prière des malades : « *Auge dolorem, auge patientiam* ». *L'Imitation* dit bien : « Disposez-vous à la patience plutôt qu'à la consolation, et à porter la croix plutôt qu'à goûter la joie »[1]. Ce qui fait la différence entre la doctrine ascétique de *l'Imitation de Jésus* et la sagesse stoïcienne des philosophes Épictète (qui a inspiré *les Stromates* de Clément d'Alexandrie) et Sénèque, c'est la référence à Dieu et au Christ en particulier : « Sachez vous taire et souffrir, sans doute Dieu vous assistera » alors que le stoïcien païen dirait seulement : « souffre et tais-toi »[2]. La souffrance se situe par rapport à l'amour : « Qui n'est pas prêt à tout souffrir et à s'abandonner entièrement à la volonté de son bien-aimé, ne sait pas ce que c'est que d'aimer »[3]. L'auteur de l'*Imitation* propose une consolation à ceux qui souffrent, et, s'inspirant de Mt 8, 7, il écrit : « Où est votre foi ? Demeurez ferme et persévérez. Ne vous lassez point, prenez courage ; la consolation viendra en son temps. Attendez-moi, attendez : Je viendrai, et je vous guérirai »[4].

L'Imitation nous dit :

> « Tous les disciples de la Croix, qui auront imité pendant leur vie Jésus crucifié, s'approcheront avec une grande confiance de Jésus-Christ juge »[5] ; « Tout est dans la Croix, et tout consiste à mourir. Il n'est point d'autre voie qui conduise à la vie et à la véritable paix du cœur que la voie de la Croix et d'une mortification continuelle »[6].

L'auteur de *l'Imitation* privilégie l'acceptation des mortifications intérieures que le Seigneur nous propose dans les circonstances de notre vie.

Selon Jean Guennou, dans son projet d'Amateurs de la Croix, Lambert aurait été influencé par sa lecture de *l'Imitation de Jésus-Christ,* notamment par celle des passages qui suivent[7] :

> « Il y en a beaucoup qui désirent le céleste royaume de Jésus, mais peu consentent à porter sa Croix. Beaucoup souhaitent ses consolations, mais peu aiment ses souffrances. Il trouve beaucoup de compagnons de sa table, mais peu de son abstinence. Tous veulent partager sa joie ; mais peu veulent souffrir quelque chose pour lui. Plusieurs suivent Jésus jusqu'à la fraction du pain, mais peu jusqu'à boire le calice de sa passion. Plusieurs admirent sesmiracles ; mais peu

1. *L'Imitation de Jésus-Christ,* Livre II, ch. X, 1, p. 109.
2. Cf. Jules Coumoul, *Les Doctrines de l'Imitation de Jésus-Christ*, Lille-Bruges, Desclée, de Brouwer et Cie, 1924, p. 113 ; *L'Imitation de Jésus-Christ,* Livre II, ch. II, 1, p. 95.
3. *L'Imitation de Jésus-Christ,* Livre III, ch. V, 8, p. 129.
4. *Ibid.*, Livre III, ch. XXX, 2, p. 172 ; cf. J. Coumoul, *Les Doctrines de l'Imitation de Jésus-Christ*, p. 81.
5. *Ibid.*, Livre II, ch. XII, 1, p. 113.
6. *Ibid.*, Livre II, ch. XII, 3, p. 114.
7. J. Guennou, *Missions Étrangères de Paris*, p. 123-124 ; article « Lambert de la Motte », dans *Dictionnaire de Spiritualité*, t. IX, 1976, colonne 141.

goûtent l'ignominie de sa Croix. Plusieurs aiment Jésus pendant qu'il ne leur arrive aucune adversité. Plusieurs le louent et le bénissent, tandis qu'ils reçoivent ses consolations. Mais, si Jésus se cache et les délaisse un moment, ils tombent dans le murmure ou dans un excessif »[1].

« Mais ceux qui aiment Jésus pour Jésus, et non pour eux-mêmes, le bénissent dans toutes les tribulations et dans l'angoisse du cœur comme dans les consolations les plus douces. Et quand il ne voudrait jamais les consoler, toujours cependant ils le loueraient, toujours ils lui rendraient grâces.

« Oh ! que ne peut l'amour de Jésus, quand il est pur et sans aucun mélange d'amour ni d'intérêt propre ! Ne sont-ce pas des mercenaires ceux qui cherchent toujours des consolations ? Ne prouvent-ils pas qu'ils s'aiment eux-mêmes plus que Jésus-Christ, ceux qui pensent toujours à leurs gains et à leurs avantages ? Où trouvera-t-on quelqu'un qui veuille servir Dieu pour Dieu seul ? »[2]

« Nul n'a si avant dans son cœur la passion de Jésus-Christ que celui qui a souffert quelque chose de semblable »[3].

« Il n'est pas selon l'homme de porter la Croix, d'aimer la Croix, de châtier le corps, de le réduire en servitude, de fuir les honneurs, de souffrir volontiers les outrages, de se mépriser soi-même et de souhaiter d'être méprisé, de supporter les afflictions et les pertes, et de ne désirer aucune prospérité dans ce monde. Si vous ne regardez que vous, vous ne pouvez rien de tout cela. Mais si vous vous confiez dans le Seigneur, la force vous sera donnée d'en haut, et vous aurez pouvoir sur la chair et le monde. Vous ne craindrez pas même le démon, votre ennemi, si vous êtes armé de la foi et marqué de la Croix de Jésus-Christ »[4].

Lambert s'appuie sûrement sur l'*Imitation* quand il écrit dans son *Abrégé de Relation* à propos du missionnaire apostolique :

« Son amour ne doit jamais s esteindre parce que la matiere qui luy sert de nourriture ne peut defaillir soit quil reflechisse sur les bienfaits et les excessives misericorde de Dieu sur luy soit qui soccupe a considerer ces ingratitudes et ses imperfections avec lesquelles Dieu ne laisse pas de le souffrir si bien quil luy est facile d'estre tout changé en amour et ne vivre que du Dieu d'amour qui regnes en luy qui le conduit qui l'anime et qui regit toutes ses puissances suivant son

1. *L'Imitation de Jésus-Christ*, Livre II, ch. XI, 1, p. 111. Jean de Bernières, *Chrétien intérieur*, Marseille, chez Jean Mossy, 1834, t. 2, livre troisième, ch. 11, p. 133-134, écrit: « Plusieurs bonnes ames honorent les abjections de Jésus-Christ, mais peu les veulent pratiquer. Il y a très peu d'imitateurs de sa pauvreté et de ses humiliations. Comment en concevoir de l'estime, lorsque tout le monde les fuit, et les regarde comme des choses infames ? Ô Jésus n'est-ce pas faire peu de cas de vos exemples, et vous condamner de folie, vous qui êtes la sagesse infinie ? Mais c'est une véritable folie que d'en juger ainsi. Ô Jésus ! plus on a de part à votre pauvreté et à vos humiliations, plus on a de part aussi à votre sagesse. Allons, mon ame, à la suite de Jésus pauvre. Vivons pauvres, et mourrons pauvres avec lui ; et en cela témoignons-lui notre amour et notre fidélité ».

2. *L'Imitation de Jésus-Christ*, Livre II, ch. XI, 2-3, p. 111-112.

3. *Ibid.*, Livre II, chap. XII, 4, p. 114.

4. *Ibid.*, Livre II, chap. XII, 9, p. 116.

bon plaisir. Cette pratique est aisée lorsque la bonté divine remplit l'ame des consolations qui sont attachez à la vie apostolique, mais aussy elle est laborieuse lorsque N.S. luy communique ses souffrances aproportion de ses joyes quil faut qu'elle reçoive avec des dispositions égalles parce que le Sauveur du monde n'est pas moins aymable sur le Calvaire que sur le Thabor, quoy quil soit toujours vray quil nous donne de plus grandes marques de son amour sur le premier que sur le second. C'est un admirable secret que celuy cy d'aymer autant J.-C. dans nos obscuritez dans nos Croix, dans nos sacrifices et dans la portion quil nous donne de son Calice à boir comme quand Il nous comble de ses plus amoureuses Caresses, lon doit operer en ce rencontre independamment des sens qui se rejouissent et sattristent suivant les impressions quils reçoivent de l'ame conformement au sacrifices aux quels elle est appliquée par loperation divine »[1].

C'est le désir d'imiter Jésus-Christ, d'être une copie de ce modèle, qui devra motiver ceux qui entreront chez les Amateurs de la Croix. C'est ainsi que Lambert décrit le but de cette congrégation :

« Le but principal qu'on à eû formant cette societé à esté de procurer partout l'amour pratique de la croix du fils de dieu, et qu'il y eut dans les villes et les villages un nombre de fidelles qui, après avoir medité tous les iours les souffrances de J. Ch., ils y prissent reellement part par une mortification sensible. La pratique de ce st exercice a desia operé tant de graces en ces quartiers que ceux qui ont eû le bonheur de les esprouver ont beaucoup de regret de l'avoir commencé si tard, ou, pour mieux dire de n'en avoir pas eu la connaissance plus tost, mais enfin *Venit tempus et nunc est quando veri adoratores adorabunt patrem in spiritu et veritate nam et pater tales quaerit qui adorent eum*[2]. Aussitot que la méditation et l'imitation de la croix de J. Ch a esté proposée aux chrestiens de ces lieux icy, pour la pratiquer chaque iour, plusieurs l'ont embrassé avec une fidelité incroyable et ont ainsy adoré Dieu en esprit et en verité qui est la maniere dont il veut estre adoré »[3].

L'union à Dieu dans le Christ est l'aboutissement de toute vie spirituelle chrétienne ; elle est déjà l'objectif de la voie purgative qui nous fait prendre la mesure de notre péché avec la résolution de nous en défaire, et qui nous fait comprendre la nécessité de la miséricorde divine et de la grâce ; l'union à Dieu est encore plus l'objectif de la voie illuminative qui nous fait approcher des mystères de Dieu[4] ; enfin elle est le propre de la voie unitive où l'âme

1. P. Lambert de la Motte, *Abrégé de Relation*, AMEP, vol. 121, p. 675-676 ; cf. Guennou, transc., §. 32.

2. Jn 4, 23 : « Le temps vient et c'est maintenant que les vrais adorateurs adoreront le Père en esprit et vérité, et le Père cherche ceux qui l'adorent de cette façon ».

3. P. Lambert de la Motte, *Abrégé de Relation*, AMEP, vol. 121, p. 758 ; cf. Guennou, transc., § 85.

4. La première voie (ou vie) est propre aux « commençants » et la seconde est propre aux « progressants », elles font l'objet des deux premières semaines des *Exercices Spirituels*

n'a plus d'aspirations pour elle-même si ce n'est de se rapprocher de l'objet de son pur amour et de le contenter.

Lambert insiste sur ce qu'il considère comme le principe fondamental de toute vie chrétienne qui consiste à imiter Jésus-Christ :

> « Toute la perfection de l'homme en cette vie est d'estre semblable au fils de Dieu et à l'imiter en sa vie et en ses actions »[1]. « Cette veüe qui paroistra peutestre un scrupule dans la vie spirituelle ne l'est cependant pas puisqu'elle est renfermee dans ce precepte Evangelique de parfaite Imitation de Jesus Christ qui porte que si l'on ne renonce a tout il ny a pas moyen d'estre son disciple »[2].

Lambert n'ignore pas les trois étapes classiques de *l'Imitation de Jésus-Christ* qui consistent à s'unir à la volonté de Dieu par conformité, uniformité et déiformité. L'assemblage de ces trois termes n'est pas une nouveauté, on en parle dans l'École mystique italienne, comme chez le jésuite Achille Gagliardi (1537-1607)[3] qui a inspiré beaucoup Bérulle[4], mais plus tôt encore chez saint Bonaventure (1221-1274) ou Prévostin de Crémone (avant

de saint Ignace (cf. V. Mercier, *Concordance de l'Imitation de Jésus-Christ et des Exercices de Saint Ignace*, p. 10). Lambert parle de commençants, de profitants et de parfaits (*Abrégé de Relation*, vol. 121, p. 762).

1. P. Lambert de la Motte, Lettre à Vincent de Meur, AMEP, vol. 121, p. 528 ; cf. Guennou, transc., L. n° 29, juin 1663.

2. *Id.*, Lettre au Prince de Conti du 10 juillet 1663, AMEP, vol. 857, p. 173-174 ; cf. Guennou, transc., L. n° 28.

3. Henri Bremond signale que le *Breve Compendio* de Gagliardi (ou d'Isabelle Bellinzaga) a été « 4 fois traduit ou adapté en France de 1597 à 1637, c'est un record atteint seulement par l'*Imitation* et le *Combat spirituel* (du théatin Lorenzo Scupoli). Un livre d'une souveraine importance, une vraie source, et fort intelligente, de toutes les doctrines que vont propager les mystiques pendant tout le xviie siècle… La multiplication des éditions italiennes est aussi très intéressante » dans *Don Giuseppe de Lucca et l'abbé Henri Bremond (1929-1933), de : « l'histoire littéraire du sentiment religieux en France » à l'« Archivio italiano per la storia della pietà » d'après des documents inédits*, Roma, Edizioni di storia e letteratura, 1965, p. 93.

4. On rapproche souvent le *Bref Discours de l'abnégation intérieure* que Bérulle (*Œuvres complètes*, t. VI, Paris, Cerf, 1997) écrivit à 21 ans du *Breve Compendio* d'Achille Gagliardi. « Les termes d'adhésion, de désappropriation intérieure, de conformité, uniformité, déiformité, anéantissement, transformation, sont d'Achille Gagliardi » (cf. la correspondance entre : *Don Giuseppe de Lucca et l'abbé Henri Bremond*, p. 110). Michel Dupuy (*Le Christ de Bérulle*, Coll. « Jésus et Jésus-Christ », n° 83, Desclée, 2001, p. 15. 25, note 12. 26. 63. 67-68. 82) prête à Isabelle Bellinzaga la paternité du *Breve compendio* et non à son directeur spirituel Achille Gagliardi qui l'a fait publier en son nom propre après l'avoir attribué à « la dame milanaise ». Il attribue aussi par contre coup à Isabelle Bellinzaga la paternité au moins du premier chapitre du *Bref discours* publié par Bérulle en 1597. Dupuy y constate une insistance sur la liberté que Bérulle ne partage pas dans ses œuvres ultérieures. Emile Mersch (*Le Corps mystique du Christ, études de théologie historique*, t. 2, troisième partie, *Doctrine de la Tradition occidentale*, Louvain, Museum Lessianum, 1933, p. 281, note 1) y voit la cause de l'attention particulaire de Bérulle à la vérité du corps mystique.

1150- après 1210)[1]. En fait c'est au Pseudo-Denys (fin du Ve ou début du VIe siècle) et même à saint Augustin (354-430) que ces concepts remontent. L'imitation est un des ressorts du système hiérarchique dyonisien, c'est au rang supérieur de transmettre au rang inférieur ce qu'il a reçu et qui vient en définitive de Dieu, l'imitation est alors plus à comprendre comme une propagation venant d'En-Haut que comme une reproduction qui serait de la seule responsabilité d'En-Bas. La participation du rang inférieur est ne pas s'opposer par une volonté concurrente au processus de propagation.

Pour s'unir à Dieu il s'agit d'être en adhérence avec Jésus-Christ, en mettant notre volonté en conformité avec celle de Dieu, de sorte qu'il n'y ait plus en nous qu'une volonté unique, uniforme, celle de Dieu, et que notre volonté humaine soit transformée pour être identique à la volonté divine.

Lambert peut ainsi écrire à son Père spirituel, Simon Hallé, en 1661 : « Ce que je remarque de plus admirable en cette conformité, uniformité ou deiformité de vouloir, est que dans cette egalité de volonté l'ame demeure continuellement dans de plus hauts sentimens et de plus profondes adorations de la très supréme Majesté de Dieu »[2].

L'auteur de l'*Imitation de Jésus-Christ* n'oublie pas la responsabilité humaine : « Il arrive que plusieurs, à force d'entendre l'Évangile, n'en sont que peu touchés, parce qu'ils n'ont point l'esprit de Jésus-Christ. Voulez-vous comprendre parfaitement et goûter les paroles de Jésus-Christ ? Appliquez-vous à conformer toute votre vie à la sienne »[3]. Une attitude purement passive ne répond pas à la participation que Jésus attend de nous. Le danger qui conduira au quiétisme est déjà présent à l'esprit de saint Ignace quand il confirme à la fin des *Exercices* que personne ne peut se sauver sans la foi et la grâce, « mais il faut être très prudent dans la façon de parler et de s'exprimer sur toutes ces questions »[4]. Ignace pense que l'insistance sur cette doctrine peut entraîner les gens simples à négliger « les œuvres qui conduisent au bien et au progrès spirituel de l'âme »[5].

Alain Forest, quant à lui, voit dans la pensée de Lambert les marques d'un « augustinisme »[6] mystique, il écrit : « Pour lui le missionnaire doit

---

1. Jacques Guy BOUGEROL, *Introduction à Saint Bonaventure*, Paris, J. Vrin, 1988, p. 71 ss.

2. P. LAMBERT DE LA MOTTE, Lettre au Père Simon Hallé du 15 mars 1661, AMEP, vol. 136, p. 71 ; cf. Guennou, transc., L. n° 2.

3. *L'Imitation de Jésus-Christ*, Livre I, ch. I, 2, p. 41.

4. IGNACE de LOYOLA, *Les Exercices Spirituels*, §. 366.

5. *Ibid.*, §. 367. On attribue à saint Anselme : « Il faut prier comme si tout dépendait de Dieu et agir comme si tout dépendait de nous ». et on prête à saint Ignace la réplique suivante : « Aie confiance en Dieu, comme si le succès de ton action dépendait tout entier de toi, et pas du tout de Dieu ; mais, en même temps, applique ton âme à tes actes, comme si tu étais, toi, impuissant, et Dieu devait tout faire ».

6. L'augustinisme marque le bérulisme, il y est surtout question de la grandeur de Dieu et de sa justice, et de la faiblesse de l'homme et de son péché. Le salut de l'homme passe par

renoncer à toute raison, à toute volonté propre ; il doit être malléable et, surtout, veiller à ne jamais prendre ses volontés pour « la » volonté divine, seule actrice de la mission »[1]. Forest trouve une contradiction avec ce que dit Pallu, d'inspiration toute ignacienne : « Il faut s'aider et agir comme s'il n'y avait pas de Providence, puisqu'il est dans l'ordre de la même Providence que nous fassions toutes les diligences raisonnables pour faire réussir les desseins dont elle nous a chargés »[2]. Mais pour Pallu comme pour Lambert qui suivent en cela le saint Ignace des *Exercices Spirituels*, l'oraison est le lieu où doivent se prendre les grandes décisions, écoutant ce que Dieu nous dira au cœur : « C'est là où nous serons bientôt éclairés des choses que nous ne pouvons comprendre et auxquelles nous ne pouvons nous résoudre »[3].

Pour Lambert être disciple de Jésus, ce n'est pas d'abord suivre ses conseils mais c'est en être la reproduction, si possible à l'identique :

> « Un Missionnaire Apostolique estant une image vivante de Jesus Christ doit estre un homme de douleur de sorte quil doit rejetter toutes sortes de satisfactions du corps et de lesprit comme contraire a son estat et les envisager comme

l'application de la justice divine en Jésus-Christ crucifié, porteur du péché du monde et en subissant à notre place le juste châtiment. Bernard Sesboüé cite Bossuet qui « met tout son art oratoire au service de l'évocation dramatique de la vengeance de Dieu qui s'assouvit à la croix aux dépens de son Fils » (B. Sesboüé, *Jésus-Christ, l'unique Médiateur, essai sur la rédemption et le salut*, t. I, *Problématique et relecture doctrinale*, Coll. « Jésus et Jésus-Christ », n° 33, Desclée, 2003, p. 71). « Dans ses sermons d'une rare violence Bourdaloue reprend l'argumentation de Bossuet pour qui le supplice de Jésus ne vient pas en définitive des hommes, il est le fait de Dieu lui-même » (p. 73). Dans la note 40 de la page 73, Bernard Sesboüé écrit : « Ces textes de Bossuet et de Bourdaloue témoignent de l'image d'un "Dieu terrible" et sont l'expression d'une forme de "pastorale de la peur" qui traversera plusieurs siècles ».

1. A. Forest, *Les missionnaires français au Tonkin et au Siam*, t. 1, *Histoire du Siam*, p. 60 ; l'auteur écrit à la page 61 : « Toute une logique, aux prolongements assez inattendus à première vue – que je développerai et illustrerai encore ultérieurement -, découle de l'obsession mystique de Lambert. Avec des côtés positifs : d'étonnantes intuitions ; des gestes fous ; un personnage qui ne cesse de lancer des initiatives alors qu'il passe son temps en méditation ; un fougueux qui pourtant discute en permanence et sait renoncer à ses idées ; un noble évêque français au service des prêtres et chrétiens d'Asie. Avec des côtés négatifs : de très rapides catégorisations des hommes entre bons et mauvais et, envers ces derniers, des attitudes intolérantes. Ce dernier trait sera largement dénoncé par les jésuites, qui reprocheront à Lambert de donner systématiquement raison « aux siens » – mais qui sait s'il ne fait pas en cela, et sciemment, que prendre l'exact contre-pied de l'esprit de corps jésuite ? – et qui l'accuseront bien entendu de jansénisme. Cela a quelque peu occulté les aspects fascinants d'un personnage bien de son temps et pourtant hors du commun, auquel l'histoire missionnaire aura longtemps préféré le moins sulfureux Pallu ».

2. *Ibid.*, t. III : *Organiser une Église, convertir les infidèles*, p. 16 ; cf. F. Pallu, *Lettres de Monseigneur Pallu*, p. 505, L. n° 227 à Mgr Picquet du 2 septembre 1677 (AMEP, vol. 103, p. 313).

3. *Ibid.*, p. 16, note 35 ; *Lettre de Pallu à M. Fermanel* du 15 octobre 1664, AMEP, vol. 858, p. 80.

de hautes imperfections, donc par cette grande maxime quil est impossible destre un bon missionnaire apostolique sans estre une victime souffrante par estat »[1].

Lambert décrit à Vincent de Meur en quoi consiste la société des hommes et des femmes dont il a prévu l'existence « à l'âge d'environ neuf ans dans la ville de sa naissance »[2], il lui écrit le 6 septembre 1662 : « Comme cette vie est un parfait modele de celle que Nostre Seigneur Jesus Christ a mené en ce monde et quelle doit imiter sa vie souffrante et la faire connoistre aux hommes, affin quils se la proposent pour exemple, il ma paru quon peut appeller cette compagnie des amateurs de la Croix »[3].

Le projet de Lambert qu'il veut concrétiser dans la fondation des Amateurs de la Croix dont la Congrégation Apostolique doit être le noyau, c'est l'imitation de Jésus Christ[4] : « Jusques a ce que Rome y ait trevé a redire nous sommes dans la Resolution dy vivre et dy mourir. Je ne scé si ce na pas esté en veüe du sacrifice que nous avons fait de tout nous mesme a N. S. quil nous a donné un Amour extresme dimiter sa vie souffrante »[5]. L'amour de la croix consiste bien pour Lambert au désir extrême d'imiter Jésus-Christ de sa naissance jusqu'à sa Croix.

Lambert ne prétend pas imiter seulement extérieurement Jésus par de rigoureuses ascèses ; c'est l'intention de sauver le monde qu'il prétend partager avec lui. Avec saint Paul il suit l'exemple de l'amour, celui du Christ qui s'est livré pour nous (Ép 5, 1-2), partageant ainsi les sentiments qui étaient dans son cœur (Ph 2, 5). En fait les sentiments du Christ ne nous sont connus que s'il nous les communique par sa présence permanente en nous ; c'est la doctrine de sa mission continue dans son Corps qui est l'Église, doctrine à laquelle Lambert adhérait.

Mais la caractéristique de *l'Imitation de Jésus-Christ* et de la *devotio moderna*, c'est de ne s'occuper que de perfection individuelle, de sanctification personnelle, et de ne presque pas parler de l'Église (4 fois mentionnée

1. P. Lambert de la Motte, *Abrégé de Relation*, AMEP, vol. 121, p. 728-729 ; cf. Guennou, transc., § 65 : Des souffrances d'un missionnaire apostolique.

2. *Id.*, Lettre à Vincent de Meur et aux amis de Paris, Relations d'oraison du 3 novembre 1663, AMEP, vol. 116, p. 559 ; cf. L. n° 53 bis.

3. *Id.*, Lettre à Vincent de Meur, Relations d'oraison du 6 septembre 1662, AMEP, vol. 116, p. 554 ; cf. L. n° 6, p. 25, envoyée le 25 novembre 1663.

4. C'est aussi l'objectif des lazaristes comme le dit saint Vincent de Paul : « Si notre perfection se trouve en la charité, comme il est constant, il n'y en a point une plus grande que de se donner soi-même pour sauver les âmes et de se consommer comme Jésus-Christ pour elles. Voilà à quoi vous êtes appelé, Monsieur, et à quoi vous êtes prêt de répondre, grâces à Dieu. C'est pour ce dessein que vous êtes entré en la compagnie, toute consacrée à l'imitation de Notre-Seigneur ! » (*Correspondance*, t. VII, décembre 1657-juin 1659, Lettre 2710 du 6 novembre 1658, p. 341-342).

5. P. Lambert de la Motte, Lettre à Mgr Pallu du 21 janvier 1669, AMEP, vol. 858, p. 151 ; cf. Guennou, transc., L. n° 117.

dans le texte). Même à propos de l'eucharistie, il n'y a qu'un rapport interpersonnel entre le croyant et le Christ qui l'invite à devenir semblable à lui en communiant à son corps et à son sang. C'est l'esprit de la Renaissance qui s'annonce avec l'exaltation de l'individu après la synthèse médiévale. Les auteurs spirituels du XVIIe siècle en sont encore tout imprégnés. Nous verrons que le propre de Lambert est de s'attacher à sortir de l'individualité en s'attachant à s'unir à Jésus dans la mission qu'il continue sur la terre, non son propre salut mais le salut du monde. Cela passe par une réflexion sur l'Église et son mode de fonctionnement.

En matière de spiritualité il y a chez Lambert une évolution certaine qui fait l'originalité de sa pensée, car il est indéniable qu'au départ il avait le désir marqué de la sanctification personnelle, cela est visible dans sa méditation sur les Amateurs de la Croix à partir d'une révélation à l'âge de 9 ans et c'est surtout visible dans le désir du martyre très vif au départ chez Lambert. Il va découvrir que ce n'est pas là le désir du Seigneur et que son sacrifice pour sauver les âmes ne passera pas par là, il devra se contenter d'offrandes plus modestes et cachées mais tout autant agréables aux yeux du Seigneur. La même évolution est visible pour la règle de vie qu'il propose aux missionnaires, alors que Pallu va en durcir les articles à Rome en en faisant des vœux à part entière, Lambert de son côté va en alléger les obligations selon l'état physique de chacun. Assez rapidement la vie mystique et l'ascèse vont être conditionnées pour lui par l'accomplissement de la mission continue de Jésus. C'est l'originalité de la spiritualité de Lambert, elle se modifie en s'éloignant de la spiritualité de son temps pour la rendre entièrement dépendante de la gloire de Dieu et du salut des âmes dans le monde.

C'est plus une question de priorité qu'une opposition, comme de remplacer l'objectif de « la gloire de Dieu et du salut de son âme » par « la gloire de Dieu et le salut des âmes ». Il semble que Lambert ait connu Marie des Vallées, chère à Jean Eudes et vivant près de Coutances, qui, sans être quiétiste et disciple de l'amour pur et désintéressé, faisait sienne cette parole de saint Paul dans l'Epître aux Romains (ch.9,3) : « Je souhaiterais d'être moi-même anathème, séparé du Christ, pour mes frères. » Finalement c'est l'application des deux commandements de Jésus qui nous fait refuser de séparer l'amour du prochain de l'amour de Dieu. Dès lors le paradis n'est pas souhaitable pour nous sans la présence du prochain, pensée qui entraîne un zèle extrême pour le salut des âmes auquel, dans ces conditions, Jésus ne peut que nous associer.

C'est là où se place l'ascèse et la mystique, le désir de perfection. Si on laisse Jésus continuer sa mission en nous, c'est lui, le Saint par excellence, qui devient la sainteté en nous comme le dit l'Imitation de Jésus-Christ, Jésus communique alors le désir qu'il a de servir plutôt que de se servir, de sauver plutôt que de se sauver, et c'est en suivant ce désir que nous marchons vers la perfection. C'est sur le terrain missionnaire que Lambert a compris qu'il n'y a pas de sainteté programmé et que la vraie sainteté, l'unique sainteté, c'est d'accomplir la volonté de Jésus sur nous, sur chacun de nous. Dans ces conditions la mystique dont Lambert témoigne, c'est la méditation quotidienne en tant que recherche de la volonté de Dieu au quotidien pour servir au salut des âmes ; et l'ascèse, c'est l'entraînement à répondre au sacrifice demandé pour le salut des âmes. Souhait de sainteté, vie mystique et ascèse sont pour Lambert ordonnés au salut des âmes.

Ainsi tout se passe extérieurement comme si l'ascèse et la mystique restaient tournées vers la recherche exclusive de la perfection et de l'union personnelle à Dieu, mais il s'agit maintenant de faire tout dans l'ordre de sa vocation qui est désormais d'être médiateur entre les hommes et le Christ agissant en nous et pour cela « agir d'une manière toute passive », c'est-à-dire sans rien qui soit le fait de sa volonté propre, mais sous la conduite exclusive du Saint-Esprit confirmée en Église. C'est la résolution que les missionnaires prennent à l'issue d'une retraite de quarante jours à l'automne 1663[1] pour supplier le Seigneur qu'il eût compassion de l'aveuglement des païens et particulièrement pour obtenir de sa bonté, lumière sur ce qu'ils avaient à faire :

> « La bonté divine faisant voir aux missionnaires que le don de la conversion des asmes estant un des plus grands bien faits qui puisse estre accordez a la Creature et du nombre de ces graces extraordinaires qui ne s'obtiennent que par le jeusne et l'oraison prirent resolution de donner a la Vie Interieure, outre le temps accoustumé, Celuy qu'ils auroient de revenant bon apres s'estre acquitez de leur necessaires obligations pour ce qui regarde l'autre point Ils supplierent nostre Seigneur d'aggreer d'eux une abstinence de viande et un jeûne perpetuel le reste de leur Vie a la reserve des jours de Noel, Pasques, et Pentecoste, l'experience a fait voir combien ces petits sacrifices sont agreables aux yeux de Dieu et combien ils sont salutaires a l'ame et au corps supposé la Vocation a la Vie apostolique ou a la vie perfective. Il est certain qu'on doit envisager les mortifications interieures et exterieures comme des moyens absolument necessaires pour aller à Dieu et qu'il les faut considerer comme des dispositions efficaces qui inclinent la misericorde divine de faire les sublimes et tres stes operations quelles a de coutusme de produire en l'ame de ceux qui ne desirent scavoir ces Voyes que pour l'aymer et l'adorer davantage. Outre ces moyens, on en a decouvert encor un autre qui a des effets merveilleux C'est de faire toutes choses dans l'ordre de sa vocation par le pur mouvement Interieur qui est attaché a l'état de Celuy qui est veritablement appellé a la Vie apostolique ensuite duquel Il faut toujours agir d'une maniere toute passive au dedans de soy se considerant comme un ministre animé de lesprit de J. C. et de la Ste Eglise et en cette qualité l'ame doit bien

1. P. Lambert de la Motte, *Abrégé de Relation*, AMEP, vol. 121, p. 657 ; cf. J. Guennou, transc., § 22.

se prendre garde de rien operer de son chef mais seulement elle doit suivre les veuës qui luy seront données par l'union de cette Influence mystique et adorable que s'il plaist a nostre Seigneur la laisser dans l'obscurité elle se rapportera a luy de faire ses sacrifices au pere Éternel selon son bon plaisir et cependant faire toutes choses dans la bonne foy et pour ainsi dire a la caution de J. C. dont les missionnaires apostoliques sont les agens visibles et les mediateurs par estat »[1].

Pour Lambert la mort à soi-même trouve sa nécessité dans le fait que Jésus veut continuer en nous sa mission de sauveur du monde. C'est là en effet le point de départ de sa pensée théologique qu'il constitue comme un postulat reçu par la foi et dont il tire toutes les conséquences rationnelles. Toute sa vie spirituelle et sacramentelle, en est transformée de l'intérieur. Tout prend une autre dimension, une autre signification. Et ainsi dans la mesure où la Mission continue de Jésus tend à expliquer toute l'œuvre et la pensée de Lambert et en assurer la totale cohérence, peut-être peut-on dire qu'elle les résume et les synthétise.

L'imitation des états du Christ dans le Bérullisme : Quarré et Bernières

Tous les auteurs du XVIIe siècle français ont été baignés par la spiritualité de l'*Imitation de Jésus-Christ*, il faut se garder de prêter une filiation quelconque entre auteurs à partir de la seule référence à l'*Imitation*. De même, depuis Bremond, on a tendance à considérer la référence à Bérulle (1575-1629) comme obligatoire au XVIIe siècle, ce qui limiterait les influences extérieures à la France et à la faculté de création des auteurs français.

Le terme d'École française n'est approprié pour rassembler les auteurs religieux autour de Bérulle que s'il y a des élèves reconnus en dehors de l'Oratoire qu'il a fondé. Ces élèves pourraient être par ordre d'ancienneté : Barbe Acarie (Bienheureuse Marie de l'Incarnation 1566-1618), Louis Lallemant (1578-1635), Jean-Hugues Quarré (1580-1656), saint Vincent de Paul (1581-1660), Jean du Vergier de Hauranne, abbé de Saint-Cyran (1581-1643), Adrien Bourdoise (1584-1655), François Bourgoing (1585-1662), Charles de Condren (1588-1641), Louis Chardon (1595-1651), saint Jean

1. *Ibid.*, p. 657-658 ; cf. § 23. commenté par H. Chappoulie, *Aux origines d'une Église, Rome et les missions d'Indochine au XVIIe siècle*, t. 1, p. 142. : "Jusque dans les termes, Lambert de la Motte reproduisait dans le journal de la mission de Siam des expressions familières à la spiritualité de ses amis normands, entièrement tournés vers les raffinements de la perfection intérieure. Cette parenté ne faciliterait pas le contact d'âme entre lui et les jésuites, formés à d'autres méthodes et accoutumés par saint Ignace à des principes plus objectifs de conduite spirituelle". Appliqué à confirmer l'influence de Jean de Bernières sur Lambert affirmée par Brisacier, Chappoulie semble ne pas remarquer l'insistance de Lambert sur la nouveauté que son état de missionnaire introduit dans sa vie spirituelle.

Eudes (1601-1680), Jean de Bernières-Louvigny (1602-1659), Jean-Jacques Olier (1608-1657), Catherine de Bar (Mechtilde du Saint-Sacrement 1614-1698), saint François de Montmorency-Laval (1623-1708), Henri-Marie Boudon, (1624-1702), Jacques-Bénigne Bossuet (1627-1704), saint Jean-Baptiste de la Salle (1651-1719), saint Louis-Marie Grignion de Montfort (1673-1716).

Un arbre généalogique des héritages de pensée serait cependant très difficile à établir, il montrerait de multiples influences plutôt que de vraies filiations. Pouvons-nous placer Lambert dans cet arbre ? Le serait-il grâce à Bernières, comme Brisacier l'a prétendu ? Ou bien faut-il voir plutôt du côté de Jean Eudes ?

On remarquera que parmi les bérulliens on trouve aussi bien l'abbé de Saint-Cyran qui tomba dans le jansénisme, que Jean Eudes qui s'y opposa violemment. Le jansénisme, nouvelle doctrine rigoriste[1], se développa dans les milieux catholiques même après les condamnations du pape de 1642 et de 1653. Madame Guyon (1648-1717) et Fénelon (1651-1715) se lancèrent ensuite dans un excès opposé, le quiétisme issu de Molinos (1628-1696), et se prévaudront aussi du bérullisme.

Yves Krumenacker constate qu'on ne connaît pas les sources de Bérulle, sauf cas exceptionnel[2]. Raymond Deville qui considère Jean Eudes comme le plus abordable des « quatre grands » (avec Bérulle, Condren et Olier), a lu son livre de 1637, *La Vie et le Royaume de Jésus dans les âmes chrétiennes*, comme un livre se situant « dans la ligne exacte de Bérulle et de Condren », tout en correspondant de façon « plus explicitement biblique et théologique ».

Les livres dont Jean Eudes préconise la lecture dans l'oraison sont, dans l'ordre, le Nouveau Testament, l'*Imitation de Jésus-Christ*, la Vie des Saints, les livres de Louis de Grenade, spécialement le *Guide des Pécheurs* et le *Mémorial de la vie chrétienne*, les livres de saint François de Sales et du cardinal de Bérulle, enfin *Le Thrésor Spirituel* de Jean-Hugues Quarré[3], prêtre de l'Oratoire. Il est intéressant de s'arrêter sur la pensée de Jean-Hugues Quarré et sur son *Thrésor spirituel*[4]. L'auteur commence par décrire la mission que

1. André Pioger, *Un orateur de l'École française, saint Jean Eudes* (1601-1680), Paris, Bloud et Gay, 1940, p. 160 : « Pour la réception de la Pénitence et de l'Eucharistie, c'est le mot de respect, non pas de confiance, qui résume les idées jansénistes ». Avec les jansénistes, on ne pratiquait la communion que rarement et tardivement dans la vie (voir note 8 et p. 161, note 1).

2. Yves Krumenacker, *L'école française de spiritualité, des mystiques, des fondateurs, des courants et leurs interprètes*, Paris, Cerf, 1999, p. 118.

3. Jean Eudes, *Vie et le Royaume de Jésus dans les âmes chrétiennes*, Paris, p. Lethielleux, 1950, p. 53.

4. Jean-Hugues Quarré, *Le Thrésor Spirituel concernant les excellences du christianisme, et les addresses pour arriver à la Perfection Chrétienne par les voyes de la grace & d'un entier*

Dieu le Père a donnée à son Fils et qui conduit celui-ci à s'incarner. Pour cela Quarré s'appuie sur saint Jean Damascène selon qui « le Père Éternel a envoyé son Fils au monde avec charge de produire des enfants qui luy fussent par grace ce qu'il lui est par nature »[1]. La mission reçue du Père dont Jésus témoigne à Nicodème n'est pas d'abord celle-là mais plutôt : « Dieu a tant aimé le monde qu'il a donné son Fils unique, afin que quiconque croit en lui ne se perde pas mais ait la vie éternelle » (Jn 3, 16).

Après avoir décrit le processus de divinisation qui serait intervenu même dans le cas de l'innocence de l'homme, Jean Hugues Quarré constate alors les effets du péché d'Adam : par nous-mêmes nous ne pouvons que nous éloigner de Dieu et nous mener à la ruine[2]. Il faut y remédier :

> « Il faut peu à peu, & avec soin mortifier nostre nature & ce qui est en nous, & continuellement aneantir nostre esprit, nostre jugement, & les mouvements naturels de nostre ame ; car ils sont contraires à Dieu, & opposez à nostre bonheur, c'est pourquoy nous devons porter une grande alienation, & deffiance de nous-mesmes, puisque tout ce qui est en nous, comme de nous, tasche de nous séparer de Dieu, si nous ne sommes aidez de sa grace »[3].

Quarré introduit la prédominance de la grâce dans la conception de l'imitation : « Il faut avoir un continuel recours à la grace avec un esprit de soumission & de dépendance de la grace, afin qu'elle aye pouvoir d'agir en nous avec liberté »[4]. Le sens de l'imitation en est précisé. Jésus est « le modèle & la cause exemplaire de nostre vie »[5].

Pour Quarré les épreuves et les souffrances sont l'occasion de prendre part aux états du Christ[6]. Ce n'est pas à nous de choisir quel état du Christ il nous est donné d'imiter, il suffit que nous l'acceptions le moment venu : « Jésus se communique à ceux quil veut & en la façon qu'il luy plaist, c'est ce que veut dire S. Paul, Coloss.1. I'accomplis en moy ce qui manque aux souffrances du Fils de Dieu »[7]. Ce n'est pas dans ce sens que Jean Eudes et Lambert interprètent la parole de saint Paul en Col 1, 24. Ici saint Paul est présenté comme appelé à vivre particulièrement l'état de souffrance de Jésus en croix sans que cet état soit proposé à tous les chrétiens. Quarré écrit que Jésus « en appelle plusieurs de divers estats, & conditions, & les esleve à la

---

abandonnement à la conduite de Jésus-Christ, 3e édition revue et corrigée par l'auteur, Bruxelles, Philippe Vieugart, 1657.

1. *Ibid.*, p. 23.
2. *Ibid.*, p. 112.
3. *Ibid.*, p. 115-116.
4. *Ibid.*, p. 164.
5. *Ibid.*, p. 166.
6. *Ibid.*, p. 296.
7. *Ibid.*, p. 301.

participation, & communication des divers estats de sa vie voyagere, & à l'excellence des graces emanées de ses divers mysteres »[1].

Tout vient encore de l'Incarnation par laquelle le Fils de Dieu « a pris une nature humaine, qu'il s'est appropriée, & l'a élevée à toutes les grandeurs de la divinité, luy communiquant pour jamais la personne, la vie, et les excellences d'un Dieu ; aussi aux œuvres de la grace qui vont honorans, & imitans ses divins mysteres, il a droit de choisir nos ames, les élever, & unir à soy, & leur communiquer ses grandeurs, sa vie & ses états »[2].

Nous sommes là au centre de la conception bérullienne de l'imitation de Jésus-Christ. Jésus-Christ « veut honorer Dieu par son Enfance, par sa vie cachée, par ses souffrances, par son agonie, & par les autres divers estats de sa vie voyagere : de mesme il veut avoir des âmes, & en grand nombre, qu'il choisit, & éleve à une vie nouvelle, & à une vie de grace singuliere ; & les establit en la participation des divers estats, pour honorer les divers estats de sa vie sur la terre »[3]. En même temps cette participation à l'un des états du Christ est pour chacun de nous la voie de la divinisation.

Jean-Hugues Quarré conclue :

> « C'est le premier usage que doit faire l'Ame Chrestienne que de regarder le Fils de Dieu comme le Prototype ; & l'Exemple de sa vie, non seulement pour l'imiter, mais encore pour l'exprimer, & représenter au vif, & au naturel ; en telle sorte que tout ainsi comme le Fils de Dieu est la figure, l'Image, & la ressemblance du Père ; le Chrestien soit aussi l'Image, & la ressemblance du Fils : Ce qui est si veritable que l'Apostre asseure qu'aucun ne sera sauvé ny receu dans le Ciel au nombre des Eleus, s'il n'est conforme à l'Image de Jesus-Christ. C'est le dessein du Père Éternel dans le mystere de l'Incarnation »[4].

Jean-Hugues Quarré s'attache dans son œuvre à développer la doctrine bérullienne de l'adhérence à Jésus-Christ par imitation de chacun de ses états dans chacune des situations qu'il a vécues. Pour lui c'est à Jésus de fixer à chacun l'état de vie qu'il doit vivre mais Bernières pense que tous les états de Jésus ont un point commun, l'abjection et l'humiliation qui en découle.

1. *Ibid.*, p. 368. Chez Bérulle, l'état de la vie voyagère du Fils de Dieu correspond à son état de faiblesse lors de son voyage en ce monde. Il s'oppose à l'état de sa vie glorieuse (cf. Jean GALY, *Le Sacrifice dans l'École française de Spiritualité*, Paris, Nouvelles Éditions Latines, 1951, p. 29, 39, 40, 46, 65, 102, 201, 223). L'expression bérullienne "voyagère" est inusitée chez Condren, elle est employée 4 fois par P. LAMBERT DE LA MOTTE (*Abrégé de Relation*, AMEP, vol. 121, p. 695, 755, 760 ; cf. J. Guennou, § 41, 82, 88 ; vol. 677, p. 216, § 128).

2. J.-H. QUARRÉ, p. 369.

3. *Ibid.*, p. 370.

4. *Ibid.*, p. 402-403.

Pour Brisacier et ceux qui lui font crédit, c'est Jean de Bernières qui est l'inspirateur de Lambert. La doctrine de Bernières[1] concernant l'abjection, est tirée de son maître franciscain, le Père Jean-Chrysostome de Saint-Lô[2]. Bernières a d'ailleurs fondé à Caen une confrérie de la sainte Abjection[3]. Lambert devrait donc vivre les états de Jésus par le biais de l'unique abjection. Pourtant, outre qu'il ne parle jamais des « états » de Jésus[4], ce n'est pas l'abjection qui semble attirer Lambert, si l'on en croit la nécrologie de Vachet, mais bien plutôt la solitude et l'oraison dans l'Ermitage que Bernières a fondé à Caen. Dans sa nécrologie, Vachet insiste d'ailleurs sur le goût précoce de Lambert pour l'oraison solitaire : « Ce fut dans ce temps la qu'incertain du genre de vie qu'il falloit choisir il se retira chez sa grandmere ou il se bâtit une petite solitude a l'ecar pour y vivre retiré et avoir plus de loisir de consulter la sainte volonte de dieu sur lui, il etoit pour ainsi-dire devenu un homme d'oraison sans secours humain »[5].

L'Abjection est évidement un point d'imitation du Christ quand il a vécu les moqueries et les crachats de sa Passion, elle est une des caractéristiques

1. La pensée de Jean de Bernières nous est connue par la publication posthume de ses notes et de celles de ses disciples. Ils se sont disputés l'héritage de leur maître en éditant plusieurs livres concurrents à partir de 1660, comme, *l'Intérieur chrétien, Le chrétien intérieur, Œuvres spirituelles*. Maurice SOURIAU dans *Deux mystiques normands au XVIIe siècle,* utilise la 13e édition du *Chrétien intérieur* datant de 1867. Cf. Le Comte R. de VOYER d'ARGENSON, *Annales de la Compagnie du Saint-Sacrement*, p. 113, en 1649 : « L'Assemblée fut fort édifiée d'apprendre ce qui s'étoit passé à Caen par les soins de la Compagnie de cette ville-là pendant les mouvements de Normandie. Cette Compagnie étoit remplie d'excellents sujets et M. de Renty, qui la visitoit souvent, y avoit répandu beaucoup d'onction et tous ses grands sentiments de piété, aussi en est-il sorti des personnes d'un mérite extraordinaire, entre autres M. de Bernières-Louviguy, trésorier de France, dont nous voyons l'esprit dans le *Chrétien Intérieur,* qu'un Capucin a mis dans l'ordre où il est sur les mémoires et sur les manuscrits de ce serviteur de Dieu depuis sa mort ».

2. Raoul HEURTEVENT, article « Chrysostome de Saint-Lô (le p. Jean) » in *Dictionnaire de Spiritualité,* t. 2, 1953, col. 882.

3. *Ibid.*, article « Bernières-Louvigny (Jean de) » t. 1, 1937, col. 1522. L'œuvre de Bernières est restituée par ses disciples de façon très désordonnée, l'édition de 1834 est un des essais de réorganisation par thèmes.

4. Une lettre de Mgr Lambert à Mgr Pallu du 29 novembre 1677 (AMEP, vol. 858, p. 413 ; cf. Guennou, transc., L. n° 183) parle seulement des états de souffrance des missionnaires offerts à Dieu « dans l'union des sacrifices de J.-C. pour l'Interest general ». Par contre, saint Jean Eudes est un vrai bérullien quand il parle des « états et mystères » de Jésus dans *la Vie et le royaume de Jésus* (*Œuvres complètes*, t. I, troisième partie, IV-X, p. 310-336). Sans parler des « états », Mgr Lambert parle toujours de la foi chrétienne comme de « nos saints mystères », et il précise le 19 octobre 1667 à Mgr Pallu (AMEP, vol. 857, p. 221 ; cf. L. n° 109) : « tous les mystères de la vie et passion de Notre Seigneur » (voir aussi dans l'*Abrégé de Relation* de P. LAMBERT DE LA MOTTE, AMEP, vol. 121, p. 677 ; § 32 ; vol. 121, p. 718 ; § 54 ; vol. 121, p. 746 ; § 71).

5. B. VACHET, [*Nécrologie de Lambert*], AMEP, vol. 877, p. 679.

du Bérullisme qui s'attache aux états humiliés de Jésus, de l'Incarnation à la Croix.

Le premier thème de Jean de Bernières est donc la pauvreté et l'abjection[1], elles sont inséparables de Jésus-Christ et on doit les accueillir en même temps que lui[2]. On trouve ensuite le thème de l'amour de la croix qui correspond chez lui à l'amour des souffrances: « Chacun a son goût. Celui de Jésus-Christ n'a point été pour les plaisirs ni pour les honneurs de ce monde ; mais au contraire pour la pauvreté, les croix et les mépris »[3].

L'importance que Bernières accorde à l'expérimentation du mépris des autres doit-elle conduire à des situations de provocation qui pousseraient les autres à nous mépriser ? « Il faut chercher les aneantissemens, aimer les rebuts, & d'estre le jouët des hommes ; passer pour un inconstant parmi les devots ; pour avoir peu d'esprit parmi les gens du monde »[4]. Mais pour Bernières, il semble que ce soit d'abord de la Providence qu'il faut attendre l'expérience de l'Abjection, même s'il parle d'exercices d'anéantissement[5].

Brisacier attribue à l'influence de Bernières[6] le fait que Lambert a voulu « renoncer si entierement a l'estime du monde, qu'il souffrist avec plaisir de voir blasmer sa conduite, de passer pour un esprit foible, d'estre meprisé par ceux la mesmes qui jusqu'alors l'avoient honoré, et de recevoir de bonne grace toutes les abjections qui viendroient fondre sur luy »[7]. Il est vrai que cette attitude est recommandée par Bernières qui parle là d'humilité extérieure[8].

Selon Brisacier, Lambert recherchait des situations de honte. La première anecdote racontée par lui se passe à Rouen où, après une chute de cheval, Lambert se présente tout crotté à une réunion mondaine[9]. Brisacier raconte une seconde anecdote sur la pratique de Lambert, c'est la méprise d'un huissier qui le prend pour un solliciteur ; Lambert ne le détrompe pas et se laisse humilier alors qu'il est magistrat à Rouen[10]. Lambert est présenté alors comme celui qui met en pratique par la pauvreté volontaire la

1. Mgr Pallu fait la lecture du *Chrétien Intérieur*, c'est une découverte personnelle de cet auteur qu'il ne semble pas connaître par l'intermédiaire de Lambert (*Lettres de Monseigneur Pallu*, L. n° 28 du 19 juillet 1667 à un directeur du séminaire des Missions Étrangères, p. 100-101).

2. J. de Bernières-Louvigny, *Le Chrétien intérieur*, T. 1, L. 1, traité premier, ch. 17, p. 67-68.

3. *Ibid.*, traité second, ch. 5, p. 100.

4. *Ibid.*, 1676, première partie, L. 1, ch. 14, p. 58.

5. *Ibid.*, 1834, T. 1, L. 1, traité troisième, ch. 3, p. 162.

6. J.-C. de Brisacier, *Vie de M. de Beryte*, vol. 122, p. 5-7, § 16 et 19.

7. *Ibid.*, p. 6, § 19.

8. J. de Bernières-Louvigny, 1834, T. 1, L.1, troisième traité, ch. 13, p. 196-199.

9. J.-C. de Brisacier, *Vie de M. de Beryte*, vol. 122, p. 4, § 12.

10. *Ibid.*, p. 7, § 19.

recherche de l'abjection qui est au centre de l'enseignement de Jean de Bernières, qui écrit :

> « Je sens que Dieu m'attire puissamment à vivre et à mourir au moins dans la pauvreté volontaire : je puis le devenir par la grâce, me dépouillant de tout pour le suivre dans un état pauvre. Plusieurs Saints l'ont embrassée sur la fin de leur vie, quand ils ont été libres comme je le suis. Je dois y tendre sans réserve, quoiqu'on puisse dire de moi… Je n'ai qu'à payer mes dettes exactement, me vêtir pauvrement, au moins par-dessous, coucher pauvrement sur un grabat, me contenter de pain sec, me défaire de ma charge, et me passer même d'un valet, s'il est possible »[1].

Selon Brisacier, c'est dans cet esprit que Lambert démissionne de sa charge. Brisacier présente ensuite un voyage de Lambert à Paris comme un premier pèlerinage d'Abjection conseillé par Bernières[2] ; le retour à Caen en passant par Rouen est une réplique de l'aller, encore plus marquée dans le sens de l'Abjection[3]. Il y a chez ce Lambert un aspect de provocation que l'on retrouvera chez certains habitués de l'Ermitage de Caen après la mort de Jean de Bernières[4]. D'après Brisacier, le Père Hayneuve, alors directeur de Lambert, aurait aussi préconisé à Lambert de faire un pèlerinage d'Abjection pour prier sur le tombeau de Jean de Saint-Samson à Rennes, un voyage à pied sous l'apparence la plus misérable et la plus méprisable pour subir le plus d'humiliations[5].

La doctrine de l'Abjection est suffisamment forte pour marquer durablement l'esprit de ses disciples, mais elle est plus intérieure qu'extérieure. L'extériorité que Brisacier choisit de privilégier chez Lambert semble inspirée d'un épisode de la vie de saint François de Montigny-Laval (ou Montmorency-Laval).

Maurice Souriau écrit qu'à l'Ermitage « Montigny-Laval s'imprègne profondément de la mystique propre à J. de Bernières. Il se conforme également au zèle charitable de la maison, et le dépasse. Est-il question de faire quelque pèlerinage ? L'abbé de Montigny part à pied. Membre de la Société de la Sainte-Abjection, il s'en va sans un sou ; il mendie son pain ; il cache son nom pour qu'aucun des mauvais traitements habituels en pareil cas ne lui soit épargné »[6]. C'est par zèle que Montigny-Laval aurait opéré

---

1. J. de Bernières-Louvigny, 1834, T. 1, L. 1, traité premier, ch. 16, p. 65-66.
2. J.-C. de Brisacier, *Vie de M. de Beryte,* vol. 122, p. 11, § 28.
3. *Ibid.*, p. 13-14, § 39-41.
4. R. Allier, *La cabale des dévots,* p. 347 : « Le mercredi 4 février 1660, on vit soudain, à Caen, un spectacle étrange. Cinq jeunes gens, tête nue, pourpoint déboutonné, couraient par les rues, gesticulant et hurlant. Ils répétaient à tue-tête que tous les curés, sauf deux qu'ils nommaient, étaient « fauteurs du jansénisme et excommuniés ».
5. J.-C. de Brisacier, *Vie de M. de Beryte,* vol. 122, p. 15-21, § 44-57.
6. M. Souriau, *Deux mystiques normands,* p. 366-367 citant A. Gosselin, *La vie de Mgr de Laval, premier évêque de Québec*, Québec, Demers, 1890, I, p. 81.

un dépassement par rapport à l'enseignement de Jean de Bernières, c'est le même dépassement que Lambert aurait opéré.

Mais cette doctrine de l'Abjection que Brisacier développe sur de nombreuses pages comme une particularité de Lambert dans sa vie laïque n'apparaît pourtant pas dans les écrits de celui-ci. La doctrine de l'Abjection chère à Jean de Bernières aurait dû tenir une place importante dans les écrits de Lambert, or il n'en est rien. Le vicaire apostolique ne révèle dans ses relations aucune conduite encourageant le mépris des autres à son égard, il n'utilise le mot « abjection » dans le sens de la mortification que pour rendre compte de l'inefficacité de l'activité apostolique des missionnaires au début de leur séjour au Siam, inefficacité qui, selon lui, ne pouvait être attribuée qu'à leurs péchés[1]. L'accent chez Lambert est mis sur la doctrine classique de la pauvreté franciscaine qui est aussi à la source de celle de l'Abjection par l'intermédiaire de Chrysostome de Saint-Lô.

Évidemment si l'on tient pour la pure vérité ce que Brisacier dit de Lambert, on est conduit à considérer Lambert comme un disciple totalement attentif à l'enseignement de son maître Jean de Bernières et soumis aux projets qu'il a pour lui, comme de proposer sa candidature pour le Canada, puis pour l'Asie quand l'occasion s'en présente.

Pour trancher parmi les hypothèses d'influences subies par la pensée de Lambert, et désigner quelle est la plus importante, il faut évidemment étudier cette pensée en la comparant à plusieurs sources possibles. Bien que Jean Eudes et Jean de Bernières soient très liés l'un à l'autre, il est possible de différencier leurs pensées et de les comparer avec celle de Lambert, surtout par rapport à leur position théologique.

Pour Jean Eudes et Lambert, Jésus demeure en nous pour y continuer sa mission

Nous avons vu qu'on ne peut accepter sans examen le portrait de Lambert que nous fait Brisacier ; ce dernier considérant le jésuite Julien Hayneuve, le laïc Jean de Bernières et le Minime Simon Hallé comme les directeurs successifs de Lambert, ce ne serait pas une bonne méthode que de chercher d'abord à vérifier dans les écrits de Lambert les éléments de spiritualité qui pourraient être attribués à ces trois directeurs.

En revanche l'influence de Jean Eudes sur Lambert n'apparaît pas formellement chez Brisacier même s'il parle longuement de l'intervention de Lambert pour permettre la création d'un séminaire eudiste à Rouen. Mais

1. P. Lambert de la Motte, *Abrégé de Relation*, AMEP, vol. 121, p. 675 ; cf. Guennou, transc., § 31.

la façon dont Brisacier anticipe le vœu d'hostie que Lambert a prononcé en 1668 et le fait remonter à la tonsure, permet à certains d'y voir la mystique sacerdotale de Jean Eudes, ce n'est pourtant pas par cette hypothèse qu'on éclaire la relation entre Jean Eudes et Lambert, mais bien sur le plan christologique fondamental ignoré par Brisacier comme par ceux qui lui font crédit. Il faut convenir qu'on ne s'attend pas à voir un missionnaire devenir maître en théologie, on le cantonne plus volontiers dans une spiritualité classique.

L'étude de la pensée de Jean de Bernières nous permet d'entrer dans le thème général de l'imitation par le point de vue de l'imitateur, mais pour comprendre la pensée de Lambert, il faut prendre en compte celui qui veut être imité, le Christ ; c'est là où on peut démontrer que l'influence de saint Jean Eudes sur Lambert est prépondérante par rapport à celle de Jean de Bernières.

La particularité de la théologie de Lambert, c'est qu'elle ne s'exprime pas dans un texte spécifique qui serait le résumé de sa pensée, mais d'abord dans un ensemble de lettres à des correspondants très variés dont les connaissances théologiques sont très inégales. Il y a des hommes et des femmes, des prêtres, des religieux et des laïcs, des gens humbles et des gens connus, des hommes politiques, des princes et des archevêques, le roi Louis XIV et le pape.

La dispersion de la pensée théologique de Lambert rend très difficile sa compréhension et on en restera à parler de spiritualité à son propos, faute de pouvoir parler d'une cohérence théologique. Il se peut que son maître, saint Jean Eudes, ait été victime de la même incompréhension. En effet les aspects théologiques ne sont pas regroupés dans l'œuvre de Jean Eudes mais ils y sont dispersés et seule une synthèse peut les restituer et on n'y parvient pas en rassemblant seulement, livre après livre, ce qui apparaît y contribuer dans chacun d'eux[1]. Le travail de Clément Legaré a ouvert une voie novatrice pour aboutir à cette synthèse[2].

Tant qu'on n'a pas vu leur implication théologique, les textes de Lambert comme ceux de Jean Eudes n'apparaissent que comme des éléments de spiritualité. Or Lambert s'est attaché à ce qui répondait au « Pourquoi ? » (par la théologie) plutôt qu'à ce qui répondait au « Comment ? » (par la spiritualité et la mystique).

Une étude du vocabulaire employé par Lambert permet de prouver la filiation de sa pensée par rapport à celle de Jean Eudes. On appréciera alors la clarté particulière du discours théologique de Lambert et les articulations de son raisonnement. On se rend mieux compte aussi que les différences

---

1. Jean Guennou a préparé sans le publier un recueil de textes spirituels de Lambert. En 1977, les Eudistes avaient publié un *Lectionnaire* propre à la Congrégation de Jésus et Marie où étaient rassemblés par thèmes des textes spirituels de saint Jean Eudes.

2. C. Legaré, *La mission continue de Jésus et le bérullien Jean Eudes, sémiotique du discours religieux.*

de langage qui apparaissent tout de suite entre Lambert et Jean Eudes sont à attribuer à l'orientation mystique de Jean Eudes, qui se trouve moins affirmée chez Lambert. Par contre on trouve chez Lambert et chez Jean Eudes une relation étroite entre la vie et la pensée[1]. Mais tandis que la vie et l'enseignement de Jean Eudes sont liés à sa tâche de réveiller dans les provinces françaises (de 1632 à 1676) la foi catholique abandonnée au cours des guerres de religion, la vie et l'enseignement de Lambert sont liés à un autre objectif, celui de faire découvrir la foi chrétienne à des peuples qui ne l'ont jamais connue.

Comme Jean Eudes, Lambert part du même constat pessimiste, c'est le clergé qui est cause des échecs de l'évangélisation[2]. Si Jean Eudes juge que la référence la plus solide reste les jésuites autant en Chine qu'en Europe[3], la mise en cause des dépravations des pasteurs de son temps est aussi pour lui un moteur qui entraîne son zèle et son dévouement et oriente son action. Comme beaucoup d'autres saints, Jean Eudes voit l'enfer peuplé d'ecclésiastiques, l'amour de l'argent, du bien-être et de la sécurité étant pour lui la cause principale de leur perte.

Jean Eudes et Lambert sont également attachés à la réforme d'un clergé inadapté à l'œuvre d'évangélisation. Jean Eudes fonde des séminaires à Caen (1643), à Coutances (1650), à Lisieux (1653), à Rouen (1658), à Évreux (1667) et à Rennes (1670)[4].

La tendance du bérullisme à la suite de saint François de Sales conduit à envisager l'amour de l'homme pour Dieu[5], un amour qui doit tendre à être

---

1. *Ibid.*, p. 6.

2. J. Eudes, *Œuvres complètes*, t. III, *Mémorial de la vie ecclésiastique*, Vannes, Lafolye Frères, 1906, p. 153-154 ; cf. C. Legaré, *La mission continue de Jésus et le bérullien Jean Eudes*, p. 285 : « Dans l'univers ecclésial, déclare Eudes, les bénéfices ecclésiastiques, les charges honorifiques, la considération sociale ne constituent pas la rémunération convenable réservée aux vrais pasteurs, puisqu'ils « ont redouté ce que la plupart des ecclésiastiques de maintenant désirent avec tant de passion ». Pour ceux-ci, en effet, les valeurs profanes, telles que l'honneur, la fortune, les commodités temporelles rattachées aux charges de l'Église peuvent être obtenues sans égard au mérite. Fruits de l'ambition et de la présomption, les postes usurpés accordent le repos avant les onéreuses tâches pastorales, font passer la recherche de la sécurité personnelle avant le souci de la mission de l'Église, chargée de glorifier Dieu et de sauver les âmes"... "S'autorisant de saint Grégoire le Grand, Eudes affirme que rien ne fait plus outrage à Dieu, ne l'irrite plus et par conséquent n'attire davantage ses terribles châtiments" ».

3. Lettre de Jean Eudes à l'intention des trois Eudistes partant en Asie avec les vicaires apostoliques (*Œuvres complètes*, t. X, p. 448-450) ; P. Milcent (*Un artisan du renouveau chrétien*, p. 348) commente cette lettre : « On aura remarqué l'insistance de Jean Eudes sur l'union avec la Compagnie de Jésus : en Chine comme à Rouen, c'est la référence la plus solide ».

4. C. Legaré, *La mission continue de Jésus et le bérullien Jean Eudes*, p. 7.

5. Pierre Pourrat, article « Charité : l'École française depuis saint François de Sales », in *Dictionnaire de Spiritualité*, t. 2, 1953, col. 610-627. Les principaux auteurs cités sont saint

pur et exclusif, détaché de tout profit personnel. Avec Lambert l'accent va se porter sur notre participation au salut de tous les hommes. L'amour pour Dieu est un amour de reconnaissance car c'est lui qui nous a aimés le premier pour nous sauver. Notre amour pour le prochain est la conséquence de cet amour reçu ; c'est Jésus lui-même qui nous a donné ce commandement d'aimer jusqu'au point où il a aimé, en donnant notre vie pour le salut de nos frères. Pour que nous puissions obéir à ce commandement de Jésus, il faut bien que, d'une manière ou d'une autre, il ne se réserve pas l'exclusivité de l'amour salvifique.

Jean Eudes et Lambert voient l'amour dans l'unité du Corps mystique[1], celle des membres avec la Tête[2], Jésus, au point de partager avec lui la même mission reçue du Père, à savoir la gloire de Dieu et le salut du monde. Pour que ce but soit atteint, c'est moins nous qui devons agir que Jésus, qui doit agir en nous et par nous.

Pour dégager les aspects fondamentaux de la théologie de Jean Eudes et de Lambert, une théologie qui apparaît à beaucoup comme de la dévotion, il faudra reprendre les trois grands thèmes du traité *De gratia Capitis* que nous développerons plus loin. Pour l'instant contentons-nous de les résumer pour la clarté de notre sujet :

Le premier point, c'est que nous ne pouvons pas copier Jésus, mais que c'est lui qui en venant en nous y imprime le reflet de son humanité et de sa divinité. Ainsi nous sommes bien plus que des imitations de Jésus, puisque c'est Jésus, l'Archétype qui se trouve en nous. Mais pour que Jésus puisse prendre la direction de notre être, il nous faut mourir à nous-mêmes.

Le deuxième point est une conséquence de la doctrine de l'Église, Corps du Christ : si le sacrifice rédempteur de la croix s'est accompli une fois pour toutes dans le Christ-Tête, il doit maintenant s'accomplir dans le Christ-Corps.

Le troisième point est le rôle du Saint-Esprit à la Pentecôte : lui seul permet à Jésus de poursuivre en nous la mission que le Père lui a confiée (Incarnation et Rédemption) ; lui seul agit en nous comme un influx de

---

François de Sales, Jean-Pierre Camus, Bérulle, Condren, saint Vincent de Paul, Jean-Jacques Olier, saint Jean Eudes, Bernières, Henri Boudon, Bossuet, Fénelon.

1. M.-J. CONGAR, *Esquisses du Mystère de l'Église*, Paris, Cerf, 1941, p. 26, note 1 : « Saint Paul, et les Pères jusqu'au XE ou XIE siècle, parlent simplement de "corps du Christ". Le qualificatif de "mystique" qui a été introduit par distinction d'avec le corps eucharistique, et qui signifie pneumatique, spirituel, distingue l'Église comme Corps du Christ de la réalité corporelle du "Christ selon la chair" ».

2. François FLORAND (Introduction à Louis Chardon, *La croix de Jésus, ou les plus belles vérités de la théologie mystique et de la grâce sanctifiante sont établies*, Paris, Cerf, 2004, p. 171-172) écrit : « Saint Jean Eudes fait de la doctrine du Corps mystique la base de son enseignement spirituel, mais il ne s'attarde guère à l'expliquer et court aux conclusions pratiques ».

grâce qui, après s'être communiqué à la Tête, se diffuse ensuite à tout le Corps à partir d'Elle *(Gratia Capitis).*

À part Jean Eudes et Lambert on ne trouve pas dans le bérullisme d'autres auteurs qui développent ces trois points en dépendance articulés entre eux.

L'exemplarité de la mission de Jésus est clairement affirmée par Jean Eudes lorsqu'il compare la mission des catéchistes et des pasteurs à celle de Jésus. Dans son *Catéchisme de la Mission* (1642), il s'adresse à eux en ces termes :

> « Vous êtes tous Missionnaires, envoyés de Dieu pour la même fin pour laquelle le souverain Missionnaire, Notre-Seigneur Jésus-Christ, a été envoyé en la terre par son Père éternel; c'est-à-dire pour illuminer le monde de la lumière de vie, pour allumer le feu du divin Amour et de la haine du péché. [...]. Plaise à Dieu de nous donner son Esprit [...], afin que nous travaillions utilement à sa gloire et au salut des âmes qui ont coûté le précieux Sang de son Fils bien-aimé [...] »[1].

Jean Eudes dans *La Vie et le Royaume de Jésus dans les âmes chrétiennes* nous explique en quoi consiste la dévotion de Jésus qu'il nous faut imiter. Cette « dévotion » a un sens particulier, c'est son sens latin, celui de consécration, d'offrande à Dieu, de sacrifice. C'est par « vœu » que Jésus se « voue » à son Père : le choix de Jésus est d'obéir à son Père, et Lambert, Jean Eudes, comme Bérulle, Condren et les autres membres de l'École française vont faire eux-mêmes le vœu de servitude par imitation de la dévotion de Jésus :

> « Il a mis sa dévotion à servir son Père, et à servir même aux hommes pour l'amour de son Père, ayant voulu prendre la forme et la qualité basse et abjecte de serviteur, pour rendre davantage d'honneur et d'hommage à la grandeur suprême de son Père par ce sien abaissement.
>
> « Il a mis sa dévotion à aimer et glorifier, et à faire aimer et glorifier son Père dans le monde; à faire toutes ses actions pour la pure gloire et amour de son Père, et à les faire avec des dispositions très saintes, très pures et très divines, c'est-à-dire, avec une humilité très profonde, avec une charité très ardente au regard des hommes, avec un dégagement très parfait de soi-même et de toutes choses, avec une application et union très forte au regard de son Père, avec une soumission très exacte au vouloir de son Père, et avec joie et contentement.
>
> « Enfin, il a mis sa dévotion à être tout immolé et sacrifié à la pure gloire de son Père, ayant voulu prendre la qualité d'hostie et de victime, ayant voulu passer en cette qualité par toutes sortes de mépris, d'humiliations, de privations, de mortifications intérieures et extérieures, et enfin par une cruelle et douloureuse mort, pour la gloire de son Père »[2].

---

1. J. EUDES, *Œuvres complètes,* t. VII, *Le Cœur admirable de la très sacrée Mère de Dieu,* Vannes, Lafolye Frères, 1907, p. 146-147.

2. J. EUDES, *Œuvres complètes,* t. I, *La Vie et le Royaume de Jésus dans les âmes chrétiennes,* Paris, Beauchesne, 1905, p. 265-267 ; cf. C. LEGARÉ, *La mission continue de Jésus et le bérullien Jean Eudes,* p. 99-100.

Lambert reprend le vocabulaire de Jean Eudes pour exprimer sa propre participation à la dévotion de Jésus, sa consécration à son Père (la qualité basse et abjecte de serviteur, la qualité d'hostie et de victime, les mortifications intérieures et extérieures, une cruelle et douloureuse mort). Pour Lambert, l'imitation de Jésus ne peut provenir que de l'amour, le nôtre et celui de Dieu, sans lequel nous ne pouvons rien faire. Lambert est un véritable Amateur de la Croix en ce sens que son attirance pour l'Être Aimé le conduit à vouloir partager sa croix :

> « Vous trouverez en moy Dieu aydant assé de docilitez pour cela a cause de l'extreme envie que iaye de connoistre les voyes qui conduisent parfaitement a la connoissance et a la mort de Jesus Christ pour lequel ie desire ardemment estre immolee. Cest le motif qui ma porté a venir en ces extremité du monde ie scay quauparavant que cela puisse estre il est necessaire de mener une vie pauvre abjette penitente et par dessus tout cela d'un exez de la misericorde de Dieu »[1].
>
> « Dou vient que ie ne pourey pas bien estre satisfait en ce monde quen menant une vie d'hostie souffrante immolée et consommée par une mort qui ait de la conformité avec celle du Sauveur des hommes »[2].
>
> « Dez que l'ame est entrée dans cet état de martyre perpetuel qui est une ressemblance de celuy de sacrifice d'hostie et de victime que portoit le fils de Dieu en ce monde elle commence a concevoir J. C. dans elle-même »[3].

Lambert sait que la mort sur la croix a été pour Jésus le terme d'un chemin où il nous invite à marcher sur ses traces en subissant avec lui, comme l'a écrit Jean Eudes, mépris, humiliations, privations, mortifications intérieures et extérieures, auxquels il nous faut consentir pour aboutir à la cruelle et douloureuse mort par laquelle Jésus a rendu son esprit à son Père :

> « Ce consentement fut bien tost suivy de nouvelles faveurs de N. S., qui leur demanda de pratiquer doresnavant tous ces conseils evangeliques qui regardent la mortification interieure, et beaucoup de ceux qui regardent l'exterieure »[4].
>
> « Il est certain quon doit envisager les mortifications interieures et exterieures comme des moyens absolument necessaires pour aller a Dieu et quil les faut considerer comme des dispositions efficaces qui inclinent la misericorde divine de faire les sublimes et tres stes operations quelles a de coustume de produire en l'ame de ceux qui ne desirent sçavoir ces voyes que pour l'aymer et l'adorer davantage »[5].

---

1. P. Lambert de la Motte, Lettre au Père Le Faure, AMEP, vol. 121, p. 570 ; cf. Guennou, transc., L. n° 67, février 1664.
2. *Id.*, Lettre au Père Simon Hallé, AMEP, vol. 121, p. 592 ; cf. L. n° 89, le 20 janvier 1665.
3. *Id., Abrégé de Relation*, AMEP, vol. 121, p. 677 ; cf. § 32 : Effets du pur amour dans l'âme d'un véritable missionnaire apostolique.
4. *Ibid.*, p. 627, § 13 : Résolution des missionnaires avant leur départ de Tenasserim.
5. *Ibid.*, p. 658, § 23 : Quelques vues reçues dans cette retraite.

Ce qui caractérise la position de Jean Eudes et de Lambert par rapport à l'interprétation à donner à l'imitation de Jésus-Christ, c'est plus une appropriation de la consécration de Jésus à son Père qu'une imitation purement formelle des aspects historiques que l'Incarnation a revêtus. Cette position est plus théologique qu'ascétique ou mystique, elle entraîne comme conséquence logique que le Fils poursuit en nous la rédemption confiée par son Père, ce qui a pour conséquence que l'Esprit qui a été donné par le Père à son Fils doit nous être donné par le Fils avec le même objectif, l'achèvement de sa mission de salut. Il ne s'agit en aucun cas d'une nouvelle Incarnation du Verbe de Dieu, Jésus ressuscité siégeant avec son Corps pour l'éternité dans la gloire de son Père.

Jésus veut prendre corps en nous d'une certaine manière pour continuer la Rédemption en nous, il nous transmet alors l'Esprit qui lui a déjà permis de s'incarner dans la Vierge Marie et de remplir sur la croix la mission de salut que le Père lui a confiée.

Dans leur imbrication réciproque les uns dans les autres, ces trois points sont novateurs et montrent qu'on développait encore au XVIIe siècle une sotériologie puisée dans l'Écriture, les Pères de l'Église, saint Thomas d'Aquin et le Concile de Trente. Il ne s'agissait pas de proposer une corédemption mettant en cause l'affirmation de l'Épître aux Hébreux qui fait de Jésus le seul Rédempteur et le seul Médiateur entre Dieu et les hommes[1]. Dans cette sotériologie, l'initiative du salut du monde restait au seul Jésus mais il voulait l'accomplir en nous. Pour cela, il faut que ce ne soit plus nous mais Jésus qui vive en nous et qu'il ait l'initiative, la responsabilité, de toutes nos pensées et de toutes nos actions.

Quand le Christ meurt sur la croix, il entraîne en lui toute l'humanité pécheresse pour la réconcilier avec Dieu ; ce mouvement est une incorporation de nous en lui sans que nous ayons rien fait pour cela. Il meurt pour nous et ressuscite pour nous ; agit ensuite un facteur nouveau, car il nous donne l'Esprit Saint qu'il avait avec lui durant sa vie terrestre et qui doit désormais demeurer en nous pour y multiplier son action. C'est le don de l'Esprit Saint qui permet au Christ de rester avec nous jusqu'à la fin des temps. Ce n'est plus nous qui sommes en lui mais c'est lui qui est en nous pour y exercer son autorité. Jésus nous le dit (Mt 28, 18-20) : « Tout pouvoir lui a été donné au ciel et sur la terre » de sorte qu'il peut commander à ses apôtres d'aller et de faire de toutes nations des disciples, baptisés au nom du Père, du Fils et du Saint-Esprit, et soumis à son autorité[2].

---

1. B. SESBOÜÉ (*Jésus-Christ, l'unique Médiateur*, t. I, p. 111, note 52) écrit : « L'affirmation centrale du christianisme sur l'unique médiation du Christ montre que l'on ne peut parler d'une médiation mariale que dans un sens extrêmement analogique. Il ne s'agit évidemment pas de la même chose ».

2. Cf. Lucien LEGRAND, *Le Dieu qui vient, la mission dans la Bible*, Desclée, 1988, p. 108-110.

La présence en nous de l'Esprit Saint par le baptême et la confirmation doit cependant être bien distinguée de l'incorporation de Jésus en nous par l'eucharistie. Ce que Lambert offre à Jésus, c'est son corps passible pour qu'il souffre en lui. Le corps de Lambert sera le corps de Jésus prêt au sacrifice de la croix comme il l'était lors de l'institution de l'eucharistie. Il faut bien distinguer ici notre incorporation au Corps de Jésus qui est l'Église et l'incorporation de Jésus en notre corps passible telle que l'envisage l'intuition de Lambert.

Bernard Sesboüé s'appuie sur saint Augustin pour définir le sacrifice: « acte par lequel l'homme se tourne vers Dieu dans un mouvement d'adoration et d'amour »[1]. Il cite la Cité de Dieu: « Le vrai sacrifice est donc toute œuvre qui contribue à nous unir à Dieu dans une sainte société, à savoir toute œuvre rapportée à ce bien suprême grâce auquel nous pouvons véritablement être heureux ». Bernard Sesboüé souligne que dans le sacrifice la dimension pénitentielle (renoncement, privation, souffrance) est secondaire et que c'est la dimension ecclésiale qui est essentielle: « Le sacrifice du Christ est ordonné au sacrifice des hommes rassemblés en Église. Le Christ ne s'offre pas seul au Père ; grand prêtre universel de l'humanité, il lui offre toute l'assemblée des saints: il accomplit le sacrifice de la Tête qui offre tout le corps ecclésial. Le but du sacrifice des chrétiens est de n'être qu'un seul corps dans le Christ à la louange du Père »[2].

Bernard Sesboüé montre qu'après le Concile de Trente on va surtout chercher à « rendre compte de la réalité sacrificielle propre à la messe en lisant d'une manière ou d'une autre dans ses rites l'immolation d'une victime »[3]. Lambert part de l'unique sacrifice de la croix où Jésus est une fois pour toutes, à la fois l'unique victime offerte et l'unique sacrificateur, mais l'Esprit Saint va permettre d'étendre cet unique sacrifice dans tout l'univers et jusqu'à la fin des temps. Ce qui frappe Lambert, c'est que l'Église et ses membres permettent de conserver au corps du Christ le caractère passible qu'il n'a plus dans la gloire de son Père comme en témoigne l'épisode du martyre d'Etienne qui réitère en quelque sorte le martyre du Christ alors que celui-ci siège dans la gloire de son Père (Ac 7, 55-60).

Le sacrifice n'est pas pour Lambert celui de souffrir pour le Christ mais celui de lâcher les rênes de notre vie pour les confier au Christ. Lambert va donc insister sur la mise à disposition de Jésus de notre liberté et de nos moyens d'action en ce monde, car pour Lambert la mission de sauver

1. B. SESBOÜÉ, *Jésus-Christ, l'unique Médiateur*, t. I, p. 274, citant saint AUGUSTIN, *La Cité de Dieu*, X, 6; trad. G. Combès, Paris, Desclée de Brouwer, 1959, p. 445.

2. *Ibid.*, p. 277.

3. *Ibid.*, p. 283: « Pour exprimer la différence entre sacrifice de la messe et sacrifice de la croix, Trente fait appel à la distinction entre le mode sanglant et le mode non sanglant de l'immolation » (Concile de Trente, 22e session, sur le saint sacrifice de la messe, ch. 2).

les hommes n'a été confiée par le Père qu'au seul Fils, de sorte qu'il n'y a que dans le Fils que nous pouvons agir (Jn 15, 5)[1]. Ce n'est pas à nous de déterminer la souffrance qu'il convient d'offrir pour participer au salut du monde ou à quel degré de compassion il nous faut atteindre pour soulager la souffrance du Christ. Il y aurait témérité de notre part à proposer à Jésus un sacrifice précis et Lambert ne s'y risque pas mais c'est son corps capable de souffrir qu'il met à la disposition de Jésus pour qu'il y continue sa mission de salut dans le monde.

La mission que Jésus continue en nous n'est peut-être pas tout à fait la même chez Jean Eudes et chez Lambert. Chez Jean Eudes nous sommes dans le bérullisme pur des états et des mystères de Jésus qu'il s'agit de prolonger dans le temps et l'espace :

> « Le Fils de Dieu a dessein de mettre une participation, et de faire comme une extension et continuation en nous et en toute son Église du mystère de son Incarnation, de sa naissance, de son enfance, de sa vie cachée, de sa vie conversante, de sa vie laborieuse, de sa Passion, de sa mort et de ses autres mystères, par les grâces qu'il nous veut communiquer, et par les effets qu'il veut opérer en nous par ces mêmes mystères; et par ce moyen il veut accomplir en nous ses mystères »[2].

Pour Lambert, la mission que Jésus veut continuer en nous ce n'est pas sa vie historique mais c'est la mission qu'il a reçue de son Père, celle de sauver le monde. En croix avec Jésus, au-delà de la participation à ses souffrances c'est à la prise en compte de leur objectif que nous sommes conviés, que nous soyons prêtres ou laïcs. Lambert insiste sur cette implication de tous les fidèles dans l'œuvre de la mission, Jean Eudes de son côté insiste davantage sur la responsabilité propre des prêtres. Alors que Jean Eudes insiste sur la valeur recréatrice du don de l'Esprit-Saint pour ceux qui le reçoivent, Lambert en parle plutôt comme permettant notre association à la mission rédemptrice de Jésus. Alors que l'attachement au crucifix cristallise la piété chez Lambert et lui montre le sens à donner à sa vocation baptismale, sacerdotale et missionnaire, la dévotion des deux Cœurs illustre chez Jean Eudes[3] une « intériorité mutuelle » entre la vie de Jésus et la nôtre, Jésus admet notre vie comme prolongement de la sienne et nous réalisons la nôtre dans la communion à la sienne.

---

1. "Sans moi vous ne pouvez rien faire".
2. Jean-Michel AMOURIAUX, « "Pour que se fortifie en vous l'homme intérieur" (Ép 3,16) – L'intériorité à l'école de saint Jean Eudes », in *Jean Eudes, Docteur de l'Église? Éléments de doctrine théologique, pastorale et spirituelle*, Cahiers Eudistes, n° 23, 2015, p. 139, citant Jean Eudes, *Vie et Royaume*, O.C. I, p. 310-313.
3. *Idem.*

Jésus continue sa mission en sauvant le monde en nous

La réalisation du Christ total

La devise : « *Sacerdos alter Christus* » est issue de l'École française du XVIIe siècle. Cette devise reprend le *Christianus alter Christus* de saint Cyprien, comme l'a écrit Jean-Paul II : « De fait, c'est le Christ lui-même qui vient en chaque prêtre. Si saint Cyprien a dit que le chrétien est un autre Christ, *Christianus alter Christus*, à plus forte raison, on peut dire *Sacerdos alter Christus* »[1].

Jean Eudes écrit :

> « Saint Augustin s'étonne et s'écrie, disant : *Videte, fratres, et miramini : Ecce Christi facti sumus* : "Voyez, mes frères, et admirez les excès de la bonté de Dieu vers nous, et la sublimité de notre condition : Voilà que tous, nous autres chrétiens, nous sommes autant de Christs". Grand sujet d'étonnement à la vérité, mais qui cessera, si nous considérons que, n'étant qu'un avec Jésus-Christ comme les membres avec leur chef, nous devons être sanctifiés par la même grâce et sainteté qui sanctifie notre chef, et que nous ne devons porter qu'un même nom avec lui »[2].

Mais pour Jean Eudes, les prêtres reçoivent une configuration particulière pour recevoir ce titre : « Ils sont Sauveurs du monde avec Jésus-Christ, et ils portent ce nom dans les saintes Écritures : *Ascendent salvatores in montem Sion* (Abd 21). Car le Fils de Dieu les associe avec lui dans cette belle qualité ; il veut qu'ils coopèrent avec lui au salut des âmes... C'est ainsi qu'un Prêtre est un Jésus-Christ vivant et marchant sur la terre »[3].

Si le chrétien est lui aussi un autre Christ, c'est tout le Christ qui est en lui, et non une partie, c'est le Christ incarné, mourant et ressuscité pour le salut du monde. Pour que l'action de Dieu se prolonge dans l'Église après la Résurrection et l'Ascension de Jésus, c'est-à-dire après son passage historique en ce monde, il faut que Jésus soit, comme il l'a promis, avec nous jusqu'à la fin du monde (Mt 28, 20), dans une présence qui a fait de lui l'Emmanuel, Dieu-avec-nous (Mt 1, 23). Pour cela, il faut qu'il soit tout en tous comme saint Paul le dit aux Colossiens : « Là, il n'y a plus Grec et Juif, circoncis et incirconcis, barbare, Scythe, esclave, homme libre, mais Christ : il est tout et en tous » (Col 3, 11). Le Christ a l'aspect essentiel de la divinité que saint Paul exprime ailleurs, celui d'être tout en tous[4].

---

1. Jean-Paul II, *Ma vocation, don et mystère*, Paris, Téqui, 1996, p. 113-114.
2. Jean Eudes, *Œuvres complètes*, t. II : *Contrat de l'homme avec Dieu par le saint Baptême*, Vannes, Lafolye Frères, 1906, p. 232.
3. J. Eudes, *Œuvres complètes*, t. III. p. 188-189.
4. Eph 1, 22-23 : « Il a tout mis sous ses pieds et il l'a donné pour chef suprême à l'Église, qui est son corps, la plénitude de celui qui remplit tout en tous ».

Clément Legaré dégage le sens que Jean Eudes donne à « tout en tous » en citant de ce dernier *le Royaume de Jésus dans les âmes chrétiennes,* écrit en 1637 : « Car enfin et en somme, il n'appartient qu'à Jésus d'être tout et de faire tout en tous et en toutes choses, afin qu'il ait la gloire de tout, selon ce divin oracle par lequel j'ai commencé ce livre, et par lequel je veux le finir : *Omnia in omnibus Christus* ». Eudes transforme alors en prière l'affirmation de Paul en disant : « O Jésus, soyez tout, soyez tout en la terre comme vous êtes tout au ciel ; soyez tout en tous et en toutes choses »[1].

Pour Lambert Dieu est notre Père, notre unique bonheur et notre tout[2]. Pour lui aussi, dire que Jésus-Christ est notre tout, c'est affirmer sa divinité ; et c'est ce qu'il exprime au Père Hallé quand il lui parle de ce que produit la présence de Jésus dans une âme : « Ces effets viennent sans doute de leur cause, c'est-à-dire de l'union que l'ame a avec son tout »[3]. Il écrit à Gazil le 11 février 1664 : « ... Considérant N S J C et laimant comme mon Dieu mon Conservateur mon Redempteur mon Pere mon Maistre mon tres cher espoux mon Tout et comme Lunique objet de mes inclination naturelles raisonnables »[4].

Clément Legaré explique pourquoi aux yeux de Jean Eudes la divinisation de l'homme qui est la présence et l'œuvre de Jésus en lui tient plus à la Rédemption qu'à l'Incarnation, à l'inverse de la pensée de Bérulle :

Eph 4, 6 : « un seul Dieu et Père de tous, qui est au-dessus de tous, par tout et en tous ».

1 Co 12, 6 : « diversité d'opérations, mais c'est le même Dieu qui opère tout en tous ».

1 Co 15, 28 : « Et lorsque toutes choses lui auront été soumises, alors le Fils lui-même se soumettra à Celui qui lui a tout soumis, afin que Dieu soit tout en tous ».

1. C. Legaré, *La mission continue de Jésus et le bérullien Jean Eudes,* p. 2-3 (citant J. Eudes, *Œuvres complètes*, t. I, p. 565-566). Pour Legaré, « le discours eudésien relativise la portée des deux constantes contenues dans la proclamation paulinienne, *l'intensité totale* (« Jésus-Christ est tout ») et *l'étendue universelle* (« Jésus-Christ est en tous et en toutes choses »), quand il les relie à la mission continue de Jésus. Si celle-ci est en continuel devenir jusqu'à la fin des siècles, alors la *totalité* et *l'universalité,* deux propriétés qui reviennent de droit à Jésus, ne sont pas dans un état définitif de complétude, mais forment plutôt des programmes de base en voie d'accomplissement. À preuve, Eudes modifie l'axiome paulinien en remplaçant l'indicatif présent (à valeur déclarative) par un impératif futur (à valeur optative) » (p. 3).

2. P. Lambert de la Motte, *Abrégé de Relation*, AMEP, vol. 121, p. 641 ; cf. Guennou, transc., § 16. Mgr Lambert partage assez avec Bérulle le sentiment de la grandeur de Dieu pour s'écrier aussi : « Vous êtes tout et pouvez tout ; vous créez tout, vous conservez tout, vous régissez tout. Tout est à vous, tout est pour vous, tout est par vous. Soyez-moi ce que vous êtes en vous-même, c'est-à-dire soyez mon Dieu, ma vie et mon tout » (Cardinal de Bérulle, *Opuscules de piété*, introduction par Gaston Rotureau, Aubier, 1944, § VIII : Oblation à la divinité).

3. P. Lambert de la Motte, Lettre au Père Simon Hallé du 15 mars 1661, AMEP, vol. 136, p. 72 ; cf. Guennou, transc., L. n° 2.

4. *Id.*, Lettre à Gazil du 11 février 1664, AMEP, vol, 858, p. 71 ; cf. L. n° 64.

« On aura observé la place accordée à la rédemption de l'homme dans les desseins de Dieu. Eudes reflète sur ce point l'enseignement de son second maître spirituel, Charles de Condren (le successeur de Bérulle comme général de l'Oratoire français), pour qui la mission de l'envoyé divin revêt avant tout un caractère sacrificiel : s'immoler, le cas échéant, pour sauver l'homme, tandis que pour Bérulle l'incarnation du Fils de Dieu faisait partie potentiellement, dès l'origine, du projet de la création : créé à l'image de Dieu, l'homme, destiné à la divinisation, recevrait son accomplissement dans son élévation à l'univers divin. Ce plan initial, perturbé en Adam, sera modifié en un programme de restauration »[1].

Pour Jean Eudes, selon Legaré, « la mission intégrale de Jésus ne se confine pas à son début exemplaire, restreint à l'étape historique ; elle n'est pas non plus à l'autre bout du programme, une fois complètement déroulé à la fin des siècles. Les ressources cachées des états et des mystères de Jésus sont immédiatement et couramment disponibles. La mission est permanente, sans solution de continuité »[2]. Depuis sa naissance en ce monde toutes les souffrances de Jésus sont salvifiques, car ce sont celles de l'Homme-Dieu, et il a voulu que nous recevions à notre baptême son onction sacerdotale pour faire de nos vies en lui un sacrifice d'agréable odeur. Telle est aussi la pensée de Lambert alors que, pour certains aujourd'hui, nous n'aurions pas accès aux souffrances de la croix, réservées à Jésus en tant qu'unique Grand Prêtre et unique Sauveur selon l'Épître aux Hébreux mais nous pourrions participer seulement à celles qu'il a endurées pour l'annonce de la Bonne Nouvelle et qui ne seraient pas salvifiques pour l'humanité.

Ce que Jean Eudes met en lumière, c'est l'unité de mission qu'il y a entre l'Église et le Christ, unité qui est la condition de la divinisation de l'homme. Sans nous présenter en offrande pour permettre à Jésus de s'approprier notre chair et lui permettre ainsi de participer avec lui à la Rédemption, il n'y a pas pour nous de divinisation possible. En même temps que nous sommes offerts avec le Christ en sacrifice sur la croix, la divinisation s'opère en nous.

1. C. Legaré, *La mission continue de Jésus et le bérullien Jean Eudes*, p. 36 (citant Pierre de Bérulle, *Œuvres complètes*, t. 7, *Discours de l'état et des grandeurs de Jésus*, Second Discours, note 3, p. 102-103).

2. *Ibid.*, p. 165. Legaré ajoute : « Pour Jésus, la potentialité d'une continuation de sa mission se trouve liée à sa capacité d'étendre à d'autres humains ses états et ses mystères et à leur capacité de les recevoir » (p. 165). « Comme l'incarnation du Fils de Dieu eut pour effet d'élever l'homme au rang de fils adoptif du Père, il existe en plus une corrélation entre le Verbe incarné, ses états, ses mystères, et l'homme rendu capable, d'après le plan divin, d'y être configuré. Eudes évoque à cet égard la figure paulinienne de la double création : « Par la première [création], il [Dieu] nous a faits à son image et semblance ; par la seconde, il a réparé son image que le péché avait effacée en nous, et l'y a imprimée d'une façon bien plus noble et plus excellente qu'elle n'y était même auparavant le péché, nous ayant rendus participants de sa divine nature en un degré bien plus éminent » (*Œuvres complètes*, t. II, *Entretiens intérieurs de l'âme chrétienne avec son Dieu*, p. 178) » (p. 165-166).

La divinisation de tous les hommes qui la souhaitent serait alors, selon la terminologie de saint Paul, le Plérôme de Jésus-Christ, d'où l'urgence de l'évangélisation. Ne pas évangéliser, dans le sens large de participer au salut du monde, constitue un malheur pour tous ceux qui sont dans le Christ, comme le dit saint Paul (1 Co 9, 16). La participation à la croix du Christ qui sauve le monde constitue alors le bonheur auquel il faut tendre pour échapper à ce malheur.

Lambert pouvait écrire :

> « Ce qui me ravissoit le plus dans ces veües estoit que le Sauveur du monde ayant rencontré les dispositions necessaires dans ces hommes Apostoliques Il ne s'estoit pas seulement emparé de toutes les puissances de leurs ames, mais ce qui me sembloit tout à faict admirable est qu'il s'estoit aussi rendu proprietaire de leur corps pour y continuer sa vie voyagere et souffrante par plusieurs sacrifices penibles qu'il faisoit à son gré par ces victimes divinisés »[1].

Jean Eudes, comme Lambert, avait sous les yeux à Coutances Marie des Vallées dont la vocation victimale interpelait ses contemporains[2], comme celle des stigmatisés du xxe siècle, tel saint Padre Pio de Pietrelcina (1887-1968) ou d'autres dont l'Église étudie les cas. Cette vocation de victime est d'abord celle du Fils de Dieu qui nous a sauvés en étant l'autel, la victime et le sacrificateur. Une participation de notre part pose une question de principe, celle de la contribution à la Rédemption qui semble impossible d'après une certaine interprétation de l'Épître aux Hébreux, en particulier selon le sens que l'on donne à « une fois pour toutes » qui caractérise le sacrifice du Christ par rapport aux sacrifices répétés de l'Ancienne Alliance[3]. À l'époque

1. P. Lambert de la Motte, *Abrégé de Relation*, AMEP, vol. 121, p. 760 ; cf. Guennou, transc., § 88 : Autres vues touchant le bonheur de ceux qui seront appelés à l'une ou à l'autre de ces deux congrégations.

2. Sur la vie de Marie des Vallées, voir Paul Milcent, article *Vallées (Marie des)* in *Dictionnaire de Spiritualité*, t. 16, col. 208-212 ; Émile Dermenghem, *La vie admirable et les révélations de Marie des Vallées*, Paris, Plon-Nourrit et Cie, 1926 ; *La vie admirable de Marie des Vallées et son Abrégé, rédigés par Jean Eudes, suivis des Conseils d'une grande servante de Dieu*, textes présentés et édités par Dominique Tronc et Joseph Racapé, coll. « Sources mystiques », Centre Saint-Jean-de-la-Croix, 2013 ; Saint J. Eudes, *Lettre* n° 24 du 29 juillet 1656 (*Œuvres complètes*, t. X, p. 409) à M. Mannoury à Lisieux : « J'écris à M. de Langrie, qu'il choisisse de notre Sœur Marie des Vallées, ou du linge trempé dans son sang, une médaille qu'elle a portée longtemps à son cou, ou qu'il dise ce qu'il souhaitera, et je lui donnerai de bon cœur, s'il est en mon pouvoir ». Voir aussi Louis-Bertrand de Latour, *Mémoires sur la vie de Monsieur de Laval,* (p. 30-31) à propos de la vénération de saint François de Montmorency-Laval, le premier évêque du Québec, pour Marie des Vallées et des reliques qu'il a gardées d'elle.

3. Groupe des Dombes, *Communion et conversion des Églises*, édition intégrale des documents publiés de 1956 à 2005, *Marie dans le dessein de Dieu et la communion des saints*, Bayard, 2014, p. 433 : « Si le Christ est « l'unique médiateur entre Dieu et les hommes » (1 Tm 2, 5) au sens propre du terme, en un sens dérivé « pour autant que l'unique Médiateur choisit

de Jean Eudes et de Lambert, le débat s'ouvrait déjà pour parler de Marie comme co-rédemptrice. Bellarmin n'hésitait pas à employer le terme[1], Bérulle se taisait sur le sujet mais Jean Eudes associait Marie à toute l'œuvre de son Fils[2]. Nous traiterons le sujet plus loin.

Pour Jean Eudes et Lambert, si le chrétien est un autre Christ c'est par la présence du Christ en lui ; le Christ est présent dans sa totalité, avec ses deux natures et avec la mission que le Père lui a donnée, celle de sauver le monde. L'homme est donc divinisé à la fois par la présence en lui des deux natures du Christ et par l'accomplissement de la mission trinitaire du Fils de Dieu.

La gloire de Dieu et le salut du monde

Dans le Mystère Pascal, nous sommes unis dans la mort du Christ pour ressusciter et entrer dans la gloire avec lui, de sorte que cela nous fait participer avec lui au salut de tous, y compris de nous-mêmes, car, dans ce cas, si le monde est sauvé par le Christ avec nous, c'est que le Christ ne nous demande pas de recevoir passivement notre salut, il nous y associe étroitement en nous faisant vivre dans l'unité avec lui ; cela est refusé dans la théologie protestante pour laquelle il n'y a que la foi qui sauve, excluant le salut par le mérite, d'où un constant débat qui oblige les uns et les autres à approfondir la compréhension des Écritures. Ce débat ne doit pas nous diviser mais nous élever ensemble dans la connaissance de Dieu par des questionnements réciproques auxquels Lambert donne sa part. Cette participation de chacun à l'œuvre salvifique du Christ se conjugue pour faire de l'Église non seulement l'assemblée des pécheurs sauvés mais un trésor de grâces qu'on reçoit déjà en y participant et qu'elle répartit au travers des sacrements par lesquels le Christ agit constamment en nous. Nous sommes en effet là dans la fine pointe de la théologie de la Mission continue de Jésus que Lambert nous a exposée dans ses écrits.

---

d'œuvrer par eux [les croyants] comme instruments », on peut dire que nous sommes, les uns pour les autres, médiateurs. Mais parce que le titre de médiatrice a, de fait, été utilisé pour Marie indépendamment de cette communion des saints où nous avons tous un rôle de médiation, il est devenu gros d'un malentendu d'importance ».

1. Clément Dillenschneider, « Marie est-elle l'associée de son Fils dans l'humaine Rédemption ? Rapport de théologie positive », in *Marie Corédemptrice*, Congrès marial national, Grenoble-La Salette, 1947, p. 83, note 61. Dans le haut Moyen-Âge est apparu le titre de « Marie médiatrice » pour son rôle d'intercession. Cela a choqué les Réformateurs, en raison du texte de 1 Tm 2, 5-6 ; Voir B. Sesboüé, *Jésus-Christ, l'unique Médiateur*, t. I, p. 111, note 52.

2. *Ibid.*, C. Dillenschneider, p. 84.

Les chrétiens professent que « nous sommes sanctifiés par l'oblation du corps de Jésus-Christ, une fois pour toutes » (He 10, 10) : « par une oblation unique il a rendu parfaits pour toujours ceux qu'il sanctifie » (He 10, 14). « C'est par l'obéissance d'un seul que la multitude sera constituée juste » (Rm 5, 19). Car « Dieu est unique, unique aussi le médiateur entre Dieu et les hommes, le Christ Jésus, homme lui-même qui s'est livré en rançon pour tous » (1 Tm 2, 5-6).

Ces textes semblent exclure toute contribution des chrétiens au rachat des pécheurs et au salut du monde. Pourtant l'Église tient que l'Esprit Saint en nous unissant au Christ nous rend participant au mystère pascal comme à toute la mission que le Père lui a confiée: « De même que le Père m'a envoyé, moi aussi, je vous envoie » (Jn 20, 21). Jésus rapproche son envoi par le Père de l'envoi que ses disciples reçoivent de lui. L'envoi du Fils par le Père est chez saint Jean la mission du Fils: le Père a envoyé son Fils pour que le monde soit sauvé (cf. Jn 3, 17), tel est le sens de son envoi et de l'envoi de ses disciples[1].

Aux yeux de Lambert le Christ est d'abord le « Sauveur du monde »[2], il réserve ce titre au Christ et même si c'est bien la vocation universelle du Christ qu'il a reçue lui-même en partant pour l'Asie pour être « tout à tous », Lambert ne sera que « Sauveur des âmes » en permettant au Christ d'en sauver en lui quelques-unes (cf. Rm 11, 14 ; 1 Co 9, 22).

Comment résoudre l'opposition apparente entre l'unicité du salut en Jésus et notre envoi pour sauver les âmes, quelques âmes ? Jean Eudes et Lambert vont considérer qu'il n'y a plus d'opposition si c'est en nous que Jésus poursuit lui-même le salut du monde.

Lambert écrira qu'il est allé en Asie sans autre but que de vivre et mourir pour la gloire de Dieu et le salut du prochain[3], de « se consumer pour le service de Dieu et le salut des âmes qui lui sont commises »[4]. C'est un thème récurrent chez Lambert qui utilise plusieurs formules unissant la gloire de Dieu soit au salut du prochain, soit le salut des âmes (qu'on trouve chez Jean Eudes), on trouve encore la propagation de la foi et le service de l'Église, l'avancement de notre religion, les intérêts généraux et particuliers de la Sainte Église. Lambert parle aussi de la gloire de Jésus-Christ liée au salut du prochain ou au service de l'Église. Dans ce dernier cas on peut dire que, pour Lambert, le service de l'Église, c'est le salut des âmes.

1. Sens du latin « ite missa est », « c'est l'envoi » qui a donné « Messe » et « Mission ».

2. L'expression est particulièrement fréquente chez Mgr Lambert (près d'une vingtaine d'occurrences).

3. P. Lambert de la Motte, *Abrégé de Relation*, AMEP, vol. 121, p. 686 ; cf. Guennou, transc., § 37.

4. *Id.*, *Journal*, le 28 décembre 1675, AMEP, vol. 877, p. 576 ; cf. transc., p. 168.

Pour cet apôtre, la gloire de Dieu et le salut des âmes doivent le conduire au martyre en participation à la croix du Christ :

> « Je voyois quayant le bonheur destre une victime offerte et acceptée et destinée pr estre quelque iour par une misericorde particuliere du bon Dieu, consommée pr linterest de sa gloire et le salut du prochain »[1]. « Il ny a plus qu'une chose apres laquelle ie soupire eperdument c'est de mourir d'une morte violente pour N. S. J. C. pour la deffense de son St Evangile et pour le salut des peuples qui me sont commis cette grace est la derniere de ses misericordes »[2].

C'est la charité du Christ qui presse Lambert, c'est la vue de ce cœur qui a tant aimé le monde qui suscite en lui le désir de sacrifier son sang et sa vie pour ceux que le Père lui a confiés. Ce n'est évidemment pas seulement les tribulations, les vicissitudes, les tourments et les angoisses[3] de l'apostolat de Jésus que Lambert désire partager mais bien ses souffrances sur la croix : il apprend pourtant à ne pas faire de différence entre toutes ces épreuves, car Jésus les a toutes offertes pour le salut des âmes[4].

Jean Eudes qui a été pour Lambert un maître en théologie et en spiritualité fait dire à Jésus :

> « *Quod dedit mihi Pater, majus omnibus est*[5] : "Ce que mon Père m'a donné est plus grand, plus excellent et plus estimable que toutes les autres choses qui sont en l'univers" ; c'est-à-dire, j'ai plus d'estime et je fais plus d'état des âmes que mon Père m'a données, et elles me sont plus chères et plus précieuses que tout autre chose, même que mon propre sang et ma propre vie, puisque je les sacrifie pour elles »[6].

La gloire de Dieu et le salut sont aussi des thèmes ignaciens : cependant dans les *Exercices Spirituels* la gloire de Dieu n'est pas associée au salut du monde, mais au salut de notre âme personnelle : « Je suis créé pour la

1. *Id.*, Lettre à Vincent de Meur et aux amis de Paris du 7 septembre 1662, AMEP, vol. 116, p. 554 ; cf. L. n° 7.

2. *Id.*, Lettre à l'abbé du Val-Richer, AMEP, vol. 121, p. 534 ; cf. L. n° 34, juin 1663.

3. Les angoisses et les tribulations sont souvent liées (Rm 8, 35 ; 2 Co 2, 4 ; 6, 4 ; 1 Th 3, 7). Pourtant les premières sont du domaine du ressenti et les secondes du subi : : on peut subir dans la joie mais on voit mal comment les premières pourraient procurer de la joie, elles qui entraînèrent les larmes de sang de Jésus à Gethsémani.

4. Certains ont cru pouvoir s'appuyer sur la 4e homélie de saint Jean Chrysostome sur l'Épître aux Colossiens (2e partie) pour séparer les souffrances du Christ en 2 types, les unes causées par l'apostolat et qu'on est convié à imiter et les autres causées par la rédemption qu'il garde pour lui seul en tant qu'unique Sauveur du monde. Or saint Jean Chrysostome prétend au contraire que saint Paul insistait sur son unité avec le Christ pour le compte de qui il souffrait et le Christ pouvait alors les utiliser à sa guise.

5. Jn 10, 29.

6. Jean Eudes, *Œuvres complètes*, t. IV, *Le Bon Confesseur*, Vannes, Lafolye Frères, 1907, p. 169.

louange de Dieu et le salut de mon âme »[1]. Ce qui est à rechercher avec la plus grande gloire de Dieu, c'est notre salut personnel. Mais pour saint Ignace, aussi la charité impose un dépassement de la recherche de salut pour soi-même, ce salut que nous avons reçu du Christ dans son humanité crucifiée, nous avons à le communiquer aux autres dans une participation à la croix en lui. Il ne s'agit pas là d'une potentialité mais c'est une exigence de l'amour, ainsi il n'y a pas de limite à l'application de cette parole : « Tout ce que vous voulez que les hommes fassent pour vous, faites-le vous-mêmes pour eux »[2]. Tout ce que nous voulons que le Christ fasse pour nous, faisons-le pour nos frères. Encore faut-il qu'au départ nous donnions du prix à notre salut et que nous soyons toujours pleins de reconnaissance pour Celui qui nous l'a obtenu. La Compagnie de Jésus prit tout de suite une orientation missionnaire en Europe et avec François Xavier jusqu'aux extrémités du monde, *ad majorem Dei gloriam*, pour une plus grande gloire de Dieu[3].

Pour Israël et l'Ancien Testament, seul l'homme vivant peut rendre gloire à Dieu. Pour le juif, le séjour des morts, le shéol, est un lieu de silence où il n'y a pas de différence significative entre le juste et l'injuste ; aucun culte ne peut y rendre gloire à Dieu (Ps 6, 6 ; 30, 10 ; 31, 18 ; 88, 11-13 ; 115, 17). Dans le même sens mais en parlant de la vie éternelle obtenue par la foi et le baptême, saint Irénée, commentant Lc 21, peut écrire : « La gloire de Dieu, c'est l'homme vivant et la vie de l'homme, c'est la vue de Dieu »[4]. L'homme vivant, c'est l'homme restauré par le salut apporté par le Christ ; il ne survit pas dans le silence et la nuit du shéol comme les morts étaient réputés survivre dans l'Ancien Testament : il contemple Dieu pour lui rendre gloire.

Mais pour Jean Eudes, il n'y a que le Christ ressuscité à la droite du Père qui puisse répondre à la définition de saint Irénée. Jean Eudes ne pense pas que la gloire de Dieu soit déterminée par le salut du monde, que Dieu trouve dans le salut du monde le moyen de sa pleine glorification, car la

1. IGNACE de LOYOLA, *Les Exercices Spirituels*, § 169a. 177. 179. 189a. Dans le nouvel *Ordo Missae* de 1969, l'*Orate fratres*, l'invitation à la prière qui conclut l'offertoire de la messe de Paul VI en latin, fait dire au prêtre : « Oráte, fratres : ut meum ac vestrum sacrifícium acceptábile fiat apud Deum Patrem omnipoténtem » et les fidèles répondent : « *Suscípiat Dóminus sacrifícium de mánibus tuis ad laudem et glóriam nóminis sui, ad utilitátem quoque nostram, totiúsque Ecclésiæ suæ sanctæ* ». Mais la commission liturgique de langue française a trouvé sans doute d'une part qu'on pouvait confondre le sacerdoce du prêtre et celui des baptisés et d'autre part qu'offrir le sacrifice du Christ pour notre bien et celui de toute sa sainte Église, pouvait lui enlever sa destination universelle aux yeux des fidèles, et on a préféré faire dire que c'était toute l'Église et non seulement le prêtre qui offrait le sacrifice et qu'elle l'offrait pour la gloire de Dieu et le salut du monde (cf. *Les traductions françaises du missel romain* par le Chanoine Michel DANGOISSE, p. 11).

2. Mt 7, 12 ; Lc 6, 31

3. La Devise de la Compagnie de Jésus s'écrit aussi AMDG.

4. Saint IRÉNÉE, *Contre les hérésies*, Livre IV, 20, 7.

gloire de Dieu réside dans « l'avènement, en Jésus, de l'unique adorateur parfait du Père »[1]. Pour Clément Legaré, Jean Eudes lie cependant étroitement les deux objectifs qui motivent le zèle de Jésus[2]. Pour lui, le salut du monde n'est au contraire qu'un effet de la glorification du Père par l'obéissance de son Fils sur la croix. C'est en adhérant à ce modèle d'obéissance que les hommes se sauvent et rendent eux-mêmes gloire à Dieu.

Comme le dit Bérulle, la mission de Jésus précède son entrée dans le monde ; aussi Eudes peut-il dire qu'au premier rang des neuf plus hautes perfections de Jésus que le Père lui a données à son Incarnation, se trouve nécessairement la qualité de missionnaire, puisque sa raison de naître et de mourir en ce monde tient à cette Mission. Il s'en suit que tous les baptisés qui ont reçu l'Onction du Saint-Esprit pour être conformes à Jésus-Christ doivent avoir pour objectif cette première perfection de Jésus ; et a fortiori ceux qui ont pour état de s'y conformer comme les catéchistes et les pasteurs[3].

C'est encore la mission de Jésus que d'assurer la continuité de sa mission au-delà de sa mort et de sa résurrection ; le disciple ne saurait faire autrement que d'être coopérateur et continuateur de la mission de Jésus, comme Élisée le fut pour celle d'Élie. De son côté, le Christ ne saurait faire autrement que de chercher à communiquer à tous les baptisés son propre zèle pour la gloire de Dieu et le salut du monde.

Cette doctrine de la mission continue de Jésus, Lambert l'expose avec une grande clarté, non à quelque savant théologien mais à tous, comme ici à un membre de la famille royale de Bourbon, frère du Grand Condé, le prince de Conty. Il y a dans ce passage toute la définition que Lambert donne à cette doctrine qu'il a fait sienne :

> « Je tremble en escrivant ces choses a V. A. dans la veüe de ma misere et de mon neant et finis par le desir insatiable dobtenir de N. S. quil continue dans moy le mistere de son Incarnation, de sa pretrise, de son Immolation, de penitent et supliant publique et enfin de son ignominieuse mort. Cest pour cela que ie le conjure de sunir a ma chetive ame d'une façon particuliere, pour faire et souffrire ce quil faisoit et souffroit dans son estat passible ie ne vois pas qu'on puisse autrement bien accomplir ce qui manque a la passion de J.-C.,

1. C. Legaré, *La mission continue de Jésus et le bérullien Jean Eudes*, p. 55-56.

2. *Ibid.*, p. 64 : « La confiance de Jésus est excitée par l'attirance qu'exercent sur lui les deux fins poursuivies, la gloire de Dieu et le salut de l'homme. Ce sont des valeurs fascinantes confiées à son zèle en train de se mouvoir sur un axe à deux pôles attractifs, l'un qui le tire vers le Père à glorifier, l'autre vers l'homme à sauver ».

3. *Ibid.*, p. 64-65. Comme on va le voir plus loin Jean Eudes semble moins avoir cette vision universelle que Mgr Lambert, même si ce dernier reconnaît comme Jean Eudes que les catéchistes et les prêtres sont appelés par état à une conformité plus grande à Jésus, missionnaire de son Père.

a l'imitation du grand Apostre : *adimpleo ea quae desunt passionum Christi*[1]. Toutes les autres croix me paroissent peu considerables, soit quon les endure avec patience, resignation, complaisance ou amour de Dieu parce que tout cela ne sont que des sacrifices dun homme au lieu que dans lestat dont ie parle cest Jésus Christ qui souffre et opere imediatement par luy mesme dans nos corps et dans nos ames »[2].

Lambert développe la célèbre phrase de saint Paul s'adressant aux Colossiens[3] dans laquelle s'opposent le sens de la chair et celui du corps. D'un côté il y a la chair mortelle de saint Paul et de Lambert, et de l'autre il y a le corps du Christ ressuscité. La chair qui souffre poursuit son chemin vers la mort, le corps est le temple de l'Esprit Saint et contient les arrhes de sa résurrection. Ce n'est pas seulement sa mort et sa résurrection que le Christ veut poursuivre en l'Église et en chacun de nous, mais c'est aussi tout ce qu'il a vécu durant les années de sa vie sur la terre. Ne pouvant rendre au Fils de Dieu quelque chose d'équivalent à ce qu'il nous a donné, il ne nous reste plus qu'à agir en lui et avec lui comme Lambert l'écrit aux membres du séminaire de Paris :

> « J'attends tous les jours lettres de Mr Chevreuil de la Cochinchine et des autres lieux de nostre mission pour y aller consumer mon petit sacrifice, cest a quoy je souspire demandant souvent a N.S. qui luy plaise continuer en moy les misteres inneffables de sa vie et de sa mort, je me resiouis quelquefois autant que mon estat le peut permetre de me voir en passe de mourir pour J. C. ; mais je vous avoüe que cette pensee ne me satisfoit pas ne regardant cette action que de justice et non pas de surrogation je prends de la suiet de considerer l'extresme misere de la creature qui ne peut jamais imiter le fils de dieu qui a fait tant de choses pour les hommes auxquels il n'estoit aucunement obligé dans cette impuissance je ne concois point de meilleur moyen que dagir et de vouloir agir en N.S. et avec luy non seulement dans nos operations, mais aussi dans toutes celles qui a faites quil fait et quil fera eternellement, cest la plus haute maniere qui me paroisse je ne vois pas mesme que les Sts ayent dans le ciel une autre pratique »[4].

---

1. Col 1, 24 : *Adimpleo ea quae desunt passionum Christi in carne mea, pro corpora ejus quod est Ecclesia :* je complète dans ma chair ce qui manque aux souffrances du Christ pour son corps qui est l'Église.

2. P. Lambert de la Motte, Lettre au Prince de Conti, AMEP, vol. 121, p. 586 ; cf. Guennou, transc., L. n° 79, en 1664.

3. Col 1, 24 : « Je complète dans ma chair ce qui manque aux souffrances du Christ pour son corps qui est l'Église ». On notera que c'est pour l'Église que Saint Paul doit compléter ce qui manque aux souffrances du Christ et il ne peut le faire que dans sa propre chair qui est donc la dimension physique de l'Église, c'est exactement ce que Mgr Lambert exprime en beaucoup de passages, il permet au Christ de souffrir à travers lui pour le salut des âmes.

4. P. Lambert de la Motte, Lettre à Mrs Gazil et Fermanel prêtre du 19 janvier 1665, AMEP, vol. 858, p. 99. 101 ; cf. Guennou, transc., L. n° 83.

Pour commenter la phrase célèbre de saint Paul aux Colossiens, Jean Eudes parle d'un Jésus à deux corps, l'un physique et l'autre mystique ; comme Lambert, Jean Eudes ne s'arrête pas à compléter les épisodes de la passion, mais c'est toute la vie du Christ qui doit être vécue par son corps mystique jusqu'à l'achèvement de ce corps à la fin des temps. Ce corps mystique a aussi une dimension physique, il est susceptible de vivre, de travailler et de souffrir comme le premier corps, celui de Jésus historique. Le second corps, c'est celui de l'Église et des baptisés qui la composent ; ceux-ci le mettent entièrement à la disposition de Jésus, lui en reconnaissant la seule légitime propriété. Si le monde est sauvé par la glorification du Père par le Fils, celui-ci continue cette glorification, et donc ce salut, dans son Corps mystique :

« La vie passible et temporelle que Jésus a eue dans son corps personnel, écrit Jean Eudes, a été accomplie et terminée au point de sa mort ; mais il veut continuer cette même vie dans son corps mystique, jusqu'à la consommation des siècles, afin de glorifier son Père par les actions et souffrances d'une vie mortelle, laborieuse et passible, non seulement durant l'espace de trente-quatre ans, mais jusqu'à la fin du monde. Si bien que la vie passible et temporelle que Jésus a dans son corps mystique, c'est-à-dire dans les chrétiens, n'a point encore son accomplissement, mais elle s'accomplit de jour en jour dans chaque vrai chrétien, et elle ne sera point parfaitement accomplie qu'à la fin des temps »[1].

Partant de saint Paul (Eph 1, 22-23 ; 4, 11-13), Jean Eudes est plus explicite encore en parlant de la participation de chaque membre du Corps mystique à la plénitude du Christ[2]. Les baptisés ne se contentent pas de reproduire les œuvres du Christ par imitation pour les compléter, ils apportent au Christ la possibilité d'en accomplir d'autres en les accomplissant lui-même en eux, développant en eux tout ce qu'il a accompli sur la terre. Ainsi toute action humaine peut devenir œuvre du Christ :

« C'est pourquoi saint Paul dit qu'il accomplit ce qui manque aux souffrances de Jésus-Christ pour son corps, qui est l'Église[3] ; et ce que saint Paul dit de soi-même, on le peut dire de chaque vrai chrétien, lorsqu'il souffre quelque chose avec esprit de soumission et d'amour vers Dieu. Et ce que saint Paul dit des souffrances, on le peut dire de toutes les autres actions qu'un chrétien fait en la terre. Car, comme saint Paul nous assure qu'il accomplit les souffrances de Jésus-Christ, aussi on peut dire en vérité, qu'un vrai chrétien, qui est membre de Jésus-Christ et qui est uni avec lui par sa grâce, continue et accomplit par toutes les actions qu'il fait en l'esprit de Jésus-Christ, les actions que le même Jésus-Christ a faites durant le temps de sa vie passible sur la terre. De sorte que, quand

1. J. Eudes, *Œuvres complètes*, t. I, p. 165.
2. C. Legaré, *La mission continue de Jésus et le bérullien Jean Eudes*, p. 166.
3. Col 1, 24, cité plusieurs fois par Mgr Lambert.

un chrétien fait oraison, il continue et accomplit l'oraison que Jésus-Christ a faite en la terre ; lorsqu'il travaille, il continue et accomplit la vie laborieuse de Jésus-Christ; lorsqu'il converse avec le prochain en esprit de charité, il continue et accomplit la vie conversante de Jésus-Christ; lorsqu'il prend son repas ou son repos chrétiennement, il continue et accomplit l'assujettissement que Jésus-Christ a voulu avoir à ces nécessités; et ainsi de toutes les autres actions qui sont faites chrétiennement »[1].

Jean Eudes rattache ensuite le texte de saint Paul (Col 1, 24) sur le complément de ce qui manque aux souffrances du Christ, à tout ce que l'Apôtre dit du Plérôme (Col 1, 19 ; 2, 9 et Ép 1, 23 ; 3, 19 ; 4, 13) où il voit l'Église en tant que plénitude du Christ réalisée à la fin des temps :

« Et c'est en cette façon que saint Paul nous déclare que l'Église est l'accomplissement de Jésus-Christ, et que Jésus-Christ qui est le chef de l'Église, est accompli tout en tous[2]. Et en un autre lieu, il donne à entendre que nous concourons tous à la perfection de Jésus-Christ, et à l'âge de sa plénitude[3], c'est-à-dire à son âge mystique qu'il a dans son Église, lequel ne sera point accompli qu'au jour du jugement.

« Vous voyez par là ce que c'est que la vie chrétienne; que c'est une continuation et accomplissement de la vie de Jésus; que toutes nos actions doivent être une continuation des actions de Jésus; que nous devons être comme autant de Jésus en la terre, pour y continuer sa vie et ses œuvres, et pour faire et souffrir tout ce que nous faisons et souffrons, saintement et divinement, dans l'esprit de Jésus, c'est-à-dire dans les dispositions et intentions saintes et divines dans lesquelles ce même Jésus se comportait dans toutes ses actions et souffrances. Parce que, ce divin Jésus étant notre chef, et nous étant ses membres et ayant une union avec lui incomparablement plus étroite, plus noble et plus relevée que l'union qui est entre le chef et les membres d'un corps naturel; il s'ensuit nécessairement que nous devons plus particulièrement et plus parfaitement être animés de son esprit et vivant de sa vie, que les membres d'un corps naturel ne sont animés de l'esprit et vivant de la vie de leur chef.

« Ces vérités sont très grandes, très importantes et très considérables; elles nous obligent à choses grandes, et doivent être bien considérées par ceux qui désirent vivre chrétiennement. Considérez-les donc souvent et avec attention, et apprenez de là que la vie, la religion, la dévotion et piété chrétienne consiste proprement et véritablement à continuer la vie, la religion et la dévotion de Jésus sur la terre, et qu'à raison de cela, non seulement les religieux et religieuses, mais tous les chrétiens sont obligés à mener une vie toute sainte et divine, et à faire toutes leurs actions saintement et divinement »[4].

1. J. Eudes, *Œuvres complètes*, t. I, p. 165-166.
2. Ép 1, 22-23.
3. Ép 4, 11-13.
4. J. Eudes, *Œuvres complètes*, t. I, p. 166-167.

Pour Jean Eudes, tous les chrétiens sont invités à laisser Jésus poursuivre en eux ce qu'il a vécu durant sa vie terrestre avec le même objectif que Lambert précise. Celui-ci considère qu'il y a eu nécessité absolue pour nous sauver que le Christ s'incarne, souffre et meure ici-bas :

> « Tout le genre humain est tombé dans la disgrace de Dieu sans jamais estre en estat de luy pouvoir satisfaire dignement, si la seconde personne de cette tres sainte Trinité ne se fut fait homme pour satisfaire abondament a son divin pere par sa naissance par sa vie par ces souffrances et enfin par une cruelle mort »[1].

Pour Lambert, l'Esprit Saint est donné à l'Église, et donc à tous les chrétiens, pour permettre à Jésus Christ d'accomplir en eux tout ce qu'il lui devait accomplir durant son séjour terrestre, y compris la rédemption : « Tout chrestien doit croire questant en grace le St esprit habite en luy pour y continuer les mesmes operations quil faisoit dans linterieur de J. C. »[2]. Ce n'est pas seulement les dons du Saint-Esprit qui sont en nous, c'est sa Personne même qui nous habite comme l'a dit Suarez[3]. Il s'agit d'un autre Paraclet comme le Christ l'a été pour ses disciples[4], le membre de notre famille suffisamment puissant pour prendre notre défense, nous libérer de nos dettes, nous consoler dans l'épreuve, comme Dieu l'a été pour le peuple d'Israël[5]. En saint Jean, l'Esprit Saint est envoyé pour que nous ne soyons plus des orphelins (Jn 14, 18), pour que nous ne perdions pas Jésus.

Car il y a toujours la même nécessité absolue pour le salut du monde que le Christ continue son ministère, ses souffrances et sa passion en s'incarnant en nous, en notre chair mortelle :

> « Nous pouvions esperer qu'il continucroit son divin sacrifice en nous comme il avoit faict dans St Pierre et dans plusieurs autres Sts que les missionnaires qui aspiroient au martyre, n'auroient point de meilleur moyen d'y arriver que par une grande oraison, et une grande mortification interieure et exterieure, que cestoit la plus hautte faveur qu'il pouvoit faire en cette vie aux Ministres de l'Evangile que de les admettre de la premiere congregation, puisquils devenoient par cette

1. P. Lambert de la Motte, *Abrégé de Relation*, AMEP, vol. 121, p. 701 ; cf. Guennou, transc., § 44: Preuve de ces quatre vérités.

2. *Id.*, AMEP, vol. 121, p. 681 ; cf. § 34.

3. Bérulle a repris cette thèse de Suarez (1548-1617) pour tous les fidèles en l'appliquant aux prêtres (Michel Dupuy, *Le Christ de Bérulle*, p. 172).

4. Jn 14, 16-17; 15, 26; 16, 7-15.

5. B. Sesboüé, *Jésus-Christ, l'unique Médiateur*, t. I, p. 149: « Chez les prophètes et dans les Psaumes, Dieu est par excellence le go'él d'Israël, c'est-à-dire son "racheteur", son "rédempteur". De même que les membres d'une famille se doivent protection, et qu'Israël a connu l'institution du go'él, c'est-à-dire du défenseur et protecteur des intérêts d'un individu ou d'un groupe [...], de même Yahvé "revendique pour sien" et rachète son peuple, non dans un esprit de vengeance, mais en s'approchant de lui avec amour ». Voir notamment Is 41, 14; 43, 1; 43, 14; 44, 6; 46, 4; 48, 17.

grace excessive les Sauveurs du monde avec luy, qu'elle seroit composée de fort peu de gens, lesquels il rendroit en quelque façon touts puissants par les sacrifices penibles qu'il offriroit a son divin pere en eux et par eux »[1].

C'est plus une priorité qu'une exclusivité qui est donnée aux serviteurs de l'Évangile qui font partie de la première congrégation[2] pour être Sauveurs du monde avec Jésus. Pour Jean Eudes et les autres penseurs qui suivaient Bérulle, cette priorité est donnée au sacerdoce ministériel. Ils considéraient que par les sacrements, Jésus continuait à exercer dans les prêtres « des œuvres qu'il est impossible à chacun de nous de réaliser »[3] :

> « Auquel est-ce des Anges que Dieu a jamais dit : "Vous êtes et serez prêtre éternellement selon l'ordre du vrai Melchisédech", c'est-à-dire, selon l'ordre de mon Fils Jésus-Christ ? Auquel est-ce des Archanges, ou des Principautés, ou des Puissances, que le Fils de Dieu a dit : Tout ce que vous lierez en terre sera lié au ciel, et tout ce que vous délierez ici bas sera délié là-haut (Mt 16, 19) ? Auquel est-ce des Chérubins ou des Séraphins qu'il a donné pouvoir d'effacer le péché, de communiquer la grâce, de fermer l'enfer, d'ouvrir le ciel, de le former lui-même dans les cœurs des hommes dans la sainte Eucharistie, de l'offrir en sacrifice au Père éternel et de donner son corps, son sang et son esprit aux fidèles ? Auquel est-ce enfin de tous les Esprits célestes, qu'il a dit ce qu'il dit à tous les prêtres : *Sicut misit me Pater, et ego mitto vos* : "Je vous envoie comme mon Père m'a envoyé" (Jn 20, 21), c'est-à-dire, je vous envoie pour la même fin pour laquelle mon Père m'a envoyé ; pour annoncer le même Évangile que j'ai annoncé ; pour dispenser les mêmes mystères et les mêmes grâces que j'ai dispensées ; pour faire et pour administrer les mêmes sacrements que j'ai institués ; pour offrir à Dieu le même sacrifice que je lui ai offert ; pour dissiper les ténèbres de l'enfer qui couvrent la face de la terre ; pour y répandre la lumière du ciel, pour y détruire la tyrannie de Satan, pour y établir le règne de Dieu, et enfin pour exercer en la terre les mêmes fonctions sacerdotales que j'y ai exercées, et pour y continuer et accomplir l'œuvre de la rédemption du monde, et aussi pour y continuer la même vie que j'y ai menée et les mêmes vertus que j'y ai pratiquées »[4].

Certes par la distribution des sacrements, les prêtres participent à la diffusion de la grâce rédemptrice, mais la valeur des sacrements n'est pas liée à celle de ceux qui les administrent. Jean Eudes distingue les pouvoirs sacramentels des prêtres de leurs vertus mais il les associe. Il juge que les prêtres sont appelés à contribuer aussi à la Rédemption par l'offrande de leur vie en fonction de leur rôle sacramentel :

---

1. P. LAMBERT DE LA MOTTE, *Abrégé de Relation*, AMEP, vol. 121, p. 761 ; cf. Guennou, transc., § 89 : « Continuation des vues sur le même sujet ».
2. Celle de la Congrégation Apostolique, la seconde étant celle des Amateurs de la Croix sous la conduite de la première.
3. Louis LANEAU, *La divinisation par Jésus-Christ*, éditions Ad Solem, 1987, p. 100.
4. J. EUDES, *Œuvres complètes*, t. III, p. 11-12.

« Le Fils de Dieu est venu en la terre pour y opérer l'œuvre du salut du monde. Il y est demeuré trente-trois ans, durant lesquels il a employé toutes ses pensées, toutes ses paroles, toutes ses souffrances, tout son sang, toute sa vie et sa mort pour le salut des hommes. Après cela il s'en est retourné à son Père ; mais il a voulu laisser des personnes en sa place pour continuer et pour achever son œuvre. Qui sont ces personnes ? Ce sont les prêtres[1], lesquels par conséquent doivent aussi imiter, autant qu'il leur est possible, l'amour incompréhensible que ce très aimable Sauveur a pour toutes les âmes, et le zèle très ardent dont son Cœur est embrasé pour leur salut »[2].

Lambert constate que peu nombreux sont les prêtres qui, étant appelés par état à coopérer avec Jésus-Christ au salut du monde, répondent à cet appel en s'offrant avec lui sur la croix : « Il y a peu de personnes qui portent communication reelle par estat de l'humanité s^te^, souffrante, crucifie, sacrifiante et remplie de veües du fils de dieu »[3]. Le privilège des prêtres consiste donc à avoir plus de responsabilité que les autres baptisés dans la permanence du sacrifice du Christ dans son Corps qui est l'Église : « Vous me permettré de men retourner aux pieds de Notre Seigneur pour suplier son infinie misericorde de me rendre participant de ses souffrances par estat ou si ie ne me trompe consiste la perfection du chrestien en cette vie »[4]. Tout chrétien doit participer aux souffrances du Christ, à plus fortes raisons les prêtres qui le doivent en vertu de leur sacerdoce.

Lambert n'en reste donc pas à considérer ceux qui sont appelés à participer à la Rédemption par état, c'est-à-dire les prêtres, mais il juge qu'il y a une vocation universelle à la sainteté à laquelle tous les baptisés participent au titre de leur baptême. Si Lambert privilégie pourtant les membres de la Congrégation Apostolique quant à la contribution à la Rédemption, c'est que la plupart des textes où il en parle concernent cette Congrégation et que ses membres doivent avoir une conduite exemplaire pour l'ensemble des Amateurs de la Croix. Pour Jean Eudes dont le souci principal dans ces écrits est la formation des prêtres, la tendance sera aussi de privilégier le rapport entre sacerdoce et rédemption. Mais il n'y a pas d'équivalence entre le cas du sacerdoce pour Jean Eudes et le cas de la Congrégation Apostolique pour Lambert, car ce dernier y place aussi bien des laïcs que des prêtres, pourvu que tous se consacrent à l'apostolat.

---

1. C. Legaré, *La mission continue de Jésus et le bérullien Jean Eudes*, p. 187 : « Jésus partage avec ses prêtres "sa qualité de Sauveur et de Rédempteur", car leur mission est de "coopérer avec lui au salut des âme", et de "continuer le grand œuvre de la rédemption de l'univers" » (citations de Jean Eudes, tirés de *Œuvres complètes*, t. IV, *Le Bon Confesseur*, p. 154-158).

2. J. Eudes, *Œuvres complètes*, t. IV, p. 165-166.

3. P. Lambert de la Motte, Lettre à M. Duplessis, AMEP, vol. 861, p. 2 ; cf. Guennou, transc., L. n° 16, le 6 mars 1663.

4. *Id.*, Lettre à M. Duplessis, AMEP, vol. 121, p. 557 ; cf. L. n° 55, le 25 novembre 1663.

Lambert considère que tous ceux qui entreront dans sa congrégation apostolique sont, plus que les autres baptisés, appelés par état à contribuer à la Rédemption. Ainsi pense-t-il que les chrétiens, laïques ou prêtres, qui se sentent appelés à l'apostolat doivent s'adonner à l'oraison et à la pénitence où ils reçoivent les lumières de l'esprit de sacrifice de Jésus Christ. Il écrit à son frère Nicolas :

> « Vous aurez le temps de donner ordre à vostre temporel et commencer a mener la vie d'un véritable Disciple de N. S. J. C. qui demande necessairement une grande oraison et une vie fort penitente. La raison de cette obligation est, questant appellé a l'apostolat on devient mediateur par estat entre Dieu et les hommes et quon ne peut sacquitter de ces hautes fonctions sans recevoir imediatement les lumieres de lesprit de sacrifices de J.-C., qui n'est communiqué que par ces deux voye ainsi donc si vous trouvez des personnes soit ecclésiastiques soit lajques dans cette disposition, qui ayent deja fait leurs cour à N. S., durant quelques années vous pouvez les emmener avec vous nous tacherons de leurs donner des emplois conforme a leurs graces »[1].

La mission de Jésus concernant la gloire de Dieu et le salut du monde, ne peut se poursuivre après l'Ascension sans la coopération, non pas de quelques-uns à la vocation victimale, mais de tous les baptisés, se soumettant à l'Esprit Saint pour accomplir en toutes choses la volonté du Fils de Dieu. Ils seront ainsi les Sauveurs du monde s'ils répondent à l'appel que Dieu leur fait :

> Il a esté fort convenable à lextreme charité du fils de Dieu dobtenir de son Divin pere une semblable unité doperations affin de rendre celles de ses saints dignes de Dieu que fût devenuë lausterité des anachorettes la continence de tant de personnes, le sacrifice des vierges, le zele des conffesseurs et la charité des martyres si ce n'eussent esté des operations de J. C. quel moyen de continuer son mystere dincarnation, sa vie souffrante et sa mort ignominieuse jusques a la fin du monde sinon en sunissant aux sacrées victimes quil a choisies a ce dessein pour la consommation de son parfait sacrifice. Une ame qui connoist que N. S. lappelle a ce bien heureux estat na autre chose a faire en toute sa vie que de demeurer perpetuellement unie a lesprit de J. C. qui est en elle pour y agir suivant son bon plaisir, elle a droit mesme de luy demander tout ce quelle croira estre utile a sa vocation a la gloire de Dieu et au salut du prochain Cest assez quelle ne sente pas de repugnance dans son fond aux supplications quelle fait pour croire quelles ne sont pas desagreables a Dieu si bien que n'en doutant pas elle doit en poursuivre leffet pres du pere Éternel sunissant aux veuës aux merites, et aux sacrifices de J. C., se confiant quelle sera tost ou tard exaucez »[2].

---

1. *Id.*, Lettre à son frère Nicolas, AMEP, vol. 121, p. 579 ; cf. L. n° 73, en 1664.
2. *Id.*, *Abrégé de Relation*, AMEP, vol. 121, p. 681-682 ; cf. § 34 : De quelle manière doit opérer un missionnaire apostolique.

Dans une suite de son *Abrégé de Relation*, Lambert décrit la vocation du missionnaire apostolique :

> Il est impossible d'estre un bon missionnaire apostolique sans estre une victime souffrante par estat il fera toute son estude de cette sublime doctrine qui seule suffit a un veritable disciple de Nostre Seigneur qui ne doit sçavoir a lexemple de St Paul que Jesus Christ crucifié, *nihil scio nisi Jesum et hunc crucifixum*[1], mais parce que cette divine science ne saprend que par la pratique celuy-la seul peut dire ce que cest la vie crucifiée qui en est en possession par une faveur particuliere de Dieu »[2].

Le 29 novembre 1677, Lambert commente ainsi les épreuves subies par Pallu à Manille en 1674 : « Nous vous avons encore envisagé dans ces estats des souffrances comme une Victime choisie et un Sacrificateur public qui s'offroit a Dieu dans l'union des sacrifices de J.-C. pour l'interest general »[3]. Le Saint-Esprit pour Lambert, c'est l'Esprit de Jésus, c'est Lui qui maintient l'unité entre le Père et le Fils et qui nous introduit dans l'Église et dans cette unité de sacrifice avec le Christ « pour l'interest general ».

Le rôle du Saint-Esprit dans la mission continue de Jésus

L'Esprit Saint vient pour que Jésus continue sa mission en nous

Pour Jean Eudes comme pour Lambert, l'Esprit Saint, c'est d'abord l'Esprit de Jésus-Christ[4]. Mais il y a une différence à propos de l'action du Saint-Esprit. Chez Jean Eudes, cette action se présente comme une nouvelle création, une transformation du chrétien pour en faire une copie du Christ conforme en tout à son modèle. Il n'y a pas là quelque chose de nouveau ; par contre, en comparant la naissance de l'Église à l'Incarnation par l'opération du Saint-Esprit, Jean Eudes fait allusion à la poursuite de la vie de Jésus qui mène lui-même jusqu'à la fin des temps la mission que le Père lui a confiée personnellement :

> « Le Saint-Esprit [s']est aussi employé pour nous faire chrétiens. Car il a formé dans les sacrées entrailles de la très sainte Vierge celui qui est notre

1. 1 Co 2, 2 : "Je n'ai rien voulu savoir parmi vous, sinon Jésus Christ, et Jésus Christ crucifié".
2. P. Lambert de la Motte, *Abrégé de Relation*, AMEP, vol. 121, p. 729 ; cf. Guennou, transc., § 65.
3. *Id.*, Lettre à Mgr Pallu du 29 novembre 1677, AMEP, vol. 858, p. 413 ; cf. L. n° 183.
4. Cf. 8 occurrences en Lambert de la Motte, *Abrégé de relation*, AMEP, vol. 121, p. 652, 657, 664, 681, 759 ; cf. Guennou, transc., § 20. 23. 26. 34. 88.

Rédempteur, notre Réparateur, et notre chef. Il l'a animé et conduit dans tout ce qu'il a pensé, dit, fait et souffert, et dans le sacrifice qu'il a offert de soi-même en la croix, pour nous faire chrétiens: *Per Spiritum sanctum semetipsum obtulit*[1]. Et après que Notre-Seigneur est monté au ciel, le Saint-Esprit est venu en ce monde, pour y former et y établir le corps de Jésus-Christ, qui est son Église, et pour lui appliquer le fruit de sa vie, de son sang, de sa passion et de sa mort. Car sans cela ç'eût été en vain que Notre Seigneur eût souffert et qu'il fût mort. De plus, le Saint-Esprit vient en notre Baptême pour former Jésus-Christ en nous, et pour nous incorporer, nous faire naître et nous faire vivre en lui, pour nous appliquer les effets de son sang et de sa mort, et pour nous animer, inspirer, pousser et conduire, en tout ce que nous avons à penser, à dire, à faire et à souffrir chrétiennement et pour Dieu »[2].

Clément Legaré commente ainsi la position de Jean Eudes :

« Ayant à cœur d'éclairer les chrétiens qu'il achemine vers l'union mystique, Jean Eudes met sous leurs yeux l'homologie que représentent la génération éternelle du Fils dans le Cœur de son Père et la naissance temporelle de Jésus d'abord dans le Cœur spirituel de sa Mère et ensuite dans son sein maternel. Sur ces premières homologies, il en construit une nouvelle en établissant une relation proportionnelle entre ces naissances exemplaires et la formation de Jésus dans le cœur de chaque chrétien. Si bien que, pour Eudes, la multiplication indéfinie des programmes de formation de Jésus dans les âmes chrétiennes constitue un mouvement, individuel et collectif, de continuation et d'accomplissement du mystère de l'Incarnation inaugurée par le Père »[3].

Dans la suite de son *Abrégé de Relation*, écrite sans doute en 1664, Lambert reprend la comparaison de Jean Eudes entre la naissance de Jésus dans le sein de la Vierge Marie par l'opération du Saint-Esprit et celle de Jésus dans l'âme de ses disciples. Mais cette naissance n'est pas celle de Dieu dans l'âme à la manière de Maître Eckart[4], car chez les disciples, ce n'est pas

1. He 9, 14: « Il s'est offert par un Esprit Saint ».

2. J. Eudes, *Œuvres complètes*, t. II, *Entretiens intérieurs*, p. 176.

3. Clément Legaré, « Le sens de la miséricorde dans les *Œuvres complètes* de Jean Eudes », in *Au cœur de la Miséricorde avec saint Jean Eudes*, sous la direction de Clément Legaré, Montréal, Médiaspaul, 1995, p. 69.

4. Pour le Maître rhénan Eckhart (1260-1327), c'est l'Esprit Saint qui assure la naissance de Dieu dans l'âme (Jean Devriendt, « La naissance de Dieu dans l'âme dans les Sermons latins de Maître Eckhart », in *La naissance de Dieu dans l'âme chez Eckhart et Nicolas de Cues*, ouvrage collectif sous la direction de Marie-Anne Vanier, Paris, Cerf, 2006, p. 40.). Le point de départ est toujours celui du détachement qui permet à l'âme, libre par rapport à tout, y compris à elle-même, de s'ouvrir à l'union divine (Marie-Anne Vannier, *De la Résurrection à la naissance de Dieu dans l'âme, retraite avec Maître Eckhart*, Paris, Cerf, 2008, p. 100). Pour Guerric, moine cistercien d'origine flamande écrivant au XIIe siècle, la naissance de Jésus dans le sein de la Vierge Marie est le modèle proposé aux croyants, non seulement à leur cœur mais aussi à leur corps (Annie Noblesse-Rocher, « "La formation

qu'une nativité spirituelle, car ce sont leurs corps « passibles » qui servent de chair à Jésus pour lui permettre d'y poursuivre la Rédemption :

> « Toute la vie des chrestiens est un continuel martyre puisquil est impossible destre un parfait disciple de J. C. sans se renoncer et mourir en toutes rencontres a ses propres desirs et a soy mesme. Dez que l'ame est entrée dans cet état de martyre perpetuel qui est une ressemblance de celuy de sacrifice dhostie et de victime que portoit le fils de Dieu en ce monde elle commence a concevoir J. C. dans elle même de sorte que rendue feconde par loperation du divin esprit elle commance a donner des marques au dehors de cette ste conception »[1].

Pour Lambert, sans l'Esprit Saint les apôtres ne peuvent permettre à Jésus de poursuivre en eux son sacrifice jusqu'à la consommation des siècles. De même pour lui, l'Incarnation est le moyen que Jésus a pris pour sauver le monde sur la croix, et c'est pour prolonger la Rédemption qu'il a voulu « s'incarner » en nous. La poursuite de l'Incarnation en nous lui est suggérée par un passage de l'Évangile où celui qui fait la volonté de Dieu est considéré comme une mère par Jésus (Mc 3, 35) ; comme pour la Vierge Marie cette conception est l'œuvre de l'Esprit Saint.

Lambert donne alors son interprétation du don de l'Esprit Saint tel qu'il est présenté par saint Jean 20, 22. Il le situe comme saint Jean avant l'Ascension, car il est lié comme le dit saint Jean à la poursuite de l'envoi de Jésus par le Père, c'est-à-dire de la mission que le Père a confiée à son Fils : faire que tous les hommes soient sauvés. Bien que ce don de l'Esprit Saint soit fait aux disciples, il concerne en fait Jésus lui-même et vise la poursuite de sa mission rédemptrice :

> « Un missionnaire apostolique estant uny par une union qu'on ne peut expliquer à J.-C. ne doit plus operer par soi-même. C'est une des principalles raison quil obligea le fils de Dieu de donner son Saint-Esprit a ses apostres et a ses disciples auparavant que de monter au Ciel, supposé l'excez de l'amour infiny du Sauveur du monde vers son pere et ses grandes misericordes vers les hommes. Ils avoient besoin de cette grace incomparable pour estre capables de continuer ses sacrifices laborieux jusques a la consommation des siecles [...] quel moyen de continuer son mystere dincarnation, sa vie souffrante et sa mort ignominieuse jusques a la fin du monde sinon en sunissant aux sacrées victimes quil a choisies a ce dessein pour la consommation de son parfait sacrifice »[2].

Lambert présente bien la nécessité qu'il y ait continuité entre le départ de Jésus à l'Ascension et la poursuite de sa mission par l'opération du

---

du Christ en nous" selon Guerric d'Igny », in *La naissance de Dieu dans l'âme chez Eckhart et Nicolas de Cues*, p. 59-62).

1. P. Lambert de la Motte, *Abrégé de Relation*, AMEP, vol. 121, p. 677 ; cf. Guennou, transc., § 32.

2. *Ibid.*, AMEP, vol. 121, p. 681 ; cf. § 34.

Saint-Esprit, ce qui n'est possible que dans la version de saint Jean et non dans celle de saint Luc. Cette difficulté n'était pas apparue à saint Jean Eudes pour qui la mission de Jésus se continue à la Pentecôte.

Les auteurs de l'École Française de Spiritualité sont influencés par ce thème de la naissance de Jésus dans les âmes, mais ils en restent à la pensée de Maître Eckhart, comme Olier qui écrit en 1647 : « J'appris intérieurement que le Verbe divin s'établissait dedans mon âme et s'unissait à moi selon sa divinité là où auparavant je n'avais ressenti la communication de Jésus-Christ que selon son humanité, quoique divinisée »[1]. Au temps de Jean Eudes, la poursuite de la Passion du Christ était envisagée par certains oratoriens par le moyen de l'Eucharistie[2]. Le corps et le sang du Christ que nous consommons seraient alors ceux du Christ, non pas ressuscité mais en passion continuelle. Ce n'est pas ce moyen qu'ont choisi Jean Eudes et Lambert. Pour eux, en effet, cet Homme Nouveau qui doit naître en nous n'est pas purement spirituel, même s'il est l'œuvre du Saint-Esprit; c'est à la fois nous et le Christ qui vit en nous pour poursuivre sa mission dans le monde. Si Jésus demeure en nous, autant corporellement que spirituellement, c'est pour que Dieu naisse en nous et nous divinise, réalise en nous une union mystique[3], c'est pour permettre à Jésus de continuer à agir physiquement dans le monde par nos corps capables de souffrir, et prolonger ainsi son sacrifice rédempteur.

L'action de l'Esprit Saint est plus développée chez Lambert que chez Jean Eudes, c'est même une caractéristique de sa pensée[4]. Selon lui, c'est

---

1. Michel Dupuy, *Se laisser à l'Esprit, itinéraire spirituel de Jean-Jacques Olier*, Paris, Cerf, 1982, p. 327, citant Jean-Jacques Olier, *Mémoires*, t. 8, Archives de Saint-Sulpice, p. 157.

2. *L'homme de douleurs ou Jésus-Christ souffrant et mourant continuellement pour les Hommes, divisé en deux Parties*, anonyme (un prêtre de l'Oratoire), Bruxelles, Martin de Bossuyt, 1649, p. 328-349. À Bruxelles et à la même date paraissait : *Jésus-Christ souffrant et mourant continuellement en croix pour le salut du genre humain*, traduction française par F.-M. Tramu de l'œuvre latine du dominicain Thomas Leonardi.

3. Pour Marie-Anne Vannier (*De la Résurrection à la naissance de Dieu dans l'âme*, p. 81-82) la naissance de Dieu dans l'âme se rapporte au principe des trois naissances de Jésus « fixé dans l'école cistercienne au xiie siècle et thématisé par Grégoire II et saint Thomas » : naissance éternelle au sein du Père, naissance dans le temps au sein de la Vierge Marie, naissance spirituelle en nos cœurs. Bérulle revient sur ce thème des trois naissances (M. Dupuy, *Le Christ de Bérulle*, p. 38).

4. Dans l'introduction de son article sur Lambert de la Motte, maître spirituel (*Échos de la rue du Bac*, art. cit., p. 33), Jean Guennou écrit à propos de Lambert et de l'Esprit Saint : « Pour lui la situation normale des missionnaires correspond à ce que les théoriciens appellent tantôt l'état de docilité aux motions du Saint-Esprit, tantôt l'état passif, ce qui constitue d'ailleurs une appellation malheureuse, car il faut voir une activité en éveil, au moins un consentement, pour adhérer aux motions du Saint-Esprit, même quand l'âme a l'impression d'être mue plutôt que de se mouvoir. Le problème majeur est alors celui du discernement des

d'abord l'Esprit qui a inspiré Jésus-Christ, son esprit de médiateur, son esprit de sacrifice[1]. Sans l'Esprit, Jésus-Christ ne pourrait poursuivre en nous sa médiation et son sacrifice. C'est ce que Lambert écrit aux deux premières Amantes de la Croix : « Il importe extremement de practiquer toutes les choses en la place de J.-C. lequel les desirant faire par luy mesme et ne le pouvant plus se sert des certaines personnes choisies qu'il remplit de son esprit de mediateur pour continuer ainsy sa vie voyagère et de sacrifice jusqu'a la consommation des siecles »[2]. Pour Lambert, l'Esprit Saint ne peut pas accomplir son œuvre en nous et nous faire agir selon Jésus-Christ sans que nous nous adonnions à l'oraison et à l'ascèse[3].

Pour coopérer à l'action du Saint-Esprit en nous et permettre à Jésus d'y poursuivre sa mission, il nous faut pénétrer toujours davantage les mystères de l'Incarnation et de la Croix, et prier l'Esprit Saint pour qu'il nous inspire continuellement et que nous puissions toujours penser et agir sous son influence, par son influx, selon saint Thomas d'Aquin :

> « L'ame s'est degagé de la proprieté et de la puissance de toutes ses facultés. S'il faut qu'elle agisse, elle demande à l'esprit de J.-C. qui est en elle ce qui luy plaist quelle opere par luy [...] Cette façon d'oraison qui est toute simple toutte d'abandon et toutte de foy est une des plus hautes manières de prier qui se puisse voir, parce que dieu opere tout en l'ame qui ne fait que se presenter pour recevoir les influences du divin esprit qui luy inspire les demandes quelle doit faire avec les conditions requises pour les obtenir, et pour faire parfaitement le bon plaisir de Dieu. Elle est encor en cela plus admirable que N. S. luy communiquant ses veuës ses motifs et ses inclinations elle se trouve occupée des desseins qu'il avoit en ce monde, qui sont si surprenant et si amoureux qu'on ne les peut expliquer. La plus grande neanmoins de toutes les communications qui luy sont faites est celle des incomprehensibles mysteres de l'incarnation et de la Croix[4], où l'ame demande ardemment d'entrer en partage afin quelle puisse continuer autant quil est en elle ses adorables mystères dans les veuës de J. C. de la bonté duquel elle attend la grace de mourir pour luy [...]. Si lon desire sçavoir la methode de cette

---

esprits, car le danger n'est pas chimérique de prendre sa volonté propre pour la volonté de Dieu, pour la motion du Saint-Esprit ».

1. Quand Mgr Lambert parle d'un esprit de sacrifice, de pénitence et d'abandon, de mort à toutes choses et à nous-même, il intègre comme saint Paul l'action du Saint-Esprit.

2. P. LAMBERT DE LA MOTTE, *Abrégé de Relation*, Lettre à Agnès et Paule du 26 février 1670, AMEP, vol. 677, p. 216 ; vol. 855, p. 178 ; cf. Guennou, transc., § 128.

3. *Id.*, Lettre à Nicolas Lambert, AMEP, vol. 121, p. 579 ; cf. L. n° 73.

4. Dans l'introduction de son article sur Lambert de la Motte, maître spirituel (*Échos de la rue du Bac,* art. cit., p. 33), Jean Guennou interprète à sa façon l'importance relative de l'Incarnation et de la croix avec le don de l'Esprit : « Lambert se rattache à l'école bérullienne plus qu'à celle du Père Louis Lallemant. En effet, sa pensée se concentre sur les mystères de l'Incarnation, surtout celui de la Croix plutôt que sur l'action du Saint-Esprit dans l'âme purifiée ».

> ste oraison elle se fait de cette sorte, l'ame croyant que le divin esprit habite en elle est totallement occupé à les escoutées parce que ayant consenty à un estat de parfaite pauvreté et nudité d'esprit, par la perte de son estre naturel et raisonnable elle s'est renduë en estat de meriter de lexcés de la misericorde de J.-C. qui se rend à elle et luy communique ses plus importantes affaires, affin qu'estant uny a elle dans estat passible, il puisse encore obtenir de son divin pere tout ce quil pretend par les souffrances et sur la croix »[1].

Lambert montre que l'œuvre de Jésus aurait été compromise si elle avait été abandonnée aux caprices des hommes. L'Église est confiée à l'autorité et à la puissance de l'Esprit Saint qui aura sans cesse à s'opposer à ces caprices. Lambert pense évidemment aux moyens d'apostolat choisis avant lui en écrivant dans son *Abrégé de Relation* :

> « Car si ses ministres n'agissoient pas en son union de quelle valeur et de quelle consideration seroient leurs œuvres aux yeux du pere Éternel. Ce seroient des hommes qui opereroient par des veuës humaines ou raisonnables et qui souvent demanderoient des choses qui seroient contraires a la gloire de Dieu et leur perfection, cest ce que nous apprend le grand Apostre, lors quil dit que nous ne sçavons pas seulement prier *Spiritus adiuvat infirmitatem nostram nam quid oremus sicut oportet nescimus*[2] »[3].

Pour Lambert, l'Esprit Saint est d'abord l'Esprit de Jésus qui a guidé toutes ses paroles et tous ses actes et a maintenu son unité avec le Père en permettant l'union hypostatique. Et c'est cette union hypostatique qui va pouvoir entraîner la divinisation de l'homme[4]. Quand l'Esprit Saint a réalisé l'union entre l'homme et le Christ, on peut attribuer à l'un et à l'autre indistinctement toute opération qui en résulte, notamment le salut des âmes, et Jésus ne se considère plus lui-même autrement que comme ne

1. P. Lambert de la Motte, *Abrégé de Relation*, AMEP, vol. 121, p. 664-666 ; vol. 876, p. 55-77 ; cf. Guennou, transc., § 26.

2. Rm 8, 26 : « l'Esprit vient au secours de notre faiblesse ; car nous ne savons que demander pour prier comme il faut ».

3. P. Lambert de la Motte, *Abrégé de Relation*, AMEP, vol. 121, p. 681 ; cf. Guennou, transc., § 34.

4. B. Sesboüé, *Jésus-Christ, l'unique Médiateur*, t. I, p. 217 : « C'est l'humanité tout entière qui est l'image unique de Dieu, aujourd'hui cassée comme un miroir par le péché, mais appelée à retrouver son intégrité grâce à son rassemblement en Dieu. Dans le dessein de Dieu cette humanité a une Tête et un Chef, le nouvel Adam. Sa génération virginale, à partir de Marie, confère à sa naissance le caractère d'une génération nouvelle. D'une part en effet, Jésus entre dans la série des générations humaines et appartient à la même humanité que nous tous. Mais d'autre part, l'intervention de Dieu, qui évoque symboliquement la création d'Adam, donne à sa naissance la valeur d'une création nouvelle. Jésus devient le principe de l'humanité nouvelle ? Déjà de ce fait, il la récapitule devant Dieu. En lui-même il restitue l'image de Dieu à sa vérité. Il constitue le point de rassemblement de l'humanité à réconcilier et à restaurer ».

faisant plus qu'un avec l'Église, comme il l'a exprimé à Paul sur le chemin de Damas[1] :

> « ... C'est donc par la vertu de lesprit du fils de Dieu quil nous faut operer la difficulté est de sçavoir comment cela se doit faire et comme on le doit reduire en pratique. Tout chrestien doit croire questant en grace le St esprit habite en luy pour y continuer les mesmes operations quil faisoit dans lintérieur de J. C. qui est une misericorde qu'on ne sçauroit assez estimer que le Sauveur du monde nous a voulu obtenir de son pere peu de jours avant sa mort par loraison quil luy addressa en St Jean, chap. 17 *omnes unum sint sicut tu pater in me et ego in te ut et ipsi in nobis unum sint*[2] laquelle union se doit particulierement entendre des operations que l'ame toute abbandonnée a l'esprit de J.-C. opere en ce monde et operera continuellement avec luy dans toute l'Eternité. En effet c'est en ce rencontre que l'ame a plus de raport a l'unité qui est entre le pere et son fils parce que comme les operations qui se font au dehors deux mesmes se font par l'un et par l'autre indistinctement de même celles qui se font par l'ame unie a J. C. sont les operations de J. C. et de lame, et peuvent être considerées comme les enfans d'un pere et d'une mere. C'est de cette inexplicable unité d'operation que naist l'interest que Dieu prend pour ses ministres quand il dit *nolite tangere Christos meos* qu'il se plaint de la persecution que Paul fait à ses disciples : Saule Saule *quid me persequeris* et qu'il prie son pere qu'ils soient consommez en Dieu *ut sint consummati in unum*[3] »[4].

Si le baptisé coopère avec l'Esprit Saint pour accomplir la volonté et la mission de Jésus, les œuvres de Jésus se feront en lui et il sera soutenu par l'Esprit en toutes occasions, y compris dans les épreuves, y compris à l'heure du sacrifice et de la mort. L'Esprit Saint répand suffisamment ses dons en nous pour que s'accomplissent la gloire de Dieu et le salut du monde, au

---

1. Selon François Florand, Jean-Paul Nazari, dit Nazarius, reprend la comparaison de l'union hypostatique pour expliquer l'union du Christ et de son Église, Louis Chardon également (François FLORAND, « Introduction à Louis Chardon », in *La croix de Jésus*, p. 103). Chardon et Bérulle s'inspirent du dominicain Jacques Nacchianti (Nacchiante) et de ses *Enarrationes in S. Pauli epistolas ad Ephesios et ad Romanos* (1554, publiées à Lyon en 1657) pour affirmer que le Corps mystique du Christ dépend de la personne divine pour sa subsistence (Y. KRUMENACKER, *L'école française de spiritualité*, p. 189, note 3). Jacques Nacchiante, disciple de Cajetan, défend notre coopération au salut du monde : « Il n'y a aucune raison de penser qu'en apportant une satisfaction nous faisons injure au Christ. Bien plutôt, s'il est permis de le dire, nous lui apporterions une faveur, puisque, en cela, nous sommes ses coopérateurs et que c'est en nous et par nous qu'il accomplit sa fonction de satisfaire » (François FLORAND, Introduction à Louis Chardon, *La croix de Jésus*, p. 100-101, note 3).

2. Jn 17, 21 : "Afin que tous soient un. Comme toi, Père, tu es en moi et moi en toi, qu'eux aussi soient en nous".

3. Ps 105, 15 : "Ne touchez pas à qui m'est consacré" ; Ac 9, 4 : "Saul, Saul, pourquoi me persécutes-tu ?" ; Jn 17, 23 : "afin qu'ils soient parfaits dans l'unité".

4. P. LAMBERT DE LA MOTTE, *Abrégé de Relation*, AMEP, vol. 121, p. 681 ; cf. Guennou, transc., § 34.

moins de la façon et au niveau où ils se sont accomplis en Jésus durant sa vie terrestre[1]. Nous ne pouvons avoir moins reçu de l'Esprit Saint que Jésus lui-même, car l'Esprit Saint ne cesse de nous donner à travers l'oraison et la communion sacramentelle ou spirituelle :

> « Depuis qu'on est convaincu expérimentalement que le St Esprit habite en nous, il n'y a plus de peine dans loraison, on a trouvé tout se secret du Christianisme, parce que si l'on veut glorifier Dieu, si on luy veut satisfaire, si on luy veut rendre action de graces, et tous les devoirs imaginables, il n'y a qu'à reconnoistre son extreme misere et entrer en communion au divin esprit qui nous met en mesure de ses dons pour en user ainsi que nous voudrons pour sa gloire et le salut du prochain. Personne ne se peut plaindre de ce qu il ne peut pas donner de gloire a Dieu ny que sa grace est petite, puisqu'il a toujours moyen d'imiter Jésus Christ, en s'unissant tous les jours à lui, soit par la communion sacramentelle, soit par la communion spirituelle qui peut être continuelle. C'est en ce sens qu'on peut toujours prier : *Oportet semper orare* (Lc 18, 1), c'est de cette maniere qu'on peut sans grand travail participer aux merites a l'honneur et a la gloire que N. S. a donné et donnera à jamais au pere éternel, c'est aussi de cette façon que nous participerons au prodiges de grace quil a versées dans lame de la tres Ste Vierge, du glorieux St Joseph, du grand St Jean-Baptiste et generalement de celle de tous les Sts qui sont au ciel et en la terre, c'est enfin par ce divin et inconnu moyen que nous communiquerons plainement à la foy de l'Église militante, à l'esperance parfaite de l'église souffrante et a la charité consommée de l'Église triomphante »[2].

L'Esprit Saint s'installe donc en nous dans la mesure où nous lui laissons la place et la direction de toutes les opérations de l'âme. Lambert parle à ce propos du pur amour de Jésus qui commence au moment où notre vie n'est plus à nous-mêmes mais à lui. Il dissuade ses lecteurs de considérer le martyre comme la seule vraie proximité avec Jésus, sa seule vraie imitation. Pour Lambert c'est d'abord dans le combat spirituel que se manifeste notre amour pour Jésus, quand nous triomphons de nos inclinations mauvaises et quand nous avançons dans la mort à nous-mêmes qui, seule, peut permettre à Jésus de vivre et de régner en nous. Il écrit dans *Les Effets du pur amour dans l'âme d'un véritable missionnaire apostolique* :

1. Yves Congar écrit que dans la confirmation le Saint-Esprit nous fait participer au « prophétisme du Christ, consistant spécialement à annoncer et confesser sa foi, éventuellement jusqu'au martyre [...] Aussi a-t-on volontiers caractérisé la consécration et la grâce de la confirmation comme une participation à la mission prophétique pour laquelle le Christ a été consacré » (Yves M.-J. CONGAR, *Je crois en l'Esprit Saint,* t. III : *Le Fleuve de Vie coule en Orient et en Occident,* Paris, Cerf, 1985, p. 287-288, se référant à A.-G. MARTIMORT, *La Confirmation,* in *Communion solennelle et Profession de foi*, Lex orandi 14, Paris, 1952, p. 159-201).

2. P. LAMBERT DE LA MOTTE, *Abrégé de Relation*, AMEP, vol. 121, p. 682 ; cf. Guennou, transc., § 34.

« "*Fortis est ut mors dilectio*", il semble que le St Esprit ne nous donne cette comparaison que pour nous instruire que comme la mort aneantit tous les hommes, de quel que qualité qu ils soient, et les rend esgaux entreux ainsi lamour vient a bout de toutes les difficultez qui s opposent a ses inclinations et surmonte aussi bien les plus petites que les plus grandes. Cependant, si lon vient a comparer la force de lamour et de la mort, il est hors de doute que l'amour est plus fort que la mort ainsi que nous le voyons dans les Saints martyrs et dans le chef des martyrs, J.C. dont lamour a triomphé de la mort. On ne doit pas simaginer que ce soit seulement lors quil est question de souffrir le martyre quil faut que notre amour soit victorieux, mais cest aussi dans tous les suiets de combat qui nous sont présentez soit de la part du monde du diable de la chair ou de Dieu mesme, parce que souvent il y a plus damour de Dieu a mourir a une inclination qu'a endurer le martyre pour la confession du St Evangile par la rayson que le suiet nest pas de si grande importance ny de pareille obligation et cest dans ce sens quon peut dire que toute la vie des chestiens est un continuel martyre, puisquil est impossible destre un parfait disciple de J.-C. sans renoncer et mourir en toutes rencontres a ses propres desirs et a soy mesme »[1].

Il faut distinguer l'abandon à la divine Providence (laisser Dieu agir en nous comme il veut) et l'abandon de notre volonté propre (choisir de suivre ce que Dieu veut). Ce n'est pas du quiétisme, car si la première attitude peut être passive, la seconde doit être active. Pour Lambert, on se trompe si l'on croit que l'Esprit Saint n'agit que pour soutenir notre action et nous en fournir les moyens. L'Esprit Saint est d'abord l'Esprit de sainteté qui nous mène au combat spirituel. Pour Jean Eudes aussi, la kénose opérée par l'Esprit Saint consiste à anéantir en nous le Vieil homme pour y faire naître Jésus-Christ, l'Homme Nouveau :

« Le Saint-Esprit vous associe aussi avec lui en ce qu'il a opéré et en ce qu'il opère tous les jours de plus grand et de plus admirable : car pourquoi est-ce que le Saint-Esprit est venu en ce monde ? N'a-ce pas été [...] pour éclairer les esprits des hommes de la lumière céleste, pour échauffer leurs cœurs du feu sacré de l'amour divin, pour réconcilier les pécheurs avec Dieu, [...] pour communiquer la grâce, pour sanctifier les âmes, pour établir l'Église, pour lui appliquer les fruits de la passion et de la mort de son Rédempteur, et enfin pour détruire et anéantir en nous le vieil homme, pour y former et faire naître Jésus-Christ ? »[2]

À côté de l'expression de « mort à soi-même », les termes qui expriment la kénose chez Lambert sont « anéantissement », « renoncement », « abandon » et dans leur sens du XVIIe siècle : « renonciation », « dégagement », « se perdre en Dieu ». Lambert insiste sur la relation entre pauvreté intérieure,

1. *Id.*, AMEP, vol. 876, p. 87 ; vol. 121, p. 676-677 ; cf. § 32.
2. C. Legaré, *La mission continue de Jésus et le bérullien Jean Eudes*, p. 185-186, citant J. Eudes, *Œuvres complètes*, t. III, p. 15-16 ; p. 193.

présence de l'Esprit Saint et bonheur en ce monde malgré la croix ou plutôt à cause de la croix. Ce n'est pas le vide qui est recherché, mais c'est au contraire un accomplissement plus grand des projets du Créateur en nous, car les charismes que l'Esprit Saint introduit alors en nous en fonction de la place que nous lui laissons par notre dépouillement, sont des dons uniques, différents pour chacun, également nécessaires à l'édification de l'Église (Rm 12, 4-8 ; 1 Co 12, 4-30 ; Ép 4, 11-13).

Les dons de l'Esprit Saint anticipent la vie éternelle dans le Christ, car l'Incarnation et la Rédemption ne constituent que la première partie de la mission que le Père lui a confiée, Lambert n'annonce le Christ crucifié que pour nous faire réaliser avec celui-ci la suite du mystère pascal, la Résurrection et la glorification dans le ciel, nous serons alors enfants de Dieu par adoption filiale et divinisation, achevant notre unité parfaite avec le Christ. Cette perspective n'est jamais absente chez Lambert. L'Esprit Saint anticipe pour nous le bonheur éternel dans l'amour, même au milieu des tribulations de l'âme et du corps. Car l'Esprit Saint est l'Amour divin qui n'est que don sans aucun retour sur lui-même ; en s'introduisant en nous, il nous conduit au même sacrifice, au même oubli de soi en quoi on reconnaît le véritable amour, en nous se répand alors comme une onction de paix et de joie. Lambert s'étonne que son sacrifice lui occasionne plus de joie que de peine, il comprend que cela révèle la présence active de l'Esprit Saint en lui.

L'Esprit Saint conduit au bonheur par la croix

Le bonheur n'est pas un thème rare, le bonheur éternel est la récompense promise par Dieu à ceux qui lui obéissent. Il n'est pas rare d'associer le bonheur à la croix dans les ouvrages spirituels ; promis en ce monde, c'est alors le bonheur de se rapprocher de Jésus en croix et de participer à ses souffrances par amour de lui[1]. Mais pour Lambert, le bonheur est très conditionné par

1. Louis Chardon écrit à propos de l'inclination que l'âme de Jésus a pour la croix (*La croix de Jésus*, p. 351, Premier Entretien, chapitre XVII, § 213) : « Après l'établissement du Corps mystique de Jésus et de sa subsistance mystique ; après, dis-je, avoir vu les dispositions de sa grâce et les rudes obligations de son ministère ; après avoir encore admiré les inclinations violentes et insatiables de son esprit vers la Croix, nous aurons beaucoup de jours pour concevoir comment il en ménage la distribution aux âmes qui lui appartiennent, par les liens de la grâce, comme parties et membres mystiques » p. 373, Premier Entretien, chapitre XX, § 253 il complète : « Dieu a sagement disposé que l'inclination à la Croix qu'il a mise dans l'âme sacrée de son Fils, ne soit point totalement frustrée de sa fin, depuis qu'il l'a fait asseoir glorieux à sa droite. Il veut qu'elle ait encore son exercice jusqu'à la dernière heure du monde en son Corps mystique, dedans lequel Jésus, en qualité de Chef [Tête], envoie les agréables influences de sa grâce ; et comme cette grâce est de même nature au Chef et aux membres, elle imprime le même poids amoureux aux sujets où elle est reçue, en proportion et selon la

sa théologie, associé à la part que l'Esprit Saint prend à la mission continue de Jésus, à la part que nous prenons à la gloire de Dieu et au salut du monde.

Pour Lambert, le bonheur vient d'une présence, celle de l'Esprit Saint qui est toute grâce, tout amour, paix et joie, communion avec Dieu. Pour que l'Esprit Saint puisse être bonheur en nous, il faut lui laisser toute la place et lui permettre ainsi de demeurer en nous et d'être bonheur en nous. Pour obtenir de l'Esprit Saint la grâce de la félicité promise, il s'agit de se placer sous la totale dépendance de Dieu en ce qui concerne notre subsistance spirituelle et temporelle.

Dans son *Abrégé de Relation* Lambert consacre un article au bonheur de ceux qui accepteront de vivre dans la dépendance du Saint-Esprit (l'Esprit de Jésus-Christ) et de laisser Jésus prendre en main toutes les opérations de leur âme et de leur corps[1]. Il écrit au Père Hallé, son directeur spirituel, le 15 mars 1661 « l'homme étant le tabernacle du S Esprit et les delices de Dieu, je me sens forcé écrivant cette lettre ;iou de dire que je n'ay pas raison d'en étre surpris. N'y a-t-il pas moyen de desabuser les hommes ? Ne peut-on pas avoir assez de credit auprez d'eux pour leur persuader que la plus profonde science et les plus veritables plaisirs consistent en la connoissance et en l'amour experimental de Notre Seigneur Jesus-Christ ? »[2] Deux ans après il lui confie son scrupule : « cest une crainte de prendre trop de joye dans ma vocation, parcequil est vraye que le Bon Dieu agit d'une telle maniere dans toutes les operations qui se font en moy et avec tant de suavité que ie ne scay si ie fais le volonté divine ou la mienne et ou est la croix

mesure qu'un chacun participe de sa source » ; cf. Gilles Berceville, « Souffrance et sainteté dans la Croix de Jésus de Louis Chardon » dans *La Vie Spirituelle*, n° 767, novembre 2006, sur *Louis Chardon, théologien mystique*, p. 601 : « Il me semble que notre auteur traite du mystère des Béatitudes évangéliques, la souffrance n'étant jamais séparée dans l'âme des saints d'une joie plus profonde qu'elle ».

1. P. Lambert de la Motte, *Abrégé de Relation*, AMEP, vol. 121, p. 759-760 ; cf. Guennou, transc., § 88 (Autres veües touchant le bonheur de ceux qui seront appellés à l'une ou à l'autre de ces deux congregations) : « Nul ne peut s'imaginer les richesses, les satisfactions, ny les grandeurs de cette Estat, ce sont des Lettres qui seront eternellement closes à tous ceux qui n'auront goutté ny les Croix, ny les consolations ; On aura moins de peine a le iuger si l'on faict reflection que les operations de semblables personnes sont meües par lesprit de Jesus Christ qui les aplique sans cesse à la gloire de Dieu son pere et aux interrests generaux et particuliers de la Ste Église par une suite de sacrifices laborieux d'esprit et de corps ; il ne faut pas croire pour cela que telles âmes ayent aversion pour les grandes souffrances qu'elles patissent ; au contraire elles se sentent tousiours plus fortement pousés à les endurer par des artifices admirables, et tout ensemble amoureux dont N. S. J. Ch. à leur endroit qui leur faict connoittre que cest luy qui est la cause de leurs maux qui leur compatit extremement, et que s'il estoit possible de pouvoir souffrir en leur place il le feroit asseurement on à pensé qu'il estoit bon de donner connoissance de ces veües pour oster ou du moins diminuer lhorreur quon à de porter la Croix du Sauveur du monde ».

2. *Id.*, Lettre au Père Hallé, le 15 mars 1661 AMEP, vol. 136, p. 71 ; cf. L. n° 2.

qui doit estre inseparable d'un successeur des Apostres ? nai-ie pas raison d'avoir mavoye suspecte principalement si Iajoute que lallegresse habituelle que ie recois me rend dans mon estat la plus heureuse personne du monde[1].

Comme l'Esprit Saint vient en nous pour permettre à Jésus d'y continuer lui-même la mission que le Père lui a confiée, c'est notre volonté propre qui peut en constituer le principal obstacle quand elle diffère de la sienne. C'est pourquoi nous ne devons plus agir autrement que sous la mouvance du Saint-Esprit et pour la gloire de Dieu et le salut des âmes. C'est ainsi que nous participons à la nature divine qui est dans le Christ et qui constituera notre bonheur éternel dont l'Esprit Saint nous fait goûter les prémices. C'est ce rapport entre notre bonheur en ce monde et la poursuite de la mission de Jésus que Lambert exprime dans une lettre à Vincent de Meur datée de juin 1663 :

> « Si nous meritons quelque creance aupres de vous, écrit-il du Siam à Vincent de Meur, nous vous pouvons assurer qu'il ny a point de bonheur comparable a celuy de ce voir dans l'heureuse necessité de dependre de Dieu destre privé de tout appuit destre a la veille de la derniere extemité et enfin de recevoir cette grace que sitost quon aura mis le pieds dans nos missions de se defaire en sa faveur de ce peu qui nous reste pour n'avoir desormais obligation qua luy seul de nostre subsistance spirituelle et temporelle quoy quon ne soit pas tout a fait dans cette pratique on sent cependant les avant gouts d'une pauvreté reelle qui est la 1re entre les beatitudes et la joye qu'on a de cette convention faite avec J. C. resemble en quelque façon a celle quun homme du sciecle a faite lors quil a conclu le marché d'une chose dimportance dont depend tout son honneur et sa fortune, mais neamoins qui n'est pas encor passé dans toutes les formes. Il ne faut pas sestonner de ce contentement, puisque dieu a attaché toute la felicité de l'homme a renoncer a soy mesme et a toutes les choses creé. Par la raison mesme on peut montrer la verité de cette infaillible maxime car si toute la perfection de lhomme en cette vie est d'estre semblable au fils de Dieu et a l'imiter en sa vie et en ses actions, y a-t il quelque chose qu'on puisse faire qui luy soit plus conforme que de consentir a la destruction de toutes ces operations pour ne plus recevoir que celles qui se font en nous par le mouvement de la grace, y a-t il une operation plus pure que demployer tout son estre pour celuy qui ne nous a fait que pour luy et qui a t il de plus achevé que de se servir de toutes les creatures comme de moyens admirables pour aller a son principe. Quand une personne cest perdüe en dieu, elle est faite participante de la nature divine[2] et la Divine bonté ce communique a elle d'une façon qu'on ne sçauroit expliquer car comme la creature ne voit plus rien que son Dieu elle ne peut estre meüe que pour LInterest de ce divin esprit il la rend maitresse de toute la nature et la comble d'un tresor de graces pour en user selon son bon plaisir qui est le mesme que celuy de Dieu. Cest en

1. *Id.*, Lettre au Père Hallé, le 20 janvier 1665 AMEP, vol. 121, p. 592 ; cf. L. n° 89.

2. Selon 2 P 1, 4 nous ne devenons "participants de la nature divine" que si nous échappons à la convoitise qui est dans le monde.

cest état quon peut travailler utilement a la conversion des ames parceque ne se portant a ce divin emploi que pour la gloire de Jésus Christ et le salut du prochain lame y trouve une facilité merveilleuse du cotté du Sauveur du monde qui le désire et dautre cotté lame du prochain recevant des graces extraordinaires par lentremise de ce missionnaire mediateur rend enfin les armes a la grace de J C »[1].

Pour Jésus, le comble de la joie est associé au comble de l'amour par l'offrande de sa vie pour ceux qu'il aime (Jn 13, 2 ; 15, 12-13). Voilà pourquoi le plus grand bonheur (ou béatitude) est celui qui nous est promis si nous vivons la persécution à cause du Christ (Mt 5, 11-12). À tous ceux qui auront tout quitté pour le Christ, il y a aussi la promesse du centuple en ce monde avec des persécutions (Mc 10, 29-30).

Pour Lambert aussi, l'amour de la croix réduit l'opposition entre la souffrance et le bonheur. Ce n'est pourtant pas la participation compatissante à la Passion du Christ qui produit le bonheur, mais bien plutôt la participation à l'amour qui est en lui, l'unité dans l'Esprit d'amour qui s'exprime dans la croix. Les Amantes de la Croix ont été fondées par Lambert parce qu'il avait constaté chez des femmes du Tonkin leur reconnaissance pour avoir été aimées par le Christ jusqu'à la croix[2]. Il en est de même pour l'idéal des Amateurs de la Croix proposé à tous les laïcs asiatiques[3] et pour l'institut missionnaire chargé de les évangéliser[4]. C'est donc un renouveau de l'évangélisation de toute l'Asie que Lambert envisage à travers ces structures ecclésiales nouvelles.

À travers la croix du Christ, les chrétiens d'Asie témoigneront que la souffrance peut devenir le révélateur de l'amour qui est le vrai bonheur de l'homme. Je sais que je suis aimé parce que le Christ a souffert et est mort par amour pour moi. Or le Christ me commande d'aimer tous mes frères comme il m'a aimé, et je sais que j'aime parce que j'accepte à mon tour de souffrir pour l'être aimé. Lambert ne doute pas que le plus grand bonheur de l'homme ne soit de se consumer entièrement pour Jésus-Christ. Il ne promet pas le bonheur, il est témoin du bonheur, il l'attribue à la présence du Saint-Esprit qui nous anime quand il a pu prendre toute la place en nous, c'est-à-dire après que nous lui ayons tout abandonné ; c'est alors qu'il met en nous le bonheur de tout accomplir par le mouvement de la grâce :

« Je voyois quayant le bonheur destre une victime offerte et acceptée et destinée pour estre quelque iour, par une miséricorde particuliere du bon Dieu

1. P. LAMBERT DE LA MOTTE, Lettre à Vincent de Meur, AMEP, vol. 121, p. 527-528 ; cf. Guennou, transc., L. n° 29, juin 1663.

2. *Id.*, Lettre à Lesley du 20 octobre 1670, AMEP, vol. 858, p. 189. 191 ; cf. L. n° 123 ; *Abrégé de Relation*, AMEP, vol. 677, p. 209-210 ; cf. § 122.

3. *Id.*, *Abrégé de Relation*, AMEP, vol. 121, p. 637. 657. 759 ; cf. § 15. 83. 87.

4. *Id.*, p. 718 ; cf. § 54.

consommée pour linterest de sa gloire et le salut du prochain quil ne suffisoit pas que ie portasse dans l'interieur un esprit continuel de penitence dactions de graces de demandes nouvelles pour la perfection des peuples, doffrir tous les jours le St sacrifice de la Messe pour eux affin quils connussent et qu'ils aymassent Notre Seigneur Jésus Christ de plus en plus et qu'il luy plust esclairer ceux qui étoient privez de ce seul bonheur mais aussi quil falloit quil parust des effets de cet esprit au dehors et qu'ils servissent dexemples aux hommes »[1].

Notre bonheur véritable vient plus de ce que nous donnons à l'être aimé que de ce qu'il nous donne. C'est l'inverse de ce que les gens croient et qui les empêche d'être heureux ; c'est ce que Lambert exprime à deux laïcs, Monsieur d'Argençon et Madame de Miramion ; il part de la conception générale qui fait de la richesse et de la puissance les éléments du bonheur, et de la convoitise et de l'ambition les moyens d'y parvenir. Il paraît être d'accord sur les éléments du bonheur mais non sur les moyens d'y parvenir, car la clé du bonheur est en Dieu qui propose aux hommes d'y participer avec lui en suivant l'exemple de son Fils par le dépouillement et l'humilité. Pourtant bien peu le suivent. Avec Monsieur d'Argençon, Lambert se laisse aller aux confidences sur le retard qu'il a pris avant de se décider à prendre ce chemin :

> « Cette estroite lieson, dit-il à Mr d'Argençon, ne permet pas de reserve et demande que ie vous face part de mon extreme Joye qui vient de la grace que le bon Dieu ma faite de croire a son St Évangile qui dit ouvertement que qui veut estre son Disciple il faut renoncer atout ce quon possède. Sa bonté a attaché tant de recompense a ce depoullement quelle est inconnüe atout ceux qui nen ont point dexperience. Bien que iay satisfait a ce conseille de mauvaises grace bien tard et avec bien de l'infidelitez ie ne laisse point pourtant de recevoir des faveurs de N. S. qui ne se peuvent expliquer donc ie conclut que celuy qui execute ce conseille avec toutes les conditions requises rencontre des richesses et une felicitez incroyable. Jay parlé plusieurs fois a part moy comment il se pouvoit faire que si peu de personnes suivissent le fils de Dieu dans la maniere la plus parfaite et mon raysonnement estoit de cette sorte : tout le monde veut estre heureux, riche et elevé par dessus les autres or il est certain que qui veut avoir tout cela doit prendre les voye par lesquelles on y arrive infailliblement qui sont celles prescrites par L Evangile et qui ont estez pratiqué par le Sauveur du monde »[2].

À Madame de Miramion, c'est bien le bonheur en ce monde qui est proposé ; comme Lambert le lui écrit. En Dieu la vie comporte bien des attraits, on y vit l'amitié, la richesse et la beauté ; pourtant les hommes ne choisissent pas tous les moyens pour participer à ce bonheur, à cet abîme de grâce :

---

1. *Id.*, Lettre à Vincent de Meur du 7 septembre 1662, AMEP, vol. 116, p. 554. 559 ; cf. L. n° 123.

2. *Id.*, Lettre à Mr d'Argençon de fin mai 1663, AMEP, vol. 121, p. 518-519 ; cf. L. n° 24.

« Ainsy vous voyez que ma pensée est de vivre et de mourir en cette extremité du monde dans un esprit de penitence et d'abandon. Que cette vie a des charmant attraits et quelle est plaine de misericorde, on voit en dieu tous ces amis, on les possedes et avec cela tout les Richesses, toutes les beautez imaginables. Jugera on apres cela un homme malheureux. Je pense souvent comment il est possible que tous les hommes qui desirent naturellement estre heureux ne prenent pas tous les voyes pour acquerir cette felicité [...]. Vous avez Madame par la grace de Dieu, gousté cette verité et dans lUnion que la Divine bonté me donne avec vous trouvez bon que ié vous exorte de vous perdre dans cette abisme de grace de plus en plus puisque cest là ou est tout le bon-heur de la creature en cette vie et en lautre apres cela il ne me reste que de vous demander le secour de vos prieres et des saintes personnes avec lesquelles vous avez lieson spirituelle »[1].

Lambert revient souvent sur cette question du bonheur qui n'est pas exprimable par la parole et n'est connu que de ceux qui l'expérimentent, comme il l'écrit à son ami, l'abbé du Val-Richer. En fait l'artisan du bonheur, c'est le bras de Dieu, celui qui réalise ses projets, l'Esprit Saint ; il déverse en nous des torrents de consolation si nous nous mettons sous sa tutelle :

« Le bon-heur quil y a de se consumer pour J.-C. et le prochain dans les emplois ou nous sommes est si grand que ie ne puis lexprimer cela moblige descrire a mon frere et a quelques-uns de mes particuliers amis de Paris que ie pense estre appelez a ces divines fonctions de venir travailler avec nous. Jespère que la moisson sera grande du surplus ie ny exorte personne parce quil est vray quil y a des moyens extraordinaires de se perdre icy et quil faut une grace toute particuliere pour si conserver la qualité que ie souhaitterois le plus a un missionnaire qui auroit veüe de venir dans ces quartiers seroit quil fut homme de grande oraison ou au moins quil y eut ouverture, ce qui est assé difficile a trouver et ainsy vous voyez que ie suis malaisé a contenter cependant ie puis dire a celuy qui auroit attrait que si ie n'avois goutté les torrens de consolation quon experimente et estre ietté tout a fait entre les bras de dieu et sous sa tutelle sans esperer d'autres appuis que luy ie ne le croirois pas. Il ny a plus qu une chose apres laquelle ie soupire eperdument cest de mourir d'une morte violente pour N.S. J.C. pour la deffence de son St Evangile et pour le salut des peuples qui me sont commis cette grace est la derniere de ses misericordes »[2].

Finalement le bonheur, c'est le mouvement de l'Esprit Saint en nous, c'est la grâce que nous contemplons en nous et dans les autres. En effet pour Lambert le bonheur vient aussi du travail apostolique, c'est la contemplation de l'œuvre merveilleuse du Saint-Esprit qui s'accomplit par le missionnaire, à travers sa faiblesse et ses lacunes et pratiquement à son insu :

---

1. *Id.*, Lettre à Madame de Miramion de juin 1663, AMEP, vol. 121, p. 522 ; cf. L. n° 26.

2. *Id.*, Lettre à Mr l'Abbé du Val-Richer, AMEP, vol. 121, p. 533-534 ; cf. L. n° 34, juin 1663.

« Nous jettons encore les yeux sur dautres Gentils pour les rendre capables de recevoir leur generation spirituelles par les mains de Mgr dHeliopolis et de nos chers missionnaires que nous attendons dans peu de mois icy. Il faut avoüer que la grace et le souvenir de J.-C. dans ces cœurs idolâtres est tout a fait agreables cependant cest tout autre chose d'en estre les spectateurs. Ceux qui voudront savourer le plaisir quil y a en des semblables rencontre prendront la peine de venir en ces quartiers ou ie suis asseuré quayant examiné la maniere comment cela se fait, ils seront obligé de reconnoitre que se sont les plus grand miracles qui se puissent voir. Nous avons cet incomparable bon heur de voir souvent devant nos yeux ces prodiges estant les faibles instruments par lesquels ils soperent, mais nous ressentons la dernière douleur de tenir une place que nous ne pouvons remplir. Ainsi vous voyez la juste apprehention ou nous sommes dans une vocation si divine, ma perte cependant ne mest point si sensible comme est le regret de me voir incapable de bien faire les affaires de Jesus Christ et de la tres Ste Église »[1].

Lambert insiste sur la fausse idée que se font les gens en ne croyant pas au bonheur de ceux qui se donnent à Dieu à cause des sacrifices consentis. Pour Lambert, c'est l'amour qui donne le bonheur et, comme Jésus nous le dit, le plus grand amour c'est de donner sa vie pour ceux qu'on aime :

« Cest pour cela qu'on reçoit une lumière par estat des disposition et des moyens qui nous y peuvent conduire dans l'ordre de nostre vocation comme sont la pauvreté volontaire, l'abbandon a la divine providence le plaisir de se voir meprisé la satisfaction quil y a de vincre la volupté une dépendance continuelle de Dieu en toutes choses une oraison qui n'est point interrompüe bref une consommation de tout soy mesme et de toutes ces operations pour celuy qui est le seul objet de nostre ame. Voila une petite description de nostre estat au moins en desir lequel sil ne paroist pas a tout le monde heureux cest en effet en ce quil nous donne les avantages de renoncer anous mesmes de porter nostre croix et de suivre Jesus Christ en quoy consiste la perfection du christianisme »[2].

Se confiant à son directeur de conscience, le Père Hallé, Lambert lui dit qu'il craint de prendre trop de joie dans sa vocation, Dieu agissant en lui avec tant de suavité que son état est celui de la plus heureuse personne au monde, et il ne voit plus alors comment il peut offrir des sacrifices à Dieu :

« Jattends de vostre charité reponse aux avis que ie vous ay demandé, touchant les dispositions ou jestois pour lors affin que voyant les fautes que jy aurez faites jen demande pardon a Nostre Seigneur celle ou je suis presentement cest une crainte de prendre trop de joye dans ma vocation parce quil est vraye que le bon Dieu agit d'une telle maniere dans toutes les operations qui se font en moy et

1. *Id.*, Lettre à Nicolas Lambert, AMEP, vol. 121, p. 558-559 ; cf. L. n° 56, le 25 novembre 1663.

2. *Id.*, Lettre à l'Archevêque de Rouen, AMEP, vol. 121, p. 515 ; cf. L. n° 22, 10 juillet 1663.

avec tant de suavité que ie ne scais si ie fais la volonté divine ou la mienne et ou est la croix qui doit estre inseparable d'un successeur des Apostres nay-ie pas raison d'avoir ma voye suspecte principalement si jajoute que lallegresse habituelle que ie recois me rend dans mon estat la plus heureuse personne du monde. Je n'ay pourtant pas osé prier pour que Dieu changeat cette disposition parce que ie scavois par experience quil nest pas bon de demander des croix a moins que d'un mouvement tout particulier. Cependant il est difficile a une ame qui en connoist la beauté et la grandeur de ne se croire pas mal-heureux en estant privé dou vient que ie ne pourey pas bien estre satisfait en ce monde quen menant une vie d'hostie souffrante immoléé et consomméé par une mort qui ait de la conformité avec celle du Sauveur des hommes Jay mesme tant de confiance en sa bonté que ce qui me rend ces dispositions dont ie parle principalement agreables cest que ie les envisage comme des preparations a une vie laborieuse et a une mort violente pour son s.t amour »[1].

Lambert écrit encore au Père Hallé qu'après l'abandon de la volonté et des autres facultés intérieures, l'âme se complait au bon plaisir de Dieu qui peut dès lors s'exercer en elle : « Je vous diray qu'il me paroit que le bon Dieu est parfaitement le maitre de notre interieur, et de toutes ses operations. Son procedé est absolu en nous : on ne nous demande plus si nous voulons les choses, mais en meme temps que l'ame voit ou experimente le bon plaisir de Dieu, elle s'y porte non seulement sans reflexion, mais aussi avec une complaisance ineffable »[2].

On trouve en Lambert une jubilation très éloignée de tout dolorisme ou masochisme, car elle ne trouve pas sa source dans la souffrance mais dans la mise à disposition totale de lui-même au plaisir de Dieu, à sa volonté complète, selon la Parole du Christ à l'agonie : « Non pas ma volonté mais ta volonté » (Mt 26, 39 ; Mc 14, 36 ; Lc 22, 42) qui rappelle la réponse du Fiat de Marie : « Je suis la servante du Seigneur, qu'il me soit fait selon ta parole » (Lc 1, 38). L'Évangile de saint Jean insiste sur ce renoncement à sa volonté propre de la part de Jésus, au profit de celle de son Père (Jn 4, 34 ; 5, 30 ; 6, 38-40 ; 7, 16-17) et il invite les serviteurs des Noces de Cana à cette disponibilité : « Faites tout ce qu'il vous dira » (Jn 2, 5).

Pour Lambert, toute souffrance humaine a une limite, celle que le Christ lui donne en la vivant avec nous :

> « Il plaist quelquefois a la bonté de Dieu de reveler a lame dans ces actuelles souffrances les desseins dans cette divine operation et les fruits quil en veut retirer, ce qui iette lame dans des actions de graces et dadoration extraordinaires il arrive aussy assé souvent quil ne decouvre rien a lame sinon quelle scait quelle souffre par son operation et pour lors elle demeure dans une disposition de pure victime dans cet estat elle est gratifié et consolée de Jesus Christ qui luy fait connoistre que sil

1. *Id.*, Lettre au Père Simon Hallé, AMEP, vol. 121, p. 592-593 ; cf. L. n° 89, le 20 janvier 1665.

2. *Id.*, Lettre au Père Simon Hallé du 15 mars 1661, AMEP, vol. 136, p. 71 ; cf. L. n° 2.

nestoit pas impassible il la dégageroit de ces paines et pour recompenses desquelles il luy donne un plus grand degré d'union de son amour bienheureux. Lame est mille fois bienheureuse de celuy qui vit et meurt dans cette estat »[1].

Cette relation entre l'impassibilité de Jésus et notre passibilité évoque aussi la relation entre l'impassibilité du Père dans les cieux et la passibilité de Jésus en ce monde et sur la croix. À la Nativité, Jésus rentre en relation avec l'humanité souffrance qui fait désormais partie de lui-même, de son corps historique et de son Corps mystique dont nous sommes les membres.

Après avoir étudié les trois points de la théologie de Lambert qu'on a distingués pour les associer, il s'agit maintenant de les confronter à l'Écriture et à la Tradition sans les désunir pour autant. Car on ne peut parler d'Incarnation sans l'Esprit Saint qui l'opère et sans son but qui est la Rédemption, de même on ne saurait comprendre la Rédemption en la détachant de l'Incarnation et en oubliant le rôle de l'Esprit Saint.

Les sources de la théologie de Mgr Lambert sur notre participation à la Rédemption

L'analogie de la Vigne chez saint Jean et du Corps chez saint Paul

Lambert s'appuie sur Saint Jean[2] et saint Paul[3] pour parler du Christ agissant en nous par le Saint-Esprit et y poursuivant son œuvre de Sauveur du monde, leurs analogies l'aident à comprendre comment nous sommes unis au Christ et à son Père :

> « Tout chrestien doit croire qu'estant en grace, le St esprit habite en luy pour y continuer les mesmes operations quil faisoit dans linterieur de J. C. qui est une misericorde qu'on ne sçauroit assez estimer que le Sauveur du monde nous a voulu obtenir de son pere peu de jours avant sa mort par loraison quil luy addressa en st Jean, chap. 17 : *omnes unum sint sicut tu pater in me et ego in te, ut et ipsi in nobis unum sint*[4] ; laquelle union se doit particulierement entendre des operations que l'ame, toute abbandonnée a l'esprit de J. C., opere en ce monde et operera continuellement avec luy dans toute l'Eternité »[5].

1. *Id.*, *Abrégé de Relation*, AMEP, vol. 121, p. 730 ; cf. § 65.
2. Mgr Lambert cite Jn 4, 23 ; 7, 38 ; 8, 29 ; 16, 10 ; 17, 21.23.
3. Mgr Lambert cite Rm 1, 4 ; 6, 3-11 ; 8, 26. 38-39 ; 15, 3 ; 1 Co 2, 2 ; 4, 9 ; 2 Co 2, 2 ; 5, 14-15 ; 12, 14 ; Ga 2, 20; 3, 27; Col 1, 24; 2, 12.
4. Jn 17, 21 : « Que tous soient un comme toi, Père, tu es en moi et moi en toi, qu'eux aussi soient en nous ».
5. P. Lambert de la Motte, *Abrégé de Relation*, AMEP, vol. 121, p. 681 ; cf. Guennou, transc., § 34.

Pour saint Jean, le modèle d'unité, c'est la Trinité, où le Fils est dans le Père comme le Père est dans le Fils (Jn 14, 10-11 ; 16, 32). L'amour qui porte à nous sauver par la croix tient autant du Père que du Fils (Jn 3, 16). Jésus veut que nous soyons unis à lui de la même façon qu'il l'est à son Père (Jn 15, 4 ; 17, 11.21-26). Il nous invite à demeurer en lui comme il désire demeurer en nous (Jn 6, 56 ; 15, 4-10). Le Saint-Esprit réalise cette union par le baptême et l'eucharistie (Jn 6, 54-57). Nous devenons alors enfants de Dieu comme Jésus (Jn 1, 12). Deux analogies sont proposées par saint Jean pour nous faire comprendre notre relation au Christ, celle du troupeau suivant son Bon Pasteur (Jn 10, 1-16) et celle des sarments de vigne qui reçoivent la sève du cep de vigne (Jn 15, 1-6). Saint Paul préfère les analogies du Peuple et du Corps. Quant à la continuité de la mission de Jésus, elle est marquée de manière mystique chez saint Jean par le sang et l'eau[1] qui sortent du Corps crucifié de Jésus pour donner vie à son Corps ecclésial[2], scène représentée de manière picturale notamment par le Crucifix de saint François à Assise.

Selon saint Jean, c'est par l'offrande perpétuelle de sa volonté au Père (Jn 4, 34 ; 6, 38) que se réalise en Jésus la mission que le Père lui a confiée en l'envoyant dans le monde, et c'est ainsi que les œuvres du Père se manifestent dans le Fils (Jn 5, 19-21 ; Jn 7, 16-18). Le Père dicte au Fils ce qu'il doit faire et dire (Jn 5, 30 ; 8, 28-29 ; 12, 49-50 ; 14, 10 ; 15, 15 ; 17, 8), il le lui montre. C'est le rôle de l'Esprit de communiquer ce que le Fils reçoit et c'est ce rôle qu'il tiendra auprès de nous (Jn 16, 13-14). De même que le Fils ne peut rien faire sans le Père, nous ne pouvons rien faire sans le Christ (Jn 15, 5). Et le Christ nous envoie comme le Père l'a envoyé (Jn 15, 16 ; 17, 18 ; 20, 21). Voilà pourquoi il nous suffit d'être traités comme lui (Jn 12, 26 ; 13, 16 ; 15, 20). Nous sommes consacrés (Jn 17, 19) comme lui-même a été consacré dans la vérité (Jn 10, 36). Cette consécration dans la vérité, c'est sur la croix qu'il l'a vécue comme il l'a dit à Pilate : « Je rends témoignage à la vérité, c'est pour cela que je suis né et que je suis venu dans le monde. Tous ceux qui sont pour la vérité écoutent ma voix » (Jn 18, 37). C'est la même consécration qui sera la nôtre.

Pour Lambert, tout passe par notre unité avec le Christ sur laquelle saint Paul insiste avec saint Jean comme un préalable à toute vie chrétienne. C'est sur saint Paul (Ga 2, 20 et 2 Co 5, 15) qu'il s'appuie d'abord pour affirmer

1. Jn 19, 34-35, 1 Jn 5, 4-13, ce que nous devons croire, c'est qu'avec le sang de son sacrifice Jésus nous a fait le don de l'Esprit, l'eau qui répand la vie.

2. On a sans doute là de la part de saint Jean une référence à la Genèse (2, 18-24) où l'on voit Dieu tirer Ève du flanc d'Adam qui dort d'un sommeil mystérieux, comparable à la mort ; ici c'est l'Église en tant que nouvelle Ève qui est tirée du Christ, nouvel Adam, pour générer une humanité nouvelle. Le Christ peut dire d'elle : « C'est l'os de mes os, la chair de ma chair, mon Corps », car ils ne forment plus qu'un seul Corps, une seule chair.

que notre mort à nous-mêmes est la condition pour que Jésus opère tout en nous. Cette mort est un dépouillement de tout, y compris de notre volonté et des moyens dont dispose notre être libre, une pauvreté absolue qui nous fait dépendre totalement de Celui à qui nous avons tout donné :

> « La preuve de cela se voit dans l'evangile ou il n'est pas possible d'estre disciple du fils de Dieu si on ne renonce a tout ce quon possede or les grandes richesses de Lhomme ne sont pas les biens exterieurs mais bien les puissances de son ame aux quelles Dieu demande quil renonce affin que s'en estant demis de la proprieté et de la jouissance en faveur de J. C. et par rapport a luy il entre dans cette veritable pauvreté reelle qui faict la premiere et la principalle des beatitudes, *beati pauperes spiritu*, et qui luy donne droit de dire avec l'apostre[1] : *Vivo autem jam non ego vivit vero in me Christus*[2].
>
> « Puisque le dessein que Dieu a eu en mourant pour le salut de tous les hommes a esté pour les obliger de mourir a eux mesmes et de ne vivre qu'a luy, suivant la doctrine du grand apostre aux Corinthiens, ch. 5 *et pro omnibus mortuus est Christus ut qui sibi vivunt iam non sibi vivant sed ei qui pro ipsis mortuus est et resurrexit*[3]. Il est du devoir d'un pasteur particulierement dans une eglise naissante de faire cognoistre cette verité si peu connue aux chrestiens »[4].

Lambert reprend ce dernier texte pour l'introduire dans un ensemble paulinien sur l'unité avec Jésus-Christ que le baptême propose. Dès lors que nous avons tout donné au Christ, y compris ce qui fait de nous un être vivant, le Christ assume seul la responsabilité de nous-mêmes, nous sommes comme accrochés à lui pour vivre, mourir et ressusciter avec lui. C'est le baptême qui exprime et réalise ce passage par notre mort dans le Christ pour ressusciter avec lui, nous engageant à vivre désormais au quotidien en étroite relation avec lui comme si nous ne formions ensemble qu'un seul être :

> « S'il est vray qu'un homme vivant naturellement ou dans la pure raison, ne peut pas estre dit un veritable chrétien que sera-ce d'un missionnaire apostolique, qui ne doit vivre que dans la vie de la foy. Ce raisonnement paroist si clair dans st Paul qu'on ne peut pas aller au contraire lors quil dit aux Rom., chap. 6 ne sçavez vous pas que tous ceux qui sont baptisez en J.-C. ont esté baptisez en sa mort [v. 3] d'ou il tire cette consequence que tous donc sont ensevelis avec luy en sa mort par le baptême, affin que comme le fils de Dieu est resuscité des morts pour la gloire de son pere nous devons aussi mener une vie nouvelle parce

1. Ga 2, 20 : « Ce n'est plus moi qui vis mais le Christ qui vit en moi ».
2. P. Lambert de la Motte, *Abrégé de Relation*, AMEP, vol. 121, p. 648 ; cf. Guennou, transc., § 18.
3. 2 Co 5, 15 : « Il est mort pour tous, afin que les vivants ne vivent plus pour eux-mêmes mais pour celui qui est mort et ressuscité pour eux ».
4. P. Lambert de la Motte, *Abrégé de Relation*, AMEP, vol. 677, p. 209 ; cf. Guennou, transc., § 122 ; AMEP, vol. 663, p. 7 (en latin).

que si nous avons esté une mesme plante avec luy par la conformité de sa mort de mesme serons nous semblables a luy par celle de sa resurrection. Il dit aux Galates, chap. 3, que tous ceux qui ont esté baptisez ont revestu J.-C. [v. 27], aux Colossiens, chap. 2, que nous sommes ensevelis avec luy par le baptesme [v. 12] et dans le chap. suivant, que si nous avons esté ressuscitez avec J.-C. que nous devons chercher les choses surnaturelles et quitter celles de la terre puisqu'il est vray que nous sommes morts et que nostre vie est cachée avec luy [Col 3, 1-3] par toutes ces grandes convictions nous devons croire qu'un fidelle doit estre mort a luy et a toutes choses. Pour ce qui regarde l'autre point de ne vivre qu'en J.-C. le mesme apostre nous le declare ouvertement quand il assure, dans la 2e aux Corinthiens, chap. 5, qu'il n'est mort pour tous les hommes qu'afin que tous ceux qui vivent ne vivent plus a eux mêmes mais a celuy qui est mort et ressuscité pour eux [v. 15]. On en voit encor un exemple plus particulier en luy lors qu'il donne à connoistre a tout le monde que tout son vivre est J.-C. [Ph 1, 21], et aux Galates, chap. 2, il declare qu'il ne vit plus mais que c'est J. C. qui vit en luy [v. 20] dou il infere par une confiance toute consommée de charité, aux Rom., chap. 8, quil est certain que n'y la mort, n'y la vie, n'y les anges, n'y les principautés, n'y les puissances, n'y les choses presentes, n'y les futures, n'y la hauteur, n'y la profondeur ne le pourront separer de cette admirable union [v. 38-39][1].

C'est de saint Paul que Lambert tire la maxime par laquelle il commence sa correspondance et qui est pour lui le résumé de la doctrine paulinienne : « Notre Seigneur Jésus-Christ crucifié soit toujours l'unique objet de nos âmes ! ». C'est vrai pour tous les baptisés et encore davantage pour celui qui, comme saint Paul, doit annoncer le Christ crucifié aux païens, il faut que le missionnaire fasse reposer sur la croix sa foi et sa connaissance du Christ. Cela justifie sa méditation et son oblation quotidiennes aux pieds du crucifix. Citant 1 Co 2, 2, Lambert écrit dans son *Abrégé de Relation* :

« Par cette grande maxime quil est impossible destre un bon missionnaire apostolique sans estre une victime souffrante par estat il fera toute son estude de cette sublime doctrine qui seule suffit a un veritable disciple de Nostre Seigneur qui ne doit sçavoir a lexemple de St Paul que Jesus Christ Crucifié, *nihil scio nisi Iesum et hunc crucifixum*[2] »[3].

Lambert reprend la même citation dans une lettre à M. Duplessis :

« Nous nous fortiffions tous les jours mes deux tres chers confreres et moy dans la ferme resolution que nous avons prise de ne nous departir iamais des Reigles de l'Evangile dans lequel est comprise toute la veritable sagesse et hors

1. *Id.*, vol. 121, p. 652-653 ; cf. § 20.

2. 1 Co 2, 2 : « Je n'ai rien voulu savoir parmi vous, sinon Jésus-Christ et Jésus-Christ crucifié ».

3. P. Lambert de la Motte, *Abrégé de Relation*, AMEP, vol. 121, p. 728-729 ; cf. Guennou, transc., § 65.

duquel tout nest qu'une haute folie Croit-on estre plus sage que la Sagesse Incréée pense-on que les moyens qu'on prend puissent-estre meilleur que ceux que le fils de Dieu a tenus et en fin peut-on simaginer sçavoir plus que st Paul qui ne sçait rien que Jésus Christ crucifié »[1].

Lambert a choisi la sagesse de la croix qui est scandale pour les juifs et folie pour les païens, il prend le contrepied de ceux qui pensent que le langage de la croix est inapproprié en Asie, voué à l'échec. Selon lui, si les missionnaires ont à poursuivre le travail de saint Paul pour évangéliser les païens, il leur faut suivre en tous points son exemple comme s'ils revivaient aux premiers temps du christianisme :

> « Je considere souvent dans mes pettittes meditations que nous sommes dans nos missions au premier siecle du christianisme, je fais reflection quelle estoit la pureté de vie de ceux de ce temps la dans la naissance de leglise, je regarde que nous tenons sans contredit la place des Apostres et des disciples de J.-C. »[2]

Pour Lambert c'est en s'appuyant sur saint Paul qu'il faut nous tirer toutes les conséquences de notre unité avec le Christ. Certes il n'y a qu'un Christ et pourtant nous sommes Christ en lui[3], certes il n'y a qu'un Fils de Dieu et pourtant nous sommes fils de Dieu, divinisés en lui ; certes il n'y a qu'un Médiateur entre Dieu et les hommes et pourtant nous le sommes en lui ; certes il n'y a qu'un seul Sauveur et pourtant nous sommes des Sauveurs en lui[4].

Saint Paul utilise un vocabulaire particulier pour exprimer cette unité avec le Christ. Ce sont des verbes forgés avec le préfixe grec « *sun* » qui se rend par « *cum* » en latin et « con » en français avec le sens de « avec », « ensemble »[5]. Paul peut dire ainsi littéralement : « Je suis con-crucifié

1. *Id.*, Lettre du 6 mars 1663 à Mr Duplessis, AMEP, vol. 121, p. 507-508 ; cf. texte autographe, vol. 861, p. 1.3 ; cf. L. n° 16.

2. *Id.*, Lettre du 21 janvier 1669 à Mgr Pallu, AMEP, vol. 858, p. 151 ; cf. L. n° 117 ; voir aussi Lettre à Jacques de Bourges, AMEP, vol. 121, p. 564 ; cf. L. n° 63.

3. Il n'y a qu'un seul à être crucifié pour le salut du monde (1 Co 1, 13) mais nous sommes crucifiés en lui, il n'y a qu'un seul homme à être ressuscité mais nous sommes déjà ressuscités en lui.

4. Edouard COTHENET (« Le message de l'épître aux hébreux », *Cahiers Évangile*, n° 19, Paris, Cerf, 1977, p. 56) s'appuie sur Albert VANHOYE (« Sacerdoce commun et sacerdoce ministériel », dans *Nouvelle Revue Théologique*, 1975, p. 193-207) pour dire : « Jésus est le seul médiateur, le seul "grand prêtre", le seul à posséder le sacerdoce. En lui, désormais, tous les baptisés participent de son sacerdoce, c'est-à-dire qu'en lui, tous peuvent s'offrir à Dieu, faire de leur vie quotidienne une offrande, la vivre dans la reconnaissance que cette vie est le plus beau cadeau que Dieu leur fait pour le service de leurs frères (He 13, 15-16) ».

5. Emile MERSCH, *Le Corps mystique du Christ*, *Études de théologie historique*, t. 1, Première et deuxième parties, *Doctrine de l'Écriture et de la Tradition grecque*, Louvain, Museum Lessianum, 1933, p. 131-135 : La liste de ces verbes est dans F. PRAT, *La théologie de saint Paul*, Paris, Beauchesne, 1961, t. II, p. 22. Avec Karl Barth, les protestants sont très soup-

au Christ » (Rm 6, 6 ; Ga 2, 19) ce qui veut dire qu'il est crucifié avec le Christ autant que le Christ est crucifié avec lui. Car ces verbes expriment une étroite solidarité, une unité, notamment dans tout ce qui concerne le mystère pascal, les souffrances, la mort, l'ensevelissement, la résurrection et la glorification du Christ. Ainsi morts 'avec' le Christ, ensevelis 'avec' lui, ressuscités 'avec' lui, nous sommes aussi vivifiés 'avec' lui, exaltés 'avec' lui pour être assis 'avec' lui à la droite du Père[1].

Les Pères de l'Église de langue grecque utilisent aussi le préfixe « *sun* » pour exprimer notre unité avec le Christ. Pour saint Athanase (295-373) comme il n'y a pas de déperdition de la divinité dans l'Incarnation, il n'y a pas de déperdition de notre humanité dans notre divinisation, il y a mutuelle participation : « Le Verbe a pris notre corps » de sorte que nous sommes « concorporels à Jésus »[2]. De la même manière saint Grégoire de Nysse (335-395) exprime le désir de vivre en intense communion avec le Christ : « Sois « crucifié-avec » le Christ, sois « mis à mort-avec » lui, sois « enseveli-avec » lui afin de « ressusciter-avec » lui, d'être « glorifié-avec » lui, et de « régner-avec » lui »[3]. Ce « avec le Christ », c'est aussi un « en Christ » : tout ce que le Christ fait, il le fait avec son Corps qui est l'Église, tout ce que l'Église fait doit être fait avec le Christ et dans le Christ.

Chaque analogie paulinienne rend compte d'un aspect particulier du lien qui unit le Christ et le chrétien, le Christ et l'Église. En tant que Messie, Fils de David, le Christ est le bon Pasteur (Ép 1, 10) et l'Église est son troupeau, il est le Chef d'un Peuple (Ép 5, 23 ; He 13, 20 ; 2 P 2, 25 ; Jn 10, 11 ; 1 P 5, 2-4) invité à lui obéir[4]. Pour saint Paul, le Christ n'appartient pas au

---

çonneux vis-à-vis de l'interprétation que les catholiques donnent des termes construits en « co », l'usage de ces termes pouvant véhiculer l'idée d'une collaboration sinon à égalité, du moins du même ordre, notamment quand ils sont employés pour la Vierge Marie (Groupe des Dombes, « Marie dans le dessein de Dieu », p. 430).

1. Emile Mersch signale que ces verbes sont utilisés le plus fréquemment par groupes : « La pensée qu'expriment ces verbes est une des grandes pensées de la doctrine paulinienne du corps mystique. Ils signifient que les actions et les souffrances du Christ se prolongent et s'achèvent dans les actions des chrétiens et qu'elles y trouvent aussi leur totalité et leur plérôme » (E. Mersch, *Le Corps mystique du Christ,* t. 1, p. 134).

2. Louis Bouyer, *l'Incarnation et l'Église-Corps du Christ dans la théologie de saint Athanase*, coll. « Unam Sanctam », n° 11, Paris, Cerf, 1943, p. 99 et note 1 ; cf. E. Mersch, *Le Corps mystique du Christ,* t. 1, p. 428 : Pour saint Cyrille d'Alexandrie : « En devenant participants de l'Esprit, nous sommes unis au Sauveur de tous et les uns aux autres. Nous devenons aussi concorporels ».

3. Saint Grégoire de Nysse, *Oratio* 38, 18, cité par E. Mersch, *Ibid.*, p. 372.

4. Cf. Maurice Vidal, *Cette Église que je cherche à comprendre*, Éditions de l'Atelier-Éditions Ouvrières, 2009, p. 152-154. Alors qu'Israël était choisi parmi tous les peuples pour être le peuple de Dieu, il n'en est pas de même pour l'Église. L'Église n'est pas peuple avant que le Christ en fasse son Peuple. Elle est rassemblée en peuple en vue du Royaume de Dieu dont le Christ est véritablement le roi comme il l'annonce à Pilate. Cf. aussi Maurice

seul Peuple d'Israël qui l'attend depuis des siècles ; il est le nouvel Adam (1 Co 15, 4-5), l'Homme Nouveau (Ép 2, 15; 4, 24), l'archétype de cette humanité nouvelle, le modèle à imiter pour réaliser le dessein de Dieu sur l'humanité. Dans ce type d'analogie, l'Église est le lieu de formation de cette humanité nouvelle recevant l'adoption divine par identification avec le Fils de Dieu.

Saint Paul utilise l'analogie du Corps pour exprimer notre unité avec le Christ et entre nous au sein de chaque communauté chrétienne (l'Église locale). Pour cela, il a pu se rappeler l'apologue des membres et de l'estomac[1]. Cette fable servit d'argument à Menenius Agrippa Lanatus en 494 avant l'ère chrétienne pour mettre un terme à une révolte qui aurait pu dégénérer en guerre civile à Rome. Elle raconte que les membres du corps voyant l'estomac oisif décidèrent de ne plus le servir mais ce sont eux qui tombèrent alors en langueur et ils comprirent que l'estomac leur redistribuait ce qu'il recevait d'eux. Ainsi en était-il du sénat et du peuple romain qui ne pouvaient subsister qu'en restant unis. Dans ce Corps, la tête est considérée comme un des membres du corps même si elle en assure la fonction dirigeante ; ainsi, comme le dit saint Paul, elle ne peut dire aux pieds : « Je n'ai pas besoin de vous » (1 Co 12, 21).

Chez saint Paul, il y a deux analogies du Corps, une première où la Tête n'est qu'une partie du corps et dont le Christ est l'âme, et une seconde où la Tête, le Christ, est l'organe dirigeant (Ép 1, 22-23; 2, 16; 3, 6; 4, 4.12.16; 5, 23.30; Col 1, 18.24; 2, 19; 3, 15), analogie qui semble ainsi insister davantage sur la distinction du Christ et de l'Église[2].

Par ailleurs ce n'est plus l'Église locale qui s'assemble en un Corps sous la mouvance de l'Esprit du Christ, c'est l'Église universelle qui reçoit alors du Christ son unité de façon plus autoritaire. Cette théologie de l'Église est contenue dans 1 Co 10, 17 à propos de l'eucharistie qui est pour saint Paul

---

Vidal, *l'Église, peuple de Dieu dans l'histoire des hommes*, coll. « Croire et Comprendre », Le Centurion, 1975, p. 79-83.

1. Werner Goossens, *l'Église, Corps du Christ, d'après saint Paul, étude de théologie biblique*, Gabalda, 1949, p. 81, citant Tite-Live, *Histoire romaine*, Livre II, 32 ; Dion Cassius, *Histoire romaine*, Livre IV, Frag.

2. Emile Mersch (*Le Corps mystique du Christ*, t. 1, p. 128-130) montre cette évolution de saint Paul entre, d'une part, la conception, dans les grandes Épîtres, d'un corps dont le Christ est le « moi » intérieur, l'âme, le principe vital et, d'autre part, la conception, dans les Épîtres christologiques de la captivité, d'un Christ-Tête supérieur aux membres, un Christ dont Paul veut souligner la transcendance pour affirmer sa divinité. Mersch donne les raisons de cette évolution : « Au temps des premières épîtres, il ne s'agissait que de l'Église : les judaïsants la rabaissaient devant le judaïsme, et il fallait montrer qu'elle a en elle une vie divine, qu'elle est un corps animé par le Christ. Maintenant l'attaque s'est déplacée : des rêveurs s'en prennent au Christ et à sa divinité. C'est donc la divinité du Christ que Paul mettra en évidence ; il soulignera la supériorité qui met la tête au-dessus du corps, sans l'en séparer néanmoins ».

le signe de l'unité universelle de l'Église : « La multitude que nous sommes est un seul corps, car nous avons tous part à un seul pain ». Cela apparaît pourtant à certains comme une nouveauté dans les Épîtres aux Éphésiens et aux Colossiens, et leur fait dire que ces Épîtres ne sont pas de saint Paul. La participation des membres de l'Église aux souffrances rédemptrices du Christ est pour les mêmes exégètes une confirmation du caractère pseudépigraphique de ces Épîtres[1].

C'est dans 2 Co 4, 10-12 qu'on trouve l'extension à tous les baptisés de la participation au mystère pascal : « Nous portons partout et toujours en notre corps les souffrances de mort de Jésus, pour que la vie de Jésus soit, elle aussi, manifestée dans notre corps. Quoique vivants en effet, nous sommes continuellement livrés à la mort à cause de Jésus, pour que la vie de Jésus soit, elle aussi, manifestée dans notre chair mortelle. Ainsi donc, la mort fait son œuvre en nous, et la vie en vous ». Il ne s'agit pas là d'une vocation particulière : nous avons tous à obtenir le salut de nos frères, les hommes, par notre union à l'unique sacrifice, celui du Christ mort pour que nous ayons la vie.

D'autres textes confirment cette vue, comme 1 Co 11, 1 : « Devenez mes imitateurs comme je le suis moi-même du Christ » ou encore en Ph 2, 5 : « Ayez en vous les sentiments qui sont dans le Christ Jésus ». Ces sentiments nous sont connus par la suite du texte, ce sont ceux qui l'ont poussé à se livrer pour nous, en s'anéantissant lui-même et en prenant la condition d'esclave, en s'humiliant plus encore, obéissant jusqu'à la mort et à la mort sur une croix. En Ép 5, 2, c'est au sacerdoce du Christ que nous devons participer : « Suivez la voie de l'amour, à l'exemple du Christ qui nous a aimés et s'est livré lui-même pour nous, s'offrant à Dieu en sacrifice d'agréable odeur ». Ce dernier thème sera repris par l'auteur de l'Épître aux Hébreux à partir du 2e oracle du psaume 109 (110) sur le sacerdoce du roi Melchisédech.

Pour l'Épître aux Colossiens qui nous intéresse ici, elle ne peut être l'œuvre de quelqu'un qui se ferait passer pour saint Paul, un pseudépigraphe, car dans le texte, saint Paul ne cache pas qu'elle n'est pas de lui. Comment pourrait-elle l'être alors qu'il est enchaîné au fond de sa prison ? C'est ce qu'il dit dans le dernier verset (Col 4, 8) : « Voici le salut de ma main, à moi,

---

1. D'un côté, on accepte que Col 1, 24 comporte cet aspect de participation à la Rédemption et alors on ne le juge pas de la main de saint Paul (Roselyne DUPONT-ROC, « Saint Paul : une théologie de l'Église ? », *Cahiers Évangile*, n° 147, avril 2009), d'un autre côté on accepte que l'Épître soit de la main de saint Paul mais on interprète différement Col 1, 24 en distinguant une souffrance du Christ occasionnée par l'évangélisation et une souffrance du Christ occasionnée par la Rédemption, nous ne pourrions participer qu'à la première (*Saint Paul, Épître aux Colossiens*, introduction, traduction et commentaire de Jean-Noël ALETTI, S.J. Paris, Gabalda, 1993, p. 133-137). On a fait souvent reposer cette différence sur la 4e homélie sur l'Épître aux Colossiens de saint Jean Chrysostome, 2e partie, qu'on traitera plus loin.

Paul, Souvenez-vous de mes chaînes ! La grâce soit avec vous ! ». On a cru que Paul disait cela parce qu'il avait dicté la lettre, mais le vocabulaire et le style ne sont pas de saint Paul comme on l'a démontré. Andreas Dettwiler note en effet que l'Épître aux Colossiens contient 34 *hapax* (ou *hapax legomena*), mots qu'on ne trouve qu'à un endroit du Nouveau Testament, et 10 termes qu'on ne retrouve que dans l'Épître aux Éphésiens tandis que beaucoup d'expressions caractéristiques du style paulinien sont absentes de l'Épître aux Colossiens[1].

La pseudépigraphie est une forme littéraire qui consiste à se placer sous le patronage d'un auteur connu en écrivant sous son nom comme le deuxième et le troisième Isaïe dans l'Ancien Testament et l'Épître aux Hébreux dans le Nouveau Testament ; mais dans le cas de Col 4, 8, s'il s'agissait d'un pseudépigraphe il aurait fait un faux en écriture avec une intention particulière de tromper le lecteur. En effet, en 2 Th 3, 17, Paul dit même : « Ce salut est de ma main, à moi Paul. C'est le signe qui distingue toutes mes lettres. Voici quelle est mon écriture ». De fausses lettres de Paul devaient circuler, il est prudent dès la 1re Épître aux Corinthiens qu'il termine en disant : « La salutation est de ma main, à moi, Paul » (1 Co 16, 21).

Ce que Paul veut authentifier dans le dernier verset, ce n'est pas la forme littéraire mais la théologie de la lettre. Or l'Épître aux Colossiens traite de la primauté du Christ sur la création, sur le monde angélique et sur l'Église, en soulignant qu'avec l'Église le rapport de domination s'accompagne d'une union mystique. En tant que membre de l'Église, Paul est devenu membre du Christ, indissociablement uni à lui. La joie de Paul est celle de proclamer la bonne nouvelle du salut mais c'est aussi de révéler le mystère de notre unité en Christ. Dans son apostolat, en effet, Paul souffre pour le Christ et le Christ souffre en lui, cela ne rend pas les souffrances de l'apostolat différentes des souffrances rédemptrices, bien au contraire, car toutes sont rassemblées dans un unique sacrifice dont nous sommes les grands prêtres avec le Christ et en lui.

L'analogie du corps rend compte aussi du rapport du Christ historique avec le Christ total, son achèvement, son plérôme. Le Corps du Christ dont on parle n'est pas réduit à l'aspect institutionnel et temporel de l'Église à un moment donné, il représente tous ceux que le Christ rattache à lui par la grâce, à un temps ou à un autre de l'Histoire[2].

---

1. Andreas DETTWILER, « L'Épître aux Colossiens », in *Introduction au Nouveau Testament, son histoire, son écriture, sa théologie,* sous la direction de Daniel Marguerat, « Le Monde de la Bible », n° 41, Labor et Fides, 2008, p. 290.

2. THOMAS d'AQUIN, *Somme Théologique*, IIIa, qu. 8, art. 3, rép. : « Le corps de l'Église est en effet constitué par les hommes qui vécurent depuis le commencement du monde et qui vivront jusqu'à sa fin », traduction de Jean-Pierre TORRELL (*Jésus le Christ chez St Thomas d'Aquin*, Paris, Cerf, 2002, p. 145).

En prenant l'analogie du Corps du Christ pour parler de l'Église, saint Paul met volontairement en relation l'Église avec un autre Corps du Christ, celui de l'eucharistie (1 Co 11, 24. 29)[1]. En incorporant le Christ en nous par l'eucharistie, nous réalisons ensemble l'Église, Corps du Christ. En associant ainsi l'Église et l'Eucharistie, Paul suggère que le Christ nous est présent aussi corporellement dans l'une et dans l'autre. On voit bien comment le jeu des analogies permet à saint Paul de rendre compte d'aspects différents du mystère du Christ[2]. L'unité de la Tête et du Corps n'introduit pas le sacrifice de la Tête pour son Corps qui serait incompréhensible tandis que dans l'analogie des Époux qui ne forme qu'un seul corps dans la Genèse (Gn 2, 24 ; Mt 19, 4-6), l'Époux peut donner sa vie pour son Épouse (Ép 5, 23-32).

L'analogie de la Tête et du Corps qui apparaît chez Paul dans les Épîtres de la captivité est une christianisation d'un modèle politique et religieux. Sur le plan politique, l'analogie ne reflète plus la société républicaine comme dans l'apologue de Menenius Agrippa Lanatus, elle reflète maintenant l'empire romain dont la tête est l'empereur. Sur le plan philosophique et religieux, c'est la vision stoïcienne dans laquelle Dieu est la tête d'un corps qui est le Cosmos. Pour saint Paul, c'est le Christ qui a l'Église pour corps, un corps qui est sur la terre et qui a les dimensions du monde. Le Christ a alors des dimensions cosmiques comme le présente l'hymne aux Colossiens (Col 1, 15-20)[3]. Le Christ est alors une tête qui gouverne et dirige ses membres par le moyen d'un influx nerveux, l'Esprit Saint.

---

1. Maurice Vidal rappelle que l'analogie du Corps a été choisie par saint Paul pour exprimer le caractère extérieur, visible, de la présence du Christ. Dans l'usage latin antérieur au XIIe siècle, le mot « mystique » voulait dire « sacramentel », et le corps mystique, c'était le corps du Christ dans l'eucharistie. Mais plus tard pour désigner l'Église on ajouta au Corps le mot « mystique » avec le sens de « mystérieux, intérieur » ; on a alors voulu plutôt parler de l'âme de l'Église (cf. M. VIDAL, *l'Église, peuple de Dieu,* p. 88). Saint Paul ne parle jamais de « Corps mystique ».

2. Dans la Constitution *Lumen Gentium* du Concile Vatican II, il y a au n° 6 l'inventaire des analogies sur l'Église comme le bercail, le champ, la vigne, l'édifice de Dieu, le Temple, la tente de Dieu, sa maison familiale, la Cité sainte, la Jérusalem nouvelle. Au n° 7 on traite du Corps du Christ, de son Épouse (cf. M. VIDAL, *l'Église, peuple de Dieu,* p. 89) : « L'analogie selon laquelle l'Église est appelée Corps du Christ, n'est pas la seule. Elle risque d'induire en erreur, si elle n'est pas contrôlée et limitée par d'autres analogies, bibliques et traditionnelles ».

3. A. DETTWILER, « L'Épître aux Colossiens », chapitre 16, p. 297 : « La métaphore ecclésiologique centrale de Col est celle du "corps" avec le Christ en tant que "tête" (1, 18 ; 2, 19 ; cf. 1, 24 ; 3, 15). Il est évident que la conception colossienne de l'Église découle directement de la christologie cosmologique de Col (voir l'hymne au Christ 1, 15-20). Quelle est la relation entre l'Église et le Cosmos ? Le Christ est Seigneur de tout le cosmos (1, 15-20 ; 2, 10), mais c'est l'Église seule qui, à proprement parler, constitue son corps. Car l'Église est cet espace dans le monde qui reconnaît la primauté du Christ sur tous les éléments de l'univers ».

Dans les Épîtres de la captivité, on trouve les deux analogies du Corps, l'analogie cosmique et l'analogie corporelle, saint Paul évoque la mission que le Christ achève en son Église par l'emploi de verbes singuliers qui « disent ce que le Christ fait en tant qu'il est chef d'un corps, ou ce que les fidèles font, en tant que membres de ce corps »[1] et les deux à la fois.

La modification de l'analogie du Corps dans les Épîtres aux Colossiens et aux Éphésiens a été pour certains exégètes un des signes militant contre l'authenticité paulinienne de ces Épîtres, mais si saint Paul souligne d'abord l'unité de chaque communauté auxquelles il écrit, il s'efforce de maintenir l'unité universelle des fidèles entre eux et avec le Christ ; il ne cesse de nous faire comprendre que le Christ vit en nous et veut nous faire vivre en lui, c'est en ce sens qu'en se solidarisant totalement avec nous en s'incarnant, il ne saurait accomplir la mission du Père dans le mystère pascal sans nous permettre de nous y faire participer étroitement. Dans le Christ, il y a une seule foi, un seul baptême, un seul Dieu et Père. Comme nous avons un seul Seigneur, un seul Esprit, nous n'avons qu'une seule Église, l'unique Corps du Christ, communauté dans laquelle nous partageons tout avec le Christ, sa divinité autant que son humanité, sa gloire unique autant que son sacrifice unique, offert pour la gloire de son Père et le salut du monde.

Emile Mersch souligne que, pour saint Paul, tout se passe pour nous dans l'Esprit autant que dans le Christ[2], notre incorporation dans le Christ est liée à notre possession de l'Esprit comme à notre soumission à l'Esprit[3]. Saint Paul met en parallèle l'Esprit et le Corps[4]. Dans l'analogie paulinienne, l'Esprit anime le Corps, en assure l'unité, lui communique la sainteté et la vie divine. Il y a un seul Corps et un seul Esprit (Ép 4, 3-4), un seul Corps parce qu'il y a un seul Esprit[5]. Yves Congar écrit : « L'Esprit est

1. E. Mersch, *Le Corps mystique du Christ,* t. 1, p. 131-132.

2. Formule très fréquente : 1 Th 1, 1 ; 2, 14 ; 3, 8 ; 4, 1.14-16 ; 5, 12.18 ; 2 Th 1, 1 ; 3, 12 ; 1 Co 1, 4-5 ; 15, 18 ; 2 Co 5, 17 ; Ga 3, 26-28 ; 5, 6 ; Rm 3, 24, etc. Pour saint Paul toute médiation entre Dieu et les hommes ne peut se situer que « dans le Christ », lieu d'échange, d'interaction, dont l'analogie du Corps permet de rendre compte.

3. E. Mersch, *Le Corps mystique du Christ,* t. 1, p. 106 ; l'auteur n'approfondit pas le sujet.

4. « Il n'y a qu'un Corps et qu'un Esprit » (Ép 4, 4) comme il met en parallèle l'Esprit et le Seigneur : « il y a diversité des dons spirituels, mais c'est le même Esprit ; il y a diversité des ministères, mais c'est le même Seigneur » (1 Co 12, 4-5). Paul appuie sur le seul Esprit (1 Co 12, 8-11) comme il appuie sur le seul Seigneur (1 Co 8, 6 ; Ép 4, 5).

5. W. Goossens, *l'Église, Corps du Christ,* p. 47-50. Saint Paul parle parfois d'Esprit quand il s'agit de la Grâce, et ailleurs il lui donne une personnalité jointe au Père et au Fils. Cette incertitude se reporte sur le rôle exact de l'Esprit. La fonction de l'Esprit Saint est-elle d'être présent en nous en tant que personne, ou d'être un don dont nous disposons ? Avec Suarez, Mgr Lambert choisira la présence d'une personne.

le principe réalisateur du mystère chrétien qui est le mystère du Fils de Dieu fait homme faisant naître les hommes en fils de Dieu »[1].

Lambert puise dans saint Paul les références de sa théologie, notamment celle de Col 1, 24 où la Tradition a vu la participation de l'Église aux souffrances rédemptrices du Christ. Notre propos n'est pas ici de mettre en compétition les exégètes pour savoir quelle est la pensée de saint Paul quand il écrivait ce verset. La théologie est garante de notre foi, elle n'est pas l'exégèse qui, comme toute démarche scientifique, nous invite légitimement à douter de tout pour progresser dans la connaissance. Or Lambert se situe en théologien et non en exégète, en examinant en particulier un verset de la lettre que saint Paul adressait aux chrétiens de la ville de Colosses (aujourd'hui en Turquie).

L'analogie du Corps du Christ ne fait pas partie du vocabulaire de Lambert, mais sa vision théologique rejoint ce que saint Paul met dans son analogie du Corps à la fois pour comprendre notre relation au Christ et pour comprendre le rôle de l'Église en ce monde. Le succès de l'analogie du Corps est peut-être la cause de son absence chez Lambert, car en son temps « Corps du Christ » n'avait plus guère de contenu théologique, mais seulement un sens littéraire pour désigner l'Église. Pour Lambert comme pour sainte Jeanne d'Arc qui le proclamait à ses juges : « le Christ et l'Église, c'est tout un ».

La théologie paulinienne sur laquelle Lambert s'appuie s'exprime dans le verset 24 du premier chapitre de l'Épître aux Colossiens et il en fait comme le cœur théologique de sa pensée. On notera que Lambert ne cite pas en entier Col 1, 24, il s'arrête avant la mention de l'analogie du Corps du Christ, cependant, dans l'esprit de Lambert, ce sont nos corps souffrants de baptisés que nous avons à offrir au Christ glorieux pour qu'il continue de souffrir et de sauver le monde par notre intermédiaire selon ce qu'il a dit à Paul sur le chemin de Damas : « C'est moi Jésus que tu persécutes » (Ac 9, 5).

Pour Lambert, il y a donc plus qu'une analogie dans notre rapport au Christ par le corps ; certes le Christ ressuscité est désormais revêtu de son corps de gloire, mais en mettant à la disposition du Christ toutes nos facultés humaines nous lui donnons la possibilité d'agir corporellement et de souffrir en nous et par nous comme il agissait et souffrait durant sa vie terrestre ; il nous revêt de lui-même pour qu'il puisse continuer d'agir sur la terre en conformité avec l'objectif que le Père lui a fixé en l'envoyant parmi nous, c'est-à-dire le salut du monde.

On pourrait penser que pour Lambert, l'action directe de Jésus en nous, possible si nous lui remettons intelligence, mémoire et volonté, rend inutile

---

1. Yves Congar, *Je crois en l'Esprit Saint*, t. II : *Il est Seigneur et Il donne la vie*, Paris, Cerf, 1983, p. 93.

la médiation de l'Église, notamment par les sacrements. Mais, si l'aspect physique est certes important pour Lambert dans cette relation au Corps du Christ, le rôle de l'Église n'est pas absent. La part de chacun s'inscrit à sa mesure dans l'objectif du salut du monde auquel le Christ a voulu associer l'Église ; si chacun peut participer au salut des âmes en s'offrant pour sauver quelques-uns de ses frères, il ne le peut qu'en s'associant au sacrifice de toute l'Église au sein du mystère pascal qui concerne le salut de tous. C'est là une vue que l'Église hérite du peuple d'Israël qui voyait dans le Serviteur souffrant annoncé par le prophète Isaïe à la fois quelqu'un de précis qui surviendrait dans l'Histoire et la personnalité corporative du Peuple lui-même qui par son sacrifice se transformerait en communauté rédemptrice pour les générations à venir.

L'Église, à la suite de la tradition d'interprétation du Peuple d'Israël dont elle hérite, n'hésite pas à voir le Christ dans le Serviteur Souffrant qu'annonce le prophète Isaïe, mais l'Église n'oublie pas de nous associer au sacrifice rédempteur.

Le Serviteur Souffrant et le sens plénier des Écritures

L'Église se laisse porter par l'Esprit Saint vers le sens plénier des Écritures[1], comme les prophètes avaient conduit Israël à le faire durant des siècles. Un des meilleurs exemples de cette tradition vivante et toujours plus spiritualisée, qui a formé l'esprit de saint Paul et l'a conduit à inspirer le passage de Col 1, 24, c'est bien la tradition du Serviteur Souffrant d'Isaïe.

La Bible est parcourue par le thème du Juste persécuté depuis Abel tué par son frère, Isaac sacrifié par son père, Jacob combattu par l'Ange du Seigneur qui lui démet la hanche, Joseph vendu par ses frères. Après la déportation à Babylone attribuée aux péchés d'Israël, c'est l'histoire dramatique du Peuple de Dieu qu'il fallait expliquer avec l'espoir d'une libération, d'une rédemption. Le juif espère qu'un jour les enfants n'auront plus à souffrir des péchés de leurs parents comme le disent les prophètes Jérémie (31, 29-30) et Ézéchiel (18, 2-4). Avec le développement des thèmes de la sagesse, il s'est agi de concilier la souffrance et la mort des justes avec les promesses de Dieu. Le livre de Job est consacré entièrement à cette question, il a de grandes correspondances avec le texte d'Isaïe[2]. Le Serviteur

1. On parle aujourd'hui de sens littéral, de sens spirituel et de sens plénier des Écritures (commission biblique pontificale en 1993). Le sens spirituel vient dans le judaïsme quand la lecture devient écoute de Dieu qui parle à son Peuple Israël. Le sens plénier apparaît quand le Christ accomplit les Écritures.

2. Bernard Gosse, « La descendance du juste souffrant dans les livres de Job et d'Isaïe », in de Gruyter, *Zeitschrift für die alttestamentliche wissenschaft*, Berlin, vol. 125, n° 4, 2013 ; il note

souffrant ne concerne plus tout le peuple mais en son sein le groupe des justes qui subissent la peine des coupables[1].

Le Serviteur Souffrant d'Isaïe aborde une autre raison, la participation au salut des pécheurs. Certes c'est Dieu le seul Rédempteur d'Israël (Is 48, 17 ; 49, 7 ; 54, 58), son libérateur et Sauveur, mais il y a aussi parmi les serviteurs de Dieu un homme capable de prendre sur lui le péché pour délivrer ses frères du châtiment (Is 53) il se nomme Jacob ou Israël ou plutôt (Is 49, 3) comme Dieu l'appelle : « Mon Serviteur Israël »[2], c'est-à-dire la figure représentative du Peuple de Dieu tel que Dieu l'a souhaité, de Sion, la Jérusalem sur laquelle la paix devait couler comme un fleuve (Is 66, 12). Comme le bouc émissaire du Lévitique (16, 20-22), le Serviteur s'est chargé du péché d'Israël et il est chassé mais ce n'est plus le bouc : c'est l'Agneau de Dieu qui porte le péché (Is 53, 7) comme un nouvel Isaac sacrifié.

Le messianisme naît de l'attente d'une résurrection du Royaume de David qui a disparu, livré à ses ennemis. David retrouvera une postérité, un Messie (un Oint) qui recevra l'Onction royale pour accomplir cette œuvre de salut. Mais le Messie est pour Isaïe celui qui triomphe des ennemis et qui sauve alors que celui qui meurt et ressuscite, c'est le Peuple d'Israël. On voit alors comment la théologie du Corps du Christ va permettre d'associer les deux images tirées d'Isaïe, celle du Messie vainqueur de la mort et celle du peuple d'Israël s'offrant pour le salut de la multitude.

Pour célébrer la messianité du Christ, l'hymne aux Philippiens (2, 4-10) s'inspire du Serviteur Souffrant d'Isaïe exalté par Dieu d'autant plus qu'il a

---

l'emploi commun du mot « postérité » qu'on ne trouve nulle part ailleurs dans la Bible. Pour Isaïe (65, 22) le bonheur consiste à manger ce qu'on a semé, et pour Job (31, 8) le malheur consiste à ce qu'un autre mange ce qu'on a semé, précisément parce qu'on n'a plus de postérité. Finalement le Serviteur d'Isaïe (53, 10) et Job (42, 13-17) verront leur postérité mais, alors que pour Job cette postérité ne peut être que charnelle, le livre d'Isaïe (65, 23) prévoit pour le juste une postérité de serviteurs qui pourrait alors être une postérité spirituelle sous des cieux nouveaux et sur une terre nouvelle.

1. Pierre Grelot, *Les poèmes du Serviteur de la lecture critique à l'herméneutique*, Lectio Divina, n° 103, Paris, Cerf, 1981, p. 109-111. À partir de la LXX le Serviteur souffrant est assimilé à l'élite morale d'Israël (p. 81 note 61). Le Serviteur, c'est en effet Israël (Jacob) en Is 41, 8 ; 44, 1-2.21 ; 45, 4 ; 48, 1.12.20 ; 49, 3.5-6, c'est aussi Jérusalem, Sion (51, 3.16-17 ; 52, 1-2.8-9). On ne conçoit plus qu'un Peuple tout entier puisse être considéré comme juste, on doit donc limiter le Serviteur souffrant aux membres justes du peuple d'Israël. C'est ce que pense le grand maître juif français de Troyes, Rachi (1040-1105) qui affirme pourtant que la souffrance d'Israël rachète les péchés de toute l'humanité afin qu'advienne la paix universelle (Chantal Defelix, « Lectures juives » (Targum d'Is 52, 13 – 53, 12), in *Le Serviteur Souffrant*, Supplément aux *Cahiers Évangile* n° 97, Paris, Cerf, 1996, p. 56-60).

2. « Il m'a dit : Tu es mon serviteur, Israël, toi en qui je me glorifierai » (Is 49, 3) ; cf. Thomas Kowalski, *Les oracles du serviteur souffrant et leur interprétation*, in *Cahiers de l'École Cathédrale*, n° 49, Paris, Parole et Silence, 2003, p. 20, note 2, « ici la notion de « personnalité corporative » est indispensable pour comprendre comment le serviteur est Israël lui-même ».

été méprisé par les hommes. C'est plus tard, à partir du quatrième siècle de l'ère chrétienne, qu'apparaît dans le judaïsme rabbinique un Messie souffrant, mais on peut se demander si ce n'est pas plutôt une génération juive qui sera ointe du Saint-Esprit pour tenir ce rôle de Messie[1].

Sur le chemin de Damas, c'est par une intervention divine que saint Paul apprend qu'il persécute en une seule action Jésus-Christ et l'Église. En son temps, l'interprétation du sacrifice d'Isaac par le Targum de Gn 22, 1-19 était passée de l'offrande de son fils par Abraham à un sacrifice dans lequel Isaac silencieux offre sa vie en « holocauste »[2]. Par la suite le Targum d'Is 52, 13 – 53, 12 subira l'influence chrétienne à rebours en rejetant toute interprétation messianique du Serviteur souffrant[3].

Dans Isaïe, ce n'est pas comme dans Jérémie, l'annonce de la Parole de Dieu qui cause la souffrance du Serviteur (Jr 20, 7-18 ; 26 ; 37-40), c'est bien le rachat des pécheurs comme dans l'intercession d'Abraham. Dans la Genèse, l'épisode du châtiment de Sodome nous apprend que si Dieu y avait trouvé dix justes, ces justes sans avoir rien à dire, y sauvaient par leur existence les autres habitants qui avaient pourtant suscité la colère de Dieu et méritaient largement leur châtiment (Gn 18, 22-33). Le Peuple d'Israël a la même fonction que ces dix justes qui auraient pu sauver le monde païen, mais c'est une fonction consciemment assurée et exprimée par la prière. En rendant grâce au Créateur au nom de la Création, Israël sauve le monde.

Isaïe met dans la bouche des multitudes ces paroles à propos d'un Serviteur Souffrant : « Ce sont nos souffrances qu'il portait et nos douleurs dont il était chargé. Et nous, nous le considérions comme puni, frappé par Dieu et humilié. Mais lui, il a été transpercé à cause de nos crimes, écrasé à cause de nos fautes. Le châtiment qui nous rend la paix est sur lui, et dans ses

---

1. Jean-Joseph Brière-Narbonne, *Le Messie souffrant dans la littérature rabbinique*, Paris, Librairie orientaliste, Paul Geuthner, 1940. À propos de la génération du Messie, il cite (p. 28) le Midrasch Tehillim et (p. 33-34) le Pesiqta Rabbati du IXe siècle où il est écrit (p. 36) : « Ses ennemis et les princes des royaumes viennent alors et veulent empêcher que la génération du Messie soit constituée. Dieu leur dit : Comment ! Vous voulez empêcher l'existence d'une aussi désirable et aimable génération, qui m'est une joie, un plaisir et un soutien, et en qui je me complais (Is 42, 1). Jean-Joseph Brière-Narbonne conclut son travail en 1940 en écrivant : « Pour certains rabbins modernes de l'école libérale, on peut considérer le Messie comme le peuple d'Israël lui-même, qui a souffert, mais qui un jour doit dominer les nations spirituellement, sinon matériellement, c'est ce qu'on appelle le messianisme collectif » (p. 134).

2. T. Kowalski, *Les oracles du serviteur souffrant,* p. 82-86 : « Il est possible que l'assimilation d'Isaac au Serviteur soit attestée dès le IIe av. J.-C. En effet, dans la LXX Isaac est appelé « serviteur » (cf. Dn 3, 35). C'est aussi la tradition de l'Agneau de Dieu (Is 53, 7 ; Jr 11, 19), explicitée dans le Targum de Gn 22, 1-19 par la Ligature (Aqédah) d'Isaac et par les mentions : « l'agneau préparé » et « l'agneau, c'est toi » en référence à la Pâque juive (l'agneau pascal).

3. C. Defelix, « Lectures juives », p. 28-33.

blessures nous trouvons la guérison. Tous, comme des moutons, nous étions errants, chacun suivant son propre chemin, et le Seigneur a fait retomber sur lui nos fautes à tous… » (Is 53, 4-6). Qui est celui qui offre ainsi sa vie « en sacrifice expiatoire » (Is 53, 10) pour justifier les multitudes en s'accablant lui-même de leurs fautes ? Qui est celui qui s'est livré lui-même à la mort en portant le péché des multitudes et en intercédant pour les criminels ?[1]

Ce que les chrétiens ont le plus retenu du sacrifice du Serviteur Souffrant, c'est l'intentionalité de son sacrifice, c'est pour sauver la multitude qu'il se sacrifie. Dans l'institution de l'eucharistie le « pour la multitude » de saint Marc (Mc 14, 24) et saint Matthieu (Mt 26, 28) devient « pour vous » avec saint Luc[2]. Bernard Sesboüé en rapprochant le logion de la rançon[3] des paroles de l'institution de l'eucharistie[4] constate :

> « Dans les deux cas, il s'agit pour Jésus de donner sa vie pour la multitude. Ce qui était alors qualifié de service le demeure donc en cet instant solennel. L'indicatif du ministère public et de la passion est le même. De même que toute la vie et la prédication de Jésus ont été un service du salut des hommes, de même le « travail » de sa passion et de sa mort seront l'accomplissement ultime du même service. L''exister-pour' de la vie de Jésus sera récapitulé dans un 'mourir-pour'. Le sens est le même d'un côté et de l'autre, même si la passion a une puissance absolue de révélation. Ce service est à la fois le service du Père dans l'obéissance amoureuse à la mission reçue, et le service des frères que Jésus veut sauver »[5].

À l'époque du Christ, les lecteurs juifs d'Isaïe se posaient donc la question : « De qui le prophète dit-il cela ? De lui-même ou de quelqu'un d'autre ? » comme l'Éthiopien des Actes des Apôtres la posait au diacre Philippe (Ac 8, 34). Cette question faisait partie de la première forme d'évangélisation, celle de l'accomplissement des Écritures par Jésus. Jésus est la figure d'Israël et de Sion qui sert son Seigneur jusqu'à l'humiliation et le sacrifice.

Si Jésus accomplit les Écritures comme il le prétend dans les Évangiles, ce n'est pas dans le sens que leur donnaient leurs auteurs mais dans leur sens plénier. Or le risque de l'exégèse scientifique moderne en s'efforçant de

1. Is 53 « L'identification du Serviteur souffrant à Israël, ou tout au moins aux justes d'Israël, est un trait constant de l'exégèse juive, de la Septante et du livre de Daniel au Targoum (d'une façon assez chaotique) et aux interprètes médiévaux et modernes, sauf de rares exceptions » (P. GRELOT, *Les poèmes du Serviteur*, p. 235).

2. Lc 22, 20 : "Cette coupe est la nouvelle Alliance en mon sang versé pour vous" ; B. SESBOÜÉ, *Jésus-Christ l'unique médiateur*, t. 2, p. 214.

3. Mt 20, 28 : "Le Fils de l'homme est venu non pour être servi mais pour servir et donner sa vie en rançon pour la multitude".

4. Mt 26, 27-28 : "Ceci est mon sang, le sang de l'Alliance, versé pour la multitude, pour le pardon des péchés".

5. B. SESBOÜÉ, *Jésus-Christ l'unique médiateur, essai sur la rédemption et le salut*, t. 2, *les récits du salut*, coll. « Jésus et Jésus-Christ », n° 51, Desclée, Paris, 1991, p. 193.

donner aux textes leur sens originel, c'est de s'affronter au sens plénier et de jeter un doute sur l'accomplissement par Jésus des prophéties messianiques de l'Ancien Testament auxquelles il est alors donné un sens plénier souvent assez éloigné du sens originel.

Le sens plénier ne concerne pas seulement l'Ancien Testament mais aussi le Nouveau, et on peut considérer que les dogmes mariaux (Marie en tant que Mère de Dieu et Mère de l'Église, Assomption, Immaculée Conception) sont les fruits de la recherche constante du sens plénier des Écritures. La Parole à écouter est la Parole inspirée par l'Esprit Saint à celui qui l'a écrite (sens originel) et commentée par l'Esprit Saint à l'Église qui la reçoit et la transmet (sens plénier). Le rejet de ce sens plénier par les exégètes modernes équivaudrait à remettre en question tout le Credo.

Pour adhérer au sens plénier des Écritures, les premières générations chrétiennes s'appuyaient sur le travail des générations précédant le Christ, notamment celui des traducteurs des livres de la Bible hébraïque en grec, les auteurs alexandrins de la Septante, œuvre considérée toujours par l'Église comme inspirée et dont sont tirées toutes les citations bibliques du Nouveau Testament, écrit lui-même en grec[1]. La Septante n'a pas peur de parler de « vierge » (*parthenos*, cf. Mt 1, 23) là où l'hébreu d'Isaïe parle de « jeune femme » (Is 7, 14), comprenant que cela convenait mieux au caractère de signe que devait avoir la naissance de « l'Emmanuel ». La justification du sens plénier est théologique, les pensées de Dieu ne sont pas les pensées des hommes, elles les dépassent énormément (Is 55, 8-9).

Avec l'auteur de l'Épître aux Hébreux, l'accomplissement des Écritures ne se limite pas à l'interprétation des textes mais concerne des figures du passé, des héros de l'histoire juive et des institutions comme la fonction du grand prêtre officiant dans le Temple de Jérusalem, fonction en laquelle on est en droit de voir une préfiguration du sacerdoce du Christ, accomplissant une fois pour toutes le sacrifice d'expiation en tant que sacrificateur et qu'unique victime. Pour l'auteur, l'Ancien Testament est la figure du Nouveau Testament et nous permet de le comprendre.

Quand l'auteur de l'Épître aux Hébreux demande à ses lecteurs de suivre l'exemple du Christ, il leur dit : « Vous n'avez pas encore résisté jusqu'au sang dans la lutte contre le péché » (He 12, 4), considérant la vie du Christ dans son ensemble comme un combat contre le péché achevé dans le martyre de la croix[2]. L'auteur invite à une mort à soi-même par laquelle les racines d'orgueil

---

1. Pour la LXX (Septante, traduction grecque de la Bible du IIIe-IIe siècle av. J.-C.), la communauté (qahal en hébreu) se traduit par Ecclesia, Église ; cela facilitera ensuite l'attribution chrétienne de ces textes.

2. B. Sesboüé, *Jésus-Christ, l'unique Médiateur*, t. I, p. 323, écrit : "La lutte contre le péché passe aussi par la souffrance. C'est ici que prennent place l'ascèse et certaines mortifications, voire macération, attestées par la tradition spirituelle".

et d'égoïsme sont arrachées, là est le vrai martyre. Aux yeux du Christ, la sainteté n'est pas autre chose que d'accomplir humblement la volonté de Dieu sans rechercher une image héroïque de soi-même telle qu'une ambition même spirituelle conduirait à l'imaginer. Mais c'est là où se situe le vrai combat, le sang répandu pour le Christ, c'est là que résiste le plus la nature humaine corrompue. Lambert est dans cette perspective en écrivant :

> « On ne doit pas simaginer que se soit seulement l'ors quil est question de souffrir le martyre quil faut que nostre amour soit victorieux, mais cest aussy dans tous les sujets de Combats qui nous sont presentez soit de la part du monde, du diable, de la chair ou de Dieu mesme parce que souvent il y a plus d'amour de Dieu a mourir a une Inclination qu'a endurer le martyre pour la Confession du saint Evangile »[1].

Sans doute cette réflexion vient de l'expérience, car Lambert pensait bien à son départ en mission devenir martyr de la main des païens et verser son sang pour fonder par lui l'Église en Asie à la suite de Jésus crucifié. Il précise ici le sens de la croix du Christ qui n'est pas célébration de la souffrance mais triomphe de l'amour sur le mal et condamnation de Satan. Nous devenons chrétiens en rejetant Satan et en choisissant de vaincre le mal en nous et hors de nous, par l'amour et au prix de la croix. Pour Lambert, la mission de Jésus se continue au-delà du Calvaire en ce qu'il peut continuer en nous sa « vie voyagère et souffrante »[2] où se mêle étroitement les tribulations de l'apostolat et la démarche sacrificielle qui le conduit à la croix.

Pour Lambert comme pour l'auteur de l'Épître aux Hébreux, c'est la communion entre Dieu et les hommes que le Christ est venu restaurer, c'est pourquoi il est pris parmi les hommes (He 5, 1), accrédité par Dieu comme grand prêtre sans appartenir au sacerdoce lévitique (He 7, 11), à l'image de Melchisédech dont on ne connaissait pas l'ascendance (He 7, 3). C'est ainsi qu'il est devenu par son sacrifice l'aîné d'une multitude de frères (Rm 8, 29) dont il s'est montré compatissant (He 2, 17 ; 4, 15), nous ouvrant ainsi le chemin du sanctuaire céleste. Et si le Christ est mort pour tous, c'est que déjà nous sommes tous morts en lui (2 Co 5, 14), morts et déjà ressuscités. Comme le chantaient les premiers chrétiens, si c'est avec lui que nous mourrons, c'est avec lui que nous vivrons et que nous régnerons (2 Tm 2, 11-12). Mourir avec le Christ, c'est partager sa mission de salut sur la croix pour partager sa gloire et ressusciter avec lui.

Albert Vanhoye écrit : « Le sacrifice du Christ est un acte d'assimilation complète à ses frères (He 2, 17), acte qui fonde une nouvelle solidarité, plus

1. P. Lambert de la Motte, *Abrégé de Relation* : Effets du pur amour dans l'âme d'un véritable missionnaire apostolique, AMEP, vol. 121, p. 676-677 ; cf. Guennou, transc., § 32.
2. *Id.*, p. 759 ; cf. § 88.

étroite que jamais, entre lui et eux (He 5, 9). Le Christ est un prêtre qui inclut le peuple dans sa propre consécration (He 10, 14) »[1]. C'est au nom de la même solidarité qui lui a fait partager notre détresse, qu'il nous permet aujourd'hui de partager sa mission de Sauveur du monde et de nous unir à son sacrifice. Il nous le permet en nous intégrant à son propre corps. La solidarité qu'il nous propose de vivre avec lui n'est pas seulement de prolonger dans l'espace et le temps les tribulations de son apostolat, mais de participer réellement au salut du monde par notre sacrifice uni au sien sur la croix, comme chaque eucharistie nous le rappelle. Cette participation correspond à la parole de Jésus en Jn 14, 12 : « Celui qui croit en moi, les œuvres que moi je fais, lui aussi les fera ».

Lambert rentre dans la conception de l'Épître aux Hébreux concernant le sacerdoce du Christ. Il ne voit dans sa mission qu'un seul acte sacerdotal qui fut celui de Jésus dès son entrée dans le monde pour faire la volonté de son Père jusqu'à Gethsémani et la croix[2]. À la suite de Jésus, il ne sépare donc pas les souffrances de l'apostolat des souffrances rédemptrices.

En Col 1, 24, c'est à Paul de trouver sa joie dans ses souffrances « pour » les Colossiens. Ces souffrances Paul les supporte dans sa condition mortelle, sa chair, pour qu'elles bénéficient au Corps du Christ, l'Église, corps appelé à la résurrection et à la gloire. Ce « pour vous »[3] de Col 1, 24 impose un lien très fort avec le mystère pascal, saint Paul met lui-même en pratique ce qu'il a demandé aux Éphésiens, c'est-à-dire de : « marcher dans l'amour comme le Christ nous a aimés et s'est livré lui-même pour nous ». Dans « se livrer » il y a aussi une allusion très nette à la Passion. En suivant Lambert

1. Albert Vanhoye, « Le message de l'Épître aux Hébreux », *Cahiers Évangile*, n° 19, Paris, Cerf, 1977, p. 54. 55-57 et « Sacerdoce commun et sacerdoce ministériel », in *Nouvelle Revue Théologique*, 1975, p. 193-207.

2. Lambert écrit dans les *Monita* : « Étant venu au monde pour souffrir, le Sauveur a dû par un miracle empêcher les qualités de son âme, déjà en possession de la vision béatifique, de rejaillir sur son corps. Bien plus, brûlant du désir de notre Rédemption, il s'offrit pour nous dès ce premier instant, en victime à son Père éternel et voulut dès sa naissance goûter toute l'amertume du calice de sa Passion » (F. Pallu et P. Lambert de la Motte, *Monita*, p. 90).

3. B. Sesboüé, *Jésus-Christ l'unique médiateur*, t. I, p. 115-121. Des occurrences de "pour nous", "pour nos péchés" et "pour notre salut", avec différentes prépositions grecques (*hyper, peri, anti, dia*), c'est *Hyper* la plus fréquente, elle a une triple signification : à cause de nous, en notre faveur, à notre place. B. Sesboüé (*Ibid.*, p. 322) commente Col 1, 24 : « Paul revit en effet ce que le Christ a vécu : l'accomplissement de son ministère et la justice de son existence provoquent la contradiction et le conduisent, à travers une vie de souffrances et de faiblesses, à une mort semblable à celle du Christ. La tradition spirituelle lui fait écho. Saint Ignace propose par exemple à son retraitant de suivre le Christ dans la peine pour le suivre aussi dans la gloire » (n° 95 des *Exercices Spirituels*). B. Sesboüé (*Ibid.*, p. 372) ajoute que le fameux "pour nous" de l'Écriture prend aussi le sens de "en tête de".

et sa théologie de la mission continue de Jésus, c'est dans l'Église qu'il y a à compléter, c'est pour l'Église[1] qu'il y a à souffrir[2].

En Col 1, 24 il y a, littérairement parlant, une correspondance entre les souffrances de Paul pour les Colossiens et le complément donné par lui aux tribulations[3] du Christ pour l'Église. Mais cette correspondance est

---

1. L'exégèse catholique repose sur le sens de « pour vous » (*hyper* ou *huper humôn*). L'exégète protestant Daniel FURTER (*Les épîtres de Paul aux Colossiens et à Philémon*, Édifac, 1988, p. 116) écrit à propos de Col 1, 24 : « L'exégèse de notre verset montre que Paul ne se réjouit pas de ses tribulations, mais de leur utilité pour le bien de l'Église, et des Colossiens en particulier. Le pour vous, *huper humôn*, donne toute sa signification à la phrase ». Il ne peut pourtant pas suivre l'exégèse catholique de C. Spicq. Aletti s'appuie sur 1 Co 1, 13 (« Paul a-t-il été crucifié pour vous ? ») quand il écrit : « La souffrance de l'Apôtre est 'pour l'Église'. Le *hyper humôn* n'est pas sans rappeler tous les passages où il est dit que le Christ a souffert, est mort « pour nous ». Mais l'Apôtre n'entend pas dire qu'il ajoute quelque chose à l'œuvre médiatrice et salvifique du Christ, puisque toute la lettre rappelle aux Colossiens qu'il n'y a qu'un seul médiateur et qu'ils sont déjà comblés en lui, mais il souffre pour le bien de l'Église, pour sa solidité, sa constance, sa croissance dans la connaissance des trésors déployés par Dieu en son Fils : tout ce qu'il fait et subit « pour elle », car elle est le corps de son Seigneur, et il en est le ministre (*diakonos*). Ce n'est donc pas par masochisme que Paul se réjouit de souffrir, mais parce que ce qu'il endure profite à l'Église, et que les tribulations sont un nécessaire combat pour que tous les Gentils (tout homme) puisse entendre l'Évangile, y croire et devenir parfaits en Christ » (J.-N. ALETTI, *Saint Paul, Épître aux Colossiens*, p. 136). La plupart des 44 emplois de la préposition rédemptrice « pour » (*hyper* ou *huper*) se comprennent par rapport à Is 53, voir Hugues COUSIN, « La préposition rédemptrice « pour » » in *Le Serviteur Souffrant* (Isaïe 53), Supplément aux *Cahiers Évangile* n° 97, Paris, Cerf, 1996, p. 24-25 ; P. GRELOT, *Les poèmes du Serviteur de la lecture critique à l'herméneutique*, p. 146-150.

2. La Bible en français du chanoine Crampon (mort en 1894), traduit Col 1, 24 par « Maintenant je suis plein de joie dans mes souffrances pour vous, et ce qui manque aux souffrances du Christ en ma propre chair, je l'achève pour son corps qui est l'Église ». Une note précise la compréhension théologique du texte, il est dit que les souffrances de l'Église et de chacun de ses membres sont les souffrances du Christ comme le Christ le dit à Paul quand il l'interpelle sur le chemin de Damas : « Je suis Jésus que tu persécutes » (Ac 9, 5). De son côté Jean-Noël Aletti traduit par « Je trouve ma joie dans mes souffrances pour vous et je mène à terme ce qui manque aux tribulations du Christ en ma chair pour son corps qui est l'Église » (J.-N. ALETTI, *Saint Paul, Épître aux Colossiens*, p. 133-137, et « Lettres pauliniennes et théologie du Nouveau Testament », in *Recherches de Sciences Religieuses*, avril-juin 2011, tome 99/2, p. 268-269). Comme on le voit cette traduction d'Aletti n'est vraiment pas éloignée de celle du chanoine A. Crampon mais Aletti ne comprend pas le passage de la même façon que Crampon. Pour Aletti, Paul considère que, s'il vit encore, c'est qu'il lui reste bien des choses à supporter pour imiter les souffrances du Christ. Aletti part du caractère unique et achevé des souffrances rédemptrices du Christ dans l'œuvre de saint Paul pour évacuer toute contribution de notre part. Nos souffrances n'ont alors qu'une valeur d'imitation de celles que le Christ a endurées pour l'annonce de l'Évangile. C'est comme cela qu'Aletti interprète Col 1, 24. Il enlève ainsi, pense-t-il, un argument à ceux qui ne reconnaissent pas le caractère paulinien de l'Épître aux Colossiens et en font un pseudépigraphe.

3. À la différence de la traduction de Crampon qui pourtant suit dans l'ensemble l'ordre des mots grecs, on ne peut pas parler des souffrances du Christ mais des tribulations du Christ. Il lui aurait fallu dire : « ce qui manque aux tribulations du Christ en ma propre chair,

partielle, les Colossiens ne forment qu'une partie seulement du Corps du Christ et il n'y a pas d'allusion au mystère pascal aussi complète que dans Rm 8, 17-18 et 2 Co 4, 10-12 où notre participation à la mort et à la résurrection du Christ est clairement évoquée.

Bernard Sesboüé rappelle qu'on ne doit pas voir en l'Église une source de salut :

> Le salut, « elle le reçoit ; son agir n'y ajoute rien : elle y coopère seulement sur le fondement de sa foi et de sa réponse au don absolu de Dieu ; elle n'est pas médiatrice en elle-même : elle est mise au service de l'unique médiation du Christ, en tant qu'elle la rend instrumentalité présente en vertu du commandement qu'elle a reçu. Ce service de la médiation a son sommet dans la célébration de l'eucharistie, mémorial qui re-présente ici et maintenant l'unique événement du salut et auquel des "multitudes" sont invitées à communier »[1].

Si Paul souffre « pour » les Colossiens comme le Serviteur Souffrant souffre pour son peuple Israël, l'unique source du salut reste le Christ mais c'est en cette unique source que Paul se place. En l'unique Sauveur du monde se place la part du salut des âmes qui nous est accordée, et en cette part se trouve aussi notre salut. Ce que le Christ nous propose ce n'est pas simplement d'accueillir notre salut mais d'y participer activement en tant que membres de l'Église, elle-même médiatrice de grâces par le Christ et en lui. Cette participation active, c'est la Mission continue de Jésus en nous par laquelle nous sommes tous sauvés et sauveurs en lui.

La Tradition patristique d'interprétation de Col 1, 24

C. Spicq rappelle que c'est à partir de Col 1, 24 que l'Église a défini le dogme de la communion des saints :

> « Ne savez-vous pas que vos corps sont les membres du Christ ? » (1 Co 6, 15). Les tribulations du Sauveur ont à se propager en quelque sorte à travers chaque fidèle pour atteindre d'autres âmes. Le moyen privilégié de cette transmission est la souffrance individuelle de chaque chrétien. Toute épreuve, envisagée et acceptée en union avec le Christ, achève la rédemption, la prolonge en quelque sorte dans tous les temps et tous les lieux. C'est comme si le Christ était à nouveau crucifié en faveur de telle époque et de tel pays[2] ».

---

je l'achève pour son corps qui est l'Église ». Ici le mot semble plus indiquer des causes que des effets, il s'agit de ce qu'a subi le Christ, les mauvais traitements, les tourments et donc les tribulations, mot que beaucoup d'exégètes ont choisi mais qui ne change pas radicalement le sens de la phrase, car la croix est l'ultime tourment que le Christ a subi.

1. B. Sesboüé, *Jésus-Christ, l'unique Médiateur*, t. I, p. 376.
2. C. Spicq, « L'Église du Christ » in *Cahiers Théologiques de l'Actualité Protestante*, Hors série, n° 4, Delachaux et Niestlé, Neuchâtel-Paris, 1944, p. 204-205.

Parmi les vérités à croire, la place de la communion des saints dans le Symbole des Apôtres n'est pas neutre. Absente du texte de la Tradition de saint Hippolyte (vers 217) elle a été introduite, sans doute en Provence (sud de la France) au ve siècle, après la mention de l'Église et avant celle de la rémission des péchés[1] ; elle concerne alors non seulement le Christ mais aussi l'Église ; sa mention dans le Symbole des Apôtres s'est propagée dans toute l'Europe dans les siècles qui suivirent[2].

Dans sa compréhension de Col 1, 24, Lambert est l'héritier de la Tradition de l'Église, de ses Pères, de ses Docteurs et de ses théologiens qui ont lu ce texte et l'ont interprété sans le réduire au seul désir de Paul d'imiter Jésus dans sa vie de souffrance[3].

Clément d'Alexandrie (iiie siècle) dans les *Stromates* VII (ch. 2, 9)[4], décrit la chaîne des sauvés et Sauveurs qui semble avoir inspiré le Pseudo Denys :

1. C'est Fauste, ancien moine de Lérins et évêque de Riez en Haute Provence (sud de la France), mort vers 495, qui cite le texte du symbole des Apôtres dans son traité *De l'Esprit Saint* (*De Spiritu Sancto*), livre I, chap. 2, PL 62, 9-40, et mentionne pour la première fois la communion des saints entre la sainte Église et la rémission des péchés, sans préciser quand et où la mention nouvelle avait été introduite (Fr. VALENTIN et M. BRETON, *La communion des saints, histoire, dogme, piété*, Bloud et Gay, Paris 1934, p. 38-39). C'est au ixe siècle que l'expression « la communion des saints » sera généralisée dans tout l'Occident chrétien. Elle demeurera étrangère à l'Église d'Orient de langue grecque (Pierre-Yves ÉMERY, *L'unité des croyants au ciel et sur la terre, la communion des saints et son expression dans la prière de l'Église*, Presses de Taizé, 1962, p. 9).

2. Il semble avoir été adopté à Rome sous le pontificat de Nicolas Ier (858-867). Voir Emilien LAMIRANDE, *La Communion des Saints*, coll. « Je sais-Je crois », n° 26, Paris, Fayard, 1962, p. 14. Au Concile de Florence en 1438, on a débattu de l'origine de la mention de la communion des saints (p. 12) quand l'Église grecque d'Orient retrouva très provisoirement son unité avec l'Église latine d'Occident en signant la même profession de foi.

3. Edouard COTHENET dans les *Cahiers Évangile*, n° 82, *Les épîtres aux Colossiens et aux Éphésiens*, Paris, Cerf, 1992, p. 23, voit en Col 1, 24 une suite de 2 Co 1, 5 : « De même en effet que les souffrances du Christ abondent pour nous, ainsi par le Christ, abonde aussi notre consolation ». Ces souffrances sont selon Cothenet les "Tribulations du Messie", c'est-à-dire celles du peuple de Dieu annoncées pour la fin des temps par les diverses Apocalypses des Écritures juives et chrétiennes et saint Paul pense qu'il verra lui-même leur achèvement avec la venue en gloire du Christ, c'est l'origine de sa consolation. Ce point de vue est celui de Calvin et des tenants de l'exégèse allemande (Norbert HUGEDÉ, *l'Épître aux Colossiens*, Labor et Fides, Genève, 1968, p. 85, note 286 et p. 87, note 296). Pour l'exégèse protestante les souffrances de Jésus-Christ sont celles de son corps, l'Église (D. FURTER, *Les épîtres de Paul aux Colossiens et à Philémon*, p. 117).

4. CLÉMENT d'ALEXANDRIE, *Les Stromates*, *Stromate VII*, introduction, texte critique, traduction et notes par Alain Le Boulluec, « Sources Chrétiennes », n° 428, Paris, Cerf, 1997, p. 59-61. En 1943, dans l'encyclique *Mystici Corporis*, Pie XII s'appuie sur ce texte pour écrire : « Dans cette œuvre de salut il nous est donné de collaborer avec le Christ en qui et par qui seul nous sommes à la fois sauvés et Sauveurs ».

> « Tous les êtres regardent vers le premier gouverneur de l'univers qui, par la volonté du Père, dirige le salut de tous, les rangs différents étant subordonnés les uns aux autres, et cela jusqu'à ce qu'on parvienne au grand-prêtre. D'un seul principe supérieur en effet, qui agit selon la volonté (du Père), dépendent les premières réalités, les secondes et les troisièmes ; ensuite, à la limite supérieure du visible se trouve la bienheureuse position des anges, et jusqu'à nous-mêmes les êtres sont rangés les uns au-dessous des autres, à la fois sauvés et Sauveurs à l'initiative et par l'intermédiaire d'un seul ».

Saint Jean Chrysostome (340-407) paraphrase Col 1, 24 dans une de ses homélies : « Maintenant, je me complais dans les maux que je souffre pour vous, et j'accomplis dans ma chair ce qui reste à souffrir à Jésus-Christ, en souffrant moi-même pour son corps qui est l'Église ». Il déclare :

> « Voyez comme ce verset se rattache bien au précédent. Il semble s'en détacher; mais il a avec lui une liaison intime. J'ai été établi ministre de l'Évangile, dit-il, c'est-à-dire, je viens à vous non pour vous apporter quelque chose de moi, mais pour vous annoncer ce qui émane d'un autre. Je crois donc que je souffre en son lieu et place, et, tandis que je souffre, je me complais dans mes souffrances, les yeux brillants d'espoir et fixés sur l'avenir; et ce n'est pas pour moi, c'est pour vous que je souffre. Et "j'accomplis dans ma chair ce qui reste à souffrir à Jésus-Christ". Ce langage paraît ambitieux et pourtant il n'a rien d'arrogant, à Dieu ne plaise ! Il est plutôt empreint d'un ardent amour pour le Christ. Ses souffrances, dit-il, ne sont pas les siennes ; ce sont les souffrances du Christ. Il cherche, en parlant ainsi, à se concilier ses auditeurs. Ce que je souffre, dit-il, c'est pour lui que je le souffre : c'est donc lui et non pas moi qu'il faut remercier ; car c'est lui qui souffre. C'est comme si un homme envoyé auprès d'un autre priait un tiers d'y aller à sa place, et comme si ce dernier disait : C'est pour un tel que j'agis. Saint Paul ne rougit donc pas d'appeler ses souffrances les souffrances du Christ. Car le Christ est mort pour nous, et même après sa mort, il s'est montré prêt à supporter pour nous les afflictions. L'apôtre s'efforce de démontrer que c'est le Christ qui maintenant encore affronte le péril, dans l'intérêt de son Église, et il fait allusion à cette vérité, en disant : Ce n'est pas nous qui vous ramenons; c'est lui qui vous ramène, bien que ce soit nous qui agissions. Car ce n'est pas à notre œuvre, c'est à la sienne que nous avons mis la main »[1].

Saint Jean Chrysostome ne parle pas ici de deux types de souffrance mais d'une seule, celle que le Christ supporte en lui pour continuer la mission reçue du Père dans son Corps qui est l'Église. Pour saint Paul en tant que serviteur de l'Évangile, ses souffrances deviennent rédemptrices par le Christ qui les vit en lui. C'est par les souffrances de Paul que le Christ ramène les hommes à Dieu et opère son ministère de réconciliation.

---

1. Saint Jean CHRYSOSTOME, *Homélies sur les épîtres de saint Paul*, t. 3, Paris, F.-X. de Guibert, 2009, 4e homélie sur l'Épître aux Colossiens de saint Jean Chrysostome, 2e partie, p. 159-160.

À la suite de saint Paul, cette union mystique est pour saint Jean Chrysostome la clé de compréhension du mystère pascal. Désormais il n'y a pas de différence entre les souffrances rédemptrices de la croix et celles que les chrétiens subissent au titre de l'apostolat, c'est le même Christ qui vit en eux les secondes comme il a vécu les premières, avec le même objectif de salut du monde. Comment d'ailleurs séparer la Rédemption de l'apostolat ? C'est l'Esprit Saint qui opère tout en tous et rassemble en un unique sacrifice ce qui sert à la gloire de Dieu et au salut des âmes.

Lambert n'est pas éloigné de cette compréhension. S'il y a prolongement de l'humanité du Christ dans le corps des membres de l'Église, il peut y avoir aussi chez eux un prolongement de ce que le Christ a vécu sur la terre. L'intéressant chez Lambert, c'est que les membres peuvent donner quelque chose à la tête ; ainsi Lambert propose son corps passible au Christ ressuscité devenu impassible pour permettre à celui-ci d'y poursuivre l'œuvre de rédemption que le Père lui a confiée en l'envoyant dans le monde[1].

Le zèle de saint Paul pour le salut du monde est tel qu'il se verrait condamné par le Christ s'il ne s'y consacrait pas par l'évangélisation[2]: « Malheur à moi si je n'évangélisais pas » (1 Co 9, 16) et son zèle va plus loin encore avec la question du salut des juifs: « J'éprouve une grande tristesse et une douleur incessante en mon cœur. Car je souhaiterais d'être moi-même anathème, séparé du Christ, pour mes frères, ceux de ma race selon la chair » (Rm 9, 2-3). S'il est prêt à l'ultime sacrifice, celui de son salut personnel, c'est que saint Paul croit que ce sacrifice a une efficacité en faveur de ses frères, comme en témoigne Col 1, 24, que l'auteur en soit saint Paul lui-même ou un pseudépigraphe qui développe la pensée de l'Apôtre. Jean Eudes, Gaston de Renty, Jean de Bernières et Pierre Lambert ont rencontré un tel zèle pour le salut des âmes en Marie des Vallées qui avait perdu foi et espérance en son salut, les offrant par amour pour les âmes à sauver[3].

---

1. P. Lambert de la Motte, *Abrégé de Relation*, AMEP, vol. 121, p. 756-757 ; cf. Guennou, transc., § 83.

2. Au 'salut du monde', Saint Paul ne préfère pas le 'salut de son âme' qui semble secondaire à ses yeux. Comme on a vu Mgr Lambert est bien de cet avis.

3. Saint J. Eudes, *La vie admirable de Marie des Vallées*, p. 144-145. À la Pentecôte 1654, l'Amour divin dit à Marie des Vallées: « Je vous fait aujourd'hui le don des miracles ! Ensuite elle souffrit des peines qu'on ne peut exprimer. On lui dit que c'était pour le salut des pauvres pécheurs, dont on lui promit la conversion, et on lui fit entendre que cette conversion était le don des miracles » (p. 573). Le 8 décembre 1654, Jésus en croix demanda à Marie des Vallées: « que demandez-vous ? Alors elle répondit promptement par un mouvement extraordinaire et sans y avoir pensé auparavant: Je demande que votre divine Volonté soit couronnée et que la mienne soit anéantie. Fiat ut petitur dit le Seigneur » (p. 325). En février 1655, Marie des Vallées « se vit dans un petit sentier fort étroit par lequel personne n'avait jamais passé. Elle crut qu'il y avait une fournaise ardente au bout de cette sente. On lui dit que c'était la fournaise de l'Amour divin et qu'elle passerait au travers » (p. 265). Le 27 février 1655,

Saint Augustin (354-430) s'appuie sur saint Paul pour affirmer cette doctrine qui s'est établie contre les ariens, car elle repose sur l'union hypostatique dans le Christ ; ce qui vaut pour la personne du Christ historique, vaut aussi d'une certaine manière pour sa personne mystique qu'est l'Église :

« Quelle peut donc être cette immense étendue dans le corps d'un seul homme, pour qu'il puisse être tué par tous ? Mais nous devons comprendre qu'il s'agit de nous, de notre Église, du corps du Christ. Jésus-Christ ne fait qu'un homme, qui a tête et corps ; le Sauveur du corps et les membres du corps sont deux en une seule chair et en une seule voix, et en une seule passion, et, quand sera passée l'iniquité, en un seul repos.

« La passion du Christ n'est donc pas seulement dans le Christ ; ou plutôt, elle n'est que dans le Christ. Si vous considérez, dans le Christ, la tête et le corps, la passion du Christ n'est que dans le Christ ; si, dans le Christ, vous ne pensez qu'à la tête, la passion du Christ n'est pas que dans le Christ... Si donc tu es dans les membres du Christ, homme qui que tu sois qui m'entends, et même, qui que tu sois qui ne m'entends pas maintenant (ou plutôt non, tu m'entends, si tu es uni aux membres du Christ), tout ce que tu souffres de la part de ceux qui ne sont pas parmi les membres du Christ manquait aux souffrances du Christ. Cela sera ajouté, parce que cela manquait. Tu remplis la mesure, tu ne fais pas déborder ; tu souffriras exactement ce qui, de tes souffrances, doit être versé dans la passion totale du Christ, qui a souffert en tant qu'il est notre chef, et qui souffre encore en ses membres, c'est-à-dire en nous. À ce trésor commun, nous versons chacun ce que nous devons et d'après nos forces, nous apportons tous notre part. La mesure de la passion ne sera pleine que quand le monde sera fini »[1].

Saint Augustin, développant son interprétation de Col 1, 24, affirme donc lui aussi notre participation dans le Christ à la rédemption du monde ; il

Marie des Vallées « commença de chanter alleluia deux fois, mais d'une manière fort triste, regardant premièrement le ciel comme pour invoquer tous ceux qui sont dans la béatitude et dans les joies du paradis, puis baissant les yeux vers la terre et laissant tomber sa tête comme ferait une personne morte, pour signifier l'état de mort de ceux pour qui elle souffrait et pour la conversion desquels elle appelait à son aide toute la cour céleste » (p. 309). C'est bien pour compléter les souffrances rédemptrices de Jésus que Marie des Vallées au début de mars 1655 « entra dans un étrange état, et tel qu'elle n'en avait point expérimenté de semblable : car elle se trouva tout d'un coup dans une totale privation et dénuement de toute espérance de salut pour l'avenir » (p. 232). Née en 1590, Marie des Vallées est morte le 25 février 1656, Comme pour sainte Thérèse de l'Enfant Jésus morte en 1897 c'est dans la dernière année de sa vie que se situe l'épreuve de sa foi. Elle participe ainsi à l'ultime épreuve de Jésus en croix, son cri mystérieux : « Mon Dieu, mon Dieu, pourquoi m'as-tu abandonné ? » tiré du psaume 22 (Mt 27, 46 ; Mc 15, 34). Saint Paul nous dit que de la foi, de l'espérance et de l'amour, seul l'amour subsistera éternellement (1 Co 13, 8-13).

1. Saint Augustin, *Commentaire du Psaume 61*, Abbé Migne, Patrologie Latine 36, 730, cité par Emile Mersch, *La théologie du Corps mystique*, t. 1, Livre I à III, *Introduction théologique et philosophique. La venue du Christ, le Christ,* Desclée de Brouwer, Paris, 1944, p. 357-358.

affirme aussi que Dieu fait en nous ce qu'il a fait dans le Christ, et que si notre Tête est déjà montée aux cieux, c'est l'assurance que tout le Corps suivra[1]. Pour saint Augustin, c'est là l'image du cheminement de la grâce : s'il y a continuité du Christ historique dans son Église, c'est d'abord une continuité de grâce[2].

Saint Augustin en s'appuyant sur saint Paul rentre dans la contradiction qui éclaire le mystère du Christ et de l'Église. Toute la question réside dans le caractère apparemment inconciliable de deux affirmations : d'un côté Jésus est unique en tant que Médiateur et Sauveur, d'un autre côté nous sommes en lui médiateurs et sauveurs. Pour résoudre l'opposition il nous faut rentrer dans le mystère de l'Église.

La position protestante n'accepte que la première affirmation[3] :

> « Saint Augustin écrit au traité 84 sur S. Jean : "Bien que nous, qui sommes frères, nous mourrions pour nos frères, toutefois il n'y a sang d'aucun martyr qui soit répandu pour la rémission des péchés : ce que le Christ a fait pour nous, et il ne nous a rien donné en ceci pour l'imiter, mais pour rendre grâces"[4]. De même, au quatrième livre à Boniface : "Comme le seul Fils de Dieu a été fait fils d'homme, afin qu'il nous fît enfants de Dieu : ainsi lui seul a été puni pour nous sans offense, afin que par lui nous obtenions sans mérites la grâce qui ne nous est nullement due" »[5].

On verra chez saint Thomas d'Aquin de tels textes qui éclairent par leur apparente contradiction.

Le Père Yves Congar rappelle que le XIIe siècle voit la constitution du traité ecclésiologique *De Christo Capite* (ou *De gratia Capitis*[6]), initié, semble-t-il, par saint Augustin contre les Donatistes. C'est lui qui dominera, pour longtemps, la théologie du Corps mystique[7]. C'est en effet l'époque de la constitution et du développement de la scolastique. Avec saint Thomas d'Aquin elle s'intéresse à la grâce de la Tête, c'est-à-dire celle du Christ-Tête[8]. Selon Mersch, par leurs références scripturaires, les Maîtres sélectionnent les

---

1. Yves Congar, « Saint Augustin et le traité scolastique *De gratia Capitis* » in revue *Augustinianum* de l'Institut patristique Augustinianum, coll. « Ecclesia orans », n° 20, août, 1980, Rome, p. 89.
2. *Ibid.*, p. 79.
3. Jean Calvin, *Commentaires sur le Nouveau Testament*, t. 6, Genève, Labor et Fides, 1965, p. 342.
4. *Ibid.*, p. 342, citant et traduisant Saint Augustin, *In Joannis Evangelium (Migne, p.* L, t. *35, col.* 1847).
5. *Idem.*, citant et traduisant Saint Augustin, *Contra duas epistolas Pelagianorum*, liber IV, cap. IV, *6 (Migne, p.* L., t. *44, col. 613).*
6. E. Mersch, *Le Corps mystique du Christ, t.* 2, en particulier p. 154-165.
7. Yves Congar, « Saint Augustin et le traité scolastique "*De gratia Capitis*" », p. 79-93.
8. Saint Thomas d'Aquin, *Somme Théologique*, IIIa, qu. 8, cf. E. Mersch, *Le Corps mystique du Christ*, t. 2, p. 150-216.

textes de Paul qui traitent des rapports de la Tête et des membres dans le Corps mystique (Ép 1, 12 ; 4, 15 ; Col 1, 18 ; 2, 10 ; 1 Co 12 ; Rm 12, 5), et laissent de côté les passages qui montrent le Christ mystiquement prolongé dans l'Église et sa mission terrestre ainsi continuée par lui en nous (Ga 3, 27-28 ; Col 3, 11)[1]. Alors que Lambert cite souvent saint Paul en latin, il ne cite pas expressément saint Thomas d'Aquin (1225-1274) dont la pensée l'imprègne pourtant comme toute l'Église à cette époque[2].

Pour Lambert, la compréhension de Col 1, 24 suppose que le Christ puisse s'unir à nous au point de disposer de nos facultés :

> « C'est dans cette veue que ie ne me puis passer de fé plusieurs heures d'oraison chaque iour, pour lui immoler toutes les facultez de mon ame et de mon corps. Ensuite de quoi les lumieres que i'y reçois ordinairement sont de me conformer avec exactitude sur l'interieur et l'exterieur de J.-C. souffrant, afin qu'entrant dans ses motifs et ses pratiques, i'accomplisse selon mon petit pouvoir, ce qui manque a la passion de ce divin Sauveur [Col 1, 24] dans le sens du grand Apôtre »[3].

Lambert se sent mû de l'intérieur pour offrir son corps au Christ. Pour lui, la contribution au salut du monde passe par la soumission complète de chacun à l'Esprit Saint et à sa grâce, de sorte que le Christ puisse librement s'exprimer dans les corps des baptisés, y vivre et y agir, y souffrir et y mourir. Il propose de renouveler chaque jour l'adhésion à une telle servitude ; c'est le sacrifice du soir, celui de la discipline, qui complète le sacrifice eucharistique du matin. Pour Lambert, c'est dans l'eucharistie et dans la présence réelle de Jésus en nous et dans l'Église, que se situe chaque jour la rencontre et la fusion des deux sacrifices, celui du Christ et le nôtre.

Lambert comprend Col 1, 24 à travers sa compréhension de l'Église en laquelle le Christ vit et témoigne comme en chacun de ses membres. Pour Lambert, il n'y a pas d'imitation possible du Christ sans la motivation qui l'a conduit à nous aimer et à se livrer pour nous sauver et sans l'efficacité

1. E. Mersch, *Ibid.*, p. 166.

2. Les missionnaires qui ont suivi Mgr Lambert au Siam pouvaient avoir à leur disposition de nombreuses rééditions au XVIIe siècle de la *Somme Théologique* comme celles de : 1612, 1617, 1623, 1630, 1640, 1645, 1655, 1662, 1663, 1667. Mgr Pallu le précise en disant : « J'ay emploié tout ce que j'ay trouvé dans les livres que j'ay leus à Sian, surtout en saint Thomas qui est incomparable en touttes choses » dans *Lettres de Monseigneur Pallu*, p. 64, Lettre de Pallu n° 16, à Mgr de la Motte-Lambert de 1665 (AMEP, vol. 101, p. 243).

3. P. Lambert de la Motte, Lettre au Père Simon Hallé, du 15 juillet 1671, AMEP, vol. 854, p. 221 ; cf. Guennou, transc., L. n° 127. « Selon mon petit pouvoir » référence explicite à « pro modulo », « selon la petite mesure de chacun » qu'on trouve chez Pierre Lombard (publiée dans P. Lombard, *Opera Omnia*, tomus secundus, Parisiis, Garnier et J.-P. Migne, 1880, p. 266) ; cf. saint Augustin, *Commentaire du Psaume 61*, Abbé Migne, *Patrologie Latine*, XXXVI, col. 730.

de son sacrifice. C'est la caractéristique de la Congrégation Apostolique et des Amateurs de la Croix comme c'est celle de l'Église, Peuple de Dieu. Le choix de Lambert d'annoncer à la suite de saint Paul un Christ crucifié parmi les disciples des sages de l'Asie, Confucius et Bouddha, doit se concrétiser au travers des Amateurs de la Croix dans leur amour et leur reconnaissance pour celui qui les a sauvés par la croix, et ils doivent être encouragés et formés dans cette voie par leurs pasteurs et d'abord par les membres du Corps apostolique que Rome a envoyé dans leurs pays :

> « Jay connû que le dessein du fils de Dieu dans l'establissement d'une congregation Apostolique et de celle des amateurs de la Croix de N. S. J. Ch. estoit de renouveler les douleurs et les graces de sa passion, et d'agir dans l'une et dans l'autre comme Abraham avoit faict avec Isaac et ses autres enfants, gen. ch. 28. en effect il me paroissoit qu'ils partagerent fidellement le precieux heritage de sa Croix durant tout le cours de la vie de ceux lesquels par une misericorde particuliere de Dieu il admestoit de la premiere congregation ; pour ceux qui auroient le bonheur destre de la seconde qu'il les gratifioit de toute sorte de biens, et que s'ils estoient fidelles à la pratique de leurs obligations on verroit tant de difference de leurs graces, de leur conduicte et de leur maniere d'agir avec celle du reste des chrestiens, que tout le monde diroit d'eux ce que les infidelles disoit autrefois des Israëlites : *hic est populus Dei* »[1].

Lambert veut créer une Église missionnaire au travers d'une spiritualité de la Croix. C'est là une originalité de Lambert. L'existence d'une spiritualité explicitement missionnaire n'est pas un trait commun des doctrines spirituelles du XVIIe siècle français. Dans *La croix de Jésus* de Louis Chardon, il n'y a aucune mention de la dimension missionnaire et apostolique de la participation du chrétien à la croix de Jésus. Il n'entrevoit que la dimension verticale du salut dans le sens du traité *De Gratia Capitis*, la Grâce vient de la Tête pour irriguer le Corps.

Saint Thomas d'Aquin et la réception de la grâce

S'appuyant sur l'analogie paulinienne du Corps, saint Thomas d'Aquin poursuit le travail des théologiens du Moyen Âge, mais il est plus précis sur la part de l'humanité du Christ qui est transmise à son Corps ecclésial par le moyen de la grâce, désignée désormais comme grâce capitale, la grâce de la Tête. Même si saint Thomas d'Aquin ne traite du Corps Mystique qu'au sein de sa christologie dans les questions 7 et 8 de la *Tertia Pars*, Yves M.-J. Congar se demande « si ce n'est pas intentionnellement que saint

1. P. LAMBERT DE LA MOTTE, AMEP, vol. 121, p. 759 ; cf. Guennou, transc., § 88.

Thomas d'Aquin n'a pas écrit de traité séparé de l'Église, considérant que l'Église était présente dans toutes les parties de la théologie »[1].

Jean-Pierre Torrell note : « il est certes acquis que la source première de la grâce se trouve dans la Trinité, car elle seule peut communiquer en partage la vie divine : “Dieu seul déifie” (*S. T.*, Ia IIae, q. 112, a. 1), selon l'expression du Pseudo-Denys reprise par Thomas, la grâce est donc déiforme[2] : elle nous conforme à Dieu »[3].

La question 8 de la *Tertia Pars* traite en particulier de la grâce du Christ selon qu'il est la tête de l'Église, la *Gratia Capitis*. C'est la grâce que le Christ a mission de répandre (Eph 4, 7-16 ; Jn 1, 16). C'est là où intervient le Saint-Esprit qui est donné en même temps que la grâce : « La tête possède une éminence visible à l'égard des membres extérieurs, mais le cœur, lui, exerce une influence cachée. C'est pourquoi le Saint-Esprit est comparé au cœur, car c'est invisiblement qu'il vivifie et unit l'Église »[4].

Saint Thomas d'Aquin désigne souvent l'Église de la terre comme *congregatio fidelium*, « l'assemblée de ceux qui ont la foi ». Le terme revient 22 fois, le plus souvent dans les commentaires scripturaires[5], par exemple : « En outre, le Christ est tête de ceux qui appartiennent à l'Église, “laquelle est son corps”, ainsi qu'on le dit dans l'épître aux Éphésiens (1, 23). Mais les anges n'appartiennent pas à l'Église, puisque l'Église est l'assemblée de ceux qui ont la foi ; or la foi ne se trouve pas chez les anges, puisqu'ils ne cheminent pas “dans la foi”, mais “dans la vision” »[6].

Aux yeux de saint Thomas d'Aquin, l'influx de la grâce suit une direction essentiellement verticale, de haut en bas ; la communion des saints et les indulgences sont l'occasion pour lui de montrer une orientation horizontale pour la diffusion de grâce dont la source reste toujours le Christ :

> « La dérivation intérieure de la grâce ne provient que du Christ seul, dont l'humanité possède le pouvoir de justifier du fait qu'elle est unie à la divinité »[7].

---

1. Yves M.-J. Congar, « L'idée de l'Église chez saint Thomas d'Aquin » in *Esquisses du Mystère de l'Église*, p. 90.

2. Lambert parle de déiformité et son disciple Laneau de divinisation des justes.

3. J.-P. Torrell, *Jésus le Christ chez St Thomas d'Aquin*, p. 214, note 16 à propos de *Tertia Pars*, qu. 7, art. 9, rép.

4. Saint Thomas d'Aquin, *Somme Théologique*, IIIa, qu. 8, art. 1, sol. 3, traduction de J.-P. Torrell, dans *Jésus le Christ chez St Thomas d'Aquin*, p. 144.

5. *Ibid.*, J.-P. Torrell, p. 226, note 40 à propos de *Tertia Pars*, qu. 8, art. 4.

6. Saint Thomas d'Aquin, *Somme Théologique*, IIIa, qu. 8, art. 4, traduction de J.-P. Torrell, *Ibid.*, p. 147.

7. *Interior autem effluxus gratiae non est ab aliquo nisi a solo Christo, cujus humanitas, ex hoc quod est divinitati adjuncta, habet virtutem justificandi* (IIIa, qu. 8, art. 6, *Ibid.*, p. 150). On notera que Lambert a lu une autre version latine du texte qui modifiait les préfixes : « *Interior autem influxus gratiae non est ab aliquo nisi a solo Christo, cuius humanitas, ex hoc quod est divinitati coniuncta, habet virtutem justificandi* (*Summa theologica* S. Thomae aquinatis, per

« Il faut donc dire que l'humanité du Christ en tant qu'elle est unie à Dieu le Verbe (à qui le corps est uni par l'âme, comme on l'a dit ci-dessus) a un pouvoir d'influence. Toute l'humanité du Christ, selon son âme et selon son corps, agit donc ainsi sur les hommes, aussi bien sur leur âme que sur leur corps. L'humanité du Christ, aussi bien son âme que son corps ; mais principalement sur l'âme, secondairement sur le corps. En un premier sens, selon que, dans l'âme qui vit par le Christ, "les membres du corps servent aux armes de la justice", suivant ce que dit l'Apôtre aux Romains (6, 13) ; en un deuxième sens, selon que la vie de la gloire dérive de l'âme vers le corps, suivant ce verset de l'épître aux Romains (8, 11) : "Celui qui a ressuscité Jésus d'entre les morts, vivifiera aussi vos corps mortels, à cause de son Esprit qui habite en vous" »[1].

C'est sur saint Paul que saint Thomas d'Aquin s'appuie pour dire comment ce qui appartient au Christ appartient aussi à ses membres, la corporalité et la divinité, le mérite et la grâce[2] :

« Ainsi qu'on l'a dit ci-dessus, la grâce ne se trouvait pas dans le Christ comme dans une personne privée seulement, mais comme dans la tête de toute l'Église ; à lui tous sont unis comme les membres à leur tête, de façon à constituer mystiquement une seule personne. Et c'est ainsi que le mérite du Christ s'étend aux autres en tant qu'ils sont ses membres »[3].

« La tête et les membres sont comme une seule personne mystique. Voilà pourquoi la satisfaction du Christ appartient à tous ses fidèles comme à ses propres membres »[4].

Dom J. Huijben montre comment dans la *Tertia Pars* de sa *Somme* de théologie, saint Thomas d'Aquin indique que notre unité avec le Christ ne vient pas d'un désir ou d'un effort pour y parvenir mais que c'est un effet de la grâce reçue, et d'abord celle qui vient des sacrements, le baptême, l'eucharistie, la pénitence et les autres. Saint Thomas d'Aquin exprime cette réception de la grâce en mettant les verbes latins au passif dans les textes suivants[5] :

« "Par la foi, le Christ habite en nous", dit l'épître aux Éphésiens (Ép 3, 17). C'est pourquoi la vertu du Christ nous est unie (copulatur) par la foi »[6].

R. P. F. Joannem Nicolai, Parisiis, Apud Societatem, 1663 ou *Summa theologica* S. Thomae aquinatis, Lugduni, Sumpt. Ioannis Girin & Francisci Comba, 1663).

1. Saint Thomas d'Aquin, *Somme Théologique*, IIIa, qu. 8, art. 2, traduction de J.-P. Torrell, *Ibid.*, p. 144-145.

2. Ces passages et ceux qui suivent sont cités en latin par Dom J. Huijben, O.S.B., « Aux sources de la spiritualité française du xviie siècle », in *La Vie Spirituelle*, Supplément, décembre 1930, p. 113-139.

3. Saint Thomas d'Aquin, *Somme Théologique*, IIIa, qu. 19, art. 4, rép., traduction de J.-P. Torrell, p. 305-306.

4. *Ibid.*, IIIa, qu. 48, art. 2, sol. 1, traduction, p. 738.

5. Dom J. Huijben, « Aux sources de la spiritualité française du xviie siècle », p. 113-139.

6. Saint Thomas d'Aquin, *Somme Théologique*, IIIa, qu. 62, art. 5, sol. 2.

« La passion du Christ obtient son effet sur ceux à qui elle est appliquée (applicatur) par la foi et la charité, et par les sacrements de la foi »[1].

« Nous sommes mis en communication (copulatur) avec la vertu de la passion du Christ par le moyen de la foi et des sacrements, de façon différente toutefois ; car la conjonction au moyen de la foi est réalisée par un acte de l'âme, la conjonction au moyen des sacrements est réalisée par l'emploi de choses extérieures »[2].

« Tous ceux qui sont baptisés (baptizantur) dans le Christ, se conformant (conformati) à lui par la foi et la charité, revêtent le Christ par la grâce »[3].

« Pour obtenir les effets de la passion du Christ, il faut que nous lui soyons configurés (configurari) sacramentellement »[4].

« Il faut que les membres soient conformes (conformari) à la tête »[5].

La pensée de Lambert peut s'appuyer sur la *Somme théologique* dans la *Tertia Pars*, comme le montrent d'autres textes encore :

« La grâce a été donnée au Christ non seulement comme à une personne privée, mais bien en sa qualité de tête de l'Église, de façon à ce qu'elle rejaillisse sur ses membres à partir de lui. Voilà pourquoi les actions du Christ ont pour lui aussi bien que pour ses membres le même effet que les actions d'un autre homme en état de grâce ont pour lui-même. Or il est manifeste que tout homme en état de grâce qui souffre pour la justice mérite par le fait même le salut pour lui, selon le verset de Matthieu (5, 10) : “Heureux ceux qui souffrent persécution pour la justice”. Il s'ensuit que par sa passion le Christ a mérité le salut non seulement pour lui, mais aussi pour tous ses membres »[6].

« La passion du Christ cause la rémission des péchés par mode de rachat. Il est en effet notre tête, et nous qui sommes ses membres, il nous a libérés de nos péchés pour ainsi dire par le prix de sa passion, supportée par amour et dans l'obéissance – comme si un homme se rachetait grâce à un acte méritoire de la main d'un péché qu'il aurait commis avec les pieds. En effet, de même que le corps naturel n'est qu'une seule et unique réalité malgré la diversité de ses membres, ainsi l'Église tout entière, Corps du Christ, est considérée comme une seule personne avec sa tête, le Christ »[7].

Saint Thomas d'Aquin présente la Rédemption comme liée à l'existence du Corps ecclésial du Christ. En tant que membres du Corps du Christ nous bénéficions de toutes les grâces qu'il acquiert, d'abord le salut ; nous bénéficions aussi de tout ce qu'acquièrent les autres membres, en particulier les plus justes d'entre eux qui en ont donc moins besoin que nous. Si on peut

1. *Ibid.*, IIIa, qu. 49, art. 3, sol. 1.
2. *Ibid.*, IIIa, qu. 62, art. 6, rép.
3. *Ibid.*, IIIa, qu. 69, art. 9.
4. *Ibid.*, IIIa, qu. 49, art. 3, sol. 2.
5. *Ibid.*, IIIa, qu. 49, art. 3, sol. 3 ; IIIa, qu. 69, art. 3.
6. *Ibid.*, IIIa, qu. 48, art. 1, rép., traduction de Jean-Pierre Torrell, p. 737.
7. *Ibid.*, IIIa, qu. 49, art. 1, rép., traduction, p. 744.

parler de contribution à la Rédemption ou de co-rédemption pour les baptisés, ce ne peut être qu'en s'appuyant sur un seul fondement, la solidarité du Corps qui est constitué par le Christ et l'Église, sans enlever au Christ le titre d'unique Médiateur dont le sacrifice s'est révélé efficace une fois pour toutes[1]. On ne peut donc parler de Co-rédemption qu'en référence au Christ, l'unique Rédempteur, à qui nous sommes unis au point de partager sa mission.

Le caractère expiatoire des souffrances du Christ commence dès l'Incarnation, comme Chardon l'écrit : « Les croix sont continuelles en l'âme de Jésus, sans mélange d'aucune consolation en la partie inférieure ; et pourtant, si la gloire s'y décharge comme en passant, elle n'y sera point sans la pensée et les entretiens de la Croix »[2], ce qui est différent de ce que dit Bérulle pour qui Jésus ne pensa à la Croix que « lorsque ce fut le vouloir de son Père »[3].

Dans le Christ en effet il paraît réducteur de distinguer comme en nous-mêmes plusieurs types de souffrance imposés par les circonstances, car en lui tout est conduit par l'unique désir de sauver tous les hommes, et il reçoit les souffrances liées à l'apostolat comme participantes d'une montée qui le conduit sur le Golgotha.

Comme on le voit dans l'hymne aux Philippiens 2, 5-11, ce n'est pas la chronologie des souffrances du Christ, celles de l'annonce de l'Évangile et celles de sa Passion, qui en change la nature et l'objectif de sorte que nous pourrions participer aux premières en étant exclus des secondes. Une telle distinction reviendrait à nier l'union hypostatique. Par l'union hypostatique le Fils de Dieu s'est joint à l'humanité souffrante et du même coup c'est en elle que nous rejoignons la divinité. Notre devenir c'est de faire corps avec le Christ après qu'il ait fait corps avec nous et avec toutes nos souffrances, il n'y a pas de souffrances qui ne seraient pas siennes ou qui ne seraient pas nôtres.

C'est en elle que se comprend le mystère pascal. Comme le dit le cardinal Albert Vanhoye dans son commentaire de l'Épître aux Hébreux, le Christ s'est rendu solidaire de notre humanité[4] pour que nous puissions participer à tout ce qu'il est et à tout ce qu'il fait. Dès lors c'est en étant le Serviteur souffrant de l'Évangile que saint Paul s'associe au sacrifice du Christ qui vit en lui et qu'il se consacre lui-même avec lui pour le salut des hommes. Comme, pour chacun de nous, la mort sera l'occasion ultime de nous rendre participants de l'unique sacrifice.

1. He 7, 27 ; 8, 6-7 ; 9, 12.15.26 ; 10, 2.10 ; 12, 24. Voir aussi 1 Tm 2, 5.
2. L. Chardon, *La Croix de Jésus*, Premier Entretien, chapitre VI .
3. Pierre de Bérulle, *Bref Discours de l'abnégation Intérieure*, in *Œuvres complètes*, t. VI, 2. Courts traités, Paris, Cerf, 1997, p. 42.
4. A. Vanhoye, « Le message de l'Épître aux Hébreux », p. 43-45.

Les souffrances du disciple sont présentées d'abord par saint Thomas d'Aquin comme une conformité au Christ souffrant, c'est la grâce qui vient de la Tête qui opère en nous cette conformité. C'est cette grâce venant de la Tête qui explique les effets du baptême :

> « Parce que par le baptême l'homme est incorporé au Christ et devient ainsi un de ses membres, il convient[1] donc que ce qui s'est passé pour la tête se passe aussi pour les membres. Or, si le Christ a été depuis sa conception plein de grâce et de vérité, il a eu cependant un corps passible qui par sa passion et sa mort est ressuscité à la vie glorieuse. Ainsi le chrétien reçoit par le baptême la grâce en son âme, mais il a un corps passible, dans lequel il peut souffrir pour le Christ ; mais à la fin il ressuscitera pour une vie impassible. Aussi l'Apôtre dit-il : "Celui qui a ressuscité Jésus Christ d'entre les morts rendra aussi la vie à nos corps mortels à cause de son Esprit qui habite en nous" (Rm 8, 11). Et plus loin (8, 17) : "Nous sommes les héritiers de Dieu et les cohéritiers du Christ, si toutefois nous souffrons avec lui pour être glorifiés avec lui" »[2].

Saint Thomas d'Aquin a déjà traité le sujet à propos du péché originel :

> « Celui qui enlève la faute originelle et la faute actuelle est aussi celui qui enlève tous les défauts de la nature : "Il vivifiera, dit l'Apôtre, vos corps mortels par l'habitation chez vous de son Esprit". Seulement, les deux choses se font, suivant l'ordre de la sagesse divine, au temps convenable. Il faut en effet, pour

1. F. Florand, Introduction à Louis Chardon, *La croix de Jésus,* p. 121 : « Qu'on ne se méprenne pas sur le sens du verbe : « il convient ». La convenance en question n'est pas seulement « morale » ; elle est fondée sur le rapport physique, sur la communauté de vie qui unit les membres et la tête. Et il faut en dire autant d'un texte semblable de la *Somme contre les Gentils* (livre IV, c. 55, 25) : « Il est raisonnable, il est utile que la peine demeure après la disparition de la faute. En premier lieu parce qu'il doit y avoir une conformité entre les fidèles et le Christ, comme les membres et la tête ; de même, donc, que le Christ endura d'abord beaucoup de souffrances et parvint de la sorte à la gloire de l'immortalité ; ainsi il convenait que ses fidèles fussent d'abord soumis aux souffrances et parvinssent par ce chemin à l'immortalité, comme s'ils portaient eux-mêmes les insignes de la Passion du Christ afin de lui ressembler ensuite dans sa gloire ».

2. Saint Thomas d'Aquin, *Somme Théologique* : « *Quia per baptismum homo incorporatur Christo et efficitur membrum ejus. Et ideo conveniens est ut id agatur in membro incorporato, quod est actum in capite : Christus autem a principio suae conceptionis fuit plenus gratia et veritate, habuit tamen corpus passibile, quod post passionem et mortem est ad vitam gloriosam resuscitatum : Unde et Christianus in baptismo gratiam consequitur quantum ad animam ; habet tamen corpus passibile, in quo pro Christo possit pati ; sed tandem resuscitabitur ad impassibilem vitam : Unde Apost. dicit Roman. 8. Qui suscitavit Iesum Christum a mortuis, vivificabit et mortalia corpora vestra propter inhabitantem spiritum ejus in nobis : Et infra eodem ; Heredes quidem Dei, coheredes autem Christi : Si tamen compatimur, ut et simul glorificemur* (IIIa, qu. 69, art. 3, rép., traduction de J.-P. Torrell, *Jésus le Christ chez St Thomas d'Aquin*, p. 748). On notera que Lambert possédait une autre version latine du texte où il lisait : *quod per passionem et mortem est ad vitam gloriosam resuscitatum* qui marquait plus la causalité que la temporalité (*Summa theologica* S. Thomae aquinatis, 1663).

parvenir à l'immortalité et à l'impassibilité de cette gloire qui a été commencée dans le Christ et nous a été acquise par le Christ, que nous soyons d'abord devenus conformes à ses souffrances : il faut donc que la passibilité elle-même demeure en nos corps pour que nous méritions l'impassibilité de la gloire conformément au Christ »[1].

Dans la question 49 article 3 de la *Tertia Pars*, saint Thomas d'Aquin montre que l'incorporation au Corps de Jésus et l'union à la Tête et aux membres sont un préalable pour bénéficier de la Grâce qui circule comme un influx. Toute grâce ne peut nous parvenir que si nous sommes rattachés au Corps et dans le Corps rattachés à la Tête[2].

Saint Thomas d'Aquin donne deux explications à nos souffrances. C'est d'abord la pénitence, une contribution à la réparation des péchés commis après la régénérescence opérée par le baptême, c'est ensuite une participation aux souffrances du Christ pour participer à sa gloire :

> « Comme on l'a déjà dit, pour obtenir l'effet de la passion du Christ, il faut que nous lui soyons configurés. Or nous lui sommes configurés sacramentellement dans le baptême, selon ce passage de l'épître aux Romains (6, 4) : "Nous avons été ensevelis avec lui par le baptême dans la mort". C'est pourquoi aucune peine satisfactoire n'est imposée aux baptisés, car ils sont totalement libérés par la satisfaction du Christ. En effet, puisque "le Christ est mort une seule fois pour nos péchés", ainsi que dit la première épître de Pierre (3, 18), l'homme ne peut donc pas être configuré à la mort du Christ par le sacrement de baptême une seconde fois. Il faut donc que ceux qui pèchent après le baptême soient configurés au Christ souffrant par quelque pénalité ou quelque souffrance qu'ils

1. *Dicendum quod culpa originalis et actualis removetur ab eodem a quo etiam removentur hujusmodi defectus, secundum illud Apostoli, Rom. 8 [v. 11] « Vivificabit mortalia corpora nostra per inhabitantem Spiritum ejus in vobis » : sed utrumque fit secundum ordinem divinae sapientiae, congruo tempore. Oportet enim quod ad immortalitatem et impassibilitatem gloriae quae in Christo inchoata est, et per Christum nobis acquisita, perveniamus conformati prius passionibus ejus. Unde oportet quod ipsa passibilitas in nostris corporibus remaneat, ad impassibilitatem gloriae promerendam conformiter Christo* (Ia IIae, qu. 85, art. 5, sol. 2, traduction française par R. Bernard, O. P., in *Le Péché, Ia-IIae, Questions 79-89*, t. 2, Paris, Tournai, Rome, Éditions de la revue des jeunes, 1931, p. 155-156). Lambert avait sous les yeux une autre version latine du texte où il lisait : *Unde oportet quod ad tempus ipsa passibilitas ejus in nostris corporibus remaneat*, ce qui marquait davantage le caractère transitoire des souffrances (*Summa theologica* S. Thomae aquinatis, 1663).

2. On reconnaît l'adage : « Hors de l'Église point de salut ». Dans *L'Église de saint Augustin à l'époque moderne* (Paris, Cerf, 1996, p. 384), Yves Congar le commente : « on pense moins à exclure du salut tels ou tels hommes, qu'à affirmer que l'Église est vraiment, de par une institution positive de Dieu, mais qu'elle est seule, la dépositaire des moyens voulus et posés par Dieu pour le salut de tous les hommes. On commence, sur la fin du XVIe et le début du XVIIe siècle, à appliquer au salut des non-évangélisés la théologie de la conscience invinciblement erronée ; c'est en 1668 que N. Elffen dans son *Panis Parvulorum* (Cologne), introduit cette considération dans un catéchisme (Ramsauer 165-166) ».

supportent en eux-mêmes. Même beaucoup moindres qu'elles ne devraient l'être eu égard au péché, elles sont néanmoins suffisantes grâce au concours de la satisfaction du Christ »[1].

« Ainsi qu'on l'a dit ci-dessus, la satisfaction du Christ obtient en nous son effet selon que nous lui sommes incorporés comme des membres à leur tête. Or il faut que les membres soient conformes à la tête. Par conséquent, de même que le Christ commença par recevoir, en même temps que la grâce, la passibilité du corps, et par sa passion, parvint à la gloire de l'immortalité, de même, nous autres qui sommes ses membres nous sommes bien délivrés par sa passion de toute peine, mais de telle façon que nous recevons d'abord dans notre âme "l'Esprit des fils adoptifs" [Rm 8, 15] grâce auquel nous est attribué un héritage de gloire immortelle, alors que nous sommes encore dans un corps passible et mortel. Ce n'est qu'ensuite, après avoir été « configurés aux souffrances et à la mort du Christ » [Ph 3, 10], que nous serons conduits à la gloire immortelle, selon ce que dit l'Apôtre [Rm 8, 17] : "Fils de Dieu et donc héritiers, héritiers de Dieu et cohéritiers du Christ, si du moins nous souffrons avec lui pour être glorifiés avec lui" »[2].

Saint Thomas d'Aquin insiste comme saint Paul sur l'unité dans l'analogie du Corps et de la Tête, qui pourrait entraîner une dualité entre le Christ-Tête et son Église-Corps. En dehors de notre participation aux souffrances rédemptrices du Christ pour avoir part à sa résurrection, saint Thomas d'Aquin ne tire pas encore de manière explicite toutes les conséquences de l'analogie du Corps, en particulier sur le rôle de l'Esprit Saint qui est de nous conformer entièrement au Christ en tant que Fils de Dieu et de nous faire participer à la mission que le Père a donnée à son Fils.

En fait, l'envoi en mission du Fils de Dieu est une opération « ad extra », opération de Dieu hors de lui-même et à ce titre, commune aux trois Personnes divines[3]. En même temps dans les opérations « ad extra » le Fils

---

1. Saint Thomas d'Aquin, *Somme Théologique*, IIIa, qu. 49, art. 3, sol. 2, traduction de J.-P. Torrell, *Jésus le Christ chez St Thomas d'Aquin*, p. 748.

2. *Dicendum quod satisfactio Christi habet effectum in nobis inquantum incorporamur ei ut membra capiti, sicut supra dictum est : Membra autem oportet capiti esse conformia : Et ideo, sicut Christus primo quidem habuit gratiam in anima cum passibilitate corporis, et per passionem ad gloriam immortalitatis pervenit ; Ita et nos, qui sumus membra ejus, per passionem ipsius liberamur quidem a reatu poenae cujuslibet, Ita tamen quod primo recipimus in anima "spiritum adoptionis filiorum", quo adscribimur ad hereditatem gloriae immortalitatis, adhuc corpus passibile et mortale habentes : postmodum vero, "configurati passionibus et morti Christi", in gloriam immortalem perducimur ; secundum illud Apostoli Rom. 8. "si filii Dei, et heredes, heredes quidem Dei, coheredes autem Christi : si tamen compatimur, ut simul glorificemur* (*Ibid.*, sol. 3). Lambert lisait la dernière phrase dans sa version latine du xviie siècle : *si tamen conpatimur ut & conglorificemur*. Aujourd'hui on a cru bon de supprimer les verbes qu'on avait volontairement inventés avec le préfixe "con" pour rester dans la tradition paulinienne d'unité avec le Christ (*Summa theologica* S. Thomae aquinatis, 1663).

3. M. Dupuy, *Le Christ de Bérulle*, p. 86-87.

veut ce que veut le Père, l'Esprit veut ce que veulent le Père et le Fils, il y a donc « trois volontés », c'est l'objet voulu « ad extra » qui est unique[1].

Lambert ne cite pas explicitement saint Thomas d'Aquin, mais il cherche chez lui ses arguments ; ainsi il a écrit que les opérations « qui se font par l'âme unie à J. C. sont les operations de J. C. et de lame, et peuvent estre considerées comme les enfans d'un pere et d'une mere »[2]. C'est là un développement du principe de la cause seconde qui contient la cause première[3] de sorte que lorsque nous participons à la rédemption du monde, c'est l'unique Rédempteur qui agit en nous[4].

Bernard Sesboüé voit là une des oppositions entre la dogmatique protestante et la dogmatique catholique, la première s'appuie sur le salut par la foi, éminemment personnel et ne permettant pas une conception de l'Église comme instrument positif de salut, la seconde conçoit l'Église comme « fruit visible du salut opéré par le Christ » :

> « Dans la grâce qui lui est faite et par la réponse de sa foi elle coopère à l'œuvre de ce salut. À son niveau et sans rien ajouter à la causalité première du Christ, elle exerce une causalité seconde, que saint Thomas appelait "instrumentale" et qui est à la fois une grâce et une tâche ; car elle doit se faire transparente à la causalité exemplaire et symbolique de son Seigneur. C'est en ce sens qu'elle est appelée de plus en plus de nos jours "sacrement"[5].

L'analogie du Corps ne permet pas tout de suite à saint Thomas d'Aquin d'admettre notre contribution à la Rédemption ; il n'admet pas facilement que le Christ, tout en restant l'unique Médiateur et l'unique Rédempteur, puisse faire de nous des médiateurs et des rédempteurs en lui. Certaines questions de la *Somme Théologique* semblent s'y opposer fermement comme dans le traité sur la grâce, la question 114. Pour lui, « la foi des autres peut procurer à un individu le salut par mérite de convenance[6], non par mérite de

---

1. *Ibid.*, p. 89.
2. P. Lambert de la Motte, *Abrégé de Relation*, AMEP, vol. 121, p. 681 ; cf. Guennou, transc., § 34.
3. « *Dicendum quod in omnibus causis ordinatis effectus plus dependet a causa prima quam a causa secunda ; quia causa secunda non agit nisi in virtute primae causae* » (Ia IIae, q. 19, a. 4) : « Dans les causes subordonnées entre elles, l'effet dépend de la cause première plus encore que de la cause seconde, celle-ci n'agissant que par la vertu de celle-là ». Thomas utilise le terme de la cause de la cause (causa causae) pour la cause première et de cause de l'effet (causa effectus) pour la cause seconde.
4. Pour saint Thomas (IIa IIae, q. 172, a. 2) on attribue avec raison les charismes à l'Esprit Saint (cause première) alors qu'ils sont en nous l'œuvre des anges (cause seconde).
5. B. Sesboüé, *Jésus-Christ l'unique médiateur*, t. II, p. 297.
6. Saint Thomas d'Aquin, Ia IIae, qu. 114, art. 6, in *La Grâce*, traduction, notes et appendices par Charles-Vincent Héris, mise à jour par J.-P. Torrell, Paris, Cerf, 2011, p. 329, note 112 : « Le mérite de convenance, au sens propre du mot, est basé sur l'amitié qui lie les personnes ».

justice ». À ses yeux, seul le Christ mérite notre salut et peut nous justifier, mais Dieu peut par amitié pour nous exaucer notre désir du salut d'un autre. Dans la *Tertia Pars* il dit que « les souffrances des saints sont profitables à l'Église, non par mode de rédemption, mais à la façon d'une exhortation et d'un exemple, conformément à ce verset de la deuxième épître aux Corinthiens (1, 6) : "Si nous sommes affligés, c'est pour votre exhortation et votre salut" »[1].

Jean-Pierre Torrell commente ainsi cette dernière prise de position de saint Thomas d'Aquin : « il est clair que Thomas veut réserver de la manière la plus nette le rôle du Christ comme unique rédempteur, mais il n'interdit pas pour autant la possible participation effective des chrétiens à l'œuvre du Christ, à leur plan et sous sa dépendance »[2]. Comme Jean-Pierre Torrell l'indique, Cajetan a proposé « un long commentaire de cette solution 3 jugée trop elliptique. Sur la base de la rédemption acquise par le Christ, les saints peuvent eux aussi mériter et satisfaire à leur plan »[3].

La *Tertia Pars* de la *Somme Théologique* ne va pas si loin, c'est dans le commentaire du *Credo*, dans le commentaire de l'Épître aux Colossiens et dans le Supplément à la *Tertia Pars* qu'on trouve la justification de notre contribution à la Rédemption. Saint Thomas d'Aquin envisage la communion des saints comme la possibilité pour les bienheureux d'obtenir notre salut par leurs prières et il envisage dès ce monde une mise en commun des bonnes œuvres :

> « Il importe aussi de savoir que non seulement la vertu de la passion du Christ nous est communiquée, mais aussi le mérite de sa vie. Et tous ceux qui vivent dans la charité entrent également en communication de tout ce que les saints ont opéré de bien, parce que tous ceux qui ont la charité, qu'ils soient en ce monde ou dans l'autre, tous sont un. Le Psalmiste dit en effet (Ps 118, 63) : J'entre en participation, Seigneur, des biens de tous ceux qui le craignent. C'est pourquoi celui qui vit dans la charité participe à tout le bien qui se fait dans le monde entier »[4].

Dans le Supplément à la *Tertia Pars* de la Somme Théologique, saint Thomas d'Aquin semble partagé entre la justice de Dieu qui rémunère chacun selon ses œuvres et la possibilité pour chaque chrétien d'attribuer ses bonnes œuvres à ceux qu'il aime en vertu de l'unité non seulement des membres du Corps avec la Tête mais encore des membres entre eux :

---

1. *Id.*, IIIa, qu. 48, art. 5, sol. 3, traduction de J.-P. Torrell, *Jésus le Christ chez St Thomas d'Aquin*, p. 743.
2. *Ibid.*, J.-P. Torrell, p. 1182.
3. *Ibid.*, p. 812 note 60.
4. Saint Thomas d'Aquin, *Le Credo*, Introduction, traduction et notes par un moine de Fongombault, Nouvelles Éditions Latines, Paris, 1969, art. 10, n° 153, p. 194-196.

« L'œuvre faite pour quelqu'un lui appartient; de même, l'œuvre faite par celui avec lequel je suis un, est en quelque sorte mienne. Il n'est donc pas contraire à la justice de Dieu que quelqu'un bénéficie des bonnes œuvres de ceux qui lui sont unis par la charité ou des bonnes œuvres faites à son intention. La justice humaine elle-même permet qu'un homme satisfasse à la place d'un autre »[1].

« Enlever à quelqu'un ce qui lui est dû est directement contraire à la justice; lui donner ce qui ne lui est pas dû n'est pas contraire, mais supérieur à la justice c'est de la libéralité. Or, nul ne peut être puni pour les fautes d'autrui qu'en perdant quelque chose de son bien personnel, ce qui répugne tout autrement que de gagner quelque chose par les bonnes œuvres d'autrui »[2].

Une des applications de la communion des saints se trouve dans les indulgences qui nous permettent de nous approprier le trésor de grâces de toute l'Église[3]. Les indulgences ne suppriment pas la peine, conséquence du péché, elles la font porter par un frère et mettent en évidence sa charité. Pour saint Thomas d'Aquin, les indulgences sont justifiées par l'unité du Corps du Christ:

« Mais nous avons vu qu'il est possible à l'un de satisfaire pour un autre. D'autre part, les saints, en qui se rencontre cette surabondance d'œuvres satisfactoires, ne les ont pas accomplies pour tel ou tel en particulier, qui aurait une dette à remettre, sans quoi ceux-ci se trouveraient absous indépendamment de toute indulgence, mais ils les ont accomplies globalement pour toute l'Église, selon ce que dit l'Apôtre: "Je complète dans ma chair ce qui manque aux souffrances du Christ pour son corps qui est l'Église". C'est ainsi que les mérites en question sont communs à toute l'Église. Mais ce qui appartient en commun à une collectivité est distribué à chacun de ses membres au jugement de celui qui est à sa tête. Par conséquent, de même que quelqu'un peut obtenir rémission de sa peine si un autre satisfait spécialement pour lui, ainsi en est-il également si la satisfaction d'un autre lui est allouée par celui qui en a le pouvoir »[4].

La chronologie des textes de saint Thomas d'Aquin n'est pas assez précise[5] pour y lire une évolution de sa pensée. Commence-t-il ou achève-t-il

1. *Id.*, *Somme Théologique, Supplément*, qu. 71, art. 1, sol. 2 ; traduction française par J.D. Folghera, O.P., in *L'au-delà, Suppl.*, *Questions 69-74*, Paris, Tournai, Rome, Éditions de la revue des jeunes, 1935, p. 134-135.

2. *Ibid.*, sol. 4, p. 135-136.

3. *Ibid.*, *Supplément*, qu. 25, art. 1, conclusion: « Les indulgences ont une efficacité, tant vis-à-vis du for de l'Église que devant le jugement de Dieu, pour la rémission de la peine qui reste due après la contrition, l'absolution et la confession, que cette peine ait été enjointe ou non » (traduction française par H.-D. Gardeil, O.P., in *La pénitence – Les Indulgences, Suppl.*, *Questions 21-28*, Paris-Tournai-Rome, Cerf, Desclée et Cie, 1971, p. 69).

4. *Idem.*

5. Voir chronologie dans J.-P. Torrell, *Initiation à saint Thomas d'Aquin, sa personne et son œuvre*, Paris, Cerf et Éditions Universitaires de Fribourg, 2002, p. 479-481. La *Tertia Pars* aurait été écrite de septembre 1271 à mai 1272 à Naples (voir aussi chronologie par

sa réflexion dans son *Commentaire de l'Épître aux Colossiens* 1, 24[1] ? En fait saint Thomas ne fait là que reprendre le commentaire de la Glose qui s'appuie sur la théologie du Corps mystique pour expliquer saint Paul. Pierre Lombard, évêque de Paris, a rédigé entre 1150 et 1160 le Commentaire suivant sur Col 1, 24 :

> « Et ainsi vous pouvez savoir ce qui est vrai ; "moi qui" maintenant mis en prison à Éphèse sur l'Évangile, "je me réjouis dans mes souffrances", parce que des non croyants en profitent. Je les supporte "pour vous" qui devez être confirmés dans la vérité de l'Évangile, et "je complète ce qui manque à la passion du Christ". Saint Paul dit que ses souffrances sont celles du Christ, parce que pour nous qui sommes les membres du Christ, nos souffrances sont les souffrances du Christ. En effet, comme un homme est fait d'une tête avec un corps, de même le Sauveur est un avec les gens à sauver. Donc, si tu es parmi les membres du Christ, tout ce que tu souffres par ceux qui ne sont pas parmi les membres du Christ, manquait aux souffrances du Christ. C'est pourquoi, c'est à ajouter parce que ça manquait, complétant la mesure sant la dépasser. Ce que tu souffres ce sont les souffrances qu'il fallait apporter à la passion totale du Christ qui a souffert en lui, notre tête, et qui souffre maintenant en ses membres. Pour ce genre de république que nous formons, chacun de nous paye selon sa petite mesure ; et selon nos forces données, nous versons suivant une contribution aux souffrances, à un trésor complet de souffrances qui ne sera achevé qu'à la consommation des siècles. Ou bien, je complète maintenant (c'est-à-dire je suis disposé à souffrir)

G. Verbeke). On situe avant : la rédaction du Commentaire des Épîtres de saint Paul, et celle du Commentaire du Credo. Le *Supplément de la Somme Théologique* a été écrit après la mort de saint Thomas par son secrétaire, le Frère Réginald, à partir de ses œuvres de jeunesse.

1. Saint THOMAS d'AQUIN, *Commentaire de l'Épître aux Colossiens* (Col 1, 24) : « *Et etiam hoc fructu, ut 'adimpleam ea quae desunt passionum Christi, in carne mea'. Haec verba secundum superficiem malum possent habere intellectum, scilicet quod Christi passio non esset sufficiens ad redemptionem, sed additae sunt ad complendum passiones sanctorum. Sed hoc est haereticum, quia sanguis Christi est sufficiens ad redemptionem etiam multorum mundorum*, I Joan., II, 2.

« *Sed intelligendum est quod Christus et Ecclesia est una persona mystica, cujus caput est Christus, corpus omnes justi : quilibet autem justus est quasi membrum hujus capitis, I Cor. XII, 27 : 'et membra de membro'. Deus autem ordinavit in sua praedestinatione quantum meritorum debet esse per totam Ecclesiam, tam in capite quam in membris, sicut et praedestinavit numerum electorum, et inter haec merita praecipue sunt passiones sanctorum martyrum ; sed Christi, scilicet capitis, merita sunt infinita, quilibet vero sanctus exhibet aliqua merita secundum mensuram suam.*

« *Et ideo dicit : 'adimpleo ea quae desunt passionum Christi', id est totius Ecclesiae, cujus caput est Christus. 'Adimpleo', id est addo mensuram meam, et hoc 'in carne', id est ego ipse patiens. Vel quae passiones desunt in carne mea. Hac enim deerat, quod sicut Christus passus erat in corpore suo, ita pateretur in Paulo membro suo, et similiter in aliis. Et hoc pro corpore, quod est Ecclesia, quae erat redimenda per Christum. Ephes., V, 27 : 'Ut exhiberet ipse sibi Ecclesiam gloriosam, non habentem maculam neque rugam'. Sic etiam omnes sancti patiuntur propter Ecclesiam, quae ex eorum exemplo roboratur. Glossa :* « *passiones adhuc desunt, eo quod paritoria meritorum Ecclesiae non est plena, nec adimplebitur nisi cum saeculum fuerit finitum* ». *Paritoria autem est vas, vel domus, ubi pariter multa inferuntur* ».

ce qui manque aux souffrances du Christ, c'est-à-dire la part qu'il a supporté ou la part qu'il a commandé que je supporte. Cela ne me touche pas dans mes biens, mais dans ma chair, ou encore le manque n'est pas en la chair du Christ lui-même mais en ma chair. Et mieux encore, au lieu de en son corps, en voyant beaucoup plus grand, ce corps est l'Église. C'est comme s'il disait, je ne parle pas d'un autre corps sinon de celui qu'est l'Église »[1].

Alors qu'il a réaffirmé dans sa *Tertia Pars* le caractère unique de la médiation et de la rédemption du Christ, saint Thomas d'Aquin précise dans son commentaire personnel de Col 1, 24 que si les mérites du Christ suffisent à sauver le monde, il s'agit du Christ, Tête et membres unis dans un seul Corps, une seule Personne :

« Un autre fruit de ces labeurs est que "ce qui manque aux souffrances du Christ, je l'achève en ma propre chair pour son corps qui est l'Église". Ces paroles, entendues superficiellement, pourraient recevoir ce mauvais sens que la Passion du Christ ne suffirait pas pour la rédemption et qu'il a fallu la compléter par les souffrances des saints. Ce serait hérétique : le sang du Christ suffit au salut même d'un grand nombre de mondes. "Il est lui-même une victime de propitiation pour nos péchés, dit saint Jean, non seulement pour les nôtres, mais pour ceux du monde entier" (I Jean, II, 2).

« Il faut comprendre la pensée de l'Apôtre : le Christ, et l'Église forment une seule personne mystique, dont la tête est le Christ, et le corps tous les justes. Chacun des justes est comme un membre pour ce chef. "Vous êtes le corps du Christ et vous êtes ses membres, chacun pour sa part" (I Cor, XII, 27). Dieu donc a déterminé, dans son décret de prédestination, la somme de mérites que doit acquérir l'Église entière, chefs et membres ; de même qu'il a prédestiné le nombre des élus. Les souffrances des saints martyrs sont parmi les principaux de ces mérites. Les mérites de la tête, le Christ, sont infinis ; mais les saints apportent une portion limitée, chacun selon sa mesure.

---

1. Traduction de la Glose de Pierre Lombard publiée dans P. Lombardi, *Opera Omnia*, p. 266 : « *Et ita potestis scire quod verum est ; Qui nunc Ephesi positus in carcere pro Evangelio, gaudeo in passionibus, quia non credentes proficiunt. Quas sustineo, pro vobis, confirmandis in veritate Evangelii, et adimpleo ea passionum Christi quae desunt. Suas passiones dicit esse Christi ; quia nostrae passiones, qui sumus Christi membra, Christi sunt, Quasi enim unus homo una persona est caput cum corpore, id est salvator cum salvandis. Si ergo in menbris Christi es, quidquid pateris ab eis qui non sunt in membris Christi, deerat passionibus Christi. Ideo additur, quia deerat, mensuram implens, non superfundens. Tantum pateris, quantum ex passionibus tuis inferendum erat universae passioni Christi, qui passus est in capite nostro, et patitur in membris suis. Ad communem hanc quasi rempublicam nostram quisquis pro modulo suo exsolvit quod debet, et pro possessione virium nostrarum quasi canonem passionum inferimus paritoria plenaria nostra passionum non erit, nisi cum saeculum finitum erit, Vel, ea passionum Christi, id est quae Christus sustinuit, vel quae me sustinere praecepit. Quae adhuc, desunt adimpleo, id est paratus sum pati. Et hoc non in meis, sed in carne mea. Vel, desunt non in carne ipsius Christi, sed in carne mea. Et haec potior, pro corpore ejus, multiplicando, quod est Ecclesia* » (trad. I. Noye). L'abbé Migne a publié aussi la Glose ordinaire dans la *Patrologie Latine* (PL CXIII), *Epistolae Pauli cum glossa ordinaria.*

« Ainsi s'expliquent les paroles de l'Apôtre : *ce qui manque à la Passion du Christ*, c'est-à-dire de l'Église entière dont le Christ est la tête, *je l'achève*, j'ajoute ma mesure, dans ma chair, en souffrant moi-même, ou encore en passant par les souffrances qui manquent à ma chair. Il manquait au Christ, comme il avait souffert dans son propre corps, de souffrir en Paul, l'un de ses membres, et en tous les autres… *je l'achève* pour son corps l'Église qui devait être rachetée par le Christ. "Le Christ a aimé l'Église et s'est livré lui-même pour elle, afin de la sanctifier, après l'avoir purifiée dans l'eau baptismale, avec la parole, pour la faire paraître devant lui, cette Église, glorieuse, sans tache, sans ride, ni rien de semblable, mais sainte et immaculée" (Éph. V, 26). Tous les saints souffrent ainsi pour l'Église qui reçoit de leur vie une nouvelle force. La Glose fait ce commentaire : il manque des souffrances parce que le trésor de l'Église n'est pas encore plein ; il ne le sera qu'à la fin des temps. Ce trésor, c'est comme un vase ou une maison où l'on accumule les richesses »[1].

Cependant, c'est chez Cajetan (1469-1534) en tant que commentateur de saint Thomas d'Aquin, que l'on peut trouver les idées qui sous-tendent la pensée de Lambert (1624-1679), car il écrit au XVIe siècle, après les grandes découvertes, repoussant les limites géographiques des terres à évangéliser, alors que pour saint Thomas d'Aquin (1225-1274) il n'y a pas de païens à évangéliser, mais seulement des infidèles à remettre dans le bon chemin comme les juifs, les musulmans et les hérétiques. Sa vision théologique s'en ressent, il ne faut pas attendre chez lui d'exposé synthétique sur la question des païens.

Cajetan et la participation à la Rédemption

L'analogie du Corps va jouer un rôle dans la contestation de la Réforme protestante par les catholiques à propos du salut par la grâce seule et non avec la participation de nos mérites[2]. Pour les réformés, toute part attribuée aux mérites des chrétiens pour l'obtention de leur salut est enlevée aux mérites du Christ. Mais la position des catholiques est celle de Cajetan qui

1. Saint THOMAS d'AQUIN, *Commentaire de l'Épître aux Colossiens*, Paris, Cerf, 1926, Le Rédempteur dans ses rapports avec l'Église, p. 48-50.

2. Groupe des Dombes, « Marie dans le dessein de Dieu », p. 436, note 1 : « Dans la doctrine catholique cela implique que de toute éternité le Père a choisi de sauver au nom du Christ et d'une manière qui inclut l'action libre d'êtres humains. [… Ces exemples d'implication et de coopération] sont effectifs, parce que : a) le Père accorde le salut dans l'Esprit Saint grâce uniquement à Jésus Christ ; b) L'efficacité de cet unique Médiateur est si grande qu'elle rend les disciples aptes à participer librement et activement à son œuvre salvatrice », citant *The One Mediator, the Saints, and Mary, Lutherans and Catholics in Dialogue* VIII, H. George Anderson, J. Francis Stafford, Joseph A. Burgesss (eds), Augsburg, Minneapolis, 1992, n° 60.

répète que c'est toujours le même Christ qui est en cause, qu'il agisse en lui-même ou qu'il agisse en nous et par nous dans son Corps[1].

Cajetan part de l'unité de la Tête et des membres en tant qu'unique personne mystique pour dire que le salut provient des mérites de l'ensemble des baptisés unis à ceux du Christ. Quelle que soit l'importance de nos mérites, ils sont suffisants pour réparer nos péchés et il y a même surabondance de réparation du fait de la part que le Christ y a prise[2]. Cette explication vaut pour notre contribution non seulement à la réparation de nos péchés mais aussi à la réparation des péchés du monde entier. D'ailleurs pour Cajetan si nous sommes unis au Christ nous ne pouvons que vivre dans l'intention qui l'animait :

> « L'intention du Christ a été de souffrir pour toute l'Église en général, car la passion du Christ est une cause universelle de salut. Donc l'intention des saints a été de souffrir au-delà de leur propre expiation, pour l'Église entière. La passion des saints, en effet, et celle du Sauveur, sont toutes deux, de la même façon, chose commune et pour tous, parce que la passion des saints est l'achèvement de la passion du Christ »[3].

Emile Mersch rappelle que nous sommes ici dans l'application de la communion des saints : « C'est la doctrine traditionnelle qu'un chrétien qui a la charité, peut satisfaire pour un autre, parce que nous sommes tous un dans le Christ »[4].

Mais pour en arriver là Cajetan souligne qu'il s'agit de vivre pour Dieu comme l'Apôtre Paul (Ga 2, 20), et de laisser le Christ vivre en nous dans tous nos états et opérations :

---

1. E. Mersch, *Le Corps mystique du Christ*, t. 2, p. 260.

2.. *Ibid.*, p. 256, citant Cajetan, *Commentaires de la Somme de saint Thomas*, IIIa Pars, qu. 1, art. 2 (dans le commentaire, qu. 4, sol. 4), Éd. de Padoue, 1698, t. 4, p. 7. J.-P. Torrell (*Jésus le Christ chez St Thomas d'Aquin*, p. 1183-1184) cite aussi Cajetan : « Le mérite du Christ a été plus que suffisant et la satisfaction du Christ a été elle aussi plus que suffisante, non seulement pour nos péchés, mais encore pour ceux du monde entier : originels, mortels et véniels, suivant ce qu'enseigne la première épître de Jean (2, 2). Ce n'est donc pas en raison de l'insuffisance des mérites ou de la satisfaction du Christ que les œuvres méritoires et satisfactoires des membres vivants du Christ sont aussi mises en œuvre. C'est au contraire la surabondance du mérite du Christ qui se communique à ses membres vivants pour rendre méritoires et satisfactoires leurs propres œuvres. Il est plus grand en effet que la grâce du Christ nous soit accordée de telle sorte que ce soit lui, notre tête, qui mérite et satisfasse, en agissant en nous et par nous comme par ses propres membres, que si nous ne faisions que participer au mérite personnel du Christ » (« De fide et operibus », chap. XII, dans *Opuscula omnia Thomae de Vio Caietani*, Lyon, 1568, t. III, p. 261-292).

3. Cajetan, *Tract.* XV, cap. 8, *Opuscula omnia*, Lyon, 1588, t. 1, p. 95, cité par E. Mersch, *Le Corps mystique du Christ*, t. 2, p. 273.

4. *Ibid.*, E. Mersch, p. 274.

« En conséquence, toutes mes actions vitales, comme comprendre, penser, me réjouir, être triste, désirer, travailler, ne sont plus mes actions, elles ne viennent plus de moi, elles viennent du Christ en moi. En effet, celui qui est crucifié avec le Christ, a le Christ comme explication de tous ses actes, et le Christ dirige, dispose et emploie de telle sorte ses forces intérieures et extérieures que, à bon droit, on peut dire que c'est le Christ qui vit en lui »[1].

Comme saint Thomas d'Aquin, Cajetan commente Col 1, 24 ; ils ont des points communs mais aussi des différences intéressantes. Il traite le sujet en trois points : 1) le contexte de réconciliation des versets 21 et 22 ; 2) la participation actuelle de Paul et de l'Église à cette réconciliation ; 3) cette participation n'enlève rien à la Rédemption obtenue par le Christ sur la croix, car par sa prescience le Christ a prévu de laisser sa place à chacun pour le salut de ses frères à tout moment de l'Histoire :

Premièrement, pour Cajetan le salut du monde, c'est la réconciliation des hommes avec Dieu, elle s'obtient par le Christ et l'Église unie au Christ. Cajetan explique Col 1, 24[2] à partir des versets 21 et 22 :

« Vous-mêmes, qui étiez devenus jadis des étrangers et des ennemis, par vos pensées et vos œuvres mauvaises, voici qu'à présent Il vous a réconciliés dans son corps de chair… Après avoir dit qu'ils étaient étrangers et ennemis, il place à présent la réconciliation faite par le Christ dans sa propre chair, et il place encore à présent l'accomplissement des afflictions du Christ dans son corps mystique pour que nous comprenions que non seulement le Christ a réconcilié à présent en sa propre chair, mais aussi qu'il complète à présent les autres afflictions par les Apôtres et les martyrs, ses membres, et pour que nous comprenions le double bienfait accordé aux païens : et la réconciliation par le Christ dans sa propre chair, et les afflictions de ses Apôtres à la place du Christ. Ainsi en insistant sur le 'à présent' de la réconciliation faite par le Christ, et sur le 'à présent' des afflictions des Apôtres, il vous dit, à vous qui êtes à présent réconciliés à Dieu, je trouve ma joie dans les souffrances, tout ce qui m'afflige est pour vous, les Païens, en même temps que pour les membres du Christ. Remarquez aussi la joie qui s'ajoute très bien aux afflictions quand on sert l'Évangile. En effet à ceci on reconnaît manifestement un vrai ministre de l'Évangile quand il trouve la joie dans ce qu'il souffre pour les membres du Christ »[3].

---

1. Cajetan, *Epistolae Pauli iuxta sens. Literalem enarratae, in Gal.* II, 19, 20, Paris, 1542, p. 238, cité en français par E. Mersch, *Le Corps mystique du Christ*, t. 2, p. 257.

2. Cajetan Vio, *Epistolae Pauli et aliorum Apostolorum ad Graecam veritatem castigatae et per Reverendissimum Dominum Thomam de Vio, Caietanum, Cardinalem sancti, juxta sensum literalem enarratae*, Recens in lucem editae, Parisiis, Ambrosio Girault, 1536, Ad Colossenses, p. 152-153.

3. *Vos quum essetis aliquando alienati et inimici menti in operibus malis, nunc autem reconciliavit in corpore carnis etc. Ita quod postquam e regione alienationis et inimicitiae eorum locavit nunc reconciliationis factae per Christum in carne propria, modo locat nunc adimpletionis passionum Christi in corpore ejus mystico, ut intelligamus quod non solum nunc reconciliavit Christus in carne*

Cajetan fait remarquer les temps employés : le péché, c'était jadis, tandis que la réconciliation, c'est maintenant. C'est maintenant qu'a lieu la réconciliation faite par le Christ en sa propre chair et c'est donc encore maintenant que s'accomplit sa Passion dans son corps mystique, les apôtres, les martyrs et tous les membres de ce corps. Ce qui est en jeu pour Cajetan dans la souffrance de Paul, ce n'est pas l'imitation de Jésus en croix, ce n'est pas l'annonce contradictoire de l'Évangile et les souffrances qui en résultent, c'est la réconciliation avec Dieu à apporter aux pécheurs et aux païens. C'est pour cette réconciliation que Paul propose au Christ de se servir de sa chair passible comme Lambert le lui proposera à son tour.

Deuxièmement, Cajetan fait un peu d'exégèse sur le verbe principal de Col 1, 24 « je complète » (*adimpleo* en latin). Pour Cajetan quelque construction que l'on adopte pour la phrase, il est exclu que la passion du Christ soit diminuée, et c'est dans notre chair qu'il manque quelque chose :

> « Dans *Adimpleo ea quae desunt passionum Christi in carne mea* : Je complète en ma chair ce qui manque aux épreuves du Christ : l'expression *adimpleo* ("je complète") est interprétée comme si elle était composée de 3 éléments : *vice*, *re*, *impleo*, ce qui s'entend comme dans "vice redimpleo" pour signifier que c'est à la place du Christ que saint Paul complète ce qui dans sa chair manque aux souffrances du Christ, ou bien qu'il accomplit dans sa chair ce qui manque aux souffrances (ce sont des afflictions) du Christ. Le sens de l'une et l'autre construction revient au même : La première exclut toute question, car en disant en ma chair ce qui manque à la passion du Christ, cela ne signifie pas du tout une diminution dans la passion du Christ, mais cela signifie que dans ma chair il manque quelque chose des souffrances du Christ que je dois suppléer à la place du Christ, ce qui évidemment est vrai sans aucune ambiguïté. Mais en disant j'achève dans ma chair ce qui manque aux afflictions du Christ, signifie apparemment qu'on enlève quelque chose aux souffrances du Christ : cependant en vérité cela ne signifie pas qu'il y ait diminution à la passion du Christ, mais cela signifie qu'il lui manque d'être Lui-même uni à nos afflictions. Et cela est certainement vrai, il faut aussi que cela soit accompli par nous, par nous à la place du Christ »[1].

---

propria, sed et nunc per Apostolos et martyres sua membra, supplet reliquas afflictiones, ut utrumque beneficium intelligamus collatum Gentilibus : et reconciliationis per Christum in carne propria, et afflictionum suorum Apostolorum vice Christi. Continuando itaque ad nunc reconciliationis factae per Christum nunc afflictionis Apostolorum, dicit nunc, reconciliatis vobis deo, gaudeo in passionibus, hoc est afflictionibus meis pro vobis Gentilibus : utpote pro membris Christi. Simulque adverte aptissime subjungi gaudium in afflictionibus ministerio Evangelii. Per hoc enim manifeste comprobatur verus Evangelii minister quod gaudet in afflictionibus suis pro membris Christi.

1. '*Et adimpleo ea quae desunt passionum Christi in carne mea*'. *Dictio interpretata adimpleo, composita est ex tribus : vice, re, impleo. Ita quod sonat vice redimpleo : ad significandum quod vice Christi replet ea quae in carne sua desunt passionum Christi, vel redimplet in carne sua ea quae desunt passionum (hoc est afflictionum) Christi. Utriusque constructionis sensus in idem redit : prima*

Ce n'est pas dans le Christ qu'il manque quelque chose mais dans la chair de saint Paul, la part de tribulations qui lui permette de s'unir totalement au Christ de sorte que ce soit vraiment le Christ qui vive, meure et ressuscite en lui. Comme saint Thomas d'Aquin l'a écrit[1], il manque au Christ d'être lui-même uni à nos afflictions.

Troisièmement, Cajetan reprend l'argumentaire de saint Thomas fondé sur l'analogie du corps et sur la prescience de Dieu[2] :

> « De même que les membres opèrent dans la puissance de la tête, de même un seul corps est formé de nous et du Christ, et encore de même, une seule passion est formée de l'affliction du Christ et de nos afflictions. Car de même que le Christ a établi un nombre certain de ses membres et la grandeur et le grand nombre fixé des mérites, ainsi il a déterminé un nombre fixé des afflictions à joindre à sa passion, et sont déterminées d'avance la part de souffrance dans la chair de saint Paul, celle dans la chair de saint Pierre, celle dans la chair de saint Laurent qui doivent être ajoutées. C'est pour cela que Paul dit qu'il remplit lui-même en sa chair ce qui manque à l'affliction du Christ. Pour son corps qui est l'Église : C'est montrer clairement que non seulement le Christ mais aussi les Saints selon leurs intentions ont souffert pour le corps du Christ qui est l'Église : C'est-à-dire pour l'utilité de l'Église »[3].

Ce qu'il est intéressant de remarquer, c'est comment Lambert comprend saint Thomas d'Aquin qui vivait cinq siècles avant lui et comment il n'hésite pas à transposer cette pensée dans le contexte missionnaire du XVIIe siècle. Il garde l'aspect communautaire évoqué par l'analogie du Corps, alors que Louis Chardon, dans l'esprit de la Renaissance, « s'occupe principalement

---

tamen omnem quaestionem excludit, nam dicendo ea passionum Christi quae desunt in carne mea, nihil significatur diminutionis in passione Christi, sed significatur quod in carne mea deest aliquid passionum Christi quod a me supplendum est vice Christi, quod constat absque omni ambiguitate verum esse. Dicendo vero adimpleo in carne mea ea quae desunt passionum Christi, apparenter significat aliquid diminutionis in passione Christi : secundum tamen veritatem non significatur diminuta passio Christi : sed significatur quod deest illi coniunctio ipsius cum afflictionibus nostris. Et hoc indubie verum est, et a nobis oportet impleri a nobis autem vice Christi.

1. Saint THOMAS d'AQUIN, *Commentaire de l'Épître aux Colossiens*, p. 48-50.

2. Vio CAIETANUM, *Epistolae Pauli et aliorum Apostolorum ad Graecam veritatem castigatae et... juxta sensum literalem enarratae. Recens in lucem editae*, Parisiis, Ambrosio Girault, 1536, Ad Colossenses, p. 152-153, trad. I. Noye.

3. *Quemadmodum in virtute capitis operantur membra ut sicut ex nobis et Christo integratur corpus unum, ita ex passione Christi et passionibus nostris integretur velut una passionam. Quemadmodum definivit Christus certum membrorum suorum numerum certamque magnitudinem ac multitudinem meritorum, ita definivit determinatum numerum passionum jungendarum passioni suae, et quantum in carne Pauli, quantum in carne Petri, quantum in carne Laurentii, adjiciendum est afflictionum, praedefinitum est. Et propterea Paulus dicit quod ipse adimplet ea quae in carne sua desunt passionum Christi. 'Pro corpore ejus quod est ecclesia'. Hinc clare habetur quod non solum Christus sed etiam sancti ex intentione passi sunt pro corpore Christi quod est ecclesia : hoc est ad utilitatem ecclesiae.*

et presque exclusivement de perfection individuelle »[1]. Même dans le cadre du Corps mystique du Christ, pour parler de souffrances ou de croix purificatrices et réparatrices, il s'intéresse plus à la relation du membre à la Tête qu'à celle des membres entre eux[2] : « Il laisse d'ailleurs de côté les souffrances réparatrices, provoquées ou subies afin d'expier les péchés des autres »[3].

Cette différence entre la pensée de Lambert et celle de la plupart des écrivains spirituels du XVIIe siècle tient sans doute à sa vocation missionnaire *ad gentes* ; le salut des païens n'est pas pour lui une question théorique, elle est expérimentale. Il peut assurer que Dieu procure tout le nécessaire à celui qui se met à marcher à sa suite, ce n'est pas seulement sur le plan de l'Évangélisation qu'il se place, mais c'est aussi sur celui de la connaissance de Dieu. Pour le missionnaire d'Asie, l'abandon à la Providence et le renoncement à soi-même ont une répercussion directe sur cette connaissance. Évidemment Lambert est le témoin de ce qu'il dit. Sa connaissance théologique est inséparable de sa conduite d'apôtre :

> « Il faut icy quitter touttes ses propres voyes, il faut vivre en liberte, avoir un grand cœur, et croire qu'on trouvera dans sa marche tout ce qui est necessaire a la perfection de son état, il faut enfin estre persuadé que c'est dans cet abandon qu'on adore Dieu en esprit et en vérité[4]. C'est di je en cet etat qu'on agit dans une vraye liberté d'esprit, qui consiste a laisser continuellement écouler son esprit dans celuy de Dieu, qui animant continuellement le nostre le reveste du sien, de sorte que nostre esprit n'operant plus par ses propres forces, Dieu y regne parfaitement, et on peut dire qu'une ame ainsi perdüe continue le sacrifice que le Sauveur du monde a commencé au moment de son incarnation et qui durera dans les ames fideles d'une maniere admirable jusqu'a la consommation des siecles, par le moyen de l'operation qu'il fait par soy mesme dans telles ames ; quand l'ame est reduitte dans ce bienheureux état elle peut dire qu'elle ne vit plus[5] et qu'elle fait toujour la divine volonté a l'exemple de nostre Seigneur du quel il est dit, *Non sibi placuit*[6], mais qu'il faisoit toujours le bon plaisir de son pere, *quae placita sunt ei facio semper*[7] :

1. F. FLORAND, Introduction à Louis Chardon, *La croix de Jésus*, p. 86.

2. Louis Chardon se rencontre avec Cajetan et ses disciples pour insister sur l'immensité de la grâce du Christ, afin de montrer que le Chef du Corps mystique a de quoi infuser la vie à ses membres et qu'il est, selon l'expression de saint Thomas (*Somme théologique*, III, q. 7, a. 9) un « principe universel » (*Ibid.*, p. 98).

3. *Ibid.*, p. 86.

4. Jn 4, 23-24 : « Mais l'heure vient – et c'est maintenant – où les véritables adorateurs adoreront le Père en esprit et en vérité, car tels sont les adorateurs que cherche le Père. Dieu est esprit, et ceux qui adorent, c'est en esprit et en vérité qu'ils doivent adorer ».

5. Ga 2, 20 : « et ce n'est plus moi qui vis, mais le Christ qui vit en moi ».

6. Rm 15, 3 : « Le Christ n'a pas recherché ce qui lui plaisait ».

7. Jn 8, 29 : « Celui qui m'a envoyé est avec moi : il ne m'a pas laissé seul, parce que je fais toujours ce qui lui plaît ».

« Voilà en peut de mots les dispositions qui sont adesirer dans les missionnaires de la Chine ; ce n'est pas que sortant de france avec les qualitez cy dessus marquées, il ne leur manque encore plusieurs choses pour la perfection de leur état qu'ils n'aprendron point aux lieux de leurs naissances, parce que nostre Seigneur aura plusieurs choses a leurs dire par les Chemins les quelles ils ne pouroient pas porter en leur propre païs conformement a ce passage, *Multa habeo vobis dicere, sed non potestis portare modo*[1] ; mais après toute il faut s'assurer que s'ils sont fidels a recevoir toutes les providences ou plustost toutes les operations divines qui arriveront infailliblement dans leur route, Dieu par sa bonté infinie leur découvrira les plus aults secrets du christianisme qui sont plus ou moins cachez qu'a proportion, on quittera tout et soy mesme et qu'on suivra nostre Seigneur dans les belles et seules seures maximes de son st Evangile »[2].

La croix du Christ n'évoque pas seulement l'amour dont nous sommes aimés, elle n'est pas qu'un appel à participer aux souffrances que cet amour entraîne, nous sommes crucifiés avec le Christ (Ga 2, 19), c'est dans l'intention de sauver le monde que Lambert rejoint le Christ en croix. Il va plus loin : pour lui le partage de l'objectif de Jésus-Christ par les missionnaires conditionne le succès de l'évangélisation en Asie.

Dans la Session 16, chapitre 8 du Concile de Trente, toute l'analogie paulinienne est reprise pour affirmer que notre participation au Corps du Christ entraîne notre contribution à la Rédemption du monde, si l'on comprend par le « nous » l'ensemble solidaire des pécheurs et pas seulement chacun d'eux pris dans sa responsabilité individuelle. L'exigence de la charité fait que ce qu'on peut faire pour soi-même on peut le faire, on doit le faire, pour les autres. Le texte conciliaire rejoint donc la pensée de saint Thomas d'Aquin. L'homme participe à la rédemption du monde, non en tant que cause première[3] réservée à Jésus, seul Rédempteur, mais en tant que cause seconde totalement dépendante de lui :

« Une dernière raison [qui justifie la satisfaction, la réparation], c'est que, en souffrant pour satisfaire pour nos péchés, nous devenons semblables au Christ qui a satisfait pour nos péchés (Rm 5, 10 ; 1 Jn 2, 1) et qui seul rend nos actions acceptables (2 Co 3, 5). Nous trouverons là le gage qu'ayant souffert avec lui nous serons glorifiés avec lui (Rm 8, 17). Car la satisfaction que nous payons

1. Jn 16, 10 : « Si vous gardez mes commandements, vous demeurerez en mon amour, comme moi j'ai gardé les commandements de mon Père et je demeure en son amour ».

2. P. Lambert de la Motte, *Abrégé de Relation*, AMEP, vol. 121, p. 610 ; cf. transc. § 2.

3. Saint Thomas d'Aquin utilise plusieurs fois l'argument de la cause première (ou principe premier) et des causes secondes, notamment à propos des anges et des charismes : « Les dons gratuits sont attribués à l'Esprit Saint en tant que principe premier ; il distribue pourtant ces grâces aux hommes par le ministère des anges » (qu. 172, art. 2, sol. 2 in *Somme théologique, La prophétie, IIa IIae*, Questions 171-178, traduction et annotations par Paul Synave, O.P. et Pierre Benoît, O.P., mise à jour par J.P. Torrell, Paris, Cerf, 2005).

pour nos péchés n'est pas tellement nôtre, qu'elle ne soit pas par Jésus-Christ. Nous, en effet, nous qui ne pouvons rien de nous-mêmes par nos seules forces, nous pouvons tout par la coopération de celui qui nous réconforte (Ph 4,13). Ainsi, l'homme n'a rien dont il puisse s'enorgueillir (1 Co 1, 31 ; 2 Co 10, 17 ; Gal 6, 14), et toute notre gloire est dans le Christ, dans lequel nous vivons, dans lequel nous nous mouvons (Ac 17, 28), dans lequel nous satisfaisons, faisant de dignes fruits de pénitence (Lc 3, 8), qui tirent de lui leur vertu, qui, par lui, sont offerts au Père, et qui, à cause de lui, sont acceptés par le Père »[1].

Le Concile de Trente souligne ainsi qu'il n'y a pas deux justices qui s'ajouteraient pour réparer l'injustice, notre justice et celle du Christ: on avait proposé aux Pères conciliaires la formule suivante: « Il n'y a qu'une seule justice qui nous justifie, et elle est de Dieu, et elle est nôtre, et elle est par le Christ ; elle est de Dieu, parce qu'elle vient de Dieu ; elle est nôtre, parce qu'elle vient en nous ; elle est du Christ, parce qu'elle vient par le Christ ». C'est la thèse traditionnelle de l'influx venant du Christ qui fut remaniée dans la forme et non dans la pensée à la Session 6, chapitre 16. Le passage est devenu: « Car la justice même qui est déclarée nôtre, parce que nous sommes justifiés à cause de son insertion (*per eam nobis inhaerentem*) dans nos âmes, est aussi la justice de Dieu, parce qu'elle est répandue par Dieu en nous, en considération des mérites du Christ »[2]. Au concile de Trente on répétera que c'est le Christ qui satisfait (répare) en nous[3].

Yves Congar écrit qu'une théologie de l'Église vue comme « Incarnation continuée » a dominé dans l'École romaine au XIXe siècle et au début du XXe à partir d'une formule lancée par Mühler[4], l'Église est la continuation du Christ, une sorte d'incarnation au sens d'une manifestation du Christ. Après le Concile d'Éphèse en 431 et sa définition du dogme de Marie, Mère de Dieu (*theotokos*), dès lors que son Fils est Dieu, il faut attendre le 21 novembre 1964 pour que, dans le cadre du Concile Vatican II, le pape Paul VI, en promulguant la constitution dogmatique sur l'Église *Lumen Gentium*, proclame la Vierge Marie, Mère de tous les baptisés et Mère de l'Église[5]. Les papes ont mis en relation cette dernière proclamation et celle

1. E. Mersch, *La théologie du Corps mystique*, t. 1, p. 358-359, citant Texte conciliaire (Session XVI, ch. VIII).

2. *Id.*, *Le Corps mystique du Christ*, t. 2, p. 249 et note 2, citant en français *Concilium tridentinum*, collection éditée depuis 1900 par la Societas Goerresiana, t. V, p. 710.

3. *Ibid.*, p. 263-264.

4. Y. Congar, *L'Église de S. Augustin à l'époque moderne*, p. 417-423 et 428-433.

5. Texte de la proclamation: « C'est donc à la gloire de la bienheureuse Vierge et à notre réconfort que Nous proclamons Marie très sainte, Mère de l'Église, c'est-à-dire de tout le peuple de Dieu, aussi bien des fidèles que des pasteurs, qui l'appellent Mère très aimante, et Nous voulons que, dorénavant, avec un tel titre très doux la Vierge soit encore plus honorée et invoquée par tout le peuple chrétien ».

du Concile d'Éphèse[1]. Comme la définition de la Mère de Dieu confirmait la divinité du Christ, cette nouvelle définition confirme l'unité du Christ avec l'Église, son Corps selon saint Paul, et l'unité du Christ avec chaque baptisé, le Christ vivant en lui et accomplissant ses propres œuvres par l'opération du Saint-Esprit selon la doctrine de la mission continue.

En mai 2000 le cardinal Ratzinger (futur Benoît XVI), en tant que Préfet de la Doctrine de la Foi, a rappelé la position de l'Église sur la souffrance des chrétiens : « Des souffrances des témoins provient une force de purification et de renouveau, parce qu'elle est une actualisation de la souffrance même du Christ, et qu'elle transmet aujourd'hui son efficacité salvatrice »[2]. Avant le cardinal Ratzinger, C. Spicq a écrit de son côté : « Toute épreuve, envisagée et acceptée avec le Christ achève la rédemption, la prolonge en quelque sorte dans tous les temps et dans tous les lieux. C'est comme si le Christ était à nouveau crucifié… »[3]

Ainsi, même si notre contribution au salut de nos frères est infime par rapport à celle du Christ, elle est nécessaire, dans l'amour sinon dans la justice. Le Christ veut que tous les hommes soient sauvés indissociablement par lui et par nous[4]. La contribution à la Rédemption est une nécessité pour tous les chrétiens, elle est liée à leur engagement baptismal sur le sérieux duquel Lambert comme Jean Eudes insiste beaucoup.

1. Paul VI et Jean-Paul II mettront en parallèle les deux proclamations, voir JEAN-PAUL II, *Lettre apostolique à l'épiscopat de l'Église catholique pour le 1600e anniversaire du Premier Concile de Constantinople et le 1550e anniversaire du Concile d'Éphèse* in Documentation Catholique 78 (1981), p. 370.

2. Document pontifical, *Le message de Fatima*, Congrégation pour la Doctrine de la Foi et Pierre Téqui, mai 2000. C'est le 13 juillet 1917, à la Cova da Iria près de Fatima que la Vierge a dit à trois enfants : « Priez beaucoup pour les pécheurs et faites des sacrifices pour eux, car beaucoup d'âmes vont en enfer parce qu'il n'y a personne pour se sacrifier pour elles ». La Vierge leur montre l'Église en marche derrière le pape. Ses membres identifiables dans leur diversité montent ensemble vers le Calvaire pour s'unir par le martyre au sacrifice du Christ de façon que leur sang se mêlant au sien puisse sauver le monde avec lui.

3. C. SPICQ, « L'Église du Christ », p. 205.

4. On a vu que pour Mgr Lambert les opérations « qui se font par l'ame unie à J. C. sont les operations de J. C. et de lame, et peuvent être considerées comme les enfans d'un pere et d'une mere » (P. LAMBERT DE LA MOTTE, *Abrégé de Relation*, AMEP, vol. 121, p. 681, cf. J. Guennou, transcription, § 34).

CHAPITRE 2
LE BAPTÊME PERMET À LA MISSION DE JÉSUS DE SE CONTINUER EN NOUS

L'ENGAGEMENT BAPTISMAL

Le contrat baptismal

Chez saint Jean Eudes et chez Lambert, l'engagement baptismal se présente comme le corollaire de la mission continue de Jésus en nous. Le principe de notre contribution à la Rédemption implique que ce soit le Christ qui agisse et sauve en nous comme on l'a vu chez saint Thomas d'Aquin et chez Cajetan selon l'analogie du Corps mystique. Mais cela ne saurait détruire notre liberté de créature faite à l'image et la ressemblance de Dieu. Pour que Jésus puisse agir à sa guise en nous sans avoir à débattre avec nous de tous ses actes et puisse poursuivre ainsi lui-même la mission de salut que son Père lui a confiée, il lui est nécessaire d'obtenir de nous un engagement l'assurant une fois pour toutes que nous lui ferons toujours confiance. C'est cet engagement qui fait de nous des chrétiens, nous plongeant dans la vie, la passion et la mort de Jésus, nous consacrant à lui par le sacrifice de nous-mêmes associé à son propre sacrifice. Il nous associe alors tellement à lui qu'il nous fait participer à sa résurrection et nous obtient la vie éternelle avec lui auprès de son Père.

L'abnégation, c'est-à-dire le renoncement à sa volonté propre pour laisser la volonté divine s'exercer pleinement en nous, n'est pas pour Lambert une vertu particulière à acquérir comme Bérulle semble la présenter souvent, elle est la composante essentielle de l'être chrétien[1].

Dans sa *Somme Théologique*, saint Thomas d'Aquin appelle vœu la promesse du baptisé de renoncer à Satan et à tout ce qui conduit au mal pour croire au Christ et accomplir tout le bien que Dieu demande. Selon saint Thomas d'Aquin le terme latin *votum* (vœu) se rattache étymologiquement

1. Michel Dupuy dans son Introduction au *Bref Discours de l'abnégation Intérieure* (Pierre de Bérulle, *Œuvres complètes*, t. VI , 2. Courts traités, Paris, Cerf, 1997, p. 10), souligne qu'en changeant le titre d'Isabelle Bellinzaga (*Abrégé de la perfection chrétienne*) Bérulle ne fait plus de l'abnégation qu'une vertu particulière, « son Avertissement au lecteur insiste sur les limites de son propos. Ce discours ne s'adresse pas à tous. Il convient à qui en est à un certain stade de la vie spitituelle ».

à *voluntas* (volonté)[1] et dit que la promesse du baptême est un vœu parce que c'est un acte volontaire, quoique nécessaire au salut[2]. Cajetan est d'un avis opposé, pour lui ce n'est que par extension que certains parlent de vœu à propos de l'engagement contracté au baptême.

Pour saint Thomas, la promesse est un acte de volonté délibérée ; le vœu permet à l'objet de la promesse d'atteindre sa perfection. Même si on peut faire à Dieu une promesse par un simple acte de la pensée puisque Dieu pénètre les cœurs, en prenant « à témoins d'autres hommes, en sorte qu'on soit retenu de rompre ses vœux non seulement par crainte de Dieu, mais par respect des hommes »[3]. On comprend alors que pour saint Thomas d'Aquin l'engagement à la sainteté qu'implique le baptême ne peut être mené à bien que s'il est conclu par un vœu solennel devant l'Église.

Pour Lambert, la nature du baptême exige une connaissance, c'est ce qu'il rappelle aux chrétiens de Cochinchine. Le baptême est un engagement entre deux parties, l'homme et Dieu. Pour être respecté, il doit être éclairé et sans cesse réaffirmé. C'est un contrat qui lie définitivement l'homme à Dieu pour l'éternité. Lambert puise directement dans le vocabulaire de Jean Eudes : solennel contrat, contrat intérieur, accord mutuel :

> « Ayez souvent devant les yeux, écrit Lambert, laccort mutuel qui est fait entre Dieu et vous au temps de vostre baptesme, vous promites pour lors a Dieu de laimer de tout vostre cœur, de toute vostre ame, de toutes vos forces et le prochain comme vous même, et de renuncer au diable et a toute sorte de pechez ; et Dieu de sa part vous asseura quil vous adoptoit pour siens, et pour ses Enfants et pour la vie eternelle. Ce contract a este fait non seulement devant les personnes qui assisterent a vostre baptême mais encor en la presence de la Tres Ste Vierge, St Joseph nostre patron, tous les Anges et tous les Saints du Paradis »[4].

Pour Lambert, les promesses du baptême sont claires, elles ne sont pas vagues, c'est l'âme qui se donne entièrement à Dieu par un ferme propos qui est à reprendre après nos manquements, notamment lors du sacrement de réconciliation. L'âme promet de ne rien faire qui puisse déplaire à Dieu. Pour tenir ce contrat, Dieu nous donne l'Esprit Saint afin que notre vie ne soit plus à nous-mêmes mais au Christ comme les membres d'un seul corps. Est chrétien celui qui se conduit d'une certaine façon sous la conduite

---

1. Thomas d'Aquin, *Somme théologique*, IIa IIae, *q. 88, a. 1, sol.* 2 : « C'est la volonté qui meut la raison à promettre quelqu'une des choses soumises à son empire. Voilà pourquoi, et dans quelle mesure, le nom de « vœu » se rattache au mot « vouloir » : c'est comme source de vœu », traduction française par I. Mennessier, O.P., in La Religion, t. 2, Paris, Tournai, Rome, Éditions du Cerf, 1953.

2. *Ibid*, IIa IIae, *q. 88, a. 2, sol.* 1.

3. *Ibid*, IIa IIae, *q. 88, a. 1, rép.*

4. P. Lambert de la Motte, *Abrégé de Relation*, AMEP, vol. 121, p. 711 ; cf. Guennou, transc., § 49.

de l'Esprit, est païen celui qui se conduit d'une autre façon qui s'oppose à l'Esprit de sorte qu'il y a des Chrétiens plus païens que les Païens :

> « Il vous a donné son St Esprit qui après vous avoir iustifiés, demeure d'une façon particuliere dans vos ames, douuient que les Chrestiens qui sont en grace different des autres hommes dans leurs pensées, dans leurs parolles et dans leurs actions, ce sont des hommes reformés qui participent plus de la nature divine que de la nature humaine. Cette difference est facile aremarquer dans un Chrétien et dans un Gentil. Celuy-la a promis de ne rien faire dans toutes ses operations qui puisse deplaire a Dieu, quand bien même elles seroient contraires a son inclination. Celuy-cy au contraire ne suit que les appetits d'une nature corrumpües. Celuy-la pense alEternité, celuy-cy ne fait cas que du present ; celuy-la observe la loy de Dieu, celuy-cy celle des sens. D'ou peut venir un si grand changement entre deux homme d'une nature semblable, sinon que l'un est un homme nouveau et reformé, lautre ne l'est pas, outre ces effets de lEsprit divin demeurant dans les ames, il y en a encor un admirable qui est quil sont par son moyen unis a J.-C. qui les considerant apres cette union comme ses propres membres leur influe perpetuellement des nouvelles graces et prend plus d'interest atout ce qui le touche quun homme ne fait pour la conservation des parties de son corps de cette grande verité nous pouvons juger combien un homme juste est cher au pere Éternel puis quil n'est qu'un avec Jesus Christ »[1].

Lambert a puisé chez Jean Eudes ce thème du Contrat baptismal par lequel l'âme se donne entièrement à Dieu de sorte qu'elle n'a rien d'autre à donner et qu'elle vit dans la docilité aux orientations du Saint-Esprit qui la dirige. Comme chez saint Thomas d'Aquin, l'Esprit divin qui demeure en nous dès que nous sommes unis à Jésus-Christ nous transmet un « influx » de grâces en tant que membres du Corps mystique :

> « Je finis cette lettre vous exortant encor une fois de vous resouvenir de ce grand et solennel contrat que vous avez fait avec Dieu par vostre baptesme et de suivre les mouvements et les inspirations du divin Esprit que vous y avez receu aux quelles si vous estes fidelles vous arriverez au point de la perfection que ie vous souhaitte, au nom du Père, du Fils et du Saint-Esprit »[2].

La formation juridique de Lambert le porte à apprécier les notions de vœux et de contrat, il reprend le thème du contrat intérieur à propos des trois vœux qui sont pour lui des engagements à vivre dans la foi par l'obéissance, dans l'espérance par la pauvreté et dans la charité par la chasteté. Ce contrat intérieur par lequel l'âme est mariée à Dieu de manière indissoluble rappelle le contrat baptismal qui ne peut être dépassé. En effet que peut donner encore celui qui a tout donné en se donnant lui-même ? Vœux,

---

1. *Id.*, p. 711-712 ; cf. § 49. Alors que Lambert parle ici des âmes unies au Christ, le passage du féminin au masculin et du pluriel au singulier rend difficile la lecture de la fin de ce texte. La copie de Laneau (AMEP, vol. 876, p. 160) et la copie d'Odam (vol. 855, p. 261) ne sont pas plus explicites.

2. *Id.*, p. 712, cf. § 49.

consécrations, vont être des rappels, des prises de conscience de l'engagement de Dieu autant que de l'engagement de l'homme lors du baptême :

> « Il faut scavoir, écrit Lambert, qu'une ame qui a esté eslevé au rang des Apostres et des disciples de J. Ch., en a receü les avantages dont le principal est d'estre unie a Dieu par un mariage indissoluble et eternel de foy, d'esperance et de charité, c'est par ce don special de ces trois vertus infuses qu'elle a esté rendue capable d'estre espouse de J. Ch. qui ne contracte jamais mariage qu'avec des ames vierges, cest à dire dans le sentiment de St Augustin qui ont une entiere foy, une solide esperance, et une Charité sincere »[1].

L'âme doit « se resouvenir continuellement qu'estant unie à Dieu par les vœux de la vie parfaite d'obëyssance, de pauvreté et de chasteté intérieure qui respondent aux trois vertus infuses, de foy, desperance et de Charité qu'elle doit toujours operer conformement à ses obligations »[2].

Par le péché l'âme « se rend coupable de deux infidelités dont la premiere est d'abuser les bonnes graces de Dieu, la seconde est de luy denier les devoirs de ce St mariage qui nous demande lorsqu'il nous sollicite à quelque chose par contrat interieur »[3].

Jean Eudes publie en 1654 à Caen son ouvrage *Le Contrat de l'homme avec Dieu par le saint Baptême*. Il y écrit :

> « Quelle est la qualité de ce Contrat ? C'est un Contrat de donation, et de la plus grande donation et de la plus favorable pour vous qui se puisse dire. Car, par ce Contrat, vous vous êtes donné à Dieu, et Dieu s'est donné à vous, et s'y est donné, comme vous verrez ci-après, en la manière la plus avantageuse pour vous qui puisse être imaginée[4].
>
> « C'est un Contrat d'achat selon ces divines paroles : *Empti estis pretio magno*[5]. Car vous étiez sous la puissance et dans l'appartenance de Satan, auquel vous aviez été vendu par votre premier père ; mais votre très aimable Sauveur vous a acheté par le prix infini de son propre sang, et vous a retiré de ce misérable état, pour vous remettre entre les mains de votre Père céleste.
>
> « Enfin, c'est un Contrat de société et d'alliance, et de la plus noble, plus riche et plus honorable alliance que l'esprit humain puisse concevoir »[6].

Charles Berthelot du Chesnay écrit que pour Jean Eudes il s'agissait de travailler à renouveler l'esprit du christianisme dans les fidèles, ce qui exigeait néanmoins pour eux une conversion :

> « S'il s'agit bien de convertir, il faut conserver au mot "conversion" les différents sens qu'il avait alors. Le païen qui reçoit le baptême et le pécheur endurci

1. *Id.*, p. 754, cf. § 82.
2. *Id.*, p. 755, cf. § 82.
3. *Idem.*
4. J. Eudes, *Œuvres complètes*, t. II, *Contrat de l'homme avec Dieu*, p. 208.
5. I Co 6, 20 : « Vous avez été bel et bien achetés ».
6. J. Eudes, *Œuvres complètes*, t. II, *Contrat de l'homme avec Dieu*, p. 209.

qui reprend les pratiques chrétiennes se convertissent. Mais le chrétien qui passe d'une vie chrétienne ordinaire à une vie chrétienne plus fervente se convertit aussi... Enfin, qui passe du service de Dieu pour s'adonner à la perfection se convertit également. Un missionnaire, surtout s'il s'est engagé lui-même sur ce degré le plus élevé, ne demeure indifférent à aucune des formes de la conversion. Les missionnaires du XVIIe siècle, promoteurs de conversions, renouvelèrent ainsi l'esprit du christianisme parmi les fidèles »[1].

Jean Eudes précise les promesses auxquelles chaque baptisé est tenu en recevant la grâce baptismale, la vie de Jésus en lui :

> « Lorsque vous êtes entré en alliance avec Dieu par le saint et sacré Contrat du Baptême, vous vous êtes offert, donné et consacré à sa divine Majesté », « Vous avez promis, par la bouche de votre parrain et de votre marraine, de renoncer à Satan, à ses pompes et à ses œuvres », « Vous avez promis d'adhérer à Jésus-Christ par la foi, par l'espérance et par la charité ; c'est-à-dire de le suivre : par la foi en ses paroles et à sa doctrine ; par l'espérance en ses promesses ; par la charité en ses commandements, en ses maximes, en ses sentiments, en ses vertus et en sa vie ; et de le suivre, non pas seulement comme un serviteur suit son maitre, mais comme un membre suit son chef : et par conséquent de vivre de sa vie. Ce qui fait dire ces belles paroles à saint Grégoire de Nysse : "*Christianismus est conjunctio cum Christo et professio vitae Christi*" ».
>
> « Être chrétien c'est n'être qu'un avec Jésus-Christ » et par conséquent c'est faire profession de vivre de la vie de Jésus-Christ. « Car, comme la vie du bras est une continuation et extension de la vie de la tête : ainsi la vie chrétienne est une continuation de la vie de Jésus sur la terre »[2].

Jean Eudes doit répondre à l'objection liée à l'irresponsabilité du nouveau-né lors de son baptême. Certes les promesses du baptême ont été faites par la bouche de notre parrain et de notre marraine, mais nous les avons « ratifiées, ou expressément ou du moins tacitement », lorsque, ayant l'usage de raison, nous sommes venus à l'église et que nous avons reçu quelque sacrement, ou que nous avons « fait quelque action de chrétien »[3].

Le Douzième *Entretien Intérieur* reprend l'engagement du baptisé par la bouche des parrain et marraine[4], mais dès le Septième *Entretien Intérieur*, Jean Eudes montre que, dès sa naissance, l'homme a des obligations envers Dieu son Créateur[5]. L'Église met aussi les obligations baptismales en relation avec la connaissance de la vérité dont l'enseignement est une obligation des parents aidés par le parrain et la marraine. Celui qui a la connaissance de la vérité est engagé par elle comme celui qui a prononcé les vœux du baptême.

1. C. Berthelot du Chesnay, *Les missions de saint Jean Eudes*, p. 175-176.
2. J. Eudes, *Œuvres complètes*, t. II : *Contrat de l'homme avec Dieu*, p. 220.
3. *Ibid.*, p. 221.
4. *Ibid.*, t. II : *Entretiens intérieurs*, p. 188.
5. *Ibid.*, p. 157.

Le sacerdoce intérieur

C'est le rôle du prêtre de présenter à Dieu un sacrifice qui puisse être agréé pour le pardon des péchés. Devant l'échec des sacrifices de l'Ancienne Alliance, c'est le Fils de Dieu qui s'est présenté lui-même devant son Père pour être à la fois le sacrificateur et la victime. Son sacrifice a été agréé une fois pour toutes et il a sauvé le monde sans qu'il soit besoin d'autres sacrifices.

C'est bien le Christ seul qui, entrant dans le monde, a pu prononcer en parfaite vérité les paroles du verset 7 du psaume 40 (39) que cite l'Épître aux Hébreux (He 10, 7-9): «Je suis venu pour faire ta volonté». Mais l'Épître précise que c'est par l'offrande de son corps que le Christ a pu nous sanctifier une fois pour toutes (He 10, 10). Ainsi c'est toute la vie du Christ qui constitue l'acte sacerdotal à l'issue duquel il est proclamé grand prêtre (He 5, 10), cela passe par l'agonie et la passion (He 5, 7-8). Lambert exprime cela en disant:

> « Il est neanmoins assuré que lame qui ne voit que J. C. crucifié s'unit a Dieu d'une maniere bien plus particuliere et plus conforme a la vie voyagere que nous menons ne craignant pas de borner là toutes nos veuës. Imitons le fils de Dieu qui a reellement raporté les siennes a sa mort de sorte quon peut considérer les operation de sa vie comme de grands preparatifs du tres sanglant sacrifice quil consomma pendant les 3 heures quil fut en croix »[1].

Le Christ a voulu associer tous les baptisés à son sacrifice et à son sacerdoce. C'est aussi l'auteur de l'Épître aux Hébreux qui nous le dit, confirmant ainsi la doctrine de la mission continue de Jésus. Car si le Christ est bien notre grand prêtre pour offrir le sacrifice, ce n'est pas comme dans le rite de l'Ancienne Alliance à Yom Kippour où le grand prêtre est seul à pénétrer dans le sanctuaire (Lv 16, 17). Il nous a tous pris avec lui dans son sacrifice, il nous a introduits avec lui derrière le voile du Temple[2], c'est avec lui désormais que nous offrons le seul sacrifice acceptable pour le Père, et c'est en lui que nous nous offrons comme il s'est offert. En effet, comme le dit saint Paul aux Corinthiens (2 Co 5, 14): « L'amour du Christ nous presse, à la pensée que, si un seul est mort pour tous, alors tous sont morts ». Tous sont morts en lui pour ressusciter en lui. La doctrine du sacerdoce baptismal rend compte de notre participation au sacerdoce du Christ par l'offrande de nous-mêmes en lui pour le salut du monde et, par voie de conséquence, elle rend compte de la mission continue de Jésus en nous.

Lambert nous fait comprendre que l'eucharistie est une communion à l'unique sacrifice du Christ. Il n'en parle pas comme d'un sacrifice non

---

1. P. Lambert de la Motte, *Abrégé de Relation*, AMEP, vol. 121, p. 695 ; cf. Guennou, transc., § 41 : De l'application intérieure et continuelle d'un disciple de Jésus Christ qui est de considérer le Sauveur du monde souffrant, mourant et mort en Croix.
2. He 6, 19-20 ; 10, 19-21.

sanglant mais l'idée est la même, puisqu'il s'engage par la discipline à y solenniser le « grand sacrifice de la croix » et à « accomplir la seule chose qui manque à celui de l'autel, qui est d'être pénible »[1]. Pour Lambert, le baptisé est appelé à poursuivre le sacrifice inauguré par l'Incarnation du Christ comme il le dit dans son *Abrégé de Relation*[2].

C'est Origène qui, le premier, a développé le thème de la participation du baptisé au sacerdoce du Christ par le don de lui-même et la soumission à l'Esprit Saint. Pour Origène, ce don ne se limite pas à la croix et au martyre :

> « Si quelqu'un veut être pontife moins par le titre que par le mérite, dit Origène, qu'il imite Moïse, qu'il imite Aaron. De fait, que dit-on d'eux ? « Ils ne s'éloignent pas de la tente du Seigneur », Moïse était donc sans cesse dans la tente du Seigneur. Et à quoi s'occupait-il ? À apprendre de Dieu quelque vérité ou à l'enseigner lui-même au peuple. Telles sont les deux occupations du pontife : apprendre de Dieu en lisant les Écritures divines et en les méditant très souvent, ou enseigner le peuple. Mais qu'il enseigne ce qu'il a appris de Dieu, non de son propre cœur ou d'un sens humain, mais ce qu'enseigne l'Esprit ? »[3]

Origène ajoute plusieurs œuvres sacerdotales : faire du Seigneur l'unique part et ne posséder rien d'autre sur la terre[4], lutter contre les démons, triompher sur ses passions[5], « Toute cohabitation de Dieu avec les esprits impurs est exclue. L'Esprit Saint veut l'homme tout entier et ne peut pas partager avec le diable »[6].

Le *Catéchisme du Concile de Trente* donne le nom de « sacerdoce intérieur » à l'acte par lequel le baptisé s'offre, se donne et se consacre à Dieu chaque jour ; cela peut évoquer ce que Jean Eudes nomme Contrat baptismal et qui est aussi pour lui l'acte par lequel le baptisé s'est « offert, donné

1. P. Lambert de la Motte, *Abrégé de Relation*, AMEP, vol. 121, p. 756 ; cf. Guennou, transc., § 83 ; cf. B. Sesboüé, *Jésus-Christ, l'unique médiateur*, t. I, p. 284 (la doctrine sacrificielle du Concile de Trente) : « Par immolation non sanglante il faut entendre l'acte sacramentel qui rend présent le sacrifice sanglant de la croix. Le Christ glorieux, siégeant à la droite du Père, n'a en effet plus à s'immoler de nouvelles fois. Mais l'Église a besoin que son unique immolation reçoive présence et visibilité toujours et partout, qu'elle devienne ainsi contemporaine de tous les hommes et que ceux-ci, rassemblés en Église par la célébration eucharistique, puissent offrir leur existence en sacrifice saint et agréable à Dieu. Car à la messe, le sacrifice du Christ suscite sans cesse celui de l'Église ». Ce n'est pas du dolorisme que de considérer alors que ce sacrifice de l'Église est d'abord un sacrifice sanglant, celui du Corps du Christ en croix avant qu'il rejoigne sa Tête dans la gloire à la droite du Père. Il semble que ce soit là un objet de méditation pour Lambert.

2. *Id.*, *Abrégé de Relation*, AMEP, vol. 121, p. 610 ; cf. n° 2 : « une ame ainsi perdüe continue le sacrifice que le Sauveur du monde a commencé au moment de son incarnation ».

3. Théo Hermans, *Origène, Théologie sacrificielle du sacerdoce des chrétiens*, coll. « Théologie historique » n° 102, Beauchesne, Paris, 1996, p. 207, citant Homélie d'Origène sur Lévitique 6, 6.

4. *Ibid.*, p. 208, citant Homélie d'Origène sur Josué 9, 5.

5. *Ibid.*, p. 227. 234, citant Homélie d'Origène sur Josué 1, 6.

6. *Ibid.*, p. 234, citant Homélie d'Origène sur Nombres 6, 3.

et consacré » à Dieu, une fois pour toutes. Le texte clarifie le sujet d'abord à l'intention des pasteurs et ensuite pour l'édification des fidèles qui ont à pratiquer comme eux ce sacerdoce intérieur :

> « Comme les saintes Lettres distinguent deux sacerdoces, l'un intérieur et l'autre extérieur, il est nécessaire de les caractériser tous deux, afin que les pasteurs puissent expliquer de quel sacerdoce il est ici question. *Quoniam duplex sacerdotium in Sacris Litteris describitur, alterum interius, alterum externum : utrumque distinguendum est, ut, de quo hoc loco intelligatur, a pastoribus explicari possit.*
>
> « Ainsi, lorsqu'on dit des fidèles purifiés par l'eau du baptême, qu'ils sont prêtres, c'est du sacerdoce intérieur que l'on veut parler. Dans le même ordre d'idées, tous les justes sont prêtres qui ont l'Esprit de Dieu en eux, et qui sont devenus, par un bienfait de la grâce, membres du Souverain Prêtre, qui est Notre-Seigneur Jésus-Christ. En effet, ils immolent à Dieu sur l'autel de leur cœur, des hosties spirituelles, toutes les fois que, éclairés par la foi et enflammés par la charité, ils font des œuvres bonnes et honnêtes, qu'ils rapportent à la gloire de Dieu.
>
> « C'est pourquoi nous lisons dans l'Apocalypse : Jésus-Christ nous a lavés de nos péchés dans son sang et il nous a faits royaume et prêtres pour Dieu son Père [Ap 1, 6 ; 5, 10]. C'est aussi ce qui fait dire au Prince des Apôtres : Vous êtes posés sur lui comme des Pierres vivantes pour former un édifice spirituel et un sacerdoce saint, afin d'offrir à Dieu des sacrifices spirituels qui lui soient agréables par Jésus-Christ [1 P 2, 5] C'est encore pour cette raison que l'Apôtre nous exhorte à offrir à Dieu nos corps comme une hostie vivante, sainte et agréable et à lui rendre un culte spirituel [Rm 12, 1 ; Ép 5, 2]. Enfin, longtemps auparavant, David avait dit : Le sacrifice que Dieu demande est une âme brisée ; vous ne dédaignerez pas, ô mon Dieu, un cœur contrit et humilié [Ps 51, 19]. Tout cela, évidemment, regarde le sacerdoce intérieur.
>
> « Quant au sacerdoce extérieur, il n'appartient point à tous les fidèles, mais seulement à certains hommes qui ont reçu l'imposition des mains d'une manière légitime ; qui ont été ordonnés et consacrés à Dieu avec les cérémonies solennelles de la Sainte Église, et qui, par le fait, se trouvent dévoués à un ministère sacré et d'une nature toute particulière »[1].

Pour ne pas confondre le sacerdoce des baptisés et le sacerdoce ministériel des prêtres, le Concile de Trente nomme le premier « sacerdoce intérieur » et le second « sacerdoce extérieur » de sorte qu'ils soient bien séparés et que les prêtres aient à exercer deux sacerdoces, le premier au titre de leur sacrement de Baptême et le second au titre du sacrement de l'Ordre. Le Concile préfère « sacerdoce intérieur » à « sacerdoce baptismal », sans doute pour ne pas le confondre avec le « sacerdoce universel » qui est l'interprétation protestante[2].

1. Paul Dabin, *Le sacerdoce royal des fidèles dans la tradition ancienne et moderne*, Paris, Desclée de Brower, 1950, p. 359-360, citant le « Catéchisme du Concile de Trente », publié par la revue *Itinéraires, chroniques et documents*, n° 136, septembre-octobre 1969, p. 314-315.

2. En 1520, dans son « Manifeste à la noblesse chrétienne de la nation allemande » dans *Œuvres*, t. II, p. 85, Luther a inventé le terme de « sacerdoce universel des croyants ». Il écrit :

Pour Lambert, il y a deux temps dans la journée, il exerce son sacerdoce ministériel le matin par la messe et il exerce son sacerdoce intérieur par ce qu'il appelle « le sacrifice du soir », l'application de la discipline le temps d'un Miserere en union avec la Passion du Christ[1].

Dans la présentation du « sacerdoce ministériel » ou « hiérarchique »[2] qu'on fait dans le bérullisme, une autre difficulté surgit, celle de faire du sacerdoce extérieur par lequel le prêtre offre le Christ et du sacerdoce intérieur par lequel le prêtre s'offre avec le Christ deux aspects du sacrement de l'Ordre. Telle n'est pas l'intention des rédacteurs du *Catéchisme du Concile de Trente*, même si l'attention des Pères conciliaires s'est portée sur le rôle du prêtre plutôt que sur celui du laïc[3]. Le Concile de Trente, tout en insistant sur le devoir de sainteté du prêtre[4], a voulu éviter que l'on conditionne les pouvoirs du prêtre à sa sainteté[5].

« Le baptême seul fait le chrétien. Tous nous sommes prêtres, sacrificateurs et rois. Tous nous avons les mêmes droits […]. L'État ecclésiastique ne doit être dans la chrétienté qu'une sainte fonction. Aussi longtemps qu'un prêtre est dans sa charge, il paît l'Église. Le jour où il est démis de ses fonctions, il n'est plus qu'un paysan ».

1. P. LAMBERT DE LA MOTTE, *Abrégé de Relation*, AMEP, vol. 121, p. 756-759 ; cf. Guennou, transc., § 83.

2. Pierre de BÉRULLE, *Œuvres complètes*, t. 1, I Conférences et notes par Michel Dupuy, traduction d'Auguste Piédagnel, Paris, Cerf, 1995, p. 333. Michel Dupuy souligne : « Il n'est pas question une seule fois dans ces Conférences du "sacerdoce des fidèles", ce qui n'était d'ailleurs pas à cette époque un thème courant ». Au tome 4 des *Œuvres complètes, I conférences et fragments, œuvres de piété*, Paris, Cerf, 1996, Michel Dupuy écrit dans sa note 1 de la p. 394 : « Bérulle ne parle guère du "sacerdoce" des prêtres, mais plutôt de leur "prêtrise" ».

3. Henri DENIS, « La théologie du presbytérat de Trente à Vatican II », in *Vatican II – Les prêtres : formation, ministère et vie*, Unam Sanctam n° 68, Paris, Cerf, 1968, p. 222. Au Concile de Trente, on considérait que les évêques n'avaient reçu aucun sacrement de plus qu'un prêtre et qu'ils n'avaient d'autorité que celle que leur donnait le pape.

4. A. MICHEL, « Les Décrets du Concile de Trente », in HEFELE, *L'histoire des Conciles*, t. X, Paris, Letouzey et Ané, 1938, p. 460 : Session XXII, De Réformation, c. 1. Voir aussi Session XIV, De Réformation, préambule : « Les évêques avertiront les clercs, de quelque rang qu'ils soient, de montrer le chemin au peuple qui leur est confié, et, par leur vie exemplaire, et par leurs paroles, et par leur doctrine, se souvenant de ce qui est écrit : Soyez saints parce que je suis saint (Lv 19, 2) » (p. 384) ; Session XXIII, De Réformation c. 1 : « Le saint Concile les avertit (les pasteurs) et les exhorte, afin qu'ils se souviennent des préceptes divins et, se faisant modèles du troupeau (1 P 5, 2-3), ils le paissent et le gouvernent selon la conscience et la vérité » (p. 494). Voir encore Session XXV, De Réformation générale, c. 1 : « Il est à souhaiter que ceux qui reçoivent le ministère de l'épiscopat connaissent quelles sont leurs obligations et qu'ils comprennent qu'ils sont évêques, non pour leur propre commodité, non pour une vie de richesses et de luxe, mais pour travailler avec sollicitude à la gloire de Dieu. Car il n'y a aucun doute que tout le reste des fidèles s'enflamment plus facilement pour la religion et l'innocence (de la vie), s'ils voient leurs chefs soucieux, non des choses de ce monde (cf. 1 Co 7, 33), mais du salut des âmes et de la patrie céleste » (p. 610-611).

5. *Ibid.*, p. 214 : Session VII, c. 12 sur les sacrements en général : « Si quelqu'un dit que le ministre du sacrement qui, tout en étant en état de péché mortel, observe néanmoins toutes choses essentielles requises pour la confection ou la collation du sacrement, ne fait pas ou

Jean Eudes n'écarte pas le rôle des laïcs, il affirme qu'en vertu du sacerdoce intérieur les baptisés sont unis au sacerdoce extérieur, car ils « ont droit non seulement d'assister au saint sacrifice de la Messe, mais aussi de faire avec le prêtre ce qu'il fait, c'est-à-dire d'offrir avec lui et avec Jésus-Christ même le sacrifice qui est offert à Dieu sur l'autel »[1].

Sans qu'il y ait confusion dans l'esprit de Lambert entre sacerdoce intérieur et sacerdoce extérieur, pour lui le prêtre est particulièrement appelé à unir son propre sacrifice au sacrifice sacramentel qu'il préside lors de la messe. C'est ce qu'il écrit à Pallu à propos de son arrestation par les Espagnols à Manille en 1674 :

> « Nous avons regardé ces grandes espreuves comme des marques de benediction sur nous et sur nos missions, nous vous avons encore envisagé dans ces estats de souffrances comme une victime choisie et un sacrificateur public qui s'offroit à Dieu dans l'union des sacrifices de J.-C. pour l'interest general. Ces reflections ne nous consolerent pas seulement, mais elles nous donnerent aussi de hautes esperances du profit que nous en devions retirer »[2].

Lambert ne réserve pourtant pas l'exercice du sacerdoce baptismal à ceux qui ont une vocation victimale ni à ceux qui ont été consacrés par le sacerdoce ministériel, mais pour lui ces derniers y sont appelés « par état »[3], c'est-à-dire que cela les concerne encore plus que d'autres car en s'engageant dans le ministère ils ont déjà ratifié l'obligation de s'y conduire en victime comme le Christ.

---

ne confère pas le sacrement, qu'il soit anathème » ; Session XIV, c. 10 sur le sacrement de pénitence : « Si quelqu'un dit que les prêtres en état de péché mortel n'ont pas le pouvoir de lier et de délier..., qu'il soit anathème » (p. 369). En la Session XIV sur l'Extrême-Onction (chapitre 3), le Concile de Trente rappelle que par presbytres de l'Église, « il faut entendre non les plus anciens ou les plus dignes parmi le peuple, mais les évêques ou les prêtres par eux régulièrement ordonnés par l'imposition des mains du presbyterium (1 Tm 4, 14) » (p. 377). Jean-Jacques Olier proclame que « la sainteté de ceux qui reçoivent la grâce n'est pas mesurée à la sainteté de ceux qui en sont les instruments » (Bernard Pitaud, « Le sacerdoce des prêtres chez Jean-Jacques Olier », in *Bulletin de Saint-Sulpice*, n° 34, 2008, p. 357).

1. J. Eudes, *Œuvres complètes,* t. I, p. 460.

2. P. Lambert de la Motte, Lettre à Pallu du 29 novembre 1677, AMEP, vol. 858, p. 413 ; cf. Guennou, transc., L. n° 183.

3. « Par état » est employé assez souvent par Mgr Lambert, dans sa Lettre à M. Duplessis du 6 mars 1663 AMEP, vol. 121, p. 506-510 et dans la suivante au même (vol. 121, p. 557), dans sa Lettre à Messieurs de la Compagnie des Missions (AMEP, vol. 121, p. 520), dans sa Lettre à l'archevêque de Rouen (vol. 121, p. 515), dans sa Lettre à son frère Nicolas (AMEP, vol. 121, p. 579), dans sa Lettre à Messieurs de la Communauté de Saint Josse (AMEP, vol. 121, p. 588), dans ses Lettres à Mgr Pallu du 17 octobre 1666 (AMEP, vol. 858, p. 127), du 4 novembre 1666 (AMEP, vol. 876, p. 420) et de 1668 (AMEP, vol. 876, p. 571), dans l'*Abrégé de Relation* (AMEP, vol. 121, p. 642. 658. 664. 677. 729).

Aujourd'hui on attache au sacerdoce commun une part de responsabilité dans le gouvernement de l'Église qu'on appelle synodalité[1]. Lambert en s'attachant à réunir annuellement des synodes ne faisait que suivre les instructions du Concile de Trente[2]. Il y rassemblait tous ceux, prêtres, religieux, religieuses, catéchistes laïcs, qui concourraient à la même mission, celle du Christ qu'il prolongeait dans l'Église, la gloire de Dieu et le salut des âmes. C'est à cette mission que le chrétien doit s'engager par serment dans son contrat baptismal, c'est cette mission qu'il exécute par son sacerdoce baptismal en s'offrant lui-même au Père dans le Christ et en se soumettant continuellement à l'Esprit Saint.

Trois difficultés liées à la nécessité du baptême pour le salut

Les nouveau-nés moribonds

C'est la dimension communautaire et sacramentelle qui est privilégiée dans le baptême des nouveau-nés. La réforme protestante en prend le contre-pied en accentuant la dimension personnelle de la foi, alors que dans la liturgie baptismale c'est la foi que le catéchumène demande à l'Église de Dieu. Dans le cas du nouveau-né, c'est l'Église, la famille, les parrain et marraine, la communauté paroissiale, qui répondent de la foi de l'enfant en lui fournissant solidairement la connaissance, l'encouragement et l'exemple pour l'y conduire. Mais tel n'est pas le cas de l'entourage de la plupart des nouveau-nés moribonds que tous les missionnaires baptisent en Asie au temps de Lambert. Les missionnaires apostoliques pratiquent aussi deux types de baptême en milieu païen, le baptême d'adultes auxquels ils demandent un engagement solennel et le baptême de nouveau-nés moribonds auxquels ils ne demandent rien si leur famille reste païenne. La raison de cette différence, c'est que le salut des non-baptisés n'est pas réglé théologiquement[3]. Cela pousse les missionnaires à baptiser les mourants qu'ils soient ou non en état de comprendre ce qu'on leur administre.

---

1. G. Chantraine, S.J., « Synodalité, expression du sacerdoce commun et du sacerdoce ministériel ? » in *Nouvelle Revue Théologique*, n° 113, 1991, p. 340-362 : « Il convient de parler dans ce contexte du *sensus fidei* et du *consensus fidelium* ».

2. Alain Tallon, *Le concile de Trente*, coll. « Histoire », Paris, Cerf, 2000, p. 74-75.

3. La question du salut des enfants morts sans baptême va aboutir aux xiie et xiiie siècles à partir de la position antipélagienne de saint Augustin à la conception des limbes, un lieu où l'on ne connaît pas les douleurs de l'enfer sans pour autant avoir accès à la vie éternelle (Jacques Gélis, *Les enfants des limbes – Mort-nés et parents dans l'Europe chrétienne*, Louis Audibert,

Si le salut s'obtient par la foi et le baptême comme le dit l'Évangile (Mc 16, 26), qu'en est-il des enfants qui meurent alors qu'ils ne sont pas en âge de croire par eux-mêmes ? Pour le *Catéchisme du Concile de Trente*: « Les enfants n'ont pas d'autre moyen de salut que le Baptême »[1]. Le baptême doit alors suffire pour eux. Le Catéchisme incitait donc à baptiser les enfants des croyants le plus tôt possible mais aussi à baptiser ceux des Infidèles:

> « On ne peut douter que les enfants, au moment où ils reçoivent le Baptême, ne reçoivent en même temps le don mystérieux de la Foi ; non pas qu'ils croient par l'adhésion de leur intelligence, mais parce qu'ils sont comme revêtus et imprégnés de la Foi de leurs Parents, si leurs Parents sont croyants, ou s'ils sont infidèles, de la Foi de toute la société des Saints (c'est la parole même de S. Augustin). Car on peut dire avec vérité que les enfants sont présentés au Baptême par tous ceux qui désirent les y voir présenter, et dont la charité les fait admettre dans la Communion du Saint-Esprit »[2].

Qu'en-est-il des enfants qui meurent sans être baptisés ? En s'appuyant aussi sur saint Augustin[3], on a pensé d'abord qu'ils étaient exclus de la vision béatifique. C'est la même référence à saint Augustin qui a donné lieu à la doctrine protestante de la prédestination et à la théorie des limbes en admettant une peine ou un châtiment pour les petits enfants non baptisés. En 2007, une commission théologique internationale dont le cardinal Ratzinger avait été président avant son élection à la papauté, reconnut qu'il y a « des fondements théologiques et liturgiques sérieux pour espérer que les enfants qui meurent sans baptême seront sauvés et jouiront de la vision béatifique »[4]. Ces bases sérieuses, à savoir la miséricorde infinie de Dieu qui veut que tous les hommes soient sauvés et la médiation unique et universelle du Christ qui est venu dans le monde pour sauver tous les hommes, justifient aussi notre espérance dans le salut de tous les non chrétiens[5].

2006, p. 171, 176-179). Pour B. Sesboüé, (*Hors de l'Église pas de salut, Histoire d'une formule et problèmes d'interprétation*, Paris, Desclée de Brouwer, 2004) au début du XIXe siècle la doctrine des limbes s'étendit aux adultes justes, morts sans baptême. Elle était proposée comme une solution de moindre mal par rapport à une conception plus restrictive (p. 154-155).

1. « Catéchisme du Concile de Trente », publié par la revue *Itinéraires, chroniques et documents*, n° 136, septembre-octobre 1969, p. 173.

2. *Idem.*

3. François Reckinger, *Baptiser des enfants, à quelles conditions ? – réflexions théologiques et pastorales*, Bruxelles, Nauwelaerts-Louvain, 1987, p. 100, citant Saint Augustin, *Enchiridion*, 93 ; *De peccatorum meritis et remissione*, I, 16, 21.

4. Commission Théologique Internationale, *L'espérance du salut pour les enfants qui meurent sans baptême*, Paris, Pierre Téqui, 2007, p. 74. Dès 1992 le Catéchisme de l'Église catholique ne mentionne même plus la théologie des limbes qui a perdu toute crédibilité au XXe siècle (B. Sesboüé, *Hors de l'Église pas de salut*, p. 155, note 3).

5. *Ibid.*, Commission Théologique Internationale, p. 41-42. La théologie de la descente de Jésus au séjour des morts le samedi saint ne vaut pas que pour les morts qui ont précédé le

En 1664-1665, les *Monita* rédigés sous la responsabilité des vicaires apostoliques, Pallu et Lambert, préconisent le baptême des enfants moribonds : « On fera choix de quelques femmes chrétiennes, de piété éprouvée, pour exercer la profession de sages-femmes. Elles feront en sorte qu'aucun enfant, fût-il né de parents païens, ne meure sans Baptême, si possible »[1]. Saint Thomas d'Aquin avait pourtant refusé que l'on baptise les enfants de Juifs ou d'infidèles contre la volonté de leurs parents, comme il avait refusé que l'on baptise des enfants encore dans le sein de leur mère comme certains prétendaient le pratiquer[2]. Cette position concerne la légitimité et non la validité de tels baptêmes. Si on considère le baptême comme une marque indélébile, permanente, non renouvelable, don de Dieu sans repentir, l'homme ne peut revenir en arrière et faire comme si le baptême n'avait pas eu lieu, même s'il avait été pratiqué de manière illégitime[3]. Cette position de l'Église a été cause de scandale pour les non croyants[4]. Pour elle, l'illégitimité n'enlève pas *ipso facto* la validité d'un sacrement, ainsi elle ne rebaptise pas les schismatiques et les hérétiques quand ils ont été baptisés selon ses critères de validité.

Dans une lettre aux missionnaires du Siam, Pallu avait écrit en décembre 1662 : « Que le soin des enfans moribonds nous doit estre tres grand pour leur administrer le saint baptesme, suivant l'exemple de saint François Xavier, des Pères Dominicains qui en faisoient leur principal emploi dans le Cambodge, il y a 70 ou 80 ans »[5].

Christ dans l'Ancienne Alliance mais aussi pour les morts de tous les temps qui ont recherché durant leur vie la vérité avec droiture comme il est dit dans le *Memento* des Morts de la prière eucharistique n° 3.

1. F. PALLU et P. LAMBERT DE LA MOTTE, *Monita*, p. 133.

2. Saint THOMAS d'AQUIN, *Somme théologique*, IIIa, q. 68, a. 10 et 11. Cf. Henri DENIS, Charles PALIARD, Paul-Gilles TREBOSSEN, *Le baptême des petits enfants, histoire, doctrine, pastorale*, Le Centurion, 1975, p. 25-26, notes 17.19. Pour saint Thomas, les enfants morts sans baptême ne souffrent pas et jouissent du bonheur éternel dans un accomplissement naturel (François RECKINGER, *Baptiser des enfants*, p. 101).

3. La justification des baptêmes de nouveau-nés moribonds n'en était pas entamée. Certes on avait peut-être eu tort de baptiser les enfants non chrétiens, on avait peut-être mal évalué le danger de mort, mais une fois le baptême donné, l'enfant était chrétien et l'Église devait lui apporter tout ce dont un chrétien a besoin en matière d'instruction religieuse et de sacrements, même s'il fallait pour cela l'éloigner de son milieu familial.

4. La pratique des baptêmes face au danger de mort d'enfants de non chrétiens aboutit à certains scandales comme l'affaire Mortara au XIXe siècle et l'affaire Finaly au XXe siècle, où des enfants juifs, baptisés contre le gré de leurs parents, avaient été enlevés pour être éduqués dans la religion chrétienne. Au XVIIIe siècle en effet le pape Benoît XIV avait justifié cette pratique (cf. Henri DENIS, Charles PALIARD, Paul-Gilles TREBOSSEN, *Le baptême des petits enfants*, p. 26-27, notes 22.23).

5. F. PALLU, *Lettres de Monseigneur Pallu*, p. 67-68. Lettre n° 17 aux missionnaires de Siam, du 28 décembre 1662.

Lambert a pu constater en passant par Babylone que la deuxième activité des capucins après la recherche de l'unité chrétienne était, comme il l'écrit,

> de « baptiser les petits enfans des turcs qu'ils jugent estre pour mourir, cela va a ce que nous avons appris d'eux a 15 ou 20 par an, il est vray qu'ils ont un grand avantage pour cela parce que un d'eux passe dans la ville pour le plus habile medecin et sans doute pour le plus charitable, ce qui fait qu'aussi tost qu'il y a quelque enfans malade, on lenvoye querir, ou bien on les luy amene, et lors qu'il les juge en peril evident de mort, le meilleur remede qu'il leur aplique est de leur donner le St bapteme en quoy il a tant de benediction qu'il est rare d'en voir un qui survivre après avoir receu la grace du St bapteme »[1].

Au Siam, Laneau a fondé en 1671 un dispensaire[2] dont l'objectif principal fut en fait, faute de vrais médecins, le baptême à l'article de la mort et, alors qu'après 1688 l'évangélisation était paralysée, les missionnaires ont privilégié le baptême d'enfants moribonds[3]. Lambert fit donner le baptême à des enfants en danger de mort en tant que quatrième emploi des Amantes de la Croix: « elles auront grand soign de baptiser dans les cas de necessite les petits enfants qui seront en peril de mourir auparavant que de recevoir le baptesme »[4]. Cette fonction leur sera facilitée par leur emploi de sages-femmes et d'institutrices. En un temps où la mortalité infantile était très élevée, cette fonction permettait de faire entrer dans l'Église plus de fidèles que par la prédication des missionnaires. L'abbé Migne souligne cet aspect à propos des Amantes de la Croix qui ont concouru à baptiser 51 000 bébés en 1812[5].

---

1. P. Lambert de la Motte, *Abrégé de Relation*, AMEP, vol .121, p. 608 ; cf. Guennou, transc., § 1. La dernière phrase est positive dans sa traduction italienne (APF, SOCG, vol. 226, p. 47): « che rare volte avviene che alcuno di quelli sopraviva doppo haver riceviuto la gratia battismale » : « que parfois il advient que l'un de ceux-ci survive après avoir reçu la grâce baptismale ».

2. A. Forest, *Les missionnaires français au Tonkin et au Siam*, t. I, p. 196.

3. *Ibid.*, p. 259. Au Siam Mgr de Cicé en a baptisé 3 000 en 6 ans. Selon lui, 50 000 enfants auraient été baptisés depuis les origines de la mission jusqu'en 1711.

4. P. Lambert de la Motte, *Abrégé de Relation*, AMEP, vol. 677, p. 210 ; cf. Guennou, transc., § 123. Pourtant, dans ce qui est écrit ici, il n'est pas clairement précisé qu'on baptise des enfants de païens, ce pourrait être compris comme l'anticipation du baptême solennel (principe du ondoiement), mais dans ce cas cela ne pourrait être considéré comme un emploi des Amantes de la Croix.

5. Abbé Migne, « Amantes de la Croix » in *Dictionnaire des Ordres Religieux*, t. IV, Paris, éditeur Migne, 1859, col. 94-95. L'œuvre de la Sainte Enfance a été fondée en 1843 par Mgr. Forbin Janson, évêque de Nancy pour encourager encore davantage les baptêmes d'enfants moribonds et en établir les statistiques précises, on rentrait alors dans les maisons sous couvert de proposer des médicaments et on sortait de la manche une fiole d'eau pour procéder secrètement au baptême (Joachim ĐINH Thực, *Les sœurs* Amantes de la Croix *au Vietnam*, thèse de doctorat en droit canonique, Université Pontificale Grégorienne, Rome, 1960, p. 113-114, citant *Annales de la Propagation de la Foi* V (XXVII), p. 392ss. 400 ; XVII, p. 441-442 ; Compte-Rendu MEP 1884, sur la Cochinchine Occidentale).

Au sujet de l'obtention du salut exclusivement par le baptême et l'entrée dans l'Église, Bernard Sesboüé rappelle le décret du Concile de Trente sur la justification qui n'émet cette réserve que pour le temps qui suit la promulgation de l'Évangile[1]. Là où l'on ignore l'Évangile, le Concile ne prend pas parti ; Bernard Sesboüé écrit alors: « Les païens peuvent être sauvés par la médiation du mystère du Christ et de l'Église, qu'ils ignorent, au même titre que ceux qui ont précédé la venue du Sauveur »[2]. C'est là que peut intervenir la contribution de l'Église au salut du monde, non plus seulement par les sacrements et l'annonce de l'Évangile mais par la croix, vécue en unité avec le Christ, de sorte que hors de l'Église il n'y ait pas de salut.

Bernard Sesboüé montre qu'il n'y a pas de salut pour le monde sans que l'Église y participe dans le Christ. La Rédemption n'exclut pas l'expiation ; l'expiation « n'est nullement un préalable au pardon de Dieu ; elle est au contraire fondée sur sa volonté de pardon [...]. Elle est volonté de réparation. Mais, sur ce fond que nul pécheur ne peut oublier, elle peut enfin et surtout devenir participation à l'expiation aimante du Christ pour le salut du monde »[3].

Dans le contexte de l'évangélisation, le long chemin que Lambert a dû parcourir pour atteindre son vicariat apostolique lui a ouvert l'esprit sur un autre monde que celui de la chrétienté européenne et sur les réponses différentes à y apporter. La question du salut des païens intéressait tous les missionnaires et aussi tous les néophytes.

Les païens, ancêtres des chrétiens

Pendant son voyage, Lambert rencontre la foi et la pratique religieuse des musulmans[4], l'ascèse et le respect de la vie des Hindous[5], le détachement et la bienveillance des bouddhistes[6] et c'est pour lui un sujet d'admiration, exceptionnel à son époque où l'intolérance était signe de zèle religieux.

---

1. B. Sesboüé, *Hors de l'Église pas de salut*, p. 124, citant Concile de Trente, Décret sur la justification, ch. 4: « Après la promulgation de l'Évangile (post evangelium promulgatum) ce transfert [de l'état de fils d'Adam à l'état de Fils de Dieu par Jésus-Christ] ne peut se faire sans le bain de la régénération [le baptême] ou le désir de celui-ci, selon ce qui est écrit :"Nul ne peut entrer dans le Royaume de Dieu, s'il ne renaît pas de l'eau et de l'Esprit Saint (Jn 3, 5)" ».

2. *Ibid.*, p. 125. L'auteur (p. 365) trouve un peu rapide le commentaire du *Catéchisme de l'Église catholique* (n° 846-848 et n° 1257-1260) sur l'adage « Hors de l'Église point de salut » dans lequel il faut comprendre que « tout salut vient du Christ-Tête par l'Église qui est son Corps ».

3. B. Sesboüé, *Jésus-Christ, l'unique Médiateur*, t. I, p. 325.

4. P. Lambert de la Motte, *Abrégé de Relation*, AMEP, vol. 121, p. 612-613 ; cf. Guennou, transc., § 3-5.

5. *Id*, p. 616 ; § 7.

6. *Id*, p. 627 ; § 12.

Concernant les rites chinois, Lambert ne se précipite pas pour prendre position ; il se contente de demander les directives de la Sacrée Congrégation de la Propagation de la Foi selon les *Instructions romaines de 1659*. Le cardinal Alberici lui répond le 26 décembre 1670 en lui donnant l'historique depuis 1645 des décisions de Rome sur les rites chinois, les honneurs rendus à Confucius et le culte des morts[1]. On peut s'étonner que les *Instructions romaines de 1659* qui concernent les vicaires apostoliques envoyés en Chine, ne mentionnent pas expressément les rites funéraires chinois dont on a tant parlé à Rome. On sent pourtant un certain retrait par rapport à la condamnation de ces rites de 1645, il s'agit de garder les rites « qui ne sont pas détestables » et, quant aux usages qui sont franchement mauvais, « il faut les ébranler plutôt par des hochements de tête et des silences que par des paroles, non sans saisir les occasions grâce auxquelles, les âmes une fois disposées à embrasser la vérité, ces usages se laisseront déraciner insensiblement »[2]. Le vrai danger était sans doute le syncrétisme religieux au nom du principe confucéen de l'Harmonie. Lambert condamnera certains aspects des funérailles que Rome désapprouve[3]. C'est en 1679 (date de la mort de

1. Cardinal Alberici, Lettre à Lambert du 26 décembre 1670, AMEP, vol. 121, p. 34-36 : Le cardinal commence sa lettre en disant : « Des missionnaires de l'ordre des Prêcheurs travaillant en Chine avaient présenté en 1645 dix-sept questions à la Sacrée Congrégation de la Propagation de la foi, tant pour imposer aux néophytes de ce pays l'observance des lois et des rites de l'Église Catholique que pour interdire les lois et superstitions des païens ». Ensuite le cardinal propose à Lambert de répondre lui-même à certaines de ces questions pour juger la situation rencontrée dans les vicariats apostoliques. Mais ces questions expriment une certaine compréhension de la part du cardinal, peut-être suggérée par Lambert, comme : « Est-il facile aux chrétiens de procéder à un acte de protestation de foi catholique devant les païens lors qu'on les convoque et qu'on les force à prendre part à des actes superstitieux ? Est-ce dur et difficile ? ». Les questions ne s'arrêtent pas au sujet des rites funéraires mais elles intéressent l'implantation du christianisme : « La pudeur et la retenue des femmes, ainsi que la jalousie des hommes, va-t-elle si loin que c'est avec un immense scandale et un risque évident de trouble qu'on procède aux cérémonies de sacrement de baptême et de confirmation chez les femmes du fait du toucher par celui qui baptise et confirme, et que c'est le même scandale quand on administre l'extrême onction ? Mais le scandale et le danger sont-ils tels qu'il y ait une lueur d'espoir que les cérémonies de l'Église soient finalement acceptées à l'usage ? » (trad. J. Ruellen).

2. B. Jacqueline, *Traduction française des Instructions de 1659*, III, 12.

3. *In expostulationem patris philippo de Marinis societatis Jesu ad Eminentissimos patres sacri Congregationis de propaganda fide ut inscribit* (Sur la plainte du père Philippe Marini, de la Compagnie de Jésus, adressée aux Cardinaux de la Sacrée Congrégation de la Propagande), AMEP, vol. 660, p. 40 : « Pourquoi, dit-il, prêche-t-on dans votre église qu'il est permis aux néophytes de réciter des prières devant les parents morts dans l'infidélité ?. Il est vraiment étonnant qu'il incrimine ainsi Monseigneur qu'il vient d'accuser « d'interdire comme superstitieux la pratique des funérailles permise par les pères de la Compagnie et approuvée, dit-il, par le Souverain Pontife ». Mgr interdit en effet ces funérailles et il suit très fermement les décrets de la Sacrée Congrégation qui ont été donnés sur ce point et

Lambert) que Clément IX décide que les rites chinois sont condamnés s'ils sont conformes au rapport du dominicain Moralès à la Propagation de la Foi en 1645 et qu'ils sont approuvés s'ils sont conformes au rapport de Martini de 1656 soutenu par les jésuites et le Saint-Office[1].

---

approuvés par le Saint-Père ; comment pourrait-il permettre ce qui leur a été interdit par la Sacrée Congrégation, de prier devant les infidèles qui sont vraiment morts dans l'infidélité ! Et l'accusation qu'il porte contre nous aussi d'interdire les rites approuvés par le Saint Siège est aussi fausse que sa prétention que tous les rites des funérailles que les pères de la Compagnie permettent aient été approuvés par le Saint Siège, alors qu'il ne manque pas chez eux de pères qui les désapprouvent » (*Quare, inquit, in vestra ecclesia praedicatur licitum esse neophytis preces fundere pro parentibus in infidelitate defunctis. Mirum sane quod de hoc Illustrissimum insimulet quem proximo accusavit quod prohiberet tanquam superstitiosum usum funeralium a patribus Societatis permissum et, inquit, a Summo Pontifice approbatum, qui enim funeralia prohibet et tam firmiter inhæret decretis Sacræ Congregationis super illis datis et a Sanctissimo Illustrissimo approbatis ; quonam modo permitteret quod iisdem prohibet Sacra Congregatio, pro infidelibus vere in infidelitate defunctis orare. Sed tam falso accusat nos ritus a Sancta Sede approbatos prohibere, quam falso contendit omnes ritus funerales quo patres Societatis permittunt, a Sancta Sede approbari, cum non desint ex ipsis patribus qui ipsos improbent*), trad. Ruellen.

– *Annotationes in duos quosdam libellos a patre Philippo de Marinis nomine patrum Soc. Jes. missos ad Episcopum Beritensem* (Notes sur deux libelles envoyés par le Père Philippe de Marini au nom des pères de la Compagnie de Jésus à l'Évêque de Bérythe), AMEP, vol. 660, p. 25, trad. Ruellen : « Que l'usage funéraire qui est approuvé par le Souverain Pontife ait été interdit par nous, ou qu'on ait permis de réciter des prières devant les païens défunts, il n'y a rien de tout cela, mais on nous a seulement proposé ceci : que tous les rites avec une intention superstitieuse n'ont absolument jamais pu être permis, même si ceux qui, bien qu'ils sentent un peu les coutumes des païens, aient été en quelque sorte tolérés par le Saint Siège pour des raisons d'urgente nécessité, qu'ils puissent encore être tolérés ; et cet avis plut tant au D. O. [?] que tous les néophytes eux-mêmes ont déjà abandonné les anciens rites même s'ils ne sont pas tout à fait illicites » (*Quod usus funeralius qui approbatus sit a Summo Pontifice a nobis prohibitus fuerit, vel pro infidelibus defunctis preces fundere permissum, ne verbo quidem ; sed hoc unum nobis propositum fuit, ut ritus omnes qui cum fine superstitiosi omnino permitti nunquam potuerunt, aut illi etiam qui licet redolerent nonnihil gentilium mores, propter causas urgentissimæ necessitatis, a Sancta Sede utcumque tolerati sunt, quantum fieri potuit tolerentur, cui consilio adeo favit D. O. ut ipsi neophyti iam fugiant a pristinis illis ritibus etiamsi non prorsus illicitis*). Dans ce document, Lambert a parlé de deux lettres écrites le 1er avril et le 18 juin 1669 par le Père Philippe Marini qui voulait que Lambert les lise avant qu'elles soient envoyées à la Sacrée Congrégation de la Propagation de la Foi, pour exposer les plaintes des Pères de la Compagnie de Jésus à l'égard des missionnaires apostoliques.

1. Même Alexandre de Rhodes avait jugé bon dans son catéchisme en vietnamien de dénoncer les repas offerts aux défunts et les maisons de papier brûlées en leur honneur, comme des « pompes d'erreur et de factice » (cérémonies trompeuses et artificielles), des « moqueries » qu'il fallait supprimer au profit de distribution aux pauvres (J. Lacouture, *Jésuites*, t. 1, p. 316). Alexandre de Rhodes s'est plusieurs fois expliqué sur les rites funéraires confucéens ; Alain Forest montre qu'Alexandre de Rhodes était loin de partager le point de vue de Martini, il se rangeait plutôt, avec d'autres jésuites dont Longobardo, derrière celui que défendra le dominicain Moralès. Pour Alexandre de Rhodes, « Confucius est un "scélérat et non un saint" ; ses sectateurs ne font montre que d'"apparente vertu" ; le confucianisme est un "athéisme" admettant, envers son fondateur, des marques d'action de grâce comparables

À cette époque où on considère que l'enfant non baptisé ne peut gagner le ciel, tous les baptisés ne peuvent que pleurer leurs ancêtres païens qu'ils ne retrouveront pas au ciel. Laneau parle déjà du scandale dont souffrent ceux à qui on a exagéré l'importance du baptême et l'obligation qu'ont tous les hommes de connaître et de recourir à Jésus-Christ : « Hé Dieu nous a donc longtemps delaissé, disent quelques-uns ! Que sont devenus nos pères, nos mères, nos maris, nos enfans, et tous nos bons amis ! Quoy, sont-ils donc damnés sans ressources ! Ne s'en est-il pas trouvé qui ont répondu qu'ils ne voulaient point d'un Dieu qui les avoit mis si longtemps en oubli, ny d'une loy qui damne tous leurs parents et leurs amis »[1]. Cela pousse aussi les néophytes à chercher à inclure leurs ascendants morts parmi les élus pour justifier le culte traditionnel des ancêtres.

Aux premiers siècles, pour les juifs de la Palestine et de la Diaspora qui ont constitué le noyau des communautés chrétiennes au départ, il n'y avait pas de problème de relation aux ancêtres, puisque le christianisme se présentait comme l'accomplissement des Écritures et l'aboutissement de l'espérance de ceux qui, depuis des siècles, attendaient le Messie promis.

Les païens n'avaient pas cet avantage. Les Actes des Apôtres donnent cependant une vision communautaire du baptême où c'est toute la maisonnée qui est baptisée, parents, enfants et serviteurs. Il semble que Paul signale une pratique qui étend le baptême des familles à toute la lignée : on se fait baptiser pour les morts (1 Co 15, 29). Il y a là sans doute une extension de la doctrine du samedi saint, celle de la descente de Jésus au séjour des morts (*l'Hadès* des Grecs et *les Enfers* des Latins[2]) car précisément cette doctrine concerne le salut des non-baptisés (1 P 3, 19-20). Jésus permet aux juifs qui croient en lui et se sont fait baptiser au nom du Père, du Fils et du Saint-Esprit, de se situer en plein accord avec leurs ancêtres, sauvés comme eux par le Christ[3]. Le Dieu qui nous sauve, c'est le Dieu d'Abraham, d'Isaac et de Jacob (Mt 22, 32), non le Dieu des morts mais le Dieu des vivants, vivant de la vie éternelle que donne le Christ[4].

à celles qui sont dues à Jésus-Christ ; quant au culte aux défunts, il est entaché d'"abus exécrables" et d'"erreurs inexcusables" » (A. FOREST, *Les missionnaires français au Tonkin et au Siam*, t. 1, p. 40-41, citant Alexandre de RHODES, *Relazione di felici successi della Sta Fide predicata de Padri della Cia di Jesu nel Regno di Tunchino*, Roma, Giuseppe Luna, 1650, p. 59-114, consacrées aux superstitions).

1. Louis LANEAU, *Salut des infidèles et baptême*, texte annoté par Jean-Paul Lenfant, AMEP, Document Intereglises, 1988, p. 15 (AMEP, vol. 877, p. 283).

2. En vietnamien c'est la prison des ancêtres que Jésus a visitée le samedi saint pour en libérer les occupants.

3. « Catéchisme du Concile de Trente », publié par la revue *Itinéraires, chroniques et documents*, n° 136, septembre-octobre 1969, p. 62-65.

4. Abraham est fêté par l'Église comme un saint avec les autres patriarches et les ascendants de Jésus. Saint Thomas traite la question : « les anciens Pères appartenaient au même

Les vivants et les morts sont alors en communion et les morts peuvent agir pour les vivants dans le cadre de la communion des saints. Mais on voit mal comment cela ne pourrait pas concerner ceux qui attendaient Jésus implicitement dans toutes les religions du monde. Les Pères de l'Église ont placé Socrate et les sages grecs parmi ceux que Jésus visita le samedi saint[1].

C'est ce rapport du croyant avec ses ancêtres qui semble présider au baptême pour les morts (et non des cadavres) que saint Paul cite pour témoigner de la foi en la résurrection des morts, car quel sens aurait cette pratique si les morts ne ressuscitaient pas ? Il s'agissait sans doute en quelque sorte d'un baptême par procuration où l'ancêtre était représenté par un de ses descendants. Saint Paul n'évoque pas la question du salut qui va présider plus tard au baptême des mourants qui eut pour déviance le baptême de cadavres et d'autres déviances superstitieuses. Cette conception hérétique fut condamnée au Concile de Carthage en 397[2] ; il en a été de même pour le « *refrigerium* », occasion des mêmes abus.

Sous le nom de « *refrigerium* », saint Augustin parle en effet dans les *Confessions* d'un repas commémoratif pris près de la tombe d'un défunt romain pour « rafraîchir » son souvenir chez les parents (on le nomme aussi « *parentalia* ») ; il décrit comment sa mère Monique déposait sur le tombeau une coupe de vin, en buvait une gorgée et partageait le reste avec les personnes présentes[3]. Il s'agissait d'établir une sorte de communauté entre le défunt et ses parents rassemblés. Les chrétiens parlaient aussi de « *refrigerium* » pour désigner soit le séjour des morts, soit la prière pour les morts, soit un repas commémoratif auprès de la tombe des martyrs[4]. On manifeste ainsi la communion des saints. Les questions qui se sont posées en Chine et

---

corps de l'Église auquel nous appartenons » Saint Thomas d'Aquin, *Somme Théologique*, IIIa, qu. 8, art. 3, sol. 3, traduction de J.-P. Torrell, *Jésus le Christ chez St Thomas d'Aquin*, p. 146.

1. Notamment pour saint Justin, Socrate est la figure du philosophe qui cherche Dieu, par la raison il a eu une connaissance partielle du Christ, il fut victime des mêmes accusations que les chrétiens ; pour Lactance, Socrate fut jeté en prison pour avoir défendu la vraie justice et servi le Dieu unique (Justin, *Apologie pour les chrétiens*, II, 10, 5 et 8, introduction, texte critique, traduction et notes par Charles Munier, coll. « Sources chrétiennes », n° 507, Paris, Cerf, 2006, p. 351 ; Lactance, *Institutions divines* VI, 15, coll. « Sources chrétiennes », n° 509, Paris, Cerf, 2007).

2. J. Gélis, *Les enfants des limbes*, p. 306-307.

3. Dans l'île de Saint-Honorat à l'abbaye de Lérins dans le sud de la France, près des restes d'une église du ve siècle on a retrouvé les traces de ce rite païen christianisé pratiqué notamment le jour anniversaire de la mort du défunt. Au Ve siècle les ermites de Lérins se rassemblaient alors dans leur église, ils s'asseyaient sur une banquette de pierre le long de la tombe pour une libation et ils versaient du vin dans un trou à libation avec un conduit qui aboutissait à l'intérieur du sarcophage sur le crane du mort (fouilles archéologiques de Yann Codou).

4. Saint Augustin, *Œuvres*, t. 13, *Les Confessions*, Livres I-VII, noté par A. Solignac, Desclée De Brouwer, 1962, p. 676-677, note 20.

au Vietnam à propos des rites confucéens n'étaient donc pas nouvelles pour l'Église. Face à la pratique du « *refrigerium* », l'Église avait d'abord accepté le maintien de cette coutume païenne, parce qu'on pouvait la revêtir d'une signification chrétienne ; à cause d'abus elle dut progressivement l'interdire.

Aussi les *Instructions de 1659* sont prudentes quant à cette relation aux ancêtres : « N'y a-t-il pas de plus puissante cause d'éloignement et de haine que d'apporter des changements aux coutumes propres à une nation, principalement à celles qui y ont été pratiquées aussi loin que remontent les souvenirs des anciens ? »[1] On peut y lire au moins le respect pour l'amour filial de ceux vers lesquels on envoyait les vicaires apostoliques.

Mais, là, il fallait se poser la question théologique du salut des non-baptisés, qu'ils soient vivants ou qu'ils soient morts, plutôt que de se poser la question de l'interdiction ou du maintien d'une coutume ancestrale. Se précipiter pour baptiser le plus possible d'enfants à l'article de la mort témoignait d'un salut lié uniquement au baptême et accentuait la douleur des néophytes asiatiques à la pensée de se sauver eux-mêmes en sachant qu'ils ne pourraient rejoindre dans le ciel leurs ancêtres non baptisés.

Les peuples païens dont le roi est chrétien

En 1648, la paix de Westphalie qui intéresse les états allemands, la Suède et la France, satisfait protestants et catholiques (sauf le pape) en faisant de la religion du prince la religion de ses sujets. Le Saint-Siège s'oppose à ce principe d'autorité en envoyant les vicaires apostoliques en Asie convertir des peuples dont les princes ne sont pas chrétiens.

Le baptême des peuples est une pratique inaugurée par l'empereur romain Constantin et qui traite les peuples comme des enfants mineurs et leurs princes comme leurs pères. Dans la plupart des religions anciennes, c'était le prince qui présidait le culte en tant qu'intermédiaire entre Dieu et les hommes. La religion a très tôt été considérée comme un des principes unificateurs des sociétés. Au départ chacun à sa façon se représentait la divinité et se la rendait favorable, et c'est la société en s'organisant qui définit des modèles de représentation et un culte commun. La religion juive s'est définie comme celle d'un seul Peuple et d'un seul Dieu dont le seul Temple était à Jérusalem. C'est sur cette tradition d'unité que saint Paul se fondait en disant : « Appliquez-vous à conserver l'unité de l'Esprit par ce lien qu'est la paix. Il n'y a qu'un Corps et qu'un Esprit, comme il n'y a qu'une espérance au terme de l'appel que vous avez reçu ; un seul Seigneur, une seule foi, un seul baptême ; un seul Dieu et Père de tous, qui est au-dessus de tous, par

1. B. Jacqueline, *Traduction française des Instructions de 1659*, III, 12.

tout et en tous » (Ép 4, 3-6). C'est aussi de cette façon qu'il faut comprendre que pour les chrétiens Jésus est notre seul Grand Prêtre, seul Médiateur, seul Rédempteur.

Par son autorité, non seulement Constantin avait encouragé et rendu officielle la foi chrétienne dans l'empire romain après l'édit de Milan en 313, mais il avait veillé à ce qu'il n'y ait qu'une seule foi chrétienne dans son empire en convoquant en 325 le Concile de Nicée pour définir le Credo.

On a vu qu'Eusèbe de Césarée considérait Constantin, son contemporain, comme un intermédiaire entre le Christ et les hommes. Dans sa *Vie de Constantin*, Eusèbe présente l'assemblée des évêques dans le palais impérial, autour de Constantin, comme une image du royaume du Christ[1]. Pour alimenter sa thèse, Eusèbe cite un Apocryphe où le Christ correspond directement par écrit avec un roi, Abgar[2]. Un autre texte du ve siècle parle d'une image de Jésus envoyée au roi Abgar avec une lettre de Jésus, de sorte qu'on voyait en Abgar, l'égal des apôtres, directement témoin de la parole et du visage du Christ. Les souverains qui vont hériter de la Lettre et du Portrait pourront se croire, eux aussi, comme apôtres et agir en conséquence[3].

Depuis Constantin, on considérait que la conversion du prince permettait le déblocage de la grâce. Selon cette conception, le premier souci du missionnaire devait être de convertir le prince. En 498 le baptême de Clovis a été regardé depuis comme celui de la France. En 966 le baptême de Mieszko 1er a entraîné celui de la Pologne. En 988 le baptême du prince Vladimir a été considéré comme celui de la Russie ; en l'an 1000 le baptême du roi Étienne a contribué au progrès de la foi chrétienne en Hongrie.

L'image la plus saisissante du baptême des peuples vient de l'est ; c'est celle du baptême collectif des Kiéviens (Kiev, la capitale de l'Ukraine) dans l'eau du Dniepr, après la destruction des idoles par le prince Vladimir. La foule, convoquée par le prince, entra dans l'eau, les uns jusqu'au cou, les autres jusqu'à la poitrine, les enfants étant tenus à bout de bras, tandis que les prêtres sur la rive prononçaient les paroles sacramentelles et récitaient les prières[4].

Ce tableau ne semble plus représenter l'idéal missionnaire pour l'auteur des *Instructions*. Le drame du Japon est en effet pour Rome la conséquence de la doctrine du Constantinisme qui donne la priorité à la conversion des

1. Pierre Maraval, « l'Introduction » in Eusèbe de Césarée, *La théologie politique de l'empire chrétien*, Paris, Cerf, 2001, p. 49, note 1.

2. Eusèbe de Césarée, *Histoire ecclésiastique*, traduction et annotation par Gustave Bardy, livre I, XIII, 6-10, coll. « Sources chrétiennes » n° 31, Paris, Cerf, 1978, p. 42-43.

3. « Histoire du roi Abgar et de Jésus », présentation et traduction du texte syriaque intégral de *La doctrine d'Addaï*, Alain Desreumaux, Brepost, 1993, p. 56-59

4. Vladimir Vodoff, *Naissance de la chrétienté russe, la conversion du prince Vladimir de Kiev (988) et ses conséquences (xie-xiie siècles)*, Fayard, 1988, p. 66-69.

élites pour qu'elles entraînent à leur suite la conversion du peuple. Dans ce cadre, l'Évangile n'est pas d'abord annoncé aux pauvres (Lc 4, 18) et ce n'est plus la croix qui est présentée en premier[1]. On a vu que la compromission des missionnaires avec le pouvoir local venait de leur désir de convertir le monarque afin de gagner son peuple ; ainsi c'était l'un des deux mobiles de l'expédition organisée par Louis XIV au Siam avec les jésuites. Or les *Instructions de 1659* ne proposent pas un tel objectif ; elles se contentent de dire : « Si quelque roi, seigneur ou dignitaire, écoutant la voix de Dieu, se montre bienveillant envers vous ou manifeste de l'inclinaison pour la religion chrétienne, soyez-en reconnaissants »[2]. Mais c'est pour ajouter aussitôt qu'il ne faut pas chercher à en tirer des privilèges, pour soi-même ou pour l'Église, qui susciteraient la jalousie. La Sacrée Congrégation interdit tout intrusion dans le domaine politique, même « lorsque brille l'espoir le plus certain de voir par ce moyen la religion accrue et la foi largement propagée »[3]. L'objectif n'est donc pas de trouver un nouveau Constantin pour ouvrir l'Asie au christianisme.

Sur ce point, les *Instructions de 1659* marquent une distance certaine par rapport aux expériences passées, et il y a une condamnation implicite des méthodes employées jusque-là par les missionnaires religieux en Asie : « Sur ce point, il ne vous servira de rien d'invoquer l'exemple d'autres missionnaires, serait-ce des religieux, exemple que peut-être vous apporteriez comme excuse à votre conduite »[4].

On a de Lambert une demande à Louis XIV de juin 1663 qui est proche de la remontrance : il y engage le monarque à utiliser son privilège de désignation des prélats dans le sens du choix de la vertu[5]. Dans une autre lettre de 1664, Lambert donne à Louis XIV le titre d'*évêque extérieur de l'Église* en faisant allusion à l'empereur Constantin[6], mais la France n'est pas alors un pays païen à évangéliser comme l'était l'empire romain au temps de Constantin. Par contre, les vicaires apostoliques ont utilisé l'exemple de l'apparition de la Croix à l'empereur Constantin lors d'une audience

1. Ce n'est pas en effet une nouvelle sagesse que le Christ propose mais c'est le salut par la croix, (1 Co 1, 17-31 ; 1 Co 2, 1-16). La seule clé de l'évangélisation des peuples reste aux yeux de Lambert ce qu'elle est pour Paul : la prédication d'un Messie crucifié, scandale pour les juifs, folie pour les païens (1 Co 1, 23), mais la sagesse du monde est folie devant Dieu (1 Co 3, 19). Proposer la Parole du Christ pour concurrencer la sagesse chinoise comme autrefois pour l'associer à la sagesse grecque, cela ne peut qu'aboutir à un échec de l'évangélisation vis-à-vis des païens et à un développement des hérésies vis-à-vis des fidèles.

2. B. Jacqueline, *Traduction française des Instructions de 1659*, III, 8.

3. *Ibid.*, III, 9.

4. *Idem.*

5. P. Lambert de la Motte, Lettre au roi Louis XIV, AMEP, vol. 121, p. 523-524 ; cf. Guennou, transc., L. n° 27, juin 1663.

6. *Id.*, p. 584 ; cf. L. n° 78, en 1664.

que le roi du Siam leur a accordée en 1673 pour qu'ils lui présentent la religion chrétienne[1].

On a reproché alors à Lambert de faire de la politique, ce qui est généralement compris dans le sens du colonialisme. Or si cela consiste à servir des intérêts opposés à ceux des peuples à évangéliser, c'est un faux procès intenté à Lambert. Celui-ci voulait que s'installent entre la France et les royaumes de cette région d'Asie des relations diplomatiques et commerciales ; il y mettait tous ses efforts et finit par jouer lui-même le rôle d'intermédiaire, notamment au Siam, car il savait que s'il s'y refusait, c'est l'Islam qui s'installerait dans la région[2]. On ne peut cependant pas dire que le respect que l'évêque de Bérithe inspirait aux peuples autochtones ait pu servir la politique hégémonique de Louis XIV. Celui-ci a choisi d'ailleurs de s'appuyer sur les jésuites pour la mener à bien après la mort de Lambert en 1679.

Les vicaires apostoliques voulaient rester régnicoles, ressortissants français[3], pour continuer à bénéficier de l'aide du Clergé et du roi de France en matière de recrutement et d'aide financière, mais ils restent prudents pour ne pas devenir les otages des conflits d'autorité entre le pape et le roi de France. Au Siam, Lambert va être considéré par le monde politique local comme le représentant du roi de France, de fait sinon de droit[4], et on le

1. Voir le compte-rendu (Narré) à Louis XIV envoyé le 8 novembre 1673, AMEP, vol. 858, p. 263. Lambert parle aussi de ce Narré dans sa lettre à M. Chamesson du 3 décembre 1673, AMEP, vol. 858, p. 270; cf. Guennou, transc., L. n° 143. On lit aussi deux lettres de Mgr Pallu mentionnant l'empereur Constantin à propos des images offertes au roi du Tonkin, parmi lesquelles il y a la représentation de l'apparition à Constantin de la croix avec ces paroles « par ce signe tu vaincras », avec une autre représentation, celle de Pierre et Paul armés pour détourner Attila de Rome au temps du pape saint Léon (F. Pallu, *Lettres de Monseigneur Pallu*, p. 274. L. n° 103, à MM. Deydier et de Bourges, du 10 novembre 1678 et p. 549, Lettre en latin n° 243, à la Sacrée Congrégation *de Propaganda Fide*, du 29 novembre 1682).

2. Lambert exprime clairement sa position dans les raisons du retour de Pallu (P. Lambert de la Motte, *Abrégé de Relation*, AMEP, vol. 121, p. 680 ; cf. Guennou, transc., § 33). La question de l'Islam fait partie de ces raisons.

3. Cela leur est accordé par Louis XIV malgré leur absence prolongée du territoire français qui aurait dû leur faire perdre la nationalité française comme c'était le cas à l'époque ; cf. Brevet de Louis XIV (AMEP, vol. 115, p. 113).

4. Les lazaristes envoyés en Afrique du Nord par saint Vincent de Paul pour venir en aide aux chrétiens retenus par les « Barbaresques » furent considérés là-bas comme les représentants du roi de France. Saint Vincent de Paul écrit : « J'ai entrepris depuis 6 ou 7 ans de secourir les pauvres chrétiens esclaves de Barbarie spirituellement et corporellement, tant en santé qu'en maladie, et envoyé à cet effet plusieurs de nos confrères, qui prennent soin de les encourager à persévérer dans notre sainte religion, à souffrir leur captivité pour l'amour de Dieu et à faire leur salut dans les peines qu'ils souffrent, et cela par visites, aumônes, instructions et par l'administration des saints sacrements, même pendant la peste, en sorte qu'à la dernière maladie nous y en avons perdu quatre des meilleurs de notre compagnie, il a fallu pour faciliter ce bon œuvre que du commencement ils se soient mis en pension auprès des consuls, en qualité de leurs chapelains, de crainte qu'autrement les Turcs ne leur permissent

charge de transmettre à Paris toutes les requêtes de quelque nature qu'elles soient. Inversement il devient l'informateur de la Compagnie française des Indes Orientales en échange de la gratuité du transport maritime. C'est ainsi qu'il sert aussi à cette Compagnie d'intermédiaire avec le royaume indien de Golconde[1] et avec le roi de Cochinchine[2]. À Rome, la Sacrée Congrégation de la Propagation de la Foi est attentive à toute sujétion des vicariats apostoliques au pouvoir politique et religieux de la France, ce qui se ferait évidemment au détriment de l'autorité romaine[3]. Gazil tente de rassurer Rome en prétendant que le zèle religieux de Louis XIV est sincère et que les missionnaires sont vigilants pour éviter toute dérive du politique sur le religieux[4]. Cependant Lambert constate que la conversion des princes et des élites politiques du Siam est un objectif pour les musulmans de l'Inde (royaume de Golconde) et de Sumatra (royaume d'Achem) ; il lui semble alors bon de faire connaître ce danger au roi et à l'Église de France et de faciliter les contacts diplomatiques entre la France et le Siam[5]. Cela aboutira à l'échange d'ambassades dont on a parlé plus haut.

En tout cela, Lambert est un pragmatique. Même s'il pratique autant qu'il le peut le baptême des nouveau-nés moribonds hors de la communauté chrétienne, Lambert semble n'y voir qu'un principe de précaution en l'absence d'une théologie claire sur le salut des païens, car son objectif reste leur évangélisation avant leur baptême.

Lambert semble utiliser le baptême des moribonds comme un autre sacrement des malades ; il le présente souvent aux proches du mourant comme une possibilité de guérison physique et cette présentation est confortée par un épisode qu'il raconte dans son *Abrégé de Relation*. C'est le cas d'un enfant de sept à huit ans dont les parents avaient demandé la guérison auprès des idoles et que les néophytes avaient amené à l'un des missionnaires. Celui-ci fut alors poussé à réciter sur l'enfant mourant les paroles du prologue de

---

pas les exercices de notre sainte religion. Mais le consul étant mort, le dey ou le pacha commanda aux prêtres de la Mission d'exercer cette charge à l'instance que lui en firent les marchands français » (*Correspondance* t. V, août 1653-juin 1656, lettre 1708, p. 84-85). Plus tard Vincent de Paul envoya à Tunis et à Alger des membres de sa compagnie qui n'étaient pas prêtres pour y exercer la charge de Consul de France.

1. P. Lambert de la Motte, Lettre à l'archevêque de Paris du 29 novembre 1677, AMEP, vol. 858, p. 386-387; cf. Guennou, transc., L. n° 182.

2. *Id.*, Lettre à M. Baron du 16 novembre 1676, AMEP, vol. 419, p. 302; cf. L. n° 174.

3. G. Lesley, Lettre au Supérieur du séminaire, du 16 octobre 1668, AMEP, vol. 201, p. 91-106.

4. M. Gazil, Lettre à Lesley du 3 août 1670, AMEP, vol. 201, p. 375.

5. P. Lambert de la Motte, *Abrégé de Relation*, AMEP, vol. 121, p. 747; cf. Guennou, transc., § 73 ; Lettre à Mgr Pallu de 1667, AMEP, vol. 857, p. 223; cf. L. n° 109 ; Lettre à Mgr Pallu de 1668, AMEP, vol. 876, p. 571; cf. L. n° 111; Lettre à M. de Chamesson du 3 décembre 1673, AMEP, vol. 858, p. 270; cf. L. n° 143.

saint Jean : « le Verbe s'est fait chair ». L'enfant commença alors « a ouvrir les yeux puis a sourire a ceux qui estoient autour de luy. Cependant voyant qu'on pouvoit ne pas obmettre les ceremonies de la Ste Église on le fit apporter à la chappelle ou il fut baptisez et nommé Anthoine ». La guérison fut alors complète. Cela donna lieu pour les missionnaires à une relecture en commun de l'événement : « Les missionnaires ne laisserent pas dens rendre leurs tres humbles actions de grace a nostre Seigneur comme d'un des plus grands biensfaits quil pussent recevoir de sa part ». « Entre toutes les graces qu'il a pleu a nostre Seigneur de faire au prochain celle cy a donné une singuliere satisfaction aux missionnaires parce quils crurent quelle ne serviroit pas peu a la confirmation de leur petit troupeau et aussi quelle pouvoit encor avoir d'autres consequences »[1].

C'est sans doute aussi à ces conséquences que pensait Lambert lorsqu'il fit prier publiquement la communauté chrétienne pour la guérison du second frère du roi du Siam[2]. L'évolution favorable de la santé de ce prince mit la Cour royale devant les conséquences d'une conversion du roi. Mais Lambert vit que les résultats pouvaient ne pas être aussi favorables que ce qu'il espérait, il écrit : « Ce fut pour lors qu'on commença à voir qu'il s'agissoit du changement general de religion par tout le royaume et que cette affaire estoit de la derniere consequence, cela fut cause qu'on sursist toutes choses et que la correspondance qui estoit entre la Cour et les missionnaires au subiet de la religion cessa entierement »[3]. Le souci d'obtenir la paix pour l'Église semble justifier son désir de convertir les rois autochtones et leurs proches. Dans l'esprit des *Instructions romaines de 1659*, il saisit les occasions plutôt qu'il ne les suscite. Mais son esprit et son cœur gardent les préoccupations de saint Paul :

> « Je recommande donc, avant tout, qu'on fasse des demandes, des prières, des supplications, des actions de grâces pour tous les hommes, pour les rois et tous les dépositaires de l'autoritié, afin que nous puissions mener une vie calme et paisible en toute piété et dignité. Voilà ce qui est bon et ce qui plaît à Dieu notre Sauveur, lui qui veut que tous les hommes soient sauvés et parviennent à la connaissance de la vérité. Car Dieu est unique, unique aussi le médiateur entre Dieu et les hommes, le Christ Jésus, homme lui-même, qui s'est livré en rançon pour tous »[4].

1. *Id.*, vol. 121, p. 658-659 ; cf. § 24.

2. Mgr Lambert n'a pu obtenir la guérison d'un autre frère du roi sur laquelle il comptait beaucoup : « Sur quoy on a eu vue de la demander extraordinairement a Dieu comme un grand acheminement pour mettre la religion en un haut credit, dans lesprit du roi et de toute la Cour » (*Journal* du 10 janvier 1677, AMEP, vol. 877, p. 596 ; cf. Simonin, transc., p. 246).

3. P. Lambert de la Motte, *Abrégé de Relation*, AMEP, vol. 121, p. 754 ; cf. Guennou, transc., § 81.

4. 1 Tm 2, 1-6.

Malgré son attitude pragmatique, Lambert n'oublie pas que le baptême fait suite à une démarche de foi suscitée par l'Esprit Saint qui appuie son témoignage intérieur sur un enseignement inspiré par lui. Pour lui, la grâce baptismale est une semence qui ne se développe que par le sérieux que nous mettons à respecter les engagements du baptême.

La fidélité à l'engagement baptismal

Le baptême suffit-il aux adultes pour être sauvés ?

À la suite de saint Jean Eudes qui s'investit dans l'instruction des adultes des campagnes françaises, Lambert déplorait qu'en Asie l'accentuation de l'importance du baptême ait entraîné une réduction de celle de la conversion des cœurs et de la foi :

> « Tout cela se faisant par une specialle misericorde de Dieu on ne fut pas longtemps sans en appercevoir de merveilleux effets par lassiduité que ce petit troupeaux apportoit a entendre la parolle de l'Evangile, par laise quil en temoignoit et par l'envie qu'il avoit d'estre instruit de nos mysterres qui sont tres inconnus dans toutes les Indes et dans ces quartiers de presque tous les Chrestiens par la faute des ministres de l'Église qui ne se mettent point du tout en peine des affaires du Christianisme. En effet, nous pouvons porter ce temoignage que d'environ 40 Cochinchinois chrestiens qui ont esté baptizés par les per Jesuites a peine s'en trouvoit il un qui seut les choses necessaires a salut on ne s'en etonnera pas quand on sera informé que l'ordinaire de cette Compagnie est de baptiser le mesme jour ou le lendemain ceux qui demandent d'estre faits chrestiens sans par apres les enseigner des obligations d'un fidelle. Il semble en pratique qu'ils estiment que le baptême seul suffit a salut ou qu'ils soient dans le dernier oubli de leur devoir puis qu'en ce lieu icy, ou il y a environ 2000 ames Chretiennes ramassées de toutes parts, et dans la plus par des Indes, on ne sçait ce que c'est que de grande messe les festes et dimanches, de prosnes, de sermon de doctrine Chretienne, de vespres ny d'aucun exercice de pieté tout se reduit a dire une basse messe si ce nest à la feste d'un St de l'ordre et quelque jour dans le Caresme, ou l'on faira quelque predication sur la passion de nostre Seigneur, mais de la façon que cela se passe, le peuple nen tire ny instruction, ny profit »[1].

L'absence de référence au baptême dans les *Instructions de 1659* données aux vicaires apostoliques témoigne du souci de la Sacrée Congrégation de la Propagation de la Foi de voir les vicaires apostoliques se fixer un unique objectif, celui de répandre la foi par l'évangélisation, raison d'être de la

---

1. P. Lambert de la Motte, *Abrégé de Relation*, AMEP, vol. 121, p. 632-633 ; cf. Guennou, transc., § 15.

Sacrée Congrégation. On s'est rendu compte à Rome que les statistiques des baptêmes gonflaient artificiellement l'importance de l'implantation du christianisme en pays de mission. François Deydier a reproché au suisse Onuphre Burgi, dit Onófrio Borges, missionnaire jésuite au Tonkin de 1643 à 1663, de baptiser d'abord et d'enseigner ensuite[1]. L'enseignement devenait ainsi un objectif secondaire.

Conformément aux *Instructions* du Saint Siège[2], Lambert lui rend compte de ses découvertes[3] à son arrivée au Siam. Sa lettre suit le plan courant qu'il adopte avec ses correspondants cette année là. Il part du constat de carence de l'évangélisation au Siam, directement lié aux activités profanes des missionnaires et à l'absence de toute forme d'enseignement religieux de leur part « en un royaume où la pratique de la religion catholique est tout à fait libre… »[4] Lambert voit dans cette situation les conséquences d'une erreur théologique : « Les choses en sont venues à ce point que le baptême semble suffisant à lui seul pour le salut »[5].

Alors que les missions intérieures font en France beaucoup de place à des liturgies solennelles, à des rassemblements, à des processions du

1. Roland Jacques, *Le premier synode du Tonkin (14 février 1670)*, mémoire de licence de droit canonique de l'Institut Catholique de Paris, 1993, p. 17, note 19.

2. B. Jacqueline, *Traduction française des Instructions de 1659*, III, 5.

3. Pallu conforte la lettre de Lambert en rédigeant en 1677 une *Histoire du Schisme*, On y lit : « Il y avoit un petit quartier ou habitoient quelque cent Cochinchinois ou sattacha nostre prelat la moitié avoient este baptises a la Cochinchine par les p. jesuites mais ils estoient aussi ignorants des principaux articles de nostre foy que les Infidelles mesmes. On sceut deux et dautres chrestiens de la Chine et dailleurs quon leur avoit bien apris quil ny avoit qu'un dieu mais il ne scavoient ce que cestoit que Jesus Christ s'il estoit mort pour nous en croix [et les nostres ?], les p. de la Compagnie croient que cestoit assés de leur faire connoistre la grandeur et la majeste de Dieu sans leur rien dire de ses humiliations, ils ne les jugeoient pas capables de concevoir qu'un dieu se fust abbaissé iusqu'a cette extremité que de souffrir destre pendu comme un criminel, mais qui est ce qui seroit capable de croire ces verités sans le secours de la grace, il nous est tres expressement deffendu de rendre aucun culte qua Dieu seul cependant ils avoient encor a laissé ces peuples plus encore d'observations idolastres parceque disoient ils qu'on ne peut pas oster tout ala fois, il n'avoient iamais apris a ces peuples les Commandements de lEglise pretendant qu'ils n'estoient point obligés a l'observation du droit positif, ainsi ils ne jeunoient point ils ne gardoient pas les festes ils ne se sentoient point obligés dasister a la messe les festes et les dimanches, ni de se confesser ni de communier tous les ans, ils administroient le baptesme restant sans les onctions et ceremonies acoutumées principalement aux femmes à cause disoient ils de leur pudeur, voila quelle estoit la pureté de la doctrine des p. jesuites dans les Missions quils gouvernoient mais comme ils ne preschoient ni ne catechisoient a Siam lon napprit ces choses que par le raport des chrestiens et on a connu dans la suitte lorsquon est entré dans ces Royaumes que ces choses nestoient que trop notables » (AMEP, vol. 856, p. 415).

4. P. Lambert de la Motte, Lettre en latin au pape du 6 mars 1663, vol. 857, p. 153-155 ; cf. Guennou, transc., L. n° 18b, trad. M. Dolfosse.

5. *Idem*.

Saint-Sacrement sillonnant tout le territoire des paroisses[1], il ne doit pas être question dans les missions extérieures de telles manifestations qui pourraient être interprétées comme un déploiement de puissance, à des menaces pour le pouvoir local. En Chine, on doit choisir la discrétion pour célébrer l'eucharistie et pour instruire les fidèles[2]. La solution, c'est de multiplier les instructeurs par une solide formation des catéchistes et par la création rapide d'un clergé autochtone, cela constitue la principale mission donnée à Lambert et aux vicaires apostoliques envoyés par Rome en Asie[3]. Cette perspective donnée par Rome a toujours été combattue par les religieux du patronat portugais qui pensaient que les autochtones n'étaient pas encore en état d'assimiler la théologie élaborée en Europe depuis seize siècles. Mais ils ne prirent pas cet argument pour contester les ordinations sacerdotales accordées par Lambert au Siam, au Tonkin et en Cochinchine. Pour eux, les chrétiens ne pouvaient pas accorder de crédit à ces ordinations non à cause d'un manque de formation doctrinale mais à cause d'erreurs de prononciation du latin sacramentel et liturgique. Si *te absolvo* ou *te baptismo* ne sont pas bien prononcés par des gorges vietnamiennes, il n'y a pas d'absolution, il n'y a pas de baptême[4].

On a vu que pour Lambert le baptême n'était pas « suffisant à lui seul pour le salut »[5] si on ne tenait pas les promesses qui y avaient été faites de suivre Jésus-Christ. Bérulle partageait cette opinion et c'est pour conforter ces promesses qu'il a prononcé son vœu de servitude.

Pour Bérulle le vœu de servitude confirme l'engagement baptismal

Le péché oblige, non la réitération de la grâce baptismale car le don de Dieu est sans repentance (Rm 11, 29) mais celle de la conversion et des promesses baptismales. C'est l'objet du sacrement de réconciliation qui, renouvelant un vœu, exige comme le baptême une solennité et une démarche auprès d'un représentant de l'Église.

Dans ses *Exercices Spirituels*, saint Ignace de Loyola proposait un premier engagement avant l'élection, objet du discernement en vue d'un choix de

---

1. Paul Milcent, « Les missions populaires au xviie siècle », in *2000 ans de Christianisme*, t. VI, Paris, Aufadi et Société d'histoire chrétienne International, 1976, p. 123-127.

2. B. Jacqueline, *Traduction française des Instructions de 1659*, III, 13.

3. *Ibid.*, III, 1.

4. P. Lambert de la Motte, *Journal* du 29 avril 1677, AMEP, vol. 877, p. 599 ; cf. Simonin, transc., p. 264 ; *Annotationes in duos quosdam libellos a patre Philippo de Marinis nomine patrum Soc. Jes. missos ad Episcopum Beritensem quibus titulus, expostulatio &c*, AMEP, vol. 660, p. 24, trad. Ruellen.

5. *Id.*, Lettre en latin au pape du 6 mars 1663, vol. 857, p. 153-155 ; cf. Guennou, transc., L. n° 18b, trad. M. Dolfosse.

vie. Il s'agissait de choisir son camp, se ranger derrière un étendard, une bannière, soit celle du Christ, soit celle de Satan. Renoncer à Satan, à ses séductions et à ses œuvres, c'est la solennité de l'engagement baptismal qui est rappelé par saint Ignace le quatrième jour de la deuxième semaine de ses Exercices.

La servitude envers Jésus-Christ (le fait de se conduire envers lui comme envers un seigneur, un maître) n'est pas imposée à l'âme à son insu, elle lui est demandée au baptême pour permettre à l'Esprit Saint de se servir d'un membre du Corps du Christ afin de prolonger après l'Ascension sa mission de salut dans le monde. Le vœu de servitude que propose Bérulle réitère l'acceptation que le chrétien a déjà donnée lors du baptême et ce renouvellement en augmente la compréhension et en multiplie l'efficacité. La servitude proposée ici, c'est une libération de toutes les autres servitudes que le péché a entraînées pour l'humanité. On ne peut choisir de suivre Dieu librement qu'en renonçant à Satan et à toutes ses séductions, qu'en se détournant des convoitises qu'il nous met dans le cœur.

Lambert se montre un adepte du bérullisme quand il parle, à ce propos, de « perpétuel et très saint esclavage de Dieu », correspondant au vœu de servitude :

> « Si nous voulons produire les actes des 3 vertus theologalles de foy, desperance, et de charité qui peut davantage nous donner d'impression que la veüe continuelle dun tel spectacle, desirons nous connoistre ce que c'est que les vertus moralles nous apprendrons de ce divin maistre que la parfaite temperance consiste dans lunique amour de Dieu et a rejetté tout autre quelque licite quil soit, que la force est une vertu qui souffre tout pour linterest de ce divin Sauveur, que la justice en est un autre qui nous rend dans un perpetuel et tres st esclavage de Dieu et qui luy soumet toutes nos puissances et quenfin la prudence ne nous est donnée principalement que pour Iuger de ce qui nous est le plus avantageux pour nous unir a Dieu »[1].

Dans le *Narré de ce qui s'est passé sur le sujet d'un papier de dévotion …* (publié en 1623, mais rédigé en 1622), Bérulle présente le vœu de servitude comme « un vœu primitif fondé dans les devoirs primitifs de la Religion chrétienne », « un vœu dont Jésus est lui-même en sa propre personne l'auteur et l'instituteur, dont la Sainte Vierge est la première et la plus ancienne professe, et dont les apôtres sont les premiers et les plus anciens supérieurs… C'est le vœu et c'est la profession solennelle des chrétiens au baptême ». Et ailleurs il écrit : « En naissant, ou plutôt renaissant au baptême, nous entrons en cet état de servitude envers Jésus ». Il s'agit donc simplement de ratifier les promesses du baptême.

---

1. P. Lambert de la Motte, *Abrégé de Relation*, AMEP, vol. 121, p. 696 ; cf. Guennou, transc., § 41.

Pour Krumenacker, le vœu de servitude est alors « indissociable de tous les efforts pour intérioriser la religion chrétienne »[1].

Bérulle distingue le niveau du vœu de servitude et le niveau de la grâce spéciale à laquelle on peut seulement aspirer et qui peut seule réaliser l'état de servitude. Cela apparaît dans les vœux publiés en 1620 :

> « "Je vous supplie, âme sainte et déifiée de Jésus, de daigner prendre par vous-même la puissance sur moi que je ne vous puis donner, et que vous me rendiez votre esclave en la manière que je ne connais pas et que vous connaissez", avec une formule semblable pour Marie : "Je supplie la très-sainte Vierge de daigner prendre elle-même la puissance sur moi, que je ne puis donner, et qu'elle me rende son esclave en la manière qu'elle connaît et que je ne connais point". Les mêmes formules sont reprises en 1625 »[2].

Ainsi, dans cet esprit, Lambert écrit sur le chemin de sa mission, le 15 mars 1661, au Père Hallé, son directeur spirituel :

> « Je vous diray qu'il me paroît que le bon Dieu est parfaitement le maitre de notre interieur et de toutes ses operations. Son procedé est absolu en nous : on ne nous demande plus si nous voulons les choses, mais en meme temps que l'ame voit ou experimente le bon plaisir de Dieu, elle s'y porte, non seulement sans reflexion[3], mais aussi avec une complaisance ineffable »[4].

Olier a fait son vœu de servitude à Jésus le 11 janvier 1642. Comme Condren, il a fait aussi au Père le vœu d'hostie le 31 mars 1644[5]. Il écrit :

> « Les vœux ne comprennent pas seulement le vœu de pauvreté qui est le dépouillement des biens, le vœu de chasteté qui est le dénuement des plaisirs de la chair et celui d'obéissance qui comprend le renoncement à sa propre volonté. Il y a encore le vœu de servitude qui comprend le renoncement total de soi-même. Il y a la consécration intime de soi-même à son Dieu par laquelle on perd toute sorte de droit sur soi-même, l'ayant entièrement voué, dédié, abandonné, consacré à Dieu, et c'est une espèce d'anéantissement. Et il y a ce vœu d'hostie qui porte être anéanti entièrement à soi et ne vivant ni subsistant plus qu'en Dieu seul, étant tout consommé en Jésus-Christ pour Dieu. Et cela, proprement, c'est être hostie. C'est aboutir à l'hostie. C'est aboutir au sacrifice total, parfait, de soi à Dieu, en quoi consiste

---

1. Pierre de Bérulle, *Œuvres complètes*, t. 8, p. 39-40, 43 ; Paul Cochois, *Bérulle et l'École française*, Paris, Éditions du Seuil, 1963, p. 103 ; Krumenacker, *L'école française de spiritualité*, p. 171-172.

2. *Dictionnaire de Spiritualité*, t. 14, 1990, col. 740.

3. Au xviie siècle « Réflexion » ne veut pas dire ici « pensée ou raisonnement » mais « repli sur soi, retour en arrière, réticence ».

4. P. Lambert de la Motte, Lettre au Père Hallé du 15 mars 1661, AMEP, vol. 136, p. 71 ; cf. Guennou, transc., L. n° 2.

5. M. Dupuy, *Se laisser à l'Esprit*, p. 34.124.240.

la perfection religieuse qui se trouve recueillie dedans le sacrifice, et sacrifice de l'autel »[1].

C'est alors vraiment l'application du sacerdoce commun des baptisés.

Saint Jean Eudes a fait le vœu de servitude à Jésus, le 25 mars 1624 et le vœu du martyre le 25 mars 1637[2].

Pour Bérulle, le vœu de servitude n'est pas le vœu religieux d'obéissance, il consiste à offrir à Jésus les moyens de nous diriger de manière ordinaire et continue. Dans ses *Opuscules de Piété*, Bérulle définit ce qui doit être offert à Jésus pour qu'il soit le maître de nous-mêmes :

> « Nons ferons tous les jours a Jésus-Christ, Notre-Seigneur, une oblation actuelle et entière de nous-mêmes, et nous présenterons à lui en qualité d'esclaves, et d'esclaves par amour ; choisissant cet esclavage pour toute notre félicité, par amour et honneur que nous lui voulons rendre, non par contrainte et servitude forcée comme les esclaves ordinaires, mais par sujétion volontaire et estimée de nous, plus que tout ce qui n'est pas Jésus même. En cette oblation nous nous présenterons humblement comme indignes d'être ses esclaves, et affectueusement comme n'ayant autre affection que d'être à lui, non par jouissance comme au ciel, mais par servitude et sujétion comme en terre. Nous lui présenterons distinctement notre corps et esprit, ne voulant y avoir vie, action, mouvement et sentiment, que pour lui et par lui : notre vie et nos actions, ne voulant faire que sa volonté, vivre, opérer ni travailler qu'à le servir ; notre temps et éternité, ne voulant être pour jamais qu'à lui, et ce qu'il veut que nous soyons en lui. Et comme esclaves, nous voulons ne servir qu'à lui et non à nous-mêmes ; comme tout ce qui est à l'esclave revient à l'utilité et intention du maître et non à la sienne. Nous ressouvenant que lui-même est le Fils ; et ce Fils par nature a servi à son Père eu qualité d'esclave, et a pris la qualité et forme d'esclave pour le servir ainsi : *Formam servi accipiens.* Et nous formant cette oblation à Jésus, pour honorer l'oblation et donation qu'il a faite de soi-même à Dieu son Père en qualité d'esclave, et encore en l'honneur de l'oblation de la Vierge à Dieu dans le moment de l'Incarnation, en cet état de servitude, par ces paroles : *Ecce ancilla Domini;* et de l'oblation qu'elle fit peu de temps après, de ce même Fils à Dieu dans son temple »[3].

Bérulle distingue le vœu de servitude des 3 vœux de religion auxquels il l'ajoute, si bien que les Carmélites l'ont accusé de vouloir leur faire faire un quatrième vœu[4]. Pour confirmer l'engagement baptismal, Lambert choisit

1. *Ibid.*, p. 239, citant Olier, *Manuscrit* IV, 142.
2. P. Milcent, *Un artisan du renouveau chrétien*, p. 538-539.
3. Le cardinal de Bérulle, *Opuscules de piété*, p. 426-427.
4. Y. Krumenacker, *L'école française de spiritualité*, p. 143-148 ; P. Cochois, *Bérulle et l'École française*, p. 40-43 ; En 1622 le grand théologien jésuite Lessius conseille à Bérulle de justifier son vœu de servitude à Jésus en le présentant comme une rénovation des promesses baptismales, ce que Bérulle va faire en février 1623 dans son Discours de l'état et des grandeurs de Jésus.

une autre voie, celle d'intégrer le vœu de servitude dans une conception élargie des 3 vœux ; ce procédé va contribuer à le faire accuser de vouloir constituer une nouvelle congrégation religieuse.

La confirmation de l'engagement baptismal pour Mgr Lambert

Pour Lambert, les trois vœux ne sont pas obligatoirement liés à l'état religieux et particulièrement à ce qui est nécessaire à la vie communautaire des moines ou des moniales, l'obéissance à l'abbé ou à l'abbesse et à la règle, la mise en commun des biens et le célibat. Au for interne, les trois vœux expriment pour lui l'exigence de sainteté du christianisme, et c'est le sens qu'il leur donne dans sa lettre à Vincent de Meur du 7 septembre 1662 :

> « C'est pourquoy il ma paru dans le fort de mon oraison que ie ne satisfairois pas a la haute perfection quil demande de moy si gardant les trois vœux autant que ie le pourroy avec sa ste grace, interieurement cest a dire a Legard du vœu de pauvreté dun abandon, dun renoncement et dune perte continuelle et totale des facultez de lame, a legard de celuy de chasteté de nadmestre iamais aucune affection pour soy méme ny pour aucune creature, a legard de celuy dobeissence de suivre tousiours le mouvement interieur ie ne pratiquois a legard de lexterieur tout ce que signifient ces trois vœux »[1].

Pour Lambert, le premier des trois vœux dont les deux autres dépendent, c'est le vœu de pauvreté :

> « La necessité destre pauvre dans le sens de l'Evangile ma fait souvent penser qu'on devoit un peu plus expliquer en quoy consiste cette pauvreté et que ce nest pas seulement dans la possession des trois vœux de Religion mais que cest particulierement a se priver a jamais de lusage et de la faculté des puissances de lame si ce nest en tant quelles sont mües du divin esprit pour agir suivant son bon plaisir car en effet quest ce que de renoncer aux choses exterieures si on ne renonce a soy mesme, quest ce que de fuir lhonneur si lon conserve en soy sa propre estime, quest ce que de haïr les creatures si lon sayme, et enfin quest ce que de quitter les biens de fortune si l'on retient ceux de nature, faute de cette intelligence on rampe dans le christianisme et dans beaucoup de Religions et puisquil ne faut jamais esperer davoir part a la perfection de la vie de lesprit si lon ne suit les parolles et les exemples de Jesus Christ dans un abandon total et dans les lumineuses obscurites de la foy »[2].

---

1. P. Lambert de la Motte, Lettre à Vincent de Meur du 7 septembre 1662, AMEP, vol. 116, p. 559 ; cf. Guennou, transc., L. n° 7.
2. *Id.*, Lettre au prince de Conti du 10 juillet 1663, AMEP, vol. 857, p. 173 ; cf. L. n° 28.

Tant que nos facultés ne sont pas toutes dépendantes de Dieu, Lambert nous met en garde contre l'illusion d'avoir atteint la pauvreté intérieure[1] et celle de vivre une vie de pénitence et de mortification[2]. Lambert écrit que les grandes richesses de l'homme ne sont pas les biens extérieurs, mais bien les puissances de son âme auxquelles Dieu demande qu'il renonce, et que le missionnaire apostolique est appelé à une vraie pauvreté intérieure qui seule peut permettre à Dieu d'opérer en lui :

> « Ce n'est pas donc grand merveilles a un missionnaire apostolique qu'on suppose necessairement estre un homme de foy, s'il quitte ses biens pour Dieu puisquil est bien plus avantagé que sil avoit bien des revenus en ce que ce fond de la providence ne luy peut jamais manquer[3]. Certes il y a de quoy s'etonner comme il y a si peu de monde qui croyent cela en pratique. Cependant cette marque dabandon n'est que le premier pas dans la voye d'un missionnaire sil en demeuroit là, sa fortune ne seroit pas grande bien qu'on pense que cela soit le point du dernier abandon. Non je dis que ce n'est pas grand chose que cela mais que cette abandon exterrieur ne doit estre consideré que comme une belle Idée, et une Instruction de ce que nous devons faire à l'interrieur. La preuve de cela se voit dans l'evangile ou il n'est pas possible d'estre disciple du fils de Dieu si on ne renonce a tout ce quon possède or les grandes richesses de lhomme ne sont pas les biens exterrieurs mais bien les puissances de son ame auxquelles Dieu demande quil renonce affin que s'en estant demis de la proprieté et de la jouissance en

1. *Id.*, Lettre à Fermanel prêtre, AMEP, vol. 121, p. 577 ; cf. L. n° 71 : « Maintenant il y a bien de sorte de renontiations et tel qui croit estre pauvre de toutes les creatures par le moyen des trois Vœux ordinaires quil a faits ne sest souvent appauvry quen apparence ainsy quon le voyt lorsquil est question de quitter les interests ou ceux des corps ou on est attaché. Il y a peu de jour que ie considerois que le parfait degagement du missionnaire apostolique estoit moindre quil ne falloit sil se regardoit autrement que comme le pur ministre du divin esprit dans toutes ces operations ».

2. *Id.*, *Abrégé de Relation*, AMEP, vol. 121, p. 653 ; cf. § 20 : « C'est cette mort et cette Vie qui donne toute lintelligence et la capacité a un missionnaire apostolique dans ses sublismes employs faute de cela il est constant que ses operations seront meslées de la nature, ou de la pure prudence qui sont les ennemis de la Vie Evangélique. Il faut neanmoins avouër que quoy que nous recevons par le baptême un droit reel a l'un et a lautre cependant il est plus petit ou plus grand selon la mesure de liberalitez de Dieu. Il est pourtant certain que si l'ame veut pousser sa fortune spirituelle en apportant toutes les dispositions quelle peut de son costé elle entrera en possession actuelle de ces deux grandes graces aux quelles nostre Seigneur appelle tous les Chrestiens. Il est vray que pour posseder conserver et augmenter parfaitement cette belle mort et cette admirable Vie dans un successeur des Apostres ou des disciples. Il semble necessaire de prendre cette resolution dembrasser une vie d'une penitence generalle non seulement dans son vivre et dans les mortifications exterieure mais particulierement dans les operations de lhomme, cest adire de la partie inferieure et de la partie raisonnable, pour ne plus suivre desormais, en tout, que les veües de la foy, le pur mouvement de la grace et de lesprit de J. C. qui vit en nous ».

3. Puisque ce trésor de la Providence ne peut jamais lui manquer et est plus avantageux que d'avoir beaucoup d'argent.

faveur de J. C. et par rapport a luy il entre en veritable pauvreté reelle qui fait la première et la principalle des beatitudes. *Beati pauperes spiritu*[1] et qui luy donne droit de dire avec l'apostre *Vivo ego jam non ego vivit vero in me Christus*[2]. Si la pauvreté consiste proprement en cela. Il est facile a juger qu'un homme qui n'y a pas renoncé n'est pas pauvre si ce n'est qu'on ne veuille dire que les biens de ce monde sont des richesses mais en ce cas il faut demeurer d'accord quelles ne sont pas de consequences et quelles ne sont que des accidens. Cela est si vray que Celui qui n'est pauvre que des biens de fortune parlant selon l'Evangile n'est pas censé pauvre et sera peut estre damné quoy qu'il ne possede pasun sol[3] parce quil estoit riche, c'est adire riche d'esprit au contraire. Il y a des gens fort riches des biens de ce monde qui sont tres pauvres, de ce nombre ont esté St Gregoire, St Louis et tant d'autres testes couronnées de la l'on peut voir la difference quil y a entre lidée de la pauvreté et la pauvreté reelle qui est Celle d'esprit »[4].

Lambert, en appliquant cette exigence de pauvreté aux méthodes d'apostolat, renvoie implicitement son lecteur à l'Évangile qui demande que l'Esprit Saint soit laissé maître des paroles de l'apôtre (Mt 10, 19-20 ; Lc 21, 14-15) :

« Il est donc maintenant facile a un missionnaire de voir que le fort de son abandon doit estre de toutes les operations de son esprit pour ne suivre plus que le bon plaisir de Dieu qui luy est signiffié par le mouvement interieur qui ne luy manque jamais, s'il est fidele a la grace. Sans ce renoncement il ne peut rien faire dheroïque dans les employs divins qui luy sont confiée. Comment par exemple se prendra il entrant dans un Royaume payen par quelle voye y introduira il l'Evangile comment faira il croire les mysteres de nostre sainte Religion qui sont si au dessus de la raison sera ce par un fort raisonnement par les lumieres d'une science acquise ou par des demonstrations naturelles. Ceux qui n'aurons pas dautre fond que cela fairont mieux de ne ce pas mesler des missions estrangers »[5].

L'opiniâtreté de Lambert à dénoncer le commerce des religieux du patronat portugais tient à sa conception de la pauvreté, à la fois intérieure et extérieure, qui permet seule de se dévouer tout entier à Jésus et de lui permettre de parler et d'agir en nous à sa guise, y poursuivant la mission de salut du monde que le Père lui a confiée jusqu'à la fin des temps.

Lambert tendra à appliquer concrètement cette théologie dans le contexte missionnaire de l'Asie du XVIIe siècle.

---

1. Mt 5, 3 : Heureux les pauvres en esprit.
2. Gal 2, 20 : Je vis, ce n'est plus moi qui vis, c'est le Christ qui vit en moi.
3. Sou ou sol, c'est une petite pièce de monnaie.
4. P. Lambert de la Motte, *Abrégé de Relation*, AMEP, vol. 121, p. 647-648 ; cf. Guennou, transc., § 18.
5. *Id.*, p. 648-649 ; cf. § 18.

TROISIÈME PARTIE

LE PROJET DE LAMBERT DE LA MOTTE POUR LE SALUT DES PAÏENS

Les Amateurs de la Croix

Depuis saint Charles Borromée les auteurs spirituels européens font d'abord le constat du mal qui ronge le sacerdoce avant de proposer leur remède, ainsi : « Pleurez, s'écrie Louis Chardon, pleurez les malheurs de ceux qui entrent au sacerdoce, qui prennent des prélatures, et qui s'ingèrent dans les bénéfices comme par le sort, par partage ou par droit d'héritage »[1]. En Normandie, c'était le constat des déficiences du Clergé qui avait conduit saint Jean Eudes à y multiplier les séminaires. En Asie son disciple, Lambert, était amené au même constat alors que le Clergé était constitué par les religieux portugais. Pour comprendre la position de Lambert il fallait la rapprocher de ce constat européen mais aussi prendre en compte les conséquences d'un statut particulier de l'Église hors de l'Europe, le régime du patronat qui rendait l'évangélisation dépendante des couronnes portugaise et espagnole.

Si Lambert s'affrontait sur le terrain aux jésuites inféodés aux représentants du patronat portugais, il a eu toujours de son côté le Père Général de la Compagnie de Jésus dont l'autorité était aussi disputée sur le terrain par le royaume du Portugal. L'envoi des vicaires apostoliques français entrait dans une nouvelle politique vaticane qui convenait au Père Général qui siégeait lui aussi à Rome. Il s'agissait pour le pouvoir romain de s'affranchir des grandes puissances catholiques de l'Europe et d'envoyer jusqu'aux extrémités du monde des représentants du Saint-Siège, dépendant étroitement de la Curie romaine.

Cette situation était la conséquence du système de financement des missions que la papauté avait résolu par des accords qu'elle avait passés avec les rois de Portugal et d'Espagne, leur garantissant un monopole pour développer et organiser l'Église dans les territoires qu'ils avaient conquis hors de l'Europe ou qu'ils seraient amenés à conquérir et faisant ainsi d'eux des patrons de l'évangélisation qu'ils finançaient.

À l'origine du patronat (doctrine du patronage, le « *padroado* » en portugais), il y a eu la conquête en 1415 de la ville musulmane de Ceuta, en Afrique du Nord, par les chevaliers portugais de la *Militia Christi* fondée en 1319. Trois ans après, le pape Martin V a érigé le diocèse de Ceuta. Le 18 juin 1452 par la Bulle *Dum Diversas* le pape Nicolas V donnait à

1. F. Florand, Introduction à Louis Chardon, *La croix de Jésus*, p. 59.

Alphonse V le droit de conquête sur les terres anciennement chrétiennes et devenues musulmanes et sur les terres païennes en compensation des terres chrétiennes perdues, c'est ainsi que le pape enverrait plus tard vers les païens les vicaires apostoliques, Mgr Lambert et Mgr Pallu, comme évêques des diocèses perdus de Bérithe et d'Héliopolis. Le 8 janvier 1455 par la Bulle *Romanus Pontifex* ce même pape réservait à la couronne portugaise le droit de découverte, de conquête et de commerce sur l'Afrique et l'Asie méridionale et orientale. Le 28 juillet 1508, le pape Jules II par la bulle *Universalis Ecclesiae* constituait le patronat espagnol d'Amérique[1].

En partant en mission Lambert ne cherchait pas à affronter les jésuites alors que les territoires confiés par le pape aux trois vicaires apostoliques coïncidaient très exactement avec les limites de la province du Japon de la Compagnie de Jésus[2], et que, d'après le Concile de Trente, les Religieux étaient placés pour emploi sous l'autorité de l'ordinaire du lieu où ils exerçaient.

Lambert poursuivait un autre objectif en dépendance étroite de la mission continue de Jésus. Pour permettre à Jésus d'avoir vraiment la main sur tout ce qui se dit et sur tout ce qui se fait en son nom, Lambert voulait que tous les évangélisateurs s'engagent à se livrer entièrement à Jésus par vœux, renouvelant ainsi les promesses de leur baptême.

C'est ainsi que Lambert proposait les trois vœux de pauvreté, de chasteté et d'obéissance, non comme conditions pratiques pour faire partie d'une congrégation religieuse mais comme la confirmation du contrat baptismal. Pour Lambert, ces trois vœux n'étaient pas la promesse d'être parfait par soi-même, ce qui est impossible à l'homme et ne peut donc faire l'objet d'un vœu, mais la promesse d'accueillir en soi la sainteté de Dieu par assimilation au Christ, à son corps et à son Esprit. Ainsi les missionnaires pourraient enseigner aux païens les exigences dont ils avaient pris conscience pour eux-mêmes. Ces vœux permettraient aussi de donner aux Églises d'Asie un visage plus communautaire et de leur faire mieux témoigner de l'unique Sauveur du monde. Les embryons de l'Église ainsi renouvelée pourraient se structurer peu à peu sous le nom d'Amateurs de la Croix autour d'un cœur rassemblant les évangélisateurs en un vrai Corps apostolique, nom qui évoquait pour Lambert, la communauté initiale des Douze Apôtres guidant l'ensemble de l'Église.

---

1. *Enciclopedia Cattolica*, Citta del Vaticano, 1952, Art « Padroado, Patronato », di Nicola KOWALSKY, col. 528-533.
2. Sous-province de Chine, Tonkin, Cochinchine, Siam et Cambodge.

CHAPITRE 1
LE MAL DE L'ÉGLISE ET SON REMÈDE SELON LAMBERT

Le mal : incompatibilité du profit et de l'évangélisation

Si le Verbe s'est fait chair, c'est bien d'abord parce que la Parole doit être incarnée en celui qui la prononce pour être transmise. C'est bien ce que pensaient Pierre Lambert de la Motte en Asie et Bartholomé de Las Casas en Amérique. L'évangélisation est liée, non seulement au discours de l'évangélisateur mais encore et surtout à son témoignage de vie qui doit refléter celle de son Maître. Les deux évêques missionnaires pensaient que, si tel n'était pas le cas, il valait mieux que les peuples païens n'aient encore rien entendu sur le Christ et qu'il n'y ait rien à réparer. Pour Lambert et Las Casas, l'évangélisation était à reprendre à zéro. Lambert fortifiait sa conviction en considérant que cette reprise de l'évangélisation sur des bases nouvelles était essentielle à la réalisation de la Mission continue de Jésus.

Le précédent de Mgr de Las Casas

Lorsqu'un évêque dominicain, Bartolomé de Las Casas (1484-1566), raconte en 1552 tous les méfaits des conquérants et des colonisateurs espagnols en Amérique dans les années qui suivirent sa découverte en 1492, il décrit une situation générale et il l'analyse pays par pays dans un livre[1]. En ameutant tous ceux qui ont quelque autorité en Espagne le but de Mgr de Las Casas est de faire connaître le sort des autochtones, d'arrêter leur massacre[2] et d'obtenir la restitution de leurs biens volés[3].

---

1. Bartolomé de Las Casas, *Très brève relation de la destruction des Indes*, Paris, La Découverte, 1996.

2. *Id.*, *Une plume à la force d'un glaive, Lettres choisies*, Coll. « Sagesses Chrétiennes », Paris, Cerf, 1996. La conquête des Amériques a fait plusieurs millions de morts parmi les Amérindiens d'après Las Casas, plus de 2 millions (p. 35), plus de 3 millions (p. 25), ou 4 millions (p. 59) dont 1 million 100000 pour la seule île d'Haïti (p. 68). Voire 9 à 10 millions en comptant ceux qui ont péri au fond des mines d'or (*Représentation* adressée par las Casas à l'empereur Charles Quint p. 94-96). Voir plus de 12 millions (B. de Las Casas, *Très brève relation*, p. 51).

3. On appelle ces autochtones « Indiens » depuis qu'en abordant les îles des Caraïbes en

Bartolomé de Las Casas et Lambert sont formés au langage du droit qu'ils mettent au service de la gloire de Dieu et du salut des âmes[1]. La question qui est au cœur de leur débat, à l'un et à l'autre, n'est pas le baptême et l'entrée dans l'Église mais la réponse libre à la proclamation de la vérité faite par l'exemple autant que par la parole. L'un et l'autre répètent que c'est pour cela d'abord que le Christ a envoyé ses disciples pour qu'ils aillent jusqu'aux extrémités de la terre, l'un et l'autre parlent très peu du baptême et presque exclusivement de l'annonce de l'Évangile. Le mépris pour les autochtones conduit à leur imposer le baptême sans leur enseigner la grâce du sacrement : le rite sans son explication devient vite une pratique superstitieuse. C'est ce mépris qui a conduit à refuser le sacerdoce aux autochtones au temps de Lambert.

La connaissance de la vérité de l'Évangile est pour eux le droit fondamental dont on les prive indûment. Cette privation tient pour eux à la même cause, la recherche du profit. Les deux évêques sont convaincus que le Seigneur les a placés au bon endroit pour y établir sa justice et dénoncer le mal, ils vont y consacrer leur vie, tenteront de proposer un remède et échoueront l'un et l'autre de leur vivant.

Bartolomé de Las Casas écrit notamment en 1565 dans son *Mémorial au Conseil des Indes* : « Je crois avoir accompli le ministère dans lequel Dieu m'a placé pour remédier à de si grandes et nombreuses offenses devant le jugement divin, bien que, pour le peu de profit qui en fut fait à cause de mes grandes négligences je crains que Dieu n'ait à me châtier »[2].

Las Casas et Lambert voient différemment le rôle du pape en matière de propagation de la foi. Alors que Lambert en tant que vicaire apostolique dépend exclusivement du pape qui lui a donné lui-même ses *Instructions*, Mgr de Las Casas en tant qu'évêque d'Amérique dépend du roi d'Espagne à qui le pape a confié l'évangélisation de ce Nouveau Monde par le système du patronat.

Mgr de Las Casas reconnaît la légitimité du pouvoir espagnol dans la mesure où il respecte la condition de ce pouvoir qui a été fixée par le Siège apostolique, c'est-à-dire l'évangélisation. Pour lui :

> « Les païens sont non en acte, mais en puissance membres du Corps de l'Église » […]. « Puisque le Christ a donné à saint Pierre tout le pouvoir qui lui appartient sur la terre, afin que partout il y dilate son Église, il lui a donc donné aussi pouvoir sur les païens », […]. « Le pontife romain a le devoir d'appeler

---

1492 Christophe Colomb a cru débarquer en Inde (ou plutôt en Indonésie qui signifie îles de l'Inde) à l'issue de sa traversée de l'Atlantique.

1. B. de Las Casas , *Une plume,* Lettre du 15 octobre 1535 à un personnage de la Cour, p. 61. 63. 71 ; *Id., De l'unique manière d'évangéliser le monde entier,* traduit par Marianne Mahn-Lot, Paris, coll. « Sagesses chrétiennes », Paris, Cerf, 1990, p. 102.

2. *Id., Une plume,* Mémorial au Conseil des Indes de 1565, p. 394.

> et de convier ces autres brebis du Christ que sont les infidèles, de promulguer l'Évangile sur leurs territoires, d'y implanter et dilater la foi et le culte divin. Il a besoin, à cette fin, de choisir et de constituer des auxiliaires qui soient aptes à cette charge, car il ne peut ni ne doit s'en acquitter lui-même », [...]. « Il peut disposer pour se faire aider de ceux qui détiennent le pouvoir et qui mettent à son service leur puissance et leurs richesses »[1].

Mais en Amérique, le baptême fut administré par la violence sans qu'on cherche à convertir les cœurs par la prédication. En tant que frère prêcheur, Mgr de Las Casas en conclut avec le pape Nicolas : « Ce qu'on n'a pas choisi soi-même, on ne peut le désirer ni l'aimer. Rien n'est donc bon que ce qui est libre. C'est pourquoi le Seigneur a mandé de ne point emporter de bâton en chemin, pour éviter de faire violence à qui que ce soit »[2].

Mgr de Las Casas a reçu directement ou indirectement l'enseignement de Francisco de Vitoria (1480-1546), le grand théologien thomiste de la célèbre Université de Salamanque (entre 1526 et 1546) qui avait désapprouvé les baptêmes en masse disant : « Les infidèles ne doivent pas être baptisés avant d'être instruits suffisamment, non seulement de la foi mais de la morale chrétienne »[3].

La grande différence de situation entre Lambert et Las Casas semble tenir à leurs rapports avec les religieux. Certes Las Casas a de son côté les Ordres mendiants, dominicains et franciscains, dont les fondateurs ont choisi de partager la vie des pauvres pour leur annoncer l'Évangile[4]. Mais ces Ordres échouent en Amérique à cause de la conduite des chrétiens[5], et le remède que Mgr de Las Casas préconise, c'est de chasser les sources du scandale et de créer des lieux exclusivement pour les Indiens. Lambert aura la même idée de chasser les chrétiens, auteurs du scandale en Asie. Il

1. *Id.*, *L'Évangile et la force*, présentation, choix de textes et traduction par Marianne Mahn-Lot, coll. « Trésors du christianisme », Paris, Cerf, 2000, p. 154-156 (extraits du *Tratado comprobatorio*, publié à Séville en 1552-1553).

2. *Ibid.*, p. 126-127, et LAS CASAS, *De l'unique manière*, p. 135. Las Casas applique aussi cette parole aux enfants.

3. *Id.*, *L'Évangile et la force*, p. 48-50. Las Casas s'est plaint du temps trop bref de préparation catéchuménale chez les Indiens. Marianne Mahn-Lot note qu'au Mexique, il y aurait eu, de 1524 à 1536, cinq millions de baptêmes, d'après le franciscain Motolinia.

4. *Id.*, *Très brève relation* ; c'est par les dominicains de l'île de Trinidad (p. 114-116), les franciscains de Cuba (p. 66), de la Nouvelle Espagne (p. 94-95), du Yutacan (pp. 102-105), du Pérou (p. 136-139), que Bartolomé de Las Casas fut renseigné des crimes des conquérants espagnols.

5. À Cuba on fit périr par le feu un chef indien qui fuyait les Espagnols, on laissa un franciscain tenter de le convertir sur son bûcher en lui proposant de choisir entre le ciel et l'enfer. « Les chrétiens vont-ils au ciel, demanda le chef ». Sur la réponse qu'ils y allaient, le chef dit qu'il préférait l'enfer plutôt que d'être avec des gens aussi cruels que les chrétiens (B. de LAS CASAS, *Très brève relation*, p. 66).

y a cependant une vraie différence de situation entre les deux évêques : les retours de Mgr de Las Casas pour défendre son point de vue en Espagne où on le jugeait excessif, alors que Lambert est resté éloigné jusqu'à sa mort, laissant ses opposants agir en France et à Rome.

Inséré dans le système du patronat espagnol, Mgr de Las Casas n'est pourtant pas aussi libre que Lambert pour dénoncer l'implication de l'Église dans les maux dont les Indiens sont accablés. Il écrit au Conseil des Indes en 1531 : « Je supplie Vos Seigneuries et Grâces de me considérer comme un pauvre homme qui voit le mal depuis 30 ans, qui depuis plus de quinze ans étudie les possibilités d'y remédier »[1].

Comme il l'a raconté dans son *Historia*, c'est en effet en 1514 en préparant son sermon de Pentecôte qu'il tomba sur un passage de l'Ecclésiastique (Si 34, 20-23) qui allait bouleverser sa vie[2] : « C'est immoler le fils en présence de son père que d'offrir un sacrifice avec les biens des pauvres. Une maigre nourriture, c'est la vie des pauvres, les en priver, c'est commettre un meurtre. C'est tuer son prochain que de lui ôter la subsistance, c'est répandre le sang que de priver le salarié de son dû ». Mgr de Las Casas qui, tout en étant prêtre, vivait alors en colon à Cuba, exploitant des terres avec un village d'Indiens à son service, comprit alors qu'il était en état de péché mortel. Désormais Bartolomé de Las Casas allait s'offrir pour le salut matériel et spirituel des Indiens.

En se souvenant des circonstances où il s'est ainsi senti visé par la Parole de Dieu, Mgr de Las Casas exhorte et menace les membres du Conseil des Indes à qui le roi d'Espagne a confié l'administration des Amériques en 1511 : « Que Vos Seigneuries et Grâces veillent à leurs âmes ; parce qu'en vérité, je crains beaucoup et je doute beaucoup de votre salut. Et qu'elles veillent bien, si elles veulent se sauver, à remédier à tant de misère »[3].

Bartolomé de Las Casas va même prédire au futur roi d'Espagne un châtiment de Dieu pour son pays si rien n'est fait pour changer la situation des Indiens[4]. Ce n'est pourtant pas l'habitude de Mgr de Las Casas de généraliser ainsi les responsabilités et de faire des annonces prophétiques sur un malheur commun. Saint Jean l'a fait pour certaines Églises citées dans son Apocalypse, de même Jésus pour Jérusalem, Capharnaüm et les villes du

1. B. de Las Casas, *Une plume*, Lettre du 20 janvier 1531 au Conseil des Indes, p. 31.

2. *Id.*, *L'Évangile et la force*, p. 21-24. Las Casas est devenu clerc en 1502 quand il s'embarque de Séville pour Hispaniola (Haïti), il va à Rome pour être prêtre puis repart aux Antilles, après sa « conversion » de 1514 ; ce n'est qu'en 1522 qu'il entre chez les dominicains ; sur proposition de l'empereur Charles Quint datée de 1543, il sera évêque de Chiapa et rentre définitivement en Espagne en 1547.

3. *Id.*, *Une plume*, Lettre du 20 janvier 1531 au Conseil des Indes, p. 30.

4. *Id.*, Lettre du 9 novembre 1545 au prince Philippe, p. 217.

lac de Tibériade. C'est aussi un argument fourni en désespoir de cause par Lambert[1].

Exceptionnellement c'est donc dans une lettre au pape Pie V datée de 1566, que Mgr de Las Casas peut écrire :

> « C'est un très grand scandale et un tort grave porté à notre sainte religion que de voir, dans ces nouvelles chrétientés, des évêques, des religieux, des clercs qui s'enrichissent, alors que les nouveaux convertis vivent dans une pauvreté extrême, incroyable, et qu'un grand nombre d'entre eux meurent chaque jour misérablement du fait de l'oppression, de la faim, du froid, d'un travail excessif »[2].

Cette lettre ne restera pas sans effet, elle confirme au pape qu'il lui faut arrêter le système du patronat. Il créera en 1568 une commission de cardinaux pour s'occuper de la conversion des Indiens, premier pas vers la Congrégation de la propagation de la foi, créée en 1622 avec pour objectif que l'évangélisation des pays non-chrétiens soit réservée au Saint-Siège.

L'intérêt de la controverse qui opposa en 1552 Mgr de Las Casas à des théologiens et des juristes à Valladolid (Espagne), c'est précisément de voir dans les propos du docteur Sepulveda la position du clergé espagnol face à tant de crimes perpétrés en Amérique par des Espagnols[3].

Les dix premières objections du docteur Sepulveda au point de vue de Mgr de Las Casas, c'est que les Espagnols n'ont pas eu pour but de tuer les Indiens idolâtres mais de leur faire abandonner l'idolâtrie en les assujettissant. D'après Sepulveda, l'Église a toujours approuvé que les rois exercent cette contrainte même si la persuasion gardait sa préférence. La onzième objection montre que cette guerre contre les Indiens menée par les Espagnols depuis trente ans « empêche la perte d'une infinité d'âmes, celles de ceux qui, présents ou à venir, vont se sauver une fois convertis. Comme le dit saint Augustin dans la lettre 75, la perte d'une âme sans baptême est un plus grand mal que tuer d'innombrables hommes même s'ils sont innocents »[4]. La douzième objection concerne l'exploitation des territoires conquis et la dilapidation de leurs richesses ; c'est pour le docteur Sepulveda une nécessité pour motiver le soutien du roi d'Espagne et le zèle des soldats qu'il y envoie, de financer l'évangélisation et de donner la sécurité nécessaire aux évangélisateurs. Même si ceux-ci n'étaient pas tués par les Indiens, « la prédication ne serait pas aussi efficace en cent ans qu'en quinze jours après l'assujettissement lorsque les prédicateurs ont la liberté de prêcher en public

---

1. P. Lambert de la Motte, Lettre à M. Duplessis, AMEP, vol. 861, p. 1-3 ; cf. Guennou, transc., L. n° 16, le 6 mars 1663; Lettre au jésuite Poncet, AMEP, vol. 121, p. 595 ; cf. L. n° 94.
2. B. de Las Casas, *Une plume*, Pétition à Pie V de 1566, p. 399.
3. *Id.*, *La controverse entre Las Casas et Sepulveda*, Paris, Vrin, 2007, p. 228-287.
4. *Ibid.*, p. 237-238.

et de convertir ceux qui le souhaitent »[1]. Bartolomé de Las Casas répond à la onzième objection :

> « Des infidèles ne seront jamais obligés, d'aujourd'hui jusqu'au jour du jugement, ni relativement à Dieu, ni relativement aux hommes, de croire à la foi de Jésus-Christ si ceux qui l'annoncent sont des gens de guerre, des tueurs, des voleurs, des tyrans comme le voudrait et en meurt d'envie le docteur. Et tant que ceux qui annoncent la foi et les prédicateurs ne seront pas des hommes vertueux et de vrais chrétiens dans leur vie et qu'ils seront accompagnés de tyrans, cette parole de l'Évangile : "Celui qui ne croira pas sera condamné" [Mc 16, 16] ne s'appliquera jamais aux infidèles, surtout aux Indiens et à leurs semblables »[2].

Cette dernière position de Mgr de Las Casas suppose que les religieux qui accompagnent la colonisation en Amérique pour y prêcher le christianisme ne sont pas des hommes vertueux et de vrais chrétiens dans leur vie.

Mgr de Las Casas rappelle les conditions d'exercice des privilèges accordés aux rois d'Espagne et du Portugal par le système du patronat par la papauté[3] en disant que les rois sont tenus d'instruire les Indiens et pour cela « d'envoyer aux Indes des hommes probes, craignant Dieu, doctes, expérimentés et habiles »[4]. Mgr de Las Casas nie que le pape ait autorisé la guerre de conquête pour permettre la conversion des Indiens d'Amérique. Il donne son interprétation du patronat espagnol :

> « C'est bien là ce qui vous a été prescrit par le souverain vicaire du Christ, Alexandre VI : "Au nom avant tout du très saint baptême dont la réception vous oblige à vous conformer aux ordres reçus du siège apostolique, dit-il, et par les entrailles de la miséricorde de Notre Seigneur Jésus-Christ, nous vous requérons instamment, puisque vous avez décidé d'entreprendre et de prendre en charge l'expédition en cause dans un esprit bienveillant et avec le zèle de la foi orthodoxe, nous vous requérons donc de bien vouloir – et vous le devez – amener les peuples qui vivent en ces îles et ces terres à accueillir la foi chrétienne" »[5].

Or, les prédicateurs qu'on trouve en Amérique ne sont pas « des hommes droits et remplis de la crainte de Dieu, instruits, capables et compétents pour instruire dans la foi catholique et former aux bonnes œuvres » qu'Alexandre VI avait imposé d'y envoyer au titre du patronat espagnol[6]. En 1545, Mgr de Las Casas et Mgr de Valdivieso, évêque du Nicaragua qui finira assassiné, rappellent au prince héritier Philippe les obligations qui sont liées au patronat : « Par Jésus-Christ, que Votre Altesse veille à

1. *Ibid.*, p. 241.
2. *Ibid.*, p. 272.
3. *Ibid.*, p. 273-274.
4. *Ibid.*, p. 274.
5. *Id.*, *Une plume*, Lettre du 20 janvier 1531 au Conseil des Indes, p. 23-24.
6. *Id.*, Lettre du 20 janvier 1531 au Conseil des Indes, p. 22.

bien choisir ses évêques. Les clercs « *clerigos* »[1] d'ici ne donnent que peu de résultat, et plaise à Dieu qu'ils ne fassent pas grands torts »[2]. Mgr de Las Casas écrit encore au prince Philippe en 1545 : « Au Guatemala aussi il y a beaucoup de mal, mais l'évêque ne se soucie guère des injures et affronts faits à la Sainte Mère l'Église, parce qu'il ne veut être en mauvais termes avec personne », mais Mgr de Las Casas concède que tous ne sont pas prêts comme lui au martyre : « Que Votre Altesse imagine la vie que peut avoir un évêque chrétien, qui veut trouver remède à ces sacrilèges quotidiens, qui pour cela est obligé d'exposer sa vie et qui ne voit qu'ici il n'y a pas de justice, ni de fidélité, ni de crainte pour le roi ! »[3] On croirait entendre Lambert qui a vécu son ministère dans un danger quotidien face à des opposants résolus à se débarrasser de lui.

Alors qu'il condamne la guerre de conquête des Espagnols contre les Indiens d'Amérique, Bartolomé de Las Casas conclut : « La guerre des Indiens contre les Espagnols est une guerre juste et qu'on ne peut leur reprocher de s'être attaqués aux religieux et aux évangélisateurs dès lors que ceux-ci étaient accompagnés par ceux qui leur avaient fait tant de maux et leur avaient causé tant de pertes et auxquels ils ressemblaient par les gestes, les habits, les barbes et le langage, et qu'ils les voyaient manger, boire et rire ensemble comme des amis naturels »[4].

Le remède à cette situation est fourni par l'exemple du Guatemala où Bartolomé de Las Casas et les dominicains ont établi pacifiquement une chrétienté prospère, en empêchant que d'autres Espagnols s'introduisent dans les terres des Indiens[5]. Mgr de Las Casas en parle avec fierté, mais il craint qu'on veuille là-bas s'attaquer à cette œuvre « telle que, depuis que

1. Les clercs (*clerigos*) ont reçu les ordres mineurs mais ne s'apprêtent pas forcément à recevoir la prêtrise.

2. B. de LAS CASAS, *Une plume*, Lettre du 25 octobre 1545 de Las Casas et de Valdivieso au prince Philippe, p. 201.

3. *Id.*, Lettre du 9 novembre 1545 au prince Philippe, p. 213.

4. *Id.*, *La controverse,* p. 285.

5. *Id.*, p. 284. 304, note 169 de Nestor Capdevila : « En 1537, Las Casas a entrepris de convertir pacifiquement les Indiens insoumis de Tezututlán (Guatemala), la Terre de Guerre. Pendant cinq ans, seuls les religieux pourront entrer sur ce territoire et les Indiens convertis et soumis dépendront directement de la couronne. En raison du succès de l'entreprise, la Terre de Guerre est appelée Terre de Paix. Lors de la controverse, Las Casas peut se prévaloir d'un succès. Mais en 1555, les Lacandons envahissent ce territoire en tuant des frères prêcheurs et des enfants. Les religieux estiment alors avoir le droit et « le devoir de faire la guerre… ». Nestor Capdevila note encore que dans son *De thesauris* (Des trésors du Pérou), Las Casas « au moment où il déclare qu'aucun Indien ne s'est jamais soumis volontairement, il fait une exception pour ceux de Terre de Paix. Mais il ajoute aussitôt qu'il doute beaucoup du caractère réellement volontaire de cette soumission car ils connaissaient les violences dont ont été victimes les régions voisines ».

les Apôtres ont quitté le monde, l'Universelle Église n'en a pas vu »[1] ; et quand les dominicains sont assassinés, c'est pour Mgr de Las Casas « la plus grande œuvre de conversion qu'il y a dans l'Église de Dieu » qui se trouve perdue[2]. C'est la formule des « réductions » (territoires réservés aux Indiens d'Amérique du sud) que les jésuites reprendront plus tard au Paraguay (entre 1609 et 1763) avec les Indiens Guaranis, mais cette solution de créer des réserves pour les autochtones au sein des colonies de peuplement d'Amérique n'a jamais empêché la convoitise des Européens de s'y exercer. Par ailleurs, la conversion des Indiens ne pouvait être sincère si elle conditionnait leur sécurité.

Bartolomé de Las Casas est plus libre quand il écrit en latin au pape son « *De unico modo vocationis omnes gentes ad veram religionem* »[3]. Les quatre premiers chapitres de son œuvre ont disparu ; dans le cinquième, il écrit les conditions pour prêcher l'Évangile de manière conforme à ce que nous a prescrit le Christ. On conçoit que pour lui ces conditions n'ont pas été respectées en Amérique. La première condition « est que les infidèles comprennent bien que ceux qui les prêchent n'ont aucunement l'intention de les assujettir »[4]. La deuxième condition est « que les païens n'aient aucun lieu de croire que les prédicateurs aspirent à posséder aucune richesse »[5]. La troisième condition, « c'est que les prédicateurs se montrent doux, affables, pacifiques, aimables, bienveillants dans leurs conversations avec les païens ; qu'ils les incitent à les écouter volontiers et même avec plaisir et à avoir le plus grand respect pour la doctrine enseignée »[6]. La quatrième condition pourrait être que les prédicateurs « doivent être animés de la même ardeur de charité que celle qui animait saint Paul : il aimait tous les hommes afin de les sauver »[7]. La cinquième façon de prêcher la foi est contenue dans ces paroles de saint Paul : « Dieu et vous-mêmes êtes témoins que notre séjour parmi vous a été saint, juste, sans querelle aucune, chez vous qui avez embrassé la foi »[8].

Si Mgr de Las Casas ne cesse de parler de mauvais prédicateurs, c'est qu'il les a eus sans cesse devant les yeux en Amérique. Il rappelle au pape la Bulle « *Sublimus Deus* » que Paul III a dû signer en 1537 pour condamner

1. *Id.*, *Une plume*, Lettre du 9 novembre 1545 au prince Philippe, p. 210.
2. *Ibid.*, "Representación" à l'Audience des Confins du 22 octobre 1545, p. 188.
3. *Id.*, *De l'unique manière*, « Jusqu'au XXe siècle, on ne le connaissait que par le résumé et les extraits qu'en donna, au début du XVIIe siècle, le dominicain Remesal, qui disait en avoir vu quatre manuscrits... dont un à Mexico » (B. de LAS CASAS, *L'Évangile et la force*, p. 101, note 1).
4. *Id.*, *De l'unique manière*, p. 65-66.
5. *Ibid.*, p. 66.
6. *Idem.*
7. *Id.*, p. 68.
8. *Id.*, p. 70.

la plus grande injustice qui déniait aux Indiens la qualité d'homme, ce qui justifiait qu'on les assujettisse[1]. Il exprime son admiration pour eux car « beaucoup de ces Indiens peuvent nous donner des leçons, que ce soit pour la vie « monastique », la vie économique ou même la vie politique et pourraient nous enseigner les bonnes mœurs. Bien plus, ils nous sont supérieurs par la raison naturelle »[2].

Tout cela, on le trouve aussi chez Mgr de Bérithe quand il parle de la situation en Asie. La question du financement des missions n'est pas aussi sensible en Amérique qu'en Asie mais on a affaire à la même pauvreté des populations autochtones d'Amérique et d'Asie et au même déploiement de richesses de la part des chrétiens venus d'Europe et prétendant leur apporter le Christ. Et un des arguments de l'apologétique chrétienne est lié dans les deux continents à la bénédiction divine qui a permis aux Européens de se placer au dessus des populations idolâtres pour les éblouir par le développement de leurs richesses comme de leurs sciences, de leurs techniques, de leur architecture. Aussi bien Lambert que Las Casas vont réfuter cette présentation du christianisme empêchant une conversion véritable.

La position de Lambert sur l'interdit du commerce des Religieux nous intéresse ici pour deux raisons essentielles, d'abord elle est la première cause de la censure de la biographie de Lambert par Brisacier et de l'image faussée qu'on a de Lambert depuis 350 ans et ensuite elle est très liée chez Lambert à l'exposition de sa théologie appuyée sur la mort à soi-même.

Le patronat et le financement des missions par le commerce

Pour comprendre la raison pour laquelle Lambert s'acharne à dénoncer le commerce des clercs en Asie, il faut partir de sa théologie qui repose sur une intervention visible du Christ au travers du corps passible des baptisés pour perpétuer son œuvre de salut par la croix jusqu'aux confins du monde, jusqu'à la fin des temps. Chez Lambert, il n'y a pas de condamnation du commerce en soi, pour lui le commerce des marchands ne relève que de la morale, de l'honnêteté, et non de la théologie ; il en va tout autrement de ceux qui sont chargés par l'Église d'annoncer le Christ, et pas seulement le Christ mais, comme le dit saint Paul, le Christ sacrifié, crucifié, pour le salut universel, le profit de tous les hommes. Comment ce Christ serviteur, esclave de tous, peut-il être proposé aux païens sous les traits de ceux dont la motivation apparente est la recherche du profit personnel ?

1. *Id.*, *De l'unique manière*, p. 92-96.
2. *Id.*, p. 92.

Le commerce des clercs en Asie provient, semble-t-il, de la désagrégation en Asie du système de financement des missions qu'était le patronat. Avant l'expulsion des chrétiens du Japon en 1612, le XVIe siècle aura été l'âge d'or du Patronat portugais sur l'Asie :

> « Le 3 novembre 1514 avec la Bulle *Praecelsae devotionis*, Léon X confirmait tous les privilèges accordés par Nicolas V et par Sixte IV et y ajoutait même pour défendre les colonies asiatiques portugaises au delà de l'Inde contre les prétentions espagnoles. Le 3 novembre 1534, Paul III avec la Bulle *Aequum reputamus* érige le diocèse de Goa rattaché à Funchal [Madère], ses limites assignées étaient le Cap de Bonne Espérance à l'Ouest et la Chine à l'Est. Dans cette Bulle les droits et les devoirs du Patron furent ainsi fixés et puis appliqués dans l'érection de tous les autres diocèses du Patronat : 1° Le roi a le droit de présentation à tous les bénéfices ; 2° Au roi incombe le devoir de construire et de maintenir toutes les églises, les couvents et oratoires quand ils sont nécessaires pour le ministère des âmes ; 3° Le roi entretient tous ceux qui sont attachés au culte, de l'évêque jusqu'au sacristain ; 4° Le roi supporte toutes les dépenses du culte ; 5° Le roi pourvoit à un nombre suffisant de prêtres pour le service divin et le ministère des âmes (monopole missionnaire) »[1].

Quand on lit ci-dessus les clauses du contrat de Patronat, on se rend très vite compte que ce contrat est rompu dès que les clercs doivent se financer eux-mêmes par le commerce. Le roi du Portugal perd alors *ipso facto* tous ses privilèges de Patron et nul ne peut plus s'en prévaloir, telle est la situation quand les vicaires apostoliques arrivent en Asie.

La Compagnie de Jésus avait créé trois provinces en Asie : celle des Indes dont Goa était le centre, celle du Malabar et celle du Japon qui s'étendit à Macao en Chine et à l'Asie du sud-est[2]. Il est possible que l'engagement des jésuites dans le commerce ait été lié à la défection du financement portugais.

---

1. Nicola KOWALSKY, « Padroado, Patronato », col. 529 : « *Il 3 nov. 1514 con la bolla Praecelsae devotionis Leone X riconfermo tutti i privilegi concessi da Niccolo V e da Sisto IV, anzi li amplio per difendere le colonie asiatiche portughesi oltre l'India contro le pretese spagnole. Il 3 nov. 1534 Paolo III con la bolla Aequum reputamus eresse la diocesibdi Goa, suffraganea di Funchal. I confini assegnati furono il Capo di Buona Speranza all'ovest, la Cina all'est. In questa bolla i diritti e gli obblighi del Patrono furono cosi fissati, e poi applicatti nell'erezione di tutte le altre diocesi del padroado : 1° il re ha il diritto di presentazione a tutti i benefici ; 2° al re incombe l'obbligo di costrire e di mantenere tutte le chiese, conventi e oratori in quanto sono necessari per il ministro delle anime ; 3° il re mantiene tutti gli addetti al culto dal vescovo fino al sagrestano ; 4° il re sopporta tutte le spese di culto ; 5° il re provvede a un numero sufficiente di sacerdoti per il servizio divino e il ministero delle anime (monopolio missionario)* » (trad. Luciano Benetazzo).

2. Le Père Le Faure explique cela dans sa lettre du 22 novembre 1670 envoyée au Père Jacques de Machault, pour servir de réponse à la lettre pastorale de Lambert (vol. 426, p. 123-142 ; vol. 677, p. 247-249 ; vol. 856, p. 363-369 ; H. A. CHAPPOULIE, *Une controverse entre missionnaires à Siam au XVIIe siècle*, p. 44, les quatre lettres en latin de ce livre ont été traduites par J. Ruellen).

Jacques Roland écrit : « L'état portugais de l'Inde qui devait assurer dans le cadre du *patroado* le financement des charges ecclésiastique et des missions, avait, pour interlocuteurs institutionnels et relais, les évêques. Mais cela ne dut pas toujours faire l'affaire des religieux, étant donnée la difficulté des communications avec les territoires lointains, et aussi les fréquentes tensions entre les prélats et le clergé régulier »[1]. De sorte que le Père Valguarnera voit l'impossibilité de compter sur le financement venu de l'Europe, disant : « Comme notre Compagnie en a fait l'expérience ici depuis les cent et quelques années passées, on a compté plus de naufrages que de traversées, plus de pertes que d'arrivées, et il est arrivé que, dans un seul et unique naufrage, le ravitaillement de plusieurs années disparaisse dans les flots »[2]. Ainsi le pape ne pouvait trouver d'issue à la situation qu'en constatant que le roi du Portugal ne remplissait pas ses obligations de financement et, en reconnaissant la rupture du contrat que constituait le patronat ou alors en fermant les yeux sur le commerce des clercs.

Mais d'abord de quoi s'agit-il quand on parle du commerce interdit aux religieux, depuis quand il est interdit et pourquoi ? Un livre du XVIIe siècle a fait l'état de la question, c'est *Le moine marchand ou traité contre le commerce des Religieux*, par Théophile Reynaud, Jésuite[3]. Il cite saint Bernard qui écrit dans le Sermon 2 de la fête de saint André : « On enveloppe de l'apparence de l'honnêteté le poison mortel du gain, afin qu'il soit plus sûrement avalé »[4]. Dans sa section III, l'auteur donne une définition du commerce prohibé pour les Religieux, il consiste en l'achat d'une marchandise en vue de la revendre avec profit mais sans aucune valeur ajoutée qui justifie ce

---

1. Jacques Roland, *De Castro Marim à Faïfo, naissance et développement du padroado portugais d'Orient des origines à 1659*, Lisbonne, 1999, p. 161.

2. H. A. Chappoulie, *Une controverse entre missionnaires à Siam au XVIIe siècle*, p. 63, Lettre du Père Valguarnera à la Sacrée Congrégation de la Propagation de la Foi : « *ut Societas hic experitur centum et pluribus ab hinc elapsis annis, plura numerantur naufragia quam navigationes, plures jacturae quam proventus, atque ita uno identidemque naufragio plurium annorum alimenta merguntur in fluctibus* ».

3. Au XVIIe siècle un livre a voulu faire l'état de la question de l'interdit du commerce des clercs, il a été publié par un jésuite : *Le moine marchand ou traité contre le commerce des Religieux*, de Theophile Reynaud. L'original en latin s'intitule *Hipparchus de religioso negotiatore disceptatio Mediastinum inter ac Timotheum quae negotiatio a religioso statu abhorreat*, (Francopoli, Apud Petrum Saluianum) et son auteur se fait appeler alors Renatus a Valle, Maître en Theologie, il s'agit de Theophile Reynaud (1587-1663), théologien jésuite français, qui fut l'un des auteurs les plus célèbres et féconds du XVIIe siècle en France. Il enseigna longtemps auprès des Jésuites de Lyon. Son ouvrage sur le commerce des religieux parait en 1642 et est dédié au pape Urbain VIII, pape de 1623 à 1644. Il a été traduit officiellement en français en 1714, publié à Amsterdam, chez Pierre Brunel.

4. T. Reynaud, *Le moine marchand ou traité contre le commerce des Religieux* : "*Larva quippe honestatis, mercimoniis Religiosorum obducitur, ut hamus mortifer quaestus severius glutiatur*".

profit[1], il fait la distinction entre marchand et négociant, ce dernier étant reconnu tel par un seul acte tandis que le premier est celui qui fait profession de trafiquer[2].

L'auteur conclue qu'il n'est pas facile de déterminer ce qui tombe sous le coup de la condamnation du commerce des clercs[3]. On pourrait, par exemple, exclure du commerce prohibé l'échange momentané et sans profit de l'argent en marchandises puis des marchandises en argent, surtout lors d'un voyage dans des pays et à une époque où les banques de dépôt n'existaient pas. L'auteur cite le cas de saint François Xavier qui s'attacha à un marchand pour le servir, afin de pouvoir pénétrer en Chine[4].

Theophile Reynaud s'appuie sur le mot latin qu'on traduit par commerce, il s'agit de *negotiatio* qui veut dire *negatio otii*[5] et dans ce sens il s'oppose au calme et au repos de la relation à Dieu et en détourne notre esprit, il empêche la conversation avec Dieu qui est le principal but de l'état religieux. C'est une des raisons pour lesquelles les Pères de l'Église se sont opposés au commerce des clercs. L'auteur vise aussi le plan moral, il écrit : « Voici une autre raison dont on peut se servir pour déraciner le commerce des Religieux, qui est que l'avarice ne convient pas à des personnes qui font profession de pauvreté, or rien n'aiguise davantage la faim de l'avarice et n'allume plus fortement cette malheureuse flamme qui brûle le cœur de l'avare, que le commerce. Il doit donc être banni des Religieux »[6]. Sur le plan de la prédication, « c'est une chose très absurde que celui qui est assidu à lire les livres sacrés soit affamé des biens périssables dont l'Écriture fait voir sans cesse la bassesse et le peu de solidité »[7].

Sur le plan psychologique, Théophile Reynaud rappelle que saint Augustin voit dans le célibat la raison du grand penchant que les Religieux de l'un et de l'autre sexe ont à l'avarice, l'amour de l'argent prenant dans leur

1. *Ibid.*, § 18, en latin (l) p. 23 ; en français (f) p. 25.

2. *Ibid.*, § 69, p. 93 l; p. 105 f.

3. *Ibid.*, § 71, p. 95 l; p. 107 f.

4. *Ibid.*, § 21, p. 27 l ; p. 28 f.

5. *Ibid.*, § 47, p. 62 l ; p. 67 f, *Otium* s'oppose à *negotium* (commerce) et veut dire le repos loin des affaires, le calme, la tranquilité, l'isolement pour l'étude, c'est le temps de la réflexion dans un lieu où l'on se retire. Au XVIIe siècle, on parlait de commerce pour communication, correspondance ordinaire avec quelqu'un, quelqu'un qui a un commerce agréable et avec qui l'on parle.

6. *Ibid.*, § 52, p. 70 l ; p. 76-77 f : « *Ratio alia qua Religiosorum negotiationes convelluntur, ex eo ducitur, quod avaritia summopere dedeceat Religiosos, qui paupertatem profitentur. At qui negotiatio acuit Avaritiae famem, et incendit fortius eam flammam misere depascentem avari pectus. Est igitur a Religiosis aliena negotiatio* ».

7. *Ibid.*, § 52, p. 70-71 l ; p. 77 f : « *Quod absurdissimum putet, eum qui in sacris libris assiduus esset, inhiare caducis opibus quarum effusio et abjectio passim in Scripturis celebratur* ».

cœur l'absence du conjoint[1]. Pour l'auteur, il faut prendre garde que sous prétexte de soulager la nécessité des pauvres, vous ne vous rendiez coupable d'avarice et du désir d'amasser de l'argent[2].

Comme Jésus a dit que « tout ouvrier mérite son salaire » (Mt 10, 10 ; Lc 10, 7), Théophile Reynaud commence à parler de la vente licite de ce que les Religieux produisent dans leurs champs ou dans leurs ateliers au-delà de ce qui est nécessaire à leurs propres besoins, ou de ce que les Religieux ont acheté à un moment où ils n'avaient pas en vue la revente[3]. Par contre, dans l'histoire de l'Église, il est unanimement refusé aux Religieux et à toutes les personnes sacrées d'acheter un produit à prix bas avec l'intention de le revendre plus cher sans y apporter de modification susceptible de l'améliorer[4].

Sur le plan spirituel, l'auteur écrit que « le Religieux doit retrancher tous les soins des actions et des affaires du siècle puisqu'il est mort au siècle et crucifié avec Jésus-Christ par sa profession, c'est pourquoi il ne doit penser qu'aux choses de Dieu du quel il est devenu le domestique et à qui il s'est consacré par la croix volontaire qu'il a embrassée »[5]. Mais sur le plan missionnaire, Théophile Reynaud fait une exception pour « ceux qui négocient par une grande nécessité, il faut mettre de ce nombre ces pieux Serviteurs du Père de Famille[6], qui joignent le commerce de la terre à celui du ciel, et qui se faisant tout à tous prennent la qualité de marchands, sans laquelle ils ne pourraient entrer dans les pays étrangers, où il leur est facile de pénétrer par ce moyen, d'y travailler à l'Évangile et d'y établir la Foi et la piété »[7].

On a là les justifications des religieux du patronat portugais, comme les deux exceptions suivantes proposées : « Il faut encore mettre au nombre de ceux qui négocient par une grande nécessité, et dont le commerce est exempt de faute et de censure, ceux qui n'ont pas ailleurs de quoi subsister

1. *Ibid.*, § 59, p. 79 l; p. 87-88 f.

2. *Ibid.*, § 63, p. 84 l; p. 94 f.

3. *Ibid.*, § 74-76, p. 100-102 l; p. 114-116 f.

4. *Ibid.*, § 77, p. 103 l; p. 118-119 f.

5. *Ibid.*, § 83, p. 112 l; p. 129 f : « *Referri ad significandum amputari debere a Religioso omnem operum ac negotiorum seculi sollicitudinem, cum Religiosus sit seculo mortuus ac Christo confixus vi instituti sui; proindeque non debeat cogitare nisi quae sunt Domini, cujus domesticus est effectus, et cui se per crucem voluntatiam mancipavit* ».

6. S'agit-il d'une allusion à l'évangile du père de famille qui a confié sa maison à son intendant jusqu'à son retour afin de donner en son absence à chacun sa nourriture en temps voulu (cf. Lc 12, 42) ?

7. T. Reynaud, *Le moine marchand ou traité contre le commerce des Religieux*, § 89, p. 121 l. p. 139 f : « *Subduxi tamen, et ab hac culpa, et a poenis quibus est obnoxia, primum eos qui ex gravi necessitate negotiarentur. Quo nomine intelligendi in primis sunt, pii illi Patris familias administri, qui ut cum terrenis mercibus coelestes ingerant, omnibus omnia facti, personam induunt Mercatorum, quia alioqui excludentur aditu orarum illarum, in quibus per eam speciem admissi, collaborant Evangelio, et fidem ac pietatem promovent* ».

et n'en peuvent espérer par d'autre moyen ; et enfin ceux qui pour quelque cause urgente et considérable au jugement d'un homme pieux et prudent, seraient contraints de faire du commerce »[1]. Mais puisqu'il vient de dire que le commerce était très opposé à la vocation religieuse, les exceptions dont parle l'auteur ne saurait correspondre à des situations permanentes, d'ailleurs il croit devoir s'obliger d'ajouter : « En quoi il faut bien prendre garde aux prétextes que souvent la cupidité couvre du voile de la nécessité »[2]. Mais là où l'auteur est moins convainquant c'est quand il justifie les placements, permettant aux religieux de faire des contrats de société avec un banquier ou avec un marchand qui portent toute la peine et qui se chargent de tout, les religieux ne contribuant de leur côté que par l'argent qui est le nerf du commerce, en quoi, selon l'auteur, ils ne pèchent pas même véniellement[3].

L'auteur oublie de mentionner ce que Lambert a compris tout de suite entre l'Inde et le Siam, c'est qu'en confiant son argent à un tiers il prenait le risque de perdre tout ce qui était nécessaire à sa mission, tout ce que la générosité des fidèles lui avait donné. Et c'était alors un risque très réel, celui de faire de mauvaises affaires ou d'être victime d'une mauvaise gestion, d'une faillite ou d'un vol, mais aussi, pour les bateaux de commerce du XVIIe siècle, celui de faire naufrage ou de devenir prise de guerre pour les Anglais ou les Hollandais. C'est pourquoi la Bulle d'Urbain VIII enlève toutes les justifications que l'imagination des religieux avait conçues pour échapper à la condamnation du commerce.

Un autre jésuite, Joseph Tissanier, missionnaire au Tonkin[4], reprend la définition du commerce de Théophile Reynaud en écrivant : « Selon Laymann et les autres docteurs, on parle proprement de 'commerce' lorsque des marchandises sont achetées dans le but de les revendre ensuite au détail à un prix plus cher »[5]. Ensuite il reprend l'étude historique qu'on trouve dans le *Moine Marchand* en y ajoutant la Bulle d'Urbain VIII et sa diffusion par le Père Général :

1. *Ibid.*, § 90, p. 122 l. p. 140 f : « *Censerentur praeterea ex gravi necessitate, negotiationem a culpa et censuris liberam praestante negotiari ; quibus aliunde non suppereret, nec supperitura decetius sperararetur sustentatio ; et quotquot pii et prudentis viri judicio, ad negotiationem adigerentur ex urgenti, et plane gravi causa* ».

2. *Ibid.*, « *Ubi cavendi sunt praetextus, quod cupiditas saepe in hoc genere nomine necessitatis obducit* ».

3. *Ibid.*, § 91, p. 124 l. p. 142 f.

4. Joseph TISSANIER a écrit un *Voyage au Tonkin*, abondamment cité par H. CHAPPOULIE dans *Aux origines d'une Église, Rome et les missions d'Indochine au XVIIe siècle*, t. 1.

5. « *Negotiatio juxta Laymanum aliosque doctores tunc proprie dicitur cum merces eo animo emuntur ut postea carius lucri capiendi causa distrahantur* » (H. A. CHAPPOULIE, *Une controverse entre missionnaires à Siam au XVIIe siècle*, p. 4).

« Le Général de la Compagnie de Jésus a interdit, au nom de l'obéissance, que personne de la Compagnie ne s'occupe de commerce. Et cette défense a été publiée non seulement à Goa, mais aussi à Macao : car le Père de Maya, provincial du Japon, a fait connaître cette défense en 1660 ; son successeur, le Père Jean-Marie Leria, la renouvela pour empêcher qu'on absolve ceux qui étaient tombés dans le péché de négoce. Il s'ensuit évidemment que pécherait mortellement celui qui se livrerait à des activités commerciales malgré cette interdiction. C'est ce qu'on voit dans la Partie 6 ch. 5 des Constitutions »[1].

Enfin Tissanier répond aux objections de ses confrères à l'application de la Bulle d'Urbain VIII, la première est celle de la nécessité pour financer les Missions et les missionnaires :

« C'est le propre de l'avarice de couvrir du nom de nécessité l'amour de l'argent. Si les clercs se contentaient de peu, on pourvoirait à leur nécessaire sans aucune activité mercantile. Mais s'ils cherchent dans la maison de Dieu le luxe et une foule de domestiques, il n'y a pas là de quoi se protéger contre les lois de l'Église sous un voile de nécessité »[2].

« L'activité mercantile du religieux négociant n'est pas un moyen pour soutenir les missions, mais un obstacle, du fait que les scandales qui naissent d'un apôtre tenant commerce ne sont pas pour édifier le prochain, mais pour le troubler et l'éloigner de l'étude de la religion. Et l'Évangile n'est pas prêché efficacement par quelqu'un qui fait passer le commerce avant l'Évangile »[3].

Et Tissanier de conclure :

« De tout ce qui a été dit jusqu'ici, on déduit que manifestement aucun religieux de la Compagnie de Jésus ne peut, ni par lui-même ni par d'autres, en son nom ou en celui de la Compagnie, sous quelque déguisement ou prétexte, faire du commerce ou se mêler d'affaires séculières, et que ne peut être excusé d'une très grave faute celui qui se sera livré à cette indigne activité. Car il est certain que c'est un énorme scandale de voir des prêtres et des religieux en mission être

1. « *Praepositus generalis Societatis Jesu in virtute obedientiae prohibuit ne quis e Societate negotiationi operam daret. Quae prohibitio non tantum Goae sed etiam Macao publicata fuit : nam pater Matthias de Maya, Japponiae provincialis, hanc prohibitionem declaravit anno Christi 1660 ; ejus successor pater Joannes Maria Leria sic eam renovavit ut lapsos in culpam negotiationis vetuerit absolvi. Ex quibus perspicue sequitur eum mortaliter peccaturum qui contra prohibitionem illam sese negotiis mercaturae tradiderit, ut constat ex parte Constitutionum 6ª, cap. 5* » (*Ibid.*, p. 10).

2. « *Avaritiae proprium esse ut pecuniarum cupiditati nomen necessitatis imponat. Si clerici paucis contenti sint, eorum necessitati sine ullo negotiationis ministerio subvenietur. Sin autem delicias et famulorum catervam in domo Dei quaerunt, non est quod velo necessitatis se contra leges Ecclesiae tueantur* » (*Ibid.*, p. 16).

3. « *Quamquam, negotiatio regiosi mercatoris non tam instrumentum est ad missiones conservandas quam impedimentum, scilicet illis scandalis quae ex apostolo mercatore nascuntur non aedificatur proximus, sed confunditur et a studio pietatis abalienatur ; nec utiliter Evangelium praedicatur ab eo qui mercaturam praeponit Evangelio* » (*Ibid.*, p. 21).

si peu préoccupés de la gloire de Dieu alors qu'ils s'adonnent aux bagatelles et aux trafics du monde »[1].

Le Père Tissanier écrit cela en 1664 alors qu'il a été chassé du Tonkin avec son confrère, Albier, et qu'il a été accueilli au Siam par les missionnaires apostoliques et les deux vicaires apostoliques, Lambert et Pallu. Officiellement il n'y a plus alors de commerce jésuite au Tonkin ni au Siam, ni au Cambodge, ni en Cochinchine et la doctrine que défend Tissanier est celle que les jésuites ont toujours soutenue en Europe.

La Bulle d'Urbain VIII et la responsabilité de l'évêque

Les arguments des jésuites sont bien connus, ils font l'objet de textes conservés dans les Archives des Missions Étrangères comme les réponses que Lambert y apporte. C'est d'abord l'argument de la nécessité pour faire vivre les missionnaires, de plus le commerce n'est pas incompatible avec la pauvreté du cœur, ensuite il faut tenir compte du mauvais caractère de Lambert, de la généralisation qu'il opère à partir d'un cas particulier, de l'expérience limitée qu'il a au Siam, Lambert est partial et il oublie l'aspect positif de l'œuvre des jésuites, par ailleurs le commerce justifie la présence aux yeux des autorités locales, là où la religion est combattue, il les rend indépendants des pressions politiques. Si le commerce des religieux est condamnable c'est un péché véniel et non un péché mortel, il ne remet pas en cause l'œuvre de saint François Xavier qui en a lui-même donné l'exemple en vendant au Japon une cargaison de poivre...

Les papes n'ont pas été sensibles à ces arguments puisqu'ils ont condamné le commerce des religieux, d'une manière toujours plus stricte d'autant que cette réitération de l'interdit du commerce venait de sa non application. C'est le constat de Lambert en Asie, il semblait pour lui que le patronat portugais avait créé une sorte de « zone de non-droit » ecclésiastique où les missionnaires étaient exemptés de toutes les règles valables en Europe, qu'elles viennent du pape ou des supérieurs religieux, et laissés libres de juger par eux-mêmes ce qu'il convenait de faire ou de ne pas faire :

> « Je recours à V. É. pour luy faire connoistre que si la Sacre Congregation ne pourvoie dautres missionnaires, ne remedie a leurs espouvantables

1. « *Ex iis omnibus quae hactenus dicta sunt manifeste conficitur nullum Societatis Jesu religiosum posse vel per se vel per alios, vel suo vel religionis nomine, quovis colore aut praetextu, negotiari aut se negotiis saecularibus immiscere, eumque a gravissimo crimine excusari non posse, qui ministerium illud indecorum exercuerit. Scandali certe id plenissimum est tot cernere sacerdotes ac religiosos in missione tam parum de gloria divina sollicitos, temporalibus autem nugis ac lucris saecularibus usque adeo addictos* » (*Ibid.*, p. 26).

dereglements, et ne donne la commission de ces derniers emplois a des hommes veritablement apostoliques, cest faire [que] la religion et les ministres de lÉvangile seront desormais la pierre de scandale aux heretiques, aux mahometans et particulierement aux gentils, cest ce quon nous obiecte souvent dans les conferences que nous avons de nostre ste religion avec les infidelles le mal est si public que de le vouloir cacher, c'est se rendre coupable. Cependant nous navons point dautre Remede contre les persecuteurs ouverts de leglise que de pleurer aux pieds dun Dieu tout bon pour le supplier que vive de sa toutte puissante main du bien dun si grand mal par des voyes qui nous surpassent mais qui sont touiours bien au dessous de son infini pouvoir, dans nos gemissements nous avons eu cette pensee de ne laysser passer aucune occasion que nous ninformions Sa Sainteté, la Sacre Congregation et Vostre Éminence de ces extresmes malheurs comme estant les seuls qui y peuvent remedier, ce n'est pas que ne se rencontre touiours de la difficulté dans lexecution des ordres quon donnera en ces cartiers ou lon a point du tout de respect pour les Souverains Pontifes qui ont esté mal informés lors quils ont defendu le commerce aux missionnaires et qui le sont toujours quand ils donnent quelque decret touchant la reformation de quelques abus. Après cela il ne faut pas sestonner si lon ne reconnoisse nullement le pouvoir de la Sacree Congregation ny ses decrets ny si les particuliers religieux depuis qu'ils sont dans les lieux de leurs missions ne font plus de cas des obediences de leurs superieurs »[1].

Quand Clément XIV supprime la Compagnie de Jésus par le Bref *Dominus ac Redemptor* (*1773*) il en désigne les raisons de façon très générale, s'appuyant surtout sur des décisions de ses prédécessseurs quant aux cinq cas considérés : « Nos autres prédécesseurs, Urbain VIII, Clément IX, Clément X, Clément XI et Clément XII, Alexandre VII et Alexandre VIII, Innocent X, Innocent XI, Innocent XII, et Innocent XIII, et Benoît XIV ont fait de vains efforts pour rendre à l'Église la tranquillité si désirée[2], par un grand nombre de Constitutions concernant :

« soit les affaires séculières dont la Société ne devait s'occuper ni hors de ses missions sacrées, ni à leur occasion ;

« soit les discussions les plus graves et les querelles si vivement attisées par ses membres, non sans ruiner la foi dans les âmes et au grand scandale des peuples, contre les Ordinaires des lieux, les Ordres religieux, les lieux consacrés à la piété, et les communautés de toute espèce en Europe, en Asie et en Amérique ;

---

1. P. Lambert de la Motte, Lettre au cardinal Antoine Barberini du 6 mars 1663, AMEP, vol. 857, p. 161 ; cf. L. n° 20.

2. Textes contre le commerce par Urbain VIII, Clément IX, Benoît XIV et Clément XIII, textes contre la casuistique par Alexandre VII, Innocent XI et Alexandre VIII, textes contre les rites chinois et Malabares par Clément XI, Clément XII et Benoît XIV, etc. (J.-L. Chaillot, Pie VII et les jésuites d'après des documents inédits, Rome, Imprimerie Salviucci, 1879, p. 131).

« soit l'interprétation et la pratique de certaines cérémonies païennes admises dans plusieurs endroits, en négligeant celles qui sont approuvées par l'Église universelle ;

« soit l'interprétation et l'application de ces maximes que le Saint-Siège a justement proscrites comme scandaleuses et manifestement nuisibles aux bonnes mœurs ;

« soit enfin d'autres objets de la plus grande importance et absolument nécessaires pour conserver aux dogmes de la Religion chrétienne leur pureté et leur intégrité, et qui, dans ce siècle et dans les précédents, ont fait naître des abus et des maux considérables, tels que troubles, séditions dans plusieurs États catholiques, et même persécutions contre l'Église dans quelques provinces de l'Asie et de l'Europe »[1].

Le premier pape de la liste fournie par Clément XIV est Urbain VIII à qui Théophile Reynaud a consacré son ouvrage, c'est l'auteur d'une Bulle beaucoup plus précise dans ses condamnations du commerce des religieux, il s'agit de la Bulle *Ex debito Pastoralis Officii* du 22 février 1633 qui dit ceci[2] :

« Nous défendons par notre autorité Apostolique et par la teneur des présentes, à tous les Religieux de quelque Ordre et Institut qu'ils soient, Mendiant ou non Mendiant, même de la Compagnie de Jésus, et à chacun d'eux en particulier, tant à ceux qui sont présentement auxdits lieux (du Japon, de la Chine, des Iles adjacentes, et autres pays, provinces et royaumes des Indes orientales) qu'à ceux qui pourront y être envoyés à l'avenir, tout exercice de négoce et de commerce, de quelque manière et par quelques moyens qu'ils le pratiquent, soit par eux-mêmes ou par autrui, soit sous le nom de quelqu'un de ces Religieux en particulier, ou sous le nom de leur Communauté en général, directement ou indirectement, sous quelque autre cause, couleur ou prétexte que ce soit, et cela sous peine d'excommunication *latae sententiae* qui sera encourue par le seul fait »[3].

En outre les supérieurs qui ne veilleraient pas à l'exécution de cette décision papale et ne puniraient pas les transgresseurs se verraient condamnés par la même sentence d'excommunication majeure. On comprend alors que

1. Le texte latin et la traduction française du Bref *Dominus ac Redemptor* de Clément XIV (daté du 21 juillet 1773 et promulgué le 16 août 1773) se trouve dans Léon Mention, *Documents relatifs aux rapports du clergé avec la royauté de 1705 à 1789*, tome II, Paris, Alphonse Picard, 1903, p. 231-266.

2. Saint-Siège, *Collectanea : constitutionem, decretorum, indultorum ac instructionum Sanctae Sedis*, Pars I.- De Personnis, Cap. IV. de Miss. Ap.- VII. De Negotiatione, n° 249 : « *Auctoritate Apostolica, earumdem tenore praesentium, Religiosis omnibus cujuscumque Ordinis et Instituti, tam mendicantium quam non mendicantium, etiam Societatis Jesu, eorum singulis, tam in praedictis locis nunc existentibus, quam in futurum ad illa mittendis, omnem et quamcumque mercaturam seu negotiationem, quocumque modo ab eis fieri contingat, sive per se sive per alios, sive proprio sive communitatis nomine, directe sive indirecte, aut quovis alio praetextu, causa aut colore, interdicimus et prohibemus, sub excommunicationis latae sententiae poena ipso facto incurrenda* ».

3. La traduction française est prise dans *Recueil des décrets apostoliques et des ordonnances du Roi du Portugal*, Amsterdam, Chez M. Michel Rey, 1760, p. 121-123.

Lambert en bon juriste n'hésita pas à diffuser cette Bulle d'autant plus qu'un nouveau pape la reprenait et l'amplifiait.

Lambert commente la Bulle d'Urbain VIII dans une lettre au Clergé de France :

« La disposition que nous avons veu dans les peuples des Estats du grand Mogol et du Roy de Golgonde de ce Royaume de Siam et de ce que nous avons apris de plusieurs personnes qui ont demeuré long temps dans le grand estat du Pégu des Royaumes de la Cochinchine et du Tunquin nous font dire hardiment que si un seul Dieu ny est pas conneu n'y aymé en tout ces grands Royaumes-la cest par la faute et corruption des missionnaires qui a la reserve de tres peu ne viennent en tous ces lieux cy-dessus nomméez, et en tous les autres ou ils ont des residences que pour y mener une vie plus licentieuse et pour y amasser des Richesses temporelles qui sont des motif bien plus capables de detruire nostre ste religion que de lestablir. Lenvie cependant de paroitre de grands zelateurs du christianisme et des hommes extraordinaires a fait mettre au jour des relations qu'on a veu en Europe avec tant de merveilles quils ont surpris les esprits mais un peu de temp, on decouvrira la fauceté et fera voir quelle a esté le veritable motif des peres Jesuites des provinces des Indes et du Japon d'envoyer des Religieux de leurs corps en tant de divers lieux on sçaura pourquoy ils obtinrent de Gregoire traiziesme destre les seuls Missionnaires dans les royaumes du Japon et de la Chine avec Desfense a toutes sortes de personnes d'y aller prescher lEvangile sous peine dexcommunication dont aucun ne pouvoit relever que le pape sinon en l'article de la mort. Il est vraye que Clement 8 et Paul 5 ont levé cette deffence ayant permis a tous les Superieurs des Religions d'y envoyer tous ceux qu'ils jugeroient capables. Urbain 8 par un decret solemnel du 22 fevrier 1633 a fait la mesme chose et apres avoir pris l'avis des Éminentissimes Cardinaux de la Sacré Congregation de Propaganda Fide se fondant sur les sts Canons, les decrets des conciles et les Constitutions Apostoliques deffences a tous Religieux de quelque ordre et Institut que ce soit, nommement a ceux de la Compagnie de Jesus de faire aucun commerce ou negociation par eux mesme ou par autruy directement ou indirectement en leurs noms particulier ou de leur communauté *sub excommunicationé latre sententie poena ipso facto incurenda* les privant de voix active et passive et les rendant inabiles de pouvoir avoir aucuns offices et charge de la Compagnie et fait tres expresse Injonction aux superieurs de cette ordre dy tenir la main sous les mesmes peines interdisant au surplus a toute personne de mettre aucun obstacle qui puisse empecher ceux qui seront envoyé darriver aux lieux de leurs missions. Contre des deffences sy juste si obligatoires et si indispensable des Religieux de cette compagnie trouvent quils peuvent ne pas obeir disant quon est mal informé a Rome et ne font aucun scrupule d'enfrindre ouvertement de si Sainte Loix. Ces mepris les ont jetté dans une infinitez d'abus quon ne sçauroit ny dire ny penser desquelz sil y a jamais information faite par des personnes d'esinteressé a peine poura ton croire le point d'aveuglement ou est arrivé cette compagnie en tous ces quartiers »[1].

1. P. Lambert de la Motte, Lettre au Clergé de France, de mai 1663 ; AMEP, vol. 121, p. 513-514 ; vol. 876, p. 97-99 ; cf. Guennou, transc., L. n° 21.

Après sa tentative influctueuse d'atteindre la Chine en 1663, Lambert en tant que pasteur se doit aussi d'agir contre le commerce des clercs dans les territoires que le pape lui a confiés. Il le fait par une *Lettre pastorale* datée d'octobre 1667[1] en s'appuyant sur le décret d'Urbain VIII du 22 février 1633 qui interdit tout commerce à tous les missionnaires, et nommément aux religieux de la Compagnie de Jésus, sous peine d'excommunication « *latæ sententiæ* » et qui oblige les responsables d'Église et d'Ordre religieux de publier et de faire respecter cette interdiction[2] :

> « Du fait de l'empêchement de notre voyage, nous avons eu la chance d'apprendre à quel point les missionnaires dans ces régions d'Orient sont corrompus, surtout les Jésuites qui sont pratiquement les seuls dans nos lieux de mission, au point qu'on n'arrive pas à le croire. Quand nous en avons recherché la cause afin de pouvoir nous mêmes nous en garder, nous n'avons pas eu beaucoup de mal, car elle se voit au grand jour par l'insatiable faim de richesses qui les dévore. "La source de tous les maux, c'est l'amour des richesses" ; pour satisfaire à cette passion si néfaste qui est la malédiction des Ordres religieux, ils se donnent autant de mal qu'on puisse souhaiter et s'adonnent à fond à faire du commerce et, dans presque tous les centres commerciaux les plus connus, ils ont leurs propres navires de transport ou alors ils s'associent à d'autres commerçants »[3].
>
> « On ne doit donc plus tenir pour miracle ces bâtiments magnifiques et ces œuvres rassemblées presque partout, mais il ne faut pas non plus s'étonner ensuite que le Christianisme ait porté si peu de fruit. Au contraire, il est si méprisé dans toutes ces contrées à cause des énormes scandales donnés par ces religieux-là qu'on peut à bon droit se demander s'il ne serait pas bien mieux pour l'Église s'il n'y avait plus de membres de cet ordre religieux dans ces pays. Car les infidèles, quand ils voient la façon d'agir de ce genre de religieux, ne peuvent être amenés à rien d'autre qu'à demander des richesses des prédicateurs de l'Évangile, ou du moins à faire autant qu'eux pour en avoir. D'où il s'ensuit que les prêtres des idoles tirent gloire de vaincre de loin les missionnaires par leur humble pauvreté et leur mépris des biens temporels, estimant que l'homme qui prétend avoir droit au respect des plus nobles doit être totalement étranger

---

1. *Id.*, Lettre pastorale, écrite le 15 octobre 1667, autographe en latin AMEP, vol. 856, p. 375-378 ; vol. 876, p. 483-485; 3 copie dans le même volume : p. 467-470, p. 475-477, p. 479-482; en portugais: p. 471-472.

2. *Id.*, Lettre pastorale, cf. Guennou, transc., L. n° 107.

3. « *Insuper ex adversa navigatione feliciter contigit ut ad plenum resciverimus quanta sit missionariorum in hiisce orientalibus partibus corruptela, maxime vero Jesuitarum qui uni fere in missionum nostrarum locis existunt, ea porro tanta est ut fidem superet. Causam vero perquirentibus nobis ut cavere nobis ipsis possemus, non diu fuit laborandum quoniam palam observatur in expleta divitiarum fame qua torquentur. 'Radix omnium malorum est cupiditas', ut ergo illi tam dirae libidini, quae religiosorum ordinum est noverca, pro voto faciant satis, mercaturis faciendis operam dederunt suam, fere in omnibus celeberrimis emporiis suas habent ipsi onerarias naves, vel societates cum aliis ineunt mercatoribus* » (H. A. Chappoulie, *Une controverse entre missionnaires à Siam au XVIIe siècle,* p. 32-33).

à tout commerce et à toutes activités séculières. Voilà l'opinion que les prêtres païens ont des missionnaires qui trafiquent et qui sont totalement pris par les choses extérieures. Et maintenant, si quelqu'un voulait leur enseigner les saints mystères de la religion catholique, ils nous opposent le style de vie des religieux, comparant leur propre dénuement aux richesses de ces derniers, leur mépris des choses à la cupidité des autres, et enfin la solitude dans laquelle ils vivent avec les multiples soucis dont les autres s'encombrent. Que répondre à cela, sinon ce que Saint Augustin a dit des prêtres d'Etiope : « Quelle honte pour les chrétiens ! Voilà que des païens sont devenus les maîtres des fidèles ! »[1]

Au sujet de sa lettre pastorale que ses opposants ont diffusée en France en la corrigeant à leur façon, Lambert répond au Premier Président du Parlement qui l'a apprécié quand il était magistrat à Rouen :

« En labsence de M. levesque d'Heliopolis jé reçeu la lettre que vous avez bien voulu luy escrire ou jé leu lhonneur que vous me faites de vous souvenir de moy, ce qui me donne suiet de croire que vous ne desagréres pas lassurance de mes tres humbles respects et que je vous dis quelque chose de nos missions, sur lesquelles N. S. continue ses benedictions par la conversion quil fait tous les ans de dix a douze mille infidelles au moins. Larrivée icy de Mr Sevin avec les quatre ecclesiastiques qui lont accompagné et bon nombre de nouveaux catechistes que dieu nous a donnés nous font esperer que ce nombre sera beaucoup plus grand a lavenir. Outre cette esperance nous avons celle de voir bientost finir les pretentions des peres jesuites de ces quartiers qui, morallement parlant seront dans peu obligés, ou de se soumettre aux brefs Apostoliques, ou de se retirer des royaumes de Cocincine et du Tunkim. Ils ne nous font pas grand obstacle icy aucun de ceux qui y sont n'en scachant la langue, ny ne se meslant poin de travailler a la conversion des gentils. Permetes moy, Monsieur, touchant cet article de la lettre pastorale qui a tant fait de bruit, qui ne se trevera pas dans loriginal qui est au seminaire, ny dans celuy qui est icy escrit de ma main, dont Mgr d'Héliopolis a tiré copie. De surplus il ny a rien qui ne soit vré, et quoy que touttes sortes de

1. « *Hinc miraculo non debent esse amplius aedes illae magnifica opesque fere in immensum collectae, sed neque miraculo cuiquam videri debet imposterum quod res Christiana tam exiguos fructus tulerit. Quin imo ea tam vilis est in omnibus his regionibus propter horumce religiosorum scandala gravissima ut merito dubitari possit num multo satius foret Ecclesiae ut hujus religionis viri amplius in hisce partibus non essent; homines quippe infideles cum intuentur agendi rationem istiusmodi religiosorum, adduci non possunt aliud praeter divitias ab Evangelii praedicatoribus vel saltem pari studio quaeri. Inde fit ut idolorum antistites ex missionariis trimphum agant quos humili paupertate rerumque temporalium contemptu longe profecto vincunt, rati hominem qui sese superiorum obsequio mancipaverit debere ab omni mercatura negotiisque saecularibus prorsus esse alienum. Haec est gentilium sacerdotum de missionariis mercatoribus et ad exteriora omnino effusis opinio. Jam vero si quis sacra religionis catholicae ministeria ipsos edocere voluerit, contra objiciunt religiosorum hominum vivendi institutum, inopiam suam cum illorum divitiis, opum contemptum cum illorum cupiditate, suam denique quam colunt solitudinem conferunt cum curis illorum impeditissimis; quid ad haec nisi quod divus Augustinus de sacerdotibus Aetiopum dicit: 'O grandis Christianorum miseria! Ecce pagani doctores fidelium facti sunt'* » (*Ibid.*, p. 33).

verités ne soient pas tousiours bonnes a dire, les principaux motifs qui m'avoient porté de la faire, estoient qu'on ne donnast pas de creance a des personnes qui nous faisoient passer partout pour heretiques, qui disoient que nos bulles estoient fausses, et qui enseignoient plusieurs choses qui alloient a la perte des ames »[1].

Ainsi alors que Lambert s'est chargé de diffuser la Bulle d'Urbain VIII comme il en avait le devoir en tant qu'évêque, on a réagi au Siam en publiant le 1er novembre 1667 des observations sur sa conduite :

« L'évêque reproche à certains religieux et ecclésiastiques d'être des commerçants qui obéissent peu à la bulle d'Urbain VIII, mais il se condamne lui-même en jugeant les autres, car il fait la même chose que ce qu'il condamne; en effet il vend de l'or tout comme un commerçant avide et il prête beaucoup d'argent à des hérétiques comme à des chrétiens et c'est ainsi qu'en songeant à la Chine il chargea un navire d'arek, un fruit de l'Inde, qu'il avait acheté lui-même pour qu'on le vende à Canton, en laissant à un chrétien de ses amis le bénéfice ou une partie pour la récompense de son travail »[2].

On a vu que ce type de transaction n'avait pas nécessairement pour but et pour résultat le profit condamné par Urbain VIII mais pouvait servir de transmission d'argent d'un endroit à un autre comme pour la cargaison de poivre de saint François Xavier. Face aux accusations dont il a été l'objet on peut aussi rappeler que Lambert ne s'opposait pas seulement au commerce des Religieux mais il a lutté jusqu'à sa mort contre la tentation de commercer que pouvaient avoir aussi les missionnaires apostoliques. Pallu a cru bon de défendre lui aussi Lambert en écrivant :

« Ce Prélat zélé prévit bien que l'effort qu'il ferait pour combattre ce désordre lui attirerait diverses persécutions. Mais ayant préféré son devoir à toute autre considération, il a pris le parti d'obéir au St Siège, aux lois de l'Église, et de faire exécuter la bulle d'Urbain VIII qui a été depuis renouvelée par Clément IX en 1669. C'est la principale cause des oppositions que M. de Bérithe a éprouvées. Et la fermeté qu'il a faite paraître en cette occasion le justifie pleinement et le décharge du reproche qu'on lui fait d'être lui-même tombé dans cet abus »[3].

---

1. P. Lambert de la Motte, Lettre au Premier Président du 16 novembre 1676, AMEP, vol. 858, p. 365 ; cf. Guennou, transc., L. n° 173.

2. *In Missionem Domini Petri Lambert Episcopi Berithensis observationes* (AMEP, vol. 201, p. 40 et vol. 851, p. 26) : « *Reprehendit Episcopus aliquos religiosos ac clericos tanquam negotiatores et bullam Urbani 8i parum obedientes, at ipse in quo judicat alterum se ipsum condemnat, eadem enim agit quæ judicat; nam aurum vendit instar avari mercatoris, multamque pecuniam cum hæreticis tum christianis fœnori dat, ideoque cum Sinas cogitaret navem oneravit arecâ seu fructu indico quem eipse emerat ut eum Cantone venderet lucrumque aut lucri partem reliquens amico cuidam christiano in mercedem laboris* ».

3. François Pallu, *Éclaircissements sur la conduite de M. l'Évêque de Bérithe Vicaire Apostolique de la Cochinchine, etc., pour servir de réponse aux plaintes que l'on fait contre lui*, AMEP, vol. 117, p. 118-120.

De son côté le pape n'a envoyé les vicaires apostoliques et leurs missionnaires qu'après avoir résolu la question de leur financement. C'est la duchesse d'Aiguillon qui a donné sa caution financière, mais Lambert sut gérer au plus juste en mettant les ressources en commun pour subvenir au besoin de tous, y compris les prêtres autochtones que Lambert avait ordonnés.

Pour Lambert le succès des missions n'était pas lié à l'abondance du financement et du recrutement de missionnaires mais à la liberté avec laquelle le Christ pouvait agir en chacun de ses représentants. Dans le courrier reçu le 24 juin 1676 Lambert trouvait quelques signes de consolation et d'encouragement de l'Esprit-Saint à persévérer dans ce sens. Avec l'accord de leur supérieur général, deux capucins, Jean Chrysostome de Constantinople et l'un de ses compagnons de Normandie, étaient poussés à se mettre au service des missions des vicaires apostoliques et à partager leur pauvreté franciscaine[1]. Dans le même courrier se trouvait une réponse que Lambert attendait beaucoup, l'accord du Supérieur de Saint Sulpice à sa demande d'union avec les vicariats d'Asie, Mr de Bretonvilliers « lui fait offre de sujets de son séminaire »[2].

Avant même d'arriver à la capitale du Siam le 27 janvier 1664 et de rencontrer Lambert, Pallu s'était convaincu que la Compagnie de Jésus ne pouvait être tenue responsable du péché de quelques-uns de ses membres ; c'est ce qu'il avait écrit aux procureurs de Paris en décembre 1663 : Il n'est pas juste, en résumé, selon Pallu, d'attribuer au corps tout entier des jésuites les défauts qu'on a reconnus chez quelques-uns ; tous les autres religieux leur portent envie ; ils sont les plus irréprochables en matière de chasteté, pauvreté et obéissance ; on fait l'éloge de leur zèle et du succès de leurs travaux ; ceux de Goa sont riches et ne vivent pas avec toute la régularité désirable ; ceux du Japon font le commerce mais prétendent en avoir la permission[3].

Le 17 juin 1669 par la Bulle *Sollicitudo Pastoralis Officii*, le Pape Clément IX reprenait en détail toutes les condamnations de son prédécesseur, sont visés spécialement par la Bulle « la Province de la Société de Jésus appelée du Japon » mais aussi et c'est nouveau, « les pays de l'Amérique méridionale ou septentrionale »[4]. Et le pape condamne plus expressément

1. P. Lambert de la Motte, Journal du 25 juin 1676 ; Lettre à Pallu du 16 novembre 1676, AMEP, vol. 419, p. 298-301, cf. Guennou, trans., L. n° 176.

2. *Id.*, Journal du 24 juin 1676.

3. A. Launay dans sa Table analytique (vol. 857, p. 140) résume ainsi une Lettre de François Pallu aux Procureurs de Paris, décembre 1663 (AMEP, vol. 857, p. 189-192). La suite de la lettre qui ne parle plus des jésuites (p. 192-196) est publiée par Launay, elle parle de la formation des missionnaires et du discernement des qualités demandées par saint François-Xavier (*Lettres de Monseigneur Pallu*, L. n° 12, p. 54-57 qui ne commence qu'à la quatrième page du manuscrit).

4. Cela signifierait une extension du commerce des clercs aux Amériques entre 1633 et 1669. En Asie c'est le commerce des Jésuites à Macao qui est visé plus particulièrement.

de l'excommunication *latae sententiae* ceux qui justifient le commerce : « Comme nous sommes informés que les Religieux qui se rendent coupables de ces prévarications cherchent à les excuser par le prétexte de la nécessité où se trouvent leurs Missions, nous déclarons et ordonnons que de pareilles excuses ne peuvent ni ne doivent être reçues, ni en général ni en particulier »[1]. Le pape s'attaque aussi à tous ceux qui, revêtus d'une autorité quelconque dans l'Église, jugeraient autrement ou même interpréteraient la Présente Constitution. Ils devraient alors être dessaisis de toute autorité. Par la suite, plus d'un siècle après la Bulle d'Urbain VIII, le 25 février 1741, le pape Benoît XIV a repris encore les textes précédents, ce qui est généralement le signe d'une grande inefficacité.

Comment se serait constitué en Asie un réseau commercial international

Le 30 mars 1667 à Livourne, Pallu écrit à Gazil à propos des relations de Lambert avec les religieux ; les faits découverts par Pallu ont donné raison à Lambert rendant injustifiée l'hostilité manifestée par Gazil envers celui-ci. Pallu ne se résout cependant pas à en blâmer Gazil, car lui-même s'est d'abord conduit de la même façon en refusant de croire Lambert et même en déchirant ses lettres :

> « Je luy ai reproché de faire certaines choses, je ne lui ay pas dissimulé que j'avois supprimé plusieurs de ses lettres, dans lesquelles je croié qu'il s'emportait et qu'il y avoit au moins autant d'aigreur que de verités. Il a fallu que l'expérience de ces choses que j'ay touché au doigt, m'ait obligé de me rendre, et mes yeux ont extorqué de moy ce que mes oreilles n'ont jamais pu obtenir. Cependant je l'ay esprouvé en cela et en d'autres choses comme un enfant, et je luy ai fait changer toute sa conduite, jusques à ce que les evesnements des choses m'ai fait conoistre que je n'estois qu'une beste. Mon cher ami, je suis assés conforme à vostre esprit et à vostre manière d'agir ; cependant, je ne puis resprouver celle de Monseigneur de Berite. Je respecte tout ce qu'il aescrit et fait, sans neantmoins vous blamer de l'opposition que vous y avés apportée »[2].

Sont concernés par les condamnations du pape non plus seulement les clercs qui pratiquent le commerce ou qui en bénéficient mais encore ceux qui le justifient par le biais d'une autorité quelconque.

1. SAINT-SIÈGE, *Collectanea : constitutionem, decretorum, indultorum ac instructionum Sanctae Sedis, De Negotiatione*, n° 252 : « *Quia in praemissis et circa ea delinquentes, ut plurimum, praetextu necessitatis pro eorum Missionibus, se excusare praesumunt, excusationes hujusmodi eis, eorumque cuilibet, nullo modo suffragari posse vel debere, decernimus et declaramus* ». La traduction française est prise dans *Recueil des décrets apostoliques et des ordonnances du Roi du Portugal*, p. 126.

2. F. PALLU, *Lettres de Monseigneur Pallu*, p. 87, Lettre de Pallu n° 22, à Gazil du 30 mars 1667 (AMEP, vol. 101, p. 309).

Il semble même que ni durant son voyage, ni à son arrivée au Siam, Pallu ne chercha pas à vérifier ce qui lui avait été rapporté, persuadé que tout ne pouvait être que calomnie, il obligea même Lambert à s'humilier devant le Père jésuite Valguarnera qui rapporta la scène :

> « Mgr de Béryte en vint finalement à porter sur les affaires et les activités de la Compagnie dans ces pays des jugements si défavorables, désapprouvant publiquement notre style de vie, notre méthode d'enseigner et de prêcher l'Évangile, qu'il dût, contraint par Mgr d'Héliopolis, faire rétractation, me demander pardon de tout, et revenir se montrer dans notre église, après avoir donné aux enfants le Saint Chrême. Bien sûr, après le départ de Mgr d'Héliopolis du Siam, il revint à sa disposition d'avant et à sa jalousie, posant beaucoup de questions sur nous avec un état d'esprit – Dieu en est témoin et juge – qui prenait pour vrai et prouvé tout ce qui était rapporté, sans distinction, par des malveillants ou des amis, des gens prudents ou des gens sans conscience »[1].

Par la suite, avec les missionnaires apostoliques qui l'accompagnaient, Pallu dut constater l'exactitude des faits dénoncés par Lambert, mais il resta ballotté entre, d'un côté, la sagesse des hommes représentée à Paris par Gazil soucieux de ne pas s'opposer de front à des concurrents puissants et, de l'autre côté en Asie le zèle de la gloire de Dieu représenté par Lambert qui s'appuya sur la sagesse de la croix pour dénoncer le mal à temps et à contre temps[2].

Pallu dit dans *l'Histoire du schisme*[3] que « lorsquil fut arrivé a Siam il se trouva obligé de connoistre la verité ne pouvant dementir ses propres yeux, car les dereglements des PP j estoient si publics quils n'estoient inconnus a personne, il auroit esté bien aise cependant que Mr de Berithe ne se fust pas

---

1. Valguarnera, Lettre à la Sacrée Congrégation de la Propagation de la Foi : « *Eo tandem devenit ea illustrissimi Berytensis villis de rebus et de ministeriis Societatis in his regionibus extimatio, ut improbatam publice nostram vivendi rationem, docendi et predicandi Evangelium Christi methodum, cogente Illustrissimo et Reverendissimo Heliopolitano facta retractione veniaque de omnibus a me petita, iterum probare in nostro templo, post datum pueris sacrum chrisma, debuerit. Verum post discessum Heliopolitam Siam, ad pristinam naturam et zelum reddit, multa de nobis inquirens, quo animo, Deus testis est et judex, omnia promiscue sive malevolis sive amicis, imprudentibus sive prudentibus, deferentibus, pro beris, et exploratis habens* » (H. A. Chappoulie, *Une controverse entre missionnaires à Siam au XVIIe siècle*, p. 59).

2. « J'essaye de contenter tout le monde sans choquer personne ny trahir mon ministere », dans *Lettres de Monseigneur Pallu*, p. 108, Lettre à Mgr de la Motte-Lambert du 22 janvier 1668, n° 32 (AMEP, vol. 102, p. 1).

3. F. Pallu, *Histoire du schisme*, AMEP, vol. 856, p. 403-421. Curieusement en fin de ce texte manuscrit Brisacier l'a authentifié de sa main en 1700. Il est constitué de six chapitres, chapitre 1 : Prologue (p. 404) ; chapitre 2 : Les Pères jésuites demandent des évêques pour la Chine (p. 405) ; Chapitre 3 : L'on choisit des évêques pour la Chine et leur départ (p. 407) ; Chapitre 4 : Les causes du schisme et son commencement en l'année 1662 (p. 412) ; Chapitre 5 : Arrivée de Mgr d'Héliopolis à Siam en l'année 1664 et la continuation du schisme (p. 418).

tant pressé de les escrire en Europe ou du moins qu'il l'eust fait avec plus de moderation »[1].

« Presque tous les ordres religieux » portugais pratiquent le commerce et le prêt d'argent à taux excessif, l'usure :

> « S'il étoit permis de dire tout ce que le monde sçait en ce pays, comme tout va au sujet de la religion dans Goa et les autres terres qui appartiennent aux portugais, on trouvera que l'ignorance et le vice regne generalement dans le Clergé, que les religieux ne sont plus dans l'observance de leur constitutions, que les mauvaise coutûmes qu'on y a introduit les dispense de l'obeïssance quils doivent a leurs superieurs ; pour ce qui regarde la pauvreté, presque tous les ordres religieux s'adonnent au commerce et baillent leur argent a usure, voir mesme il se trouve des particuliers religieux qui ont a eux en propre les 10, 20, 30, 40, jusqu'a 50 milles escus, quant a la chasteté, il y a tant de scandale parmy la plus grande partie des religieux, qu'un honeste homme qui a famille n'oseroit leur permettre l'entrée frequente de sa maison a moins de se diffamer. C'est assurement la raison de tous ces effroyables desordres qu'on voit un autel contre un autel et que dans les processions publiques et solemneles on voit les eclesiastiques et les religieux porter souz leurs habits des poignards et des armes a feu dont ils se servent quelquefois pour faire de grands et scandaleux massacres »[2].

Le Père Le Faure ne peut cacher à son confrère le Père de Machault que le commerce est à Macao un système de financement des Missions de la Compagnie de Jésus, organisé pour la Chine, le Siam, le Cambodge, la Cochinchine et le Tonkin par le Procureur de la Province du Japon à Macao, comme le Père Le Faure le reconnaît finalement lui-même :

---

1. *Ibid.*, p. 418. C'est à Paris qu'on prêche la modération vis-à-vis des jésuites, cf. Lettre de M. Duplessis à Mgr Pallu de 1665 (AMEP, vol. 4, p. 127) ; Lettre de Gazil à Mgr X du 19 septembre 1668 (AMEP, vol. 4, p. 55) ; Lettre de Gazil à Lambert du 27 janvier 1670 (AMEP, vol. 201, p. 315) ; Lettre de M. Gazil à M. Pallu du 11 janvier 1675 (AMEP, vol. 5, p. 497) ; Lettre de M. Gazil à M. Pallu du 9 août 1675 (AMEP, vol. 5, p. 677). Dans une lettre à Gazil datée du 26 avril 1667 (AMEP, vol. 201, p. 17), Lesley constatera que si Pallu est plein de bonnes intentions envers les jésuites, la réciproque n'est pas vraie ; cela aura des conséquences sur le résultat de ses projets.

2. P. Lambert de la Motte, *Abrégé de relation*, vol. 121, p. 621-622 ; cf. § 8. Hugues Didier montre comment les jésuites n'ont pu s'investir dans le commerce sans protéger militairement leurs comptoirs. Dans une île à la pointe sud de l'Inde, les jésuites ont une base commerciale fortifiée, défendue par une milice de chrétiens malabars avec des canons. Dans un document de 1606 les autorités portugaises accusent les jésuites en disant que la forteresse a été mal construite, qu'elle a coûté au Trésor Public portugais et qu'on ne peut la défendre sans soldats portugais. Selon Hugues Didier, « les jésuites réfutent certaines accusations : ... qu'on ne dise pas qu'ils enfreignent leur vœu de pauvreté. Ils ne sont pas riches ! Ils ne possèdent que le strict nécessaire et il serait bien exagéré de parler de trafic. Les biens qui passent entre leurs mains suffisent juste à financer la protection des chrétiens vivant sur la Côte de la Pêcherie contre les incursions musulmanes ou hollandaises » (cf. Hugues Didier, « Acheter, vendre et produire », *art. cit.*, p. 313-314).

> « Qui en effet pourrait présenter de telles objections au Tonkin, où ils sont si occupés à gagner seulement des âmes qu'ils ne pensent ni au prix des marchandises, ni aux navires qui arrivent, ni à la question du petit pécule qu'ils devraient recevoir, qu'on leur apporte régulièrement de Macao et grâce auquel ils peuvent mener une vie libre de tout souci et pas trop pénible pour les néophytes, à l'exemple de l'Apôtre des nations »[1].

Sans doute la même structure se retrouvait dans les deux autres provinces, celle de Goa dont on connaît le Procureur, le Père Ponsales Martin, et celle de Malabar, et l'achat de terres à Goa signalé par le Père Le Faure comme ayant permis le placement des profits de Macao laisse supposer que le système commercial englobait les trois provinces.

Selon Lambert, si les activités commerciales des jésuites portugais restent inconnues des Européens, c'est grâce à une culture du secret imposé en interne comme en externe :

> « Nous sommes toujours confirmez de plus en plus que les Peres jesuites portugais ruineront nostre mission. Cest ladvis universel de tous les sages, fondé sur LInterest que cette compagnie a de cacher tout ce qui se passe et tout ce qui cest passé en ces quartiers, dans les Indes, a la Chine, au Japon, elle ne souffrira Iamais que de personne qui peuvent rapporter la verité des choses aillent en ces lieux-la. C'est ce qu'un de leur peres constitué en charge a bien neantmoins dit a un provincial de nos amis. A quoy pense cet evesque, dit-il, et ces missionnaires d'Entrer a la Chine. Il est aussy possible quils y entrent, quil est possible que ientre presentement a Constantinople et ce n'est pas sans raison, puis quon ne peut pas fermer les yeux a ce qui est en veüe de tout le monde. Cest un trafique prodigieux de leur Compagnie dans les Indes. Le pere Ponsales Martin, Jesuitte Portugais qui est a Goa est sans diffigulté un des plus grands negotians qui soit dans tous ces quartiers. Le commerce et le magazin quils ont dans leurs maisons de Macao de toute sorte de marchandises est encore immense. Il y a deux ou trois ans que les hollandais prirent un de leurs vaisseaux en mer fort riche, ie le sçay de ceux de cette nation pour ce qui regarde leurs missions, on ne doit les considerer a leur esgard que comme un pretexte serieux pour parvenir a leurs fins civiles et a la fin cet ordre recevra la derniere confusion d'avoir trompé toute LEurope par leurs Relations suposées et tiré par ce moyen de grosses charitez qui pouvoient bien estre mieux employées ailleurs. Mais que sera-ce quand on sera informé que les chrestiens qui sont sous leur conduitte sont dans une extréme Ignorance, manque d'Instruction et quils ont presque la liberté de tout faire par une relache

---

1. Le Faure, Lettre du 22 novembre 1670 envoyée au Père Jacques de Machault, pour servir de réponse à la lettre pastorale de Lambert : « *Quis enimvero talia possit illis objicere in Tunquino, ubi soli animarum lucro sic occupantur ut de mercium praetio, de adventantibus navibus, nequidem cogitent ni forte recipiendae pecuniolae causa quae solet illis identidem Macao afferri, quo vitam ab omnibus vacuam sollicitudinibus et neophytis minime onerosam ducant, ut moris erat gentium apostolo* » (H. A. Chappoulie, *Une controverse entre missionnaires à Siam au XVIIe siècle*, p. 50).

general d'une dangereuse moral qui est Icy mise en pratique parfaitement et en tous les lieux ou ces peres sont les maistres et ou il est morallement impossible de remédier. En un mot ie vous dis la larme a loeul, quils sont la pierre de scandale en ces quartiers et quils nuisent incomparablement plus a l'augmentation et a la conservation de la foy et de la Religion Romaine quils ne servent a l'establir et la maintenir. Dans la connaissance que Iay de leur horrible aveuglement ie lattribue a leur extreme avarice et a une insatiable convoitise de se rendre tout puissan par le moyen de leur grand trafic. Quant a ce qui touche les Religieux particuliers de cette Compagnie, nous voyons qu'ils suivent en tout et en cela même les maximes du general[1] faisant des commerces particuliers dans les lieux de leurs missions, ou donnant leurs Argent a des grosses usures par mois. C'est une chose surprenante comme le general et le particulier de ce corps ont peu si longtemps commettre tant de desordre sans qu'on lait sceu considerant toutefois quil n'y avoit point de moyen d'en apprendre la verité que par des Religions particulier de differents ordres. Les superieurs desquels leur ont deffendu de parler sur ces matieres pour n'avoir pas à desmeller avec une compagnie qui fait ce quel veut Icy et avec laquelle il est tres dangereux d'avoir prise. Cela n'a pas pourtant empeché que quelque bon Religieux meu d'un juste zele n'aient escrit plusieurs choses simplement et dans la verité a Rome. Mais on leurs a opposé les relations des peres de cette Compagnie auquelles on a adjouté selon la Coutume du pays les certificats de 100 ou 200 de leurs amis qui tous rapportoient et signoient un certificat que la chose sestoit passée comme le vouloient les Peres jesuites après cela a qui devoit-on croire »[2].

Lambert était très conscient du caractère incroyable de sa révélation au moins pour ceux qui n'avaient pas quitté l'Europe. Il écrit au cardinal Antoine Barberini qu'il ne faut pas s'étonner « si les particuliers religieux depuis quils sont dans les lieux de leurs missions ne font plus de cas des obediences de leurs superieurs si je navois pas entendu de leur bouche ce que jescris je ne le pouvois croire javoue a V. E. que si je n'estois pas venu en ces extremites du monde je douterois du raport d'un homme de bien qui manderoit ces choses en Europe »[3].

Car malgré la gravité de ce qu'il dénonce par écrit, la réalité est bien plus grave encore et le Saint-Siège en aurait confirmation si des commissaires étaient envoyés de Rome sur les lieux[4]. Ce que Lambert ne sait pas, c'est que

1. Lambert fait toujours la différence entre les cas particuliers liés à la conduite personnelle de chacun et le cas général qui suppose selon lui l'implication de la structure et des responsables. Ici Lambert montre que le cas général et les cas particuliers sont étroitement associés.

2. P. Lambert de la Motte, Billet à M. Duplessis, AMEP, vol. 121, p. 505-506 ; cf. Guennou, transc. L. n° 15.

3. *Id.*, Lettre au cardinal Antoine Barberini du 6 mars 1663, AMEP, vol. 857, p. 161 ; cf. L. n° 20.

4. *Id.*, Lettre au cardinal Antoine Barberini du 10 octobre 1662, AMEP, vol. 857, p. 141 ; cf. L. n° 12 : « tout ce que jecris a Sa Sainteté et a la Sacree Congregation de lestat miserable des missionnaires de tous ces endrois cy est si vré que si l on envoye quelque jour des commissaires pour en informer on trevera encor les choses plus griefves et je ne les é escrites,

Rome n'ignore rien et qu'en 1669 le pape Clément IX renouvelant la Bulle d'Urbain VIII va viser particulièrement la province du Japon des Jésuites. En réponse à cette lettre pastorale et aux accusations qu'elle comporte, le Père Le Faure n'hésite pas à nier, il affirme qu'en novembre 1670 les jésuites ne pratiquent plus le commerce dans la province du Japon qui comprend alors la sous-province de Chine, le Tonkin, la Cochinchine, le Cambodge et le Siam, où tous ceux qui sont de bonne foi peuvent le constater :

> « Moi-même avant d'avoir été dix ans ici, j'ai été invité à une consultation de dix Pères de la Compagnie de cette province réunis dans ce but : et tous ont décidé d'une même voix qu'il fallait absolument abandonner le commerce, et en plus, après quelques mois, la même règle a été adoptée par les Pères de la vice-province de Chine. Et elle a été si constamment observée jusqu'à maintenant que bien qu'ils se soient vus bien des fois réduits à l'extrémité et souvent contraints de vivre de mendicité, ils ont préféré supporter patiemment les inconvénients de la pauvreté que de violer la loi qu'ils s'étaient eux-mêmes imposée et de se servir du privilège qui leur avait à bon droit été concédé »[1].

Le commerce est resté concentré à Macao, c'est là où sont les magasins et les entrepôts les plus importants. Brindeau qui a été arrêté à Macao puis conduit à Goa avant de mourir en Cochinchine, semble avoir cherché à recueillir des informations sur l'ensemble du commerce des jésuites en Inde et en Chine. Il a trouvé une *Apologie des Frères mineurs* qui concerne la manière dont les jésuites ont remplacé les franciscains à Ceylan[2], Lambert en parle à Pallu à deux reprises[3].

---

certainement, leur mauvais exemple, leur dereglement, et leur grand relasche crie vengeance devant dieu, si javois cru pouvoir passer cela sous silence, je laurois fait bien volontiers, mais cela ne se peut a moins que de me rendre prévaricateur ».

1. Le Faure, Lettre du 22 novembre 1670 envoyée au Père Jacques de Machault : « *Ipse ergo ante decem annos praesens vocatus adfui consultationi decem Societatis patrum hujus provinciae ad hoc congregatorum, qui uno omnes ore decreverunt commercium illud omnino deserendum esse, quin et post aliquot menses id ipsum a patribus vice-provinciae Sinicae statutum est. Et adeo constanter huc usque observatum, ut licet nonnunquam ad extrema se reductos intuerentur, coactosque saepe mendicato vivere, maluerint tamen paupertatis incommoda tolerare patienter quam a se sibi legem impositam violare, concessoque justis de causis privilegio uti* » (H. A. Chappoulie, *Une controverse entre missionnaires à Siam au XVIIe siècle*, p. 45).

2. *Traduction de l'apologie des frères mineurs des Indes Orientales, dans laquelle ils font voir le grand fruit qu'ils ont fait au sujet de la conversion des infidèles et combien peu de raisons a eu Dom Mires dao Saldanha, vice-roi des Indes, de donner des lettres patentes aux jésuites par lesquelles il les installe en l'île de Ceylan en la place des frères mineurs où 1'on verra qu'il a été mal informé et les motifs qui l'ont obligés à cela (*AMEP, vol. 114, p. 21-60).

3. P. Lambert de la Motte, Lettre à Pallu, AMEP, vol. 858, p. 125 ; cf. Guennou, transc., L. n° 102, le 17 octobre 1666 : « Mr Brindeau fait beaucoup de fruit a macao Il y apprend la langue mandarine de la chine Il m'a desia envoye un petit dictionnaire escrit de sa main en chinois J'ai trouve dans ses paquets une apologie escrite de sa main faite il y a longtemps par les freres mineurs des Indes contre les jesuites qui sera la merveilleuse piece

Pour l'instant le Père Le Faure peut en appeler à l'honnêteté des témoignages des missionnaires apostoliques présents comme François Deydier et Jacques de Bourges au Tonkin et Antoine Hainques en Cochinchine. Mais il se doit d'expliquer la venue au Tonkin en 1668 d'un navire marchand en provenance de Macao :

> « J'en appelle à témoin M. Deydier, un homme de foi éprouvée, de vertu reconnue et d'une science peu commune ; qu'il dise, mais qu'il dise vraiment du fond du cœur, si, depuis qu'il est au Tonkin – qu'il dise, je l'en prie – si depuis ces trois ans il a vu, ou a entendu dire par quelqu'un qu'on puisse croire, que certains membres de notre Compagnie ont fait du commerce dans ce pays ? Qu'il le dise et qu'il le prouve pour qu'avec son témoignage écrit nous fassions le procès du coupable. Bien sûr, il y a deux ans de cela, un navire de transport qui avait quitté Macao avait accosté au Tonkin : ce navire, le procureur du Collège de Macao avait ordonné d'y charger toutes les choses qu'il avait su habilement récolter de partout, mais pas avec l'idée d'en faire commerce, comme le voudraient nos adversaires, mais poussé uniquement par la nécessité : en effet pendant trois ans il n'avait trouvé personne qui accepte de se lancer dans un si dangereux voyage avec ses propres marchandises sans aucun espoir de profit et de porter en même temps à nos confrères du Tonkin le ravitaillement nécessaire : il transportait trois de nos prêtres et un aide laïc. L'un d'entre eux a peut-être pris soin des marchandises embarquées sur le navire, même si une partie seulement concernait le Collège de Macao. M. Chevreuil est resté quelque temps avec nos pères en Cochinchine après avoir changé d'habit[1], M. Hainques y a aussi été il y a quelques années : qu'on les interroge tous les deux »[2].

---

de votre sacq. Il travaille a la faire transcrire avecque quelques autres pieces qui feront voir la conduite toute depravée de cet ordre dans leurs missions » ; Lettre à Pallu du 4 novembre 1666, AMEP, vol. 876, p. 420-423 ; cf. L. n° 103 : « Pour faciliter a V. G. la lecture de l'apologie que je vous envoye j'en é mis l'abregé en francois que vous trouverez dans ce pacquet. Il y a une chose qui me faisoit de la peine lisant cette apologie qui estoit de ce que l'autheur disoit qui n'y avoit point de chrestiens dans le maduré mais m'estant esclaircy sur ce point j'é apris qui disoit vré au temps qu'il escrivoit et que ceux quy y sont a present sont des chrestiens des costes de la pescherie, de travancort, du cap de comorin etc. qui se sont retires au maduré depuis les guerres des holandois ».

1. Haincques avait porté un costume japonais pour aller en Cochinchine.

2. Lettre du Père Le Faure : « *Hoc posito, testem appello D. Deydier, virum probatae fidei notae virtutis, eruditionis et non vulgaris; dicat ille, sed ex animo et vere dicat, an ex quo versatur in regno Tunquini, dicat, oro, an a tribus annis viderit an ab ullo qui credi possit, acciperit aliquos e Societate nostra in hoc regno mercaturam alias exercuisse? Dicat, probetque ut illius instructi tabulis adversus reum jure ipso agamus. Duobus equidem ab hinc annis oneraria quae solverat ex urbe Macao in regnum Tunquini appulit, hanc procurator collegii Macaensis rebus omnibus quas undique sua collegerat industia instrui jusserat, non animo mercaturae exercendae, ut placet adversariis, ad sola necessitate compulsus, quod videlicet toto triennio neminem reperisset qui tam periculosam navigationem impensis propriis absque ulla spe lucri vellet aggredi simulque nostris in Tunquino degentibus victui necessaria comportare, vehebat tres e nostris sacerdotes et adjutorem unum laicum; an aliquis inter illos mercium quae navi ferebantur curam suscepisse, etiamsi pars*

De son côté, le Père Valguarnera justifie l'arrivée de marchandises à sa résidence de Juthia :

> « Un marchand est mort : il avait par testament institué comme légataire universel la maison ou résidence de notre Compagnie à Siam, pour qu'on en fasse un collège. Tout l'héritage consistait en marchandises à récupérer de ports de ces pays d'Orient, différents et éloignés. Ce rassemblement ou collecte de ces marchandises, et leur vente (car on ne bâtit pas un collège avec des marchandises, mais avec l'argent qui en vient), Mgr de Béryte l'appelle commerce »[1].

La lettre du Père Le Faure du 22 novembre 1670 adressée au Père Jacques de Machault répond aux arguments de Lambert en justifiant par la nécessité le commerce des jésuites à Macao, ce commerce étant vu comme une obligation liée au blocage de la ville par les Chinois sans expliquer pourquoi, dans ces conditions, ce commerce finance toutes les missions jésuites d'Extrême-Orient. Jacques Le Faure montre que le commerce touche tous les religieux de Macao :

> « La ville est circonscrite par des frontières si étroites qu'elle ne permet d'espace pour des jardins qu'à l'un ou l'autre des principaux résidents. Aussi, comme les habitants ne peuvent se permettre d'autre moyen de vivre que la navigation, il se trouve que personne ne peut éviter de s'embaucher sur un navire, lui-même et tout ce qu'il a, pour qu'il puisse arriver à tirer un faible salaire pour une vie qui autrement serait vraiment misérable. C'est le besoin qui pousse à cela tout ce qu'il y a en ville de prêtres et religieux, et même les si saintes Clarisses (et pourtant leur règle les oblige en droit à être tenues à la plus stricte pauvreté) »[2].

Après avoir légitimé le commerce par la nécessité, le Père Le Faure finit par reconnaître que les jésuites ont fait du profit en Chine au point de pouvoir s'acheter des terres aux Indes et au Portugal :

---

aliqua collegium Macaense spectaret. D. Chevreul mansit aliquandiu cum patribus nostris in Cochinchina; ibidem mutato habitu jam ab aliquot annis versatur D. Hainques; interrogetur uterque » (H. A. Chappoulie, *Une controverse entre missionnaires à Siam au XVIIe siècle*, p. 41).

1. Valguarnera, Lettre à la Sacrée Congrégation de la Propagation de la Foi : « *E vivis obiit quiddam mercetore qui testamento domum seu residentiam Sionensem nostrae Societatis ex asse heredem instituit ut in collegium erigeretur. Hereditas autem tota mercibus constabat e diversis, dissetisque portubus hujus Orientis exigendis. Harum mercium exactionem, seu collectionem, et venditionem (neque enim collegium fundatur mercibus, sed pecunia ex illis profecta) mercaturam vocat Illustrissimus Berytensis* » (*Ibid.*, p. 60).

2. Lettre du Père Le Faure : « *Haec autem tam arctis circumscribitur terrae finibus ut spatium ad hortos vix uni aut alteri e praecipuis incolis suppetat. Cum igitur alia ratione vitam tolerare cives non valeant quam navigatione, hinc est quod nemo sit qui se suaque navi committere non cogatur, ut modico lucro vitam quam aliter ducturus esset miserrimam, possit tolerare. Ad id necessitate adiguntur etiam quotquot sunt in ea urbe sacerdotes religiosique viri, ipsae etiam clarissae sanctimoniales (certum tamen est illas strictissima teneri paupertate ex praescripto suae regulae* » (*Ibid.*, p. 45).

« Il est vrai que les Pères de la Province du Japon, pour la plupart dispersés dans des lieux où aucune aumône ne pourvoit à leur nourriture ou qui ne peuvent être sollicité de partout, sans détriment manifeste pour la religion, ont été obligés d'omettre, au moins pour le moment, cette règle qu'ils avaient si sagement adoptée, restant prêts, si un espoir de paix apparaissait, à suivre leur saint propos. De plus, l'administrateur diocésain de Macao et les habitants de la ville ont récemment donné d'authentiques témoignages à leur sujet[1], dans lesquels ils déclarent que les affaires de la Compagnie ne peuvent plus se tenir en vie dans la cité de Macao ni fournir le nécessaire aux ouvriers évangéliques sans quelque commerce selon la coutume locale. Que dire donc, sinon qu'ils ont tenté depuis longtemps de suivre la seule voie qui leur restait pour pouvoir se débarrasser de ce fardeau. Ils ont en effet choisi de placer la plus grande partie de leurs fonds en achats de terrains en Inde et au Portugal, dont les revenus annuels leur permettent d'une certaine façon de se tenir en vie sans être obligés de faire du commerce. Il est vrai que les mers avaient été si dangereuses du fait de la guerre avec les Hollandais que la ville de Macao avait passé 4 ou 5 années entières sans voir la moindre barque venir de Goa, et bien que, depuis que la paix a été conclue il arrive de temps en temps un navire au port »[2].

Père Le Faure justifie le commerce entretenu par les jésuites à Macao comme un cas particulier, il s'agit d'une œuvre de charité selon le mot de Grégoire XIII (pape de 1572-1585)[3] :

« En réalité, on ne peut trouver de subside à Macao par d'autre arrangement que par un commerce, c'est-à-dire prêter son argent aux hommes qui ont pour seule assurance les marchandises qu'ils sont obligés de confier à la si peu sûre

1. On verra plus loin que Lambert considère ce procédé de recourir aux témoignages des habitants comme habituel chez les jésuites.

2. « *Verum patres provinciae Japonicae, ut majori numero et in varia dispersi loca in quibus ad victum eleemosynae nullae suppetunt, aut sine manifesto religionis detrimento corrogari non possunt, ita quod adeo prudenter statuerant, coacti sunt saltem ad tempus omittere, parati, si spes pacis affulgeat, sancte suum exequi propositum. Quin et authentica testimonia illis nuper tradidere proepiscopus Macaensis et cives urbis quibus declarant nequaquam posse res Societatis in urbe Macao vitam tolerare, operariisque evangelicis necessaria ministrare absque aliqua negotiatione juxta loci consuetudinem. Quid quod jam a multo tempore unicam quae illis superesse videbatur viam tentarunt quo possent onus illud excutere. Placuit enimvero potissimam fundacionis suae partem ponere coemendis terrae fundis in India Lusitaniaque, e quorum annuis reditibus tolerare vitam absque commercii necessitate quoquo modo possent. Verum adeo infesta fuere maria ob bellum cum Batavis ut quando cumque Macaensis civitas 4 aut 5 annos exegerit integros ne ullo quidem Goanae civitatis viso minimo parone ; et licet ex quo pax sancita est ad portum appellat interdum navis* » (H. A. Chappoulie, *Une controverse entre missionnaires à Siam au xvii*e *siècle*, p. 45-46).

3. Selon George H. Dunne, en 1578 les jésuites avaient investi de l'argent dans une compagnie de commerce de la soie entre la Chine et le Japon (entre Macao et Nagasaki). Ils avaient reçu l'accord du pape Grégoire XIII, du vice-roi portugais de l'Inde et du sénat de Macao (George H. Dunne, *Chinois avec les Chinois – Le Père Ricci et ses compagnons jésuites dans la Chine du xvii*e, Paris, Éditions du Centurion, 1964, p. 128-130).

mer du Japon. Faire cela, dis-je, n'est-ce pas que le fait d'un homme imprudent et novice ou alors qui s'expose de son propre gré au danger le plus certain de perdre ce qui peut être obtenu sous nécessité extrême, par quoi ils auraient dans ces extrêmes calamités de quoi survivre et à quoi le plus rigide des sages ne condamnerait certainement pas. Ayant compris cela, le Pape Grégoire XIII, dans la faculté qu'il leur a accordée à ce sujet, a donné à juste titre à ce négoce non pas le nom de commerce mais celui d'entreprise de charité »[1].

La Bulle du pape Urbain VIII concerne aussi bien le commerce exercé directement par les Jésuites que le commerce confié par eux à des tiers, le pape semble avoir prévu tous les types de prétextes invoqués pour poursuivre le commerce et ils sont nombreux.

Ainsi presque tout l'argent qu'emploient les Jésuites d'Asie provient du commerce via le Procureur de Macao qui croyait de bonne foi être couvert par une permission du pape Grégoire XIII. Cette centralisation du commerce entre les mains du Procureur de Macao, un frère jésuite, permet de faire dire au Père Valguarnera que les abus se sont arrêtés à Macao parce qu'on a muté le Procureur[2]. Mais il justifie le commerce en écrivant : « Cela

1. « *At certo constat subsidium illud arte non alia reperiri posse in urbe Macao quam aliquo commercio, etenim pecuniam suam locare iis hominibus qui nullo alio pignore fidem suam firment quam mercibus quas tenentur infido Japonorum mari committere. Hoc inquam agere num imprudentis ac inexperti aut volentis lubenti animo exponere se certissimo periculo etiam amittendi id unde extrema necessitati provideri queat, quo circa in extremis calamitatibus haberent unde vitam tolerarent, certe nulli sapientum quantumvis rigido improbanda. Quod intuitus S. p. Gregorius XIII in ea facultate quam eis super ea re concessit, negociationem illam non tam mercaturae quam industriae charitatis opus merito nominaverit* » (H. A. Chappoulie, *Une controverse entre missionnaires à Siam au XVII*^e *siècle*, p. 47).

2. Valguarnera, Lettre à la Sacrée Congrégation de la Propagation de la Foi : « Si dans cette affaire, au-delà du simple commerce fait par nécessité, comme on l'a dit, chez nous, Mgr de Béryte, poussé par son zèle de la gloire de Dieu et de la discipline de règle, a bien remarqué qu'on avait agi avec une certaine imprudence ou avec excès, il aurait du avertir les supérieurs, comme le conseille une charité bien orientée (Dans sa lettre pastorale aux chrétiens du Tonkin, il prétend bien qu'il l'a fait, mais c'est sans fondement et faux, car il n'a jamais averti le P. Visiteur ni le P. Provincial). Nous ne nions pas ce manque de prudence et cet excès chez le procureur provincial qui était alors un frère coadjuteur : ce n'est pas seulement Mgr de Béryte, mais c'est d'abord nous qui l'avons remarqué et désapprouvé : le premier fut le P. Visiteur Louis de Gama, mon prédécesseur, puis le Père Général fut mis au courant par lettres, selon la coutume de la Compagnie. C'est ainsi que le frère coadjuteur ayant été relevé de ses fonctions, tout cette imprudence prit fin et on nomma à sa place un Père connu par son sérieux, sa doctrine et son exemple qui régit la procure avec une prudence parfaite sans offenser personne, disons même avec l'approbation de tous » (*Quo circa si Illustrissimus Berytensis divinae gloriae et regularis disciplinae zelo promotus, praeter meram mercaturam in nobis ex necessitate, ut dictum est, excercitam immoderationem aliquam aut excessum bene notavit, admonere superiores debuerat (ut se fecisse in sua epistola pastorali ad Tunkinenses et affirmat sed immerito ac falso, numquam enim P. Visitatorem aut P. Provincialem admonuit) ut charitas bene ordinata suadet. Hanc immoderationem et excessum non negamus in procuratore Provinciae tunc*

est si vrai que dans cette ville de Macao, la seule que possèdent les Portugais dans l'Extrême-Orient, et rien en elle sinon les murs des maisons, des remparts et de la ville, sans champs, sans campagne, sans domaines, mais où il faut tout faire venir de loin avec des frais, personne ne peut vivre sinon de commerce »[1]. « Ce genre d'activité ne peut s'appeler commerce, puis qu'il se fait uniquement par besoin d'assurer la subsistance »[2].

On est alors en droit de se demander si Rome ne va pas trop loin dans la rigueur de ses lois et si Lambert ne profère pas des accusations injustes. Pour justifier l'abandon du commerce par les jésuites, Le Faure en appelle au témoignage donné par l'état désastreux de la basilique de Macao, signe d'un âge d'or révolu :

> « La basilique de notre Collège de Macao en est l'insigne témoignage avec tous ses trésors, lorsque tout affluait à souhait, lorsque marchait et prospérait le commerce avec la Chine et le Japon, cette basilique était témoin, dis-je, qu'ils l'ont construite avec une telle munificence, et une fois construite, décorée avec tant de soin qu'elle pourrait à juste titre prendre place parmi les plus nobles temples d'Europe. Mais qui peut dire le sentiment, la douleur qui nous étreint le cœur quand nous la voyons s'écrouler elle-même petit à petit et qu'il est à craindre qu'en peu de temps elle sera totalement abattue, puisque font défaut les quelques sommes d'argent qui permettraient de la réparer et de la protéger de ces terribles typhons qui peu à peu l'affaiblissent ; et c'est bien là le seul édifice dans la province du Japon qui puisse provoquer les regards d'envie de nos adversaires. Ce qui reste d'autre comme bâtiments du Collège n'a rien effet qui le distingue des autres maisons de la ville »[3].

---

fratre coadjutore, non modo ab Illustrissimo Beritensi sed prius a nobis notatam et improbatam, et P. Visitatorem predecessorem meum Aloysium de Gamaa primum, mox R. P. Generalem per litteras certiorem factum, ut mos est Societatis. Quapropter eo fratre coadjutore ab officio remoto cessavit omnis illa immoderatio et suffectus est in ejus locum pater, gravitate, doctrina et exemplo insignis qui procuratoriam agit summa cum moderatione nullius offensione, immo omnium approbatione) (*Ibid.*, p. 63)

1. « *Quod adeo verum est ut in hac urbe Maccaensi quam unicam in hac extrema Asia Lusitani possident, et in ea nihil praeter muros domorum, arcium et urbis, non agros, non rura, non praedia, sed omnia pretio e remotis partibus comparant, nemo nisi ex mercatura vivere possit* » (*Ibid.*, p. 62).

2. « *Hujusmodi negociatio non debet appellari mercatura, cum fiat ex mera sustentationis necessitate* » (*Ibid.*, p. 62).

3. Lettre du Père Jacques Le Faure : « *Testis est insignis illa collegii nostri Macaensis basilica, quam suis olim impensis, dum ad votum cuncta fluerent, dum vigeret floreretque commercium cum Sinis et Japonibus; testis inquam haec basilica, quam ea munificentia construxere, constructam studiose decoravere, ut inter Europae nobiliora templa locum habere merito possit. Verum quis modo sensus, quis angit animum dolor ? cum eam ipsam intuemur sensim collabentem metusque sit ne intra breve tota penitus concidat, cum desint aliquot nummi quibus illa refici et contra horrendos maris illius typhones a quibus sensim debilitatur tutari possit, et hoc unum est Japonicae provinciae aedificium quod oculos invidiamque adversariorum provocare possit. Reliquae enim collegii aedes nihil habent prae caeteris urbis domibus singulare* » (*Ibid.*, p. 50-51).

Certains jugeaient que les décisions du pape ne concernaient pas les Religieux du Patronat portugais, car le Portugal devait les homologuer et en faire des lois portugaises, de sorte qu'elles ne pouvaient être mises en application sur les terres occupées par les Portugais sans leur accord, notamment les décisions sur le commerce. Cela revenait à empêcher Rome d'exercer son autorité en Asie. Cette interprétation était théologiquement insoutenable surtout après le Concile de Trente qui a confirmé les prérogatives du pape.

Mais si le commerce des jésuites a pu être une nécessité pour eux au tout début, il ne l'était plus au temps de Lambert, car les bénéfices du commerce étaient placés de telle sorte qu'ils produisaient suffisamment pour entretenir les missions ; selon Didier, des projets toujours plus ambitieux sur le plan matériel entraînaient de véritables « gouffres financiers »

C'est à Ispahan que Lambert entendra pour la première fois l'alibi missiologique du commerce des clercs qui consiste à prétendre qu'on aura des conversions à la mesure des moyens financiers investis : « Il suffira de dire que ces peres n'etant pas de ce sentiment qu'on puisse rien avancer au sujet de la religion sans de grands moyens humains, ny sans le secours des puissances temporelles, que ne reconnaissant point d'autres superieurs que ceux de leurs ordres, que n'estant pas uniformes dans leur maximes, les uns admettant ce que les autres refusent »[1].

C'est ainsi que « la Compagnie de Jésus posséda en Asie du sud des propriétés, des plantations, des magasins et des dépôts, des représentations de commerce et des réseaux d'agents »[2]. Cela fait aujourd'hui l'objet d'études spécialisées comme les travaux de Charles Julius Borges publiés à New-Delhi en 1994[3]. Il donne comme titre à son deuxième chapitre : « *More money for more souls* » , « Plus d'argent pour plus d'âmes ».

Lambert est d'un avis totalement opposé, un de ses arguments est le même que celui qu'il donnera pour justifier son jeûne perpétuel, c'est-à-dire l'exemple donné par les bonzes du Siam qui vivent d'aumônes et ne mangent pas de viande. Rome a déjà donné à Lambert en 1659 des instructions précises en ce domaine :

> « Vous ne voudrez pas vous rendre odieux pour des questions matérielles. Souvenez-vous de la pauvreté des Apôtres qui gagnaient de leurs mains ce qui leur était nécessaire, à eux et à leurs compagnons. À plus forte raison, satisfaits de votre nourriture et de votre vêtement, devez-vous vous abstenir de tout bas

1. P. Lambert de la Motte, *Abrégé de Relation*, p. 615 ; cf. Guennou, transc., § 6.
2. Hugues Didier, « Acheter, vendre et produire dans la Compagnie de Jésus aux 16-xviiie siècles » in Jean Pirotte (dir.), *Les conditions matérielles de la mission. Contraintes, dépassements et imaginaires xviie-xxe siècles*, coll. « Mémoires d'Église », Paris, Karthala, 2004, p. 315.
3. Charles Julius Borges, *The Economies of Goa Jésuits* 1542-1759, *An explanation of their rise and fall*, New Delhi, 1994 ; cf. H. Didier, *Ibid.*, p. 305-317.

profit, ne pas exiger d'aumônes, ne pas ramasser argent, dons, richesses. Si certains fidèles, malgré vos refus, vous imposent leurs offrandes, sous leurs yeux distribuez-les aux pauvres, sachant bien que rien n'étonne les peuples, rien n'attire leurs regards comme le mépris des choses temporelles, comme cette pauvreté évangélique qui, s'élevant au-dessus de toutes les réalités humaines et terrestres, se prépare un trésor dans le ciel »[1].

Selon Borges, le commerce des jésuites surpassait en poids économique toutes les compagnies nationales européennes travaillant en Asie comme le commente Hugues Didier :

« Selon Charles Borges, les activités marchandes de la Compagnie de Jésus dans le monde surpassaient encore au XVIIe siècle celles des Compagnies anglaise ou néerlandaise des Indes Orientales. En avance sur les entreprises coloniales des Portugais, des Espagnols et des Français, les négociants Anglais, Néerlandais et les jésuites de tous pays avaient suivi cette pratique commune : constituer leurs réseaux commerciaux, leurs lieux de production ou leur plantations en marge des autorités étatiques européennes. Ce furent donc bien les premières entreprises multinationales, créées par des initiatives privées et non par la Couronne, pratique habituelle ou normale dans les trois monarchies espagnole, portugaise et française »[2].

Le commerce des jésuites est du domaine privé et entre en concurrence avec les grandes compagnies étatiques comme la Compagnie des Indes Orientales créée par Colbert, mais aussi les Compagnies anglaises et hollandaises. Ainsi Lambert attribue au commerce des religieux la persécution des chrétiens :

« Le principal et le veritable sujet de cette persecution vient de ce que les hollandois voulant estre les seuls marchands en ce royaume là comme par tout ailleurs ont fait chasser les jesuites qui envoyoient tous les ans quelques navire de Macao chargé de marchandises propres pour le Tonquin les mesmes causes les ont fait depuis quelques années chasser du Macassar et d'autres lieux si bien que par une misericordieuse conduite de Dieu ce que n'ont peu faire les justes decrests des souverains pontifs qui n'ont jamais peu obliger cette Compagnie a quitter cette insatiable convoitise du commerce, si honteuse et si scandaleuse a des ministres de Levangile les hollandois lont fait a leur confusion et malgré toutes leur intrigues, mais ce qui merite en ce deplorable rencontre les larmes de tous les gens de bien est la perte de la religion et des ames qui se sont perduës qui se perdent et qui se perdron par la faute inexcusable de ces religieux dont l'aveuglement est incroyable dans tous ces quartiers »[3].

---

1. B. JACQUELINE, *Traduction française des Instructions de 1659*, III, 16.

2. H. DIDIER, « Acheter, vendre et produire dans la Compagnie de Jésus aux XVIe-XVIIIe siècles », p. 315 à propos de C. BORGES, *The Economies of Goa Jésuits* 1542-1759, p. 110.

3. P. LAMBERT DE LA MOTTE, *Abrégé de Relation*, AMEP, vol. 121, p. 670, cf. Guennou, transc., § 28.

Dans son *Abrégé de Relation*, Lambert fait les comptes, ce qui lui est facile depuis la dizaine d'années passées à la Cour des Aides du Parlement de Rouen, et il enlève toute crédibilité à l'argument financier par lequel les jésuites justifiaient leur commerce :

« Les residences qui ont composé et qui composent cette province du Japon, sont sous la province de Quanton qui est du royaume de la Chine, dans lesquelles il y a deux residences: celle des villes de Quanton et de Noyan, l'Ille d'Ainan, le Tonquin, la Cochinchine, Camboje, Siam, Tenasserim et Macassar. Il y a plus de 20 ans quil ne va plus personne au Japon, et lon ne peut plus aller au Macassar, ny au Tonquin. Ainsi il n'y a plus de cette province que 8 residences dans lesquelles il y a tout au plus 16 peres Iesuittes auxquels on assigne a chaqu'un environ 215 livres par an, pour leur subsistence, pour lentretien de ses missions, sans parler de ce qu'on ne connoist pas, n'y de grosses aumosnes qui se font par toute l'europe et en tous ces quartiers, ny des profits de leurs grands commerces, ny des revenues de Macao, ni de fondations particulier comme sont celles de Siam, du Tonquin, et d'Ainan, fondées par un pere et deux freres Iesuittes marchands et celle de Tenasserim, il y a un fond considerable en Portugal et un autre a Goa qu'on asseure estre de dix mil livres de rente »[1].

Après plusieurs années Lambert doit reprendre le même argument pour ses correspondants français, étayé par de nouvelles informations qui rendent le commerce des jésuites indéfendable :

« Outre le point des vicaires apostoliques on y traita aussi du grand comerce que fait cette compagnie parce que par le decret qui le deffend nommement aux Jesuites, il est ordoné aux evesques de le faire observer. On representa a ces religieux le scandale que cela donnoit et le relache quil avoit causé a leur ordre en tous ces quartiers comme aussy lavantage que les prestres des idoles tiroient contre les ministres de lEvangile, les voyant entierement occupes dans les interets du siecle, et eux au contraire, fort eloignes de ces choses. Mais ce qui rendoit ce trafic criminel, est qu'ils le faisoient sans aucune necessite parce que la province du Japon avoit des revenu annuel en fonds en Portugal et aux Indes plus de soixante et cinq mille livres de rente sans comptér celuy qu'ils avoient a Macao, ny celuy de plusieurs fondations, ny celuy qu'ils retiroient de tous leurs vaisseaux qu'ils chargeoient de leurs effects que tout cela estoit bien plus que suffisant pour entretenir environ cinquante religieux qui la composent. Il y avoit lieu de s'estonnér extremement comment ils n'otent point cette grande tache de leur compagnie qu'au reste ils ne devoient pas doubtér qu'on ne fust bien informé des biens de cette province puisque les missionnaires français en avoient en leurs mains la declaration et du nombre de plusieurs de leurs vaisseaux, escrite et signée de leur procureur qui est proesantement en charge a toutes ces choses. Ils repondoient que cette affaire regardoit les superieurs de leur compagnie qui estoient des gens doctes et qui pouvoient faire une opinion probable on ne

1. *Ibid.*, p. 671 ; cf. § 29.

debvoit pas proesumer qu'ils fissent rien en cela de contraire a leur conscience. Que pour ce qui estoit des religieux particuliers qu'ils estoient si peu en ce sentiment, qu'ayant fait conference entre eux de 40 peres qu'ils estoient pour lors dans le colége de Macao tous furent d'avis d'abatre le commerce a la reserve des superieurs, d'ou lon peut inserér que cest une des maximes de cette compagnie de faire le negoce pour des raisons qui ne sont bien cognues que des superieurs quoy qu'il soit aisé a jugér que les principales sont pour se rendre puissants en biens et tenir tout le monde dans leur dependance par la necessité que les Portugais ont de trafiquér »[1].

Lambert écrit à M. Duplessis Montbar le 6 mars 1663. : « Ce qui me fait fort aprehender que dans peu cette compagnie qui travaille avec benediction en Europe, n'esprouve dans tout son corps un horrible chastiment de la main de Dieu »[2], Il écrit de nouveau à M. Duplessis Montbar le 11 juillet 1663 :

« Ces conduites de Dieu nous apprennoient que *non est in Deum prudentia* et que ce corps sestant voulu establir par les plus grandes voyes de la prudence humaine, la divine bonté pour le confondre et pour donner un exemple tres memorable dans les siecles futurs a voulu destruire dans les Indes et tous ces carrtiers une compagnie qui soit qu'on considere son pouvoir, ses richesses, ses intrigues, son commerce, s'estoit elevée en une puissance qui egaloit celle des plus grands souverains, en plus de douze cent lieues de long, cependant dans toutes les apparences du monde la misericorde de dieu reduira leurs travaux a rien et les metra en estat de demeurer par necessité dans leur condition religieuse, quoy que les pernicieuses maximes que ces religieux ont enseignée et pratiquée ait tout a fait perdu le christianisme de reputation et lait reduit aux abois »[3].

Il va même jusqu'à écrire au jésuite Poncet :

« J'ay tout lieu d'apprehender que la compagnie ne recoive bientost un severe chatiment Je ne scais si ie me trompe, mais j'estime qu'une des principales raisons qui a causé le grand relache que nous voyons avec beaucoup de regret dans ces provinces vient de cette malheureuse convoitise Vous voulez bien que ie vous tesmoigne l'extreme deplaisirs que i'en resens et que ie vous die que ie suis dans le dernier estonnement de voir des Ministres de l'Evangile si esloignez de l'esprit et de la pratique que demande la vie apostolique J'en aye dit ma pensée

1. *Id.*, vol. 677, p. 198-199 ; cf. § 114. Pour Lambert on ne peut pas s'adapter à la rigueur que la mission impose sans s'y préparer par une vie d'ascèse : « Cette sorte de vie est si necessaire en tous ces quartiers pour se conserver dans la vocation apostolique et si conforme a celle que menent les prestres des Idoles quil faut des raisons fort particulieres pour ne la pas embrasser. La principalle cause de la cheute des ministres de l'Evangile en tous ces quartiers et du peu de profit quils ont fait aux missions ne vient que d'avoir mené une vie large ou commune dans un estat extraordinaire » (*Id.*, vol. 121, p. 678-679 ; cf. § 32).

2. *Id.*, Lettre à M. Duplessis, AMEP, vol. 861, p. 1-3 ; cf. L. n° 16, le 6 mars 1663.

3. *Id.*, Lettre à M. Duplessis Montbar du 11 juillet 1663, AMEP, vol. 860, p. 3 ; cf. L. n° 37.

au P. Provincial qui m'a promis qu'on ne negociroit point dans les lieux de ma juridiction qui sont de sa province. Je vous parle franchement mon cher Pere parce que ie scais qu'estant a dieu comme vous estes tous ces desordres vous font gémir ainsi il me paroist que nous sommes dans un mesme avis et que nous le serons toujour en ce qui regarde les interest de N.S.J.C., dans l'union duquel je suis tout a fait »[1].

Hugues Didier écrit que pour le financement des missions, « saint Ignace s'en remit, comme partout, aux aumônes »[2]. La partie VI des Constitutions de la Compagnie est sans ambiguïté et très précise sur l'application individuelle et communautaire du vœu de pauvreté : « En dehors des collèges et des noviciats, la Compagnie ne peut disposer d'aucune propriété ou d'aucune rente ou revenu fixe »[3]. Ses membres doivent donc pouvoir vivre d'aumônes. Joseph Tissanier rappelle les intentions de saint Ignace qui voulaient que ses Fils mendient en cas de nécessité comme les Ordres Mendiants :

« Puis dans le Ch. 4 de l'examen général § 27, les religieux de la Compagnie ont l'ordre, avant leur profession, "de mendier pendant trois jours de porte à porte, de façon à ce qu'ils soient plus disposés à le faire lorsque cela leur sera demandé, par convenance ou nécessité, lorsqu'ils iront à travers le monde selon ce qui leur sera ordonné" »[4].

Faute de pouvoir s'appuyer sur saint Ignace les défenseurs du commerce des jésuites croient pouvoir s'appuyer sur saint François Xavier. Hugues Didier écrit :

« À l'arrivée de François Xavier à Kagoshima, au Japon, en 1549, il lui fallut de l'argent, beaucoup d'argent. Ce fut une cargaison de poivre des Moluques qui finança son établissement. Sous le poids de l'urgence ou de la nécessité, François Xavier avait engagé l'avenir ; il s'était mué en marchand, ce qu'aucune clause des Constitutions élaborées si loin du Japon, ne pouvait, rétrospectivement, légaliser ou corroborer. Par la suite, chaque fois que des jésuites, en Asie tout particulièrement, éprouveront des scrupules à se livrer à des opérations financières ou commerciales, ils invoqueront l'exemple de François Xavier, l'Apôtre des Indes »[5].

---

1. *Id.*, Lettre au jésuite Poncet, AMEP, vol. 121, p. 595 ; cf. L. n° 94.
2. H. Didier, « Acheter, vendre et produire dans la Compagnie de Jésus aux 16-xviiie siècles », p. 306.
3. *Ibid.*, p. 305-306, citant San Ignacio de Loyola, *Obras completas*, Madrid, BAC, 1963, p. 532 (§ 554).
4. « *Deinde cap. IV examinis generalis, § 27, jubentur Societatis religiosi ante suam professionem : per triduum ostiatim mendicare ut sint magis dispositi ad ipsum faciendum quando ipsis injunctum fuerit vel conveniens aut necessarium erit dum per varias mundi partes juxta quod eis praescriptum fuerit discurrent* » (H. A. Chappoulie, *Une controverse entre missionnaires à Siam au xviie siècle*, p. 12).
5. H. Didier, « Acheter, vendre et produire dans la Compagnie de Jésus aux xvie-viiie siècles », p. 307 (H. Didier s'appuie sur Léon Bourdon, *La Compagnie de Jésus et le*

Contre l'appel à l'autorité de saint François-Xavier, Pallu rappelle le 1er avril 1667 à Monsieur Duplessis Montbar comment ce grand saint missionnaire a dû se battre en Inde contre le relâchement des religieux, y compris ceux de sa congrégation, et comment les Carmes Déchaux ont dû tenter d'y remédier :

> « Vous ne serés pas scandalisé si j'ose dire qu'on ne sçait ce que c'est, en Europe, qu'un missionnaire apostolique ; je crois que Nostre Seigneur nous a envoyés dans l'estremité de l'Orient pour en apprendre quelque chose, et il a fallu revenir en personne pour le declarer efficacement, cela ne se pouvait faire ni par lettre ni par procureur, et j'ay grand sujet dedouter si j'en pourroi venir à bout. Saint François-Xavier trouva l'estat ecclesiastique des Religieux des Indes dans une estrange desolation ; il a vu et pleuré le commencement du dechet de ceux de sa Compagnie. Les religieux de Saint-François, de Saint-Dominique et de Saint-Augustin sont obligés de confesser qu'ils sont bien esloignés de leur profession. Les Carmes Dechaussés ont pris de nouvelles mesures pour mieux reussir dans leurs missions ; ils ont érigé des seminaires dans l'Europe pour choisir et preparer leurs sujets ; cela a fait esclat dans le commencement, mais peu aprez ils sont tombés. D'où vient cela ? c'est ce que le monde ignore, c'est ce qu'on ne considere pas, c'est ce qu'on ne veut mesme pas envisager ».

Pallu a cherché l'origine de cette situation et jugé avec Lambert qu'il fallait trouver un remède à « un si grand mal », il poursuit en disant :

> « C'est à quoy nous nous sommes tres particulierement appliqués, Monseigneur de Berythe et moy, depuis que nous sommes sortis de France, et je crois que nous ne nous trompons pas dans cette vue que nous proposons dans nostre synode et dans l'idée d'une Congregation apostolique, que nous avons dressée avec toutes les precautions qu'on peut deviner, dans laquelle nous declarons tout ensemble le seul remede qu'on peut emploier pour remedier un si grand mal »[1].

Pourtant l'attaque menée par Lambert contre le commerce des jésuites en Asie ne vint pas de quelques écrivains spirituels éloignés des problèmes concrets de la mission, ou de naïfs qui comme l'a dit Hugues Didier : « s'imagineraient qu'aux XVIe et XVIIe siècles, les missionnaires jésuites pouvaient sans argent, pénétrer ou séjourner dans des pays où ils n'étaient ni désirés ni attendus, ou que sans argent, ils auraient pu, ailleurs, établir des communautés de néophytes et en assurer la sécurité »[2].

Japon 1547-1570, Paris, Fondation Calouste Gulbenkian, 1993, p. 164 ; *Epistolae Xaverii*, éditées par G. Schurhammer et J. Wicki, *Monumenta Historica Societatis Jesu*, II, p. 118).

1. F. Pallu, *Lettres de Monseigneur Pallu*, p. 736, Lettre de Pallu n° 334, à M. du Duplessis Montbar du 1er avril 1667 (AMEP, vol. 101, p. 316).

2. H. Didier, « Acheter, vendre et produire dans la Compagnie de Jésus aux XVIe-XVIIIe siècles », p. 305. L'auteur ne conteste plus les faits, il les justifie seulement, comme le Père Le Faure, en jugeant que le commerce était une nécessité de la mission au XVIe et XVIIe siècle.

La contestation du commerce des jésuites fut menée par un évêque responsable de ses missionnaires, affronté à des problèmes incessants d'argent, mais qui choisit d'évangéliser en premier les pauvres en étant pauvres parmi eux. Pour Lambert en effet c'est Dieu qui doit pourvoir aux besoins de son œuvre pour qu'il en reste maître sans que les hommes l'enferment dans leurs mains. Il se félicite du désintéressement de Chevreuil au Cambodge où il a été envoyé et accueilli par le Gouverneur portugais de l'évêché de Malacca et 400 chrétiens réfugiés avec lui :

> « Il ne receuvoit aucun Emolument de toutes les fonctions ecclesiastique ny mesme pour les messes, toutes lesquels retributions pourroient revenir environ a 8 ou 9 cent livres par an quil consentoit neanmoins qu'on établit avec eux pour recevoir les reconnaissances que les fidelles voudroient donner pour ensuitte estre employés aux necessités des pauvres, ce qui a esté ainsy arretté[1], cette action qui doit estre ordinaire a un missionnaire apostolique a paru extraordinaire, la raison en est que les ecclesiastiques et les religieux prennent de grosses sommes pour leurs salaires par toutes les Indes. A Siam pour estre enterré dans lEglise des Dominicains ou des Jesuittes, il coute communément 50 escus pour la feste seulement. C'est une des principales raisons qui a mis les desordres dans toutes les Religions de ces quartiers, parce que les particuliers regardant les emplois des vicaires comme des bons benefices qui peuvent suffire largement pour entretenir leur feneantize, leur relachement et leur ambition, ils nobmettent rien pour obtenir ces cures de leurs superieurs et pour si conserver, il faut que les missionnaires apostoliques agissent de toute une autre maniere est quils fassent toutes les fonctions curiales gratuitement dans les terres des gentils, qu'on sçait estre fort scandalisez des levées[2] et la rigueurs que quelque Religieux exerce pour ne pas perdre leurs droits des inhumations. Ils ne doivent pas aprehender que leur fond leur manque ils en ont un infaillible qui est celuy de la providence, que sy mesme leurs pauvreté leur reduisoit a demander laumône au nom de Dieu, il ny auroit en cela rien qui repugnast a de veritables disciples de J. C., ny rien de contraire à lusage des prestres des Idoles qui ne vivent que de charité »[3].

Lors de son arrivée en Asie, Lambert a été frappé par la sobriété de vie des religieux païens et il a compris qu'il n'obtiendrait aucune conversion s'il ne témoignait dans sa vie de la même sobriété. C'est cette conviction qui entraîne son opposition au commerce des Religieux. Et en même temps, Lambert doit résoudre les problèmes inévitables du financement de missions si éloignées de l'Europe. Certes ce financement est prévu au départ,

1. « Arrêter » ne veut pas dire ici « cesser » mais au contraire « décider ».

2. Guennou lit « excès » à la place de levées, mot qui signifie « prélèvement d'argent » comme dans « levée de l'impôt ».

3. P. Lambert de la Motte, *Abrégé de Relation*, AMEP, vol. 121, p. 732 ; cf. Guennou, transc., § 68 ; voir aussi AMEP, vol. 677, p. 198 ; cf. § 114 : « Avantage que les prestres des idoles tiroient contre les ministres de levangile les voyant entierement occupés dans les interets du siecle, et eux au contraire, fort éloignés de ces choses ».

mais il subit beaucoup d'imprévus. Pour les jésuites, si Lambert choisit la pauvreté évangélique, c'est au dépens de la dignité épiscopale :

> « Le Père Marini semble peu se soucier d'avoir accusé Mgr l'évêque d'hérésie et il le calomnie aussi en le traitant d'orgueilleux, d'avare et d'usurier. Parmi les Portugais eux-mêmes qui connaissent bien l'humilité de Mgr l'évêque, il n'y aurait cependant aucun qui ne serait pénétré de honte en entendant une telle calomnie: tous savent que Mgr l'évêque a une grande famille, composée non d'un grand nombre de familiers mais de jeunes gens qu'il désire éduquer et amener à devenir clercs. Tout le monde sait bien combien il est éloigné d'un pompeux entourage et que bien souvent les Portugais et les pères se sont plaints que Monseigneur rendait moins respectable sa dignité d'évêque par son style de vie simple et trop pauvre. Le père Marini lui-même sait en quelle petite compagnie était Monseigneur quand il est parti de Siam avec l'idée d'aller en Cochinchine, quand il s'est embarqué sur une petite barque envoyée de Cochinchine avec deux Cochinchinois élevés au sacerdoce et un unique compagnon. Et pas un seul Religieux n'oserait au nom de son ordre religieux insinuer que l'évêque n'a plus que lui en aucune façon "l'esprit de l'humilité apostolique" et qu'il ne présente pas "un modèle de pauvreté religieuse" et exagérer la soi-disant pompe de l'évêque et son nombreux entourage composé de pauvres réduits sans raison à un esclavage perpétuel qu'il a même achetés, sans qu'un conseiller sérieux avertisse Vos Eminences que c'est à elles d'en juger avec rigueur; il leur demande d'envoyer un évêque qui s'efforce d'être comme l'un des pères qui ont été envoyés »[1].

Le Père Marini pense que si Lambert arrive à faire vivre les missions sans pratiquer le commerce, et alors que Macao prélève au passage une part de ses subsides, c'est qu'il a par ailleurs beaucoup d'argent :

---

1. *In expostulationem patris philippo de Marinis societatis Jesu ad Eminentissimos patres sacri Congregationis de propaganda fide ut inscribit* (Sur la plainte du père Philippe Marini, de la Compagnie de Jésus, adressée aux Cardinaux de la Sacrée Congrégation de la Propagande): « *Parum videtur patri Marino Illustrissimum Episcopum hæreseos insimulasse, hunc et superbum et avarum usurarium calumniatur. Non erit tamen inter Lusitanos ipsos quibus cognita est Illustrissimi Episcopi humilitas qui audiens talem calumniam pudore non suffundatur. Sciunt omnes amplam esse Illustrissimi Episcopi familiam non sibi famulantium numero sed adolescentum quos edocere et ad clericatus statum instituere desiderat. Quantumve alienus sit a superbo comitatu noverunt omnes sæpiusque Lusitani ac patres conquesti sunt quod Illustrissimus simplici et pauperiori vivendi ratione qua utebatur redderet dignitatem Episcopi minus spectabilem. Novit ipse pater Marinus quam parvo comitatu e Siano discesserit Illustrissimus meditans in Cochinchinam profectum quando se parvæ cymbæ e Cochinchina missæ cum duobus Cochinchinensibus ad sacros ordines promotis et unico famulo, commitebat. Et religiosus non habet pro religione incusare Illustrissimum quod spiritum apostolicæ humilitatis nullo modo præ se ferat, ac religiosæ paupertatis nullum specimen præbeat, fictamque Episcopi pompam ac numerosam familiam emptis etiam pauperibus ac contra rationem in perpetuam servitutem adductis exaggere, quin etiam admonitor studiosus monet suas Eminentias suum munus esse hæc stricte discutere, rogatque ut mittant Episcopum qui studeat esse sicut unus ex patribus missis* » (AMEP, vol. 660, p. 41, trad. Ruellen).

« Ceux qui sont chargés des affaires des missionnaires à Paris et à Rome le savent bien. Il serait cependant un peu plus riche si la somme que les pères de la Compagnie avaient reçu depuis six ans pour nous la transmettre n'avait pas été si réduite au goutte à goutte et qu'il ne sont pas encore souciés de payer. Mais je ne puis pas déraciner l'idée que nous avons d'immenses richesses, ni des pères de la Compagnie ni des Portugais, du fait qu'ils ne nous voient pas nous occuper de commerce, ne pas demander d'honoraires pour les messes, les sacrements et les funérailles, et même prêter de l'argent à bon nombre de pauvres sans intérêt et sans gages. Que nous ayons par ailleurs un entourage assez nombreux, ce n'est pas par désir de pompe, mais cela s'est fait par charité ; il nous semblait trop dur et pénible en effet de ne pas racheter des chrétiens forcés à être longtemps esclaves de païens, même avec notre argent ; et aussi de petits enfants, que leurs parents allaient louer à d'autres suivant la coutume du pays, nous en avons pris à gages pour nous, pour en avoir beaucoup à qui enseigner les lettres et la piété en même temps que les autres choses »[1].

Même si Lambert écrit une fois que tous les ordres font du commerce en Asie[2], il s'agit pour lui de presque tous[3], car il montre que les capucins français de la province de Touraine ont échappé au recours du commerce et de l'usure pour financer leurs missions de Surate où se trouvent le Père Ambroise de Preuilly et le Père Gilles de Bourges et de Madraspatan où sont quatre Pères dont Ephrem de Nevers et Zénon de Baugé[4], particulièrement

1. *Annotationes in duos quosdam libellos a patre Philippo de Marinis nomine patrum Soc. Jes. missos ad Episcopum Beritensem* (Notes sur deux libelles envoyés par le Père Philippe de Marini au nom des pères de la Compagnie de Jésus à l'Évêque de Bérythe) : « *certe hæc norunt apprime qui res Missionariorum curant Parisiis ac Romæ. Paulo tamen ditior esset nisi per patres Societatis stililisse qui non ita levem pecuniæ summam quam a sex annis transmittendam ad nos acceperant, hactenus solvere non curarunt. Ab illa autem opinione scilicet quod immensas habeamus divitias divelli non possum, neque patres Soc. neque alii Lusitani, ea nempe de causa, quod nos non videant mercaturas operam dare, nulla ex missis, sacramentis ac funeribus emolumenta quærere, imo pauperibus non paucis pecuniam mutuo largiri sine foenere aut pignoribus. Quod autem familiam habeamus satis amplam non est pompæ cupidine, sed ex charitate id factum est : aliquas enim X'ianos longa gentilium servitute pressos non redimere, vel ex pecunia nostra, durum nimis et asperum videbatur ; aliquos vero puerulos, quos aliis pro regionis more oppignaturi erant parentes, nobis ipsis oppignaverimus ut haberemus plures quos litteras pietatemque una cum reliquis edoceremus* » (AMEP, vol. 660, p. 26, trad. Ruellen).

2. P. Lambert de la Motte, Lettre à Jacques de Bourges, AMEP, vol. 121, p. 564 ; cf. Guennou, transc., L. n° 63 : « ces desordres epouvantables qui se trouvent dans tous les ordres et particulierement dans celui des jesuites des provinces des Indes et du Japon ».

3. *Id.*, Lettre au prince de Conti du 10 juillet 1663, AMEP, vol. 121, p. 525 ; vol. 857, p. 173 ; cf. L. n° 28 : « Nous avons cette exemple funeste devant les yeux de presque tous les ministres de l'Évangile et particulierement des pères Jésuittes des provinces des Indes et du Japon lesquels ayant quitté leurs profession pour faire ouvertement le commerce ont ruiné tout les fondements du christianisme que le grand St François Xavier y avoit jettez, donnant donc entrée a lavarice qui est au sentiment de lApostre la racine de tous les maux ».

4. Lambert parlait souvent des capucins français de Surate et de Madraspatan dans ses écrits, ils assurent l'acheminement du courrier (*Abrégé de Relation*, AMEP, vol. 121, p. 618. 620 ; cf. § 7-8 ; cf. Lettre au clergé de France, de mai 1663, AMEP, vol. 121, p. 510 et

vertueux. Lambert tient à en informer ses correspondants de France comme en contrepoint de la dénonciation du relâchement des autres Ordres :

> « Dez que les missionnaires furent arrivés a Masulpatan, ils envoierent une personne exprès a madraspatan forteresse appartenante aux Anglois a demy lieue de St Thomas ou Maliapour aux pp Ephrem et Zenon capucin françois de la province de Touraine pour se conjouir avec eux de la benediction que Dieu donnoit a leurs travaux. La santeté de ces religieux, leur pauvreté, leur exemple, sur tout parce qu'ils ne se meslent que de ce qui regarde leur profession attirent sur eux la veneration universelle des mahometans des heretiques, des gentils et des chretiens. Comme les festes de pasques s'approchoient, les peres ne purent abandonner leur troupeau qui est de mille ou 1200 personnes pour venir a Masulpatan, d'ou ils sont éloigneés de 12 journée par terre et les missionnaires étant proches de leur depart ne purent aller voir ces merveilleux ouvriers evangeliques ainsi qu'ils eussent extremement souhaité »[1].

Arrivé lui-même en 1662 et étant mort en 1679, Lambert n'a pas eu besoin du commerce pour subsister, lui et ses compagnons, même lors de deux périodes difficiles où l'argent n'arrivait pas : en 1664 où deux mille livres transitant par Macao[2] ont disparu malgré les recherches de Jacques de Bourges[3] ; en 1676 Lambert a obtenu du roi du Siam une

vol. 876, p. 97-98; cf. L. n° 21; Lettre au Conseiller Fermanel à Rouen, du 25 mars 1662, AMEP, vol. 971, p. 5; cf. L. n° 5; Lettre à Fermanel prêtre et la communauté de Saint-Josse, du 25 mars 1662, AMEP, vol. 858, p. 67-69, vol. 121, p. 561-562, cf. L. n° 58)…

1. *Id.*, *Abrégé de Relation*, AMEP, vol. 121, p. 620-621 ; cf. § 8.

2. *Id.*, Lettre à M. Fermanel du 11 février 1664, AMEP, vol. 858, p. 68; cf. L. n° 58 : « J'apprends les soins que vous avez pris de nous faire venir à Macao, deux mille livres, par la voie du Père Le Clerc, dont nous vous sommes tout à fait obligés. Peut-être pourrais-je bien en avoir quelques nouvelles par les vaisseaux qu'on attend d'ici à un mois, du Père Provincial et du Père Le Faure, à qui j'ai donné avis de notre dessein et des témoignages de la bonne intelligence que nous voulons entretenir avec eux » ; Lettre au Père Le Faure, AMEP vol. 876 p. 544 ; cf. L. n° 119 : « Voici quelques lettres que nos missionnaires ont apporté de France pour Votre Révérence. Il y en a une du Père Le Clerc qui vous donne avis de quelque argent qu'il nous envoyait par la voie de vos Pères de Macao dont je ne puis avoir aucunes nouvelles. Comme on vous faisait aussi tenir un paquet par la même occasion, nous pouvons recevoir quelque éclaircissement de Votre Révérence sur ce sujet, étant vraisemblable que si l'un a été reçu, l'autre l'aura aussi été ».

3. J. de Bourges, Lettre à M. Gazil, 31 décembre 1665, AMEP, vol. 876, p. 248: « J'ay receu la lettre du p. le Clerc, je ressens beaucoup la disgrace dans la quelle il est, dont vous me donnez nouvelle ; dans l'estat où sont les choses, il faut s'en tenir là sans demander davantage d'éclaircissement, à moins qu'on ne voulut encor, pour ne partir point d'icy avec quelque ombrage d'incertitude, faire escrire au Portugal pour sçavoir entre les mains de qui ces deux mil livres sont tombées ; néanmoins comme la lettre porte qu'elles estoient renfermées avec d'autre argent et des hardes dans un caisse, on peut apprehender qu'elles ne demeureront pour nous enveloppées dans beaucoup d'obscurités ». Lambert avait écrit à Jacques de Bourges le 20 janvier 1665 que ces 2000 livres nécessaire à la mission du Siam avaient été envoyés par les procureurs de Paris en les faisant transiter par les jésuites de Macao, les jésuites de Juthia n'avaient pas caché à Lambert que cet argent ne parviendrait jamais au Siam (AMEP, vol. 858, p. 103; cf. Guennou, transc., L. n° 84).

avance sur sa rente annuelle jusqu'à l'arrivée d'un bateau en provenance de Surate[1].

Lambert est en 1666 encouragé à créer le plus tôt possible un séminaire à Juthia. Pour ce faire, Lambert doit faire un choix difficile, il va utiliser l'argent donné par le roi de Siam pour la construction d'une cathédrale. Lambert en donne la raison : « Pour ce qui regarde le batiment d'une Eglise de brique, on a esté davis de sursoire ce dessein jusque a ce que LEdifice spirituel [1 P 2, 5] des Missionnaires soit achevé, bref, pour le dire en un mot, on en a reservé lexecution a ceux qui seront envoyés pour ce Royaume »[2]. La cathédrale n'était pas encore construite en 1682 comme le montre une lettre de Pallu[3]. Cette histoire à épisodes est à suivre dans la correspondance de Lambert, son *Journal* et l'*Abrégé de Relation*. Une lettre de Gayme montre que le roi de Siam refusait de financer autre chose que la cathédrale dont la Mission n'avait pas encore entrepris la construction[4].

De Rome où il se trouvait le 28 juin 1667, Pallu croit avoir résolu tous les problèmes d'argent, il a reçu pour assurer le financement des missions une proposition qu'il communique à M. Fermanel :

> « Mandés moy si Monsieur Evaniere frequente le Seminaire, ou s'il a habitude avec quelques-uns ; il a proposé icy de tres belles ouvertures pour faire un fond considerable pour la subsistance des Missions estrangeres, non seullement des terres australes, mais aussi des nostres. Il nomme notre Seminaire ou celui de Saint-Sulpice ou quelqu'autre qu'on voudra, pour avoir la direction de ce fond, quand cette donation sera faite »[5].

---

1. P. Lambert de la Motte, *Journal* du 22 septembre 1676, AMEP vol. 877 p. 591 ; Journal du 6 octobre 1676, AMEP, vol. 877 p. 592 : « On a reçu réponse du ministre, touchant les 2 500 livres qu'on a demandées à emprunter au roi jusqu'à la venue de la barque, qui doit venir de Surate, dans laquelle est le fond des missionnaires, ce que Sa Majesté a accordé » ; cf. Journal du 15 septembre 1677, AMEP, vol. 877, p. 604 : « On a travaillé pour dresser un mot de requête au roi, pour le prier de donner ordre de faire payer le bagnane qui s'est chargé de rendre l'argent qu'on lui a mis entre les mains à Surate, sur laquelle somme on prendra les trois mille écus que Sa Majesté eut la bonté de faire prêter aux missionnaires ». Journal du 17 septembre 1677 : « On a été occupé à dresser la requête au roi pour le prier d'ordonner à quelqu'un de ses officiers de la lettre de change, qui a été envoyée de Surate aux missionnaires » ; cf. Lettre de Lambert à Pallu du 4 septembre 1678, AMEP, vol. 877, p. 630.

2. *Id.*, *Abrégé de Relation*, AMEP, vol. 121, p. 703 ; cf. § 46.

3. F. Pallu, *Lettres de Monseigneur Pallu*, p. 380, L. n° 167 à Fermanel prêtre de décembre 1682 (AMEP, vol. 106, p. 145).

4. Claude Gayme, Lettre aux directeurs, du 22 septembre 1679, AMEP, vol. 877, p. 712 : « Nous sommes en recherche pour payer ce roi qui nous a fait témoigner vouloir être payé, sans parler de nous rabattre les dépenses faites au bâtiment qu'il a prétendu nous faire faire de manière que la pauvre maison sera formellement à la mission et matériellement au roi ».

5. F. Pallu, *Lettres de Monseigneur Pallu*, p. 99, Lettre de Pallu n° 27 bis, à M. Fermanel du 28 juin 1667 (AMEP, vol. 101, p. 362).

Il ne s'agit pourtant pas pour autant du fonds des missionnaires situé à Surate où se trouve M. Baron et la base de la Compagnie française des Indes orientales crérée par Colbert. La nécessité n'est pas pour Lambert un argument pour s'adonner lui-même au commerce. Il a constaté par lui-même que le financement des missions était aléatoire et il prend de la hauteur et du recul pour proposer à tous les évangélisateurs la mise en commun des biens pour résoudre ensemble les difficultés, en commençant par son propre vicariat de Cochinchine.

Lambert et la recherche de l'unité

Parmi les jésuites, Lambert fait bien la différence entre les ressortissants portugais pour lesquels il représente l'ennemi et ses compatriotes avec lesquels il veut établir des liens fraternels mais ces derniers n'étaient en Asie que dans le cadre du patronat portugais et obéissaient au clergé et aux autorités portugaises[1].

La correspondance de Lambert avec le Père Ignace Baudet, jésuite français de Cochinchine, devenue vicariat apostolique, est particulièrement intéressante. Lambert lui écrit le premier dès son arrivée au Siam. C'est une prise de contact extrêmement bienveillante mais il ne cache absolument les difficultés que le pape a créées lui-même en l'envoyant dans cette région du monde que les jésuites considéraient comme leur terre de mission. Il ne biaise pas pour s'attirer les faveurs du Père Ignace Baudet, il lui révèle sa dénonciation du commerce des jésuites :

> « Le 24 mai 1663, Mon tres chere Pere, Notre Seigneur Jesus Christ crucifié soit le seul objet de nostre ame. Nous arrivasme Icy le 22e aoust dernier dans le dessein de nous rendre a la premiere occasion a la Cochinchine ou en quelque autre lieu de nos missions depuis ce temps-la il ne cest presente que cette comodité que nous n'avons peu prendre acause que nous attendons dans quinze Iours ou trois semaines encore quelques-uns de nos missionnaires françois s'il n'en est pas mort depuis leur depart de france. Il doit y avoir encor deux evesques et dix ou douze ecclesiastiques et huit ou dix laiques toutes personnes d'un merites et d'une vertu singuliere et que ie puis assurer estre tout fort attachez aux interests de la Compagnie de Iesus. Il y a un des Evesques qui a deux freres jesuittes dont l'un est recteur a moulin et lautres est a arras, pour moy cest assé dire que iay esté quatre ou cinq ans disciple du pere Lefaure que iay grande envie de rencontrer et que le pere General m'a donné des lettres authentique d'assossiation de vostre Compagnie que ie porte avec moy. Cependant par ie ne sçais quelle malheur

1. Mgr Lambert fonde de grandes espérances dans ses retrouvailles avec le Père Le Faure, son ancien Préfet des Études au Collège jésuite de Caen, alors vice-provincial à Macao mais ce sera un échec.

dont ie puis iustement attribuer la cause a mes pechéz nous sommes icy regardés du pere Thomas Valgrenier[1] [Valguarnera] et de vos autres peres comme personnes qui viennent detruire vos missions et qui menent une sorte de vie qui ne se peut accorder avec la leur. Iavoüe, mon tres chere Pere et tout ensemble mon tres cher frere que voyant vos peres dIcy entierement occupé au commerce et aux affaires temporelles et point du tout aux missions ie n'ay pas peu mempecher dans le rang que ie tient dans la ste Église de dire quil ne faisoient pas leur devoir. Sur cela nous avons rompüe entierement et avons laissé de nous visiter. Ie pense quil estoit bon de vous donner avis de cette apparente mesintelligence afin si quelquun de vos peres dicy nous vouloit faire passer pres de vous et de vos peres pour personnes qui n'avoient pas bonnes intentions pour la Compagnie vous puissiez nous servir de caution aupres deux »[2].

L'année suivante, une autre lettre de Lambert au Père Ignace Baudet lui présente les éléments du projet de Congrégation Apostolique dont les missionnaires discutaient entre eux à Juthia[3]. Lambert propose à Ignace Baudet comme à ses confrères d'intégrer la Congrégation Apostolique dont il ne dit pas alors le nom. On voit clairement que ce n'est pas un ordre religieux concurrent, mais une structure ecclésiale d'un nouveau type. Elle devrait permettre à chacun de continuer ses engagements précédents et ainsi aux jésuites de demeurer en la Compagnie de Jésus, tout en coordonnant leurs actions évangélisatrices selon le mode synodal et avec une mise en commun des biens matériels et spirituels, excluant le recours au commerce :

« Mon tres cher Pere,

« Des que jeuse receu votre lettre ie ne doutois point quelle ne me deut servir de regle cest dans cette veüe que nous envoyons un de nos tres chers freres pour aviser avec vous au moyens de faire reussir le dessein qui nous a ammenez en ces quartiers. Jay toujours envisagé nostre estat comme le plus relevé de tout et qui nous obligeoit a deux choses qui excedent les forces de lhomme. La 1e destre parfaitement Sts et la 2e de sanctifier les autres. ie me suis aussy persuadé quon acquiert cette 1.e qualité quapres avoir pratique les conseil du fils de dieu par un renuncement general de toutes les creatures et particulierement des biens interieurs que nous possedons cest a dire des operations de nostre entendement de nostre volonté de nostre prudence humaine, etc. pour ce qui regarde le 2.e point il me paroist quil consiste principalement a se rendre assidüe aupres de Dieu

1. P. Lambert de la Motte, Lettre à M. Fermanel, AMEP, vol. 121, p. 581 ; cf. Guennou, transc., L. n° 75, le 19 octobre 1664: « Avec tout cela vous connoistrez dans la suitte des temps que si ie hais la corruption des Iesuittes d'Icy, que Iayme leurs personnes Iusque a leurs envoyer du vin et de largent a ceux qui nous ont tesmoignez en avoir besoin. Peut etre que la divine bonté qui les humilie tous les Iours en permettant quon les chasse de presque tout les lieux ou ils ont esté les fera un peu ouvrir les yeux et sortir deux mesmes ».

2. *Id.*, Lettre au Père Ignace Baudet du 24 mai 1663, AMEP, vol. 121, p. 517-518 ; cf. L. n° 23.

3. *Id.*, Lettre au Père Ignace Baudet de 1664, AMEP, vol. 121, p. 571-573 ; cf. L. n° 69 ter.

pour luydemander la conversion des ames qui nous sont commises et a ne se servir point dautres moyens que de ceux quy nous communiquez dans l'oraison.

« Lexperience nous fait voir cette verité que pour avoir pris dautres voyes que celle prescrites par le St Evangile au sujet de letablissement de la Religion catholique en plusieurs lieux nous la voyons ensevelie et dans le tombeau peu apres sa naissance cette penséé cest tellement emparé de mon esprit que ie confesse a V. R. que ie ne suis pas capable d'une autre impression cest pour cela que sil plaist a Dieu iay fait une forte resolution de prendre pour regle de ma vie et de mes maximes celle que N.S. nous a laissé par son S. t Testament croyant que si elle regarde quelqu'un cest un missionnaire apostolique mais quand ie ne seroit pas obligé a ce genre de vie les interest de J.-C. me forceroient d'en user de la sorte en ces quartiers affin den montrer en effect quil nest pas si difficile mesme dans une completion fort faible de vivre conformement a LEvangile.

« Je dis cecy au sujet de plusieurs Religieux de tous les corps et n'en excepte pas aussy beaucoup de vostre compagnie lesquels ne meritent aucunement ce S. t nom de missionnaire apostolique neanmoins ie ferme les yeux comme vous me l'avez conseillé par vos lettres et nous nous voyons vos peres d'icy et nous avec asséz de tesmoignages d'amitiez.

« Jay escrits mes sentiments sur ce desordres au p. Provincial de Macao et luy fais offre que trouvant des Religieux de la compagnie de Jesus dans les lieux de nos missions et qui ayent vocation a la vie apostolique nous partagerons avec bien de la joye ensemble tout nostre spirituel et tout nostre temporel ».

La dernière partie de la lettre de Lambert au Père Ignace Baudet va dans le sens des *Instructions de 1659* sur les rapports entre les vicaires apostoliques et les Pères jésuites auxquels ils seront confrontés[1] :

« Je sçais les resentiments de Rome comme tesmoin contre les provinces des Indes et du Japon touchant bien des abus qui sy sont glissez mais surtout a cause du commerce quon y exerce que le St Siege leurs a desfendu directement et indirectement a peine dexcommunication et quil ne leur permettra jamais sous quelque pretexte que ce soit, cest donc une necessité daviser a faire subsister les missions par dautres voyes ne seroit-ce pas un beau moyen que de vos missionnaires et des nostres Il ne se fit quun corps cela ne seroit pas difficile de nostre costé parce que nous sommes tous amis de votre compagnie et tous en particuliers luy avons obligations cest une priere que nous avons au moins a faire a tous nos peres françois de sunir avec nous autant que leurs Regles leurs permettra affin daffermir une union si importante Je la propose dautant plus volontier que

1. B. Jacqueline, *Traduction française des Instructions de 1659*, III, 15 (E. Pas de conflit avec les religieux) Quelle prudence vous devez observer dans vos relations avec le clergé régulier, nous vous l'avons abondamment expliqué en votre présence et par lettre après votre départ. Vous possédez donc une excellente règle de conduite en attendant que vous ayez pu décrire à la Sacrée Congrégation la situation que vous aurez trouvée là-bas. Que ceci vous soit une règle générale : il est bien préférable de laisser empiéter sur vos droits que de revendiquer d'une manière qui fasse scandale, même en réclamant le minimum de ce qui vous est dû.

le bon Dieu nous ferois la grace de ne pas rompre par la raison que nous aymons extremement a obeir et a estre pauvre Sur cela ie vous suppliray si jamais ie vais a la Cocinchine destre mon pere spirituel et temporel Si vous ne croyez pas que ce fut le bien de la Religion que jy allasse presentement ie men abstiendray et attendant que le temps soit venüe ie tascherey de me rendre a la Chine ou en Lille d'aynan qui sont aussy les lieux de ma juridiction. Il est vray que ie sens une amour de preference et de tendresse pour la Cocinchine mais apres tout ie fais estat de suivre vos bons avis que vous me ferez la grace de me donner avec toute sorte de liberté »[1].

Lambert reçut en réponse plusieurs lettres du Père Ignace Baudet qui lui conseillait la modération dans ses rapports avec la Compagnie de Jésus ; il reçut aussi une lettre d'un Cochinchinois lui expliquant la situation réelle qui était peu favorable[2]. Mais le Père Baudet n'accepta de reconnaître Lambert pour son évêque qu'à la veille d'être officiellement rappelé par la Compagnie de Jésus mise en demeure par le pape de faire cesser le schisme qu'elle avait provoqué dans les vicariats[3].

---

1. P. Lambert de la Motte, Lettre au Père Ignace Baudet de 1664, AMEP, vol. 121, p. 571-573 ; cf. Guennou, transc., L. n° 69 ter. En 1674, Ignace Baudet et J. Candone font schisme au nom du patronat portugais à l'arrivée des missionnaires français Bouchard et Courtaulin (AMEP, vol. 121, p. 186-187). Le 29 novembre 1677, Mgr Lambert annonce à Mgr Pallu (AMEP, vol. 858, p. 414 ; cf. L. n° 183) que le Père Ignace Baudet, supérieur des Jésuites de Cochinchine, est prêt à reconnaître sous conditions l'autorité de Lambert. Le 16 décembre 1677, Mgr Lambert annonce à Mgr Pallu (AMEP, vol. 851, p. 16-17) que Chevreuil, Thomas et Lenoir vont en Cochinchine tandis que Vachet malade en revient. Ignace Baudet déclare se soumettre aux vicaires apostoliques ; ses supérieurs de Macao ont rappelé les jésuites du Cambodge, du Tonkin et de Cochinchine.

2. *Id.*, Lettre à Jacques de Bourges, AMEP, vol. 121, p. 574 ; cf. L. n° 69 (4), 1664 : « Iay reçeu 1 lettre de la Cocinchine trois des PP et une du sieur Jean de Croix fondeur de canon toutes fort soumises celle de ce dernier me dit que ie trouverez les choses bien esloigné de ce quon nous les a escrites en france mais nous sçavons bien cela il y a long temps tous conviennent quil nest point apropos que jy aille cest avisé et assurant que si Iy aille esté lan passé Iaurois receu un fort mauvais traitement et beaucoup nuy aux affaires de la Religion ».

3. Après l'arrêt (provisoire) du schisme obtenu par Rome, Mgr Lambert écrit à l'archevêque de Paris pour qu'il soutienne l'accord avec le séminaire de Saint-Sulpice en sous-entendant que ses démêlés avec les jésuites ont eu pour effet le tarissement des vocations missionnaires apostoliques pour l'Asie : « Je n'y dis point jusques a quel point le scisme des p. jesuites est venu pour espargner un ordre de merite si fort accredité en Europe avec lequel je n'ai eu des demeslés que pour les interests du St-Siege et de nos missions. Une cause si juste et si favorable ne pouvoit estre abandonnée de dieu qui les va assurement obliger a se sousmetre ou a nous quitter la place. Bien que je sorte de cette grande affaire avec tout le succes possible je ne laysse pas de reconnoistre quil est tres dangereux davoir des differens avec un corps qui se sert de terribles moyens contre ceux quil qualifie du nom de ses ennemis. Jatens, Monseigneur, de vostre negociation la chose du monde que nous souhétons le plus qui est lunion de trois vicariats de la Chine avec le seminaire de St-Sulpice. Si ce secours nous manque ou quelque autre semblable nous serons dans limpuissance d'aller porter levangille dans ces vastes terres

Dès son arrivée au Siam, Lambert va tenter de s'appuyer sur les jésuites d'origine française comme le Père Le Faure, vice-provincial à Macao, le Père Ignace Baudet, missionnaire en Cochinchine, et les Pères Albier et Tissanier, missionnaires du Tonkin. Tissanier commence ainsi son *Religiosus negociator*:

> « Bien qu'en Europe les religieux de la Compagnie de Jésus s'occupent du seul salut des âmes selon les louables règles de leur institut, dans certaines provinces des Indes la discipline de l'Ordre s'est déjà si affaiblie que, non seulement chez le clergé séculier, mais même parmi les religieux de la Compagnie de Jésus il s'en trouve qui profanent l'Église de Dieu par un sordide trafic et un honteux commerce. Comme il est certain que cette habitude paraît en totale opposition avec la religion chrétienne, à cause de mon amour pour l'Église et la Compagnie, je proposerai volontiers un remède à cette maladie; je montrerai brièvement à quel grave punition s'exposent les religieux qui font du négoce, de peur que plus tard il y en ait qui soient conduits à se livrer de bonne foi au commerce et qui mettent la responsabilité de leur faute sur le compte d'une conscience ignorante ou erronée »[1].

Tissanier et Albier, expulsés du Tonkin et accueillis à Juthia au moment du synode de 1664, semblent ne pas hésiter à se ranger aux côtés des vicaires apostoliques, écrivant le 18 janvier 1665 :

> « Il semble que NN. SS. d'Héliopolis et de Bérite n'ont été envoyés par la Providence de Dieu en ce nouveau monde que pour assister aux funérailles de nos provinces. Les exemples de leurs vertus et la vie des ecclésiastiques qu'ils ont menés avec eux étaient capables de convertir les infidèles du Tonkin, de la Cochinchine et de la Chine, mais le malheur des temps où nous sommes les a réduits à la nécessité de s'arrêter dans ce royaume du Siam où nous sommes... Monseigneur d'Héliopolis qui est témoin des grans désordres de ce nouveau monde aura sujet de se plaindre en même temps des Hollandais et des Portugais dont les uns par laforce des armes et les autres par l'excès de leurs vices et leurs mauvaises conduites ont réduits ces missions dans cet état si funeste. Mais si son voyage ne produit aucun effet, la perte de ces chrétiens est tout à fait irréparable »[2].

---

de Tartarie ou il ny a aucun predicateur catholique que je scasche » (*Id.*, Lettre à l'archevêque du 29 novembre 1677, AMEP, vol. 858, p. 385 ; cf. L. n° 182).

1. « *Quamvis in Europa religiosi Societatis Jesu juxta laudabiles instituti sui leges in solam animarum salutem incumbant, in aliquibus tamen Indiarum provinciis disciplina religionis ita jam pridem elanguit, ut non solum inter clericos saeculares sed etiam inter ipsos Societatis Jesu religiosos inveniantur qui sordido quaestu turpique negotiatione ecclesiam Dei prophanent; quae certe consuetudo religiioni christianae cum plurimum obesse videatur, aliquod huic morbo remedium pro meo in ecclesiam ac Societatem amore libenter adhibebo, et aperiam breviter quam gravi flagitio sese religiosi mercatores astringant, ne quis in posterum se bona fide mercaturam egisse causetur, culpaeque suae patrocinium ex ignorante aut errante, conscientia petat* » (H. A. Chappoulie, *Une controverse entre missionnaires à Siam au* xvii*e siècle*, p. 3).

2. *Ibid.*, Introduction, p. VII, note 3.

Mais cinq ans après, Tissanier se range du côté de ses confrères jésuites et des dominicains de l'Inquisition de Goa, écrivant le 7 novembre 1670 en s'appuyant sur le refus de Lambert de montrer les documents pontificaux qui justifient son titre et ses pouvoirs[1] :

« Je viens à Siam, ou iay veu pendant 4 ou 5 ans ce qu'on aura peine à croire M. de Berithe sans montrer ses lettres apostoliques ny les pouvoirs quil dit tenir de Rome, s'est voulu declarer evesque de ces pais et a donné les ordres sans le consentement des ordinaires, il a usurpé les pouvoirs de linquisition de Goa en censurant le livre de Quintana et a fait publier dans son eglise que les confessions que lon faisoit dans la nostre et dans celle des Jacobins estoient nulles il a tasché de noircir nostre reputation et s'est vanté estre veneu en ces missions pour reformer les abeus introduits par nos p.p. : s'il n'est janseniste il ne s'en faut guère ; iamais prelat ne nous a esté si contraire, du moins il est extremement obtus pour n'en dire davantage. La Commission lavoit entrepris comme suspect en la foy, et maintenant le chapitre de Goa sen prend a luy et veut lobliger a montrer ses

1. F. Pallu, *Éclaircissements sur la conduite de M. l'Évêque de Bérithe Vicaire Apostolique de la Cochinchine, etc., pour servir de réponse aux plaintes que l'on fait contre lui*, AMEP vol. 117, p. 105-106. Seconde plainte : M de Bérithe a refusé jusqu'à présent de montrer ses pouvoirs. Réponse : Il n'a jamais refusé de les montrer, mais voici ce qui donne lieu à ce reproche. Les Réguliers, résidants à Siam ne firent d'abord aucune difficulté de reconnaître M. de Bérithe pour Evêque, comme il est ci-devant remarqué à l'occasion de quelques ordinations. Mais ce Prélat zélé ayant pris la liberté de les avertir de quelques défauts, ces Pères s'en crurent offensés et d'un commun accord prirent la résolution de lui faire une querelle. Il se répandit peu après un bruit parmi les chrétiens, qu'on doutait que M. de Bérithe fût évêque. Et sur cela un Dominicain qui faisait la fonction de Commissaire de l'Inquisition de Goa, l'envoya citer juridiquement pour qu'il eût à lui montrer ses pouvoirs dans un temps préfixé. À quoi M. de Bérithe répondit, qu'il s'étonnait qu'on eût attendu à lui faire cette citation trois ans après l'avoir reconnu évêque, que les Pères Jésuites qui avaient vu une patente de filiation à lui accordée par leur Général, où il est qualifié évêque de Bérithe et Vicaire Apostolique de la Cochinchine, en pouvaient rendre témoignage, qu'il ne refusait pas d'exhiber ses pouvoirs, mais qu'il doutait qu'un simple Commissaire de l'Inquisition fût compétant pour l'y obliger. Cette contestation dura quelques temps, pendant lequel le Sieur Paul Acosta Vicaire Général de l'évêché de Malacca envoya à M. de Bérithe une lettre où il le reconnaissait évêque et de plus, lui donnait tous ses pouvoirs pour l'Église de Siam. M. de Bérithe se voyant reconnu par celui que la colonie portugaise de Siam reconnaissait pour le Grand Vicaire, fit entendre à ce Commissaire et aux autres Religieux qui agissaient par lui, que la difficulté qu'on lui faisait était terminée, puisqu'il était reconnu évêque par leur Supérieur in spiritualibus. Quelques années après le Chapitre de Goa qui s'attribue une Juridiction universelle sur les évêchés des Indes, débuta exprès à Siam un Commissaire pour requérir M. de Bérithe de montrer ses pouvoirs, à quoi, ce Prélat acquiesça sans peine, avec protestation néanmoins, qu'ayant été envoyé immédiatement par le St Siège, il ne reconnaissait que lui pour Juge de sa conduite. Il fit donc voir aussitôt à ce député les bulles de sa Congrégation, le Bref de son Vicariat Apostolique, plusieurs rescrits de Rome sur diverses affaires, un Bref d'extension de Juridiction à lui attribué. Sur le Royaume de Siam un autre Bref particulier adressé à lui et à M. l'évêque d'Héliopolis pour consacrer un troisième évêque successeur de M. l'évêque de Metellopolis.

Bulles on luy a intimé ce point, je ne scay ce quil fera, on croit quil nous respondra quil ne reconnoit point icy de Superieur qui puisse lobliger a exhiber ses Bulles, mais s'il le faut le prestre seculier qui receu cette Commission de Goa a ordre de declarer publiquement que tout ce qu'il a fait en qualité desvesque doit estre teneu pour nul, et que tous ceux qui le reconnoistroient comme evesque seront excommuniez ipso facto et condamnez Ce prelat a laissé au Tunquin deux prestres français avec l'habit et titre des marchands qui ont établi une factorie a deux lieues de la cour »[1].

Les interdits et les excommunications réciproques des missionnaires rendent la situation des chrétiens autochtones particulièrement difficile si l'on en juge par cette lettre du Père Tissanier, il faudra que le pape sanctionne les véritables auteurs du schisme, ceux qui refusent de lui obéir en la personne de ses représentants légitimes, les vicaires apostoliques.

Comme nous le dit Tissanier, Lambert est resté dans le droit ecclésiastique qui impose à un inférieur de justifier de son état devant un supérieur. Or Lambert n'avait ni supérieur ni égal devant qui se justifier. Par compte il n'en était pas de même pour le Père italien Jean-Philippe Marini qui étant provincial du Japon de 1670 à 1673 fut proposé comme évêque de Chine à Macao et qui n'obtint jamais de Rome sa titularisation[2].

Le 3 mai 1667, à son arrivée à Rome, Pallu tente de rassurer Gazil au sujet de ses relations avec les jésuites: « Nous sommes parfaitement bien

1. Lettre du Père Tissanier du 7 novembre 1670, AMEP, vol. 857, p. 234 et 237.

2. H. A. Chappoulie, *Une controverse entre missionnaires à Siam au XVIIe siècle,* p. 65, note 3. cf. F. Pallu, *Éclaircissements sur la conduite de M. l'Évêque de Bérithe* etc., *pour servir de réponse aux plaintes que l'on fait contre lui* (AMEP, vol. 117, p. 121-122). Le Père Philippe Marini étant arrivé à Siam, publia faussement qu'il avait une bulle du Pape qui l'établissait Supérieur de l'Église du Tonkin, faisant passer pour une bulle, un simple décret de la Sacrée Congrégation de Propaganda Fidé, qui le constituait véritablement Préfet au Tonkin ; mais c'était seulement à l'égard des Pères de sa Compagnie ad. Septennium. Il a fait aussi passer pour un Bref apostolique une simple lettre de recommandation, adressée en sa faveur aux chrétiens du Tonkin, qu'il avait mendée exprès à la Sacrée Congrégation, contre l'usage de sa Compagnie (qui ne s'adresse point ordinairement à elle). Pour se servir de ladite lettre comme il a fait depuis contre les Vicaires Apostoliques. Et ce Père étant arrivé dans le Tonkin a employé de méchants moyens pour décrier M. de Bérithe, publiant qu'il était hérétique, un évêque supposé et intrus, sans mission et sans autorité, qui avait encouru les censures ecclésiastiques, que l'Église du Tonkin ne pouvait reconnaître que les Pères de sa Compagnie et que cette mission leur appartenait en étant les fondateurs. Le Père Fuciti aussi Jésuite se comporte dans le Tonkin avec la même passion, sans aucun respect, pour la qualité de Vicaire du St Siège, et il est tout à fait étrange que ces deux Pères qui reconnaissent que le Pape leur a donné des privilèges qui les exempte de la Juridiction des Ordinaires, osent de publier qu'il n'est pas en son pouvoir d'autoriser des évêques Vicaires Apostoliques pour faire extraordinairement les fonctions épiscopales en tous ces lieux. Quoiqu'il n'y ait point d'évêques depuis plus de quarante années, ni même d'y envoyer qui que ce soit qui puisse y faire aucune fonction ecclésiastique sans la permission du Roi de Portugal, c'est le fondement que le P. Phillipe Marini pose de toute la résistance qu'il apporte aux ordres du St Siège.

avec les Pères et j'espère que Dieu me fera la grace de me bien entretenir avec eux à Rome et en France. Il n'est pas mal qu'ils nous craignent un peu, pourvu qu'ils soient persuadés que nous les aimons. Il le leur faut temoigner par toutes les voies possibles, et cependant faire son devoir sans craindre d'autre chose »[1].

Plus tard le 3 septembre 1673, Pallu, lui-même, n'aura pas peur d'écrire le fond de sa pensée, il témoignera au supérieur et aux directeurs de ce qu'il a constaté en Asie sur la conduite de jésuites (alors qu'il a deux frères membres de la Compagnie de Jésus) :

« Croiez moy, Messieurs, les PP. Jésuites de ces quartiers ne veulent point de nous. Ils ne sçauraient souffrir parmi eux des personnes qui les égalent, et encore moins qui leur soient superieures. Ils ne veulent point de temoins de leur conduite qui est dereglée en bien des chefs. On a tenté de bonne foy toutes les voies possibles pour se lier avec eux icy, à la Cochinchine, au Tonkin et a Camboje, sans jamais y avoir trouve d'entrée. S'ils ont paru quelque fois vouloir contracter quelqu'espece d'union, ce n'a été que feintise et dissimulation pour venir plus aisement à leurs fins. J'ose dire tout bien considere qu'il est tres avantageux pour l'œuvre de Dieu, qu'ils ne soient pas entrés en societé avec nous; cependant toutes fois et quantes qu'ils voudront reconnoitre les ordres du St Siege et qu'ils s'y soumettront, nous serons toujours disposez a les recevoir et les embrasser, et traitter avec eux dans l'exercice de toutes nos fonctions comme avec nos propres freres. Il est temps, Messieurs de se desabuser de cette fausse persuasion qu'on ne puisse rien faire dans les Missions qu'a la faveur des PP. Jesuites ou si on n'est tres uni à eux. Cela etoit bon autre fois quand ils regnoirent partout. Vous sçavez combien ils sont decheus de ce grand credit qu'ils avoient autrefois à Rome, en France et en toute l'Europe »[2].

Lambert pouvait espérer que les jésuites se soumettraient au pape grâce à leur Général qui résidait à Rome comme Pallu écrivait à Guillaume Lesley :

« Il seroit à souhaiter que le Pere general des Jesuites connust au vray quel est nostre esprit, affin qu'il affectast autant de soin à faire que ses religieux concourussent avec nous comme ils doivent, que nous faisons pour que nos missionnaires non seulement n'entreprennent rien sur eux, mais mesme qu'ils les tolerent et les souffrent dans les entreprises formelles, que plusieurs pensent faire contre nous et contre les ordres expres que nous avons receus du Saint-Siège »[3].

1. F. PALLU, *Lettres de Monseigneur Pallu*, p. 89-90, L. n° 23 à Gazil du 3 mai 1667, AMEP, vol. 101, p. 329.

2. *Id.*, Lettre à Brisacier, Gazil, Fermanel prêtre et Bésard du 3 septembre 1673, AMEP, vol. 27, p. 330-331 et vol. 102, p. 513-514.

3. *Id.*, Lettre à Guillaume Lesley, Le Cap de Bonne Espérance, 28 décembre 1670, AMEP, vol 107, p. 11, in *Lettres de Monseigneur Pallu*, L. n° 48, p. 148.

Pallu et Lambert bénéficiaient sans doute d'un accord entre le Père Général et le Père Bagot quand il s'agissait de consacrer des évêques pour le Tonkin et la Cochinchine selon la proposition d'Alexandre de Rhodes. Par cet accord, le Père Bagot obtenait la protection de la Compagnie de Jésus pour les Bons Amis devenus prélats[1]. Voilà pourquoi sans doute Lambert, sans être au courant de cet accord[2], put facilement obtenir une patente du Général pour l'emporter en mission[3]. Cette patente qui portait association à la Compagnie de Jésus, ne se contentait pas de mentionner un « appelé évêque de Bérithe sans autre qualité »[4], comme le prétendait Fragoso. Lambert précisait alors que sa patente portait bien tous les titres d'évêque et de vicaire apostolique et que les jésuites du Siam avaient pu le contrôler[5]. Dans sa lettre au Père Ignace Baudet du 24 mai 1663, Lambert se prévalait de cette association dont il portait sur lui les lettres authentiques signées par le Père Général[6]. Le refus des jésuites de le reconnaître comme envoyé du

---

1. Louis Baudiment, *Un mémoire anonyme sur François Pallu*, Tours, René et Paul Deslis, 1934, p. 28, note 3 : « Les relations des évêques éventuels avec la compagnie de Jésus avaient été traitées par le P. Bagot et le Général. Le religieux, avait, en effet, écrit à son chef pour exprimer le désir qu'avaient ses jeunes gens de s'unir à la Compagnie. Le Général demandant des précisions sur leur pensée, le P. Bagot les lui avait données, et alors le Général avait répondu que la protection de la Compagnie était acquise à ses dirigés, que, s'ils désiraient se rattacher à elle par un vœu semblable à celui qui y rattache les Jésuites devenus prélats, ils le pouvaient émettre mais à la condition qu'il fut bien entendu que ce serait un vœu simple, qui ne serait pas reçu officiellement par la Société (5 janvier 1654), AMEP, vol. 1001, p. 224 ».

2. Dans sa courte lettre au Père Bagot du 10 février 1664, rien ne rappelle une appartenance de Lambert à la communauté des "Bons Amis", il s'y prévaut plutôt de ses rapports d'amitié avec le général des Jésuites à Rome pour justifier qu'il n'a aucune intention de nuire à la Compagnie de Jésus dans sa dénonciation de leur commerce en Asie (cf. P. Lambert de la Motte, Lettre au Père Bagot du 10 février 1664, AMEP, vol. 121, p. 569 ; cf. Guennou, transc., L. n° 66).

3. F. Pallu, *Histoire du schisme*, AMEP, vol. 856, p. 411 et 413, Pallu parle des lettres d'association que le Père Général de la Compagnie, Goswin Nickel, avait données aux évêques vicaires apostoliques.

4. P. Lambert de la Motte, *Abrégé de Relation*, AMEP, vol. 876, p. 459 ; cf. Guennou, transc., § 57. Acte daté du 30 novembre 1666, établi en portugais et signé par Louis Fragoso se présentant comme commissaire du Saint-Office : « Ce qui montre manifestement que ledit pretendu evesque et ses pretendus clercs nagissent pas sincerement puisque estant seulement reconnu evesque titulaire de Berythe sans aucune autre juridiction et cela seulement par une lettre de confraternité que le tres Reverend Pere General de la Compagnie de Jesus luy avoit donnee lequel luy donnoit seulement la qualité de pretendu evesque de Berythe ».

5. *Id.*, AMEP, vol. 876, p. 460 ; cf. § 58 : « que la patente du general de la compagnie de Jesus n'est concedee qu a un appellé evesque de Berythe sans autre qualite cest encor une fausse allegation puisque dans cette patente qui a esté veüe quatre fois en la maison des jesuites la qualité devesque et de vicaire apostolique y sont employes ».

6. *Id.*, Lettre au Père Ignace Baudet, français jésuite en Cochinchine, 24 mai 1663, AMEP, vol. 121, p. 517 ; cf. L. n° 23.

Saint-Siège oblige Lambert à écrire au Père Général pour qu'il lui envoie des témoins pour certifier leur accord[1].

Écrivant au Père Faure en 1668, Lambert reproche aux jésuites de ne pas plus obéir à leur Père Général qu'au pape[2]. Finalement il obtient gain de cause en juillet 1669 grâce aux lettres du Père Général et sans doute surtout grâce à un accord entre la France et le Portugal[3]. Tout semble réglé en 1669 mais c'est sans compter la mauvaise foi. En 1672, le rappel par Lambert de l'interdiction du commerce des clercs par le pape Clément IX provoque la réaction des jésuites qui reviennent aux principes du patronat portugais[4]. Le 5 juillet 1675, Lambert diffuse à Macao les lettres du Père Général qu'il a

1. *Id.*, Lettre à M. Fermanel, 11 février 1664, AMEP, vol. 121, p. 561 ; cf. L. n° 58 : « Les lettres que iay escrites au p. General par le p. françois de la Vallé jesuite qui sen alloit a Rome par lesquelles je le priois de menvoyer quelqu'un de ses Religieux qui peuvent etre temoing de mes bons offices vers la compagnie me serviront de quelque justification en cas que jen aye besoin ». Le 31 juillet 1664, le Père jésuite allemand, Goswin Nickel, meurt après 12 ans de généralat, c'est le Père italien Giovanni Paolo Oliva qui lui succède à ce poste où il restera 17 ans. Il avait été choisi dès 1661 comme vicaire général avec droit de succession.

2. *Id.*, Lettre au Père Le Faure, AMEP, vol. 877, p. 765 ; cf. L. n° 114 : « Je diré a V. R. que si les peres de macao avoient bien pense au tort quils ont fait a la compagnie en me traittant de la maniere quils ont fait et en ne me voulant pas reconnoistre pour vicaire apostolique ils auroient asseurement agy tout dune autre facon jauroi fort souheté comme Amy et serviteur de la Compagnie quils eussent pris un meilleur conseil et suivi les ordres du R pere general, les affaires des missions en auroient assurement mieux esté et ils auroient esvité la censure de Rome quils ont sujet dapprehender ».

3. *Id.*, Lettre au Père Le Faure, juillet 1669, AMEP, vol. 876, p. 543-545 ; cf. L. n° 119 : « Je vous avoue que la satisfaction que je receu par vos depesches de la parfaite corespondance que tous les missionnaires de la chine veullent avoir avec nous na pas esté petitte, et ma fait prendre la resolution de vous proposer une union de nostre Corps avec vostre viceprovince la jugeant totallement necessaire pour procurer plus Avantageusement la gloire de dieu et la propagation de la foy, cependant comme il faut un agreement et une Approbation plus specialle de ceux de qui cela depend obligez moy si vous plaist de leur en faire louverture et de me faire la grace de mescrire leur decision, les lettres que le R. pere general ma accordees et Celle que le Roy de Portugal a octroyes aux francois pouront peutestre contribuer de quelques chose a cette affaire cest ce qui ma donne veüe den faire transcrire la copie sur les originaux dont je suis saisy si je ne me suis pas refusé de ma demande ny frustré de cette attente nous vous serons tous redevables du succés de cette importante negociation puisquil est certain que lasseurance que vous marquez dans vos depesches de la conduite, des sentiments des voyes et des manieres dagir fort differentes de celles de la province du Japon m'ont fait donner les mains et fermer les yeux a tout ».

4. *Id*, Lettre aux directeurs de Paris, 12 novembre 1672, AMEP, vol. 858, p. 255 ; cf. L. n° 133 : « Sur l'interdit que jé fait aux Religieux missionnaires de Siam de faire leur fonctions, le p. Joseph Tissanier jesuite superieur declara dimanche passé en chaire, quil ny pouvoit deferer, ny a la constitution de nostre st pere le pape Clement 9, parcequil avoit ordre par escrit de son general de ne poin reconnoistre les vicaires apostoliques, et que cette bulle na pas esté omologuee a la chancellerie de Portugal ».

reçues au Siam[1]. Le Père Général envoie une lettre au Père Valguarnera pour lui intimer l'ordre d'obéir au Bref du pape[2]. Lambert communique à Deydier et de Bourges les lettres du Père Général[3]. Enfin en septembre 1677, Lambert apprend que le Père Général a fait cesser le schisme en imposant aux jésuites d'obéir aux vicaires apostoliques[4]. Si Lambert a pu passer aux yeux de certains pour un opposant des jésuites, il ne l'était assurément pas de la Compagnie de Jésus en la personne du Père Général.

Lambert a écrit au Père Hallé de Bagdad le 15 mars 1661 une lettre qui ne comprenait rien contre les jésuites. C'est le 7 août 1661 depuis Ispahan où il est arrivé le 23 juin que Lambert adresse à Rome son premier *Abrégé de Relation* mettant en cause les jésuites[5] et c'est des 9 et 10 juillet 1663 que date la première vague de lettres portant en France la dénonciation par Lambert du commerce des jésuites, soit plus d'un an après sa découverte à son arrivée à Ispahan.

---

1. *Id*, *Journal* à la date du 5 juillet 1675, AMEP, vol. 877, p. 588; cf. transc., p. 264: « On a envoyé les lettres du p. general des Jesuites, avec son acceptation, et les letres de la S. C., pour les p. philippes marini et fuciti amacao, pour estre mises entre les mains de leur superieur a macao ».

2. *Id*, Extraits de Lettres aux Directeurs du séminaire du 10 novembre 1676, AMEP, vol. 857, p. 378-379 ; cf. L. n° 169 : « Mr Sevin arriva a Siam avec 4 autres Missionnaires a la fin du mois de juin suivant. Il avoit envoyé auparavant que d'arriver les brefs de Clement X et copie de la lettre du P. General, la signification en avoit esté faite de la part de Mr de Métellopolis aux PP. Jesuites et Dominicains. Le P. Vargarnier [Valguarnera], Jesuite, avoit respondu que ce nestoit pasaluy qu'il faloit s'addresser, n'estant qu'un pauvre petit Curé, et les dominicains demanderent du temps pour sçavoir l'avis de leurs superieurs Or M. Sevin estant arrivé en personne et portant avec soy les originaux tant des brefs que de l'acceptation d'iceux par le Procureur General de la compagnie de la part du P. General et la lettre originale du P General au Père Vargarneira [Valguarnera] portant ordre de se soumettre aux brefs. M de Berithe iugea a propos qu'on fit des nouvelles significations des brefs aux uns et aux autres. Le P. Valgarnier [Valguarnera] respondit que la lettre n'estoit plus pour luy n'estant plus visiteur, que c'estoit le P. Pascero qui estoit de residence a Macao, qu'il ne pouvoit non plus recevoir les brefs, et que s'agissant de l'interest d'un tiers qui estoit le Roy de Portugal, le P. General ne pouvoit pas les y obliger. Un autre Jesuite aiouta que quand le P. General leur commanderoit, ils ne luy obeiroient pas pour les mesmes raisons ».

3. *Id*, *Journal* à la date du 18 décembre 1676, AMEP, vol. 877, p. 594; cf. transc., p. 242 : « On a fait les depesches pour Bantan par ou on a aussi escrit a Mrs Deydier et de Bourges au Tonkin auxquels on a envoye copie approuvee de lacceptation du pere General des Jesuites touchant la constitution de Clement X ».

4. *Id*, *Journal* à la date du 27 septembre 1677 (AMEP, vol. 877, p. 605 ; cf. transc., p. 287) : « Mr Vachet est party avec 4 escoliers cocincinois, pour les instruire avec les tonkinois. [On a] receu nouvelle asseuree que le p. general des Jesuites a escrit aux superieurs de [macao et de] la Chine a peine de désobeissance d obeir aux Vicaires Apostoliques qui lont fait scavoir [a leurs] inferieurs qui sont dans nos missions et les y ont obligés a leur obeir et a leurs provicaires, *sub praecepto obedientiae*, dont on a rendu graces particulieres à Dieu ».

5. *Id*, Lettres au pape, Ispahan, 7 août 1661, APF, SOCG, vol. 227, fol. 60-61 et au Secrétaire de la *Propagation de la Foi*, Ispahan, sans date, APF, SOCG, vol. 227, fol. 56-59, trad. Ruellen et Dolfosse.

Pour ce qui est du choix de diffuser en France l'information sur le commerce des jésuites qu'il avait d'abord réservée à Rome conformément aux *Instructions* reçues en 1659, Lambert écrit :

> « Vous laspprendrez par la relation que ien aye dressé ou vous y verré en peu de mots Lhorrible aveuglement et les epouvantable desordre des Religieux de la Compagnie de Jésus des provinces des Indes et du Japon. Je vous avoüe que comme laffaire est de tres grande consequence et quelle va furieusement éclatter, je lay examiné plus d'un an au pied du crucifix auparavant que de la rendre publique mais enfin ayant reconnüe que cestoit une des principalles raisons de mon voyage en ces extremité du monde, jay suivie ce que N. S. demandoit de moy »[1].

Jacques de Bourges repartira vers la France à la fin d'octobre 1663. Dans un mémoire qu'il présenta à Rome à la fin de 1664, il justifiait son retour en Europe par l'absence de tout courrier depuis l'arrivée des missionnaires au Siam, leur laissant craindre d'être coupés du Saint-Siège[2]. Par ailleurs, il leur semblait nécessaire d'envoyer à Rome un missionnaire « afin de suppléer à ce que des lettres ne pouvoient peut-estre pas suffisamment expliquer, mais spécialement pour respondre à quantité d'accusations que les Portugais auroient pu faire à la Sacrée Congrégation contre les Evesques et les missionnaires françois, afin de les faire rappeler de leurs missions »[3].

Dans ces explications fournies par Jacques de Bourges, il y a le récit de l'accueil des jésuites portugais du Siam, bon jusqu'au moment où leur parvint l'ordre du roi du Portugal de tout faire pour entraver la mission des vicaires apostoliques et les lui livrer. Jacques de Bourges a raconté alors la tentative d'assassinat dont Lambert fut l'objet.

Lors de l'action menée à partir de 1666 par l'Inquisition de Goa contre les vicaires apostoliques et représentée par Louis Fragoso[4], en tant que

1. *Id.*, Lettre à l'abbé du Val-Richer, AMEP, vol. 121, p. 533 ; cf. L. n° 34.

2. Les Lazaristes de Madagascar avaient le même problème comme en témoignent certaines lettres dont celles de Marie-Ignace Roguet à René Alméras du 15 octobre 1667, de René Alméras à Louis Bourrot du 1er mars 1970, de Edme Jolly à Marie-Ignace Roguet du 14 juin 1674, conservées dans les Archives de la Mission à Paris. Jacques de Bourges avait établi pour leurs courriers respectifs un parcours commun terrestre entre la France et Surate.

3. J. de Bourges, *Mémoire adressé aux Cardinaux*, AMEP, vol. 249, p. 13-26, publié en novembre 1904 par A. Launay (*Documents historiques relatifs à la Société des Missions Étrangères de Paris*, p. 42-50) ; cf. Lettre de Lambert au Père Dominique George, abbé de Val-Richer (AMEP, vol. 121, p. 533 ; cf. Guennou, transc., L. n° 34, juin 1663) : « Nous envoyons un de nos tres cher frere a Rome pour informer notre S. t Pere le Pape et la Sacré Congregation de la propagation de la foy du pitoyable estat ou se trouve le christianisme et celuy des missions. Il tarderas a mon avis environ cinq ans auparavant que nous puissions avoir de ses nouvelles ».

4. L'affaire Fragoso a commencé en mai 1666 et a fait l'objet d'un grand nombre de textes en latin et en français. En juillet 1671, Lambert écrit au pape pour être exempté de la juridiction de l'Inquisition de Goa à cause du parti pris de ses juges : « C'est cette raison qui

commissaire du Saint-Office au Siam, les dénonçant comme suspects par rapport à la foi avec les missionnaires qui les accompagnaient, les chrétiens eurent à se positionner et cela provoqua un schisme qui dura jusqu'à la mort de Lambert et même au-delà :

> « Presque tous ceux originaires de ce royaume de Siam avec les chrétiens cochinchinois voyant liniustice, labus, et la malversation de ces religieux prirent le party des missionnaires dont ils déplorerent le malheur ne connaissant pas le bonheur quil y a de souffrir de hautes persequutions pour J. C. Le Portugais mesme le plus de condition qui soit a Siam et les principaux chrestiens Japonais entrerent dans ce sentiment disant en ce rencontre qui falloit prendre l interest du St Siege et s opposer a un si grand aveuglement. Comme on eut appris leur resolution on fut se justifier aupres deux sur ce qui estoit contenu en ce libellé diffamatoire de la calomnie duquel ils ne doutoient pas. Il est vré qu'apres en avoir este instruits a fond ils ne purent sempescher de dire que cestoit la une menee des jesuites qui devroient se souvenir que par leur ambition, leur avarice, et leur mauvaise conduite, ils avoient perdu la Religion dans le Japon »[1].

Cependant Pallu en 1667 porta à Rome son *Explication de l'Idée de Congrégation Apostolique*[2] qui justifiait la création de ce Corps en disant : « Puisque cette condition de notre époque est en effet si désastreuse et la vie des pasteurs a tellement dégénéré, surtout dans les Indes, que, si on ne tourne pas les yeux vers les temps passés, on a du mal à comprendre l'importance de la vie apostolique, sa sainteté et ses devoirs »[3]. Pallu donnait au Saint-Siège les *Instructions* aux missionnaires apostoliques (*Monita*) où l'on parlait aussi de la Bulle d'Urbain VIII dont la diffusion était obligatoire pour tous les évêques, ce qui obligea Lambert à obéir, mais Urbain VIII avait-il mesuré les conséquences de la condamnation du commerce des clercs ? l'excommunication ipso facto (*latae sententiae*) des clercs contrevenants entraînait pour eux l'interdiction de

---

m'a depuis longtemps amené à témoigner avec insistance à Votre Sainteté de bien vouloir exempter les missionnaires français du Saint Office qui réside à Goa, car ils cherchent toujours à gérer cette Sainte Inquisition, c'est-à-dire de restreindre l'audace de ceux qui ont abusé du nom de ce saint tribunal et non seulement ne rendent pas service à la religion mais cherchent plutôt comment en écarter des missionnaires qui sont tous experts en science théologique et qui vivent une vie vouée à Dieu, approuvée par le jugement de tous » (APF, Acta CP, vol. 1A, fol. 381 ; trad. Ruellen). Dans le mémoire des jésuites du 1er novembre 1667 sur Lambert, les jésuites retiennent en troisième, sixième et dix-neuvième observations (sur vingt) que Lambert ne reconnaissait pas l'autorité de la Sainte Inquisition de Goa et de son Commissaire, le Père Fragoso (*In missionem Domini Petri Lambert Episcopi Berithesis observationes*, AMEP, vol. 851, p. 21-27 ; vol. 201, 35-41 ; vol. 876, p. 531-536 ; trad. J Ruellen et Élisabeth de Pirey).

1. P. Lambert de la Motte, *Abrégé de Relation*, AMEP, vol. 876, p. 462, cf. Guennou, transc., § 59.

2. F. Pallu, *Explanatio Ideæ Congregationis Apostolicæ* (*Explication de l'Idée de Congrégation Apostolique*), AMEP, vol. 109, 1-120, ce texte a été traduit entièrement par J. Ruellen et relu par I. Noye.

3. *Ibid.*, Préface, p. 4.

toutes activités liées au ministère. Avec l'affaire Fragoso et l'échange d'anathèmes qu'elle a déclenchée, c'est un schisme qui allait se constituer.

Pallu dit dans *l'Histoire du schisme*[1] que la fondation des vicariats apostoliques d'Asie est l'œuvre des jésuites par la rencontre d'Alexandre de Rhodes et de Bagot et grâce à l'accord du Père Général, il juge que le refus des jésuites d'admettre l'autorité de Pallu et de Lambert ne sont pas justifiés. Ils ont ainsi entraîné un schisme qui est préjudiciable à toute l'Église. À une époque où Pallu a souffert de la part des Jésuites qui l'ont arrêtés à Manille en 1674 et conduit prisonnier jusqu'en Espagne et n'a pu être libéré que par des interventions extérieures, sa bienveillance ne fut gardée qu'à certains comme Bagot et Alexandre de Rhodes. Son récit de l'action de ce dernier évoque un désir de ses supérieurs de maintenir le pouvoir de la Compagnie dans les Missions d'Asie :

> « Alexandre de Rhodes Religieux de la compagnie estoit natif d'Avignon cestoit un homme d'une pieté eminente et que le seul desir de conquerir des ames a Dieu avoit pousse a se sacrifier au service des Missions dans des pays si eloignes il y avoit deia plusieurs annéees quil avoit passé a la Cochinchine et dela au Tunquin pour y faire connoistre le vray Dieu qui y estoit entierement ignoré, un zele si fervent accompagné dune si grande vertu avoit obtenu tant de benediction dans nos deux Royaumes quil y avoit dans le seul Tunquin ou il fit son principal sejour plus de chrestiens que dans le grand empire de la chine ce Bon Religieux ne songeoit plus qua affermir ce nouveau christianisme et creut veritablement quil ny avoit point de moien plus efficace que dy procurer des evesques, cest pourquoy il accepta volontiers la commission quon luy donna de venir solliciter a Rome cette grande affaire. Son grand [envoy ?] ne leffraya point. Sa charité estoit si fervente quil compta pour rien les fatigues d'un si long voyage qui estonne mesme les plus [?] et les plus robustes. Les Superieurs qui deputerent ce Religieux iugerent sagement quil falloit un homme de merite pour faire reussir leur dessein dans toutte son estendue, et quil suffisoit quil parust a Rome, non seulement pour obtenir nos evesques mais pour qu'on le fist evesque luy mesme, et cestoit la leur but principal que quelquun deux fust revestu de cette dignité, esperant que dans la suitte elle ne sortiroit pas de leur compagnie et qu'ainsi ils deviendroient les seuls Superieurs de tous ces grands pays. Ils ne déscouvroient rien de cette pensée au P. de Rhodes parce quils connoissoient en luy tant d'humilité quil [?] que bien loin daccepter cette dignité ce seroit rompre tout leur dessein veu qu'il soccuperoit de faire ce voyage pour eviter cet honneur. Le P. de Rhodes arriva a Rome vers lan 1650 ; il proposa le sens de son voyage a Messieurs les Cardinaux de la Congregation de Propaganda Fide qui receurent cette proposition denvoier des Evesques a la Chine si raisonnable si iuste et si necessaire pour le soutien de la Religion dans ces Royaumes quils firent un decret le 7e Aout 1651 par lequel ils conclurent quon suppliroit le pape dy vouloir envoyer un Patriarche, trois archevesques et douze Evesques, on ne manqua pas de proposer au P. de Rhodes s'il vouloit bien estre un de ces Evesques et prendre

1. F. Pallu, *Histoire du schisme*, AMEP, vol. 856, p. 404-421.

> soin du Tunquin mais il sen excusa d'une maniere si forte qu'on ne iugeat pas a propos de ly obliger par commandement : [?] que M . les Cardinaux navoient pas encor perdu la mémoire des plaintes quon avoit faites a Angamalé[1] et au Japon des Evesques Jesuites qui y avoient esté. La Congregation fut bien aise pour cette raison et pour d'autres qu'on choisit d'autres suiets, et surtout que ce fussent des Ecclesiastiques, ils donnerent la commission au père de Rhodes de choisir des personnes de merite propre a ces emplois [...] Il y eut plusieurs pieux Ecclesiastiques sur lesquels on jetta les yeux qui se porterent volontaires, sacrifiés pour ce grand ouvrage. On voit dans les lettres de M. Olier qu'il en estoit du nombre ; mais les PP Jesuites vouloient des personnes dans leur entiere dependance puis qu'ils ne pouvoient eux mesmes avoir cet avantage[2].

Pallu présente ce qui est selon lui la vraie cause du schisme et qui est préalable à l'arrivée de Lambert au Siam comme il l'a montré avec la rencontre avec Philippe Marini quand ce dernier affirme au premier que les jésuites chasseront les missionnaires apostoliques et les feront revenir en Europe. Le schisme devait durer au-delà de la mort de Lambert puisque Laneau écrit le 29 octobre 1692 à la Sacrée Congrégation de la Propagation de la Foi sur les difficultés qu'il rencontre du fait du schisme des Jésuites.

La théologie de Lambert explique l'importance de sa dénonciation du commerce

La position de Lambert sur le commerce est très liée à l'exposition de sa théologie appuyée sur la mort à soi-même car la convoitise des richesses et du bien-être individuel et égoïste qu'elles procurent, conduisent au contraire à la vie pour soi-même. Sur ce sujet, Lambert a expliqué comment on passe de quelques cas particuliers au cas général. Il a écrit que les critères de sélection des religieux missionnaires tenaient compte de leurs aptitudes à entretenir l'aspect matériel de leurs missions au moins autant que de celles à développer l'aspect spirituel[3] ; et sur place, l'aspect matériel domine et dirige tout de sorte « qu'un homme de bien qui voudroit reprendre les defauts et les vices qui se rencontrent dans le Clergé et dans les ordres religieux passeroit pour un ennemy public et seroit traite comme tel »[4], comme Lambert l'a montré à propos des nouveaux arrivants sur les terres de missions :

---

1. Angamaly est une ville du Kerala (Inde), ancienne communauté de rite syro-malabar, fondée selon la tradition par l'apôtre saint Thomas. Malabar est la troisième province jésuite d'Asie après celle de Goa et celle du Japon.

2. F. Pallu, *Histoire du schisme*, AMEP, vol. 856, p. 407-409.

3. P. Lambert de la Motte, *Abrégé de Relation*, AMEP, vol. 121, p. 622 ; cf. Guennou, transc. § 8.

4. *Id.*, p. 621 ; cf. § 8. Mgr Lambert dénonce aussi ici l'esprit de corps qui permet au mal de se répandre sans être révélé au dehors.

« Les missionnaires faisant reflection sur l'extreme difficulté quil y avoit a un religieux de cette compagnie de se sauver venant en ce pays ont regretté souvent le malheur de tant de grands sujets de LEurope qui demandent avec de si grand Instances de venir icy se consumer aux missions estrangeres pour les Interests de J.-C., lesquelles n'y sont pas plustost arrivez quils se voyent non seulement dans une impossibilité de rien faire, mais au contraire dans une dangereuse necessité d'entrer dans les pernicieuses maximes de ce corps aux quelles s'ils ne consentent pas on les traitte comme des scrupuleux, gens attachez a leur sens, qui ne sçavent pas les choses, et qu'ils ne tarderont gueres d'entrer dans d'autres sentimens que si leur fidelité a la grace est assez forte pour resister a tant d'attaques Ils peuvent s'assurer de n'avoir jamais ny charge n'y reputation dans cette Compagnie. Cette punition quoy que tres Injuste est cependant fort favorable et mesme a desiré a des personnes solidement vertueuses mais ce qui la rend tout a fait difficile est cette apprehension continuelle qu'ils ont devant les yeux d'estre chassez de l'ordre d'où il arrive quil y en a bien peu qui ne fassent naufrage et ne se rendent aux Constitutions generales, parce qu'estant une fois my dehors on est abandonné de tout le monde, decrié, depourveu du necessaire sans connoissance, éloigné de 3 ou 4 mille lieues de son pays et sans aucune esperance de pouvoir trouver quelque fond pour y retourné »[1].

Lambert ne souhaitait pas la dissolution de la Compagnie de Jésus mais le retour de ses membres en Europe pour opérer un nouveau discernement de la vocation missionnaire de chacun. Ainsi il a écrit au Secrétaire de la Sacrée Congrégation de la Propagation de la Foi que beaucoup « ont été envoyés en pays de mission, par faveur, par appât du gain, par cadeau, ou sur la demande d'une autre personne, sans qu'on eût examiné s'ils étaient aptes à exercer cette fonction; c'est pour cette raison que tous, à de très rares exceptions près, doivent être déchargés de leur mission »[2].

Sur place Lambert en parle à un franciscain, le père Louis, comme en témoigne son *Journal* du 18 août 1674:

---

1. *Id.*, p. 636 ; cf. § 15. Ce passage est supprimé par A. LAUNAY, dans sa transcription dans son *Histoire de la Mission de Siam*, p. 6.

2. *Id.*, Lettre en latin au Secrétaire de la *Congrégation de la Propagation de la Foi*, AMEP, vol. 857, p. 201. 203; cf. L. n° 69, trad. I. Noye. Lambert a très tôt l'idée du nécessaire retour en Europe de tous les religieux envoyés en Asie comme il l'écrit au cardinal Antoine Barberini: « Cest dans cette veue que je recours a V. É. pour lui faire connoistre que si la Sacre Congregation ne pourvoit dautres missionnaires, ne remedie a leurs espouvantables dereglements et ne donne la commission de ces derniers employs a des hommes veritablement apostoliques, cest fait de la religion et les ministres de LEvangile seront desormais la pierre de scandale aux heretiques, aux mahometans et particulierement aux gentils. C'est ce qu on nous obiecte souvent dans les conferences que nous avons de nostre ste religion, avec ces infidelles, le mal est si public que de le vouloir cacher sest se rendre coupable » (AMEP, vol. 857, p. 161; cf. L. n° 20, le 6 mars 1663). Pour Lambert, on peut être tenté dans l'Église de cacher le mal pour ne pas faire scandale, mais quand il est public cette attitude ajoute un autre scandale au scandale.

« Levesque de Berithe a conferé avec le pere Louis de lordre de st françois, qui travaille et demeure avec les missionnaires, homme de capacité et de vertu, touchant les remedes à tant de desordres espouvantables qui se voyent dans les religieux et les ecclesiastiques de touttes les Indes. Son avis a esté qua lesgard des premiers il falloit absolument nadmetre aucun religieux en ces quartiers a faire profession et que tous vinssent deurope, sinon quil ny aura jamais de remede a leur ignorance et a la depravation qui est inseparable de ceux qui sont nez dans les Indes, et a lesgard des seconds qu'il est absolument necessaire de defendre aux evesques dordonner des ignorans et des personnes qui n'aient poin du tout lesprit ecclesiastique dont touttes les Indes sont remplies »[1].

Lambert ne fournissait pas un catalogue d'accusations contre les religieux d'Asie, mais selon lui tout se résumait au service de soi-même plutôt qu'au service de Dieu. Au lieu de présenter le sacrifice de soi associé au sacrifice du Christ, on recherchait le profit personnel en tout, par le commerce et le pouvoir, par des fausses informations données en Europe pour faciliter l'obtention d'aumônes. Il n'est pas question pour nous de rentrer dans ce jugement de Lambert mais la conduite qu'il rapporte serait condamnable si elle était vérifiée.

Pour Lambert, c'était plus la qualité des baptisés que leur nombre qui posait problème, non seulement on ne les catéchisait pratiquement pas et on tolérait chez eux la poursuite de toutes leurs pratiques païennes, mais on censurait les conseils évangéliques et on enseignait de fausses maximes chrétiennes afin de justifier la conduite scandaleuse de ceux qui les baptisaient.

Lambert s'est affronté à certains confesseurs qui contournaient les lois de la morale évangélique pour libérer en certains cas la conscience de leurs pénitents[2], mais ce n'est pas au Siam qu'il a pu être influencé par le *Tartuffe*[3] de Molière ou les *Provinciales*[4] de Blaise Pascal. La casuistique

1. *Id.*, *Journal*, AMEP, vol. 877, p. 545 ; cf. transc., p. 52-53.

2. Dans une lettre à Pallu reproduite dans son *Abrégé de Relation* (AMEP, vol. 876, p. 556 ; cf. § 90), Pierre Lambert de la Motte cite l'utilisation systématique du privilège pétrinien (dissolution du mariage d'un chrétien avec un païen quand ce dernier met en danger la foi du conjoint chrétien et de ses enfants) par les jésuites du Tonkin : « M. Dédier m'escrit un cas fort embarrassant du Tunquin entre les Abus que les jesuites y ont souffert, ils y ont tolleré que tous les fidelles se pussent marier en premieres nosces a des infidelles et que ne se trevant pas bien apres mesme avoir eu des enfans ils se pussent remarier une autre fois pourvu que ce fust avec des fidelles. Je consulte la S. Congrégation sur ce cas dont V. G. pourra receuvoir la decision ». Le synode du Tonkin de 1670 (*Abrégé de Relation*, AMEP, vol. 677, p. 207 ; § 120) traite des mariages à son 19e article : « S'estant commis beaucoup des defaus par le passé touchant les mariages auparavant l'arrivée de nostre vicaire général faute de cognoissance des empechements qui les diriment ou d'y avoir tenu la main il a esté arresté que dans les assamblées on y publiera une fois le mois les empechements de consanguinité et d'affinité spirituele, naturelle ou legale et de tous les autres qui rendent les mariages nuls ».

3. R. Allier, *La cabale des dévots 1627-1666*, p. 384-410.

4. Blaise Pascal, le grand mathématicien, physicien, philosophe et écrivain français, choisit le parti des jansénistes et attaque la casuistique (l'étude des cas de conscience)

qui est condamnée dans le *Tartuffe*, c'est de « trouver avec le ciel des accommodements ». En France la Compagnie du Saint-Sacrement qu'il connaissait bien mena le combat à la fois contre Molière[1] et contre les jansénistes, mais elle soutint à tort un livre de Pirot que les jésuites avaient publiés *l'Apologie des casuistes contre les calomnies des jansénistes* qui fut condamné par Rome le 26 août 1659. Saint Vincent de Paul, pourtant membre de cette Compagnie, ne la suivit pas dans la défense des casuistes ; il fit présent au pape d'un livre d'Abelly publié à Paris en 1659 *Défense de la hiérarchie de l'Église et de l'autorité légitime de N S P. le Pape et de nos seigneurs les évêques contre la doctrine pernicieuse d'un libelle anonyme*[2]. Ce livre provoqua des réponses de ses adversaires avec une nouvelle réplique d'Abelly[3].

Lambert écrit à propos des causes de ce qu'il dénonce chez les religieux : « La cause de ces dereglements ne venant que des maximes que tient cette compagnie dont nous connoissons maintenant les raisons les ayant jetté

jésuite dans les 18 lettres publiées en 1656 et 1657 pour être réunies en un volume, *Les Provinciales*.

1. Le Comte R. de Voyer d'Argenson, *Annales de la Compagnie du Saint-Sacrement*, p. 231-233, l'auteur note à la date du 17 avril 1664 qu'à l'assemblée de la Compagnie du Saint-Sacrement « on parla fort ce jour-là de travailler à procurer la suppression de la méchante comédie de *Tartuffe*. Chacun se chargea, d'en parler à ses amis qui avaient quelque crédit à la Cour pour empêcher sa représentation, et en effet elle fut différée assez longtemps, mais enfin le mauvais esprit du monde triompha de tous les soins et de toute la résistance de la solide piété en faveur de l'auteur libertin de cette pièce, qui sans doute a été puni de toutes ses impiétés par une très malheureuse fin. Car en représentant *Le Malade imaginaire*, il mourut subitement sur le théâtre presque à la vue de tous les spectateurs, sans secours spirituels ni temporels ». « Dans l'assemblée du 27e de mai, on rapporta que le roi, bien informé par M. de Péréfixe, archevêque de Paris, des mauvais effets que pouvoit produire la comédie de *Tartuffe*, l'avait absolument défendue, mais, dans la suite, malgré tous'es soins qu'on en put prendre, elle fut permise et jouée publiquement. Il s'y fit plusieurs propositions excellentes pour le soulagement des pauvres catholiques Ecossais et Irlandais afin de leur envoyer des prêtres.

2. Saint Vincent de Paul, *Correspondance*, t. VII, décembre 1657-Juin 1659, Lettre 2806 du 4 avril 1659, p. 480-481 et note 9 : « *Apologie pour les casuistes contre les calomnies des jansénistes* par un théologien et professeur en droit canon (Georges Pirot, S. J.), Paris, 1657. Rarement ouvrage souleva pareille tempête. De tous côtés arrivèrent des protestations indignées. Il fut censuré par les vicaires généraux de Paris, les archevêques de Sens, Rouen et Bourges, Alain de Solminihac et de nombreux évêques. Les évêques de Pamiers, Bazas, Comminges et Couserans se donnèrent rendez-vous auprès de Nicolas Pavillon à Alet pour étudier ensemble les termes d'une condamnation, qu'ils signèrent le 24 octobre 1658 et qu'ils publièrent à Toulouse sous ce titre : *Censure d'un livre anonyme intitulé : Apologie pour les Casuistes*. Les condamnations qui furent les plus sensibles à l'auteur de *l'Apologie* furent celles de la faculté de théologie de Paris (16 juillet 1658) et d'Alexandre VII (21 août 1659). On trouve dans la *Bibliothèque de la Compagnie de Jésus*, nouv. éd. par le P. Carlos Sommervogel, Bruxelles, 1895, 9 vol., au mot *Pirot*, t. VI, col. 856 et suiv., la longue liste des écrits provoqués par la publication de *l'Apologie*.

3. *Ibid*., t. VIII, juillet 1659-septembre 1660, lettre 2900 du 11 juillet 1659, p. 15-18.

d'abismes en abismes leur a fait trop presumer de la misericorde de Dieu en oubliant la justice »[1].

Pallu se rebellera contre le refus du séminaire de Paris de lui transmettre la copie d'une œuvre d'un jésuite que le Saint-Office avait interdite et que Lambert avait envoyée, Adrien Launay donne des détails sur ce livre où il est indiqué qu'on ne doit pas instruire les païens de la loi qui défend l'usure et qu'on ne doit rien dire de l'usure à ceux qu'on prépare au baptême[2].

Plusieurs lettres de Pallu écrites de Rome aux directeurs du séminaire des Missions Étrangères traitent de ce sujet, ainsi celle du 25 août 1678 : « Pour respondre à vostre lettre du 29e du passé, je vous diré seullement que je suis surpris comment vous differés tant de temps à m'envoier la copie authentique que vous avés receue de Monseigneur de Berite touchant la methode, et veu qu'elle me suffit pour l'usage que nous en pretendons faire, jusqu'à ce que j'aie trouvé un des imprimés »[3] ; du 4 janvier 1679 : « J'ay sçeu

---

1. P. Lambert de la Motte, Lettre à Messieurs de la rue Saint-Dominique, AMEP, vol. 121, p. 543 ; cf. Guennou, transc., L. n° 39, en 1663.

2. A. Launay (*Documents historiques relatifs à la Société des Missions Étrangères de Paris*, p. 78) cite le décret du Saint-Office du 21 novembre 1678 qui condamne le livre du Père Antoine Rubino dont le titre traduit du portugais en italien par le Père Jean-Philippe Marini (à Lyon en 1665) est *Metodo della dottrina che i* p. *della Compa. di Giesu insegnano ai Neofiti nelle missioni della China* (Méthode de la doctrine que les Pères de la Compagnie de Jésus enseignent à leurs néophytes dans les Missions de la Chine). A. Launay donne les 8 propositions condamnées extraites de l'ouvrage : « 1° Il est permis de peindre des images et de sculpter des idoles, quoiqu'on sache qu'elles doivent servir au culte idolâtrique (p. 16, n° 49). On peut contribuer à réparer les temples des idoles lorsqu'on ne peut pas facilement s'en exempter (id.). 2° Les domestiques chrétiens peuvent jurer sur les idoles, quand ils y sont contraints, pourvu qu'en jurant ils aient l'intention de prendre le vrai Dieu à témoin, et que leur intention soit connue (p. 17, n° 18). 3° Les mandarins chrétiens peuvent prendre possession de leur gouvernement, aller au temple de l'idole Ching-Hoang, non pas avec l'intention d'honorer cette idole, mais pour y adorer une croix, qui est sur une table, pour faire des prières à Dieu et jurer de la manière accoutumée (p. 16, n° 14). 4° On ne doit instruire les païens, ni en public, ni en particulier, de la loi qui défend l'usure, quand on juge cette instruction un obstacle à leur conversion plutôt qu'un moyen de la faciliter (p. 18). 5° On ne doit rien dire de l'usure à ceux qu'on prépare au baptême, s'ils n'en parlent pas eux-mêmes, mais les laisser dans la bonne foi et dissimuler pour quelque temps, afin de ne point faire tort au christianisme par une conduite contraire (id.). 6° Quand un chrétien a fait un profit usuraire de bonne foi, on ne doit pas lui en faire un cas de conscience en confession, quand il ne le possède plus et si on ne le voit pas disposé à le restituer (id.). 7° Les missionnaires peuvent se dispenser de publier le droit divin et même le droit naturel, à plus forte raison ce qui n'est que de droit positif, dans la supposition que la publication leur fût plus nuisible qu'utile (p. 64, n° 8). 8° Quand les néophytes demandent des messes pour leurs parents morts païens, on peut les dire pour les âmes du purgatoire, quoique ceux qui les demandent aient l'intention de les appliquer à leurs parents, pourvu néanmoins qu'on ait soin de leur déclarer que le sacrifice ne sert de rien à ceux qui sont morts dans le paganisme (p. 43, n° 84) » (*Ibid.*, p. 79-80).

3. F. Pallu, *Lettres de Monseigneur Pallu*, p. 265, L. n° 96, aux directeurs du Séminaire des Missions Étrangères.

du P. Morrea que la Congregation du Saint-Office luy avoit remis l'affaire de la Methode des Jesuites pour verifier les memoires que j'ay produits pour la faire condamner. Les bons Peres en auroient bien de la peine ; *sibi imputent* ; je n'ai pas peu faire moins »[1] ; le 9 septembre 1679, Pallu leur écrit à nouveau : « La 4e affaire qui regarde la condamnation du livre *De la Methode* et dont vous m'avez envoié la coppie, je ne sçais non plus qu'en attendre, il auroit fallu m'envoier l'imprimé »[2].

Si les révélations de Lambert vont faire scandale en France et soulever l'incrédulité des uns et la colère des autres, à Rome la réaction n'est pas la même car elles ne font que confirmer ce qu'on y sait déjà[3]. Aussi va-t-il abandonner le sujet dans ses lettres à partir de 1668 comme il l'écrit à Pallu :

> « Je né plus de pensee de rien escrire dorsennavant des ministres de levangile ni des jesuites de tous ces quartiers quoy que leurs dereglemens augmentent tousiours me croyant suffisamment dechargé de lobligation que javois de le faire par la response que Mr de Bourges me mande avoir reçeue de N. St pere le pape sur ce suiet par laquelle Sa Sainteté luy a tesmoigné que les avis que je luy donnois de leurs extresmes desordres estoient moindres que ce quil en savoit dailleurs. Comme je ne pretendois en donnant connoissance de ce que jen avois remarqué autre chose que de ne pas interesser ma conscience en passant ces choses sous silence et de rendre service a dieu, a leglise, et a tant de Corps religieux en procurant leur reformation. Il me semble a présent que le St Siege est informé de tout, il en faut demeurer la »[4].

En 1669, la Congrégation de la Propagation de la Foi a fait imprimer à Rome une œuvre de Pallu et de Lambert, au long titre latin : *Instructiones ad munera apostolica rite obeunda, perutiles missionibus Chinae, Tunchini, cochinchinae, atque Siami accommodatae a missionariis S. Congregationis de Propaganda Fide, Juthiae Regia Siami congregatis Anno Domini 1665*[5] (*Instructions pour remplir convenablement les fonctions apostoliques, très utiles aux missions de Chine, du Tonkin, de Cochinchine, de Siam, par les missionnaires de la S. Congrégation de la Propagation de la Foi, réunis à Ayuthaya, capital de Siam, en 1665*). On connaît l'ouvrage sous le nom beaucoup plus court de « *Monita* ».

1. *Ibid.*, p. 281, L. n° 108.
2. *Ibid.*, p. 315, L. n° 132.
3. P. Lambert de la Motte, Lettre au père Poncet, AMEP, vol. 121, p. 595-596 ; cf. Guennou, transc., L. n° 94, en 1665 : « Comme ie viens de Rome et que ie scais les intentions de Sa Sainteté sur cette desobeissance que les provinces des Indes et du Japon ont apportées aux decret des souverains pontifs sur cette matiere du commerce ».
4. *Id.*, Lettre à Mgr Pallu de 1668, AMEP, vol. 876, p. 557 ; cf. *Abrégé de Relation*, § 90.
5. Concinnatae dicatae Summo Pontifici Clementi IX, Romae, per Zachariam Dominicum Acsamitek à Kronenfeld, Boëmum Pragensem, Linguarum Orientalium, Typographum, Anno 1669.

Le texte ne cache rien sur la situation des religieux des Indes à la Chine. Dès le début (chapitre I, article 1) il y est montré le triste état de l'héritage de saint François Xavier :

> « Les soins exagérés du corps et les dispenses injustifiées ont graduellement affaibli chez plusieurs l'amour de Dieu au point de les réduire à oublier l'esprit pour s'attacher à la chair. La présomption en a entraîné d'autres : l'apprentissage de la vertu à peine achevé, alors qu'ils ne pouvaient encore se gouverner eux-mêmes, ils ont osé paître le troupeau du Christ ; c'était entreprendre une construction, qu'ils étaient incapables d'achever. L'avarice enfin a fait aussi ses victimes : un désir insatiable de posséder leur a fait mener une vie fastueuse et molle. Voilà comment, de religieux, fervents adeptes de la pauvreté évangélique, ce vice a fait de vils esclaves de l'argent ; voilà comment il a amené des serviteurs du Christ à se mettre du service démon »[1].

L'article 4 du même chapitre montre bien qu'il ne s'agit pas là de cas particuliers : « La concupiscence des yeux damne un nombre incalculable d'âmes, elle perd les missions les plus florissantes, elle ruine l'observance dans les ordres les plus saints et les mieux disciplinés »[2]. C'est aussi l'hypocrisie des justifications habituelles du commerce des clercs qui est particulièrement dénoncée :

> « Celui que cette soif dévore, met au compte de la prévoyance les appétits de l'avarice ; il prétexte les besoins actuels de sa maison, l'ornementation des églises, l'apparat des fêtes. Il se fait ainsi qu'il n'a jamais trop, ni même jamais assez, quelque larges que soient les aumônes dont on le favorise. Il ne s'arrêtera pas là ; il fera valoir qu'il faut propager la religion chrétienne, faire pour elle des démarches auprès des rois, capter leur bienveillance par des présents, gagner la considération du peuple par la magnificence extérieure, et sauvegarder sa dignité. Et le voilà enfin entraîné misérablement à accumuler des richesses par des moyens aussi honteux qu'illicites »[3].

Pour que les choses soient plus claires encore, on lit à l'article suivant : « Le mal dont nous venons de parler a étendu ses ravages à l'Inde entière, au point que les trois vœux de religion, qui devaient être les remèdes les plus efficaces, n'ont même pu préserver certains religieux de ses funestes atteintes »[4].

Au chapitre III, article 2, il est dit : « Quoi de plus indigne d'un ministre du Christ, que d'asservir la prédication de l'Évangile aux opérations commerciales ? »[5] C'est l'occasion de rappeler les décisions des papes

1. F. Pallu et P. Lambert de la Motte, *Monita*, p. 21-22.
2. *Ibid.*, p. 26.
3. *Ibid.*, p. 26.
4. *Ibid.*, p. 27.
5. *Ibid.*, p. 41.

concernant l'interdit du commerce fait aux religieux et aux clercs, même en cas de nécessité ou même pour le profit des pauvres : « Ce serait en vain qu'Urbain VIII, qui avait en vue les missions du Japon et de la Chine, aurait, sous peine d'excommunication *latae sententiae encourue ipso facto* et d'autres peines de la plus haute gravité, défendu et interdit aux missionnaires le commerce »[1].

Le R.P. Jean Bona avait déclaré les *Monita* « remplies de l'esprit apostolique, conformes à la foi orthodoxe et nécessaires aux prêtres travaillant dans les missions au salut des infidèles »[2]. Mais Gazil trouvait bien insuffisantes les quelques corrections apportées à Rome, il le dit à Brindeau :

> « Le livre des *Instructions* dressées à Siam a esté imprimé. L'on y a retranché beaucoup de choses qui decouvraient assez l'aigreur avec laquelle on a insere plusieurs choses pour noter certains Religieux avec qui on pouvait user d'une prudente dissimulation pour ne les pas aliener et effaroucher comme l'on a creu devoir faire. L'on a laissé encore bien des choses encore peu utiles et capables de produire de mauvais effets »[3].

Aussi Gazil ne sera pas enthousiaste pour diffuser l'ouvrage. Pallu voyant que l'on ne connaissait pas encore en France le texte des *Monita* a pensé que le ballot des 150 exemplaires fournis par la *Congrégation de la Propagation de la Foi*[4], s'était égaré après Lyon. Le 25 juin 1670, il écrit à Gazil du Cap Vert pour qu'il veille à remédier à la perte de ces exemplaires : « Je vous prie de nous en faire avoir de la Sacrée Congrégation, ou de grâce ou par achat »[5]. On ne sait quelle suite Gazil donnera à cette demande.

Pour comprendre la pensée théologique de Lambert, il faut voir comment il l'expose à ses correspondants par ses lettres et par son *Abrégé de Relation*. Les Lettres sont adaptées à chacun tandis que la *Relation* a une portée plus générale ; sous les deux formes Lambert expose le mal qui ronge l'Église en Asie ; il en décrit les symptômes et en propose le remède, un renouvellement de l'Église. Il s'efforce de placer le débat au niveau de la foi et non au niveau de la morale, au niveau des principes condamnables et non à celui de la faiblesse des hommes.

En 1664, Lambert écrit à Gazil :

---

1. *Ibid.*, p. 42.
2. *Ibid.*, Avant-propos, p. 7.
3. M. Gazil, Lettre à Brindeau, du 27 janvier 1670, AMEP, vol. 201, p. 325, cité par H. Sy, *La Société des Missions Étrangères – La fondation du Séminaire*, p. 108.
4. F. Pallu, Lettre à Bésard du 30 juillet 1669, AMEP, vol. 102, p. 147, la lettre ne figure pas dans *Lettres de Monseigneur Pallu*.
5. *Id.*, Lettre à Gazil du 25 juin 1670, AMEP, vol. 102, p. 261, citée par H. Sy, *La Société des Missions Étrangères – La fondation du Séminaire*, p. 108 et publiée par A. Launay dans *Lettres de Monseigneur Pallu*, p. 124, L. n° 42.

« Jay creue quil estoit expedient pour LInterests de nos mission de fermer les yeux aux grands abus que commet cette Compagnie en ces quartiers et de gemir au pied de N. S. pour luy demander quil luy plaise y mettre ordre. Mgr d'heliopolis et tous nos chers freres sont dans les mesme sentiments avec cette difference quils sont peut-etre plus fortement irritez que moy contre leurs incroyables desordre qui presentement leurs sont connus. Jattribüe cette avantage qu'ils ont sur moy a ce que leurs juste collere est plus nouvelle que la mienne ou quils sont plus dans les interests de J. C »[1].

Lambert évoque avec le cardinal Antoine Barberini la tentation d'éviter le scandale en Europe en gardant le secret. Lambert confie sans doute ici les réflexions qui l'ont conduit à rompre le silence qu'il s'était imposé pendant dix huit mois[2].

Le 11 février 1664 avec M. Fermanel, Lambert évoque une autre responsabilité des pasteurs dans l'Église en matière de foi ; ce n'est pas seulement le devoir de protéger leurs ouailles des hérésiarques mais aussi de tous ceux qui abusent de leur confiance ou de leur crédulité au nom de la foi. Il lui écrit : « C'est dans cette veue que je fais un point d'une tres stricte obligation d'informer tous ceux qui peuvent apporter quelque remede et de desabuser, ou au moins de mettre en increance la pieuse credulité qu'ils ont donne à tant de fictions interessees »[3].

C'est ce souci de porter remède à cette situation qui conduit Lambert à écrire au roi de France Louis XIV qui peut agir par son pouvoir de nomination que le pape lui a conféré :

« Ces grands derèglements dont ie rend conte à Sa Sainteté et à la Sacré congregation de la propagation de la foy que cette affaire regarde particulierement ne venant que de LIgnorance et du mauvais exemple du clergé, de la pernicieuse moralle, de Lambition, des grosses Usures des grands commerces publics et des abus intollérables des Jesuittes qui ont eu icy plusieurs prelatures me font jetter au pieds de V. M. et vous supplier au nom de Dieu de ne gratifier personne des dignitez episcopales et des autres benefices qui soient a vostre nomination qui ne soit solidement vertueuse et qui ne tienne pour regle de ses actions et de la Doctrine les maximes infaillibles du fils de Dieu. Vous avez cette haute prerogative de LEglise qui cest raporté a vous de luy donner des prelats qui ne luy fissent pas d'outrage et de deshonneur. Ce droit Sire luy appartenoit parcequelle vouloit que ce fut le clergé qui pourvuut aux Eglises vacantes demandoit même le consentement du peuple. Cependan elle a trouvé bon de mettre entre

1. P. Lambert de la Motte, Lettre à Gazil AMEP, vol. 121, p. 575-576 ; cf. Guennou, transc., L. n° 70, en 1664.

2. Les 18 mois partent de l'arrivée de Lambert à Ispahan où il a été témoin pour la première fois du commerce des jésuites.

3. P. Lambert de la Motte, Lettre du 15 février 1664 à M. Fermanel, AMEP, vol. 858, p. 68 ; cf. Guennou, transc., L. n° 58.

vos mains tous ses interests en ce regard et ceux du peuple en vous regardant comme le fils aîné de LÉglise et le pere de vos suiets. Si V. M. veut bien prendre ce soin destre exacte en ce choix, qui est de la derniere consequence vous attirerez sur vostre sacré personnes et sur vostre grand estat des benedictions du ciel incroyables »[1].

En conclusion, pour Lambert, c'est une illusion de vouloir garder le secret, car le mal est trop visible pour ne pas finir par se savoir et que tout retard à le dénoncer conduit à compromettre tout effort pour présenter en Asie la vraie doctrine chrétienne. Mais une fois la situation connue de Rome, il estimera qu'il n'y a plus lieu pour lui de continuer à la lui dénoncer.

Nous avons lu en Introduction une Lettre de Lambert de 1664[2], adressée au Prince de Conti et qui traite du commerce des clercs en tant que manquement à leur rôle sacerdotal qui consisterait à s'offrir tout entier à Jésus pour qu'il accomplisse en eux le mystère pascal de mort et de résurrection.

Dans la lettre au Secrétaire de la Sacrée Congrégation de la Propagation de la Foi du 9 février 1664[3], Lambert met en relation la corruption à laquelle les religieux sont conduits par leur commerce et la perfection à laquelle ils sont voués par leurs vœux. Là encore ce qui est en cause, c'est bien la connaissance de Dieu et de notre relation fondamentale à Lui.

Dans sa Lettre du 10 octobre 1662 à la Duchesse d'Aiguillon, Lambert doute de l'efficacité réelle de l'apostolat des religieux alors qu'ils ne sont préoccupés que par la recherche du profit dans le cadre de leurs activités commerciales : « Il est impossible que jamais ils puissent reussir à la conversion des Ames, tous ne connoissent que des moyens humains pour faire connoistre et aimer N.S.J.C. »[4]. Inversement Lambert montre aussi à Madame d'Aiguillon que lorsque les missionnaires se livrent entièrement à la Providence, c'est l'Esprit Saint qui souligne lui-même l'argument décisif au cœur de ceux qui les écoutent[5].

L'Évangile avertit que pour suivre Jésus il faut choisir entre servir Dieu ou servir Mammon et qu'il y a là deux versions du bonheur, le contentement des sens qui vient de la possession des biens ou le contentement du cœur qui vient du dépouillement par le don de soi-même à l'être aimé. C'est ce que

1. *Id.*, Lettre au roi, AMEP, vol. 121, p. 523-524 ; cf. L. n° 27.

2. *Id.*, Lettre au Prince de Conti, AMEP, vol. 121, p. 585-586 ; cf. L. n° 79, en 1664.

3. *Id.*, Lettre au Secrétaire de la Sacrée *Congrégation de la Propagation de la Foi*, AMEP, vol. 857, p. 201. 203 ; cf. L. n° 69.

4. *Id.*, Lettre du 10 octobre 1662 à Madame d'Aiguillon, AMEP, vol. 858, p. 9-12 ; cf. L. n° 10.

5. *Id.*, Lettre du 6 mars 1663 à Madame d'Aiguillon, AMEP, vol. 858, p. 19-21 ; cf. L. n° 17.

Lambert évoque en écrivant à de riches laïcs comme le prince de Conti[1], M. Voyer d'Argenson[2] et Mme de Miramion[3].

À l'abbé de l'abbaye du Val-Richer, Lambert écrit que le salut du monde exige que nous soyons unis à la croix du Christ dans cette intention. Mais ceux qui trouvent leur consolation dans les biens matériels ne peuvent imaginer quels sont les torrents de consolation que goûte celui qui se livre tout entier entre les mains de Dieu et se place « sous sa tutelle sans esperer d'autres appuis que luy »[4], c'est-à-dire sans s'appuyer sur l'argent comme moyen de sécurité.

Avec la pratique du commerce, les religieux font un transfert doctrinal au détriment de la croix dont l'importance décroît au profit d'une sagesse et d'une prudence tout humaines, l'Évangile qu'ils annoncent n'est alors plus celui de Jésus-Christ et les préceptes évangéliques sont profondément modifiés par eux, c'est ce que Lambert écrit à M. Duplessis le 6 mars 1663[5].

Évidemment le remède que propose Lambert devra viser les institutions, puisque le mal est passé par elles. Il ne s'agit pas de reproduire celles de la Compagnie de Jésus ; la Congrégation ou plutôt le corps apostolique auquel pense Lambert est en fait une vision de l'Église en Asie. Elle devra restaurer le visage défiguré du Corps du Christ et agréger toutes les formes de vie religieuse et apostolique sous la direction collégiale des évêques et des vicaires apostoliques et selon les instructions données par la Sacrée Congrégation de la Propagation de la Foi au nom du pape. C'est la forme de l'Église universelle qu'il s'agit de repenser en fonction de la mission continue de Jésus-Christ en particulier sur le sol asiatique.

On ne peut pas imputer à Lambert un rôle quelconque dans la querelle des rites chinois qui opposa les Missions Étrangères de Paris et la Compagnie de Jésus[6] ; il est mort avant qu'elle ne se déclenche, mais les *Instructions de 1659* l'invitait à éviter toute collusion avec le pouvoir comme avec la richesse. Pour Lambert, la pauvreté des évangélisateurs est la seule voie possible pour amener au Christ ces grandes foules de l'Inde et de la

1. *Id.*, Lettre du 10 juillet 1663 à M. le Prince de Conti, AMEP, vol. 857, p. 173-175 ; cf. L. n° 28.

2. *Id.*, Lettre à M. d'Argençon, AMEP, vol. 121, p. 518-519 ; cf. L. n° 24, mai 1663.

3. *Id.*, Lettre à Mme de Miramion, AMEP, vol. 121, p. 522-523 ; cf. L. n° 26, juin ?, 1663.

4. *Id.*, Lettre à l'abbé de l'abbaye du Val-Richer, AMEP, vol. 121, p. 533-534 ; cf. L. n° 34, juin ?, 1663.

5. *Id.*, Lettre à M. Duplessis AMEP, vol. 861, p. 1-3 ; cf. L. n° 16.

6. J. Guennou indique que c'est Monseigneur Pallu en arrivant en Chine en 1684 qui déclencha les hostilités en déclarant qu'il fallait interdire aux chrétiens de participer aux rites funéraires chinois parce qu'ils avaient un caractère religieux mais c'est son successeur Mgr Maigrot qui en 1693 en fit un débat avec les jésuites (*Les Missions Étrangères de Paris*, p. 225).

Chine. Évidemment, puisqu'il ressort pour lui, que le commerce des religieux est né d'un manquement à la pauvreté et à l'ascèse comme Jésus en croix, on aura soin de former les missionnaires à cette pauvreté et à cette ascèse en les orientant vers leur objectif réel, non une édification personnelle mais une contribution à la Rédemption du monde.

C'est aussi une vue réaliste, car Lambert connaît de nombreuses difficultés pour obtenir à temps l'argent d'Europe nécessaire à sa Mission, des difficultés dont Rome n'a pas idée, et l'accoutumance aux jeûnes et aux privations est la contrepartie réaliste du choix de s'abstenir du commerce[1]. Les missionnaires devront s'exercer le plus tôt possible à vivre dans la même pauvreté que les autochtones, sans nourriture carnée, sans médicaments. Mais Rome ne comprendra pas l'enjeu considérable de ces propositions de Lambert.

Comme Lambert l'écrit à Vincent de Meur, pour faire repartir l'évangélisation en Asie, c'est un retour à l'Évangile qui est nécessaire avec la place privilégiée donnée au sacrifice en union avec celui du Christ pour la gloire de Dieu et le salut du monde. La reprise des vœux de véritable pauvreté, de véritable chasteté et de véritable obéissance est pour Lambert, non la constitution d'un nouvel Ordre religieux mais un moyen de parvenir à ce nécessaire esprit de sacrifice et de mener à bien l'évangélisation compromise par la soif du profit[2].

Lambert écrit à Duplessis Montbar du 6 mars 1663 :

> « Tout le clerge et tous les ordres religieux sont complices de ces abismes de maux et d'aveuglement que nous voyons mais particulierement les Peres jesuites de ces quartiers qui y ont contribue bien plus que les autres, par leur morale, par leur relasche, par leur conduite purement humaine, par leur avarice, par leur usure, par une tolerance de tous les crimes, et enfin par leur commerce general et particulier qui evidemment est le but principal dans les lieux ou ils s'establissent »[3].

Lambert achève ainsi sa lettre :

1. Lambert écrit à Pallu : « Le bon Mr Hainque m'escrit de la Cochinchine que nous vivons bien commodement a l'egard de ce que la necessité les reduit ordinairement. Son manger est du riz cuit a l'eau du poisson frais ou sale cuit avec des herbes prises dans les champs sans autres asaisonnemens et quelques fruits, pour son boire il est semblables au nostre, c'est a dire de l'eau de riviere comment est il possible qu'un homme qui veut vivre par tout comme a Paris ou a Rome puisse subsister a cette vie s'il n'y est acoustume de longue main en diminuant peu a peu de l'abondance de l'Europe qu'on croit estre fort compatible avec une vie qui requiert une penitence et une oraison extraordinaire » (P. Lambert de la Motte, AMEP, vol. 858, p. 126-127 ; cf. Guennou, transc., L. n° 102, le 17 octobre 1666).

2. *Id.*, Lettre du 6 septembre 1662 à Vincent de Meur, AMEP, vol. 116, p. 553-554 ; cf. L. n° 6.

3. *Id.*, Lettre à Duplessis Montbar, AMEP, vol. 861, p. 1 ; cf. L. n° 16, le 6 mars 1663.

« Permettez moy Monsieur d'achever cette lettre dans la veue actuelle que j'é de mon neant et vous avouant qu'il est tres peu de personnes qui cherchent Jesus Christ en esprit et en verité, qu'il est peu de bons prestres, peu de bons religieux peu de bons prelats peu de missionnaires apostoliques. Et ma raison est qu'il y a peu de personnes qui portent communication reelle par estat de l'humanité ste, souffrante, crucifie, sacrifiante et remplie de veues du fils de dieu »[1].

Lambert invite à choisir pour règle de vie, non l'accaparement des biens de ce monde mais la mort à soi-même afin que ce soit le Christ seul qui vive dans les chrétiens et que les hommes aient communication à sa personne même à travers eux. C'est en effet la mort de chacun à soi-même qui permet au Christ de prendre le commandement de leur vie par le moyen de son Esprit et de continuer lui-même en eux ce qu'il a entrepris sur la terre en le menant à son achèvement. C'est cette théologie que Lambert va développer dans sa correspondance en reprenant des thèmes chers à saint Jean Eudes et en y apportant sa touche personnelle.

Le remède : la prise en main de l'évangélisation par Rome

La fonction évangélisatrice de la papauté dans les *Instructions romaines de 1659*

Les Instructions romaines données aux vicaires apostoliques en 1659 montrent que l'envoi des vicaires apostoliques constituait pour le pape une reprise en main de l'évangélisation de l'Asie contre le roi du Portugal attaché au système du patronat. Par ce système, les rois de Portugal et d'Espagne dirigeaient seuls l'évangélisation dans les terres qu'ils découvraient et qu'ils conquéraient.

Les voyageurs sont appelés à un luxe de précautions digne des romans d'espionnage. Rome les envoie en territoire ennemi, l'ennemi qu'ils ont à redouter n'est pas constitué par les incroyants mais bien par des chrétiens, non seulement les militaires portugais mais les ecclésiastiques de toutes les congrégations et de tous les grades dans la mesure où leurs activités s'exercent dans le cadre du patronat portugais et où ils se montrent plus obéissants au roi du Portugal qu'au Saint-Siège.

La monarchie portugaise, ses ressortissants, soldats et religieux, sont mobilisés contre ceux qui remettraient en cause les privilèges concédés par le Saint-Siège au titre du patronat. Seul un passeport

1. *Ibid.*, p. 2.

portugais peut permettre les déplacements à l'intérieur de la zone d'influence portugaise[1].

Les vicaires apostoliques envoyés par le pape dans ce que le Portugal considère comme son territoire potentiel (Chine et royaumes voisins de la Chine) devront être mis hors d'état de lui nuire et exclus « morts ou vifs » de ce territoire. Au Siam, au Tonkin et en Cochinchine, les ressortissants portugais et les religieux de nationalité variée qui ont été mandatés par la Couronne portugaise, tenteront d'utiliser le pouvoir local pour arrêter les missionnaires apostoliques et les faire conduire à Macao et à Goa pour les livrer à la justice de Lisbonne, c'est ce qui arrivera à Chevreuil[2]. Quand cela ne sera pas possible, d'autres méthodes plus radicales seront employées. On tentera plusieurs fois d'attenter à la vie de Lambert[3] ; et à celle des missionnaires apostoliques et des prêtres autochtones[4]. Bénigne Vachet raconte dans ses *Mémoires* comment Lambert et lui faillirent mourir empoisonnés en Cochinchine[5].

1. J. de Bourges (*Relation du voyage*, p. 21) qui rapporte l'existence de cette demande, ne précise pas qui en est l'auteur (c'est « on »).

2. Pallu sera arrêté à Manille en 1674 par les Espagnols des Philippines au titre du patronat espagnol et conduit à Madrid (cf. Mémoires sur la détention de Mgr Pallu, BnF, Ms. Français-9772, fol. 131-140).

3. J. de Bourges, *Mémoire adressé aux Cardinaux*, AMEP, vol. 249, p. 16 ; B. Vachet, *Mémoires pour servir à l'histoire générale des missions*, AMEP, vol. 110, p. 58.

4. Antoine Hainques et de Pierre Brindeau, « ils tomberent malades quasy le meme jour eloignés l'un de l'autre seulement de cinq lieues sans pouvoir se secourir. Ils ont cru aussi bien que les chretiens qu'on les avoit empoisonnés, et cela par un miserable serviteur de jean de la croix qui prit la fuite apres qu'il eut executé ce detestable coup. L'on n'en douta plus apres leur mort, car toutes les marques du poison parurent sur leurs corps. Les hommes peuvent se tromper, mais dieu seul connoit ce qu'il en est » (B. Vachet, *Vie de Pierre Brindeau*, AMEP, vol. 733, p. 230 ; cf. Lettre de Pierre Langlois à Philippe de Chamesson, le 26 novembre 1673, AMEP, vol. 858, p. 267). Selon Guiart, deux prêtres tonkinois, Jean Huê et Philippe Nhan, furent aussi victimes d'empoisonnement (Lettre de Claude Guiart aux directeurs, 6 février 1672, AMEP, vol. 733, p. 409-410). Deydier le confirme à Lambert : « Peu après nous avons reçu d'autres lettres de M. Deydier écrites le 6 juin 1671 qui énumèrent plus longuement et plus en détail les maux et les troubles par lesquels ces deux pères jésuites déchirent cette église ; il ne sera pas hors de propos de citer ici les paroles mêmes dont il se sert dans sa lettre à Mgr l'évêque de Bérithe : Je trouve tant de nouvelles et de si graves à raconter au sujet de l'état de la mission que je ne sais par où commencer ; l'une des pires que je me dois d'annoncer à Votre Seigneurie, c'est la mort du très cher père Jean, prêtre tonkinois, qui a eu lieu le vendredi de la Semaine Sainte, et subitement d'une certaine manière car il n'avait été malade que 5 ou 6 jours ; et après sa mort sont apparus sur une quantité d'endroits de son corps des indices qui ont fait penser à certains qu'il avait été victime d'un empoisonnement. Dieu en sera juge » (P. Lambert de la Motte, *Abrégé de Relation* 1671-1672, AMEP, vol. 876, p. 726, transc. et trad. J. Ruellen). Philippe Nhan avait pris un contre-poison qui lui permit de survivre plus d'un an à son empoisonnement.

5. B. Vachet raconte dans ses *Mémoires*, AMEP, vol. 110, p. 171-172, comment ils furent empoisonnés chez le gouverneur par des oranges de Chine confites et ne furent sauvés

William (Guillaume) Lesley, l'un des membres du personnel de la Sacrée Congrégation de la Propagation de la Foi[1], nous fait comprendre le climat de méfiance qui entoure à Rome le départ des vicaires apostoliques ; il écrit que Mgr Alberici, secrétaire de la Congrégation, n'ignorait pas que le cardinal des Ursins, protecteur à Rome de la couronne de Portugal, avait reçu du roi Jean l'ordre de s'opposer au voyage des prélats français. Le 18 août 1659, Lesley avait expédié à Pallu une note secrète où il disait que dans les *Instructions* « la plus difficile et fascheuse estoit touchant les P.P.J.J. pour lesquelles j'ay composee la lettre cy jointe, laquelle j'ay monstré ce qu'il faut, mais ne veut pas paroistre de l'avoir fait, ny d'avoir l'ordre de la part de la S. Congregation »[2].

On peut s'interroger sur la façon dont Pallu accueillit les mises en garde de Lesley et des *Instructions* alors même que le premier élément des *Instructions romaines de 1659* concernait le choix des missionnaires par les vicaires apostoliques : ils devaient choisir « des gens capables de garder le secret et de le conserver avec ténacité »[3] : Rome demandait aussi aux vicaires apostoliques de ne pas dévoiler leur identité au cours de leur voyage, par

que par un antidote de M. Maurillon apothicaire que par précaution Guiart avait fourni à Lambert dès son arrivée en Cochinchine : « Touttes les marques du poison estoient si manifestes sur nos corps, qu'on ne doutat plus. Je crois que ce qui sauvat M. de Beritte fut un tres gros cloud qui dans quattre jours vint en suppuration, durant une semaine, il jettat tant de vilainies qu'on ne pouvoit assez s'en etonner. La fievre l'ayant quitté, l'on prit la resolution de continuer le voyage, quoy qu'un flux de sang qui ne faisoit que commencer, ne me donnast aucun repos. Ce fut là la première atteinte de touttes ces differentes maladies qui m'ont duré sept ans, sans que les plus habiles medecins en aient pus connoitre la cause, ni les effets qui leurs paraissoient ».

1. Il faut être prudent au sujet de l'importance de la fonction de William Lesley à la Sacrée Congrégation de la Propagation de la Foi. N'est-il, comme le dit Mgr Bernard Jacqueline, qu'un archiviste et un aumônier (chargé d'une chapelle) ? (B. Jacqueline, *L'esprit missionnaire de la S.C. de Propaganda Fide*, p. 331), Lesley a pris contact avec Mgr Pallu alors que celui-ci était seul et découragé, attendant depuis des mois une réponse favorable à la candidature française pour les vicariats apostoliques d'Asie ; Lesley avait proposé ses services à Mgr Pallu pour faire avancer sa demande à la Propagation de la Foi, sans résultat apparent. En écrivant régulièrement à Paris et au Siam, Lesley ne cessera de se donner de l'importance et faire croire à un pouvoir qu'il n'avait peut-être pas. Il obtiendra de Paris sa nomination en tant que premier Procureur des Missions Étrangères à Rome (On peut lire toutes les lettres de Lesley conservées aux Missions Étrangères grâce à l'inventaire établi par H. Sy dans l'article, « Guillaume Lesley et les Missions Étrangères de Paris » in *Nouvelle Revue de science missionnaire*, Suisse, Beckenried, 1948, p. 117-120). Une lettre de Mgr Pallu à un directeur du séminaire montre que Lesley est rémunéré par Mgr Pallu et ses amis de Paris (*Lettres de Monseigneur Pallu*, p. 104 : Lettres n° 29 et n° 30, à un directeur du séminaire des Missions Étrangères du 8 octobre et du 25 octobre 1667, AMEP, vol. 101, p. 404 et 408).

2. Lettre secrète de Lesley à Mgr Pallu du 18 août 1659, AMEP, vol. 200, p. 83.

3. B. Jacqueline, *Traduction française des Instructions de 1659*, I, 1 : les qualités des candidats aux missions.

exemple en se faisant passer pour des commerçants, ce qui faisait dire à certains prétendre que Lambert pratiquait ce qu'il condamnait chez les autres[1]. À plusieurs reprises Lambert a suivi ces *Instructions* ou les a fait suivre par les missionnaires pour s'introduire sur leurs terrains de missions. Évidemment Rome ne demandait pas que les missionnaires se transforment réellement en commerçants :

> « Il faut veiller surtout à ce qu'au cours de votre voyage personne ne puisse savoir le nom et la fin de votre mission. C'est pourquoi changez vos noms, votre patrie et votre façon de vous comporter et ne parlez pas de votre voyage, de votre itinéraire, surtout de son but et, ce qui est plus important que tout, de votre dignité épiscopale. Pour ce qui est d'un si long voyage, alléguez soit le commerce, soit la curiosité innée des européens qui les porte à visiter et à connaître les pays étrangers, que si enfin la nécessité ou une circonstance vous amènent à le confesser vous pouvez avouer que vous êtes missionnaires mais destinés bien ailleurs qu'en Chine »[2].

Un code secret permettra aux missionnaires de correspondre sans risque avec Rome[3]. Le 2 septembre 1665 Pallu proposera à Lambert d'utiliser un

1. Voir la dernière des 22 accusations des Pères jésuites sur la mission de Mgr Lambert : « L'évêque reproche à certains religieux et ecclésiastiques d'être des commerçants qui obéissent peu à la bulle d'Urbain VIII, mais il se condamne lui-même en jugeant les autres, car il fait la même chose que ce qu'il condamne ; en effet il vend de l'or tout comme un commerçant avide et il prête beaucoup d'argent à des hérétiques comme à des chrétiens et c'est ainsi qu'en songeant à la Chine il chargea un navire d'arek, un fruit de l'Inde, qu'il avait acheté lui-même pour qu'on le vende à Canton, en laissant à un chrétien de ses amis le bénéfice ou une partie pour la récompense de son travail » (Mémoire signé par Valguarnera, le 1er novembre 1667, AMEP, vol. 201, p. 35-40 ; vol. 851, p. 21-27, traduction entière de ce document du latin par le Père J. Ruellen). En 1673, Mgr Pallu répondra point par point à ces accusations (AMEP, vol. 5, p. 189-202 ; vol. 117, p. 103-124 ; vol. 201, p. 535-552).

2. B. Jacqueline, *Traduction française des Instructions de 1659*, II, 2 (le secret en cours de route).

3. *Ibid.*, III, 6 (Précautions à prendre dans l'expédition des courriers) : « Pour que les lettres arrivent en toute sécurité à destination, envoyez-les par plusieurs secrétaires et plusieurs itinéraires, et souvent même en plusieurs copies par le même itinéraire. Sachez donc bien à quel point la correspondance est un devoir qui vous est recommandé et ordonné : s'il arrive de le négliger, n'en doutez pas, aucun écart de conduite de votre part ne sera plus sensible à la Sacrée Congrégation, et il n'est rien qu'elle vous pardonnera plus difficilement. N'écrivez en Europe absolument rien qui, touchant la politique ou le commerce, risque d'offenser les princes et les dirigeants des États, mais réservez pour un moment plus opportun le récit complet et détaillé de ces sortes d'affaires. Pour le cas où la nécessité exigerait que le contenu de vos lettres ne soit pas divulgué si les missives étaient interceptées, nous vous envoyons un procédé permettant d'écrire à la Sacrée Congrégation en langage convenu certains messages secrets et qu'il faut tenir cachés. Mais il ne faut vous en servir que de loin en loin en cas d'urgente nécessité, et seulement lorsque vous êtes sûrs qu'en cas de saisie de votre correspondance et bien que son contenu leur soit indéchiffrable, des gens malveillants ne profiteront pas de l'occasion pour vous rendre suspects auprès des gouvernants, comme si vous ourdissiez quelque complot

code ayant servi à Philippe II d'Espagne[1]. S'il a servi, ce code devrait être considéré comme obsolète.

Ce qui est essentiel dans les *Instructions* données par Rome au départ des vicaires apostoliques en Asie, c'est leur obéissance aux ordres du pape et à ceux de la Sacrée Congrégation de la Propagation de la Foi dont ils dépendent directement comme des délégués permanents et chevilles ouvrières du pape pour l'évangélisation en Asie.

La Sacrée Congrégation doit être seule à donner des ordres aux vicaires apostoliques, à être sollicitée par eux pour des avis ou des arbitrages et à recevoir d'eux leurs rapports[2] ; les *Instructions* ont en annexe un questionnaire à cet effet[3]. Eux-mêmes ont la consigne de tout rapporter fidèlement à la Congrégation en faisant sur place un état de la chrétienté, des missions

contre l'État. C'est pourquoi, si vous n'avez pas confiance dans les lettres et s'il survient des événements qu'il faille absolument nous faire savoir au plus vite, qu'un de vos missionnaires fasse un rapide voyage hors des frontières de la province pour écrire à Rome, depuis un lieu sûr, où en sont les choses. En raison de la charge que vous lui confiez, ne lui cachez rien, pourvu qu'il soit loyal et dévoué à la religion. Avant son départ, qu'il obtienne de vous la permission écrite de sortir de votre province, où seront spécifiés aussi l'endroit où il doit se rendre par le chemin le plus direct et le temps au bout duquel il devra rentrer. Lorsqu'il aura expédié les lettres que vous lui aurez dit d'écrire, il devra aussitôt revenir dans sa province sans attendre la réponse de peur qu'entre-temps le christianisme ne souffre quelque dommage de son absence ».

1. F. Pallu, *Lettres de Monseigneur Pallu*, p. 58, Lettre à Mgr Lambert le 2 septembre 1665.

2. B. Jacqueline, *Traduction française des Instructions de 1659*, III, 5 (Devoir de renseigner les cardinaux) : « Rien ne s'oppose davantage à la conversion des peuples païens et à l'unité de la foi, rien ne retarde plus la propagation de l'Évangile à travers l'univers entier que la difficulté de correspondre et de communiquer avec le monde chrétien et surtout avec le Siège apostolique. Vous devez d'autant plus mettre tout votre soin, votre zèle et votre étude à organiser le courrier tant à l'aller qu'au retour dans les meilleures conditions de sécurité. Il ne faut donc jamais perdre de vue ce but : nous écrire le plus souvent possible. Ce devoir vous est sévèrement prescrit dans le Seigneur, pour que vous l'accomplissiez plus scrupuleusement. Et bien que vous rencontriez presque à chaque heure une foule de choses qu'il importe essentiellement de savoir et qui pourtant vous paraîtront de peu d'importance, ne vous permettez pas de les laisser dans l'oubli, et que le fait de les écrire ne vous soit pas à charge. Il est de la plus grande conséquence de savoir que la situation n'est pas restée tout à fait la même ou qu'il ne s'est rien passé de remarquable » ; III, 15 (Pas de conflit avec les religieux) : « Quelle prudence vous devez observer dans vos relations avec le clergé régulier, nous vous l'avons abondamment expliqué en votre présence et par lettre après votre départ. Vous possédez donc une excellente règle de conduite en attendant que vous ayez pu décrire à la Sacrée Congrégation la situation que vous aurez trouvée là-bas. Que ceci vous soit une règle générale : il est bien préférable de laisser empiéter sur vos droits que de revendiquer d'une manière qui fasse scandale, même en réclamant le minimum de ce qui vous est dû ».

3. *Ibid.*, III, 7 : « D'ailleurs, toutes les fois que vous pouvez écrire avec sécurité ou nous envoyer un messager, envoyez-le assez informé pour répondre parfaitement aux questions que vous trouverez énumérées sur la feuille ci-jointe ».

et des missionnaires. C'est la Congrégation romaine qui est seule habilitée pour envoyer des missionnaires dans les territoires échus aux vicaires apostoliques. Il faut considérer cette insistance dans le contexte romain. Il s'agit pour les vicaires apostoliques de prendre en compte totalement les intérêts du pape face aux puissances politiques de leur temps.

Malgré le système du patronat qui octroyait aux rois le choix des évêques, le pape gardait la nomination officielle des évêques choisis par les rois et leur donnait leur juridiction[1]. Le Concile de Trente avertit :

> « Le saint concile enseigne que, pour l'ordination des évêques, des prêtres et des autres ministres, n'est requis le consentement ou l'autorité, ni du peuple, ni d'une puissance ou d'une magistrature séculière, comme si, sans ce consentement ou appel, l'ordination devait être sans valeur. Bien au contraire, ceux qui, appelés et institués seulement par le peuple ou par quelque puissance ou magistrature séculière, se haussent jusqu'à l'exercice du saint ministère et ceux qui, mus par leur propre témérité, osent s'en emparer, tous ceux-là, décrète le saint Concile, doivent être tenus, non pour des ministres de l'Église, mais pour des voleurs et des larrons qui ne sont pas entrés par la porte Jn 10, 1 »[2].

C'est le concile de Trente qui a mis fin au principe de transfert des responsabilités missionnaires en faveur des rois du Portugal et d'Espagne, en définissant le pape comme « pasteur de l'Église universelle »[3] en rejetant la formule « pasteur de toutes les Églises ». L'Église est une sous l'autorité du pape, elle n'est pas un corps d'Églises nationales[4].

Les Instructions de 1659 aux vicaires apostoliques pour l'Asie rappellent les fonctions du pape pour maintenir l'unité de l'Église et l'orthodoxie de la foi ; elles manifestent aussi que le pape se réserve l'organisation de l'évangélisation des territoires occupés par des non chrétiens, des schismatiques ou des hérétiques. La délégation que le pape a faite aux rois d'Espagne et du Portugal n'enlève rien à sa responsabilité première qui lui vient du Christ. La défaillance du roi du Portugal dans les domaines qui lui étaient concédés entraîne leur reprise en main directe par la Sacrée Congrégation de la Propagation de la Foi et par les vicaires apostoliques qui vont assurer en quelque sorte sa présence sur le terrain.

---

1. Il faut distinguer le choix du nom qui revient au roi de la nomination officielle qui revient au pape. Dans ce cas, Chappoulie distingue bien : « Le roi était le maître des nominations par son droit de présentation à tous les bénéfices. Il présentait les candidats aux évêchés et aux stalles de chanoines » (H. CHAPPOULIE, *Aux origines d'une Église, Rome et les missions d'Indochine au XVIIe siècle*, t. 1, p. 48).

2. Chapitre IV du décret *Presbyterorum Ordinis* de la XXIIIe Session du Concile de Trente, cité par A. MICHEL, « Les Décrets du Concile de Trente », p. 484.

3. *Ibid.*, Session XXV, p. 611.627.632.

4. Yves-Marie HILAIRE, *Histoire de la papauté*, Paris, Seuil, 2003, p. 324.

C'est le pape Grégoire XV qui a établi le 6 janvier 1622 la Sacrée Congrégation de la Propagation de la Foi, organisant les missions sur les territoires des non catholiques (anglicans, orthodoxes et protestants), et sur les terres des non chrétiens (juifs, musulmans, païens). Mais il envisage davantage que cela, en y constituant deux divisions pour organiser la mission en territoires espagnol et portugais (métropoles et possessions extérieures). Le pape montre bien son intention de réduire les privilèges du patronat[1]. La constitution *Inscrustabili divinae Providentiae* précise la compétence de la nouvelle Congrégation romaine : elle est dotée de grands privilèges, d'une juridiction spéciale, d'une large autonomie et de moyens financiers. Dès 1627, Urbain VIII crée à Rome au sein de la Sacrée Congrégation de la Propagation de la Foi le collège Urbain[2] destiné à la fois à former à la mission des candidats européens et à former au sacerdoce les candidats issus des pays de mission[3]. L'objectif est de constituer le clergé local des régions de mission, non pas avec des prêtres agrégés ou soumis aux différents ordres religieux, mais avec des prêtres séculiers placés sous l'autorité d'évêques en des vicariats apostoliques.

Mgr François Ingoli, premier secrétaire de la Propagation de la Foi de 1622 à 1649 (date de sa mort) a tout de suite questionné les nonces et les Supérieurs généraux des Ordres religieux missionnaires et certains ne lui avaient pas caché l'état de délabrement du clergé missionnaire et les vices qui s'y manifestaient[4]. À partir des rapports qui lui parviennent, Ingoli rédige des *Mémoires* à partir de 1625 où il conseille de ne nommer que des

---

1. J. Guennou, *Les Missions Étrangères de Paris,* p. 17 ; Josef Metzler, « Orientation, programme et premières décisions (1622-1649) », traduit de l'allemand par Auguste Ehrhard, dans *Sacrae Congregationis de Propaganda Fide memoria rerum, 1622-1972*, vol. I/1, 1622-1700, Herder, Rome-Fribourg-Vienne, 1971, p. 150.153.184-185. La Sacrée Congrégation de la Propagation de la Foi au cours de sa 3e congrégation générale du 8 mars 1622 donna 13 secteurs missionnaires aux cardinaux qui la composaient : le cardinal Borgia reçut les missions espagnoles et le cardinal Millini les missions portugaises. Au début la Sacrée Congrégation de la Propagation de la Foi ne s'occupait en fait que des secteurs des Églises orthodoxes et protestantes, parce que les rapports demandés sur eux lui étaient parvenus en premier.

2. Le palais Ferratini, place d'Espagne à Rome fut cédé en 1627 à la nouvelle Congrégation pour l'établissement d'un collège où seraient reçus des élèves de toute race et de toute nation, destinés à être envoyés par le Souverain Pontife dans tout l'univers pour le maintien et la propagation de la foi catholique. En 1627 paraissait à Madrid un livre : *Milice évangélique pour lutter contre l'idolâtrie des Gentils et conquérir les âmes,* de Don Manuel Sarmiento de Mendoça, ancien recteur de l'Université de Salamanque. Marqué par le désastreux exemple japonais il préconisait la formation rapide d'un clergé autochtone (d'après Georges Goyau, *Missions et missionnaires*, Bloud et Gay, 1931, p. 85-87).

3. Y.-M. Hilaire, *Histoire de la papauté,* p. 331-332.

4. A. Perbal, « Projets, fondation et débuts de la Sacrée Congrégation », in Mgr Simon Delacroix, *Histoire universelle des missions catholiques*, t. 2 : *Les Missions modernes*, Paris, Grund, 1957, p. 121-122.

prêtres séculiers comme évêques[1] et de créer en Espagne et au Portugal un établissement de la Sacrée Congrégation de la Propagation de la Foi où des prêtres séculiers sélectionneraient les candidats missionnaires sous la direction du nonce. En 1628, dans un second *Mémoire*, Ingoli cherche à promouvoir l'autonomie des missions par la formation d'un clergé indigène. En 1644, un dernier rapport d'Ingoli s'attache à combattre les désordres et les abus et s'attaque au principe du patronat portugais par lequel on interdit aux évêques l'ordination de prêtres indigènes[2]. Pendant 27 ans, la diplomatie d'Ingoli a joué sans discontinuité notamment avec le pape Urbain VIII (1623-1644) pour donner un nouvel élan missionnaire à l'Église. Évidemment les *Mémoires* d'Ingoli vont inspirer son successeur Alberici dans la rédaction des *Instructions de 1659*.

Des expériences malheureuses[3] expliquent certaines insistances de prudence dans les *Instructions romaines de 1659* données aux vicaires apostoliques. Lesley écrit à Gazil en 1666 en parlant des cardinaux de la Curie romaine : « Il y a beaucoup des annees qu'ils cherchent icy des gens, qui veuillent avoir le courage d'entreprendre tels emplois, et s'ils eussent peu trouvé des prestres seculiers italiens, ils n'auroient iamais confié ces charges entre les mains des françois »[4]. C'est faute de mieux qu'on va nommer les trois vicaires apostoliques français pour l'Asie. Ils vont devoir peu à peu s'imposer dans les territoires de leur juridiction qui ne sont pas entre les mains des portugais, mais où les évêques portugais ont envoyé des missionnaires. L'obéissance à Rome qui est demandée aux envoyés de la Sacrée Congrégation de la Propagation de la Foi concerne donc aussi le devoir de s'imposer, ce qui sera reproché à Lambert de la Motte par les religieux, jésuites et dominicains.

Ainsi le Nonce Apostolique de Paris est le correspondant par lequel doit passer le courrier des missionnaires et par lequel la Sacrée Congrégation donnera ses instructions. L'initiative des vicaires apostoliques est limitée, ils ne feront que proposer les candidats à la mission, mais il faudra que la

1. C'est le fruit de premiers constats : celui de la discorde entre les ordres religieux, celui de la discorde entre religieux et séculiers, celui des intérêts contradictoires entre le bien de la mission et celui de l'ordre religieux qui envoyait les missionnaires, notamment le désir des responsables européens de se débarrasser des mauvais sujets en les expédiant hors de l'Europe (*Ibid.*, p. 126).

2. *Ibid.*, p. 127.

3. G. de Vaumas, *L'Éveil missionnaire de la France*, p. 355-359.

4. Lettre de Lesley à Gazil en 1666, AMEP, vol. 200, p. 545. Lesley avait écrit que les Italiens ne sont pas rassurés par les actions et les résolutions des Français qui manquent de constance, de patience et de flegme (Lettre de Lesley à Gazil du 2 juin 1659, AMEP, vol. 200, p. 66). Lesley a écrit aussi : « Si dans la France il y avoit la prudence italienne, et dans l'Italie le zèle de la France tout le monde se pourroit convertir » (Lettre de Lesley à Gazil de mai 1664, AMEP, vol. 200, p. 249s).

Sacrée Congrégation ratifie leur choix[1]. Les vicaires apostoliques devront se considérer seulement comme envoyés de la Sacrée Congrégation, n'obéir qu'à elle et lui rendre compte de toutes leurs activités. C'est le sens même des premières *Instructions* qu'ils devaient attendre du Nonce Apostolique avant leur départ[2]. Ces *Instructions* ne leur laissent que peu d'initiatives, ils devront en référer à Rome et obtenir son accord pour toutes les affaires importantes[3].

---

1. B. Jacqueline, *Traduction française des Instructions de 1659*, I, 1 (Les qualités des candidats aux missions) : « Comme vous avez tant de diligence et comme aussi en France, il y a tant de zèle et de dévouement pour la religion, de telle sorte que beaucoup ont été invités par vous à participer à cette mission de Chine et que beaucoup se sont offerts spontanément, ne croyez pas facilement à tout esprit mais éprouvez les esprits pour voir s'ils viennent de Dieu. L'expérience en effet a montré que beaucoup, poussés par je ne sais quelle piété zélée, surtout quand la nature est un peu plus fervente, se ruent vers les œuvres de piété plus qu'ils n'y sont portés ; mais comme chez eux la vertu n'avait pas mis de racines profondes, dès que cette ferveur initiale s'est calmée, ils sont revenus avec des cœurs brisés par les débuts mêmes de leurs travaux et ont porté leurs regards en arrière se détournant de la charrue. Il vous faut donc, tout d'abord, rechercher, avec grand soin et discerner parmi un grand nombre des hommes capables, par leur âge et leur santé, de supporter les travaux et aussi, ce qui est beaucoup demander, qui soient des gens doués d'une charité supérieure et de prudence ; et de ces vertus ce n'est pas le jugement d'autrui ou la conjoncture mais l'usage et la pratique des réalités et l'expérience des autres dans d'autres charges remplies avec éloge qui en donneront la preuve ; des gens capables de garder le secret et de le conserver avec ténacité, qui soient doués de mœurs sérieuses, de courtoisie, de douceur, de patience, d'humilité et qui s'attachent à donner l'exemple de toutes les vertus de la foi chrétienne qu'ils professent, des gens qui soient formés selon les normes de la charité évangélique, s'adaptant aux mœurs et aux caractères d'autrui, qui ne soient pas pesants pour les compagnons avec lesquels ils auront à vivre, qui ne deviennent pas détestés des étrangers ou ingrats, mais qui, avec l'apôtre se fassent tout à tous » ; I, 2 (La procédure à suivre pour leur envoi en mission) : « Ceux que vous choisirez, proposez leurs noms au Nonce Apostolique de Paris pour qu'on connaisse leurs noms, âge et capacité, et qu'on puisse les insérer dans vos lettres de facultés ; c'est pourquoi on a laissé dans ces facultés un espace libre pour y mettre leurs noms. Rendez compte immédiatement de cela à la Sacrée Congrégation pour qu'on ratifie ce qui aura été fait dans ce domaine par vous et par le Nonce Apostolique » ; I, 3 (La transmission du courrier) : « Fixez clairement de quelle façon et suivant quelle manière le Nonce vous adressera de très fréquentes lettres et vice-versa vous à lui et ainsi au Siège Apostolique. C'est pourquoi aussi dans les lieux maritimes ou ports, que des hommes de confiance soient désignés par vous, non seulement en Europe mais dans toute l'Asie et surtout sur le littoral de vos missions, qui aient ou reçoivent cette charge et transmettent vos lettres aussi sûrement que possible ».

2. *Ibid.*, I, 7 (Le départ) : « Après que vous aurez reçu ces instructions du Nonce Apostolique, il vous faut partir le plus vite et le plus secrètement possible, cachant à tous ce qui regarde tant le voyage et la décision de votre départ que l'itinéraire et la route que vous suivrez, de peur qu'en transpirant cela ne suscite des empêchements en grande masse et en beaucoup d'endroits ».

3. *Ibid.*, III, 3 (Être l'exemple de l'obéissance au Saint-Siège) : « Puisque c'est à l'obéissance des évêques envers le Siège apostolique que sont suspendues l'unité de l'Église entière, la communion des saints, l'horreur et le rejet des hérésies et du schisme, danger particulièrement

Les vicariats apostoliques sont une innovation du Saint-Siège pour reprendre l'initiative sur le plan de l'évangélisation. Jusque-là on a insisté sur le ministère d'unité du successeur de Pierre et sur son rôle dans le maintien de l'orthodoxie catholique, et on n'a pas assez parlé de sa participation prépondérante à l'évangélisation du monde. Il est certain que la compétence géographique de chaque évêque et l'obligation donnée à chaque évêque de ne pas interférer sur la juridiction de ses confrères réduisent à leur diocèse leur participation à l'évangélisation du monde. Les *Instructions de 1659* y font allusion[1]. Seule la juridiction universelle du successeur de Pierre lui permet d'intervenir sans se soucier de limites géographiques.

Contre les religieux portugais qui la prétendaient caduque du fait de l'instauration du patronat, Lambert de la Motte a affirmé cette juridiction universelle de la papauté. L'évêque de Macao ne peut se prévaloir d'aucun écrit du pape annexant le Tonkin à son évêché ou étendant sa juridiction sur le Tonkin. Quant à Lambert de la Motte, il possède quatre Brefs du

---

redoutable en ces terres lointaines, il faut non seulement vous montrer vous-mêmes d'une soumission entière et empressée à l'égard du Pontife romain, mais encore tout faire pour que les chinois et les autres peuples placés sous votre autorité soient bien persuadés de la règle et de la garantie de la foi orthodoxe : pour eux aussi elle consiste à révérer la Chaire apostolique comme maîtresse de vérité et voix de l'Esprit Saint, à se soumettre avec une parfaite exactitude à ses ordres et ses dispositions en ce qui concerne les choses spirituelles, à la consulter dans les difficultés et à accepter volontiers de se conduire suivant ses directives. Mais c'est surtout par votre exemple, à vous qui êtes leurs chefs, que cela leur deviendra plus facile et plus évident.

« Ne réglez donc aucune affaire d'importance sans en avoir reçu mandat de la Sacrée Congrégation, et rendez-lui compte par écrit de ce que vous aurez fait dans l'accomplissement de votre charge suivant les circonstances : vous persuaderez ainsi les Chinois qu'en matière grave il faut toujours consulter le Siège apostolique. Efforcez-vous de les amener à nous écrire très souvent, à solliciter l'avis du Souverain Pontife et à en attendre réponse.

« Les Chinois en effet pourraient être impressionnés par l'énorme distance qui les sépare de Rome et les difficultés du recours, au point de prétendre qu'il ne leur serait pas bon d'embrasser une religion dont le chef a tant de peine à faire parvenir jusqu'à eux ses oracles ! À vous de leur montrer par votre exemple comment la sollicitude du Pontife romain, avant toute démarche de leur part, supplée aux inconvénients de l'éloignement en nommant des évêques munis de très amples pouvoirs. D'ailleurs on pourrait y suppléer encore mieux, si Dieu veut que le Christianisme s'enracine plus profondément dans ces pays, par la nomination de nonces, sans se laisser arrêter par la dépense ou les incommodités, comme cela se fait sans difficultés pour d'autres pays moins éloignés pourtant que ceux-ci ».

1. *Ibid.*, III, E (Ordre et paix entre les missionnaires) : « C'est intentionnellement que vos provinces ont été choisies éloignées les unes des autres, pour que nul d'entre vous ne se mêle de la mission d'autrui. S'il y a vraiment urgence, et si un énorme coup de filet force votre voisin à appeler les pêcheurs d'une autre barque, il peut vous être permis pour peu de temps, après en avoir été prié non pas une fois, mais plusieurs fois, de vous absenter de votre province et de travailler dans une autre. Mais de peur que la vôtre n'en souffre, il faut prévoir un vicaire capable. Ne vous absentez toutefois que très brièvement, et écrivez à la Sacrée Congrégation la raison et la durée de votre déplacement, dans quel état vous aurez laissé les choses à votre départ et comment vous les aurez trouvées au retour ».

pape qui prouvent que le Tonkin reste sous la seule juridiction du pape et du vicaire apostolique qu'il y a envoyé en tant que son représentant personnel. Les jésuites ont d'autant moins de raisons de le contester que le Père Marini a pu être entendu à Rome avant que les deux derniers Brefs aient été envoyés[1].

Par la création de la Sacrée Congrégation de la Propagation de la Foi, Rome a marqué sa volonté de reprendre en main toute l'action évangélisatrice de l'Église, mais les problèmes qui l'avaient amenée à souscrire aux patronats espagnols et portugais n'étaient pas résolus ; il lui manquait les moyens humains, matériels et financiers pour mener à bien l'évangélisation des peuples sans le soutien logistique des grandes puissances européennes. Pour les moyens humains, Rome comptait sur la formation rapide d'un clergé autochtone suppléant les missionnaires européens dont la relève n'était pas vraiment assurée en 1659[2]. Rome restait très dépendante de la bonne volonté des rois d'Espagne et du Portugal.

---

1. P. Lambert de la Motte, *Abrégé de Relation*, AMEP, vol. 677, p. 202 ; cf. Guennou, transc., § 117.

2. B. Jacqueline, *Traduction française des Instructions de 1659*, III, 1 (Créer un clergé indigène le plus nombreux possible) : « Voici la principale raison qui a déterminé la Sacrée Congrégation à vous envoyer revêtus de l'épiscopat dans ces régions. C'est que vous preniez en main, par tous les moyens et méthodes possibles, l'éducation de jeunes gens de façon à les rendre capables de recevoir le sacerdoce. Après les avoir ordonnés prêtres, vous les établirez chacun dans son pays d'origine à travers ces vastes territoires, avec mission d'y servir le christianisme de tout leur cœur sous votre direction. Ayez donc toujours ce but devant les yeux : amener jusqu'aux ordres sacrés le plus grand nombre possible de sujets et les plus aptes, les former et les faire avancer chacun en son temps » ; III, 2 (Réserver au Saint-Siège la décision au sujet des évêques indigènes) : « Si parmi ceux que vous aurez su promouvoir il s'en trouve qui soient dignes de l'épiscopat, gardez-vous bien – il s'agit ici d'une défense absolue – de revêtir l'un quelconque d'entre eux du caractère d'une si haute dignité. Écrivez d'abord à la Sacrée Congrégation leurs noms, âge et qualités et tout ce qu'il est utile de savoir à leur propos, par exemple à quel endroit vous pourriez les consacrer, à la tête de quels diocèses vous pourriez les placer, et beaucoup d'autres renseignements dont il sera bientôt question » ; III, 17 (Instructions des jeunes en vue du sacerdoce) : « Pour faire progresser dans ces pays la connaissance et le goût des lettres sacrées, il est nécessaire de traduire du grec ou du latin dans leur langue maternelle un grand nombre de livres des docteurs de l'Église et des auteurs religieux. Pour atteindre ce but, recherchez activement lequel des vôtres, sur place ou ailleurs, serait à la hauteur de cette tâche par sa parfaite connaissance des deux langues et son sens de la doctrine, et informez-en la Sacrée Congrégation. Ouvrez partout des écoles avec grand soin et sans retard. À la jeunesse apprenez gratuitement le latin et en langue vulgaire, la doctrine chrétienne. Faites tous vos efforts pour que nul catholique ne donne ses fils à élever à des infidèles, mais bien à vous et aux vôtres. Si dans ces écoles vous trouvez des jeunes gens, pieux et de bon naturel, dévoués et généreux, aptes à faire leurs humanités et qui donnent quelque espoir d'embrasser un jour la vie ecclésiastique, alimentez leur zèle et aidez-les à poursuivre leurs études sans se laisser attirer ailleurs. Lorsqu'ils seront assez avancés en savoir et en piété, vous pourrez les recevoir au nombre des clercs et, le moment venu, les élever jusqu'aux ordres sacrés, après les avoir éprouvés en de nombreux exercices spirituels, après avoir examiné leurs

Saint Vincent de Paul n'a pas envoyé de Prêtres de la Mission à Madagascar, en « Barbarie » (actuellement Tunisie et Algérie) ou en « Hibernie » (actuellement Écosse et îles Hébrides)[1], sans faire valider leur nomination par la Sacrée Congrégation de la Propagation de la Foi, et obtenir d'elle pour eux les pouvoirs et le titre de missionnaires apostoliques[2] : les demandes dans ce sens forment l'essentiel de sa correspondance avec la Sacrée Congrégation et il ne juge pas nécessaire de lui envoyer de comptes rendus de mission. En tant que supérieur des Prêtres de la Mission, Vincent de Paul garde l'autorité exclusive sur les membres qu'il envoie comme s'il avait reçu délégation de Rome, ce qui n'est pas l'esprit des *Instructions de 1659*. Dans ces *Instructions* qui n'intéressent que les nouveaux vicaires apostoliques, la Sacrée Congrégation ne se contente pas de mandater individuellement tel ou tel en le nommant «missionnaire apostolique» ; mais la nouveauté est qu'elle décide de prendre en main directement ceux qu'elle envoie et auxquels elle demande de lui rendre compte directement de leurs activités sans passer par la voie hiérarchique. Le projet de Lambert de constituer un Corps apostolique va dans ce sens, il prétend y rassembler désormais tous ceux à qui la Sacrée Congrégation octroie le titre de « missionnaire apostolique ».

Rome voulait effectivement établir une nouvelle structure missionnaire, comme cela ressort déjà du texte des *Instructions* données aux vicaires apostoliques ; mais, pour saint Vincent de Paul, Rome n'envisageait pas de créer un nouvel Ordre religieux, selon ce qu'il écrit le 19 octobre 1657 à

---

intentions et leur vocation à la règle de vie d'un prêtre. Enfin vous les désignerez pour aller annoncer à leurs compatriotes l'Évangile du Christ ».

1. Saint Vincent de Paul, *Correspondance,* t. IV, avril 1650-juillet 1653, Lettre 1251 du 28 août 1650 au pape Innocent X, p. 67-68 « La fin de notre Institut, très Saint-Père, est le salut des pauvres gens de la campagne, qui fait que nous allons de village en village les instruire, les ouïr de confession générale, terminer leurs différends et pourvoir au soulagement des pauvres malades. Tels sont nos travaux aux champs. À la maison, nous donnons les exercices spirituels, nous recevons les ordinands pendant les dix jours qui précèdent les quatre-temps, pour les préparer aux saints ordres. Dans les séminaires, nous formons les clercs aux bonnes mœurs, à la science ecclésiastique et aux rites sacrés. Et outre les ouvriers que nous avons en France, il y en a qui remplissent les mêmes fonctions en Italie, d'autres sont en Hibernie, d'autres encore secourent les pauvres esclaves chrétiens en Barbarie ; quelques-uns ont pris possession, aux Indes, au nom de Votre Sainteté, de l'île de Saint-Laurent, vulgairement appelée Madagascar, qui a une longueur de six cents milles, mesure d'Italie ».

2. *Ibid.*, Lettre 1494 du 3 mai 1652, à Lambert aux Couteaux, p. 377 : « Le dessein de l'Amérique n'a pas réussi pour nous ; ce n'est pas que l'embarquement ne se fasse, mais celui qui nous avait demandé des prêtres ne nous en a plus parlé du tout, peut-être à cause de la difficulté que je lui fis d'abord, de n'en pouvoir donner qu'avec l'approbation et les facultés de la Sacrée Congrégation de la Propagation ; à quoi il n'avait point pensé ; et je pense que les prêtres qu'on y mène s'y en vont sans cela. J'estime comme vous, Monsieur, qu'il est bon de faire à Dieu de semblables sacrifices, envoyant de nos prêtres pour la conversion des infidèles ; mais cela s'entend quand ils ont une légitime mission ».

Edme Jolly, supérieur à Rome, chez qui Pallu et ses amis (c'est-à-dire : « ces Messieurs du Tonkin ») logeaient alors pour conférer avec le Saint-Siège :

> Je ne pense pas que ces Messieurs du Tonkin passent à demander à être érigés en congrégation et quand ils le demanderaient, il n'est pas vraisemblable que cela leur fût accordé, tant à cause du dessein qu'a le pape d'établir un séminaire de prêtres pour les envoyer aux missions étrangères, que parce qu'on ne peut rien ajouter à la congrégation des jésuites, qui par vœu s'obligent d'aller partout où le Saint-Siège trouvera bon de les envoyer »[1].

Vincent de Paul ne croit pas que Pallu soit venu à Rome demander la création d'un nouvel ordre religieux mais il ne l'exclue pas ; sans doute Pallu y repensera quand il présentera plus tard à Rome le projet de Lambert, comme on le verra plus loin. Le moment n'est pas propice. En marge du Concile de Trente un *Mémoire* contre les religieux circulait parmi les Pères conciliaires : « Ils apportent en effet la confusion dans l'Église, non seulement en résistant aux ordinaires, mais en s'opposant entre eux et en se divisant en des disputes et des sectes variées. Je crois donc qu'il serait excellent de les ramener à un plus petit nombre d'ordres et qu'ils conservent une seule règle stable »[2].

Les vicaires apostoliques doivent constamment faire part à Rome avec la plus grande exactitude de toutes les difficultés rencontrées sur le terrain[3] et doivent permettre que leur clergé, envoyé vers eux avec l'assentiment de Rome, puisse communiquer directement avec elle sans contrôle[4].

---

1. *Ibid.*, t. VI, lettre 2467 du 23 novembre 1657, p. 621. La partie des Mémoires de Vachet, confirmée par Boudon montre bien que les membres de la communauté de vie de la rue Coupeaux dont Bagot était l'animateur spirituel et Pallu apparemment le leader, se recrutaient exclusivement dans la Congrégation de la Très heureuse Vierge du Collège de Clermont et se considéraient porteurs d'un projet communautaire comme les premiers jésuites. Ce projet avait été concrétisé par la proposition que leur avait faite Alexandre de Rhodes de reprendre l'évangélisation du Tonkin et de la Cochinchine (B. Vachet, *Mémoires imprimés*, n° 1, 1865, p. 9-17. Voir aussi *La vie de M. Henri-Marie Boudon*, p. 124-128).

2. A. Tallon, *Le concile de Trente*, p. 121 : « Mémoire sur quelques abus à corriger dans l'Église » rédigé à Trente le 29 janvier 1562, extrait de *Concilium Tridentinum*, t. XIII, p. 579-581.

3. B. Jacqueline, *Traduction française des Instructions de 1659*, III, 4 (pour les ordres dont l'exécution pose problème) : « Si dans l'exécution des ordres de la Sacrée Congrégation vous rencontrez ou vous prévoyez de grosses difficultés au point de juger que ces ordres ne pourront être acceptés sans révolte, évitez à tout prix de les imposer aux intéressés contre leur gré, de les mettre en vigueur par la force ou la crainte de vos censures, de semer la division qui naîtra de la désobéissance de quelques-uns, de vous aliéner les esprits, d'exaspérer les passions. Au contraire, il sera bien préférable, compte tenu de la conversion récente et de la faiblesse des néophytes, de ne pas appliquer le décret tout de suite. Prenez le temps d'écrire à la Sacrée Congrégation en lui exposant l'affaire avec la plus complète sincérité, et attendez ce qu'elle vous répondra de faire ».

4. *Ibid.*, III, 7 (Encourager les missionnaires à écrire) : « En outre, si les missionnaires eux-mêmes veulent nous écrire, bien loin de les empêcher, vous ferez au contraire tout le

En même temps, les vicaires apostoliques ne doivent pas exécuter immédiatement les ordres de Rome que leurs ouailles réprouvent, mais ils doivent encourager les Chinois à exposer eux-mêmes leurs problèmes au Saint-Siège en faisant confiance à sa sollicitude. Les vicaires apostoliques et les missionnaires ne doivent pas fonder des Églises calquées sur l'Église de France et dépendantes d'elle[1], et ils doivent aussi tout faire pour assurer la transmission de leurs fonctions le plus rapidement possible à des évêques et des prêtres autochtones.

Même si Rome veille à ce que chaque vicaire apostolique reste dans le territoire qui lui a été fixé, une coordination s'impose ; elle sera pragmatique au début par le fait des difficultés d'entrer en Chine, au Tonkin et en Cochinchine[2]. Elle sera ensuite formalisée par la création de deux postes

---

possible pour les y encourager et y engager formellement. N'ouvrez pas leurs lettres, ne les lisez pas, ne cherchez nullement à savoir ce qu'elles contiennent ».

1. *Ibid.*, III, 12 (Ne pas amener les usages des pays d'Europe) : « Ne mettez aucun zèle, n'avancez aucun argument pour convaincre ces peuples de changer leurs rites, leurs coutumes et leurs mœurs, à moins qu'elles ne soient évidemment contraires à la religion et à la morale. Quoi de plus absurde que de transporter chez les Chinois la France, l'Espagne, l'Italie ou quelque autre pays d'Europe ? N'introduisez pas chez eux nos pays, mais la foi, cette foi qui ne repousse ni ne blesse les rites ni les usages d'aucun peuple, pourvu qu'ils ne soient pas détestables, mais bien au contraire veut qu'on les garde et les protège. Il est pour ainsi dire inscrit dans la nature de tous les hommes d'estimer, d'aimer, de mettre au-dessus de tout au monde les traditions de leur pays, et ce pays lui-même. Aussi n'y a-t-il pas de plus puissante cause d'éloignement et de haine que d'apporter des changements aux coutumes propres à une nation, principalement à celles qui y ont été pratiquées aussi loin que remontent les souvenirs des anciens. Que sera-ce si, les ayant abrogées, vous cherchez à mettre à la place les mœurs de votre pays, introduites du dehors. Ne mettez donc jamais en parallèle les usages de ces peuples avec ceux de l'Europe ; bien au contraire, empressez-vous de vous y habituer. Admirez et louez ce qui mérite la louange. Pour ce qui ne la mérite pas, s'il convient de ne pas le vanter à son de trompe comme font les flatteurs, vous aurez la prudence de ne pas porter de jugement, ou en tout cas de ne rien condamner étourdiment ou avec excès. Quant aux usages qui sont franchement mauvais, il faut les ébranler plutôt par des hochements de tête et des silences que par des paroles, non sans saisir les occasions grâce auxquelles, les âmes une fois disposées à embrasser la vérité, ces usages se laisseront déraciner insensiblement ».

2. Dans le Bref *Super Cathedram* du 9 septembre 1659, texte latin (AMEP, vol. 247, p. 45) et traduction française (A. Launay, *Histoire générale de la Société des Missions Étrangères de Paris*, t. I, p. 41-43), le pape Alexandre VII place Pallu et les vicaires apostoliques sous la dépendance directe de la Sacrée Congrégation de *Propaganda Fide* et hors de portée de toute condamnation qui viendrait des autres instances de l'Église. Il leur donne le pouvoir d'étendre eux-mêmes leurs pouvoirs administratifs sur des territoires où les chrétiens n'ont pas encore d'administrateurs désignés par le Saint-Siège (c'est le cas du Siam) et aussi de se remplacer les uns les autres en cas de mort (ce sera le cas avec la mort de Cotolendi) ou d'empêchement (ce sera le cas avec le retour en Europe de Pallu). Un Bref, dont parle Lambert dans ses lettres à Pallu du 17 octobre 1666 (AMEP, vol. 858, p. 123) et du 4 novembre 1666 (AMEP, vol. 876, p. 420), et Pallu dans la *Relation Abregée* (p. 140-141) leur permettait, à tous les deux, de remplacer Cotolendi en consacrant un nouvel évêque.

d'administrateur général des Missions, l'administration de l'empire chinois est confiée à Pallu, et celle des royaumes du Tonkin, de Cochinchine, du Siam et du Cambodge (c'est-à-dire de l'essentiel des missions de la Sacrée Congrégation de la Propagation de la Foi à l'époque) est confiée à Lambert[1].

Le projet de Rome : le Collège Urbano

Pour le Saint-Siège, il n'y a pas de missions étrangères, parce qu'il n'y a pas d'étranger pour l'Église universelle. À Rome existait déjà un Séminaire pour former les prêtres autochtones en pays de mission ; il était considéré comme le « Séminaire de la Propagation de la Foi » et s'appelait « collège Urbain » (ou Urbano), parce qu'il avait été fondé par Urbain VIII en 1627 ; mais la Sacrée Congrégation de la Propagation de la Foi changea d'orientation et choisit de former ces prêtres dans leurs pays d'origine. Ingoli pense qu'il vaut mieux former les prêtres autochtones dans leur pays plutôt qu'à Rome à cause du faste de Rome et pour des raisons économiques. Pour la Sacrée Congrégation de la Propagation de la Foi, la procédure normale est de fonder des séminaires sur place comme les *Instructions de 1659* le préconisent[2].

Pour garder la cohérence de son projet de reprise en main de l'évangélisation, la Sacrée Congrégation de la Propagation de la Foi voulait lui donner un caractère international et ne pas le confier à la France seule ; elle décida d'ouvrir à Rome un séminaire pour discerner les candidats aux Missions d'Asie et de les former. C'est le collège Urbain de Rome qui est choisi comme lieu de cette création avec l'aide d'Edme Jolly et des lazaristes, comme Vincent de Paul le dit le 19 octobre 1657[3].

Dans une lettre du 16 novembre 1657, Vincent de Paul écrit comment il a eu connaissance du projet de la Sacrée Congrégation de *Propaganda Fide* de fonder un séminaire à Rome pour les candidats à la mission d'Asie qu'ils soient français ou d'une autre nationalité. Ce séminaire romain ne serait pas dirigé par un Français pour ne pas rebuter des autres nationalités[4].

Le 13 août 1660, Vincent de Paul écrit à Edme Jolly qui est impliqué dans ce projet en tant qu'expert de la formation des missionnaires :

---

1. Décret du 17 juillet 1678 (AMEP, vol. 204, p. 441 ; vol. 276, p. 65), cité par A. LAUNAY, *Documents historiques relatifs à la Société des Missions Étrangères de Paris*, p. 70.

2. J. METZLER, « Orientation, programme et premières décisions », p. 179.

3. Saint VINCENT de PAUL, *Correspondance*, t. VI, lettre 2417 du 19 octobre 1657, p. 537-538.

4. *Ibid.*, lettre 2461 du 16 novembre 1657, p. 607-608. Au départ le pape excluait également que les vicaires apostoliques envoyés en Asie soient des Français et Alexandre de Rhodes fit d'abord en vain le tour de l'Europe avant de gagner Paris où il fut accueilli par le Père Bagot, rue Coupeaux (cf. B. VACHET, *Mémoires imprimés*, n° 1, 1865, p. 46).

« Je loue Dieu de ce que le dessein qu'on a formé à Rome d'y établir un séminaire pour les Missions étrangères soit revenu à vous ; il y a apparence que, si Dieu en veut l'exécution, il se servira de votre famille pour y travailler et qu'il lui donnera sa bénédiction pour cela ; mais, humainement parlant, il sera malaisé de trouver des hommes bien propres et bien résolus pour cette vie apostolique. À la vérité il s'en pourra présenter qui entreront volontiers au séminaire ; mais pour entreprendre volontiers ces missions lointaines avec le détachement et le zèle qu'il faudrait, il s'en trouvera peu »[1].

Dans une lettre à Gazil de 1664, Lesley parle du projet de Séminaire à Rome :

« Ils commencèrent icy à Rome de faire un séminaire de prestres séculiers pour les envoyer ensuite aux missions, mais tout cela s'évanouit en moins d'une année, et la raison en a esté qu'ils ne peuvent trouver des prestres désintéressés, et dans l'Italie ils auront toujours de la peine, car on ne s'engage ici dans l'état ecclésiastique que pour des fins mondaines »[2].

Les lettres de saint Vincent de Paul montrent aussi que Rome a le souci de trouver un cadre pérenne pour des relations privilégiées entre les missions d'Asie et le Saint Siège[3]. Ce souci d'organisation se retrouve chez Lambert de façon très proche dans trois lettres de 1663[4] ; il veut que le Séminaire

1. Saint VINCENT DE PAUL, *Correspondance,* t. VIII (juillet 1659-septembre 1660), lettre 3197 du 13 août 1660, p. 368.

2. G. LESLEY, Lettre à Gazil de mai 1664 (AMEP, vol. 200, p. 249s), transcrite et publiée par A. LAUNAY, *Documents historiques relatifs à la Société des Missions Étrangères de Paris*, p. 272-274, citée par H. SY, *La Société des Missions Étrangères – La fondation du Séminaire*, p. 62. Une autre lettre de Lesley à Gazil de 1666 (AMEP, vol. 200, p. 547) montre le refus de Rome d'officialiser le Séminaire de Paris.

3. On constate que saint Vincent de Paul, en ayant ouvert une maison à Rome, avait le souci que les missionnaires du Canada restent sous la dépendance directe de Rome, que leurs séminaires aient « rapport et dépendance au collège de la Propagande, à Rome », et qu'ils iraient en Amérique « sous le bon plaisir de Nos Seigneurs de la Propagande, desquels ils seront dépendants » (Saint VINCENT de PAUL, *Lettres.* t. II. p. 412-413 ; p. 422).

4. – P. LAMBERT DE LA MOTTE, Lettre à Vincent de Meur, le 11 octobre 1663 : « L'Idée que iay eu de cette grande entreprise est deriger un corps particulier et stable pour ce dessein Si cela ne se peut pas agregeons nous a quelque communauté ennemie des maximes du sciecle ou trouvons moyen destablir un seminaire de la Propagation de la foy a Paris et ailleurs a Linstance de celuy de Rome » (AMEP, vol. 121, p. 553 ; cf. Guennou, transc., L. n° 49).

– Apostille de la lettre à Mr Duplessis, le 10 octobre 1663 : « Trouvez bon que je vous recommande au nom de Dieu avec toutes les instances possibles de songer a un etablissement perpetuel de nos missions en ces quartiers soit en formant un corps expres a ce sujet soit en nous unissant a quelque communauté ennemie de la pure prudence humaine et qui voulut faire une de ces principales obligations de saddonner a ces divins emplois ou bien faisant un seminaire dans le college de la Propagation de la foy a Rome qui seroit le modele des autres quon pourroit eriger a Paris et en divers autres lieux ou bien enfin prenant quelque autre voye

de Paris soit dépendant d'un Séminaire des missions étrangères à Rome dont il ignore le projet ; il veut aussi que les missionnaires d'Asie puissent provenir de tout pays, de tout institut comme les Théatins et les Sulpiciens, de toute congrégation comme les Minimes et les Capucins, et il veut encore que les missionnaires soient rassemblés dans une structure d'accueil veillant sur leurs besoins d'un bout à l'autre de leur vie et à laquelle il donnera plus tard le titre de congrégation apostolique: congrégation, c'est-à-dire au sens du XVIIe siècle, rassemblement de personnes, régulières ou séculières ; apostolique, c'est-à-dire appartenant au Saint Siège comme les vicaires apostoliques et les missionnaires apostoliques.

On constate la similitude d'organisation entre le Séminaire général des missions à Rome et ses satellites à Paris et ailleurs et le séminaire général du Siam et ses satellites au Tonkin et en Cochinchine, organisation qui durera en Asie jusqu'au XXe siècle avec le séminaire général de Penang. Par ailleurs, Lambert tient à maintenir les responsabilités locales, par exemple celles de la France, tout en centralisant le commandement à la Sacrée Congrégation de *Propaganda Fide* ; ce sera l'objet de ses lettres à l'Archevêque de Rouen en tant que président de l'Assemblée du Clergé de France[1].

En effet, le projet de Rome bâti depuis des années par Ingoli ne pourra pas voir le jour malgré les efforts de Lambert, car s'y opposait un projet français soutenu par le pouvoir politique qui finira par l'emporter. Lambert qui avait vécu la Fronde a quitté la France en 1660 alors que le pouvoir absolu du roi Louis XIV ne s'était pas encore manifesté, il ne pourra se rendre compte de l'évolution de la France et de la restriction des libertés non seulement politiques mais religieuses. Si les membres du séminaire de Paris, comme Gazil, avaient voulu suivre les consignes du pape comme Lambert, ils ne l'auraient sans doute pas pû et c'est, bien sûr, à leur décharge. Par contre il était commode de se retrancher derrière le pouvoir royal pour faire aboutir leurs propres conceptions hiérarchiques qui mettaient les missions

que ie ne connois pas et que ie remets entre les mains des personnes plus ecclairéé que moy » (AMEP, vol. 860, p. 2 ; vol. 121, p. 552-553 ; cf. L. n° 48).

- Addition de la lettre à M. Fermanel le 12 octobre 1663 : « Je vous coniure (Guennou transcrit par convive) de travailler avec Messieurs de Meur et Duplessis pour rendre nos missions perpetuelles par quelque etablissement solide soit en erigeant quelque corps particulier à ce sujet, soir en lagregeant a quelque sainte communauté qui aie lesprit de ces derniers emplois comme peut estre la communauté de Mr Laurent des theatins, etc..., ou bien faisant quelque seminaire pour et ailleurs de la propagation de la foi a linstar de celui de Rome » (AMEP, vol. 857, p. 170). La suite de la lettre montre qu'en état actuel, les religieux hésitent à se mettre au service de la Sacrée Congrégation *de Propaganda Fide*, parce qu'ils ne seraient pas sûrs d'être financés régulièrement et qu'ils perdraient la sécurité de leur congrégation et un lieu d'accueil quand ils retourneraient en Europe.

1. *Id.*, Lettres à l'Archevêque de Rouen, AMEP, vol. 121, p. 514-517. 587 en 1662 et 1664 ; cf. L. n° 3. 81 ; vol. 121, p. 514-517 ; cf. L. n° 22, le 10 juillet 1663.

sous leur contrôle et leur pouvoir alors qu'ils n'en avaient aucune expérience, et si tel était le cas, c'est, bien sûr, à charge.

Par ailleurs l'expérience d'Alexandre de Rhodes à Rome et à Paris, aboutissait au même constat que Lesley, on ne pouvait trouver en nombre suffisant des candidats missionnaires à Rome et en Italie, seule la France pouvait en fournir. En conséquence on ne pouvait éviter de faire reposer le projet missionnaire sur les conditions de la France.

Le contre-projet de Paris : un séminaire français pour les missions françaises

Selon les *Instructions romaines de 1659*, à Paris il ne doit y avoir que des procureurs qui ont reçu délégation de signatures des vicaires apostoliques pour gérer leurs finances et qui sont aussi chargés de recruter leurs collaborateurs. Procureurs et missionnaires pour l'Asie doivent être accrédités par la Congrégation de la Propagation de la Foi, conçue comme instances dirigeantes auxquelles tous doivent rendre des comptes à titre personnel comme le font les vicaires apostoliques[1]. Les vicaires apostoliques et leurs missionnaires sont appelés missionnaires de la Sacrée Congrégation de la Propagation de la Foi[2]. Cela conduit à un type d'organisation particulièrement novatrice.

Le projet du Saint-Siège se heurtait à un autre qui précédait la nomination des vicaires apostoliques et qui était l'œuvre de la Compagnie du Saint-Sacrement[3]. Après son séjour à Rome où il avait demandé une hié-

1. B. Jacqueline, *Traduction française des Instructions de 1659*, I, 2 (pour les candidats à la mission) ; I, 5 (pour le procureur à Rome).

2. En 1665, Mgr Pallu et Mgr Lambert adressent en latin leurs Instructions (*Monita*) aux Missionnaires de la Sacrée Congrégation de la Propagation de la Foi et c'est Rome qui se charge de leur impression. Le 5 novembre 1683 Pallu complétera les *Monita* par d'autres instructions qu'il rédigera également en latin, comme pour signifier qu'il vise toujours les missionnaires de la Sacrée Congrégation de la Propagation de la Foi (*Lettres de Monseigneur Pallu*, p. 383-387, Lettre de Pallu n° 168, Instructions pour les missionnaires du 5 novembre 1683).

3. Le Comte R. de Voyer d'Argenson, *Annales de la Compagnie du Saint-Sacrement*, p. 242-243 : « Il ne manquait plus qu'une assemblée à former qui prit soin des missions étrangères et qui put soutenir l'entreprise de M. l'évêque d'Héliopolis et de ses amis. Ce fut l'ouvrage que les plus zélés de la Compagnie du St-Sacrement entreprirent d'établir avant que de se séparer. M. du Plessis, baron de Montbar, à qui Dieu avait sans doute donné le don des œuvres par dessus tous ses confrères, en eut la première vue ; il proposa sa pensée à ses amis que la Compagnie avait nommés commissaires pour travailler aux missions étrangères, et tous tombèrent d'accord qu'il fallait établir un séminaire pour soutenir ces sortes de missions et pour en former les sujets. Après que ce premier projet fut arrêté, il fallut chercher les moyens de l'exécuter, et M. du Plessis eut en vue les maisons de M. l'évêque de Babylone situées dans

rarchie épiscopale française au Vietnam (avec Patriarche, archevêques et évêques, comme dans les Églises orientales[1]), Alexandre de Rhodes était venu à Paris en 1654 pour présenter son projet à la Compagnie du Saint-Sacrement dont les membres, prêtres et laïcs, pouvaient aisément fournir personnel et argent. À Paris, c'est au nom de l'Église de France que l'on va demander au pape la nomination d'évêques pour le Canada[2] et pour l'Asie du Sud-est (Cochinchine et Tonkin d'où revenait Alexandre de Rhodes). Dans l'esprit du pouvoir religieux et du pouvoir politique français, c'est de France que tout doit être dirigé et organisé, puisque c'est de France que viennent les missionnaires et leurs moyens financiers.

Lambert et Pallu représentent à eux deux l'opposition de deux projets, celui de Rome conçu par la Sacrée Congrégation de la Propagation de la Foi et celui de Paris conçu par la Compagnie du Saint-Sacrement. En suivant le premier projet il fallait partir de France par la Méditerranée et la route de terre pour gagner la Chine, c'est ce que fait Lambert en recevant les *Instructions de 1659*, tandis qu'en suivant le second projet il fallait attendre l'achèvement de la construction du vaisseau « le Saint-Louis » par la Compagnie, c'est ce que va faire Pallu, prenant ainsi deux ans de retard par rapport à Lambert qui était parti discrètement de Marseille en 1660.

À Rome, Pallu est devenu très suspect pour plusieurs raisons, il s'attarde plutôt que d'obéir au pape et il ébruite l'envoi des vicaires apostoliques, mettant en péril la vie même de Lambert, c'est l'affaire du prospectus de recrutement et des passeports portugais. Lesley avertit Pallu :

> « Je ne puis vous céler ce que j'ay découvert depuis peu de jours, en traitant avec Monsieur le Secrétaire : il m'a dit que Monsieur le Cardinal des Ursins luy

la rue du Bac pour servir de retraite et de fondement au séminaire. Il se chargea d'en faire la proposition à ce bon prélat qu'il connaissait, et la chose réussit comme on pouvait la désirer. M. l'évêque de Babylone donna toutes ses maisons pour fonder le Séminaire des Missions Étrangères moyennant une pension qu'on lui assura durant sa vie. Le roi donna des lettres patentes pour cet établissement et Dieu y a versé depuis une si grande bénédiction qu'on ne peut dire tous les biens qu'il a produits pour la conversion des infidèles. Ce séminaire a été le dernier ouvrage de la Compagnie du Saint-Sacrement, ç'a été le cher Benjamin qu'elle a enfanté au lit de la mort, et en vérité il a hérité de tout le zèle qu'elle avait pour la publication de l'évangile dans tous les pays étrangers. Ainsi il supplée à tout ce que la Compagnie pourrait faire sur ce sujet, et les Directeurs qui se sont liés ensemble pour gouverner ce séminaire ont eu des succès et des secours au delà de ce qu'on devait espérer ; aussi est-ce entre leurs mains que je dépose l'histoire de cette Compagnie qui a servi de mère à leur saint ouvrage, et si Dieu veut qu'elle ressuscite quelque jour, on trouvera chez eux les mémoires et les moyens de la rétablir ». Louis de Voyer d'Argenson, frère de René, fit du séminaire son légataire universel.

1. F. Pallu, *Histoire du schisme*, AMEP, vol. 856, p. 408.

2. À partir de 1665, le séminaire de Québec fondé en 1663 (aujourd'hui l'Université Laval) fut rattaché à celui des Missions Étrangères de Paris (Olivier Chaline, *Le règne de Louis XIV*, Paris, Flammarion, 2005, p. 368-369).

avait dit que vous aviez escrit et envoyé en Portugalpour traitter avec cette cour, afin d'avoir passage aux Indes ; que vous deviez tenir cela secret et caché, tant que vous pouviez aux Portugais et que cela fairait avec le temps plus de bruit que vous ne croyiez. Le même Cardinal dit qu'on luy avait écrit du Portugal d'empescher notre voyage et qu'on a faict et que l'on faict présentement un très grand bruit, non seulement là-bas mais ici a Rome. Quand Monsieur le Secrétaire me dit cecy, je remarquois qu'il était fort esmeu, et il ne me dissimula pas ses sentiments tels qu'ils sont ; il répéta alors qu'il se fallait défier des PP. Jésuittes, principalement Portugais, et leur cacher vos desseins jusqu'à ce que vous soyez dans les Indes mesme, conservant pourtant une très parfaite amitié avec eux dans toutte autre chose »[1].

Les *Instructions de 1659* se ressentaient sans doute du climat instauré par les révélations du cardinal des Ursins sur la réaction portugaise aux indiscrétions de Pallu. Lesley parle à Pallu de ce qu'il subit de la part de ceux qui s'efforcent d'en savoir plus sur les intentions de Rome, sans qu'on puisse savoir si ses soupçons étaient fondés :

« Il y a des espions qui me guettent partout et me suivent comme des chiens de chasse pour savoir ce que je fais, où est-ce que je vais et avec qui je parle et fréquente, et après ils iront interrogeant les personnes adroittement sur ce que je leur ay dit ; mais ils ont beau faire, car il n'y a que Sa Sainteté, Monsieur le Secrétaire et moi qui sachent le secret »[2].

En cela Pallu veut ignorer les consignes de Rome mais suivre celles de Paris, c'est pourquoi la Sacrée Congrégation de la Propagation de la Foi veut contrôler le choix des missionnaires qui accompagneront les vicaires apostoliques. De son côté Laurent de Brisacier, mandaté sans doute par la Compagnie du Saint-Sacrement, est allé négocier à Rome l'envoi de deux jésuites avec les vicaires apostoliques. C'est Lesley qui fait part à Pallu de ce qu'il a appris par Mgr Alberici :

« Il me dit aussi que M. l'abbé de Brisacier ayant parlé au Pape touchant quelques Jésuittes qui vous doivent accompagner. Sa Sainteté voyant qu'il ne se rendait pas capable de la raison, l'avoit renvoyé à la Propagande, et que Monsieur le Secrétaire, dans l'audience qu'il eut du Saint-Père, ayant de nouveau proposé à Sa Sainteté les sentiments de Monsieur l'abbé, Sa Sainteté commença d'abord à secouer la teste et à désapprouver fort cet accompagnement, disant tout net que cette grande privauté avec les Jésuittes pourroit causer quelque désordre et empeschement, qu'il estoit nécessaire de tenir bonne correspondance avec eux, mais qu'il ne leur falloit pas confier les chiffres de la sécrétairie »[3].

---

1. G. Lesley, Lettre à Pallu du 1er septembre 1659, AMEP, vol. 200, p. 87, in *Documents historiques relatifs à la Société des Missions Étrangères de Paris*, annotés par A. Launay, p. 256.
2. *Id.*, Lettre à Pallu du 29 septembre 1659, AMEP, vol. 200, p. 99, in *Ibid.*, p. 260.
3. *Id.*, Lettre à Pallu du 1er septembre 1659, AMEP, vol. 200, p. 87, in *Ibid.*, p. 256.

On n'est pas dupe à Rome où l'on considère que Pallu suit les ordres de ces Messieurs, c'est-à-dire des dirigeants de la Compagnie du Saint-Sacrement. Lesley ne cache pas à Pallu le jugement porté à son égard par Mgr Alberici, le secrétaire de la Sacrée Congrégation de la Propagation de la Foi, il le rapporte ainsi :

> « Quand mesme les intentions du Saint-Siège eussent esté et moins saintes et moins prudentes et moins zélées que celles de vos Messieurs, qui vous ont persuadé de différer votre départ, néanmoins vous eussiez bien mieux fait de suivre les sentiments des supérieurs, mesme plus imparfaits que les persuasions d'autruy, quoy que plein de zèle, de piété, d'ardeur, etc... Enfin, il vous prie d'interpréter les accidents de votre vaisseau en Hollande pour un coup de la sainte providence du bon Dieu, lequel vous ayant quasi rendu impossible, ou du moins très difficile le chemin de l'Océan, vous convie de suivre, sans autre réplique ou considération, les mouvements des puissances supérieures qui vous ont toujours sinon commandé, certes très instamment recommandé le chemin de terre »[1].

Lesley revient sur le sujet quelques semaines plus tard : « L'Abbé Brisacier a faict une grandissime imprudence d'aller proposer cela au Pape, mais soiez asseuré que Sa Sainteté ne faira rien et ne voudra point du tout envoyer de Jésuittes avec vous ; il est certain que ce ne sont pas les sentiments de Rome qu'ils vous accompagnent »[2].

On n'est pas dupe à Rome des raisons invoquées par Pallu pour justifier la longueur de ses préparatifs de départ. Quand Pallu reviendra du Siam porteur du projet de Congrégation apostolique, l'impression qu'il a donnée au départ jouera peut-être contre lui, d'autant plus qu'il se fera accompagner à Rome par des membres de la Compagnie du Saint-Sacrement, devra-t-on le croire s'il se présente comme porteur des idées de Lambert ?

Tout de suite après la nomination et l'envoi des vicaires apostoliques, à l'occasion de la recherche d'un séminaire (en fait un bâtiment pour procéder à la sélection des candidats missionnaires[3]), on a voulu donner une localisation parisienne à la direction de la nouvelle organisation qui deviendrait alors les Missions Étrangères de Paris, et tout naturellement ce sont les supérieur et directeurs de ce séminaire, tous membres de la Compagnie du Saint Sacrement, qui dirigeraient les Missions. Le vrai concepteur de ce projet est Gazil qui a dirigé le séminaire à titre provisoire jusqu'à ce que Vincent de Meur soit élu supérieur en juin 1664 ; celui-ci

---

1. *Id.*, Lettre à Pallu du 9 août 1661, AMEP, vol. 200, p. 30, in *Ibid.*, p. 265.
2. *Id.*, Lettre à Pallu du 29 septembre 1659, AMEP, vol. 200, p. 99 in *Ibid.*, p. 260.
3. Au début Madame de Miramion, sœur de l'oncle par alliance de Mgr Pallu, mis à sa disposition pour y sélectionner les missionnaires son château de la Couarde (à Gallius, département des Yvelines, près de Paris).

avait d'autres centres d'intérêt que les Missions d'Asie[1]. C'est Gazil qui dut continuer à diriger officieusement le séminaire jusqu'au 10 septembre 1668, date à laquelle il prit officiellement les rênes pour deux ans lors de la seconde élection, ces années de supériorat de Gazil furent décisives pour Lambert qui dut renoncer à ses projets. Gazil mourut en 1679 quelques mois avant Lambert.

La Compagnie du Saint-Sacrement a tout fait pour que l'érection du séminaire des Missions Étrangères dans l'hôtel de Babylone à Paris soit ratifiée avant que Rome ne mette en œuvre le même projet à Rome au collège Urbain comme Edme Joly en a fait part à saint Vincent de Paul.

Le personnage central de cette affaire est Jean Duval (1597-1669) qui a pris le nom de Bernard de la bienheureuse Mère Thérèse en entrant chez les carmes en 1615, nom qu'il modifia en 1622 en Bernard de Sainte Thérèse après la canonisation de Thérèse d'Avila. Il fut nommé évêque de Babylone (Bagdad) en 1638 par le pape Urbain VIII en bénéficiant d'un revenu annuel grâce à un legs affecté par Madame de Ricouart à un Français devant résider en son diocèse de Perse. Ne pouvant résider à Bagdad, ville enlevée à la Perse par le sultan de Turquie Amurad IV en décembre 1638, c'est à Ispahan qu'il s'installa en 1640 non chez les carmes de la ville mais dans une vaste propriété ; en 1642, vingt mois après, il regagna définitivement la France[2], laissant la Sacrée Congrégation de la Propagation de la Foi lui chercher un coadjuteur qui ne fut trouvé qu'en 1661 en la personne d'un bénédictin, Placide Duchemin sacré à Rome évêque *in partibus* de Néocésarée mais sans argent, car Rome considérait que les revenus auxquels prétendait l'évêque de Babylone étaient indus dès lors que celui-ci ne résidait plus dans son diocèse. Jusqu'à sa mort en 1683, sans avoir visité lui-même son diocèse, Placide Duchemin chercha à récupérer pour le diocèse de Babylone les biens acquis par Bernard de Sainte Thérèse avec l'argent affecté à un évêque résidant en Perse[3].

Quand Bernard de Sainte Thérèse regagna Paris en 1642 au moment de la mort du cardinal de Richelieu, il ne changea pas ses habitudes dispendieuses prises à Ispahan, notamment par l'acquisition en 1644 d'une grande propriété rue du Bac. Même après qu'il ait obtenu une pension de la Régente Anne d'Autriche, le train de vie de l'évêque de Babylone ne correspondait pas à ses revenus, et il se ruina. En 1662, criblé de dettes, il ne savait pas comment faire face à ses créanciers[4], c'est l'occasion que saisirent

1. H. Sy, *La Société des Missions Étrangères – La fondation du Séminaire*, p. 85-86.
2. *Ibid.*, p. 18-27.
3. *Ibid.*, p. 119-122.
4. *Ibid.*, p. 109, l'évêque de Babylone fit même le 18 août 1662 la vente de ses acquisitions d'Ispahan à Monsieur des Rousseaux, bourgeois de Paris qui pensait pouvoir les récupérer par l'entremise de commerçants hollandais (p. 23-24).

les membres de la Compagnie du Saint-Sacrement pour avoir à bon compte à Paris le séminaire dont ils rêvaient pour les Missions Étrangères[1].

La cession de l'hôtel particulier de l'évêque de Babylone à Paris et de celui qu'il occupait à Hispahan fut négociée le 16 mars 1663 par deux Conseillers du Roi, financiers de la Congrégation du Saint-Sacrement, Antoine de Morangis et Jean de Garibal qui s'engagèrent à verser trimestriellement à l'évêque trois mille livres tournois et à lui laisser la jouissance de son habitation[2] ; le 18 mars 1663 Antoine de Morangis et Jean de Garibal ont cédé leur nouvelle acquisition pour emploi à deux autres membres de la Congrégation du Saint-Sacrement, Michel Gazil de la Bernardière et Armand Poitevin, pour y installer leur séminaire des Missions[3]. L'acte signé le 16 mars 1663 fut attaqué devant la justice par les créanciers spoliés et Gazil s'en tira par un « décret volontaire » : son ami Antoine Pajot de la Chapelle (autre membre de la Congrégation du Saint-Sacrement, un des procureurs des vicaires apostoliques avec Gazil) produisit un titre fictif de créance en 1665 et en déclara ensuite la libération tout aussi fictive[4]. Cela lui permettait d'éviter toute hypothèque ultérieure, mais les créanciers ne se découragèrent pas au moins jusqu'à la mort de Bernard de Sainte Thérèse[5].

Avant d'acquérir l'hôtel de Babylone, rue du Bac, alors que le château de La Couarde servait de séminaire, Gazil demandait au roi de lui accorder des lettres de patentes. C'est en juillet 1663 que Louis XIV les signa, reconnaissant la vente qui venait d'avoir lieu en mars et l'affectation des lieux en tant que Séminaire pour la conversion des Infidèles dans les pays étrangers[6]. Le 10 octobre 1663 l'abbé de Saint-Germain des Prés donna l'autorisation d'y établir une chapelle dédiée à la Sainte Famille, et le 27 octobre 1663, l'évêque de Babylone bénit une chapelle provisoire transformant son hôtel en bien ecclésiastique[7].

L'acte du 27 octobre 1663 parle du Séminaire pour la conversion des Infidèles dans le royaume de Perse et autres pays étrangers. L'allusion à la

1. *Ibid.*, p. 33-39.

2. A. Launay, *Documents historiques relatifs à la Société des Missions Étrangères*, p. 303-316.

3. *Ibid.*, p. 320-323.

4. H. Sy, *La Société des Missions Étrangères – La fondation du Séminaire*, p. 123.

5. Mgr Pallu écrit de Rome à M. Fermanel en 1667 : « Mandés-moy si vous seriez bien ayse de rompre avec Monsueur de Babylone. La mauvaise foi dont il a esté, en alienant ce qu'il avait promis, vous en donne ouverture ; voiés si vous ne devés pas vous indemniser, au moins en mettant en main neutre quelques années de sa pension, jusques à ce que on ait nouvelle certaine de sa condition et quoyque je vous puisse assurer de sa liberté. Il me parle dans sa lettre de ses biens comme s'ils estoient encore en sa possession » (*Lettres de Monseigneur Pallu*, p. 97-98, Lettre de Pallu n° 27, à M. Fermanel du 19 juin 1667, AMEP, vol. 101, p. 355).

6. H. Sy, *La Société des Missions Étrangères – La fondation du Séminaire*, p. 41-44. Le titre devait être inscrit sur la porte principale.

7. *Ibid.*, p. 109.

Perse semble équivoque en un lieu ayant appartenu à l'évêque de Babylone. Derrière le choix du nom il y a la question plus vaste des rapports avec la Sacrée Congrégation de la Propagation de la Foi[1]. Celle-ci refusa que le Séminaire de Paris soit son Séminaire officiel pour les Missions d'Asie, étant donné qu'elle avait d'autres projets[2]. Certes elle avait souligné dans ses *Instructions de 1659* la charge qui incombait aux procureurs de Paris de « chercher, trouver et examiner » les candidats aux Missions mais cela devait se faire dans le cadre de leur procuration les soumettant aux vicaires apostoliques[3]. Lambert de son côté écrivait ses doutes à Chevreuil sur la formation (en particulier celle de Gazil), le discernement et la sélection opérés par les procureurs qui en étaient chargés[4].

Gazil avait demandé les lettres patentes du roi pour le séminaire sans attendre l'accord de la Sacrée Congrégation de la Propagation de la Foi. En 1664, Lesley mit en garde contre toute utilisation de la venue du cardinal légat Flavio Chigi pour contourner la décision de la Sacrée Congrégation[5]. C'était une allusion à l'affaire de la garde corse du pape[6] et à l'humiliation publique que Louis XIV infligea à cette occasion au pape Alexandre VII. C'est de cette humiliation que Gazil a voulu profiter.

Toute l'affaire a fait l'objet de diverses représentations en tapisserie, en tableau, en gravure, en médaille, qui sont plus explicites que des récits, illustrant l'épisode comme une grande victoire du roi Louis XIV. On n'est pas sûr des débuts de l'affaire qui aboutit à Rome au meurtre d'un page du duc de Créquy, ambassadeur de France, par des gardes corses du pape le 20 août 1662[7].

Louis XIV ne se satisfit pas du châtiment des coupables: il chassa le nonce Celio Piccolomini, décida de s'emparer d'Avignon qui appartenait alors au pape et menaça Alexandre VII d'une expédition militaire française contre Rome. Le pape dut se soumettre aux conditions du roi de France[8] ;

1. M. Gazil, Lettre à la Sacrée Congrégation de la Propagation de la Foi, AMEP, vol. 5, p. 51 : Demande concernant le nom du séminaire de Paris : *Seminarium de Propaganda Fide.*

2. *Id.*, Lettre à Besard en avril 1669 : On a refusé de donner au séminaire le nom de *Seminarium de Propaganda Fide*, AMEP, vol. 201, p. 177.

3. B. Jacqueline, *Traduction française des Instructions de 1659*, I, 5.

4. P. Lambert de la Motte, Lettre à Chevreuil du 2 octobre 1660, AMEP, vol. 136, p. 67-69 ; cf. Guennou, transc., L. n° 1.

5. G. Lesley, Lettre à Gazil de 1664, AMEP, vol. 200, p. 253-254.

6. H. Sy, *La Société des Missions Étrangères – La fondation du Séminaire*, p. 61-62. La Corse à l'époque n'appartenait pas à la France mais à la ville de Gênes en Italie.

7. Charles Gérin semble pencher du côté du pape en notant le caractère très ombrageux du duc de Créquy et les multiples provocations de ses serviteurs envers les Corses de la garde pontificale (*Louis XIV et le Saint-Siège*, Paris, Librairie Victor Lecoffre, 1894, t. 1, p. 325-327).

8. *Ibid.*, p. 500 ss: Ce fut le traité de Pise du 12 février 1664.

parmi elles il y avait la dissolution de la garde corse dont le crime serait dénoncé à Rome sur une pyramide commémorative[1] ; il y avait surtout l'acte de réparation proprement dit, l'envoi d'un légat a latere[2], représentant physiquement la personne même du pape, pour présenter ses excuses à la France. Ce fut son neveu, Flavio Chigi, que le pape choisit parce qu'il avait été nonce en France de 1643 à 1644 avant d'être fait cardinal en 1657.

Louis XIV exploita pour sa gloire personnelle le voyage de Chigi, il lui fit traverser la France avec tous les honneurs dus au pape en une longue procession afin que tout le peuple sache que ce n'était pas Chigi mais c'était le pape, représentant du Christ, qui venait demander pardon à leur roi. Plus on donnait d'honneurs à Chigi, plus encore on en donnait à Louis XIV. En mai 1664 ce fut l'entrée triomphale à Lyon et le 9 août l'entrée à Paris.

C'est le 29 juillet 1664 qu'eut lieu au château de Fontainebleau l'acte de réparation proprement dit[3] en présence de tous les grands du Royaume qui devaient être témoins de l'humiliation du pape afin de se persuader qu'on ne pouvait rien tenter contre un si puissant roi. C'est dans ces circonstances si contraires à la papauté qu'on présenta à la signature de Chigi la ratification de l'établissement du 'Séminaire pour la conversion des Infidèles' par le roi et l'abbé de Saint-Germain-des-Prés ; il la signa à Paris le 16 août 1664[4] malgré l'avis de la Sacrée Congrégation de la Propagation de la Foi. Celle-ci ne pouvait pas accepter que le séminaire de ses Missions soit établi à Paris, échappant ainsi à sa juridiction au profit de celle du Roi de France. Mais deux ans après, Rome n'avait toujours pas produit de Bulle ou de Bref pour officialiser la décision et ne songeait pas à le faire comme Lesley l'écrit à Gazil[5].

1. C'était une pyramide en marbre noir portant l'inscription imposée au pape par la France, elle comportait une formule d'exécration du peuple corse. Quatre ans plus tard le pape suivant, Clément IX, obtint la destruction de la pyramide qui était représentée sur un médaillon en bronze de la place des Victoires à Paris conservé aujourd'hui au Musée du Louvre.

2. *Légat a latere* (c'est-à-dire : « du côté », « de l'entourage » du pape) : « cardinal que le pape envoie comme un *alter ego* avec des pouvoirs bien déterminés » (R. Lesage, in *Dict. de liturgie romaine*).

3. C. Gérin, *Louis XIV et le Saint-Siège*, p. 534. Il est représenté par une tapisserie de la Manufacture des Gobelins (à Paris) et une peinture allégorique qu'on trouve au château de Versailles, il a été commenté par les *Mémoires* de Saint-Simon (tome 2, chapitre V) et par celles du cardinal de Retz.

4. Texte latin dans A. Launay, *Documents historiques relatifs à la Société des Missions Étrangères,* p. 39-41, *fac simile* et traduction française dans H. Sy, *La Société des Missions Étrangères – La fondation du Séminaire*, p. 63-65.

5. Lesley, Lettre à Gazil datée de 1666 (AMEP, vol. 200, p. 547), citée par H. Sy, *La Société des Missions Étrangères – La fondation du Séminaire*, p. 66-67 : « Pour le Séminaire de Paris, je suis fort aise que la Sacrée Congrégation est résolue de vous prendre sous sa protection, mais est, je crois, fort en peine parce que d'un côté on voudrait prendre une exacte connaissance de tout ce qui vous touche, et de l'autre on craint que l'État et le Parlement

Sans doute le cardinal Chigi n'a pas pu rapporter de Paris ce que, dans une lettre adressée à Gazil, Lesley souhaitait qu'il y voit :

> « Quand il retournera à Rome, qu'il puisse dire avec touttes sa suitte qu'il y a une belle communauté à Paris, de bons prestres qui n'attendent autre chose qu'à se rendre habiles pour servir l'Eglise, offrir à icelle leurs travaux, recevoir les ordres de Rome, aller par toutte la terre et prescher l'Evangile sous sa direction et protection, sans autres particularitez, sinon selon les occasions, les conjectures que les affaires et le temps feront naistre. Il est bien vray que Messieurs les Evesques de la Chine et leurs compagnons ayant si héroïquement exécuté leur haute entreprise, et ayant donné de si belles preuves de leur probité, zèle et souplesse d'obéir au Saint-Siège, de plus ayant acquis une si grande renommée dans l'Orient, que tous les chrétiens et les missionnaires ont escrit des merveilles à la Sacrée-Congrégation de la Propagande, je me persuade aisément que Rome ne fera pas de difficulté de vous embrasser à bras ouverts et de vous chérir très tendrement. Mais laissez les choses rouler d'elles-mêmes : Rome, sçachant que vous êtes assemblés pour des fins si hautes, vous ira chercher et prier de luy prester des personnes de votre Corps pour être missionnaires là où il y en aura besoin. Mais tenez pour chose certaine que le Saint-Siège ne vous approuvera point jusques à ce que l'expérience ait montré combien vous valez »[1].

Rome a peur que la fondation d'un séminaire des Missions Étrangères à Paris s'inscrive dans la perspective d'un patronat français, comme le laisse entendre la lettre de Lesley à Gazil du 16 octobre 1668[2].

En 1669, Gazil adresse une lettre en français aux cardinaux de la Sacrée Congrégation de la Propagation de la Foi pour défendre la position des membres du séminaire de Paris dans toutes les affaires qui impliquaient les relations entre Rome et Paris. Gazil s'y présente discrètement en tant que prêtre, docteur en théologie, supérieur du séminaire et procureur des vicaires

---

n'en veuille prendre connaissance et se formaliser si on voit les ministres du Saint-Siège se mêler de vos affaires, de peur qu'ils ne veuillent peu à peu introduire une espèce de juridiction dans le Royaume, à quoi on résisterait hautement. Or à Rome on craint de s'engager dans ces intrigues, et cela les fait se retirer et a été la cause qu'on n'a jamais voulu approuver, par Bulle ni par Bref, le Séminaire ».

1. *Id.*, Lettre à Gazil de mai 1664 (AMEP, vol. 200, p. 254-255), mal transcrite par A. Launay, in *Documents historiques relatifs à la Société des Missions Étrangères,* p. 272-274, qui remplace légat par nonce et confond ainsi le retour du légat a latere avec sa suite exceptionnelle et le nonce à Paris retournant à Rome pour ses affaires.

2. *Id.*, Lettre à Gazil du 16 octobre 1668 (AMEP, vol. 201, p. 105) pour le féliciter de son élection à la tête du séminaire. Lesley (dont on a 68 lettres) intéresse Gazil parce qu'il lui rapporte constamment le point de vue de Rome. L'ensemble des lettres de Gazil à Lesley présente des réponses à donner à Rome pour calmer ses craintes ; il ne faut peut-être pas toujours les prendre pour argent comptant. Cf. Lettre de M. Gazil, 5 mai 1670, vol. p. 361 ; Lettre de Gazil à Lesley du 3 août 1670 (AMEP, vol. 201, p. 373-375 ; Lettre de M. Lesley à Gazil du 16 octobre 1670, AMEP, vol. 201, p. 105).

apostoliques. Il évoque aussi discrètement le premier contentieux, celui de la fondation du séminaire sans accord préalable de Rome en 1663, avec sa ratification non par la voie hiérarchique normale (le cardinal Antoine Barberini, la Sacrée Congrégation de la Propagation de la Foi et le pape) mais par la voie inhabituelle, celle du légat extraordinaire du pape, le cardinal Chigi, de passage à Paris. Gazil veut convaincre la Sacrée Congrégation qu'elle en a pris acte en recommandant elle-même le séminaire au nonce apostolique, Carlo Roberti[1], ce dont Gazil tient à la remercier au nom de ses collègues[2].

En deuxième point, Gazil assure que les supérieur et directeurs du séminaire ont rempli avec soin leur charge de procureurs qui leur a été confiée par les trois vicaires apostoliques envoyés en Chine par le Saint Siège[3]. En troisième point le traitement des affaires des trois vicariats a permis aux procureurs d'être au courant de faits de nature à avoir des conséquences importantes sur la mission et notamment sur l'union nécessaire entre eux et les vicaires apostoliques[4].

Après avoir proclamé le dévouement des procureurs à la cause des missions et protesté de leur désir de veiller aux intérêts de ceux dont ils ont la procure, Gazil, en tant que député des procureurs, va dénoncer aux autorités romaines le comportement des évêques et de leurs prêtres qui crurent devoir stimuler leur zèle apostolique par des vœux de perfection les plus exigeants possibles[5]. Ici Gazil n'a pas l'ironie qui est manifestée dans la lettre adressée

1. Carlo Roberti de Vittori (1605-1673) est nonce apostolique en France depuis 1664; il est nommé cardinal le 15 février 1666 par le pape Alexandre VII.

2. M. Gazil, Lettre à la Sacrée Congrégation de la Propagation de la Foi, Rome 1669, AMEP, vol. 201, p. 293 : « 1) Je presente humblement à vos eminences le S [ieur] G [azil], p [retre], d [octeur] en th [eologie], sup [erieur] du Sem [inaire] etabli a Paris pour les missions etrangeres, et procureur pour les afaires des trois evesques, vicaires apostoliques envoyes a la Chine, disant que depuis l'establissement dudit seminaire en l'an 1663 et la confirmation d'iceluy en 1664 au nom du St Siege par Mgr l'eminentissime cardinal Chigi, legat en France, et depuis les lettres particulieres de recommendation adressees par la S. Congregation a mon Sieur Roberti en faveur dudit seminaire, les directeurs d'iceluy avoient eu toujours la volonté de venir rendre à la S. Congregation leurs respects et leurs remercimans par un de leur deputés, lesquels n'auroient peu executer que cette année, qu'ils ont envoyé ledit sieur supliant pour rendre grace a leurs Eminences qui ont bien voulu les prendre sous leur protection ».

3. *Id.*, « 2) Que depuis le départ successif de paris des trois evesques vicaires apostoliques a la Chine, les dits directeurs auroient toujours pris soin aveq une aplication constante des affaires desdits Seigneurs Evesques afin que par leur concours ils aydassent a soutenir une mission si importante a l'Eglise et si favorisée du S. Siège et de leurs eminences, et qu'en cette veüe ils auroient formé l'establissement de leur seminaire ».

4. *Id.*, « 3) Que l'experience des affaires desdits Seigneurs les obligeoit a representer a leurs eminences quelques considerations qui leur paroissoient de consequence pour le bien desdites missions et afin d'affermir d'autant plus la parfaite correspondance qui doit estre entre les Srs evesques vicaires apostoliques et leur agents ou procureurs en France ».

5. *Id.*, p. 294 : « 4) C'est en cette veue que ledit deputé represente a leurs eminences que lesdits sieurs Evesques avec leurs ecclesiastiques pousses d'un st zele pour s'afermir d'avantage

en 1667 à Lambert[1]. Sachant que Rome veut dégager l'évangélisation de la mainmise des religieux, il accuse les missionnaires de vouloir constituer un nouvel ordre religieux masculin consacré aux missions, après l'approbation des vœux par la Sacrée Congrégation et le Saint-Siège[2].

Gazil affirme alors qu'aux yeux des membres du séminaire le responsable de cette situation était Lambert et non Pallu ; ils ont décidé de soumettre à des théologiens les projets de vœux qui leur étaient adressés. Gazil se garde de parler d'hérésie comme il l'a fait ailleurs[3] ; il se contente d'affirmer le caractère extraordinaire et la nouveauté de ces vœux sans en détailler le contenu ; on voit chez lui une forte détermination à détruire la confiance que Rome a en Lambert. Gazil veut faire acter une procédure négligée par les deux vicaires apostoliques et qui leur aurait évité le retour inutile de Pallu. Selon cette procédure, Paris recevrait et étudierait les demandes des missionnaires et ensuite il en informerait Rome en lui fournissant un dossier en latin et en lui suggérant une réponse conforme à l'intérêt des missionnaires. Dans le cas présent, Gazil a reçu les conclusions négatives des docteurs qu'il a contactés et en a fait un mémoire en latin[4] à l'attention de Mgr le cardinal Alberici pour montrer le mauvais effet des vœux pour ceux qui les ont

---

en leur vocation, auroient formé le deissein de mener une vie la plus parfaite qu'il leur seroit possible et pour cet effet se seroient engages a des vœux d'une perfection extremement sublime et si elevée ».

1. Lettre des supérieur et directeurs du séminaire à Mgr Lambert du 28 juillet 1667, AMEP, vol. 4, p. 197-200: « Je raisonne un peu en homme et vous n'estes pas surpris de toutes nos craintes car nous n'envisageons pas les choses par des veuës assez sublimes, mais que voulez vous Monseigneur nous n'avons pas de ces hautes lumieres qui nous decouvrent la possibilité de ces proiets si releves, ainsi aies compassion de nous pendant que nous prierons Dieu qu'il nous fasse toujours accomplir ce qui est de meilleur pour vos missions mais non pas ce qui vous paroistra le plus elevé car il y a quelque fois du peril a aller si haut et il est dangereux de se persuader qu'on a decouvert une nature de perfection qui jusques a present a esté inconnue et que tous les patriarches de ces grands ordres qui ont procuré tant de bien à l'eglise n'ont jamais mis en pratique ».

2. M. Gazil, Lettre à la Sacrée Congrégation de la Propagation de la Foi, Rome 1669, AMEP, vol. 201, p. 294 : « 5) Que sur le fondement des dits vœux, desquels la teneur est icy jointe [peut-être s'agit-il des *Notes sur la Formule de certains vœux dont voici la teneur* qu'on trouve à Paris, AMEP, vol. 116, p. 477-479, et à Rome, APF, Acta CP, vol 1A, fol. 294r-298v], ils auroient eu en particulier mouvement de donner commencement à une Congrégation d'hommes lesquels se consécrassent entierement à l'œuvre de la propagation de la foi, le tout neanmoins sous le bon plaisir de la S. Congrégation et de l'aprobation du St Siège ».

3. Lettre des supérieur et directeurs du séminaire à Mgr Lambert du 28 juillet 1667: « Comme il est tres constant après les deliberations et les consultations qu'on a faites a Paris par de tres habilles gens que ce proiet contient des choses tendantes a l'heresie opposées à la bonne theologie tres singulieres n'ayant point son exemple, dont les suittes vont directement a la ruine de vos missions ».

4. Ce texte paraît être celui qu'on trouve en AMEP, vol. 201, p. 274-279.

prononcés et pour ceux à qui on demanderait de les prononcer à l'avenir[1]. Il s'agit de convaincre Mgr Alberici, le plus solide soutien de Lambert. On sait que les arguments de Gazil, l'aspect extraordinaire des vœux proposés et leur caractère religieux, ont porté particulièrement comme ils ont dû porter sur les docteurs en théologie de la Sorbonne[2].

Les membres du séminaire de Paris ont délégué Gazil à Rome pour régler leur conduite sur la décision de la Sacrée Congrégation de la Propagation de la Foi et en instruire les candidats missionnaires, qu'elle soit positive ou qu'elle soit négative, mais on sait par une lettre du 28 juillet 1667, adressée à Lambert, qu'une réponse positive entraînera la démission de tout l'encadrement du séminaire[3]. Dans sa lettre de 1669 aux cardinaux, Gazil privilégiait cependant l'hypothèse d'une réponse négative de leur part et considérait comme un fait acquis que c'était Lambert et non Pallu qui était à l'origine de la demande, il les engageait donc à donner à Lambert des instructions précises pour qu'il cesse d'orienter dans son sens les missions d'Asie[4].

---

1. M. Gazil, Lettre à la Sacrée Congrégation de la Propagation de la Foi, Rome 1669, AMEP, vol. 201, p. 294 : « 6) Qu'a cette fin, Mgr L'évêque de Béryte principal autheur de ces vœux en auroit envoyé le projet à leurs agens à paris lesquels ayant aperseu qu'ils contenoient le propos d'une perfection toute extraordinaire, ils les auroient fait examiner par les plus habiles docteurs, lesquels après plusieurs conferences auroient rejetté ces vœux desquels dès lors le Sr G. auroit donné advis à son Eminence Mgr le cardinal Alberici par un mémoire latin sur cette matiere pour luy représenter les inconveniens qu'on pouroit craindre de l'engagement aux dits vœux tant pour les ecclesiastiques qui les ont dejà faits que pour ceux auxquels on pourroit les persuader ».

2. *Id.*, p. 294-295 : « 7) Que la Sacrée Congrégation ayant été consultée sur la dite matiere il leur paroissoit necessaire d'être informé de ses sentiments affin d'y regler les leurs d'y conformer leur conduite, d'autant que si ces vœux sont approuves, il faut y disposer les ecclesiastiques qui soient envoyes à la Chine, et s'ils ne sont pas aprouvés qu'ils en donnent advis à ceux qui s'y sont engagés.

3. Lettre des supérieur et directeurs du séminaire à Mgr Lambert du 28 juillet 1667 : « C'est que quand mesme il reformera quelque chose a son proiet pour le mettre en estat d'estre approuvé que faira il pour l'executer qui seront les suiets et les membres de cette congregation nous luy avons tous declaré qu'il n'en trouvera point parmi nous autres et c'estoit une des raisons par lesquelles nous voulions l'obliger a n'en point parler qu'il n'en eust conferé avec nous, s'il prend des suiets ailleurs que parmi nous pour composer sa congregation, sera ce agir prudemment que de se (re) confier a des gens qu'il ne conoistra point dans la conduite de toutes vos affaires temporelles et spirituelles dont ils n'auront jamais eu de conoissance, car en ce cas la il faudra bien que nous quittions tout et que nous cedions la conduite du seminaire a ces personnes qui fairont les vœux de cette congregation qui fairont un corps dans l'eglise destiné nominatim a ces emplois en verité quel renversement que cela ne produira il pas dans toutes vos affaires et peut estre qu'apres que Mgr d'Héliopolis aura travaillé dix ans durant a l'erection de cette congregation si parfaite (encore sera ce beaucoup si en si peu de temps il en vient a bout), il trouvera 4 ou 5 personnes qui s'en mettront les quels ne subsisteront pas longtemps dans cet esprit et je doute si vous en aurez mieux establi vos missions ».

4. M. Gazil, Lettre à la Sacrée Congrégation de la Propagation de la Foi, Rome 1669, AMEP, vol. 201, p. 295 : « 8) Ils croient encore, qu'il seroit bien utile que la S.C. escrivit à

Gazil en venait aux retours de Jacques de Bourges et de François Pallu en Europe. C'est Lambert qui les avait renvoyés afin d'obtenir l'établissement d'une nouvelle congrégation fondée sur des vœux, il était prêt à y aller lui-même si Pallu ne parvenait pas à atteindre l'Europe[1]. Pour Gazil au nom du séminaire, la Sacrée Congrégation de la Propagation de la foi devrait écrire à Lambert que ces retours n'étaient pas justifiés, étant donnés les risques encourus, le coût du voyage et sa durée, le temps perdu pour l'apostolat alors que les procureurs sont là pour agir à Paris et à Rome au nom des vicaires apostoliques et selon les instructions qui leur sont données[2]. On trouve ici les mêmes arguments évoqués deux ans plus tôt dans la lettre du 28 juillet 1667 adressée à Lambert[3]. Gazil ne peut s'empêcher de décider de ce que les cardinaux doivent faire et dire et de le leur faire savoir.

Après avoir jugé du bien fondé des décisions prises par les évêques envoyés par le pape et en particulier le retour d'un d'entre eux, Gazil attribue les difficultés rencontrées par Lambert à un manque de modération de

---

Mgr Eveque de Berithe sur ce sujet au cas que ces vœux ne soient pas aprouvés pour prevenir que tant par son exemple que par sa persuasion il ne porte d'autres ecclesiastiques à les faire ».

1. *Id.*, « 9) Qu'entre plusieurs motifs a mondit S. Eveque de Berithe de renvoyer en Europe le S. de Bourges un de ses ecclesiastiques et mesme de persuader un premier retour à Mgr E. d'H à Rome et en France et soit que si l'un et l'autre s'appliquassent a sollicité l'établissement d'une nouvelle Congrégation, sur le fondement de la perfection declarée en ces vœux. Il pourroit arriver que si Mgr l'E d'H venoit a succomber aux fatigues du chemin durant son retour et ainsy que Monsieur de Berite, manquant d'estre instruit des sentiments de la S.C. sur ce projet ledit S.E. de Berithe pourroit estre incité de venir luy-mesme en personne solliciter un establissement qu'il s'en persuade estre très utile pour l'avancement de la Religion en ces pays ».

2. *Id.*, p. 295-296 : « 10) Le dit S. G. député, représente encore, à leurs eminences qu'il seroit utile pour une plus grande instruction de Mgr l'E de Berithe la S.C. luy fit conoitre son sentiment sur 2 points de consequence, ou au moins Mgr Le Secrétaire, par quelque Lettre particulière comme par forme d'advis et de direction. Le premier est sur le facile, trop promt et non nécessaire retour tant du principal, dudit ecclesiastique que de Mgr d'H. a sa persuasion. Attendu le peu d'ouvriers qu'ils sont, la difficulté des chemins, les grands frais que les voyages coustent, le besoin actuel de leurs missions, la longue absence de ceux qui reviennent, que pourveuque les dits Srs Eveques peuvent supléer par des mémoires amples et instructifs qu'ils ont laissé des agens particuliers, tant à Rome qu'à Paris qui agiront pour leurs attentes suivant et en confirmation des memoires et instructions par eux envoyés à la S. Congregation ».

3. Lettre des supérieur et directeurs du séminaire à Mgr Lambert du 28 juillet 1667 : « On sera surpris qu'un evesque aye quitté sa mission abandonné tant d'ames qui ont besoin de sa presence, entrepris un voiage tres penible et plein de dangers se mettre en estat d'estre absent de ses fonctions apostoliques pendant plus de six ans, et pourquoi ? pour aporter l'idee d'une congregation si mal digerée si mal fondée qui peche contre les principes de la theologie et du bon sens en verité quelle estime pourra on avoir de luy, quelle douleur ce luy fera d'avoir tant perdu de temps sorti de l'emploi de sa vocation et n'en rapporter que des reproches que nous craignons qu'on ne luy fasse a moins qu'il n'ait de plus solides suiets de son retour a proposer, en verite cela nous inquiete fort ».

sa part pour dénoncer les abus et « relâchements » des jésuites[1] et pour les réprimer[2]. Mais le Saint Siège pourrait contribuer à la paix en précisant les juridictions attribuées aux Portugais dans le cadre du Patronat portugais par rapport à celles des vicaires apostoliques[3].

Gazil fait état d'une rumeur concernant un accord entre le Portugal et le Saint Siège par lequel le Portugal choisirait de nouveau un titulaire pour les évêchés de Macao et de Malacca en échange du rappel des vicaires apostoliques en France. Il appartient au Saint-Siège de faire cesser cette rumeur[4].

Par ailleurs, le financement n'est assuré que pour les vicaires apostoliques qui doivent prendre en charge les missionnaires qu'on leur envoie, or les voyages missionnaires prélèvent une bonne partie de leurs moyens. La participation financière de la Sacrée Congrégation à la vie des missionnaires et à leur formation à Paris, montrerait l'intérêt du Saint-Siège pour l'œuvre qu'il a suscitée[5].

---

1. M. Gazil, Lettre à la Sacrée Congrégation de la Propagation de la Foi, Rome 1669, AMEP, vol. 201, p. 296 : « 11) L'autre point seroit de faire conoitre audit Sr Eveque de Berithe les sentimens de la S. Congrégation, sur une disposition dans laquelle il seroit à craindre que ledit Sr Evêque de Berithe et des ecclesiastique qui l'accompagnent ne vinssent a entrer qui seroit d'en venir a un espèce de dissection et de guerre ouverte aveq les reguliers et principalement avecq les p. jésuites au sujet de plusieurs abus et relaschements qui se sont introduits ».

2. *Id.*, p. 296-297 : « 12) Pour cet effet de conseiller a Mgr L Eveque de Berithe d'en employer les voyes de rigueur, de censure et d'excommunication qu'en cas de necessité et pour corriger les abus qui ofense son role de preferer le voye du bon exemples. Les saines industries d'une exhortation episcopale et des admonitions paternelles estant certain que l'estendart de la dissention, estant une fois levé il est bien difficile de retablir la paix et d'accomoder les differences qui se forment en des pays si eloignes du St Siege ».

3. *Id.*, p. 297 : « 13) Que pour eviter l'ocasion des dissensions entre les Sieurs Evesques et la nation portugaise, il seroit très a propos que la S. Congregation fist quelque office pour obtenir du pape que la juridiction des Evesches fonder a Macao et a Malaca just limitée et bornée avant mesme que d'accorder deux Evesques pour lesdits Evesches, en cas que la couronne du Portugal les demande. Autrement il est a craindre que ceux de la nation portugaise qui exercent la juridiction et l'authorité episcopale ne trouble celle des vicaires apostoliques et qu'estant apuyer des reguliers de la mesme nation rependus en divers lieu il ne se forme une faction contre les-dits vicaires Apostoliques ».

4. *Id.*, « 14) Que s'estant repandus un bruit desavantageuses aux missions en France et à la cour, scavoir que les vicaires apostoliques français seroient revoques des qu'on accorderoit au roy de Portugal des eveques ; ce bruit fascheux rependu par quelques reguliers auroit causé un refroidissement en l'esprit de ceux qui avoient plus de zele pour concourir a soutenir cette mission ou de leurs personnes ou de leurs biens. Que si la S. Congrégation prevoyoit que cette revocation ne dust point arriver, elle seroit supliée de s'en expliquer en termes favorables, tant pour détruire l'impresion de ce bruit que pour animer et justifier la perserance de tous ceux qui s'interessent par zele à maintenir une si florisante entreprise ».

5. *Id.*, p. 298 : « 15) Que la S Congregation ayant pris sous sa protection le séminaire depuis elle est supliée de considerer qu'il n'a aucun revenu, qu'a l'egard des ecclesiastiques qu'on prepare, ce qu'on envoye aux trois vicaires apostoliques. Ils sont entretenus aux depens

Il faut aussi prévoir un financement pour le successeur de Cotolendi. À ce propos, Gazil écrit bien que Lambert a reçu pouvoir du pape de nommer et consacrer ce successeur, mais cela ne devait pas lui plaire et c'est un pouvoir falsifié qui parvient à Lambert de sorte qu'il se croît obligé d'attendre le retour de Pallu. Gazil considère comme une mauvaise décision ce pouvoir donné par le pape car, comme il l'écrit aux cardinaux, Lambert ne pourra faire son choix que parmi ses compagnons de mission qui n'auront pas les revenus de ceux qui ont été consacrés en France. Il faudrait que la Sacrée Congrégation compense l'absence de revenus du nouvel évêque[1].

Gazil fait allusion au procès assez compliqué qui oppose le séminaire de Paris à Placide Duchemin. Celui-ci est le Coadjuteur nommé par Rome en 1661 pour occuper le siège épiscopal de Babylone alors situé à Ispahan (Perse) que son titulaire, Jean Duval, avait délaissé pour mener une vie dispendieuse à Paris. Criblé de dettes il fit pourtant le 16 mars 1663 « donation entre vif et à titre onéreux » de son hôtel particulier moyennant le gîte et le couvert jusqu'à sa mort. Aux nombreux créanciers privés du remboursement de leurs créances s'ajoutait Placide Duchemin privé des revenus liés à sa charge s'il se décidait à gagner Ispahan[2]. Après la mort de

des vicaires apostoliques, ce qui diminue d'autant leurs revenus qui sont mediocres quoique la mission dont ils sont charges soit de grande depence a cause des frais de voyages que pour ce que la distance des chemins cause qu'une bonne partie de ce qui leur est envoyé se perd par les chemins. Ce considéré, la S. Congregation seroit supliée de vouloir ayder de ses bienfaits a l'entretien de tel nombre d'ecclésiatiques qu'elle jugera a propos qui seront destines purement pour les dites missions des v [icaires] a [postoliques]. La contribution annuelle de la S. Congregation encourageroit les dits directeurs du seminaire et donneroit de la reputation a l'oeuvre et destruiroit dans paris, une simple opinion que Rome ne s'interesse pas assez aux Œuvres qui la regardent plus que les autres ».

1. *Id.*, p. 298-299 : « 16) La S. Congrégation doit estre advertie que le pape ayant donné le pouvoir a Mgr de Berithe de consacrer sur les lieux de sa mission un evesque pour succeder en la place de M. evesque de Metellopolis decedé en 1662 à Palacol aux Indes, le dit Sr qui sera consacré devant être pris d'entre les ecclesiastiques qui sont aupres de luy il n'aura aucune pension asseurée de sorte qu'il poura arriver que selon le choix qu'on fera, il y aura là un Evesque Apostolique qui n'aura aucun revenu certain ce qui est contraire a la conduite et aux intention de la S. Congregation a donné ocasion a ces inconveniens l'ordre particulier qui fut donné que cet Evesque seroit consacré sur les lieux et non en France. C'est pourquoi la S. Congregation seroit suplié d'alligner une pension audit Sr Evesque futur pareille a celle dont jouissent les autres Evesque de six cent livres laquelle luy sera payée des les temps que la S. Congregation sera informée du jour de son sacre ».

2. *Id.*, p. 299 : « 17) La Sacrée Congregation sera informée de nouveau que Mgr l'Evesque de Babylone ayant disposé de tous ses biens en faveur de lestablissement du Seminaire de paris aulcun d'autre seroient pretendus par son Coadjuteur scavoir ceux d'Hispahan comme estant de l'Eveché de Babylone et par consequent inalienable a laquelle pretention du Sr Evesque Coadjuteur la S. Congregation auroit paru s'incliner. C'est pourquoy elle seroit supliée de communiquer aux suplians les pieces et les titres par lesquels il paroist que ces biens ayant

Jean Duval, les créanciers vont se manifester à nouveau, et en 1669 Gazil pouvait espérer que la Sacrée Congrégation ne soutienne plus Placide Duchemin qu'au départ elle avait encouragé à faire valoir ses droits à Paris. Il était conscient que les demandes de financement du séminaire pourraient dans ces conditions être mal accueillies. Gazil voulait apaiser le conflit en proposant que le séminaire soutienne la mission de Perse au même titre que les missions de Chine[1]. Il pourrait en être de même pour les missions du Canada et celles des Iles d'Amérique (Guadaloupe et Martinique)[2]. Dans ce cas le séminaire de Paris serait le lien unique entre toutes les missions desservies[3] par les Français et le fondement naturel de la Société des Missions Étrangères dont le vrai fondateur ne serait ni Lambert ni Pallu, mais Gazil. Pour élargir le recrutement des missionnaires, Lambert chercha jusqu'à sa mort un accord avec le séminaire Saint-Sulpice auquel Gazil s'opposa avec succès.

Cette lettre de Gazil à la Sacrée Congrégation de la Propagation de la Foi permet d'imaginer le discours de Gazil lorsqu'il faisait à Rome en compagnie de Pallu la tournée des cardinaux en 1669.

---

esté annexés et acquis pour l'Evesque de Babylone afin qu'ayder de ces titres, ils conoissent l'obligation qu'ils ont a la restitution des biens qui leur ont été donnés et de laisser a titre onereux par donation authentique par un Evesque encore vivant et s'indemniser en vers luy de ce qu'il leur aurait donné mal a propos ». Cf. H. Sy, *La Société des Missions Étrangères – La fondation du Séminaire*, p. 20-39 et 119-123.

1. *Id.*, p. 299-300 : « 18) Que Mgr l'Evesque titulaire de Babylone estant fort avancé en âge et son Coadjuteur ayant atteint ou passé soixante ans et par consequence probable [mots illisibles] ni capacite de servir jamais la mission de Perse, la Sacrée Congrégation ayant déclaré que son institution merite de pourveoir a cette mission, les directeurs de paris luy font offre avecq un profond respect de luy presenter un suiet françois pour remplir la place de ces deux evesques aveq lequel les dits directeurs auraient une correspondance semblable à celuy qu'ils ont avecq les vicaires apostoliques de la Chine. La mission de Perse en seroit mieux soutenue ».

2. *Id.*, p. 300 : « 19) La S. Cong des le temps d'Alexandre 7 a donné a connoitre qu'elle aprouveroit l'envoy d'un vicaire apostolique aux isles francoises de l'amerique personne ne s'entremet de procurer efficacement aupres de sa majesté très chrestienne l'envoy de ce vicaire apostolique, les directeurs du seminaire de paris n'osent pas s'en enquerir n'en ayant aulcun ordre particulier de la S. Cong ce qu'ils examineroient par les voyes de prudence qu'ils jugeroient convenables aupres de sa majesté de concert avecq mr le nonce, s'ils en avoient receu quelque ordre de la S. Cong. ou de vive voix ou par escrit ».

3. Contre le projet de Lambert de faire appel aux Sulpiciens, Gazil demanda le monopole du recrutement des missionnaires. Lettre de Gazil à la Sacrée Congrégation de la Propagation de la Foi, Rome 1669, AMEP, vol. 201, p. 300 : « 20) Qu'il plaitse a la S. Cong. de gratifier les dits directeurs de quelques marques particulières de sa bienveillance telles qu'elle jugera convenables pour accrediter l'oeuvre de leur seminaire, encourager plusieurs bons ecclesiastiques qui sont en France a s'y venir consacrer pour servir en mission et pour affermir les directeurs a suporter avecq courage les difficultez attachées a leur entreprise ».

Le projet de Lambert : un Corps universel de missionnaires pour l'Asie

En quittant la France pour son vicariat d'Asie, Lambert n'emportait que des *Instructions* pour se relier à la Sacrée Congrégation de la Propagation de la Foi qui l'employait et qui voulait le diriger directement de Rome. Or entre l'arrivée de Lambert avec Deydier et de Bourges à Juthia (22 août 1662) et le départ de Jacques de Bourges pour l'Europe à la fin d'octobre 1663, aucun courrier n'arriva, aucune réponse à leurs lettres envoyées depuis Marseille. Il y avait de quoi s'inquiéter pour la pérennité de l'œuvre qu'ils entreprenaient. Dans un premier temps on répondit à l'urgence en envoyant Jacques de Bourges aux nouvelles, mais on réfléchit à une proposition d'établissement perpétuel.

Comment constituer un tel établissement sur le terrain des vicariats apostoliques sans créer une structure d'accueil reliée à l'Europe comme en possédaient les religieux établis dans ces contrées ? Sans nouvelles de Rome qui paraissait ne pas comprendre l'urgence de traiter les dossiers missionnaires en tenant compte des très importants délais de route, les missionnaires étaient alors totalement livrés à eux-mêmes ; ils comprenaient qu'ils leur fallait resserrer les liens avec leur pays d'origine et ils obtenaient de garder leur statut de ressortissants français (régnicoles) malgré la longueur de leur absence du territoire[1].

Le 10 juillet 1663, Lambert écrivit à son évêque, l'archevêque de Rouen qui présidait l'assemblée du clergé de France, pour renouer les liens avec l'Église de France et établir entre les vicariats apostoliques dans les diocèses français une union qui favorise les vocations missionnaires :

> « Si Messeigneurs vouloient bien nous considerer comme missionnaires de leur corps, cette mission qui est un des plus grands dessein qui se puisse Iamais projetter pour linterest de la gloire de Dieu et le salut du prochain en recevroient une utilité admirable, parce que les Evesques qui seroient envoyé en ces quartiers estant unis au corps le plus auguste de la chrestienté auroient les avantages quaporteroit infailliblement une telle union dont leffet seroit dattacher cette mission a la france, de la rendre perpetuel, et de la pourvoir dexcellents ouvriers apostoliques »[2].

Le 8 octobre 1663, Lambert écrivit à Vincent de Meur les vues qu'il avait données à M. Duplessis[3] au sujet d'un corps particulier et stable de mis-

1. Brevet de Louis XIV (AMEP, vol. 115, p. 113).

2. P. Lambert de la Motte, Lettre à l'Archevêque de Rouen, AMEP, vol. 121, p. 516 ; cf. Guennou, transc., L. n° 22, le 10 juillet 1663.

3. *Id.*, Apostille à la Lettre de M. Duplessis du 10 octobre 1663, AMEP, vol. 860, p. 2 ; cf. L. n° 48 : « Trouvez bon que je vous recommande au nom de dieu avec touttes les instances possibles de songer a un establissement perpetuel de nos missions en ces quartiers, soit en formant un corps expresse a ce suiet, soit en nous unissant a quelque communauté ennemie de

sionnaires, agrégé au besoin à une communauté existante[1], en vue d'établir à Paris et ailleurs des séminaires dépendant de celui de la Propagation de la Foi à Rome :

> « Vous apprendré comme nous navons peu entrer cette année dans le lieu de nostre consommation et quapres avoir passé dextremes perils sur mer, nous avons esté contraint de retourner Icy nous y avons encor trouvé nstre cher Mr de Bourge qui saspretoit pour son voiage départ d'Europe ce qui m'a donné lieu dadjouter dans la lettre de Mr Duplessis apres plusieurs veüe qui nous ont esté donnéés une forte recommandation pour le susplier daviser avec tous nos amys a former un corps perpetuel, dont le principale but soit de se consumer aux missions estrangers vous sçavez lengagement que nous avons a cella ce pourquoy ie ne vous dis rien d'avantage. LIdée que iay eu de cette grande entreprise est deriger un Corps particulier et stable pour ce dessein. Si cela ne se peut pas agregeons nous a quelque communauté ennemie des maximes du sciecle ou trouvons moyen destablir un seminaire de la Propagation de la foy a Paris et ailleurs a linstance de celuy de Rome. Enfin cherchons au nom du bon Dieu quelque voye pour faire reussir cette affaire qui est une des plus importante de la ste Eglise estant vray que sil ny a presque rien d'avancé au sujet de la Religion catholique en tous ces quartiers Il est neanmoins certain quil y a une tres abondante moisson à recueillir, mais il faut des missionnaires »[2].

Le courrier de cette période exprimait le même désir, notamment celui qui était adressé à Vincent de Meur[3], à M. Duplessis-Montbar[4] et à son

---

la pure prudence humaine et qui voulust faire une de ces principalles obligations de sadonner a ces divins emplois, ou bien faisant un Seminaire dans le College de la Propagation de la foy a Rome. Il seroit le modelle des autres qu on pouvoit eriger a paris et en divers autres lieux ».

1. À M. Fermanel, Mgr Lambert propose un rapprochement avec les théatins (Addition de la lettre à M. Fermanel du 12 octobre 1663, AMEP, vol. 857, p. 170.

2. *Id.*, Apostille à la Lettre à Vincent de Meur du 11 octobre 1663, AMEP, vol. 121, p. 553 cf. L. n° 49.

3. *Id.*, Lettre à Vincent de Meur du 3 novembre 1663, AMEP, vol. 116, p. 559-560 ; cf. L. n° 53 bis ; Lettre à Vincent de Meur, AMEP, vol. 121, p. 555 ; cf. L. n° 54.

4. *Id.*, Lettre à M. Duplessis-Montbar, AMEP, vol. 121, p. 557 ; cf. L. n° 55, le 25 novembre 1663 : « ie vous donnerey seulement avis du depart de nostre cher missionnaire Mr de Bourges, le 14è du passé, dans un Vaisseau anglois qui estant arrivez en ce port des le mois de Juillet dernier Il retourne a Madrastpatan ou apres quelque jour de sejour Il continüe sa route a Londres. Iay mis entre les mains de ce fidelle serviteur de Dieu toutes les choses que iay creu estre necessaires pour le sujet qui lamene en Europe. Iaiouterez seulement une chose quayant eu souvent veue de procurer un establissement perpetuel et la formation d'un corps apostolique dont le but soit de se consumer aux missions. Ie vous conjurerey au nom de N. S. J. C. de Ietter les yeux conjointement avec Mrs nos amis sur ceux que vous jugerez les moins indignes de cette divine vocation affin qu'apres avoir gemie au pieds de la divine bonté par une oraison circonstantiée de tout ce qui la peut rendre agreable a ses yeux on execute son bon plaisir ».

frère Nicolas[1]. Lambert parlait de son établissement perpétuel comme d'un Corps apostolique.

Quand Lambert apprit la création d'un séminaire des missions à Paris, il s'en réjouit avec les autres missionnaires[2], mais pour lui c'est à Rome que devait se trouver la tête et le modèle de tout ce qui concernait les missions d'Asie. En proclamant son attachement à la primauté de Rome, Lambert ne savait pas combien ses paroles allaient déclencher d'animosité contre lui alors que Paris était engagé dans un bras de fer avec Rome au sujet du séminaire.

La décision de Gazil de profiter d'une occasion si défavorable à la papauté pour lui arracher une faveur montre qu'il ne voyait pas comment triompher des réticences romaines autrement qu'en utilisant la pression du roi de France. C'est la position de force que Gazil va rechercher pour influer sur Rome et notamment faire échouer plus tard le projet de Congrégation Apostolique présenté par Pallu au nom de Lambert.

À Paris, Vincent de Meur est élu comme supérieur du Séminaire le 11 juin 1664 sans l'accord exprès de la Sacrée Congrégation de la Propagation de la Foi, et donc en contradiction des *Instructions romaines* de 1659. Le document du 11 août 1664[3] signé par Chigi mentionne les noms de Vincent de Meur, François Besard, Luc Fermanel, Michel Gazil et Armand Poitevin, en tant que prêtres ayant reçu le mandat de la Sacrée Congrégation de la Propagation de la Foi à la demande des vicaires apostoliques (« du Canada, du Tonkin et de la Chine »[4]) d'instruire et de former les clercs qui doivent partir dans ces régions infidèles[5]. Le document s'appuie ainsi sur la pro-

1. *Id.*, Lettre à Nicolas Lambert du 25 novembre 1663, vol. 121, p. 558; cf. L. n° 56: « Cest aussy sur ce fondement que ie me suis enhardie de proposer de faire un etablissement perpetuel de nos missions erigeant a ce dessein un corps apostolique qui auroit pour le seul objet de ses emplois de ce consumer aux missions a lEvangile a Lexemple des Septante deux Disciples de nostre chere mestre. Jenvoye à Mr de Meur les petites veües que iay eüe sur ce sujet qui tesmoignent lextresme envie que iay de voir cette compagnie establie ou enfin quelque sorte d'Institut qui empeche que cette divine entreprise ne vienne à manquer si Nostre Seigneur donne benediction a ce projet dans la pensé ou ie suis quil veut bien nous y admettre faites vos efforts pour en estre affin d'entrer en partage des grandes graces quil y versera ».

2. *Id.*, *Abrégé de Relation*, AMEP, vol. 121, p. 702-703 ; cf. § 45.

3. H. Sy, *La Société des Missions Étrangères – La fondation du Séminaire*, p. 63-65.

4. C'est à Paris qu'on veut ajouter le Canada dépendant du roi de France aux attributions du nouveau séminaire sans doute pour justifier son indépendance par rapport à la Sacrée Congrégation romaine.

5. B. Jacqueline, *Traduction française des Instructions de 1659*, I, 5: Avant de partir (les qualités des procureurs): « C'est pourquoi, qu'il y ait à Paris des personnes prudentes et pieuses qui gèrent vos affaires aussi bien en France même que par lettres adressées aussi ici même, à Rome ; que ce soient des gens tels que la Sacrée Congrégation puisse, à juste titre, avoir confiance en eux. Pour qu'ils puissent juger avec certitude des qualités et des aptitudes des autres, désignez des personnes âgées, émérites, douées de grande pitié et de prudence et n'ayant aucun goût de toutes les choses du monde. Leur charge consistera surtout à chercher,

curation donnée par les vicaires apostoliques avec l'accord de Rome pour entériner les nouvelles responsabilités des cinq prêtres cités. Mais alors que les lettres patentes de juillet 1663 mentionnent la Nouvelle France (Canada), la Perse, le Tonkin, la Chine et la Cochinchine. Le texte signé par Chigi ne fait plus mention de la Cochinchine. Ce texte tient-il compte de l'opposition de Lambert à un établissement indépendant de Rome ?

En mission, les vicaires apostoliques et leurs missionnaires ont le même souci de pérenniser leur œuvre, mais ils constatent l'échec de la centralisation à cause de la longueur des délais. Arrivés à la limite des vicariats qui leur sont confiés, Lambert et Pallu ne peuvent y accéder et doivent partager leur autorité au Siam qui n'est attribué ni à l'un, ni à l'autre.

Quand Pallu rejoint Lambert et Deydier au Siam, ils sont préoccupés de la pérennité de la mission qui a perdu tout contact avec l'Europe pendant dix-huit mois, obligeant les missionnaires à envoyer Jacques de Bourges pour rétablir la liaison. Pallu va rester lui aussi peu de temps au Siam. Il devra repartir en Europe pour proposer à Rome les moyens d'assurer cette pérennité de l'œuvre ; cela demandera aux missionnaires une cohésion plus grande entre vicariats. Ainsi ils sont deux vicaires apostoliques au Siam qui n'est le vicariat apostolique d'aucun d'eux et ils seraient trois si Mgr Cotolendi avait survécu à son voyage, car les vicaires apostoliques ont perdu en route la moitié de leurs compagnons ; on peut citer Barthélemy Meunier (Eudiste, mort avant le départ des autres), Jean Fortis de Claps (laïc), Pierre Saisseval-Danville (Eudiste), François Périgaud, Jean Chéreau, René Brunel (Eudiste), Jean-Claude Robert. Les survivants aux deux ans de voyage étant François Deydier, Jacques de Bourges, Louis Chevreuil, Antoine Hainques, Louis Laneau, Philippe de Chameson-Foissy (laïc) et Pierre Brindeau[1].

François Deydier est le témoin de l'état d'esprit des missionnaires en 1664 à Juthia qui n'est pas le lieu de leur mission. Ils sont réduits de moitié et ne peuvent atteindre leurs vicariats apostoliques. Il devient nécessaire pour eux de garder une unité structurelle : ils ont dû, par souci de protection, s'installer au milieu du quartier cochinchinois de Juthia, là où se trouve un certain nombre de chrétiens de même origine dont ils auront à apprendre la langue avant même d'apprendre le siamois. L'unité est l'objectif prioritaire

à trouver et à examiner les missionnaires, qui trouvés capables d'après ce qu'on a dit plus haut, vous seront envoyés, en son temps par cette Sacrée Congrégation, qu'ils doivent, à cause de cela, conseiller en indiquant tous les missionnaires qu'ils auront trouvés avoir les qualités voulues, pour qu'après une mûre délibération de l'autorité légitime, ils vous rejoignent munis de facultés et de mandats ». Il ne devrait donc y avoir que des procureurs parmi les membres du séminaire de Paris, ces procureurs devant être confirmés par la Sacrée Congrégation de la Propagation de la Foi.

1. Ancien Catalogue des missionnaires des Missions Étrangères (AN, MM// 527, p. 14).

que les missionnaires poursuivent en créant à Juthia une procure commune et un séminaire commun[1].

Le premier synode, celui qui suivit l'arrivée de Pallu, permit la concertation inévitable, notamment la répartition des moyens dans les différents vicariats : Brindeau partit pour la Chine et Macao le 23 juin 1665 et fut réaffecté en Cochinchine en 1669, Hainques et Chevreuil partirent pour la Cochinchine en août 1665 mais ce dernier s'arrêta au Cambodge, Laneau resta au Siam avec Deydier qui ne partit au Tonkin qu'en 1666, Jacques de Bourges devait l'y rejoindre à son retour d'Europe en 1669. On voit que les missionnaires n'ont pas d'affectations définitives : ils répondaient aux besoins et étaient tributaires de l'accueil des pays où les envoyaient les vicaires apostoliques.

En 1659, les *Instructions* que Rome avait données à chaque vicaire apostolique visaient à maintenir son autorité auprès d'eux en toutes les occasions et à faire de la Sacrée Congrégation de la Propagation de la Foi le seul organe de coordination des missions d'Extrême-Orient. En 1664, la note dominante de ce premier synode était l'harmonisation. Les vicaires apostoliques et les missionnaires ne revendiquèrent pas l'autonomie des vicariats prévue pourtant dans les *Instructions romaines de 1659*. Ils souhaitèrent au contraire une responsabilité solidaire, s'étendant bien au-delà de leur juridiction, dans le Siam, le Cambodge, le Champa. Ils édictèrent à l'intention de ceux qui les rejoindraient des Constitutions Apostoliques communes qui leur donnaient « la meme regle, les memes sentiments, la meme doctrine et la meme discipline » quels que soient les lieux où ils auraient à exercer leur mission. Ils souhaitaient que pour le bien de cette mission ils soient uniformes en leurs conduites intérieures et extérieures[2]. Ces Constitutions Apostoliques, appelées les *Monita*, ont été écrites par Lambert qui y préparait les esprits à une proposition plus ambitieuse, celle d'une réforme de l'Église en application de la théologie de la mission continue de Jésus. Ce sera alors la Congrégation des Amateurs de la Croix sous la direction des missionnaires apostoliques.

1. F. Deydier, Lettre à ses amis de Toulon du 20 janvier 1665, AMEP, vol. 116, p. 561 : « despuis nous avons teneu un Sinode qui nous a tous fort occupes estant une chose du tout necessaire mais de longue halayne, portant létude de la langue cochinchinoise pour le meyntien et lacroissement d'une petite Eglise que dieu nous a donné des son premier establissement, celle d'un seminaire que nous avons desjà commencé, ou nous avons desjà cinq ou six petits apôstres, que comme nous esperons de son infinie bonté fairont icy cognoitre et aymer Jesus Christ et la procuration generale de tous nos myssions qui sont des occupations qui ne tombent come l'asne de la maison a qui il appartient de porter le bast comme au plus vil et abject, et au plus mal propre aus occupations de Magdalayne, tout cella jouynt ensamble ne ma pas donne loysir de lire avec beaucoup d'attention vos lettres quoy que jy aye fait reflection presentement que Monseigneur se dispose a partir au plutost ».

2. B. Vachet, [*Nécrologie de Lambert*], AMEP, vol. 877, p. 694 ; P. Lambert de la Motte, Lettre à Gazil du 11 février 1664, AMEP, vol. 858, p. 72 ; vol. 121, p. 569 ; cf. Guennou, transc., L. n° 64 ; voir aussi *Abrégé de Relation*, AMEP, vol. 121, p. 661 ; § 25.

Quand Laneau fut désigné comme vicaire apostolique du Siam, Lambert demeura avec lui jusqu'à sa mort à Juthia, sa capitale. La mission principale que Lambert confia à Pallu en le renvoyant en Europe quelques mois après son arrivée au Siam, fut de proposer à la Sacrée Congrégation de la Propagation de la Foi et au pape une innovation qui donnait une dimension ecclésiale plus large que celle qui ressortait des *Instructions* de 1659. Il s'agit d'un Institut dont la structure s'inspirait de ces *Instructions*, un outil d'évangélisation entre les mains de la Sacrée Congrégation représentée sur place par les vicaires apostoliques, auxquels devaient obéissance non seulement les missionnaires en Asie mais les procureurs en France. En effet l'indépendance des responsables du séminaire de Paris par rapport aux vicaires apostoliques ne rentrait absolument pas dans les *Instructions* de 1659 par lesquelles Rome avait défini leur mission.

C'est Pallu qui parla le premier de *l'Idée d'une Congrégation Apostolique*[1], il revendiqua la paternité de ce terme de « Congrégation Apostolique » qu'il proposa lors d'une concertation entre missionnaires en 1664 au Siam : « C'est alors qu'a commencé à nous apparaître la lumière d'où a été pour la première fois conçue cette idée de Congrégation Apostolique, cette lumière a augmenté et l'idée est née et s'est précisée »[2]. Lambert modifia alors sa façon d'exprimer son projet et parla lui aussi de l'idée de Congrégation Apostolique, mais en la situant par rapport aux Amateurs de la Croix. Le rapport de la première et de la seconde fit l'objet de plusieurs articles de son *Abrégé de Relation*[3], alors que Pallu ne parla jamais des Amateurs de la Croix si ce n'est comme un surnom à donner à la Congrégation Apostolique[4].

Lambert a toujours parlé de la Congrégation des Amateurs de la Croix tandis qu'il n'a parlé de la Congrégation Apostolique qu'après le départ de Pallu[5], réservant encore de parler de Corps apostolique en 1677, deux ans avant sa mort, à propos de l'union avec le séminaire de Saint-Sulpice, alors

1. "Congrégation Apostolique" dans P. Lambert de la Motte, Lettre à Mgr Pallu (AMEP, vol. 121, p. 726) ; *Abrégé de Relation* (AMEP, vol. 121, p. 755 ; cf. Guennou, transc., § 83) ; "Amateurs de la Croix" et "Congrégation Apostolique" dans P. Lambert de la Motte, *Abrégé de Relation* (AMEP, vol. 121, p. 759-761 ; § 88-89) ; avec "Congrégation d'hommes apostoliques" dans *Abrégé de Relation* (AMEP, vol. 121, p. 756-757 ; § 83). Mgr Lambert parle à Mgr Pallu de "notre idée apostolique" (Lettre à Mgr Pallu du 21 janvier 1669, AMEP, vol. 858, p. 151 ; L. n° 117).

2. F. Pallu, *Explanatio ideæ Congregationis Apostolicæ*, 2e Partie, 3e chapitre (vol. 109, p. 58).

3. P. Lambert de la Motte, *Abrégé de Relation*, AMEP, vol. 121, p. 756-762 ; cf. Guennou, transc., § 83-89.

4. F. Pallu, *Explanatio ideæ Congregationis Apostolicæ*, 1re Partie, 5e Chapitre (vol. 109, p. 41).

5. À partir de 1667, cf. P. Lambert de la Motte, *Abrégé de Relation*, AMEP, vol. 121, p. 726, 756, 759 ...; cf. Guennou, transc., § 63. 83. 88...

que Rome a refusé les vœux de la Congrégation Apostolique présentés par Pallu : « On a fort prié pour lunion du seminaire de St Sulpice dont on a eu de grandes assurances et quil se formera un corps apostolique apres lequel il y a si longtemps quon soupire »[1].

Dans l'esprit de Lambert cette *congregatio apostolica* est à rapprocher de la *congregatio fidelium* qui est l'Église chez saint Thomas d'Aquin. Même avec le nom de Congrégation, on voit clairement que c'est bien d'une Église renouvelée dont il s'agit pour lui et non d'un nouvel Ordre religieux comme certaines expressions de Pallu peuvent y faire penser. Lambert confirme son projet d'Amateurs de la Croix en écrivant que tout le monde dirait d'eux ce que les infidèles disaient autrefois des Israélites : « *Hic est populus Dei* » («Voici le Peuple de Dieu »)[2].

C'est une Église renouvelée en vue de l'évangélisation que Lambert décrit ici, elle est constituée de deux parties, la Congrégation Apostolique et les Amateurs de la Croix proprement dits. Dans la seconde société sont rassemblés les fidèles constituant le Peuple de Dieu et accomplissant de leur mieux la volonté de Dieu comme cela a toujours été leur devoir depuis le début du christianisme. La première société (la Congrégation Apostolique) rassemble tous ceux que le Seigneur a appelés à l'apostolat direct. Lambert ne limite pas son accès aux seuls ecclésiastiques et aux religieux de tous ordres, mais il l'étend à tous ceux qui désirent participer par leurs actions extérieures au salut du monde, quel que soit leur état de vie :

> « Il m'éstoit montré de plus que ceux de la premiere feroient la volonté de Dieu comme elle se faict au Ciel, et que ceux de la seconde l'accompliroient comme il devroit se faire par les fidelles sur la terre.
>
> La vraie raison qui m'estoit donné de cette difference venoit de ce que ceux de la premiere ayant renoncé à tout ce qu'ils pouroient posséder du passé, du present et de l'avenir par les trois vœux qu'ils avoient faict d'obeyssance, et de pauvreté et de chasteté interieure, ils avoient mérité toutes les qualités requises à la vie parfaite et obtenu l'aneantissement d'eux-mêmes par le moyen du consentement qu'ils avoient donné à leur totalle perte, en veüe de quoy J. Ch. agissoit en eux et par eux comme il fait dans les bienheureux qui sont au Ciel. Par ceux de la seconde congregation, ie voyois que pour avoir esté après le fils de Dieu pour avoir renoncé à eux-mêmes, porté leur Croix, et suivi pendant leur vie le chemin du Calvaire, ils auroient parfaitement accomply la volonté de Dieu conformement à leur vocation »[3].

Lambert se réjouit de ce que le recrutement du Corps Apostolique ne soit pas limité à la hiérarchie ecclésiale : ce Corps ne constitue pas un presbyterium mais il rassemble tous ceux, hommes et femmes, prêtres, religieux et

1. *Id.*, *Journal* du 8 janvier 1677, AMEP, vol. 877, p. 596 ; cf. transc., p. 246.
2. *Id.*, *Abrégé de Relation*, AMEP, vol. 121, p. 759 ; cf. § 88.
3. *Id.*, p. 759-760 ; cf. § 88.

laïcs qui remplissent une fonction évangélisatrice et qui prononcent les trois vœux spirituels pour permettre que se poursuive en eux la mission continue de Jésus. Et ils serviront de modèles aux membres de l'autre société[1]. Ici, les vœux constituent la principale différence entre les membres du premier Corps, la Congrégation Apostolique, et ceux du deuxième Corps qui englobera le premier, la Congrégation des Amateurs de la Croix[2].

Pour constituer un nouvel Ordre religieux, une « religion » (autre façon d'en parler à l'époque), Lambert aurait dû au moins spécifier « congrégation religieuse ». La Congrégation Apostolique s'appelait « Apostolique » non seulement parce qu'elle était consacrée à l'évangélisation, mais parce qu'elle émanait du Siège Apostolique[3].

Ces deux congrégations sont prévues par Lambert pour l'ensemble des vicariats et non pour chacun d'eux et il désire un seul Corps Apostolique et une seule Congrégation des Amateurs de la Croix. Tous avaient à y participer spirituellement par l'offrande de leur vie avec Jésus en croix :

> « Comme cette vie est un parfait modele de celle que Nostre Seigneur Jesus Christ a mené en ce monde et quelle doit imiter sa vie souffrante et la faire connoistre aux hommes affin quils se la proposent pour exemple il ma paru quon peut appeller cette compagnie des Amateurs de la Croix. Jay eu pensée décrire cette veüe a mes amis de Paris affin que si le Bon Dieu le veut on y en puisse establir une semblable et peut estre bien que Notre Seigneur permettroit quon en fît aussi une a Rome, qui seroit tout a fait utile et qui en ce cas seroit la premiere de toutes les autres »[4].

---

1. *Id.*, p. 762 ; cf. § 88 : « Il me fut donné une veüe en même temps fort avantageuse pour les saintes Vierges et les autres personnes qui ayant incapacité d'estre promeus aux saints ordres seroient appelés à estre de la première congrégation, parce qu'ils ne laisseroient pas de recevoir la grace de coopérer à la conversion des infidelles et des pecheurs semblables à ceux qu'il appelle à la vie parfaite et apostolique ».

2. Lambert emploie deux expressions : Amants ou Amateurs de la Croix ; les Amantes de la Croix apparaissent souvent comme la branche féminine des Amateurs de la Croix. Pourtant déjà au XVIIe Furetière précise dans son *Dictionnaire* que le mot Amateur ne s'emploie que pour les choses, on ne peut pas être Amateur de quelqu'un, et le mot Amant ne s'emploie que pour les personnes, on ne peut être Amant de quelque chose. Lambert identifie donc la Croix et le Christ crucifié.

3. Chez Lambert le mot "apostolat" peut être synonyme d'épiscopat (Lettres de Lambert, AMEP, vol. 121, p. 570, 577), car en tant qu'évêque il est successeur des apôtres d'où son "apostolat". L'Église est aussi "Apostolique" parce que fondée sur les Apôtres (Yves CONGAR, *L'Église une, sainte, catholique et apostolique*, coll. « Mysterium Salutis », n° 15, dogmatique de l'histoire du salut, Paris, Cerf, 1970, p. 222 et note 106 : « Jusqu'à l'époque moderne, l'adjectif "apostolique" a désigné une qualité référant quelque chose aux Apôtres » (L.M. DEWAILLY, « Note sur l'histoire de l'adjectif Apostolique », in *Mélanges de Sciences religieuses*, 1948, p. 141-152 et H. HOLSTEIN, « L'évolution du mot "apostolique" au cours de l'histoire de l'Église », in Apostolat, Problèmes de la Religieuse d'aujourd'hui, Paris, 1957, p. 41-62).

4. P. LAMBERT DE LA MOTTE, Lettre à Vincent de Meur du 6 septembre 1662, AMEP, vol. 116, p. 554 ; cf. Guennou, transc., L. n° 6.

« Je recevois aussi un contentement que ie ne pouvois exprimer considerant que la Congregation des Amateurs de la Croix de Nostre Seigneur J. Ch. seroit fort nombreuse et de ce que un infinité de personnes de rare vertu, de toutes sortes de sexe de conditions, et de nations demanderoient d'y estre admis, meu particulierement de ce saint motif de vouloir reconnoistre, honorer, et imiter Jesus Christ foüetté, souffrant et patissant en Croix pour le salut de tous les hommes par un sacrifice laborieux qu'ils lui offriroient chaque iour »[1].

Le projet de Lambert doit servir de remède au mal engendré par le commerce des religieux, à la recherche du profit dans l'évangélisation. Quand Lambert souhaite qu'un nouveau discernement s'exerce en Europe sur tous les missionnaires qui se trouvent en Asie, il propose évidemment que ce discernement s'exerce non seulement à Paris mais plus encore au Saint-Siège à Rome comme il l'écrit au Secrétaire de la Sacrée Congrégation de la Propagation de la Foi le 9 février 1664[2]. Dans la même lettre il ajoute :

« J'ai transmis aux mêmes, peut-être avec trop de simplicité, un brève projet que j'ai eu de créer une Société pour travailler utilement dans ces régions, pour qu'il soit communiqué à un grand nombre de prêtres et de religieux que j'ai sus capables pour un tel institut. J'ai fait cela dans ce but de le faire pénétrer à Rome, sans l'ordre et le commandement de qui rien de semblable ne peut obtenir une heureuse conclusion, ni être béni de Dieu »[3].

---

1. *Id.*, *Abrégé de Relation*, AMEP, vol. 121, p. 762 ; cf. § 89.

2. *Id.*, Lettre au Secrétaire de la *Propadanda Fide* datée du 9 février 1664, AMEP, vol. 857, p. 201. 203 ; cf. L. n° 69, trad. I. Noye : « ... *quamobrem, si fides aliqua habeatur nostris dictis, possumus prudenter tutâque conferentiâ asserere aut removandos esse omnes religiosos a suis missionibus, aut mittendos esse alios, qui a Sacra Congregatione divinorum munerum digni judicabuntur. Ratio hujus rei est quia animadvertimus missionarios quos vidimus hactenus, idem de iis quos non sumus intuiti pro certo habemus, missi in loca missionum, favore, lucrandi gr*atia, *muneribus, aut rogatu alterius viri nominis, nulla facta consideratione utrum sint harum functionum capaces ; hinc oritur ut omnes, exceptis paucissimis, a missionibus arceri deberent* » (... C'est pourquoi, si on accorde quelque foi à nos paroles, nous pouvons avec prudence soutenir par un avis commun bien assuré ceci : qu'il faut déplacer tous les religieux loin de leur mission, et qu'il faut en envoyer d'autres qui seront estimés dignes des fonctions divines par la Sacrée Congrégation. La raison de cet avis, c'est que nous avons remarqué que les missionnaires rencontrés jusqu'ici, et aussi ceux que nous n'avons pas vus, nous en sommes certains, sont envoyés sur le lieu de mission par faveur, pour gagner de l'argent, par des cadeaux, sur la demande de quelque autre célébrité, sans qu'on ait examiné s'ils sont capables de remplir ces fonctions. Il s'ensuit que tous, sauf cas très rare, devraient être écartés des missions).

3. *Idem.* : « *Ad ipsosmet misi, forte cum nimiâ simplicitate, brevem ideam quam habui erectionis Societatis ad utiliter laborandum in istis regionibus, ut communicetur multis sacerdotibus et religiosis, quos novi ad talem institutum idoneos. Id egi eo consilio ut Romae insinuetur, sine cujus jussu et approbatione nihil simile felicem exitum sortiri potest, vel a Deo benedici* ».

Puisqu'aux yeux de Lambert la nouvelle structure ecclésiale ne constitue pas un nouvel Ordre religieux (une nouvelle religion), le religieux qui y serait reçu n'aurait pas à quitter sa congrégation religieuse.

Lambert s'en ouvre à Vincent de Meur le 3 novembre 1663 :

> « Dans ce corps seroient receues toutes sortes de personnes qui en seroient jugées dignes mesme des religieux de quelque ordre que ce fut supposant que cette divine compagnie eut lapprobation du St Siege sans quoy il ny faut pas penser parce quen ce cas cet institut seroit iugé sans doute le plus parfait de tous les autres ordres particuliers qui sont dans la Ste Eglise puis quil contiendroit en soi les perfections de tous les autres eminemment et les surpasseroit en ses veües en ses moyens et en sa fin »[1].

Ce n'est pas la vie communautaire, la règle, la spiritualité particulière ou même le sexe qui conditionnent l'entrée dans la Congrégation Apostolique, mais c'est la contribution à l'œuvre apostolique dirigée par le Saint-Siège.

Ayant créé les Amantes de la Croix au Tonkin en février 1670 et en Cochinchine l'année suivante, Lambert conçoit très bien que, participant à l'évangélisation, elles fassent partie de la Congrégation Apostolique dont il ne connaît pas encore l'échec[2] :

---

1. P. Lambert de la Motte, Lettre à Vincent de Meur du 3 novembre 1663, AMEP, vol. 116, p. 560 ; cf. Guennou, transc., L. n° 53.

2. Pour les membres laïques de la Congrégation Apostoliques, voir Lettre de Lambert à son frère Nicolas (AMEP, vol. 121, p. 579 ; cf. L. n° 73, en 1664) : « Si vous trouvez des personnes soit ecclesiastiques soit laïques dans cette disposition qui ayent deja fait leurs cour a N. S. durant quelques années, vous pouvez les ammener avec vous nous tacherons de leur donner des emplois conformes a leurs graces ie puis promettre que sils sont fidelles a leurs graces quils beniront mil et mil fois Dieu destre venüs » ; Lettre de Lambert à Vincent de Meur du 6 septembre 1662 (AMEP, vol. 116, p. 553 ; cf. L. n° 6) : « Le suiet de mon oraison continuel a esté de me sentir fortement porté a faire un establissement dans les lieux de nostre mission, de personnes choisies et qui soient arrivées par une misericorde particuliere du Bon Dieu a une parfaite union avec luy. La fin de cet establissement comme ie lay veu en general est pour faire de veritables hommes apostoliques, de veritables missionnaires, et de parfaits chrestiens parce que les laïques qui ne sont pas engagéz par le mariage nen sont pas exclus si Nostre Seigneur Jesus Christ les appelle a cette vie eminente ». Pallu parle aussi des laïcs de la Congrégation Apostolique (*Explanatio ideæ Congregationis Apostolicæ*, p. 25) : « Les membres de ce corps sont les personnes dont il est composé : et c'est seulement après les exercices pratiques de piété prévus, et quand ils ont fait de notables progrès en perfection sur les voies purgative et illuminative qu'ils doivent être choisis, avec grand soin, parmi les clercs, les religieux et les laïcs. Et cela à un âge déjà mûr, comme l'Église le requiert pour faire avancer aux ordres » (*Partes hujusce corporis sunt personæ ex quibus coalescit, quæ non nisi post posita pietatis tyrocinia, factosque non leves progressus in via perfectionis purgativa, et illuminativa magna diligentia seligi debent inter Clericos, Religiosos, et Laicos, idque in ætate jam matura, qualem Ecclesia requirit in promovendis ad sacros ordines*) et p. 109 : « Les laïcs qui n'ont pas fait d'études, pourvu qu'ils soient libres des liens du mariage et se recommandent par une solide piété et qui pourraient travailler sérieusement aux missions, ne se verront pas refuser l'entrée

« Il me fut donné une veüe en même temps fort avantageuse pour les saintes Vierges et les autres personnes qui ayant incapacité d'estre promeus aux Sts ordres seroient appellés à estre de la premiere congregation parce quils ne laisseroient pas de recevoir la grace de cooperer à la conversion des Infidelles et des pecheurs semblables à ceux qu'il appelle à la vie parfaite et apostolique »[1].

La Congrégation Apostolique est constituée pour favoriser la perfection de ses membres engagés par leurs vœux et pour qu'ils puissent enseigner aux Infidèles les mêmes choses, celles qu'ils doivent leur montrer en les mettant en pratique[2].

La façon dont Pallu va présenter à Rome la Congrégation Apostolique nous pose question sur ce que Lambert lui en a dit mais nous avons une lettre que Lambert a adressée au Père Jésuite Ignace Baudet en 1664 pour lui présenter les éléments du projet dont il discutait au moment même à Juthia. Lambert parle de l'état de vie de l'évangélisateur consistant à laisser Jésus établir sa sainteté en nous pour sanctifier les autres. Pour cela, il faut se donner à Dieu avec toutes ses facultés, avec son entendement, avec sa volonté, avec sa prudence humaine, etc. Pour sanctifier les autres, nous devons demander au Saint-Esprit de convertir les âmes en n'y mettant pas nous-mêmes d'autres moyens que ceux qu'il révèle dans l'oraison et qui sont proposés dans l'Évangile[3] : « Dès le 8 octobre 1663, Lambert invite ses amis de Paris à « former un corps perpétuel dont le principal but soit de se consumer aux missions étrangères » »[4].

Lambert cherche à poursuivre le projet dont il a eu connaissance à Rome auprès de Mgr Alberici, secrétaire de la Congrégation de la Propagation de la Foi, successeur d'Ingoli et héritier de ses idées. Ce projet prévoyait un recrutement varié et international. Jusqu'à sa mort, Lambert chercha à diversifier le recrutement de ses missionnaires en contactant les séminaires français tenus notamment par des Théatins et des Sulpiciens.

L'Asie possède déjà une forte population, mais, pour Lambert, l'évangélisation en Asie n'est pas si avancée qu'elle rende impossible le retour au

---

dans cette Congrégation » (*Laici literarum imperiti, modo a matrimonii vinculis liberi sint, et non mediocri pietate commendati, operamque missionibus studiosé conferre possint, ab ingressu hujusce Congregationis non excludentur*).

1. P. Lambert de la Motte, *Abrégé de Relation*, AMEP, vol. 121, p. 762 ; cf. Guennou, transc., § 89.

2. F. Pallu, *Explanatio ideæ Congregationis Apostolicæ*, p. 85.

3. P. Lambert de la Motte, Lettre au Père Ignace Baudet de 1664, AMEP, vol. 121, p. 571-573, cf. Guennou, transc., L. n° 69 ter.

4. *Id.*, Apostille à la lettre à Vincent de Meur du 11 octobre 1663, AMEP, vol. 121, p. 554 ; cf. L. n° 49 ; lettre à M. Duplessis du 25 novembre 1663, AMEP, vol. 121, p. 556 ; cf. L. n° 55 ; lettre à Nicolas Lambert du 25 novembre 1663, AMEP, vol. 121, p 557 ; cf. L. n° 56.

point de départ par le rappel en Europe de tous les missionnaires[1] selon les critères proposés par la Sacrée Congrégation elle-même dans les *Instructions de 1659*[2]. C'est à l'état désastreux de l'évangélisation qu'il faut remédier. Pour Lambert, il faut que Rome procède directement à un discernement des missionnaires aptes à évangéliser. C'est la Sacrée Congrégation de la Propagation de la Foi qui aura la charge de procéder à de nouveaux ordres de mission pour un organisme dépendant directement du Siège Apostolique et comprenant tous les acteurs de l'évangélisation, qu'ils soient prêtres, religieux ou laïcs. Lambert nomme cet organisme, unique pour toute l'Asie, le Corps Apostolique ou Congrégation Apostolique, de la même façon qu'on appelle les institutions du Siège Apostolique : Sacrées Congrégations Apostoliques.

Lambert donne un accent particulier à ce projet universel en fonction de son expérience missionnaire particulière. Dans les *Instructions romaines de 1659*, on insistait sur l'aspect hiérarchique, sur l'autorité de Rome (qui seule assurait l'unité) et sur le cloisonnement entre les différentes autorités même si une certaine coordination était légitime[3].

---

1. *Id.*, Lettre au Secrétaire de *Propadanda Fide*, AMEP, vol. 857, p. 201. 203 ; cf. L. n° 69.

2. B. Jacqueline, *Traduction française des Instructions de 1659*, III, 14 (Causes de renvoi en Europe) : « Ne renvoyez pas de missionnaires en Europe sans y être poussés, ou plutôt forcés par la pure et simple nécessité et des raisons très urgentes. Ces raisons peuvent être les suivantes : mauvaise vie, mœurs scandaleuses, déformation de la doctrine, esprit agité, querelleur, incapable de supporter autrui, surtout habitude de se mêler aux affaires séculières, politiques et temporelles.

3. *Ibid.*, III, 13 (E. Ordre et paix entre les missionnaires) : « C'est intentionnellement que vos provinces ont été choisies éloignées les unes des autres, pour que nul d'entre vous ne se mêle de la mission d'autrui. S'il y a vraiment urgence, et si un énorme coup de filet force votre voisin à appeler les pêcheurs d'une autre barque, il peut vous être permis pour peu de temps, après en avoir été prié non pas une fois, mais plusieurs fois, de vous absenter de votre province et de travailler dans une autre. Mais de peur que la vôtre n'en souffre, il faut prévoir un vicaire capable. Ne vous absentez toutefois que très brièvement, et écrivez à la Sacrée Congrégation la raison et la durée de votre déplacement, dans quel état vous aurez laissé les choses à votre départ et comment vous les aurez trouvées au retour.

. « Écrivez-vous très fréquemment les uns aux autres, faites grandir par cette sorte de communion épistolaire l'amitié déjà née entre vous, pour pouvoir prêter la main à ceux qui sont dans la peine et leur donner vos avis. Si quelque différend s'élevait entre vous ou entre vos missionnaires, gardez-vous des disputes violentes, des cris et de tout ce qui fait scandale, surtout devant le peuple. Si vous êtes incapables d'apaiser vos désaccords par vos propres moyens, portez-les devant la Sacrée Congrégation. Soyez sûrs d'avance de la trouver plus sévère et plus disposée aux sanctions envers les obstinés, les opiniâtres, ceux qui ne veulent absolument pas démordre de leurs droits. Au contraire, envers ceux qui sont disposés à céder et qui préfèrent renoncer à leur droit strict plutôt que d'empiéter et d'usurper sur celui du voisin, vous savez qu'elle sera favorable et portée à l'indulgence.

. « Ayez toujours un clergé et des missionnaires excellents, et conservez-les tels à force de soins et de sollicitude. Assignez à chacun sa tâche dans votre territoire, et tracez des limites

Le Concile de Trente avait recommandé la tenue de synodes et Lambert en a tenus au Tonkin et en Cochinchine alors que Pallu était en Europe. Dans ces Synodes, les vicaires apostoliques ne rassemblaient pas autour d'eux exclusivement ceux qui participaient avec eux à la fonction hiérarchique de l'Église, leur presbyterium, mais ils donnaient la parole à ceux qui contribuaient directement à l'œuvre d'évangélisation, qu'ils soient prêtres, religieux ou laïcs, hommes ou femmes[1].

Dans ces trois synodes (1664, 1670 et 1672) on trouve les mêmes éléments pour l'édification des nouvelles Églises, la constitution d'un clergé autochtone dont les paroisses comportent, selon les titres usuels conservés sur place, une 'Maison de Dieu' et une 'Maison de Bonheur' pour les Amantes de la Croix. Ce sont là les trois piliers de fondation pour l'Église[2].

On a souvent fait du Synode de 1670 la validation du système des 'Maisons de Dieu'[3]. On peut plutôt dire que le Synode ne fait pas obstacle au maintien du système fondé par Alexandre de Rhodes au Tonkin (1627) et en Cochinchine (1642)[4]. Dans le cadre de la Compagnie de Jésus, les catéchistes prononçaient les 3 vœux et vivaient en communauté comme les frères jésuites à la résidence des Pères missionnaires[5]. Dans le cadre des Amateurs de la Croix pour lesquels il ne connaît pas la décision de Rome,

---

bien précises à la vigne dans laquelle ils doivent travailler. Nul ne doit être autorisé à en sortir sans avoir obtenu de vous une autorisation écrite, qui ne lui sera d'ailleurs accordée que difficilement à moins qu'une raison légitime et très urgente ne vous y oblige. Même alors, vous lui prescrirez une absence très brève, et vous lui nommerez un remplaçant.

. « Dans le cas où un missionnaire, étant entré dans un territoire qui n'est pas le sien, ne voudrait pas se soumettre à l'organisation établie, réprimandez-le d'abord de manière à gagner en lui un frère s'il revient à la raison. Si toutefois il s'obstine à ne pas comprendre que ceux dont il blesse les droits, fuyant toute occasion de contestation et de violence, cèdent du terrain, mais vous informent de tout ce qui est arrivé de fâcheux ».

1. La Congrégation Apostolique est ouverte aux serviteurs de l'Évangile (P. Lambert de la Motte, *Abrégé de Relation,* AMEP, vol. 121, p. 761), aux religieux de toutes les Congrégations (Lettre à Vincent de Meur du 3 novembre 1663, AMEP, vol. 116, p. 560), aux Amantes de la Croix (*Abrégé de Relation*, AMEP, vol. 121, p. 762) et aux laïcs célibataires (Lettre à Vincent de Meur du 6 septembre 1662, AMEP, vol. 116, p 553) ; F. Pallu, *Explanatio ideæ Congregationis Apostolicæ*, p. 25.

2. Dans les statistiques les trois piliers étaient présents, ainsi en 1900 on comptait en Cochinchine, 29 prêtres indigènes, 70 catéchistes et 250 Amantes de la Croix, intégrant ainsi les Amantes de la Croix dans la structure autochtone (Élisabeth Dufourcq, *Les congrégations religieuses féminines hors d'Europe de Richelieu à nos jours histoire naturelle d'une diaspora*, Paris, Librairie de l'Inde, 1993, p. 332 citant l'annuaire *Missionnes Catholicae* 1901, Vicairies Apostoliques de Chine et Territoires Adjacents).

3. PHẠM Quốc Sử, *La « Maison de Dieu », une organisation des catéchistes au Vietnam,* thèse de doctorat en Droit Canonique de l'Université Pontificale Urbanienne, Rome, 1975, p. 79-80. 159-162.

4. *Ibid.*, p. 51ss. 60ss. 65. 87 note 1.

5. *Ibid.*, p. 72. 125-126. 183.

Lambert intègre les 'Maisons de Dieu' comme éléments de la nouvelle communauté diocésaine mais il en change la raison d'être, non plus une fraternité jésuite[1] mais une pépinière de vocations sacerdotales autour de prêtres autochtones et de catéchistes ayant reçu les ordres mineurs. La 'Maison de Dieu'est restée une association des catéchistes vietnamiens (et des auxiliaires chargés de tâches temporelles) qui perdura pendant trois siècles au Tonkin à la satisfaction de tous, sans qu'on songeât à lui donner de règles et de statuts canoniques.

Le Synode donne à chaque prêtre l'administration d'un district (articles 3), nomme les catéchistes qui remplaceront ceux qui viennent d'être ordonnés prêtres et les placent sous la responsabilité de ces derniers (articles 4 à 6) ; il faut aussi que soient désignés des laïcs, choisis sur leur vertu (et leur attachement à la doctrine[2]) par les catéchistes pour présider les prières dominicales en leur absence et veiller en tout temps sur la communauté ; ces laïcs feront des comptes rendus aux catéchistes et les catéchistes en feront aux prêtres (articles 7 et 8). Ainsi les laïcs restent associés à la pastorale même si les catéchistes reçoivent les ordres mineurs ; ces laïcs font fonction de chefs de communauté permanents dans tous les lieux où catéchistes et prêtres ne font que passer.

En ordonnant des prêtres indigènes, Lambert de la Motte prévoit que les communautés chrétiennes devront se financer elles-mêmes. À l'époque, en

1. Les jésuites avaient fait des catéchistes des frères jésuites ayant prononcé des vœux et soumis à ce titre aux Pères jésuites, cette condition des catéchistes entretenaient le schisme. Lambert ordonna prêtres certains catéchistes et releva les autres de leurs vœux jésuites. En effet, le Père jésuite portugais, Louis de Gama, visiteur de la province du Japon et de la sous-province de la Chine, avait écrit aux catéchistes et aux chrétiens du Tonkin, à l'arrivée de Deydier: "J'ay deia apris qu'il y a au Tonkin un pere de l'ordre de st pierre qui s'apelle François Deidier qui y preche & enseigne la ste loy de Dieu si le dit pere se conforme a toutes les paroles que touts les peres de la compagnie de Jesus vous ont preché & enseigné depuis le commencement jusqu'a praesant, touts nos peres s'en reiouyront beaucoup parce qu'ils auront en luy une personne qui pourra ayder tous les peres grands de la compagnie dans le soin qu'ils auront de tous nos freres, apres quoy il ne me reste plus rien a recommander scachant bien que vous n'avez point d'autres pensée que de faire l'œuvre de la maison de Dieu & de garder fidelité a tous les peres grands de la compagnie de Jesus comme vous avez tousiours faict iusqu'a praesant & que vous n'avez garde d'y manquér quoyque ces peres icy que ie vous envoye ne vous soient pas connus, vous les devéz pourtant recevoir comme de la compagnie de ceux qui sont les vrais peres des chrestiens du tonkin c'est pour cette raison que vous tous catechistes & chrestiens gardéz vous bien de vous oubliér de la fidelité que vous devéz a tous ces peres". (P. Lambert de la Motte, *Abrégé de Relation*, vol. 677, p. 192).

2. Ajout de la version latine de l'article 7 : qui majori virtutum « et doctrinae » merito inter ceteros praefulserit (A. Launay, *Histoire de la mission du Tonkin*, Documents historiques, (1658-1717), Paris, Missions Étrangères de Paris, Les Indes savantes, 2000, p. 92-100, texte du synode du Tonkin (AMEP, vol. 663, p. 25ss ; vol. 677, p. 204ss), corrigé et publié à Rome dans la constitution « Apostolatus officium » de Clément X, datée du 23 décembre 1673, citant Jus. Pont. De Prop. Fide, 1888, vol. I, p. 430).

Europe ce n'est pas le cas, les ressources de l'Église viennent des revenus de biens ecclésiastiques et des sommes allouées par l'État, le fait du prince. La question de l'argent est réglée par un système de cumul et de redistribution à plusieurs niveaux mais n'implique pas la vie commune (articles 10 à 14). Dans sa lettre à Lesley du 20 octobre 1670, Lambert de la Motte écrit qu'il y a bourse commune entre les deux missionnaires français, les neufs prêtres autochtones, les quarante huit clercs qu'il a ordonnés et les séminaristes, de sorte qu'ils forment une seule communauté, ce qui ne veut pas dire qu'ils vivent tous ensemble.

Pour dégager des soucis matériels les prêtres nouvellement nommés, l'article 13 demande aussi que soient désignés un ou deux laïcs (dans la version latine de Launay, c'est deux) pour s'occuper sous leurs ordres des affaires temporelles des secteurs qui leur sont confiés, notamment la gestion de la bourse commune prévue pour assurer la nourriture du clergé, des séminaristes et des pauvres[1].

Le projet de Lambert est bien celui d'une structure communautaire, ce qui l'a fait prendre pour une nouvelle famille religieuse, mais c'est de toute l'Église d'Asie que Lambert veut faire la famille des chrétiens. Il a compris la mentalité autochtonc alors que ses opposants de Paris ne pensent qu'en termes d'occidentaux.

C'est sans doute la perspective de la persécution qui a amené Alexandre de Rhodes à rassembler ses catéchistes pour qu'ils se soutiennent les uns les autres au sein d'une communauté de vie; la même perspective a incité Lambert de la Motte à disperser ses Amantes de la Croix en petites structures ne dépassant pas dix membres. Ces structures correspondaient à la culture vietnamienne et elles furent tout de suite admises, car il ne convient pas pour un vietnamien d'être célibataire sans vie communautaire, de quitter sa famille sans s'agréger à une autre structure familiale[2]. C'est l'Église qui va devenir la famille de référence.

Le village au Vietnam est une extension de la famille, un lieu privé pour la communauté villageoise qu'on dérobe, autant que faire se peut, aux regards des étrangers ; on n'y construit pas de pagode qui attire les pèlerins ni de *đình trạm* pour les voyageurs[3], on n'y tient pas de marchés qui pourraient attirer du monde de l'extérieur, ceci autant par souci de sécurité face aux

1. Locard, *Histoire de l'établissement du christianisme dans les Indes Orientales par les évêques français et autres missionnaires apostoliques*, Paris, Mme Devaux libraire, 1803, t. II, p. 51.

2. PHẠM Quốc Sử, *La Maison de Dieu*, p. 73 citant Henri Bernard-Maître, « Le Père Rhodes et les Missions d'Indochine (1615-1645) » in Mgr. S. Delacroix, *Histoire Universelle des Missions Catholiques*, t. II, Paris, 1957, p. 65.

3. Maison communale-halte alors que la maison communale, «*đình* », où ne se réunissent que les villageois est au centre du village (Trần Ngọc Thêm, *Recherches sur l'identité de la culture vietnamienne*, Hà Nội, Éditions Thế Giới, 2006, p. 254-255).

brigands ou aux soldats que par souci de discrétion face aux fonctionnaires chargés de lever l'impôt[1].

L'esprit de village est symbolisé par la haie de bambous qui l'entoure, même si c'est davantage vrai dans le Nord que dans le Sud. Comme dans la famille, à l'intérieur on doit être solidaire, et on fait face ensemble à la menace extérieure. Il y a donc au Vietnam un sentiment communautaire très fort[2]. Dans le pays en effet, l'esprit de village est premier, l'esprit national n'est que son extension et personne ne doit rompre le lien avec son village[3]. C'était l'origine du dicton : « *Phép vua thua lệ làng* » (l'ordonnance du roi cède à la coutume villageoise).

La Congrégation Apostolique proposée par Lambert devait répondre à deux critères souvent contradictoires, une vie communautaire intense et une large ouverture au monde à sauver dans le Christ.

Il y a entre la tenue des synodes et le projet de Corps apostolique un même état d'esprit marqué par le partage, partage des responsabilités et du travail apostolique, partage des biens ; il est marqué aussi par la confiance dans les laïcs, confiance qu'on avait en France au XVIIe siècle où des laïcs exerçaient la direction spirituelle comme de Renty et de Bernières, mais aussi comme certaines femmes. Pour le Synode de 1670 au Tonkin, Lambert y convoque « les personnes qui auroient eu la commission dinstruire les fidelles et de travailler a la conversion des gentils depuis plusieurs annéz »[4].

Le maintien de ces éléments constitutifs suppose que les vicaires apostoliques continuent leur coordination. Cela ne poserait pas problème s'ils étaient nécessairement membres d'une unique Congrégation Apostolique recouvrant tous les vicariats apostoliques et leurs membres, avec le même esprit, celui des trois vœux proposés par Lambert[5] ; mais le rejet par Rome de la Congrégation Apostolique et de ses vœux aura raison de cette étroite coordination. Toutefois, en faisant de Lambert et de Pallu les deux premiers administrateurs apostoliques pour coordonner les nouveaux vicariats, la Sacrée Congrégation confirmait d'une certaine façon les vues unificatrices de Lambert. Le séminaire de Juthia au Siam constituait un service commun pour les vicariats, par la suite ce fut celui de Penang en Malaisie. À partir

1. NGUYỄN Văn Huyên, *La civilisation annamite*, Collection de la Direction de l'Instruction Publique de l'Indochine, 1944, p. 103.

2. *Ibid.*, p. 259-266.

3. TRẦN Ngọc Thêm, *Recherches sur l'identité de la culture vietnamienne*, p. 272.

4. P. LAMBERT DE LA MOTTE, *Abrégé de Relation*, AMEP, vol. 663, p. 25 ; cf. Guennou, transc., § 120.

5. Comme Bénigne Vachet l'écrit pour les *Monita*, l'objectif de la Congrégation Apostolique était d'harmoniser l'action apostolique et faire « que les missionnaires qui seraient dispersés dans divers royaumes conservent la même règle, les mêmes sentiments, la même doctrine et la même discipline » (B. VACHET, [*Nécrologie de Lambert*], AMEP, vol. 877, p. 693-694).

de 1662, les moyens matériels et humains des missions passèrent alors tous d'abord par la procure générale de Juthia[1].

Rome comprit trop tard l'enjeu du combat mené par Lambert. Celui-ci apparut aux yeux de ses confrères comme ayant été désavoué par le Saint-Siège ; son autorité en était amoindrie à un moment où la division entretenue par les jésuites désorientait les chrétiens. On dénote un manque de ferveur du personnel du séminaire de Paris qui n'envoyait plus de missionnaires, comme l'écrit M. Thiersault[2] à Lambert qui en fit part à Pallu :

> « Quoy que nous n'aÿons iamais temoigné rien a nos amis de leur maniere de vie, nous croyons devoir vous dire ce que nous en a écrit feu Mr Thiersault par sa lettre du 7 juillet 1674 parlant d'eux en ces termes, mots pour mots « Pour ce qui regarde nos amis ce n'est quasi plus qu'une honnéte compagnie de gens qui vivent bien, mais selon leur volonté et qui travaillent quelquefois dans ces missions de France et soutiennent le seminaire des Misions Étrangeres. Ie ne scais ce que Dieu fera de nous dorenavant. Mais la ferveur pour embrasser la perfection evangelique et la vie apostolique est bien diminuée de ce que ie l'ay vû » J'ay suiet de croire que ie suis en partie cause de ce refroidissement, etc. »[3].

Les supérieur et directeurs du séminaire ne recherchaient plus de candidats pour les missions d'Asie et n'envoyaient plus ni argent[4] ni missionnaires dans les vicariats apostoliques, ce qui reposait la question d'une union avec un autre séminaire, cette fois celui de saint Sulpice[5]. Lambert donna à M. Sevin l'explication de cette défection de Paris que Gazil a fournie à Pallu le 27 août 1672 :

> « Au commencement de septembre 1673 on crut qu'il estoit fort a propos d'envoycr Mr de Chamesson en france avec nos depesches par lesquelles nous tesmoignons a Mrs nos Procureurs qu'il estoit necessaire que nous eussions plus de correspondance ensemble, et que nous désirions lunion du seminaire de St-Sulpice avec les trois vicariats de la Chine, faute de quoy nous estions en estat de manquer tout a fait d ouvriers d europe, nous sommes encor plus confirmés dans cette pensée par la lettre de Mr Gazil du 27 août 1672 qui mande a Mgr dHeliopolis que Mrs nos Procureurs sont tous tres infirmes et quils ne peuvent pas durer longtemps. Mais ce qui nous estonne davantage, c'est qu'il ajoute qu'il ne voit dans personne du séminaire le zèle qu'il faudrait pour avoir

1. F. Deydier, Lettre à ses amis de Toulon du 20 janvier 1665, AMEP, vol. 116, p. 561.

2. M. Thiersault avait fait partie des Bons Amis du Père Bagot, et avait été envoyé à Rome pour y surveiller Mgr Pallu venu y déposer le projet de Congrégation Apostolique.

3. P. Lambert de la Motte, Lettre à Mgr Pallu du 16 novembre 1676, AMEP, vol. 419, p. 300 ; cf. Guennou, transc., L. n° 176 : Le *Journal* de Lambert note au 31 janvier 1675 : « On a aussi parle du mauvais estat ou se treve nostre seminaire de paris et des remedes qu'on y peut apporter » (AMEP, vol. 877, p. 554 ; cf. transc., p. 87).

4. *Id.*, Lettre à M. Brisacier du 16 novembre 1676, AMEP, vol. 858, p. 361 ; cf. L. n° 172.

5. À son arrivée au Siam, Mgr Lambert penchait pour l'union avec les théatins.

le soin de nos affaires. Si la providence vous retient plus longtemps que nous l'esperons en Europe, nous vous prions de vous l'appliquer particulierement à negocier nostre mission avec Mrs de St-Sulpice »[1].

Lambert comprit mieux l'absence de tout soutien de la part des responsables du séminaire de Paris quand il apprit qu'ils avaient été convaincus par les jésuites de France de donner raison à leurs confrères de la Compagnie de Jésus qui avaient créé une division dans les vicariats apostoliques :

> « On a continué a lire les depesches par lesquelles ont connoit que les jesuites de france ont gaigné nos Amis du seminaire de paris et quils sont en estat de se declarer quelque jour contre les vicaires apostoliques cest a dire de prendre le party des Iesuites. On en a veu dautres fort consolantes par lesquelles les cardinaux Azzolini, Ottobono, et Bona ont donné charge a Mr Pallu agent de present des evesques a Rome de dire a levesque de Berithe quils le soustiendront et quils vont aviser aux moyens de remedier au scisme des Jesuites en suite de linterdit porté contre les religieux de Siam par ce prelat »[2].

Dès que cessa le soutien du séminaire de Paris, il fallut en trouver rapidement un autre ; le *Journal* de Lambert ne cessa alors de mentionner un projet d'union avec le séminaire de Saint-Sulpice dirigé alors par M. de Bretonvilliers[3] : « On a proieté un acte pour celuy des trois evesques qui ira en europe par lequel on luy donne pouvoir dunir les trois vicarias de la chine au seminaire de St Sulpice et un ample pouvoir pour negocier a Rome et en france les affaires des missions »[4].

Lambert plaida pour cette union auprès de l'archevêque de Paris[5]. Jusqu'à sa mort en 1679 Lambert tenta de trouver des appuis pour soutenir ce projet d'union et lever l'opposition de ses « amis »[6] du séminaire de Paris en affirmant que ce projet n'était pas dirigé contre eux, mais qu'il leur fallait

---

1. P. Lambert de la Motte, Lettre à M. Sevin de 1674, AMEP, vol. 858, p. 289 ; cf. Guennou, transc., L. n° 152.

2. *Id.*, *Journal* au 26 juin 1676, AMEP, vol. 877, p. 587 ; cf. transc., p. 211.

3. *Id.*, Voir aux 11 et 25 juillet 1674 ; 24 juin 1676 ; 10 octobre 1676 ; 20, 21 et 22 décembre 1676 ; 8 janvier 1677; cf. transc., p. 46, 211, 230, 237, 246. Mgr Lambert confia à M. de Bretonvilliers une lettre circulaire adressée aux ecclésiastiques de France, en fait d'abord les séminaristes et prêtres formés par le séminaire de Saint-Sulpice, pour les inciter à postuler pour les vicariats apostoliques (AMEP, vol. 857, p. 273-275 ; cf. L. n° 140, le 4 septembre 1673).

4. *Id.*, *Journal* du 11 juillet 1674, AMEP, vol. 877, p. 543 ; Lettre à Mgr Pallu du 29 novembre 1677, AMEP, vol. 858, p. 414-415 ; cf. L. n° 183.

5. *Id.*, Lettre à l'archevêque de Paris, AMEP, vol. 877, p. 445-447 ; une autre lettre du 29 novembre 1677, AMEP, vol. 858, p. 385-387 ; cf. L. n° 182.

6. Quand il parle des membres du séminaire de la rue du Bac, Mgr Lambert les désigne toujours par "nos amis", ce qui n'est pas qu'une formule pour lui car il ne leur a jamais caché quelque chose alors que de leur côté ils ne manquaient pas d'exploiter contre lui ses confidences.

recruter au plus vite des candidats capables de gouverner et d'être proposés comme évêques[1].

Le 24 juin 1676 l'arrivée de M. Sevin répondait à ce souci : il serait envoyé en Chine où de nouveaux vicariats seraient à créer. Lambert a noté dans son *Journal*:

> « Mr labbé Sevin est arrivé cette nuit avec quatre missionnaires français avec tous ses originaux de Rome et quantité de belles depesches qui ont donné lieu de rendre grâces a N. S.. Celle qui a plu davantage a esté celle de Mr de Bretonvilliers qui escrit a levesque de Berithe qui luy fait offre de suiets de son seminaire de St Sulpice et de tout ce qui est en son pouvoir, en quoy on ne peut assez admirer la bonté de dieu qui a porté ce superieur a faire une si estroite union avec levesque de Berithe »[2].

M. Sevin devait apprendre le mandarin avant d'être conduit en Chine par un dominicain chinois, le Père Grégoire Lopez, qui, nommé évêque par le pape en 1674, était attendu au Siam pour sa consécration par les vicaires apostoliques[3]. Mais Mgr Lopez ne se décida pas à venir, laissant en plan M. Sevin qui, découragé, demanda à retourner en France[4].

Lambert n'ayant pas réussi à faire entendre raison à ses « amis » au sujet de l'union avec le séminaire de Saint-Sulpice, cette union ne fut pas conclue. Mais Lambert n'eut pas seulement à souffrir de la part de ses « amis » de Paris, car ce furent toute sa pensée théologique et tous ses projets pour l'Église en Asie qui furent dénaturés par son compagnon de mission chargé de les présenter à Rome. Certes Pallu n'avait en aucune façon la volonté de nuire à Lambert, mais il n'arrivait pas à le comprendre, ramenant tout à ce qui le motivait lui-même, notamment la vie ascétique qu'il tenait de la Compagnie du Saint-Sacrement.

---

1. P. Lambert de la Motte, Lettre à Mgr Pallu du 4 septembre 1678, AMEP, vol. 877, p. 625; cf. Guennou, transc., L. n° 193; Lettre aux directeurs de Paris du 4 octobre 1678, AMEP, vol. 858, p. 421 ; cf. L. n° 194 ; Lettre à Mgr Pallu du 12 octobre 1678, AMEP, vol. 877, p. 641 ; cf. L. n° 195 ; Lettre à Mgr Pallu du 10 novembre 1678, AMEP, vol. 877, p. 645 ; cf. L. n° 196.

2. *Id.*, *Journal* au 24 juin 1676, AMEP, vol. 877, p. 587 ; cf. transc., p. 211. De Rome, Sevin avait écrit à Mgr Lambert le 18 janvier 1673 que la Sacrée Congrégation de la Propagation de la Foi avait ordonné d'imprimer les *Monita* (*Journal* au 12 juin 1675, AMEP, vol. 877, p. 561 ; cf. transc., p. 112).

3. *Id.*, Lettre à Mgr Pallu du 16 novembre 1676, AMEP, vol. 419, p. 298 ; cf. L. n° 176 ; *Journal* au 14 août 1676, AMEP, vol. 877, p. 589 ; cf. transc., p. 220.

4. *Id.*, Lettre aux directeurs de Paris du 4 octobre 1678, AMEP, vol. 858, p. 421 ; cf. L. n° 194; Lettre à Mgr Pallu du 10 novembre 1678, AMEP, vol. 877, p. 645 ; cf. L. n° 196.

CHAPITRE 2

LE DÉBAT SUR LE PROJET DE CORPS PROPOSÉ PAR LAMBERT

Des vœux pour permettre la mission continue de Jésus

Les *Monita*, introduction au projet de Corps apostolique

Avant de rentrer dans le débat sur le projet de création de Corps proposé par Lambert et que Pallu a transformé pour le présenter à Rome, il est nécessaire de comprendre l'esprit des missionnaires réunis en Synode en 1664 au Siam, esprit qu'ils manifestent dans lcs *Monita*, *Instructions* signées par les deux vicaires apostoliques et publiées à Rome en 1667.

C'est le Père Jean Bona[1] qui fit l'examen des *Monita* et les déclara le 19 février 1669 « en accord avec l'esprit apostolique, conformes à la foi orthodoxe et nécessaires aux prêtres travaillant dans les missions au salut des infidèles »[2]. Elles servirent de Vade-mecum à tous les missionnaires dans les siècles suivants.

François Bousquet s'intéresse à certains traits des *Monita* comme l'attention dans le passage suivant: « C'est par des illusions qu'il [le démon] séduit d'ordinaire les ignorants, les simples, les curieux, les superbes qui ne se gardent pas eux-mêmes par une attention soutenue »[3]. Le voyage de Lambert depuis l'Europe montre de quelle attention il s'agit, pour Jacques de Bourges l'attention se porte sur les curiosités de la création, tandis que

1. Le Père Giovanni Bona (1609-1674) est un auteur spirituel connu, abbé général de Saint Bernard (des Cisterciens), consulteur du Saint Office, il fut élevé au cardinalat le 29 septembre 1669 (AMEP, vol. 201, p. 59) ; cf. H. Sy, *La Société des Missions Étrangères – La fondation du Séminaire*, p. 103. Pallu écrivit au cardinal Bona à la Sacrée Congrégation de la Propagation de la Foi le 15 novembre 1671 (AMEP, vol. 107, p. 56) et le 5 janvier 1675 (AMEP, vol. 107, p. 107). Lambert écrivit aussi au cardinal Bona le 4 septembre 1673 (AMEP, vol. 858, p. 259. 261) et le 30 août 1675 (AMEP, vol. 858, p. 309. 311).

2. F. Pallu et P. Lambert de la Motte, *Monita*, p. 18.

3. François Bousquet, « L'esprit de famille des Missions Étrangères de Paris: les *Monita ad Missionarios* de 1665 », in *La Société des Missions Étrangères de Paris, 350 ans à la rencontre de l'Asie, 1658-2008*, colloque à l'Institut Catholique de Paris (4 et 5 avril 2008), sous la direction de Catherine Marin, Karthala, Paris, 2011, p. 178, citant *Monita*, p. 34.

pour Lambert, c'est la vie spirituelle qui mérite toute l'attention d'un missionnaire. C'est l'occasion pour Lambert d'une admiration pour les païens qui, sans avoir la même grâce que les chrétiens, portent souvent de meilleurs fruits. Il comprend alors que s'il veut proposer le salut du Christ, il lui faudra porter un témoignage de vie qui pose les questions auxquelles le Christ répond. Car le païen est d'autant plus méritant par rapport aux chrétiens qu'il cherche par lui-même ce que Dieu révèle par grâce aux chrétiens.

Lambert s'explique dans les *Monita*, c'est un devoir pour le missionnaire de connaître le terrain dans lequel il va semer l'Évangile. Dennis Gira s'étonne de l'ouverture qu'il découvre dans les *Monita* envers les adeptes des autres religions. Il est difficile de ne pas l'attribuer à Lambert, cette ouverture explique l'ascendant que Lambert exerce sur l'élite siamoise et le respect qu'il inspire aux moines bouddhistes, les talapoins, auxquels il envoie Louis Laneau pour qu'il s'instruise de la langue et de la religion siamoise. Dennis Gira cite le passage qu'il admire le plus : « Comme il importe au cultivateur de connaître la nature de son terrain, pour être à même de le labourer à l'époque convenable et lui donner une culture appropriée, ainsi le missionnaire a pour devoir, afin de faire chaque chose en temps importun, d'étudier le caractère des peuples chez lesquels il doit jeter et faire germer la semence de l'Évangile » (ch. 2, art.4). En commentaire Dennis Gira s'exclame : « C'est remarquable ! On a du mal à croire que cette ouverture ait pu exister il y a 350 ans »[1].

François Bousquet retient le passage qui exhorte le missionnaire à mobiliser son attention pour découvrir ce qui constitue des pierres d'attente pour le christianisme :

> « Il s'efforcera de découvrir tout ce qui regarde la religion des indigènes, leurs cérémonies et les erreurs qui ont cours chez eux. Il s'instruira de la science des prêtres, de leur manière d'agir, de l'autorité dont ils jouissent, de leurs fraudes et de leurs ruses ; il recherchera prudemment si parmi eux quelques-uns ne seraient peut-être pas assez près de la façon de vivre requise par la religion chrétienne »[2].

Le 1er mars 1663, dans une lettre adressée aux séminaristes de Paris[3], Pallu donne le plan d'un ouvrage qui parait être pour certains celui des *Instructions* qu'on appelle *Monita* et qui fut ratifié au Siam lors du synode de 1664 avant d'être approuvé par le Saint-Siège et diffusé par lui en 150 exemplaires. Cette comparaison nous aide à discerner la réalité :

---

1. Dennis Gira, « Annoncer l'Évangile en "terres bouddhiques" hier et aujourd'hui », in *La Société des Missions Étrangères de Paris, 350 ans à la rencontre de l'Asie,* p. 186, citant *Monita*, p. 36.

2. F. Bousquet, « L'esprit de famille des Missions Étrangères de Paris », p. 179, citant *Monita*, p. 37.

3. F. Pallu, *Lettres de Monseigneur Pallu*, p. 49, L. n° 10, à Messieurs les séminaristes (AMEP, vol. 101, p. 117).

Le plan prévu par Pallu	Le plan effectif des *Monita*
La premiere partie comprendra les dispositions interieures et exterieures avec lesquelles il se faut preparer à la mision, et comment on doit repousser les efforts du démon qui en est le principal ennemy. La segonde regardera l'instruction premiere de ceux qu'on doit preparer à recevoir les ordres sacrés, qui est le principal objet de nostre mission : 1° Des Catechumenes ou de ceux qui assistent volontiers aux instructions. 2° Des Competants ou de ceux qui demandent le bapteme et qui veullent faire profession de nostre sainte foy. 3° Des Neophites ou nouveaux baptisés. 4° De ceux qui ont mouvement pour une vie plus parfaite. Je declareré seulement, en cette partie, les matieres des instructions et l'ordre qu'on y doit garder, avec la raison de l'ordre, et les fondements principaux qui nous obligent de les recevoir et puis de les embrasser. La troisiesme partie découvrira la façon et la manière de donner l'instruction : 1° qu'il ne se faut jamais ecarter de la simplicité de l'Évangile ; 2° qu'il est perilleux de s'appuier trop sur les moiens et industrie humaines ; 3° qu'il en faut user avec beaucoup de modération et en quoy celleci consiste ; 4° ce que doit faire le missionaire quand il se trouve depourveu de tous les moiens humains ; J'ajouteré à cette partie, en forme d'appendice, les regles que les missionnaires doivent garder pour se procurer leur subsistance necessaire, ce qu'ils peuvent et doivent faire en ce point, ce qu'ils doivent eviter, et comment ils se doivent maintenir dans la pureté des regles susdites. La conclusion apprendra à se servir de ces instructions, et sera suivie d'une lettre à tous les missionnaires, qui comprendra en peu de mots toutes leurs obligations, et les qualités qu'ils doivent avoir.	1° Le Missionnaire doit éviter tout relachement (principales tentations auxquelles les missionnaires sont exposés. Il faut éviter les soins exagérés du corps. De la présomption et de la vaine gloire. De l'avarice. De l'application à la prière). 2° Des dispositions que requiert l'apostolat (De la retraite à garder en arrivant sur le terrain des missions. Le missionnaire prendra pour base de son travail le jeûne, l'oraison et le mépris des moyens purement humains. Le missionnaire doit se préparer à lutter contre le démon. Il faut mettre tous ses soins à connaître l'état de sa mission. L'étude des langues est nécessaire aux missionnaires). 3° De l'emploi légitime des moyens humains (Les moyens purement humains ne conviennent pas du tout à l'esprit apostolique. Le commerce est défendu à l'homme apostolique et indigne de lui. Aucune violence ne doit être employée pou propager l'Évangile du Christ. Le missionnaire ne doit pas recourir à des artifices humains. Que fera le missionnaire si la mission semble péricliter à cause du mépris qu'il professe pour les moyens purement humains ?). 4° Quelques instructions générales à observer concernant le ministere de la prédication (La prédication est le principal devoir de l'homme apostolique. Elle doit aller de pair avec une vie exemplaire toute de bienfaisance. Le missionnaire ne doit pas exercer le ministère de la parole sans s'être préalabrement préparé devant Dieu. En quoi consiste cette préparation ? 5° Comment le missionnaire doit s'y prendre pour travailler à la conversion des Infidèles 6° De la formation des catéchumènes 7° Des baptêmes à conférer 8° Des néophytes 9° Des vieux chrétiens 10° De la formation des catéchistes et de leur promotion aux Ordres sacrés Appendice aux instructions qui précèdent 1° Quelques règles à observer dans l'exposé des premiers dogmes de foi 2° Remarques sur l'explication du péché originel 3° Comment il faut prêcher Notre-Seigneur et Sauveur 4° Supériorité de la loi de l'Évangile sur toutes les autres lois

On en a attribué la rédaction plus à François Pallu qu'à Pierre Lambert de la Motte, mais il y a plusieurs éléments dont on n'a pas tenu compte. D'abord Pallu n'a pas eu le temps de faire ce travail au Siam, où il est arrivé le 27 janvier 1664 et d'où il est reparti le 19 janvier 1665[1], son emploi du temps ayant été consacré, selon ce qu'il en a écrit lui-même[2], aux discussions sur la Congrégation Apostolique et à la préparation de sa proposition à Rome à partir de nombreux entretiens avec Lambert. D'ailleurs son voyage de retour fut essentiellement consacré à la rédaction d'un long mémoire pour défendre à Rome cette proposition. Les *Monita* ne pouvaient être que le fruit d'une expérience missionnaire, celle de Lambert et de Deydier arrivés à Juthia le 22 août 1662[3].

La nécrologie de Lambert, écrite par Vachet sous le contrôle de Laneau, montre clairement quel est le véritable auteur des *Monita*. Selon cette nécrologie, Lambert les a conçus en rapport avec la Congrégation Apostolique ; celle-ci était, en effet, la structure reliant tous les missionnaires apostoliques et les *Monita* étant les Constitutions Apostoliques communes permettant de leur donner « la meme regle, les memes sentiments, la meme doctrine et la meme discipline »[4]. Quand Pallu arriva à Juthia, il avait conçu en voyage

1. A. Launay (*Histoire de la mission du Tonkin*, p. 7) donne les grandes lignes des voyages de Pallu, parti de Marseille le 2 janvier 1662, 13 mois après Lambert et arrivé à Juthia 17 mois après lui le 27 janvier 1664, Launay met ainsi en lumière le peu de temps que Pallu a passé en mission (au Siam un an en 1664, puis entre 1674 et 1675, enfin entre 1682 et 1683, enfin en Chine entre 1683 et 1684), la durée bien plus grande de ses trajets et surtout l'importance du temps passé en Europe lors de ses deux retours. Mort en 1684, 5 ans après Lambert, Pallu a eu une expérience du terrain bien plus réduite.

2. F. Pallu, *Lettres de Monseigneur Pallu*, p. 429, Lettre n° 187 au pape Clément IX (AMEP, vol. 116, p. 465).

3. François Bousquet souligne la déclaration préliminaire des *Monita* : « Dès l'adresse du livre au pape Clément IX, on voit qu'il s'agit d'un livre d'expérience : "Nous avions beaucoup entendu, nous avions lu beaucoup ; mais nous avons vu encore davantage de nos propres yeux, et surtout dans les réunions avec les confrères des Missions, nous avons pu étudier plus à fond les renseignements qu'avait fournis notre expérience commune" » (F. Bousquet, « L'esprit de famille des Missions Étrangères de Paris », p. 174).

4. B. Vachet, [*Nécrologie de Lambert*], AMEP, vol. 877, p. 694; P. Lambert de la Motte, Lettre à Gazil du 11 février 1664, AMEP, vol. 858, p. 72; vol. 121, p. 569 ; cf. Guennou, transc., L. n° 64 : « Vous aurez joye dapprendre la resolution que nous avons prise pendant environ quatre mois que nous avons à estre ensemble de tenir nostre premier sinode dans nostre petite eglise dediee au glorieux St Joseph. Cela est un effet special de la divine providence qui veut que nous decidions plusieurs choses pour l'interest de nos missions et afin que nous soyons uniformes en nos conduites » ; voir aussi *Abrégé de Relation*, AMEP, vol. 121, p. 661 ; cf. § 25 : « Ce fut dans cette veüe qu'on resolut de tenir un sinode ou l'on arresta de toucher une matiere importantes a la mission le 1° fut denvisager les tres grands desordres et dereglemens des Ecclesiastiques et des corps religieux de tous ces quartiers en général et en particulier pour les éviter et chercher les moyens de ny pas tomber le 2° fut de resoudre plusieurs cas de consequences et difficultez et le 3° fut de dressez une conduite

des règles de conduite pour les missionnaires comme il l'avait fait pour la communauté du Père Bagot ; évidemment elle ne pouvait pas tenir compte de l'expérience missionnaire ; Lambert et lui rassemblèrent l'essentiel de leurs projets respectifs et quelques mois suffirent pour mettre la « dernière main » à l'œuvre commune et on passa aux discussions préalables à l'élaboration de la Congrégation Apostolique et de ses vœux :

> « Cet ouvrage achevé l'on en entame un autre qui étoit d'une très grande conséquence, les évêques et les missionnaires qui les avoient accompagnés jugeant que l'état et le ministère des ouvriers évangéliques étoit le plus parfait de l'Église, ils se formèrent une espèce de vie qui eut des rapports avec leur profession afin qu'en travaillant au salut des âmes ils ne la perdissent pas eux-mêmes. L'on devait faire 3 heures d'oraison par jour, se priver de viande, et de pain le reste de leur vie, porter le cilice, prendre la discipline et se relever la nuit, jeûner 2 jours de la semaine. Sans y comprendre des mortifications moins pénibles à la volonté des particuliers, ils s'y engagèrent par vœux jusqu'à ce que le Saint-Siège les eut approuvés »[1].

Les *Monita* commencent par la recherche de l'origine des graves manquements engendrés par le commerce des religieux en Asie. Alors qu'ils avaient fait vœu de pauvreté, « un désir insatiable de posséder leur a fait mener une vie fastueuse et molle ». Pour résister à la tentation on doit apprendre « à vivre de Dieu par la prière et à s'abandonner entièrement à la divine Providence »[2].

C'est le souci de la pauvreté intérieure et extérieure qui devra guider sans cesse le missionnaire. Sur ce sujet et sur les justifications que les religieux donnaient à leur commerce, comme on l'a vu plus haut, c'est bien évidemment Lambert qui tenait la plume et non Pallu[3].

Dans l'esprit de Lambert, les *Monita* devaient pouvoir sans doute servir aux missionnaires d'introduction à l'idée de la Congrégation des Amateurs de la Croix telle que Jésus l'a suscitée et dont Lambert n'avait pas encore parlé à ses compagnons. En se rassemblant au sein d'une telle communauté ouverte à toute l'Église, les missionnaires apostoliques s'engageaient à laisser Jésus agir en eux, lui offrant leurs facultés, mémoire, entendement et

---

generalle pour les missionnaires affin quils se trouvassent uniformes autant que cela se peut dans leur façon d'agir interieure et exterrieure ». Ce qu'on connaît de Mgr Lambert confirme ici la nécrologie de Vachet en donnant le compte-rendu du 1er synode du Siam tenu pendant quatre mois à partir du dernier jour de février 1664, soit un mois après l'arrivée de Mgr Pallu.

1. *Idem.*, B. Vachet. Il s'agit ici des vœux de la Congrégation Apostolique incompris alors et réduits à des observances ascétiques. Ils sont présentés directement liés aux *Instructions* ; cf. B. Vachet, *Mémoires imprimés*, p. 124-125 et *Mémoires Manuscrits*, AMEP, 110 B, p. 110, où l'ascèse n'est pas mise en rapport avec l'activité missionnaire.

2. F. Pallu et P. Lambert de la Motte, *Monita*, p. 21-22.

3. *Ibid.*, p. 26-27.

volonté, sous la forme des trois vœux de la vie parfaite, vœux de pauvreté intérieure, de chasteté spirituelle et d'obéissance à l'Esprit Saint. À aucun moment dans les *Monita*, il n'est question de transformer en vœux ce qui y apparaît comme une règle de vie, notamment l'oraison et l'ascèse.

Pour saint Thomas d'Aquin, les trois vœux, tout en concernant l'intériorité de la personne, doivent faire l'objet d'un engagement public devant l'Église. Pour Lambert, cet engagement par vœux concerne l'effort du missionnaire, le but n'est pas d'ajouter un nouveau membre à la société chrétienne, mais de communiquer la perfection du Christ aux nations qui l'ignorent. Dans la théologie de Lambert, les missionnaires doivent d'abord s'offrir au Christ pour lui permettre de poursuivre lui-même sa mission sur la terre par l'annonce de l'Évangile et la perpétuation de la croix.

La présence de tous les missionnaires à ce premier synode du Siam fut sans doute pour Lambert un signe que Dieu lui donnait d'avoir à leur exposer son projet et notamment ses raisons théologiques comme l'a raconté Pallu :

> « Mais ensuite avec extrême insistance pendant quelques mois, il n'a pas cessé de l'offrir et la recommander à Dieu ; devant cette situation, ayant pesé promptement toutes ses parties et les mots eux-mêmes, il les a soumis à notre examen commun chaque jour. Il n'a rien voulu estimer valable sauf ce que l'avis mutuel de l'un et de l'autre aura défini. Enfin, nous avons fait participants de nos délibérations nos Missionnaires dont il en a choisi deux qu'il a indiqué comme mieux préparés que tous les autres, pour qu'ils expriment les vœux de la vie parfaite avec nous, quoi que ceux-ci exercent et suivent cette vie bienheureuse »[1].

Le Corps Apostolique existait de fait dans les propositions du Synode, dans le « nous » employés et dans les propositions des missionnaires qui exprimaient leur unanimité et leur autorité (au début : « nous décidons », à la fin : « nous avons décidé »). Il s'agissait de propositions souples, adaptables à tous les aléas d'une vie itinérante, imprévisible par définition. On y avait inclus la recherche de la pauvreté qui concernait aussi la propriété des facultés de l'âme, de la pureté et de l'obéissance aux frères en général, au pape en particulier et à l'Esprit Saint toujours. L'adaptation aux circonstances était une façon de se laisser guider par l'Esprit Saint, que ce soit pour le temps d'oraison ou pour l'ascèse, dans ce texte on ne parlait pas de prononcer des vœux mais de se soumettre à la volonté de tous :

> « Par ceci nous décidons et nous nous proposons comme but de pratiquer une vie parfaite et de garder la sainteté que demande l'état apostolique, de telle manière qu'avec l'aide de Dieu, nous puissions enseigner aux nations le Seigneur Jésus Christ et procurer le salut des âmes abandonnées.

1. F. Pallu, *Lettres de Monseigneur Pallu*, p. 429, L. n° 187 au pape Clément IX (AMEP, vol. 116, p. 465).

« Mais comme la vie parfaite suppose, ou inclue même la plus haute pauvreté, la pureté totale et l'obéissance la plus absolue dans l'exercice de ces vertus, autant qu'il nous le sera donné d'en-haut nous leur serons totalement sans cesse fidèles. Pour la pauvreté : ce ne sont pas seulement tous les biens externes mais même les biens intérieurs en tant que principalement désirables que nous abdiquons librement et du fond du cœur, mais même la propriété des facultés de l'âme et de toutes ses dispositions quelles qu'elles soient ou leur appropriation, pour que nous nous trouvions complètement nus devant Dieu et que nous puissions vraiment dire avec les Apôtres : "Voici que nous avons tout quitté". Pour la pureté : nous renonçons à tous les plaisirs quels qu'ils soient, non seulement à ceux qu'on peut avoir des objets sensibles, mais même à ceux qui sont perçus avec plus de suavité des choses spirituelles, et aussi des plaisirs intimes et divins dont l'expérience peut être accordée dans l'exercice de la charité et dans la contemplation des choses divines. Cependant nous ne nous proposons pas cela parce que nous ne voulons pas nous réjouir des dons de Dieu, de sa gloire extérieure, mais de notre propre bien et de celui des nos proches, et même de sa possession. Les expressions d'une charité profondément délicate sont infiniment aimables et doivent être nécessairement aimées, mais loin de nous de jamais admettre ces joies à cause de nous-mêmes ou de vouloir tant soit peu librement et volontairement les goûter. Pour l'obéissance : nous désirons tellement mourir tous les jours à nous-mêmes et être toujours attachés à la volonté divine que nous ne voulons pas seulement le faire par l'observation des préceptes divins et des conseils de la loi évangélique ; ce que nous voudrions, c'est toujours nous abandonner et nous remettre, en toute honnêteté, non seulement aux supérieurs mais à la volonté et même à la simple inclination, à cause de Dieu, de tous les autres, qu'ils soient égaux ou inférieurs, à moins que nous ne sachions que le Saint Esprit veut de nous quelque chose d'autre, car, autant qu'il dépendra de nous, c'est toujours sous sa direction que nous nous laisserons conduire en toutes choses.

« Mais comme l'oraison continue et la mortification perpétuelle doivent accompagner cette vie, sans quoi personne ne peut demeurer fidèle à observer ces trois propositions, nous passerons tous les jours entre deux ou trois heures spécialement en oraison mentale et nous ne laisserons jamais cette fonction si louable et si nécessaire à la vie apostolique sinon pour travailler de par notre devoir d'état au salut du prochain ou pour procurer la gloire de Dieu par toute autre activité, ayant toujours en cela l'intention des Apôtres, "nous serons occupés, nous, à la prière et au ministère de la parole". Et comme avec ces mêmes Apôtres nous portons la mortification du Christ en notre corps, nous coucherons sur la dure là où le temps et le lieu l'exigeront, et nous nous abstiendrons de l'usage du vin tous les jours et nous jeûnerons tous les jours, sans manger de viande, tant que, faute d'autres nourritures, cela ne sera pas nécessaire pour vivre, c'est-à-dire dans la mesure où le permettront les fonctions de la vie apostolique les travaux et les veilles, en exceptant aussi les jours de Noël, Pâques et Pentecôte, sans compter lorsque nous serons en voyage, période en laquelle il nous suffira d'observer les abstinences et les jeûnes institués par l'Eglise. Nous estimons aussi de grand poids, pour atteindre la perfection comme pour suivre sans empêchement le parcours d'une vie apostolique, de nous abstenir des remèdes préparés par l'art de la médecine, ce qu'on appelle la pharmacie, et de compter surtout sur le remède suprême de la foi, les prières, le saint sacrifice de la Messe et les sacramentaux de l'Église.

« Bien que notre proposition de nous soumettre à la volonté de tous regarde surtout le Souverain Pontife en particulier, nous proposons de lui donner, à lui qui est le Pasteur de tous et que nous reconnaissons comme l'unique Vicaire du Seigneur Christ sur terre, une obéissance totale jusqu'à la fin de la vie, au point d'être continuellement prêts à partir où et comme il lui plaira de nous envoyer pour gagner des âmes à Dieu, propager l'Evangile et rendre n'importe quel service à l'Eglise. Enfin, pour qu'il n'y ait rien qui puisse parfois nous empêcher de remplir nos fonctions apostoliques, nous avons décidé qu'aucun de nous ne solliciterait jamais aucun bénéfice, prélature ou office de quelque sorte qu'il soit, sans avoir d'abord consulté ses supérieurs et obtenu leur consentement »[1].

On a pu constater dans ce texte des thèmes chers à Lambert : premièrement les trois vertus de pauvreté, de chasteté et d'obéissance sont identiques à ce que Lambert a développé dans tous ses écrits à savoir un engagement intérieur, l'offrande de toutes nos facultés ; deuxièmement l'oraison et la mortification sont des moyens pour vivre ces vertus, ce que Lambert a proposé comme règle de vie. Par contre, dans le troisième point, on trouve un autre langage que celui de Lambert, il s'agit de propositions qui relèvent peut-être d'une intention secrète, celle de mettre en évidence le manque d'accomplissement des vœux par les jésuites sur place, notamment l'obéissance au Souverain Pontife et le refus de tous les bénéfices ecclésiastiques.

De plus, cette « proposition de nous soumettre à la volonté de tous » tient vraiment à Lambert qui la pratique dans toutes les circonstances, elle montre un travail collectif qui aboutit à un engagement plus communautaire qu'individuel.

Le synode de 1664 faisait entrer l'Église dans un nouveau type de gouvernement : sans être un synode diocésain, il réunissait des évêques et des prêtres hors de leur juridiction et en un lieu où aucun des participants n'avait reçu de pouvoir de Rome. Ce qui est apparu alors comme essentiel était la pérennité de cette unité où la Providence les avait conduits. Le rejet des vœux présentés à Rome par Pallu a entraîné l'abandon de la Congrégation Apostolique en tant que renouveau de l'évangélisation en Asie, mais les *Monita*, qui avaient été conçues comme préambule à la création de la Congrégation Apostolique, ont continué de former à la mission des générations de séminaristes et François Bousquet en témoigne. Pour lui les *Monita* constituent l'esprit de famille des Missions Étrangères de Paris et il a été frappé par la survivance de cet esprit au cours de ses rencontres

1. *Quædam Missionariorum Proposita* (Quelques propositions de Missionnaires), APF, Acta CP, vol. 1A, fol. 192-193, trad. J. Ruellen.

avec des membres de tous âges[1]. Mais sans l'aboutissement du projet de Corps apostolique, les *Monita* sont demeurées comme un traité de spiritualité missionnaire.

La consécration à Dieu de toutes nos facultés et les trois vœux

Pour Lambert, le Christ est d'abord « le Sauveur du monde »[2], nous lui devons une reconnaissance éternelle, Lambert s'appuie sur cette reconnaissance qui se manifeste chez les Vietnamiens pour l'encourager[3]. Elle consiste pour lui à laisser le Christ résider en nous en tant que Sauveur du monde et donc à nous faire participer à la Rédemption, il continue à sauver le monde en nous. Le Christ nous a donné l'exemple en laissant son Père agir en lui.

Avant que nous puissions dire: « Ce n'est plus moi qui vis mais c'est le Christ qui vit en moi »[4], Jésus a dit à l'apôtre Philippe: « Voilà si longtemps que je suis avec vous, et tu ne me connais pas, Philippe? Qui m'a vu a vu le Père. Comment peux-tu dire: "Montre-nous le Père" ? Ne crois-tu pas que je suis dans le Père et que le Père est en moi? Les paroles que je vous dis, je ne les dis pas de moi-même, mais le Père demeurant en moi fait ses œuvres »[5]. Jésus souligne que tout ce qu'il dit ou fait vient du Père. Ses

1. F. Bousquet, « L'esprit de famille des Missions Étrangères de Paris », p. 173.

2. Sauveur, c'est aussi par ce titre que le Christ est désigné dans les *Monita.*

3. P. Lambert de la Motte, Lettre à Lesley du 20 octobre 1670, AMEP, vol. 858, p. 189: « La grande dévotion des fidèles de ces quartiers est de se montrer reconnaissants sur la mort et passion du Sauveur de tous les hommes » ; Lettre au pape du 12 octobre 1670, AMEP, vol. 650, p. 185-186, traduite du latin par Michel Dupuy: « Comme ils ont pour la mort et la croix du Seigneur Jésus un amour spécial, il a paru justifié d'encourager une dévotion aussi fondée » ; *Abrégé de Relation*, AMEP, vol. 121, p. 755, cf. Guennou, transc., § 83 : « Le but particulier de cette sainte société sera de professer une reconnaissance spéciale vers Notre Seigneur Jésus Christ crucifié et mort pour le rachat de tout le genre humain ».

4. Gal 2, 19 ; cf. 2 Co 13, 5: « Examinez-vous et voyez si vous êtes réellement dans la foi. Reconnaissez-vous que le Christ Jésus est en vous ? ».

5. Jn 14, 7-11 ; cf. Jn 5, 19: « le Fils ne peut rien faire de lui-même, qu'il ne le voie faire au Père » ; « Je ne puis rien faire de moi-même. Je juge selon ce que j'entends: et mon jugement est juste, parce que je ne cherche pas ma volonté, mais la volonté de celui qui m'a envoyé » (Jn 5, 30) ; « Ma doctrine n'est pas de moi, mais de celui qui m'a envoyé. Si quelqu'un veut faire sa volonté, il reconnaîtra si ma doctrine est de Dieu ou si je parle de moi-même. Celui qui parle de lui-même cherche sa propre gloire; mais celui qui cherche la gloire de celui qui l'a envoyé, celui-là est véridique et il n'y a pas en lui d'imposture » (Jn 7, 16-18) ; « Si vous me connaissiez, vous connaîtriez aussi mon Père » (Jn 8, 19) ; « Je dis ce que le Père m'a enseigné, et celui qui m'a envoyé est avec moi; il ne m'a pas laissé seul, parce que je fais toujours ce qui lui plaît » (Jn 8, 26. 28-29); « Ce n'est pas de moi-même que j'ai parlé, mais le Père qui m'a envoyé m'a lui-même commandé ce que j'avais à dire et à faire connaître » (Jn 12, 49).

œuvres sont les œuvres que le Père fait en lui : « Ma nourriture, c'est de faire la volonté de celui qui m'a envoyé et de mener à bien son œuvre » (Jn 4, 34).

Les trois vœux de pauvreté, de chasteté et d'obéissance ont pour but la consécration de toutes les facultés de l'évangélisateur afin que le Christ puisse continuer librement en lui l'œuvre de la Rédemption. D'ailleurs, puisque l'on ne peut promettre à Dieu d'accomplir que ce qui est possible à l'homme, sinon le vœu qu'on lui fait est nul, celui qui prononce ces trois vœux ne peut s'engager à la perfection que si c'est le Christ qui vient en lui pour y être saint ; telle est la théologie des trois vœux qui, pour Lambert, accomplissent ceux du baptême. La volonté du Christ, seul Sauveur, Fils unique et parfait du Père, c'est d'être totalement solidaire de nous au point de tout vouloir partager avec nous, hormis le péché mais y compris la croix pour la Rédemption du monde.

Pour les hommes, c'est seulement dans leur union au Christ que se trouve le salut, c'est-à-dire leur sanctification, leur résurrection, leur glorification, leur divinisation, leur vie éternelle, car c'est alors le Christ qui leur communique tout cela sans qu'il soit lui-même affecté par leurs fautes et leurs faiblesses. À chaque communion eucharistique, cette union s'approfondit de telle sorte que la consommation d'un corps ressuscité, physiquement incorruptible, anticipe notre propre résurrection. De cette façon l'engagement baptismal n'est plus vide de sens car il vise quelque chose de tout à fait possible, le renoncement définitif au péché et aux séductions du Mal. Et cela justifie les vœux intérieurs proposés par Lambert pour renouveler l'engagement des baptisés.

La mission continue de Jésus, comme il a été déjà dit plus haut, n'est pas d'abord l'apostolat que l'Église, en tant que Peuple de Dieu, aurait à continuer après la Pentecôte, mais c'est la mission salvatrice que Jésus lui-même veut poursuivre après l'Ascension dans son Corps qui est l'Église jusqu'à l'achèvement de ce Corps. Les vœux proposés par Lambert visent à permettre et faciliter la continuité (et pas seulement la continuation) de cette mission que Jésus lui-même veut accomplir en nous.

Aux membres du Corps Apostolique, les trois vœux intérieurs sont demandés pour consacrer toutes leurs facultés à Dieu :

> « Ce qui me ravissoit le plus dans ces veües estoit que le Sauveur du monde ayant rencontré les dispositions necessaires dans ces hommes apostoliques qu'il ne s'estoit pas seulement emparé de toutes les puissances de leurs âmes, mais ce qui me sembloit tout à fait admirable est qu'il s'estoit aussi rendu proprietaire de leur corps pour y continuer sa vie voyagere et souffrante par plusieurs sacrifices penibles qu'il faisoit à son gré par ces victimes divinisées »[1].

1. P. Lambert de la Motte, *Abrégé de Relation*, AMEP, vol. 121, p. 760, cf. Guennou, transc., § 88.

Le reste des fidèles n'est pas dispensé de porter la croix jusqu'au Calvaire et de livrer leur vie avec le Christ. Il semble que Lambert ait conçu la mortification d'abord comme une compassion envers Jésus[1], puis comme une préparation au martyre, objectif avoué de son départ en mission. La souffrance que les événements vont lui imposer va faire évoluer sa conception du sacrifice. L'échec, le reniement, la trahison, la maladie, ont eu une densité particulière chez Lambert, susceptible de lui permettre d'approcher des souffrances de la croix, plus que s'il était mort en martyr comme il en rêvait avant son départ de France. En même temps Lambert voyait encore davantage le lien entre la mortification, volontaire ou subie, intérieure ou extérieure, et le salut des âmes ; il prenait davantage conscience que la mortification chrétienne est constitutive de l'Église quand elle est offerte en unité avec le sacrifice du Christ lors de l'eucharistie.

En 1663, à Monsieur Duplessis, Lambert se plaignait du petit nombre de ceux qui manifestent en eux l'humanité sainte, souffrante, crucifiée, sacrifiée du Fils de Dieu alors que cela leur est demandé par état[2]. Mais il ne pensait pourtant pas que très peu de missionnaires sont appelés à vivre une vie de mortifications comme il la pratiquait avec ses compagnons et pour lui la proposition de Congrégation Apostolique concernait tous les missionnaires d'Asie et ceux qui les formaient.

C'est pourtant cela qu'écrit Pallu à M. Fermanel le 19 juin 1667 en disant : « Qui vous a dit que je voulois obliger tous nos missionnaires à mener la vie que nous avons commencée ? »[3], Pallu pouvait-il alors convaincre les autres que la Congrégation Apostolique devait être le cadre de l'évangélisation en Asie selon le projet conçu par Lambert ? Pouvait-il envisager la Congrégation Apostolique sans la présence en son sein des membres du séminaire de la rue du Bac avec M. Fermanel, alors que le rôle le plus nécessaire et le plus urgent de ce nouveau Corps était de discerner et de former les futurs missionnaires ? S'il était vrai que ce projet ne pouvait convenir qu'à très peu de personnes, il serait voué à l'échec et Rome aurait raison de le désapprouver. Par ailleurs si Pallu pensait à ses yeux que la Congrégation Apostolique n'était pas faite pour tous les évangélisateurs, c'est qu'elle n'était pas très éloignée d'un Ordre religieux.

---

1. D'après l'étymologie latine compatir (*compatior*) c'est souffrir avec quelqu'un. Les Amateurs de la Croix que Lambert a conçus à l'âge de 9 ans, accompagnaient Jésus par amour dans ses souffrances de la croix. Prendre sa croix pour suivre Jésus (Mt 10, 38 ; Mc 8, 34 ; Lc 14, 27) est alors conçu comme un acte volontaire.

2. P. Lambert de la Motte, Lettre à Mr Duplessis, AMEP, vol. 121, p. 506-510 ; cf. Guennou, transc., L. n° 16, le 6 mars 1663.

3. F. Pallu, *Lettres de Monseigneur Pallu*, p. 96, n° 27, lettre à M. Fermanel (AMEP, vol. 101, p. 355).

En 1664, à Luc Fermanel, Lambert parlait de la vocation missionnaire comme d'une proposition divine au martyre à laquelle on répond par le sacrifice de soi-même, la consécration de son corps et de son âme, un renoncement qui, par une soumission totale au Saint-Esprit, doit dépasser la pratique des trois vœux ordinaires. Le modèle, c'est Jésus-Christ qui dans le sacrifice de la messe, est à la fois le prêtre et la victime. Pour être missionnaire, ministre (serviteur) de l'Évangile, l'âme doit tenter de parvenir à cet état où elle se consume totalement dans le Christ, où ce n'est plus elle qui vit mais le Christ qui vit en elle[1].

En 1664, au prince de Conti, Lambert faisait bien la distinction entre les croix humaines qui sont subies, même avec patience et résignation, et les croix qui sont vécues par celui qui a abandonné au Christ sa volonté propre, de sorte que ce soit le Christ qui les souffre en lui, les mêlant à son unique sacrifice de la croix dans le sens de Col 1, 24[2].

Lambert était toujours prêt au sacrifice, il se considérait comme une victime que certains se préparaient à immoler, croyant rendre ainsi un culte à Dieu (Jn 16, 2) ; mais il avait alors des raisons de croire que le danger ne venait pas des gouvernements païens, mais des religieux missionnaires dont il avait dénoncé en vain la conduite[3]. Il pensait que seul son martyre pouvait obtenir leur conversion[4].

Si les trois vœux se résument à s'offrir tout entier au Christ comme dans les vœux du baptême, ce qui est offert ne peut plus appartenir à celui qui offre. Nous ne pouvons pas prétendre nous offrir nous-mêmes avec le Christ si nous ne prenons pas en compte tout ce que nous sommes, notre personnalité, toutes nos capacités humaines, nos dons naturels et spirituels, l'inné et l'acquis. Lambert détaillait avec réalisme le contenu d'une telle offrande, celle de la mémoire, celle de l'intelligence, celle de la volonté :

> « Lhomme n'a qu'une ame en nature qui a trois puissances differentes, la memoire par laquelle elle se souvient, l'entendement par lequel elle resonne, et la

1. P. Lambert de la Motte, Lettre à Fermanel, le prêtre, de 1664, AMEP, vol. 121, p. 577 ; cf. Guennou, transc., L. n° 71.

2. *Id.*, Lettre au prince de Conti, AMEP, vol. 121, p. 585-586 ; cf. L. n° 79.

3. Dès le 10 octobre 1662, Lambert écrivait à M. Fermanel, le conseiller : « Il y a dicy a Macao assez de commerce mais nous nozerions y mettre le pied a moins que de finir la nostre vie et nos missions. Cest lavis que nous donne ceux qui connoissent linterest que les peres Jesuites de ces cartiers ont de ruiner nostre ste entreprise. Certainement ce n'est pas sans raison, car si un jour on vient a scavoir leur maniere dagir et combien ils sont obstacles a l'augmentation et a la conservation de nostre religion et authorisent le dereglement des mœurs sans douter que cette compagnie recevra la dernière confusion. Cest avec bien du regret que je raconte des choses et encore avec bien plus de douleur que je vois de si grands aveuglements dans un corps pour qui jé toujours eu estime. Cependant il ny a pas moyen de se taire dans le rang que je tiens dans leglise » (*Id.*, Lettre à Fermanel, AMEP, vol. 858, p. 2-3 ; cf. L. n° 8).

4. *Id.*, Lettre à Pallu, en janvier 1667, AMEP, vol. 121, p. 724-725 ; cf. L. n° 106.

volonté par laquelle elle ayme, et comme personne ne peut dire que la faculté de la memoire soit celle de lentendement, n'y quelle soit celle de la volonté, ny quil y ait trois ames en lhomme ainsy on ne peut pas dire que la premiere personne qui est en Dieu que nous nommons le pere, la seconde que nous appellons le fils et la troisieme que nous confessons estre le St Esprit soit une mesme personne et que ce soit trois dieux mais bien un seul Dieu en trois personnes[1].

« La bonté de Dieu, mes freres, nen est pas demeuré la quoy quil semble quelle ne peut pas passer outre il vous a donné son St Esprit qui après vous avoir justifiés, demeure d'une facon particuliere dans vos ames, dou vient que les Chrestiens qui sont en grace different des autres hommes dans leurs pensées, dans leurs parolles et dans leurs actions ; ce sont des hommes reformés qui participent plus de la nature divine que de la nature humaine »[2].

Les conséquences de notre unité avec le Christ vont être développées en terme de potentialité avant de l'être en terme d'action, tout ne sera pas parfait en nous du fait de notre péché, la différence entre chrétiens et païens ne doit donc pas être interprétée de façon manichéenne. Lambert s'attache à décrire les effets de la grâce quand le chrétien est uni au Christ après lui avoir remis toutes ses facultés :

« Cette difference est facile a remarquer dans un chrestien et dans un Gentil. Celuy-la a promis de ne rien faire dans toutes ces operations qui puisse deplaire a Dieu, quand bien mesme elles seroient contraire a son inclination. Celuy-cy au contraire ne suit que les appetits d'une nature corrumpüe, celuy-la pense a lEternité, celuy-cy ne fait cas que du present, celuy-la observe la loy de Dieu, celuy-cy celle des sens. D'ou peut venir un si grand changement entre deux hommes d'une nature semblable, sinon que l'un est un homme nouveau et reformé, l'autre ne l'est pas, outre ces effets de LEsprit divin demeurant dans les ames il y en a encor un admirables qui est quil sont par son moyen unis a J.-C. qui les considerant apres cette union comme ses propres membres leurs influes perpetuellement des nouvelles graces et prend plus d'interest a tout ce qui le touche quun homme ne fait pour la conservation des parties de son corps »[3].

Lambert savait bien qu'en une vie l'homme peut commettre bien des péchés mais Dieu reste fidèle quand nous sommes infidèles car « les dons et l'appel de Dieu sont sans repentance » (Rm 11, 27). Il s'en suit pour les chrétiens une indéracinable confiance en la paternité de Dieu et en sa miséricorde qui s'exprime d'autant plus que nous reconnaissons que nous avons péché :

« De cette grande verité nous pouvons juger combien un homme juste est cher au pere Éternel puis quil n'est qu'un avec Jesus Christ apres tant de bontés

1. *Id.*, *Abrégé de Relation*, AMEP, vol. 121, p. 700 ; cf. § 44.
2. *Ibid.*, p. 711-712 ; cf. § 49.
3. *Ibid.*, p. 712 ; § 49.

exessives d'un Dieu envers nous pouvons nous douter destre eternellement heureux, non (mes freres) cest un crime de croire le contraire, le divin esprit sestant uni a nous de la maniere que ie viens de dire, ne sen separera iamais si nous ne voulons, cest a dire si nous ne comettons quelque pechez mortel et encor quand cela arriveroit par ignorance, fragilité ou par nostre faute, nous avons encor un moyen dobliger ce Divin Esprit de retourner dans nos ames avec les mesmes prerogatives. Si nous avons une grande contrition de lavoir offensé, et recevant le sacrement de penitence, qu'aucun chrestien donc ne desespere pas de son salut »[1].

Pour Lambert, l'Esprit Saint attend de nous la mise à sa disposition de toutes les facultés de notre âme afin de lui permettre d'y accomplir les mêmes opérations qu'il a menées en Jésus et de permettre à la mission de Jésus de se continuer dans l'Église pour le salut du monde. Cette mise à disposition permet à l'Esprit Saint, en accomplissant ses œuvres en nous, de réaliser notre unité avec le Christ comme il a réalisé l'unité entre le Christ et son Père[2]. Pour Lambert, les trois vœux conduiront les missionnaires apostoliques à se mettre davantage à la merci de Dieu et à se trouver plus aptes à suivre sa volonté :

« On suppose qu'ayant esté fidelle a cette divine vocation il a fait un sacrifice de tout luy mesme en faveur de Dieu de la plus belle maniere qui se peut et quainsi il a fait les 3 vœux de la vie parfaite, de pauvreté, de chasteté, et d'obeïssance interieure apres qu'oy lhomme se trouve desnué de tout appuis de sorte quil est un veritable mendiant par estat. Cest alors qu'on peut dire qu'une telle personne est morte et que sa vie est cachée en Jesus Christ. Cest celle que les hommes appelles une vie d'anneantissement et de renovation puisque l'ame sest degagé de la proprieté et de la puissance de toutes ses facultées »[3].

On pense naturellement au *De Trinitate* de saint Augustin quand Lambert écrit à propos du don de nos facultés au travers des trois vœux : « Lhomme n'a qu'une ame en nature qui a trois puissances differentes, la memoire par laquelle elle se souvient, l'entendement par lequel elle resonne, et la volonté par laquelle elle ayme »[4]. Selon saint Augustin, ce n'est pas un hasard qu'il y ait un rapport analogique entre la créature et le Créateur. L'analogie est le seul moyen que nous ayons pour parvenir par la raison à approcher l'Inconnaissable et s'il y a en nous mémoire[5],

1. *Ibid.*, p. 712 ; cf. § 49.
2. *Ibid.*, p. 681-682 ; cf. § 34.
3. *Ibid.*, p. 664 ; cf. § 26.
4. *Ibid.*, p. 710 ; cf. § 49.
5. Pour saint Augustin la mémoire dont il s'agit là est la mémoire spirituelle, la conscience de soi, intuitive, qui précède toute connaissance réflexive sur soi-même et féconde celle-ci… (cf. E. Hendrikx, O.E.S.A. Introduction des *Œuvres de saint Augustin, 15, Deuxième série : Dieu et son œuvre, La Trinité, Livres I-VII, I, Le mystère*, texte de l'édition bénédictine,

pensée et amour, c'est que ce sont des effets créés qui imitent leur Cause ; c'est-à-dire que, à sa façon transcendante, le Créateur aussi doit être Mémoire[1], Pensée et Amour[2].

Selon saint Augustin l'image de Dieu ne se trouve dans les facultés humaines[3] que si elles sont en la possession de l'Esprit de Dieu : « Si donc la trinité de l'âme est image de Dieu, ce n'est pas parce qu'elle se souvient d'elle-même, se comprend et s'aime ; mais parce qu'elle peut encore se rappeler, comprendre et aimer celui par qui elle a été créée »[4].

L'image de Dieu ne se trouve dans la mémoire, l'intelligence et l'amour, que lorsque ces facultés s'appliquent aux choses éternelles et immuables. Lorsque la volonté est totalement orientée vers Dieu, elle s'identifie à l'amour. Par contre : « ayant exercé notre intelligence sur les choses inférieures, autant qu'il était nécessaire, plus peut-être qu'il n'était nécessaire,

---

traduction et notes par M. Mellet, O.P. et Th. Camelot, O.P., Desclée de Brouwer, 1955, p. 72-73).

1. Ici *Memoria* représente la Personne du Père. En Dieu, le Fils et le Saint-Esprit procèdent du Père comme dans l'âme *intelligentia* (Intelligence) et *voluntas* (volonté, amour) procèdent de la mémoire où elles sont conservées (*Ibid.*, p. 73).

2. Saint Thomas d'Aquin, *Somme Théologique*, *La Trinité*, tome second, traduction française par H.-F. Dondaine, O.P. deuxième édition, Cerf, Desclée et Cie, Paris-Tournai-Rome, 1962, Appendice II, p. 415. Sans les attribuer uniquement à telle ou telle Personne divine, on reconnaît entre perfections divines et Propriétés personnelles, des affinités spéciales, comme l'Entendement pour le Fils et de l'Amour et de la Volonté pour le Saint-Esprit (p. 418-419) ; voir saint Augustin, *De Trinitate*, Livre 10, Mémoire, intelligence, volonté, conclusion, XI, 18, dans *Œuvres de saint Augustin, 16, Deuxième série, Dieu et son œuvre, La Trinité, (Livres VIII-XV), 2, Les images*, texte de l'édition bénédictine, traduction par P. Agaësse, S.J., notes en collaboration avec J. Moingt, Desclée de Brouwer, 1955, p. 155-157.

3. Dans sa *Somme Théologique*, saint Thomas ne traita du ternaire de l'âme en tant qu'image de la Trinité que dans le traité de la création : "dans les créatures douées de raison, qui ont intelligence et volonté, on trouve une image de la Trinité parce qu'on trouve en elles un verbe qui est conçu et un amour qui procède" (*Prima Pars*, qu. 45, art. 7 : Y a-t-il un vestige de la Trinité dans les êtres créés ?).

4. Saint Augustin, *De Trinitate*, Livre 14, L'âme, image de Dieu, 2e section, l'image déformée et renouvelée XII, 15 dans *Œuvres de saint Augustin, 16, Dieu et son œuvre, La Trinité,* p. 387 ; cf. Luigi Gioia, « La connaissance du Dieu Trinité chez saint Augustin par delà les embarras de l'analogie et de l'anagogie », in *Les sources du renouveau de la théologie trinitaire au XXe siècle*, sous la direction d'Emmanuel Durand et Vincent Holzer, Paris, Cerf, 2008, p. 135 : « Les 'triades psychologiques' (ici, Augustin cite celle de la mémoire, de la connaissance et de l'amour de soi) sont l'image de Dieu non pas en elles-mêmes, mais dans la mesure où elles renvoient à leur Créateur et sont saisies dans leur dynamisme. La Trinité apparaît dans la triade de la mémoire, de la connaissance et de la volonté dans la mesure où être à l'image de Dieu veut dire avoir été créés capables (*capax*) de nous souvenir de Dieu, de le connaître et de l'aimer (c'est-à-dire d'être en relation avec lui). La chute a certes brisé cette relation de souvenir, connaissance et amour avec Dieu, mais elle n'a pas effacé la possibilité de restaurer cette relation, c'est-à-dire de se souvenir de Dieu, de le connaître et de l'aimer ».

nous voulons nous élever à la contemplation de cette souveraine Trinité qui est Dieu : et nous ne le pouvons pas »[1].

Cela se vérifie dans l'apostolat quand Dieu réside en nous, c'est Dieu seul qui peut vraiment communiquer sa Parole. Quand la parole est Parole de Dieu, elle exprime tout l'Être de Dieu ; c'est ainsi que le Fils de Dieu est aussi le Verbe (la Parole) de Dieu. Jésus nous le dit : « Je ne fais rien de moi-même, mais je dis ce que le Père m'a enseigné » (Jn 8, 26. 28). Et il a dit de l'Esprit Saint : « Ce qu'il dira ne viendra pas de lui-même, il redira tout ce qu'il aura entendu » (Jn 16, 13).

Mais pour redire les paroles de Dieu qui exprime tout son Être, il faut être Dieu lui-même. L'Esprit se joint alors à notre esprit (Rm 8, 16), il utilise notre mémoire, notre raison, notre volonté pour parler par notre bouche au cœur des hommes ; mais la prise de possession par l'Esprit Saint se situe alors au niveau de l'intention secrète qui devient alors la sainteté de Dieu, sa miséricorde, son amour. C'est ce qui s'est passé à la Pentecôte où l'Esprit a investi la mémoire, la raison et la volonté des Apôtres pour leur faire exprimer ce qui convenait à chacun des auditeurs dans sa propre langue. Cela leur avait été annoncé par Jésus quand il avait dit : « Ne cherchez pas avec inquiétude comment parler ou que dire ; ce que vous aurez à dire vous sera donné sur le moment, car ce n'est pas vous qui parlerez, mais l'Esprit de votre Père qui parlera en vous » (Mt 10, 19-20). Cela correspond à ce que Saint Thomas d'Aquin appelle le charisme de prophétie[2], non parce qu'on annonce des choses à venir mais parce que c'est alors l'Esprit Saint qui parle par notre bouche.

Rendre à Dieu les dons qu'il nous a faits au travers de nos facultés et de notre libre-arbitre qui en dispose, c'est l'essentiel de la kénose ignacienne[3] dont Lambert hérite, mais il va au delà. La mise à la disposition de Jésus de nos facultés de mémoire, de connaissance et de volonté, comme Lambert la préconise au moyen des trois vœux de pauvreté, de chasteté et d'obéissance, a pour effet de restaurer en nous l'image de Dieu. Comme on a vu, Lambert a montré aussi qu'en offrant nos facultés par les trois vœux nous donnons à Dieu notre passé, notre présent et notre avenir[4] et il a développé le sens

1. Saint Augustin, *De Trinitate*, Livre 15, L'âme, miroir et énigme, 1re section, De l'image trinitaire à la Trinité divine, VI, 10 dans *Œuvres de saint Augustin, 16, Dieu et son œuvre, La Trinité,* p. 445.

2. Saint Thomas, *Somme théologique*, IIaIIae, qu. 171-178.

3. Dans ses *Exercices Spirituels* (§. 234), Saint Ignace exprime ce don de tout soi-même dans le sens d'un retour des dons au donateur dans un échange d'amour : « Prenez, Seigneur, et recevez toute ma liberté, ma mémoire, mon intelligence et toute ma volonté, tout ce que j'ai et possède. Vous me l'avez donné : à vous, Seigneur, je le rends. Tout est vôtre, disposez-en selon votre entière volonté. Donnez-moi votre amour et votre grâce : c'est assez pour moi ».

4. P. Lambert de la Motte, *Abrégé de Relation*, AMEP, vol. 121, p. 759 ; cf. Guennou, transc., § 88.

spirituel des trois vœux en les associant aux trois vertus théologales de foi, d'espérance et de charité[1].

Les trois vœux de pauvreté, de chasteté et d'obéissance sont interprétés par Lambert comme un programme de mort à soi-même, d'anéantissement (*kénosis* en grec qu'on traduit aussi par kénose), à l'image de Jésus qui s'est anéanti lui-même prenant la condition d'esclave sur la croix (Ph 2, 7). La kénose chrétienne consiste selon la pauvreté, à faire en nous un vide pour que Jésus s'y engouffre et le remplissse, l'âme peut alors dire avec Jean-Baptiste en parlant de Jésus : « Il faut qu'il croisse et que je diminue » (Jn 3, 30). Cette kénose s'applique aussi à toutes les affections humaines, sachant que, selon la chasteté, l'amour de la créature ne peut se substituer chez un chrétien à l'amour du Créateur. Enfin cette kénose nous entraîne à l'abandon de notre volonté propre comme Jésus à Gethsémani :

> « Cest pourquoy il m'aparu dans leffort de mon oraison que ie ne satisferois pas a la haute perfection quil demande de moy si gardant les trois vœux autant que ie le pourray avec sa ste grace interieurement cest a dire a Legard du vœu de pauvreté dun abandon, dun renoncement et dune perte continuelle et totalle des facultez de lame, a lesgard de celuy de chasteté de nadmettre iamais aucune affection pour soy méme ny pour aucune creature, a legard de celuy dobeissance de suivre tousiours le mouvement interieur ie ne pratiquois a lesgard de lexterieur tout ce que signifient ces trois vœux »[2].

Ainsi Lambert voit dans le vœu de pauvreté le premier des trois vœux dont les deux autres dépendent :

> « La necessité destre pauvre dans le sens de LEvangile ma fait souvent penser qu'on devroit un peu plus expliquer en quoy consiste cette pauvreté et que ce nest pas seulement dans la possession des trois vœux de Religion mais que cest particulierement a se priver a Iamais de lusage et de la faculté des puissances de lame si ce nest en tant quelles sont mües du St Esprit pour agir suivant son bon plaisir car en effet quesse que de renoncer aux choses exterieures si on ne renonce a soy mesme, quest ce que de fuir lhonneur si lon conserve en soy sa propre estime, quest ce que de hayr les creatures si lon sayme, et enfin quest ce que de quitter les biens de fortune si lon retient ceux de nature, faute de cette intelligence on rampe dans le christianisme et dans beaucoup de Religions puisquil ne faut Iamais esperer d'avoir part a la perfection de la vie de LEsprit si lon

1. *Id.*, AMEP, vol. 121, p. 754 ; cf. § 82. Saint Thomas associe la foi et l'entendement comme la charité à la volonté (cf. Saint THOMAS d'AQUIN, *Somme Théologique*, *La Vertu*, tome second, Ia IIae, *Question 61-70*, traduction française par R. BERNARD, O.P., deuxième édition, Paris-Tournai-Rome, Cerf, Desclée et Cie, 1953, qu. 62, p. 42. 48).

2. *Id.*, Lettre à Vincent de Meur du 7 septembre 1662, AMEP, vol. 116, p. 559 ; cf. L. n° 7.

ne suit les parolles et les exemples de Jesus Christ dans un abandon total et dans les lumineuses obscuritez de la foy »[1].

Pour rentrer dans cette sécurité que donne l'amour divin, infiniment paternel, il faut que nous soyons réellement vidés de nous-mêmes et remplis de l'Esprit de Dieu. Tant que nos facultés ne sont pas toutes dépendantes de Dieu, Lambert nous met en garde contre l'illusion d'avoir atteint la pauvreté intérieure et celle de vivre une vie de pénitence et de mortification. Lambert écrit que les grandes richesses de l'homme ne sont pas les biens extérieurs, mais les puissances de son âme auxquelles Dieu demande qu'il renonce, avec lui le missionnaire apostolique est appelé à une vraie pauvreté intérieure qui seule peut permettre à Dieu d'opérer en lui, car la pauvreté extérieure peut ne faire qu'entretenir une belle idée :

« Ce n'est pas donc grande merveille a un missionnaire apostolique qu'on suppose necessairement estre un homme de foy, sil quitte ses biens pour Dieu puisquil est bien plus avantagé que sil avoit bien des revenus en ce que ce fond de la providence ne luy peut jamais manquer. Certes il y a de quoy sétonner comme il y a si peu de monde qui croyent cela en pratique. Cependant cette marque dabandon n'est que le premier pas dans la voye d'un missionnaire ; s'il en demeuroit là, sa fortune ne seroit pas grande bien qu'on pense que cela soit le point du dernier abandon. Non, je dis que ce n'est pas grande chose que cela mais que cette abandon exterrieur ne doit estre consideré que comme une belle Idée, et une Instruction de ce que nous devons faire a l'interrieur. La preuve de cela se voit dans l'evangile ou il n'est pas possible d'estre disciple du fils de Dieu si on ne renonce a tout ce quon possede or les grandes richesses de lhomme ne sont pas les biens exterrieurs mais bien les puissances de son ame auxquelles Dieu demande quil renonce affin que s'en estant demis de la proprieté et de la jouissance en faveur de J.-C. et par rapport a luy, il entre dans cette veritable pauvreté reelle qui faict la premiere et la principalle des beatitudes, *beati pauperes spiritu*; et qui luy donne droit de dire avec l'apostre *Vivo ego jam non ego vivis vero in me Christus* si la pauvreté consiste proprement en cela il est facile a juger qu'un homme qui n'y a pas renoncé n'est pas pauvre si ce n'est qu'on ne veuille dire que les biens de ce monde sont des richesses mais en ce cas il faut demeurer d'accord quelles ne sont pas de consequences et quelles ne sont que des accidens cela est si vray que celuy qui n'est pauvre que des biens de fortune parlant selon l'Evangile n'est pas censé pauvre et sera peut estre damné qu'oy qu'il ne possede

1. *Id.*, Lettre au prince de Conti du 10 juillet 1663, AMEP, vol. 857, p. 173 ; cf. L. n°. 28 ; cf. Lettre à M. Fermanel, le prêtre, de 1664, AMEP, vol. 121, p. 577 ; cf. L. n° 7 : « Maintenant il y a bien des sortes de renontiations, et tel qui croit estre pauvre de toutes les creatures par le moyen des trois vœux ordinaires quil a faits, ne sest souvent appauvry quen apparence ainsy quon le voit lorsquil est question de quitter ses interests ou ceux des corps ou on est attaché. Il y a peu de jour que ie considerois que le parfait degagement du missionnaire apostolique estoit moindre quil ne falloit s'il se regardoit autrement que comme le pur ministre du divin esprit dans toutes ces operations ».

pas un sol parce qu'il estoit riche c'est adire riche d'esprit au contraire il y a des gens fort riches des biens de ce monde qui sont tres pauvres, de ce monde ont esté St Gregoire St Louis et tant d'autres testes couronnées. De la l'on peut voir la difference quil y a entre Lidée de la pauvreté et la pauvreté reelle qui est celle d'esprit. Il est donc maintenant facile a un missionnaire de voir que le fort de son abandon doit estre de toutes les operations de son esprit pour ne suivre plus que le bon plaisir de Dieu qui luy est signiffié par le mouvement interrieur qui ne luy manque Iamais sil est fidele a la grace. Sans ce renoncement, il ne peut rien faire dheroïque dans les employs divins qui luy sont confiées »[1].

Les mots-clés choisis pour la pratique de la perfection correspondant aux vœux que Lambert veut instituer sont *abnegatio* pour la pauvreté, *renuntiatio* pour la chasteté et *desiderium* pour l'obéissance, comme Pallu l'exprime dans *l'Idée de la Congrégation Apostolique* :

« La pauvreté est l'entière abnégation (*abnegatio*) de toutes choses, et de soi-même, au point d'être vide et nu et de dépendre tout entier de Dieu, n'avoir absolument aucune confiance en soi et mettre son espoir, sa force et sa capacité d'action en Dieu seul. La chasteté est le renoncement (*renuntiatio*) à toute joie et tout plaisir qu'on puisse tirer de quelque créature que ce soit, de même que l'esprit comprend en quelque sorte qu'il ne peut avoir ni pouvoir rien par lui-même ; de même qu'il aime sa pauvreté, sa nudité, et ainsi il ne désirerait rien quoi que ce soit pour soi-même, qu'il ne s'attache jamais aux dons mêmes de Dieu avec la moindre complaisance ; et qu'ainsi il puisse embrasser Dieu et lui seul, l'aimer et reporter absolument tout à son honneur et à sa gloire. Enfin pour l'obéissance, ce que l'effort pour pratiquer la perfection comporte, c'est la réalisation de la volonté de Dieu, et en plus le désir (*desiderium*)[2] de la perfection absolue que Dieu impartit toujours aux âmes vides, pauvres et éloignées de tout avantage personnel »[3].

1. *Id.*, *Abrégé de Relation*, AMEP, vol. 121, p. 647-648 ; cf. § 18.
2. Ce désir exclut tout autre désir comme il est dit ailleurs (F. Pallu, *Explanatio ideæ Congregationis Apostolicæ*, p. 11) : « L'amour de Dieu parfait est possible en cette vie : c'est-à-dire celui qui exclut des sentiments de l'homme non seulement ce qui est contraire à la charité, mais même tout ce qui empêche que l'affection de l'esprit soit totalement dirigée vers Dieu. Saint Augustin (Lib. 83us quaest. 63) dit en effet : 'Ce qui empoisonne la charité, c'est le désir ; la perfection, c'est l'absence de désir' » (*quare perfectus Dei amor possibilis in hac vita, ille dumtaxat est quo ab affectu hominis excluditur non id solum quod charitati contrariatur, sed etiam omne illud, quod impedit ne affectus mentis totaliter ad deum dirigatur, ait enim S. Augus venenum Charitatis est cupiditas ; perfectio, nulla cupiditas*).
3. *Ibid.* vol. 109, p. 12-13 : « *Primum est integra rerû omnium, atque adeo suiipsius abnegatio, quo vacuus, et nudatus totus à Deo pendeat, suique omnino diffisus in uno Deo spem, robur, et agend virtutem collocet. Secundum est gaudii, et oblectationis, quæ ex quavis re creata percipi potest Renuntiatio : ita ut quemadmodum animus à se nihil habere, et posse intelligit ; paupertatemque suam, et nuditatem amat, ita nihil quidquam propter se desideret, deique ipsius donis affectu teneriori nunquam inhæreat, quo possit unicè deum complecti, eumque unum propter se diligere, et ad illius honorem et gloriam omnia omnino referre. Tertium denique quod studium perfectionis*

Il existe plusieurs formules de vœux attribuées à la Congrégation Apostolique. La plus réduite et qui correspond le mieux à la pensée de Lambert sur la mission continue de Jésus est celle-ci :

> « Au nom du Père, du Fils et du Saint Esprit :
> Quoique nous soyons pécheurs, les plus vils et les derniers de tous, envoyés cependant par la générosité divine vers les nations pour prêcher l'Évangile du Christ, étant conscients d'être par le fait même appelés par Dieu à la perfection qui convient à une charge si sublime, confiants dans le secours du Christ Seigneur et appuyés sur le patronage de la Bienheureuse Vierge, de saint Joseph, de saint Pierre et Paul et des autres Apôtres et de toute la Cour céleste, nous promettons à Dieu, Parfait et Tout-Puissant, et nous faisons vœu de pauvreté, chasteté et obéissance, c'est-à-dire de nudité parfaite de l'âme et de ses pouvoirs et de renonciation complète à leur libre usage ; de renoncement entier à la complaisance volontaire provoquée par n'importe quelle chose créée et même par les dons célestes, et enfin, autant qu'il nous sera donné d'en haut, soumission et obéissance à l'inspiration et à la direction du Saint Esprit »[1].

L'objectif des vœux est clairement mentionné, il s'agit de permettre à Jésus de disposer de ce qu'on lui abandonne, la propriété et le libre usage de nos facultés et de tous les dons de la nature et de la grâce. Jésus ne peut effectivement prendre possession de notre âme et de ses facultés que si nous sommes en toutes choses dans la totale soumission et obéissance à l'inspiration et à la direction du Saint-Esprit.

Lambert met en relation les trois vœux avec la vie parfaite, la foi, l'espérance et la charité. C'est plutôt avec la foi qu'il fait correspondre l'obéissance, car l'Esprit Saint est le supérieur auquel il faut obéir continuellement ; c'est plutôt avec l'espérance qu'il fait correspondre la pauvreté, car nos misères et nos faiblesses nous conduisent à toujours plus de confiance en Dieu. Lambert traite plus longuement de la relation entre la chasteté et la charité au moyen du mariage spirituel et de son contrat qui rappelle le contrat baptismal. Pour Lambert le péché est une infidélité de l'âme envers son Époux céleste :

---

exercendæ supponit, est efficax dei, ejusque voluntatis, atque adeo summæ perfectionis desiderium, quod deus semper impartitur animabus vacuis, et pauperibus, et a seipsis longe agentibus ».

1. Consultation sur les vœux, AMEP, vol. 201, p. 269 : « *Nos vilissimi licet peccatores et omnium novissimi, divina tamen dispensatione ad prædicandum Christi Evangelium missi ad gentes, haud ignari, sic nos etiam a Deo vocari ad perfectionem tam sublimi officio congruentem, Christi Domini præsidio freti, patrocinioque nixi coram Beatissima Virgine, S*[to] *Josepho, Sancto Petro et Paulo, cæterisque apostolis, tota denique cælesti curia, Deo optimo maximo promittimus et vovemus paupertatem, castitatem et obedientiam, perfectam scilicet animæ, et potentiarum ejus nuditatem, liberique earum usus plenam abdicationem, volontariæ oblectationis, quæ ex quâvis re creatâ atque etiam ex cælestibus donis oriri potest integram renunciationem omnimodam denique quantum nobis erit datum desuper Spiritûs Sancti Inspirationi et directioni submissionem ac obedientiam* » (trad. avec I. Noye).

« L'ame donc doit a cette fin se resouvenir continuellement qu'estant unie à Dieu par les vœux de la vie parfaite d'obeÿssance, de pauvreté et de chasteté interieure qui respondent aux trois vertu infuses, de foy, d'esperance, et de charité qu'elle doit tousiours operer conformement à ses obligations.

« Ou par le vœu d'obeÿssance l'ame est tenue d'agir suivant le mouvement interieur et dans cette grande persuasion que Dieu l'ayant misericordieusement appellée a une vie de foy, elle se doit abbandonner à ses divins attraits comme feroit un bon religieux entre les mains de son superieur qui luy prescriroit, en chacque rencontre ce qu'il auroit a faire.

« Pour le veüe de pauvreté l'ame doit opposer à ses miseres, ses faiblesses et ses impuissances interieures et exterieures, une hautte esperance et certaine confiance en Dieu, croyant assurement qu'estant sous sa protection particuliere, rien de ce qui luy est necessaire pour sa perfection et le salut du prochain ne luy sera point denié.

« Par le veü de chasteté elle à contractée cette grande obligation de ne pouvoir attacher à aucune chose crée pour soi nestce qu'elle soit a peine de commettre cette malheureuse et sensible infidelité qu'on encoure en cet estat, en aymant quelque chose qui n'est pas Dieu, ou qu'il ne soit pas rapport à luy. Pour peu donc que l'ame s'oublie de l'obligation de ces trois vœux, encore que ce soit sans y penser, elle n'est pas exempte d'infidélité par ce qu'elle est tenüe dans le temps d'obscurité ou de secheresse de faire un retour sur l'Espoux qui ne suspend sa grace actuelle que pour obliger l'ame de ietter une œillade sur luy. Cet oubli doit passer pour une grande ingratitude en ceux qui ont fait profession de la vie apostolique. Il y a encore un autre deffaut qui est encore plus considerable, lorsque l'ame ne faict pas assez de cas de l'attrait interieur, soit pour luy paroistre en matiere de peu de consequence, soit parce qu'elle croit pouvoir n'y pas faire grande attention ; en quoy elle se rend coupable de deux infidelités dont la premiere est d'abuser des bonnes graces de Dieu, la seconde est de luy denier les devoirs de ce st mariage qui nous demande lorsqu'il nous sollicite à quelque chose par contract interieur »[1].

Lambert estimait qu'on peut être saint en étant riche extérieurement, marié et puissant comme le prince de Conti[2], et les trois vœux de perfection ne peuvent conduire à la vie parfaite que s'ils dépassent l'aspect extérieur visible[3] et s'ils correspondent à une véritable conversion intérieure, un engagement à mettre en pratique tout ce que Jésus demande dans les Évangiles, ce que beaucoup de religieux avaient oublié dans les missions d'Asie. Pour la prière et l'ascèse, l'aspect extérieur, très important au sein de la Compagnie du Saint-Sacrement, était placé par Lambert en dépendance

1. P. Lambert de la Motte, *Abrégé de Relation*, AMEP, vol. 121, p. 754 ; cf. Guennou, transc., § 82.

2. *Id.*, Lettre au Prince de Conti du 10 juillet 1663, AMEP, vol. 857, p. 173. n° 28.

3. C'est-à-dire la mise en commun des biens au sein d'une communauté, le célibat et l'obéissance à un supérieur.

de l'aspect intérieur. Pour lui, il n'y avait pas de vie spirituelle qui ne soit au service de la mission continue de Jésus.

La place de la prière et de l'ascèse pour faciliter la mission continue de Jésus

Selon les *Monita*, « le missionnaire apostolique doit se restaurer du pain quotidien de la prière »[1]. C'est par l'humilité d'une vie de prière régulière que le missionnaire saura déjouer la tentation de se rechercher lui-même dans les projets apostoliques les plus ambitieux dont il partagera la gloire avec Dieu[2].

Un épisode de l'*Abrégé de Relation* de Lambert rapporte l'expérience de missionnaires qui faisaient l'amer constat de leur stérilité apostolique : « Parce que nous ne sommes pas saints, nous ne pouvons communiquer la sainteté au prochain que nous navons pas ny obtenir de Dieu limpetration de nos vœux cest vray semblablement le sujet pour lequel N. S. opere si peu de conversions par nous »[3]. Les *Monita* font allusion à ce même constat, non pour les missionnaires et leurs évêques, mais pour les catéchistes qu'il fallait protéger du découragement : « Peut-être ne verront-ils pas apparaître les résultats qu'ils espèrent ; ils en reporteront alors toute la faute sur eux-mêmes et supplieront Dieu de leur accorder le pardon de leurs péchés pour avoir mis obstacle à sa gloire et au bien des âmes. Mais il ne faut pas que la douleur provenant de leurs fautes leur fasse perdre courage ou diminue leur énergie ; elle doit plutôt les exciter à mieux faire »[4].

Les *Monita* bénéficiaient de la réflexion qui suivit l'expérience des missionnaires, celle de la tentation de découragement et l'appliquaient à une exhortation aux catéchistes. Les *Monita* parlaient aussi de la tentation de se comparer à ceux qui réussissaient en employant des moyens purement humains alors qu'« une inspiration divine lui [le missionnaire] en interdit absolument l'usage »[5]. Pourtant dans son apparente stérilité, le missionnaire « est certain de posséder la plus parfaite ressemblance avec le Christ son maître, devenu la risée de la populace, et de contribuer davantage au salut des âmes quoique le fruit de ses labeurs reste caché à ses propres yeux. Heureux certes et mille fois heureux celui qui ne songe qu'à procurer la

1. F. Pallu et P. Lambert de la Motte, *Monita*, p. 27-29.
2. *Ibid.*, p. 24-25.
3. P. Lambert de la Motte, *Abrégé de Relation*, AMEP, vol. 121, p. 675 ; cf. Guennou, transc., § 31.
4. F. Pallu et P. Lambert de la Motte, *Monita*, p. 138.
5. C'est dans la Bible la tentation de Gédéon que Dieu peu à peu dépouille de tous ses moyens humains avant de lui donner la victoire (Jg 7).

gloire de Dieu et le salut des âmes, qui vit ignoré des autres et s'ignorant lui-même, agréable à Dieu sans se complaire en soi »[1].

La priorité donnée à la prière justifie les 40 jours que Lambert lui consacra à son arrivée à Juthia et par lesquels le Seigneur mit dans son cœur une tendresse paternelle pour la Cochinchine vers laquelle il était envoyé par l'Église : « Outre la veue que jen é eue dans la retraite de quarante jours que je fis icy, a mon Abort pour demander lumiere a N. S. de ce que javois affaire, il semble que la divine providence my engage insensiblement, ayant dispose les choses en la maniere qui suit »[2]. Les deux autres missionnaires, Deydier et de Bourges, firent aussi cette retraite qui fut considérée comme une chose nouvelle et une rupture avec les mondanités qui avaient entraîné les religieux hors de leur vocation[3]. Cette expérience des missionnaires à leur arrivée au Siam peut être rapprochée de ce qui est écrit dans les *Monita* : « Dès qu'un missionnaire aura mis le pied dans la mission qui lui aura été confiée, il se hâtera de tourner ses regards vers Notre Seigneur, le divin Pasteur des âmes, pour recevoir sa bénédiction »[4].

À l'arrivée de Pallu et de ses compagnons (Laneau, Brindeau, Hainques, Chevreuil et M. de Chamesson-Foissy), on convint de leur laisser cinq jours de silence et de recueillement pour remercier Dieu avant d'échanger des nouvelles et de satisfaire la curiosité de chacun[5].

Pour Lambert, la prière commence quand on se situe en présence de Dieu[6]. Cette présence peut être perceptible par un don charismatique comme Lambert en témoigne dans son *Journal* le 17 avril 1678 : « On s'est entretenu des grandes grâces que Dieu fait à une fille d'environ seize ans,

---

1. F. Pallu et P. Lambert de la Motte, *Monita*, p. 49-50.

2. P. Lambert de la Motte, Lettre à la Duchesse d'Aiguillon, AMEP, vol. 858, p. 20 ; cf. Guennou, transc., L. n° 17, le 6 mars 1663.

3. *Id.*, *Abrégé de Relation*, AMEP, vol. 121, p. 630 ; cf. § 15.

4. F. Pallu et P. Lambert de la Motte, *Monita*, p. 32.

5. A. Launay, *Histoire de la Mission de Siam*, t. I, p. 11. François Deydier parle de ce temps de silence à l'arrivée de Pallu : « Je receus une lettre de M. Lofficial, une de M. Larmadieu et deux de M. Cabasson, ou elles tesmoignent desirer qu'elles me soient rendues, j'en fis la lecture trois jours après larrivée de mon dit Seigneur sellon le mouvement que nous en eumes pour mortifier la sansualité qui se treuve en de pareilles rencontres ou la nature a souvent bien de part » (lettre à ses amis de Toulon du 20 janvier 1665, AMEP, vol. 116, p. 561). On retrouve les mêmes circonstances le 5 janvier 1669 à l'arrivée de Mahot, Bouchard et Guiart et avec eux Jacques de Bourges de retour d'Europe et Brindeau de retour de Goa : « Des qu'ils furent reunis on proposa incontinent de ne pas parler d'aucune nouvelle de France, mais seulement à s'appliquer à demander lumiere à Dieu pendant trois iours sur les affaires de la mission après ce temps la on fit une grande et serieuse deliberation » (P. Lambert de la Motte, *Abrégé de Relation*, AMEP, vol. 121, p. 764, cf. Guennou, transc., § 92).

6. P. Lambert de la Motte, Lettre à Messieurs de la rue Saint-Dominique, AMEP, vol. 121, p. 541 ; cf. Guennou, transc., L. n° 39, en 1663 ; Lettre à Vincent de Meur du 3 novembre 1663, AMEP, vol. 116, p. 560 ; cf. L. n° 53 bis.

qui est baptisée depuis peu, laquelle est presque tout le jour en la présence sensible de Dieu »[1]. Pour Lambert, cette présence est l'inhabitation du Saint-Esprit en nous et sans doute la manifestation de ses charismes[2].

Lambert raconte ce qu'il a vécu durant une autre retraite de 40 jours, il écrit dans son *Journal* aux dates des 28, 30 et 31 janvier 1677 :

> On a eu veue que cestoit aujourd'huy le jour de sa naissance. On a esté porté de remercier Dieu de lestre quon a reçeu de luy et de prier N. S. de l'appliquer par son operation immediate a ce quil sera le plus avantageux a la gloire de dieu et a la conversion des Ames et pour obtenir cette grande grace de la divine bonté l'on a offert le st sacrifice de l'autel.
>
> On a conneu que la perfection de cet estat consiste a rapporter toutes ses operations a Dieu et dans un acte continuel d'amour autant que la condition de cette vie le permet. On a veu que cet estat demande une tres grande solitude interieure qu'on ne doit point quitter pour aucune autre pratique si nous n'y sommes obligés par nostre condition ou si nous ne nous y sentons pas appelés par le mouvement interieur.
>
> On a veu que la perfection de cette vie consistoit dans les actes auxquelles l'ame devoit, autant qu'elle le peut, estre tousiours appliqué et ne s'en détourner que pour satisfaire aux devoirs de son obligation, hors de quoy elle devoit demeurer continuellement a correspondre aux operations que Dieu fait en elle[3].

La marque de Lambert est partout visible dans les *Monita*, aussi on ne sera pas surpris d'y lire des passages comme celui-ci qui rattache l'esprit de mortification et de prière à la doctrine de la mission continue de Jésus :

> « L'esprit d'oraison n'est donné à l'homme que par un bienfait de Dieu, à qui il appartient encore d'inspirer la voie que chacun devra suivre. Il importe donc au missionnaire d'examiner attentivement d'après laquelle des trois sortes d'oraison précitées il se guidera. Heureux celui qui apporte dans la prière une volonté libre de toute attache aux créatures, qui ne s'appartient plus, qui se remet tout entier entre les mains de Dieu, de sorte que ce ne soit plus lui qui vive, mais le Christ qui vive en lui ; non plus lui qui agisse, mais Dieu qui agisse par lui ; de sorte qu'il n'agisse plus par une impulsion purement humaine, mais qu'il se rende à celle qui lui viendra du ciel. Bien que toute la vie du missionnaire doive être une prière continuelle, et que rien ne puisse l'obliger à renoncer un seul instant à la présence même de Dieu, il doit en outre consacrer chaque jour un certain temps à adorer Dieu : au moins deux heures, conformément à la règle imposée à la plupart des religieux missionnaires »[4].

---

1. *Id.*, *Journal* au 17 avril 1678, AMEP, vol. 877, p. 612 ; cf. transc., p. 314.

2. *Id.*, Lettre à Vincent de Meur du 6 septembre 1662, AMEP, vol. 116, p. 554; cf. L. n° 6 ; Lettre aux chrétiens de Cochinchine, AMEP, vol. 121, p. 710 ; cf. L. n° ; *Abrégé de Relation*, AMEP, vol. 121, p. 666. 681-682 ; cf. § 26. 34.

3. *Id.*, *Journal* des 28, 29 et 30 janvier 1677, AMEP, vol. 877, p. 595 ; cf. transc., p. 249-250.

4. F. Pallu et P. Lambert de la Motte, *Monita*, p. 28.

« Le missionnaire n'est réellement qu'un simple instrument de Dieu. Il ne peut donc rien produire qu'en recourant à l'oraison pour s'unir à Celui qui le met en mouvement et recevoir de Lui toutes ses impulsions. Et vraiment, comment pourra-t-il réaliser la signification de son nom d'"envoyé", s'il n'apprend à écouter la voix de Celui qui l'envoie ? Comment pourra-t-il exécuter les desseins de Dieu, s'il est incapable d'aller les chercher dans l'oraison ? Comment jouera-t-il le rôle de médiateur entre Dieu et les hommes, s'il ignore le moyen de réconcilier par la prière les créatures avec le Créateur ? Comment pourra-t-il réformer ses ouailles, s'il ne puise à la source de la contemplation les eaux limpides de la divine sagesse ? Comment enfin s'élèvera-t-il sur les ailes de l'oraison, au-dessus de toutes les difficultés devant lesquelles la nature est impuissante, si cette nature il ne la fait pas agir entièrement en harmonie avec les mouvements du Saint-Esprit, en s'immolant sous le glaive de la mortification ? Il est donc vrai que les deux vertus précitées sont les deux colonnes de l'édifice du missionnaire et de sa mission »[1].

Pour Lambert, le missionnaire doit consacrer au moins deux heures par jour à Dieu et la mortification est pour lui essentiellement le jeûne et l'abstinence de vin et de viande, comme il était alors demandé par l'Église pour les catéchumènes et les baptisés durant le Carême. Il se contenta d'abord d'en prolonger la durée pour lui-même[2]. Cette mortification accentuée avait pour lui quatre raisons, elle faisait d'abord l'objet d'un vœu personnel, ensuite elle naissait de l'adaptation même au terrain missionnaire, elle correspondait aux traditions locales de sainteté, enfin elle était nécessaire avec la prière si l'on voulait garder sa vocation missionnaire.

À l'époque, l'abstinence de médicaments est aussi une adaptation au terrain, car les soins aux malades vont être une des activités principales des missionnaires, préalables à l'annonce de l'Évangile comme ils le constataient alors au Siam : « On a resolu que les missionnaires apprendront tous quelque chose, pour pouvoir panser les malades et les blessés a cause de l'entrée que cela donne pour la conversion des âmes »[3].

En février 1664, Lambert raconta à Jacques de Bourges comment, à son départ de France alors qu'il était très malade, il promit d'observer un jeûne perpétuel s'il parvenait au lieu de sa mission et comment il décida d'accomplir son vœu au Siam sans attendre d'arriver à son vicariat apostolique de Cochinchine :

« Cela marriva estant a l'oraison un apres midy ou sagissant de vivre ou de mourir, Dieu qui maime beaucoup me prolongea la vie que ie luy avois autrefois demandé laquel ('lequel' dans la copie) estoit prest a expirer alors jarrestois de faire abstinence de viande et de jeuner le reste de mes jours excepté Noel pasque

1. *Ibid.*, p. 33.
2. *Ibid.*, p. 114.
3. P. Lambert de la Motte, *Journal* au 11 septembre 1676, AMEP, vol. 877, p. 590 ; cf. Simonin, transc., p. 225.

et pentecoste. Cest lexecution que javois resolüe de faire sitost que jentrerois aux lieux de nos missions, les extremes obligations que iay a N. S. jointes a cella dans l'actuel de lestat ou ie me vois me font anticiper ce temps »[1].

Les mortifications de Lambert sont aussi des obligations imposées par les conditions de vie en mission comme Hainques les lui a décrites :

> « Cependant le bon M. Hainque mescrit de la Cochinchine que nous vivons bien commodement a lesgard de ce que la necessité le reduit ordinairement, son manger est du riz cuit a leau, du poisson frais ou sallé cuit avec des herbes prises dans les champs sans aucun assaisonnement et quelque fruit, pour son boire il est semblable au nostre cest a dire de leau de riviere, comme est il possible qu'un homme qui veut vivre partout comme en Europe puisse subsister a cette vie sil ny est acoustumé de longue main en diminuant peu a peu de l'abondance de nos terres quon croit estre fort compatible avec une vie qui requiert une penitence et une oraison extraordinaire »[2].

Hainques montre ainsi une pauvreté toute évangélique comme l'a raconté Lambert :

> Lentree de Mr hainques fut magnifique il se vestit a la japonoise, marcha nuds pieds avec son sac ou estoient ses ornements deglise une bouteille de vin du pain propre a consacrer et des Stes huilles du surplus sans serviteur, sans connoissance, et entièrement ('aucunement'pour J. Guennou) abandonné a la divine providence[3].

Le voyage de Lambert lui a fourni d'autres raisons d'adopter ce régime. On a vu comment à propos du respect de la vie que prônent les Hindous, Lambert était admiratif :

> « Ces derniers menent une vie des plus austeres, ne mangent jamais de chair ne peuvent souffrir qu'on tue aucuns animaux et particulierement de vaches, et pour empecher qu'on ne le fasse a la maison des anglois ou hollandois, ils n'obmettent ny prieres a l'egard des maistres, ny argent a l'egard des serviteurs »[4].

Les mortifications que proposait Lambert étaient donc aussi liées aux exigences de l'apostolat. C'était pour gagner l'estime des païens qu'on s'imposait « la nécessité de ce genre de vie dans ces lieux où l'abstinence et le jeûne sont estimés, et pour que la loi évangélique ne soit pas méprisée par les prêtres des idoles qui mènent une vie austère »[5]. Il écrit dans son *Abrégé de Relation* :

---

1. *Id.*, Lettre à Jacques de Bourges, AMEP, vol. 121, p. 565 ; cf. L. n° 63, février 1664.
2. *Id.*, Lettre à Pallu du 4 novembre 1666, AMEP, vol. 876, p. 420 ; cf. L. n° 103.
3. *Id.*, *Abrégé de Relation*, AMEP, vol. 876, p. 150 ; cf. § 47.
4. *Id.*, AMEP, vol. 121, p. 616 ; cf. § 7.
5. *Id.*, Lettre en latin au pape, le 20 février 1665, APF, fonds SOCG, vol. 227, fol. 125, trad. J. Ruellen.

« Cette sorte de vie est si necessaire en tous ces quartiers pour se conserver dans la vocation apostolique et si conforme a celle que menent les prestres des Idoles quil faut des raisons fort particulieres pour ne la pas embrasser. La princi-palle cause de la cheute des ministres de l'Evangile en tous ces quartiers et du peu de profit quils ont fait aux missions ne vient que d'avoir mené une vie large ou commune dans un estat extraordinaire »[1].

Pour Lambert, la mortification et la prière étaient aussi nécessaires au missionnaire pour qu'il conserve sa vocation, comme il l'a écrit dans les *Monita* à l'intention des candidats aux missions :

« Le missionnaire trouve donc dans l'esprit de mortification et de prière un moyen de perfection propre ; l'exercice de ces mêmes vertus ne l'aidera pas moins à travailler efficacement au salut et à la sanctification d'autrui. L'expérience de tous les jours nous apprend que tout profite à celui qui entreprend l'œuvre des missions par la mortification et la prière ; elle apprend aussi qu'à défaut de ces vertus, tout s'écroule. On conviendra donc que la mortification et la prière constituent le fondement premier des missions »[2].

On trouve chez Lambert une cinquième raison à la mortification volontaire. Ce qui caractérise le christianisme en milieu bouddhiste, c'est un autre rapport à la souffrance. La croix n'est pas à rejeter comme l'ennemi du bonheur de l'homme, mais elle est à accueillir avec amour dans la reconnaissance envers celui qui y est mort pour nous, Jésus-Christ. Morts avec lui pour ressusciter avec lui, les baptisés lui permettent de poursuivre en eux son sacrifice pour le salut du monde. En recevant le baptême, les catéchumènes à qui on a annoncé Jésus-Christ et d'abord Jésus-Christ crucifié, rentrent dans l'Église qui célèbre la croix de manière permanente lors du sacrifice eucharistique ; ils sont alors tous amateurs et amantes de la croix et on peut dire d'eux : « Voici le Peuple de Dieu »[3]. Cet aspect de la mortification associée à la croix du Christ et au sacrifice eucharistique qui en fait mémoire sera encore plus marqué avec l'usage de la discipline (la flagellation) proposé par Lambert après le départ de Pallu pour l'Europe.

Le régime alimentaire de Lambert finit par être adopté par tous les missionnaires comme l'*Abrégé de Relation* l'atteste :

« La divine bonté ayant voulu renouveler en ces extremités du monde la mission des Apostres et des disciples de J. C. et nous ayant choisis par une grace toute particuliere pour une entreprise si divine nous avons cru quil estoit absolument necessaire de mener une vie qui fust conforme a la sublimité de cet emploi ne croyant pas qui fust possible de rien avancer dans la conversion des infidelles

1. *Id.*, *Abrégé de Relation*, AMEP, vol. 876, p. 89 ; cf. § 32.
2. F. Pallu et P. Lambert de la Motte, *Monita*, p. 32.
3. P. Lambert de la Motte, *Abrégé de Relation*, AMEP, vol. 121, p. 759 ; cf. Guennou, transc., § 88 : « Hic est populus Dei ».

si lon ne prenoit les voyes des Apostres et des disciples de N. S. ce fut dans cette veüe que commencant par une reforme generalle de nous mesme nous prismes resolution de joindre a une abstinence perpetuelle un jeune continuel a la reserve des festes de noel, de pasques, de pentecoste[1], et lors quon seroit en voyage, de ne point boire de vin, de mener une vie pauvre de faire plusieurs heures doraison chaque jour et consumer tout nostre temps a la conversion des gentils abandonnant nostre santé corporelle entre les mains de la providence »[2].

En 1667, Pallu racontait aux directeurs du Séminaire des Missions Étrangères comment il avait accueilli le projet de Lambert à son arrivée :

« Lorsque j'en eu la premmière conoissance par la lecture de quelque veues que Monseigneur de Berite en avoit eu dans une de ses retraites je le regardois comme une belle idée, ou, pour mieux dire, comme une pure chimère je n'ay peu souffrir pendant plus de six mois qu'il en parlast en ma presence, sans en ressentir bien de la peine. J'estimois en particulier les longues oraisons et le jeune perpetuel qu'il pratiquoit, comme des tentations des plus pernicieuses à un missionaire, et j'estois assez malheureux de me roidir au contraire, quand je voyais que mes freres s'inclinoient à suivre son exemple »[3].

Pallu parle de son retournement six mois plus tard, retournement qui lui fit adopter le jeûne perpétuel sans le faire entrer dans toutes les raisons de Lambert concernant la Congrégation Apostolique :

« O Dieu de bonté et de miséricorde ! Vous verrés dans le 3e chapitre de la segonde partie de l'explication de ce projet, comme il m'a mesnagé et de quel moyen il s'est servi pour me faire entrer dans la pratique du jeune perpétuel qui m'a insensiblement introduit dans une plus longue oraison, et ouvert l'esprit à ces belles et importantes veritez, sans neantmoins y pouvoir rien entendre qu'au travers les obscuritez de la foy. Il m'a semblé, quand j'ay fait vœu de les suivre durant toutte ma vie, me jeter à corps perdeu dans une grande mer, où je ne voyois ni fond ni rivage. J'ay toujours joui du depuis d'une grande paix et d'un profond repos, bien que je me voye tout plein de miseres et d'infidélitez »[4].

1. *Ibid.*, p. 657-658. 678 ; cf. § 23. 32. Ces dispositions sont reprises par Lambert pour les Amateurs de la Croix et pour les Amantes de la Croix (*Abrégé de Relation*, vol. 677, p. 212 ; cf. § 124, 11e article).

2. *Id.*, *Abrégé de Relation*, AMEP, vol. 876, p. 460 ; cf. § 59. Lambert considère non seulement que les missionnaires tiennent la place du Christ et de ses disciples mais qu'ils vivent comme au premier siècle du christianisme (Lettre à Mgr Pallu du 21 janvier 1669, AMEP, vol. 858, p. 151 ; cf. L. n° 117).

3. F. Pallu, *Lettres de Monseigneur Pallu*, p. 81, Lettre de Pallu n° 21, aux directeurs du Séminaire des Missions Étrangères du 3 mars 1667 (AMEP, vol. 116, p. 539).

4. *Ibid.*, p. 81, Lettre de Pallu n° 21, aux directeurs du Séminaire des Missions Étrangères du 3 mars 1667 (AMEP, vol. 116, p. 539).

Pallu a raconté en effet dans son *Explication* comment il fut convaincu, non seulement de la nécessité pour les missionnaires de jeûner perpétuellement comme le faisait Lambert depuis son arrivée au Siam, mais encore de prononcer les vœux de la Congrégation Apostolique :

> « Nous nous sommes rendus compte dernièrement que certains Siamois avec qui quelques-uns d'entre nous avaient eu des discussions au sujet de la Religion chrétienne, avaient cessé ces contacts habituels parce qu'ils avaient entendu dire qu'on avait tué des poules dans notre maison et que nous en avions mangé.
>
> « C'est alors que m'est venue à l'esprit cette parole de St Paul : "Si ce que je mange scandalise mon frère, je ne mangerai jamais plus de viande". Aussitôt remué par cette seule idée, j'ai décidé d'essayer plus tard de me mettre au régime des autres, pour voir si je pourrais observer non seulement l'abstention de vin et de viande, mais le jeûne perpétuel. Mgr de Bérithe l'observait en effet déjà depuis plus d'un an, en même temps que le seul missionnaire qu'il avait. Et la plupart de ceux que j'avais emmenés avec moi étaient tout à fait d'accord pour cela, mais ils n'ont pas voulu faire en rien l'essai de ce que disait cet évêque avant que je ne leur donne d'abord l'exemple moi-même. C'est pourquoi, dès qu'ils ont su que je me proposai de le faire, tous ont alors aussitôt joyeusement adopté avec moi ce style de vie. Et en peu de temps nous avons tous reconnu qu'il n'y avait pas tant à souffrir de l'abstinence et du jeûne que de l'appréhension de s'y soumettre, qui est en fait ce qu'il y a de plus difficile à vaincre. Et nous avons constaté, par le grand bienfait à nos âmes, les avantages et les profits qui sont promis au jeûne dans la Sainte Écriture et les Pères.
>
> « C'est alors que le Christ nous a fait avoir un plus grand esprit d'oraison, et en plus il a eu la bonté de nous enseigner des choses qui nous seront très utiles en leur temps pour bien commencer les missions. Surtout c'est alors qu'a commencé à nous apparaître la lumière d'où a été pour la première fois conçue cette idée de Congrégation Apostolique : cette lumière a augmenté et l'idée est née et s'est précisée »[1].

---

1. F. Pallu, *Explanatio ideæ Congregationis Apostolicæ* p. 55-58 : « *Expertus aliquando Sianes quosdam cum quibus de Religione Christiana verba habuerunt aliqui ex nostris, ab eorum consuetudine recessisse, eo quod in nostra domo cognoverunt mactari gallinas, nosque eas comedere, tunc illud sancti Pauli menti meæ occurrit. Si esca scandalizat fratrem meum, non manducabo carnes in aternum, continuoque hac unâ ratione motus, et postea victus aliorum exemplis probare decrevi an abstinentiam a vino, et carne non modo, sed et perpetuum jeiunium possem observare. Jam enim ab uno et amplius anno illud observabat illustrissimus ep/us B. cum uno, quem tunc solum habebat missionario, in idipsum plurimum propendebant plerique ex iis, quos mecum adduxeram, sed nihil tentare voluerunt ex dicti Illustrissimi sententia, quin prius ipsis præessem exemplo : quare ubi meum propositum agnoverunt, tunc omnes promptu hilarique animo hunc mecum vivendi modum arripuerunt. Brevi sané nos omnes cognovimus laborem talem non esse in abstinentia, et jeiunio, qualis est in illius apprehensione, quam quidem corrigere difficillimum est, magnoque animarû nostrorum bono experti sumus eas utilitates, et commoda, quæ in Scriptura sacra, et a Sanctis Patribus jejunio promittuntur. Tunc nobis Ch/ tus dominus ampliorem spiritum orationis impertivit, plurimoque nos docere dignatus est, quæ suis temporibus ad missiones rité obeundas perutilia erunt : maximé vero tunc cœpit affulgere lumen, quo hæc congregationis apostolicæ Idea primum concepta est, eodemque crescente nata et perfecta* ».

C'est sans doute après la concertation avec Pallu qu'on parlera de Congrégation d'hommes apostoliques ou Congrégation Apostolique, ce qui pourra être compris plus tard comme une institution religieuse.

Pallu semble avoir attaché trop d'importance à la règle de vie expérimentée par les membres du Synode de 1664. Cette règle de vie adoptée quelques jours avant le premier retour de Pallu en Europe au début de 1665, est présentée par Lambert dans son *Abrégé de Relation*. Les obligations extérieures sont placées en tête mais ainsi elles ne sont pas confondues avec les trois vœux qui sont placés en dernier. Il y est écrit qu'une longue période expérimentale a été nécessaire, notamment au niveau de l'abstention de médicaments, et qu'on a recueilli le témoignage des missionnaires sur cette période expérimentale. Par cette règle de vie, on se conforme à l'ascèse des moines bouddhistes, car ce n'est pas d'abord le bénéfice spirituel personnel qu'on doit y rechercher mais le succès de la mission d'évangélisation et le salut des âmes :

> « Un des effets principaux que cette reflection a produit dans lesprit des missionnaires a esté de s'engager dans l'observance des regles de la vie parfaite apres en avoir consideré la necessité soit pour le salut particulier soit pour satisfaire a l'obligation de leur vocation. Suivant donc cette resolution ils arresterent de garder une abstinence et un jeûne continuelle a la reserve des Jour de Noël, de pasque et de pentecoste et lors qu'ils seroient en voyage de ne boire que de l'eau en leur ordinaire de Coucher sur la dure et de s'abbandonner lorsqu'ils seroient malades entre les mains de la divine Providence ou au plus de ne se servir que des sacramentaux de la Ste Église et quand a ce qui regarde l'interieur qui est leur principal, Ils se sont obligez aux trois vœux de pauvreté, de chasteté et d'obeissance interieure et a trois heures d'oraison mentale par jour. Cette ste entreprise n'ayant esté executée qu'apres un temps despreuve considerable, a eu toute la benediction qu'on pouvoit esperer en ce que l'experience avait fait connoistre qu'ayant fait ce sacrifice, on s'est fort bien trouvé pour la santé du corps et beaucoup mieux de celle de l'ame, de sorte qu'on est plus en estat moyennant de la grace de N. S., de travailler plus avantageusement a la conversion du prochain.
>
> « Il sera difficile de persuader cette verité a ceux qui n'ont pas la pratique de cette belle vie soit parce qu'ils n'en ont pas l'experience soit parce qu'ils n'y sont pas appelés. Mais cependant le temoignage que les missionnaires en rendent ne laisse pas de subsister. Cette sorte de vie est si necessaire en tous ces quartiers pour se conserver dans la vocation apostolique et si conforme a celle que menent les prestres des idoles quil faut des raisons fort particulieres pour ne la pas embrasser. La principalle cause de la cheute des ministres de l'Evangile en tous ces quartiers et du peu de profit quils ont fait aux missions ne vient que d'avoir mené une vie large ou commune dans un estat extraordinaire.
>
> « C'est le motif qui leur a fait entreprendre de vivre de cette sorte estant fort assurez qu'ils ne pratiquent rien qui ne soit encor au dessous de la perfection que

requiert la vie des veritables missionnaires apostoliques. Depuis que le bon Dieu leur a fait la misericorde d'agréer les vœux quils en ont faits ils en ressentent d'admirables effets et de grandes esperances qu'entrant dans les lieux de leurs missions avec ces dispositions ils recevront beaucoup de graces de N. S. pour ensuite les communiquer aux peuples qui leur sont commis »[1].

Telle est la règle de vie dont Pallu a débattu avec ses confrères et qu'il a acceptée avec les autres, mais l'ascèse lui semblait tellement première qu'elle devait faire l'objet de vœux au niveau des trois vœux de pauvreté, chasteté et obéissance. De son côté Lambert n'envisageait pas de mêler à ses trois vœux spirituels des règles réformables pour lesquelles l'engagement n'était pas le même. Mais il considérait cependant que ces règles devaient avoir un effet positif sur la santé du corps et de l'âme des missionnaires et, par contre-coup, pouvaient les rendre plus aptes à « travailler plus avantageusement à la conversion du prochain ». Lambert insistait sur le caractère indissociable des deux effets de ces pratiques sur les missionnaires pour maintenir la sainteté de leur état et rendre efficace leur ministère.

Le rejet de Rome dont Pallu se fit le messager, ne portait que sur les vœux tels qu'il les avait présentés de sa propre initiative, associés étroitement aux exercices d'ascèse. Pour montrer à tous son obéissance à ce rejet du pape, il suffisait de s'abstenir de ces exercices d'ascèse, notamment en buvant du vin et en mangeant de la viande, ce qui, nous l'avons vu, était cause de scandale parmi les païens. Cette façon extérieure qu'a eue Pallu de respecter la décision de Rome montre l'importance qu'il donnait aux vœux d'ascèse par rapport aux trois vœux intérieurs si chers à Lambert.

Lambert avait décrit cette « manière de vie » à Vincent de Meur en 1662 :

> « La maniere de vie de ceux qui entreroient en ce corps seroit de professer labstinence pr ce qui regarde le manger et les penitences conformes aux religions les plus austeres si ce nest lorsquils seroient en de longs voyages ou il est necessaire de se nourrir honnettement pr pouvoir porter le travail du chemin lemploy dont ils doivent faire leur fond principal est de vaquer a loraison affin dapprendre en conversant avec N. S. le moyen dattirer les ames a sa connaissance et a son st amour. Devant que de les envoyer aux pays étrangers il sera fort à propos de les éprouver aux missions de l'Europe. Voylà le sommaire des veues qui me sont venues estant en la presence du bon Dieu »[2].

Après le retour de Pallu à Rome en 1665, une évolution de la pensée de Lambert se fit sentir quand il vit s'éloigner pour lui la perspective du

1. P. Lambert de la Motte, *Abrégé de Relation*, AMEP, vol. 121, p. 678-679 ; cf. Guennou, transc., § 32. Ce texte est placé juste avant le récit du retour de Mgr Pallu en Europe. Cela paraît bien être l'accord intervenu entre les missionnaires sur une règle de vie commune.

2. *Id.*, Lettre à Vincent de Meur du 3 novembre 1663, AMEP, vol. 116, p. 560 ; cf. L. n° 53.

martyre : il spiritualisa l'ascèse en incluant dans sa règle l'amour des ennemis et en faisant un usage liturgique de la discipline (pratique individuelle du fouet alors répandue chez les dévots), comme on va le voir. Les pénitences extérieures n'avaient pas sa faveur par rapport aux pénitences intérieures. Elles ne devaient pas être un obstacle pour intégrer dans le Corps apostolique les membres du séminaire qui restaient à Paris, car l'adaptation au terrain ne justifiait pas pour eux la participation à l'ascèse prévue pour ceux qui préparent leur corps à endurer toutes sortes de tribulations.

Lambert tenta de convaincre Paris de ne pas s'opposer à la création du Corps Apostolique et d'y participer avec les missionnaires ; il écrivit à M. Duplessis :

> « Le desir destre caché nous a fait penser si nous devions le pratiquer sans en rien communiquer a personne mais on a trouvez quil estoit plus avantageux a la gloire de Dieu de la proposer a quelquun de nos amis dEurope affin que si elle y estoit bien receu on la soumette a la probation a la correction et a la censure du St. Siege »[1].

Il écrivit aussi à Gazil qui pour lui avait sa place dans la Congrégation Apostolique sans avoir à en pratiquer l'ascèse :

> « Ah mon tres cher frere suivons LEvangile à la lettre osons les commentaires de temps et croyons que Jesus Christ appelle un chacun selon sa vocation a une vie tres parfaite vous estes eslevé a la dignité du sacerdoce vous estes au rang des disciples de J.-C. et en cette qualité, il y a bien peu de conseils qui ne vous regarde que si vos infirmitez corporelle vous empechent les penitences exterieures il vous reste a pratiquer les mortifications de LEsprit ou les medecins ny les directeurs condescendant nont rien a voir et cependant ce sont la les grands sacrifices sans lesquels on ne doit point pretendre a la perfection toutes les fois que jouvre le nouveau testament et que jy vois les moyens d'acquerir la sainteté en si peu de parolles ie maccuse davoir tant perdu du temps autrefois a consulter les hommes qui ne tenoient pas ce langage et regrettant de mestre bien voulu tromper ie dis qu'avoije a faire autre choses qu'a renoncer a tout et suivre J.-C. »[2].

C'est peut-être dans le même sens que Pallu écrit à M. Fermanel le 19 juin 1667 en lui disant : « Qui vous a dit que je voulois obliger tous nos missionnaires à mener la vie que nous avons commencée ? »[3] Alors que Pallu raconte dans une lettre de 1665 comment, arrivé à Madras depuis un mois, il s'est vu mourir en constatant que ses jambes enflaient extraordinairement et a cru devoir mettre de l'ordre dans ses affaires et accéléré la préparation

---

1. *Id.*, Lettre à Mr Duplessis, AMEP, vol. 121, p. 590 ; cf. L. n° 87, envoyé le 20 janvier 1665.
2. *Id.*, Lettre à Gazil, AMEP, vol. 121, p. 530 ; cf. L. n° 30, en 1663.
3. F. PALLU, *Lettres de Monseigneur Pallu*, p. 96, lettre à M. Fermanel, n° 27 (AMEP, vol. 101, p. 355).

des dossiers à remettre à Rome, cela ne l'empêche pas d'écrire dans la même lettre au sujet de la façon dont il supporte l'ascèse :

> « Je n'ay pas de peine à passer mes deux heures du matin devant Dieu, sans aucune autre pensée que luy-mesme, avec plus ou moins de recueillement. Nous avons surmonté les plus grandes difficultés du jeusne durant les chaleur excessives de Massulipatam et de ce lieu, nous ne nous en sommes dispensés aucuns jours que ceux de nostre arrivée dans l'un et l'autre lieu. Sous le rapport de l'abstinence des remèdes, comme j'ay toujours jouy d'une bonne santé, je n'ay point esté dans l'epreuve. J'ay quelque croyance que Dieu m'a dispensé de quelques maladies, ne me voyant pas en estat de souffrir cette espreuve »[1].

On comprend mal dans ces conditions que Pallu puisse présenter comme des vœux des exigences dont le respect dépend des conditions physiques, bonnes pour lui et peut-être moins bonnes pour d'autres. Avec sa proposition de pratiquer la discipline, Lambert, quant à lui, mentionne les clauses d'empêchement :

> « Si l'on jugeoit que cette mortification fut trop grande pour les commencant ou pour les personnes de complexion delicate on la peut reduire a un, deux, ou trois coups a chaque verset »[2].
>
> « Que sil y avoit quelque raison qui empechast de faire cette penitence en commun ou de cette maniere elles satisfairont a cette obligation en prenant quelque chaisne ou en pratiquant quelque autre penitence par lavis de leur confesseur qui egalast celle de la discipline »[3].

En 1668, Lambert justifiait l'usage quotidien de la discipline (en principe cinq coups de fouet dans le dos à chaque verset, mais il ne semblait pas attaché à ce nombre) comme un petit sacrifice en lien avec l'oraison nocturne. Si la discipline est une proposition tardive de Lambert qu'il a transmis à Pallu lorsque celui-ci avait quitté le Siam, c'est qu'il la considérait moins comme une ascèse que comme un signe, le signe qu'il cherchait pour indiquer à Jésus qu'il avait la disponibilité du corps comme de l'intérieur de soi-même afin d'y continuer sa mission et perpétuer son sacrifice.

Il y a plusieurs versions de la façon dont Lambert a décidé l'usage de la discipline lors d'une oraison nocturne. La première version semble celle qui est exposée d'abord à Pallu. Évoquant une dévotion particulière, elle n'est pas liée à l'eucharistie et à la mission continue de Jésus comme celle qui semble avoir prévalue :

1. *Ibid.*, p. 65, Lettre à Mgr de la Motte-Lambert, en 1665, n° 16 (AMEP, vol. 101, p. 243).

2. P. Lambert de la Motte, Lettre à Mgr Pallu, AMEP, vol. 876, p. 557 ; cf. Guennou, transc., *Abrégé de Relation*, § 90.

3. *Id.*, *Abrégé de Relation*, AMEP, vol. 677, p. 211 ; cf. § 124.

« Pour les nouvelles de nostre interieur nous taschons de garder nos obligations dans un esprit de mort a touttes choses et a nous mesme, dieu qui opere cela en nous augmentant tousiours ses bontes nous attache de plus en plus a sa croix pour laquelle il nous donne des inclinations et des veües si particulieres qui nous ont obligé de prendre resolution de passer environ deux heures chaque nuit en oraison depuis une heure jusques a trois pour mediter ses souffrances et les motifs qui lont meu dendurer pour nous. En suite de quoy nous y prenons quelque part par un petit sacrifice qui fait en nous de cinq coups de discipline a chaque verset du Miserere. Nous avons trevé beaucoup de graces dans cette pieuse pratique et regretté de nen avoir pas eu connaissance plutost. Souventesfois mesme nous nous sommes estonnés comment il a esté possible que nous ayons esté six ou sept heures de suite a dormir sans penser a N. S. J. C. dans un temps si propre a loraison et obtenir de dieu tout ce quon luy demande pour linterest de sa gloire et le salut des Ames.

« Depuis que nous avons lexperience que cette pratique est un moyen merveilleux pour impetrer de dieu ce que son divin esprit nous inspiré de luy demander, lors que nous sentons que N. S. desire se servir de nous pour quelque chose qui regarde son honneur et le bien du prochain, nous le prions outre ce sacrifice quotidien den offrir en nous un extraordinaire et semblable a celuy qui se fait la nuit pour obtenir par cette voye de son divin pere ce qui nous fait connoistre et vouloir, ensuite de quoy nous remarquons que les choses reussissent parfaitement bien : que si l'on jugeoit que cette mortification fust trop grande pour les commencant ou pour les personnes de complection delicate on la peut reduire a un, deux, ou trois coups a chaque verset, la grande benediction que N. S. donne a ceux qui embrassent cette solide devotion me fait supplier V. G. de procurer que touttes les personnes de piete de france en aye connaissance. Il semble que par ce moyen N. S. nous ait voulu accoutumer aux veilles de la nuit qui est une chose absolument necessaire pour nos missions »[1].

Dans son *Abrégé de Relation*, Lambert fait allusion à cette découverte qu'il a faite lors d'une célébration de la messe. La mortification volontaire par la discipline fut alors conçue comme un complément liturgique de la messe, rappelant que le chrétien a à compléter le sacrifice du Christ pour son Corps qui est l'Église. Alors que le Christ se faisait obéissant aux paroles du prêtre pour que son corps et son sang soient donnés sur l'autel de son sacrifice[2], par le « sacrifice du soir » c'est notre chair et notre sang qui étaient mis à la disposition de Jésus pour qu'il en use à sa convenance.

Pour Lambert, tout est contenu dans la façon dont il concevait la pauvreté, la chasteté et l'obéissance. Que l'on rentre dans l'oraison, c'est pour

1. *Id.*, Lettre à Mgr Pallu en 1668, AMEP, vol. 876, p. 556-557 ; cf. *Abrégé de Relation*, § 90.

2. Dans une conférence de mai 1612, Bérulle parle du « magnifique pouvoir qu'à nous autres prêtres il a conféré de le rendre présent sur le saint autel chaque fois que nous le désirons » (P. de Bérulle, *Œuvres complètes*, t. 1, p. 40).

y recevoir les instructions de l'Esprit Saint et permettre la continuité de la mission du Christ en nous avec un seul objectif commun, le salut du monde. Que l'on rentre dans l'ascèse, c'est pour permettre au Christ la poursuite de l'accomplissement en notre corps de la volonté du Père. Pour Lambert il ne fallait pas que la multiplicité des vœux cache le vœu essentiel prononcé au baptême, la mise à la disposition du Christ de tout notre être, spirituel et corporel, traversant la mort avec notre Sauveur pour ressusciter avec lui en vue du salut du monde.

Avec Lambert, ce n'est pas nous qui continuons la mission que le Christ a reçue de son Père, c'est lui qui cherche à nous associer à cette mission qui consiste à sauver le monde par la croix ; pour cela, nous devons nous déposséder de tout notre être pour qu'il ait à sa disposition notre corps passible, nos facultés, volonté, intelligence et mémoire. Le mouvement a été initié avant Gethsémani où ses disciples l'abandonnèrent ; c'est le mouvement de l'eucharistie, la chair et le sang du Christ s'introduisent dans le corps de ses disciples pour ne former qu'un avec eux de sorte que le Christ qui va rentrer dans sa Passion pourra la poursuivre en eux et répandre dans le monde entier non seulement sa Parole mais son acte rédempteur.

L'abandon à la divine Providence et l'obéissance à l'Esprit Saint

L'usage de la discipline est pour Lambert une façon expérimentale d'aborder le sacrifice eucharistique qui invite à nous aimer les uns les autres comme Jésus nous a aimés, en souffrant pour ceux que nous aimons et en aimant ceux qui nous font souffrir. C'est la divine Providence qui va nous donner toutes les occasions de mettre en pratique cet amour qui s'exprime par la croix et c'est dans l'oraison que l'Esprit confirme les intentions de Dieu contenues dans les événements. Cela nous permet d'expérimenter l'amour que Jésus a eu pour nous sur la croix et d'en avoir une meilleure compréhension :

> « N'y a il pas moyen de desabuser les hommes Ne peut-on pas avoir assez de credit auprez d'eux pour leur persuader que la plus profonde science et les plus veritables plaisirs consistent en la connaissance et en l'amour experimental de Nostre Seigneur Jesus Christ »[1].
>
> « Si ie n'avois goutté les torrens de consolation quon experimente et estre ietté tout a fait entre les bras de dieu et sous sa tutelle sans esperer d'autres appuis que luy ie ne le croirois pas »[2].

1. P. Lambert de la Motte, Lettre au Père Hallé du 15 mars 1661, AMEP, vol. 136, p. 72 ; cf. Guennou, transc., L. n° 2.

2. *Id.*, Lettre à Mr l'Abbé du Val-Richer de juin 1663, AMEP, vol. 121, p. 534 ; cf. L. n° 34, en 1663.

Un des principaux contre-témoignages du commerce des religieux en Asie concerne le sens de la Providence. Pour les chrétiens la Providence, c'est la prévoyance du Père des cieux pour donner à ses enfants ce dont ils ont besoin comme Jésus le leur montre souvent. Et l'attitude des enfants, c'est la confiance dans cette prévoyance, la foi dans l'amour dont ils sont aimés. Selon Lambert, les religieux qui pratiquent le commerce ne veulent compter que sur eux-mêmes sans rien attendre de la Providence. Cette attitude conforte les païens dans leurs convictions païennes. Pour ceux-ci, l'homme est conduit par une fatalité contre laquelle il ne peut rien, un sort, un hasard qui échappe à la raison humaine, justifiant le bonheur, la richesse et le pouvoir des uns et le malheur, la misère et la dépendance des autres. Dans leur esprit, le ciel décide de tout par une sorte de prédestination générale qui voue chaque homme à un destin particulier et inexorable.

Face au paganisme, Lambert considère que la soumission à la Providence fait partie de notre foi, elle témoigne de Dieu en tant que Père :

> « Peut estre que malgré tous vos soins N.S. vous faira pauvres à la fin cest une riche faveur quon ne connaist pas jen pouvois dire quelque chose en theorie mais j'ayme mieux atendre de vous en entretenir que je me sois entierement abandonné entre les mains de la divine providence pour ce qui regarde les necessites exterieures, ce que jespere executer par la pure misericorde de dieu sitost que je seré dans le lieu de ma mission nestant pas tout a fait bien seant quun missionnaire apostolique aye dautre subsistance temporelle que celle dune providence particuliere et continuelle de la divine bonté sur luy »[1].
>
> « Par ce raisonnement qui est de foy un missionnaire apostolique doit croire a légard du temporel quil est plus certain de sa subsistence que n'est pas le plus grand monarque du monde la raison est que la divine Bonté sestant engagee a Celuy qui met toute son esperance en elle de ne labandonner jamais sa condition est bien meilleure que celle de ce potentat qui est toute establie sur des moyens humains qui quelques grands qu'ils soient sont sujets a perir. Lécriture est toute pleine de cette verité math. 6 : *nolite sollici esse dicentes quid manducabimus aut quid bibemus aut que operiemur hec enim omnia gentes inquerunt scit enim pater vester qua his omnibus indigetis*[2]. Isaie 49 *numquid oblivisci potest mulier infantem suum*[3] Psal. 54 *Jacta cogitatum tuum in domino et ipse te enutriet*[4] Prima Petri 5. *omnem sollicitudinem abjicientes in eum quia ipsi cura est de vobis*[5]. Ces choses sont si claires qu'a moins que destre infidelle on n'en peut douter. Ce n'est pas donc

1. *Id.*, Lettre à M. Gazil, AMEP, vol. 858, p. 87 ; cf. L. n° 77, le 21 octobre 1664.

2. Mt 6, 31-32 : « Ne vous inquiétez donc pas en disant : Qu'allons-nous manger ? qu'allons-nous boire ? De quoi allons-nous nous vêtir ? Ce sont là toutes choses dont les païens sont en quête. Or votre Père céleste sait que vous ayez besoin de tout cela ».

3. Is 49, 15 : « Une femme oublie-t-elle son petit enfant ? ».

4. Ps 55, 23 : « Décharge sur Yahvé ton fardeau et lui te subviendra, il ne peut laisser à jamais chanceler le juste ».

5. I P 5, 7 « De toutes vos inquiétudes déchargez-vous sur lui, car il a soin de vous ».

grand merveilles a un missionnaire apostolique qu'on suppose necessairement estre un homme de foy sil quitte ses biens pour Dieu puisquil est bien plus avantagé que sil avoit bien des revenus en ce que ce fond de la providence ne luy peut jamais manquer. Certes il y a de quoy s'etonner comme il y a si peu de monde qui croyent cela en pratique. Cependant cette marque dabandon n'est que le premier pas dans la voye d'un missionnaire »[1].

Les Actes des Apôtres qui nous présentent l'œuvre du Saint-Esprit le montrent comme l'artisan permanent du succès apostolique. On voit ainsi l'Esprit Saint conduire saint Paul en fermant devant lui toutes les portes qui ne lui conviennent pas jusqu'à ce qu'il soit éclairé par l'appel nocturne du Macédonien (Ac 16, 6-8). Ensuite l'Esprit Saint va ramener Paul à Jérusalem, il en témoigne ainsi : « Maintenant voici qu'enchaîné par l'Esprit je me rends à Jérusalem, sans savoir ce qui m'y adviendra, sinon que de ville en ville, l'Esprit Saint m'avertit que chaînes et tribulations m'attendent. Mais je n'attache aucun prix à ma propre vie, pourvu que je mène à bonne fin ma course et le ministère que j'ai reçu du Seigneur Jésus : rendre témoignage à l'Évangile de la grâce de Dieu » (Ac 20, 22-24 ; cf. Ac 21, 4-14). C'est après son arrestation à Jérusalem et sa comparution devant le Sanhédrin que saint Paul a reçu l'interprétation de ces événements apparemment si contraires à ses intérêts. La nuit le Seigneur lui dit : « Courage ! De même que tu as rendu témoignage de moi à Jérusalem, ainsi faut-il encore que tu témoignes à Rome » (Ac 23, 11).

Lambert parle de la Providence divine qui est identifiée à Dieu et des providences qui sont les marques de son action. La Providence est infaillible[2], elle a des jugements[3], des desseins,[4] et des ordres[5], elle appelle[6], elle conduit[7], elle permet[8].

1. P. Lambert de la Motte, *Abrégé de Relation*, AMEP, vol. 121, p. 647-648 ; cf. Guennou, transc., § 18.

2. *Id.*, Lettre au Clergé de France, AMEP, vol. 121, p. 512 ; cf. L. n° 21, mai 1663 ; Lettre à Mgr Pallu, AMEP, vol. 857, p. 226 ; cf. L. n° 109, le 19 octobre 1667 ; *Abrégé de relation*, AMEP, vol. 121, p. 610. 690. 732 ; cf. § 2. 39. 68.

3. *Id.*, *Journal* du 28 octobre 1677, AMEP, vol. 877, p. 606 ; cf. Simonin, transc. p. 292.

4. *Id.*, Lettre à M. l'abbé Dominique George du 19 novembre 1676, *La Semaine Religieuse de Bayeux*, mai 1918 ; cf. L. n° 172 bis.

5. *Id.*, *Journal* du 18 février 1676, AMEP, vol. 877, p. 580 ; cf. Simonin, p. 188 ; Lettre à Messieurs de la rue Saint-Dominique (AMEP, vol. 121, p. 541 ; cf. L. n° 39, en 1663) ; Lettre aux directeurs de Paris du 4 octobre 1678 (AMEP, vol. 858, p. 421 ; cf. L. n° 194) ; Lettre à Mgr Pallu du 10 novembre 1678 (AMEP, vol. 877, p. 645 ; cf. L. n° 196) ; *Abrégé de relation*, AMEP, vol. 121, p. 628. 695 ; cf. § 14. 41.

6. *Id.*, *Abrégé de relation*, AMEP, vol. 677, p. 217bis ; cf. § 131.

7. *Id.*, Lettre à M. du Plessis du 11 juillet 1663, AMEP, vol. 860, p. 2 ; cf. L. n° 37.

8. *Id.*, Lettre à M. Thiersaut, AMEP, vol. 121, p. 593 ; cf. L. n° 90 ; *Abrégé de relation*, AMEP, vol. 121, p. 667. 690. 702. 714. 734. 731 ; cf. § 27. 32. 45. 51. 62. 67 ; vol. 677, p. 188. 190 ; cf. § 101. 103.

Sans qu'il en fasse clairement état, chez Lambert la Providence remplit le rôle dévolu au Saint-Esprit dans les Actes des Apôtres ; l'abandon à la Providence équivaut donc à l'obéissance au Saint-Esprit avec cette différence que la Providence ne parle pas mais agit, fermant des portes et en ouvrant d'autres, et donne des signes qui pourront être interprétés dans l'oraison par la Parole de Dieu : l'Écriture et les éclairages intérieurs. Le croyant s'appuiera sur ces signes, assuré que tout concourt au bien de celui qui aime Dieu. Car Dieu qui a appelé tout homme à devenir son enfant dans le Christ, a tout préparé dans sa vie pour l'y conduire vers sa gloire céleste (Rm 8, 28-30 ; Ép 1, 4-14).

Parmi les secrets[1] de la Providence qui se dévoilent le plus facilement il y a les rencontres[2].

L'exemple de Lambert montre que l'abandon à la Providence n'est pas le choix de l'incompréhension, de la fuite, du refus de combattre et de résister à ce qui nous est contraire. Il ne se soumet pas aux événements, il ne se soumet qu'à Dieu quand il reconnaît que Dieu exprime sa volonté dans un événement, c'est un discernement qui correspond à la prière de la Vierge Marie qui méditait toute chose dans son cœur (Lc 2, 19. 51).

La mission que le pape lui a confiée est pour Lambert l'expression de la volonté de Dieu alors qu'il est poussé par d'autres à ne pas l'accomplir : c'est le cas lors de son départ de Marseille à cause de sa maladie[3], c'est

1. « Les secrets adorables de la Providence » (*Id.*, *Abrégé de relation*, AMEP, vol. 121, p. 714 ; cf. Guennou, transc., § 51).

2. « Voila bien des rencontres qui me donnent lieu d'adorer et de remercier la divine providence » (*Id.*, Lettre à M. de Bourges, AMEP, vol. 121, p. 574 ; cf. L. n° 69, en 1664).

3. *Id.*, Lettre à Chevreuil du 2 octobre 1660, AMEP, vol. 136, p. 68 ; cf. L. n° 1 : « Joubliois a vous dire qu'on me presse de retourner a Paris pour lintrest general de nos missions cest lavis de M. le nonce qui a eu la bonté de men escrire. Il est conforme a celuy de M. dheliopolis et a bien d'autres personnes de poix que feroit on dans ces rencontres sinon de demander lumiere a N. S. J. C. dans toute la simplicité de la foy pour connoistre son bon plaisir, tout est prest de nostre costé neanmoins je ne me croiré point encor en chemin de nostre mission jusques a ce que je me vois en mer, la divine volonte soit faite en touttes choses cependant je crains estrangement sil me faut retourner en france de perdre ma vocation ou quelle ne me soit eschangee en une bien moindre et si je vais a la Chine la plus grande aprehension que jaye est de manquer a la foy que je dois au bon dieu dans bien des occasions et peutestre de devenir enfin apostat, vous voyes par la le pauvre interieur et la misere dun chetif evesque missionnaire qui ne scait pas, ny ce quil veut, ny ce quil doit vouloir, ny na aucune assurance dans ses voyes, mes meilleurs amis mesme membarrassent dans cette difficille conioncture, la pluspart me conseillant de retourner a Paris, Jen scais qui ont fait vœu pour ce suiet par lavis de leur directeur et qui lont executé, vous avé trop de charité pour navoir pas pitié de nous dans le pitoyable estat ou nous nous trevons, demandés, si vous plait a N. S. et a sa tres Ste mere que nous ne fassions rien qui ne soit parfaitement conforme aux misericordieux desseins quils ont sur nous et me faites la grace de me croire toutafait ».

le cas lors de son départ du Siam pour la Chine[1]. Une autre occasion de contrôler le sens des événements, c'est le choix de la route à suivre après Bagdad en mars 1661. Lambert a fait connaître les éléments de son discernement pour prendre la route terrestre de la Chine intérieure, plus au nord (actuellement Iran, Ouzbékistan, Turkestan chinois ou Sin-Kiang et Chine) ou la route maritime (celle de l'Inde actuelle) plus au sud. La difficulté du voyage n'est pas entrée d'abord pour lui en ligne de compte, il a discerné en fonction de son ministère apostolique. Si les peuples idolâtres à traverser ne sont pas encore prévenus contre le christianisme par l'avarice des religieux et s'il y a des signes qu'ils sont disposés à recevoir le message de l'Évangile, alors aucune raison purement humaine n'arrêtera les missionnaires qui se confieront entièrement à la Providence :

> « Là nous prendrons resolution suivant les occasions qui se rencontreront pour aller au lieu de notre mission par la Perse ou par les États du grand Mogol, et ensuitte penetrer les États de Lyonbek, Turkestan et Katay[2], qui sont des pays tout à fait inconnus. Bien que nous puissions prendre la route de mer, qui est la voye ordinaire et la plus facile, toutesfois nous nous sentons pressez de passer par ces grands et vastes États, ou l'avarice ne s'est point encore fait jour. Beaucoup de bons missionnaires l'ont tenté et mesme depuis peu, mais sans y pouvoir reussir. Ainsi on aura raison de nous accuser de quelques temerités de le vouloir entreprendre. Mais peut on s'en abstenir ? Quelle apparence de ne pas scavoir la disposition que ces Peuples (dont la pluspart sont idolâtres) ont à connoitre et aymer Nostre Seigneur J. Ch. ? L'on nous dissuade de ce dessein dans la pensée qu'il est impossible. Néantmoins que c'est icy un à faire qui depend purement de notre ministere apostolique, et qu'en cela principalement nous nous devons abandonner a la divine Providence. En ce seul poinct donc nous n'ecouterons personne, à fin qu'en nous exposant pour le pur amour de Nostre Seigneur et du

1. *Id.*, Lettre à Mr de Bourges du 11 juillet 1663, AMEP, vol. 121, p. 549-550 ; cf. L. n° 46 : « Ie vous avoüe que, comme cela me paroist dur cest une des choses que iay le plus demandé a Dieu que de connoistre sur ce sujet son bon plaisir la réponse que iay eüe aesté quil falloit aller à la Chine. Comme Javois plus d'inclination pour la Cocinchine accause quil me sembloit quil y avoit plus de conversion afaire ie receüe dans le fort de mon oraison cette misericordieuse reponse qu'en nostre faveur Dieu quittoit ses interests car quoy quil fut vray quil ny avoit pas tant a faire a la Chine qua la Cocinchine pour le salut des ames nous y trouverions une croix toute autre. Ie puis me tromper mais ie ne puis pas ne point suivre cette veüe dans la simplicité de l'attrait ainsy donc mon tres cher frere ie vous conjure dagreer nostre depart ».

Plusieurs fois Lambert a montré sa difficulté à discerner la volonté de Dieu : « Cependant voicy un vaisseau tout prest a partir pour Canton province de la Chine de ma Iuridiction que si nous le perdons il faut icy tarder un an sans pouvoir jamais pretendre une occasion si favorable apres donc avoir demandé a Dieu quil luy plaise nous faire connoitre son bon plaisir nous nous croyons obligé de partir et laisser nos missionnaires a sa ste garde » (Lettre à Messieurs de la rue Saint-Dominique, AMEP, vol. 121, p. 544 ; cf. L. n° 39, juin ?, 1663).

2. Chine ou Cathay.

prochain, nous tachions de prattiquer une fois en nostre vie, une acte de pure foy, de pure charité, de pur abandon, de pure confiance, de pur amour par rapport à celuy que Nostre Seigneur J. Ch. nous a porté, et dans l'union de son esprit »[1].

À Ispahan, Lambert fut contraint de revenir sur cette décision. Souvent la grâce est donnée en même temps que l'ordre comme une confirmation. Ainsi Lambert a eu le cœur rempli d'amour pour les Cochinchinois au moment même où la charge de ce peuple lui était donnée par Rome, comme il le rapporte :

> « Dez que je fus estably pasteur de la Cochinchine par une dispensation extraordinaire de la divine providence, N. S. me donna en mesme temps un amour pour vous inexplicable de la vient que ie partis des extemitez de L'europe le 8 iour de mon sacre pour vous venir ayder dans tous vos besoins et que les fatigues qui sont inseparables d'un si long voyage me donnerent de la satisfaction »[2].

Mais on ne comprend pas toujours la Providence de Dieu au moment où il se manifeste par elle, c'est même une obscurité qui nous impose toujours plus de foi comme lorsque Pallu a été prisonnier des Espagnols à Manille en 1674 :

> « Nous ne pouvons assez témoigner a V. G.. la ioie que nous avons receue des heureuses nouvelles de son arrivée a Rome et du bon succès de ses voyages dans le Mexique et l'hespagne, ce qui nous oblige de confesser plus que iamais que nous ne connoissons rien dans la conduite dont la divine providence veut se servir pour le soutien de cet ouvrage et qu'elle seule peut tirer des avantages de ce qui paroissoit le plus fascheux pour toutes ces missions, dans la detention de la personne de V. G. et nous esperons que Dieu nous fera cette grace que nous pourrons encore iouir une fois de sa presence dans ces païs ce que nous attendons de la divine misericorde »[3].

Certes quand il est question de la perte d'un être cher ou d'une épreuve particulièrement douloureuse, d'un échec particulièrement cuisant, on peut s'interroger longtemps sur le sens à donner à ces événements et Lambert a tenté de donner quelques pistes de réflexion :

> « Si nous joignons a cela tous les maux dont il nous a preservé, il faut demeurer d'accord que l'Eternité est trop courte pour sacquitter de cette multitude prodigieuse de bienfaits. Dans cette pensée ou ie demeure depuis hier il me semble devoir perseverer en cette estat jusques a la mort ie my sens entierement porté par lexemple et le resonnement de ce grand homme Job qui dans la perte de ses

---

1. P. Lambert de la Motte, Lettre au Père Hallé du 15 mars 1661, AMEP, vol. 136, p. 73-74 ; cf. Guennou, transc., L. n° 2.
2. *Id.*, *Abrégé de Relation* : Lettre aux fidèles de Cochinchine, AMEP, vol. 121, p. 689 ; cf. § 131.
3. *Id.*, Lettre à Mgr Pallu, AMEP, vol. 877, p. 625.

biens de ses enfants et se voyant lobjet d'une colere apparente de Dieu mais qui en effet estoit celuy de ses complaisances disoit ces admirables paroles dans lestat actuel de ses souffrances *Dominus dedit, Dominus abstulit, sicut Domino placuit ita factum est : sit nomen Domini benedictum*[1] en sapuyant donc sur cette solide raison ie vois que comme nostre vie consiste et est partagé en biens et en maux pendant que nous sommes en cet exil et que les uns et les autres viennent par lordre de la divine providence pour nostre utilité il est juste que nous le recevions avec des continuels actions de grace et comme d'extraordinaires faveurs »[2].

Dans les événements, il y a ceux que Dieu suscite et ceux que Dieu permet pour notre bien ; parmi ces derniers, il y a ce qui vient de causes naturelles, de la méchanceté des hommes ou encore d'une action du démon comme l'ivraie de la parabole du bon grain et de l'ivraie[3]. Pour Lambert, tout ce qui nous est défavorable est cependant permis par Dieu. Les persécutions contre les chrétiens de Cochinchine ont amené Lambert à approfondir cette réflexion sur la souffrance des justes :

« Je vous conjure par J. C. crucifié de gardé a Dieu la fidelité que vous luy avez vouée par le st sacrement de baptême. Je ne puis vous escrire cecy sans larmes sachant que plusieurs ont preferé leurs biens et leur vie a limmuable promesse quils luy avoient faite. Je scay que la rigueur quon a exercée contre les chrestiens a esté grande et quelle a pû donner lieu a beaucoup de murmure contre la providence, la Justice et la Miséricorde de Dieu, qui permet quelquesfois que les siens soient affligées et que les mechants triomphent. Cest pour ce sujet quil me vient en pensée de vous dire quelques raisons qui lobligent den user de la sorte.

« Le premier dessein donc qui me paroist que le bon Dieu a en permettant que les bons souffrent et que les meschans prosperent est tout remply dune merveilleuse conduite en ce que ny ayant point dhomme juste qui ne peche veniellement ny aussi de mechant qui ne fasse quelquefois quelque action morallement bonne Dieu par une admirable Justice punit les premiers en ce monde et recompense les seconds. Cest en ce seul sujet que Dieu garde quelque sorte de proportion entre les uns et les autres en cette vie laquelle ne se rencontrera en aucune maniere apres la mort puisque les uns seront eternellement heureux et les autres eternellement malheureux.

---

1. Job 1, 21 : « Le Seigneur a donné, le Seigneur a repris, que cela soit fait comme il plaît au Seigneur, que le nom du Seigneur soit béni ».

2. P. Lambert de la Motte, Lettre à Messieurs de la rue Saint-Dominique, AMEP, vol. 121, p. 542.

3. *Id.*, Lettre à Mgr Pallu (AMEP, vol. 857, p. 221) : « Vous aurés sceu par mes precedantes quelques oppositions que i'ay receues dans les fonctions de mon ministere, tout ce que ie puis dire sur cela, sans approfondir dans les conduittes de la divine providence qui *de tenebris facit splendescere lumen* [2 Co 4, 6], c'est que *inimicus homo hoc fecit* [Mt 13, 28] ; en verité, Mgr, ie puis dire que depuis que i'ay souffert ces persecutions que l'on doit nommer des faveurs bien speciales du Ciel, puisques ce sont les fruits de l'arbre sacré qui nous a donné la vie, nos affaires, ce me semble, en vont mieux ».

« La 2e raison est que les travaux que les bons endurent en ce monde doivent estre considerez comme des faveurs extraordinaires de Dieu puisquil est assuré que rien ne nous esloigne plus de lamour du siecle et ne nous porte plus a recourir continuellement a luy, que les souffrances qui sont le veritable moyen pour acquerir le ciel ce sont les voyes que les Sts on tenues generalement et l'exemple que nous a donné N. S. J. C. si bien qu'apres cela si je voyois un chrestien se plaindre de ses croix il me semble quil trouveroit a redire aux moyens infaillibles que le bon Dieu luy presente pour arriver a la beatitude eternelle.

« La 3e est que sans les tribulations on ne peut jamais pratiquer ny posseder les vertus qui sont cependant nessessaires au chrestiens pour operer leur salut et particulierement pour donner des marques de leur fidelitez a Dieu qui a toujours voulu conduire ses esleux par la voye des croix. La Ste écriture ne donnant point d'autre raison des afflictions que Dieu permit dariver au bon Tobie sinon questant agreable a ses yeux il estoit necessaire quil fut tenté *quia acceptus eras coram Domino necesse fuit ut tentatio probaret te*, Tob. 4 [correction : Tob. 12][1]

« La 4e raison est que nostre Seigneur connoissant nos maladies et ce qui les peut guerir permet que nous soyons persecutez par les pecheurs affin de nous preserver du mal ny ayant rien qui nous soit plus salutaire que les croix comme au contraire il n'y a rien qui soit plus prejudiciable a la sainteté de nostre ame que la prosperité, le seul moyen donc de triompher de nostre nature est [correction 'et'] de laisser regner parfaitement Dieu en nous étant de mener une vie conforme a nostre Chef couronné espines »[2].

Dans le cadre de la mission continue de Jésus, nous devons accepter avec lui et offrir en lui les croix qui sont proposées par la Providence à nos corps passibles puisque nous les avons mis à la disposition de Jésus pour qu'il en soit ainsi :

On a eu cette nuit de tres grandes tempestes qui ont obligé dabatre toutes les voilles on a esté fort incommode de la pluye qui a entré dans le petit lieu ou estoient les missionnaires et leur a donne moyen doffrir quelques souffrances a Dieu qui nont pas esté petittes estant enfermés sous les escoutiles dans ce lieu ou ils ne pouvoient pas avoir leur etendue et ou leau degouttait par les fentes. Cest dans ces rencontres que lon voit lesperance des missionnaires ceux qui nont que la theorie des grandes vertus sont obligés davouer quil y a bien de la difference entre la theorie et la pratique les autres offroient avec joie ces occasions pour offrir leur sacrifice a Dieu et pour contribuer a ces desseins »[3].

1. Tobie 12, 13 (Vulgate : « Parce que tu étais agréable au Seigneur, il fallait que la tentation te mette à l'épreuve ») La Bible de Jérusalem suivant la Neo-Vulgate a ce verset : « Quand tu n'as pas hésité à te lever, et à quitter la table, pour aller ensevelir un mort, j'ai été envoyé pour éprouver ta foi ».

2. P. Lambert de la Motte, *Abrégé de Relation*, AMEP, vol. 121, p. 690-691 ; cf. Guennou, transc., § 39.

3. *Id.*, *Journal* au 18 août 1675, AMEP, vol. 877, p. 564.

On rend un culte à Dieu en reconnaissant publiquement ses interventions providentielles, en lui attribuant ainsi la direction de nos vies, tout ce que nous avons fait de bien, tout ce que nous avons supporté de pénible comme saint Paul ne cesse d'en témoigner dans ses Épîtres ; c'est dans ce sens que Lambert écrit à son frère Nicolas :

> « Cependant, de quelque maniere que la divine providence dispose de vous, estudiez tout le long de vostre vie a connoistre les grandeurs de Dieu en luy meme ses bontez sur vous et J.-C. crucifié puis que cest lassuré moyen dacquerir sa connoissance et son amour en quoy consiste le bonheur de la creature, *hec est vita aeterna ut cognoscant te solum Deum verum et quem misisti Jesum Christum*[1]. Vous trouverez dans ces divines méditations tant de science, tant de doctrine, tant de merveille, tant de charité que vous n'aurez pas la force d'en soutenir les impressions »[2].

L'arrivée dans le port de Tenasserim fut pour Lambert et ses compagnons l'occasion d'une méditation sur leur vocation et d'un discernement de la volonté de Dieu. Ils auront à rendre grâce pour les événements providentiels non seulement quand ceux-ci exaucent leurs demandes mais surtout quand ils leur permettent de rendre leur vie plus conforme à celle de Jésus :

> « Ayant donc conferé entr'eux sur de si justes demandes d'un dieu qui les a tant aimés ils resolurent dy acquiesser et de suivre la pureté de l'attrait interieur. Ce consentement fut bientost suivy de nouvelles faveurs de N.S., qui leur demanda de pratiquer doresnavant tous les conseils evangeliques qui regardent la mortification interieure et beaucoup de ceux qui regardent l'exterieure, en effet sa divine bonté n'a pas manqué de permettre bien des occasions pour lesquelles il a fallu avoir beaucoup dc complaisance de ce voir mespriser, de prier pour ceux qui estoient contraires, de souffrir beaucoup de petites persecutions, abandonner quelque somme considerable d'argent plustost que de prendre les voyes de la justice du pays pour se faire faire raison ; bref porter une joye extreme de se voir reduits a ce point par l'operation divine de ne faire jamais sa volonté. Cette maniere d'agir qui paroist d'abort tout a fait impossible et rude est cependant dans la suite comblée de biens d'onctions et de consolations ; la plus grande difficulté est de se le persuader, de croire a l'evangile, dans la soumission qu'un vray chrétien doit avoir aux paroles du fils de dieu et de les pratiquer pour n'estre pas tout a fait ingrats a tant de misericordes, les missionnaires arresterent reconnoissant que le bon Dieu demandoit d'eux la pratique susditte de conferer souvent de toutes les providences qui leur arriveroit, affin de les pouvoir faire suivant les maximes de N. S. J. C. le moins mal qu'ils pourroient moyenant sa ste grace »[3].

---

1. Jean 17, 3 : « La vie éternelle, c'est qu'ils te connaissent, toi, le seul véritable Dieu, et celui que tu as envoyé, Jésus-Christ ».

2. P. Lambert de la Motte, Lettre à son frère Nicolas, AMEP, vol. 121, p. 544 ; cf. Guennou, transc., L. n° 43, juin ? 1663.

3. *Id.*, *Abrégé de Relation*, AMEP, vol. 121, p. 627-628 ; cf. § 13.

L'occasion de mettre en application cette décision survint lors du naufrage du bateau où se trouvaient Deydier et Lambert alors qu'ils remontaient une rivière pour atteindre la capitale du Siam. Alors que Lambert ne savait pas nager il put se sauver grâce à un tronc d'arbre flottant sur lequel il se retrouva à califourchon. Cela lui permit d'être recueilli avec Deydier par un autre bateau qui descendait le courant vers Tenasserim où ils purent obtenir de nouveaux passeports en remplacement de ceux qu'ils venaient de perdre, « les missionnaires faisant refflection sur une si grande grace que le bon Dieu leur avoit fait, luy en rendirent leurs reconnoissances, comme d'une des plus hautes faveurs qu'ils pouvoient recevoir de sa misericorde et de son amour »[1]. C'est alors qu'ils reprenaient leur voyage interrompu, cette fois-ci en charrette, que Lambert fut agressé par un charretier ivre qui lui donna « trois coups de gros baton pour les quels il eut complaisance et joye jusqu'aux l'armes, parce qu'ils les reçeut dans l'ordre de la divine Providence et dans lexecution de sa vocation »[2].

Lambert prit l'habitude de cette concertation pour reconnaître la main du Seigneur dans leur œuvre apostolique, surtout pour obtenir les conversions :

> « Quand il plaist a la Divine Bonté agir de cette maniere les conversions sont tres faciles les missionnaires ne laisserent pas d'en rendre leur tres humbles actions de grace a nostre Seigneur, comme d'un des plus grands bienfaits quil puissent recevoir de sa part et faisant reflection sur cette action et sur tout ce qui sestoit passé depuis quils avoient en veüe de commencer icy leur mission ils reconnurent que tout estoit remply de providences particulieres, on ne peut dire le plaisir quil y a a sentretenir des misericordes et des conduites que Dieu tient sur les ames cest un employ dont on ne peut ce lasser que ces conferences sont charmantes ah quelle difference y a il de ces conversations a celle des gens du monde qui font leur divertissement a parler de choses qui ne sont utiles ny a leur salut ny a la gloire de Dieu »[3].

Le culte que Lambert a pour la divine Providence s'exprime dans le récit qu'il fait de sa mission en Asie : c'est l'*Abrégé de Relation* commencé dès son embarquement à Marseille et poursuivi durant toute sa vie. Ce récit témoigne de sa soumission au Christ. Pour lui, le Christ n'est pas seulement Celui qui l'habite et le fait agir mais il est aussi le Roi qui siège à la droite du Père et intervient d'un bout à l'autre de l'univers. Lambert n'a pas besoin du succès pour agir selon Dieu, il n'a d'autre obligation que l'amour, même pour ses ennemis qui ne savent pas toujours ce qu'ils font. Lambert ne se réjouit pas des revers de ses adversaires mais ne peut s'empêcher d'y voir une action de la Providence contre le commerce de la

1. *Ibid.*, p. 629 ; cf. § 14.
2. *Idem.*
3. *Ibid.*, p. 659 ; cf. § 24.

Compagnie de Jésus, contre le «schisme» que les jésuites provoquent au Tonkin et en Cochinchine :

> « Si nous considérons attentivement les peines et les contrariétés que, par la providence de Dieu, le père Marini a subies, il y a vraiment de quoi admirer la justice divine. La Compagnie continue son commerce, elle perd son vaisseau avec ses marchandises ; il projette de favoriser un schisme, il est jeté en prison et on lui interdit de parler à personne ; il se rebelle contre le Saint Siège, il a droit aux peines canoniques, interdit d'office divin, de messe et de sacrements ! C'est par ses propres lettres où il nous énumère ses misères que nous avons appris cela »[1].

Jamais Lambert ne voulut profiter de la bienveillance envers lui des souverains locaux pour contrer l'action de ses adversaires et les empêcher de lui nuire comme il l'écrit à propos du schisme des jésuites portugais : « Contre tous ces abus, les missionnaires ne se deffendirent quavec leurs armes ordinaires qui sont la patience, la priere, l'oraison, l'action de grace a dieu des misericordes qu'il leurs faisoit »[2].

Pour Lambert, il faut laisser Dieu agir seul contre nos ennemis en priant que leur défaite concourt à leur bien. Cette vision cosmique qu'il a de l'action de la Providence remplit Lambert d'une permanente admiration. Sans être identiques Providence (en tant que grâce) et Esprit Saint (en tant que

1. P. Lambert de la Motte, *Abrégé de Relation* 1671-1672, AMEP, vol. 876, p. 722-723 ; cf. Lettre de Lambert au pape du 13 juillet 1671 : « Ce qui me tourmente le plus, c'est que j'ai appris que les chrétiens indigènes sont déjà infectés par le poison du schisme qui a été disséminé par les religieux de la Compagnie de Jésus. Et c'est par leur action que de jour en jour il se développe, et il y a une telle différence entre les uns et les autres, tant pour les mœurs que pour ce qui touche aux rites superstitieux, qu'il y a très peu d'espoir qu'ils puissent jamais vivre en paix ; et ce n'est pas une toute petite guerre qu'ils ont décidé de toujours nous faire, car elle dure depuis plus de quatre ans. Ils s'en sont pris à un des missionnaires nommé M. Pierre Brindeau et à un autre nommé M. Louis Chevreul : ils se sont arrangés pour emmener ce dernier cette année à Goa, et l'autre, qui était alors seul en Cochinchine, ils ont également essayé de l'enlever, comme il l'a fait savoir par le texte de la Relation qu'il a écrit pour la Sacrée Congrégation. Enfin le Père Philippe Marini est parti avec la même idée, dit-on, au Tonkin pour pouvoir en expulser les deux missionnaires qui y travaillent pour Dieu » (APF, Acta CP, vol. 1A, fol. 381 ; trad. Ruellen).

2. *Id.*, *Abrégé de Relation*, AMEP, vol. 121, p. 727 ; cf. § 64. « Les missionnaires considerant l'interest de la religion catholique, la reputation des religieux qui sont icy, et la perfection que demande leurs estat, n'ont point voulu faire de plainte a la Cour de cette action non plus que tous les autres outrages qui leurs ont esté faits » (*Id.*, *Abrégé de Relation*, AMEP, vol. 121, p. 722 ; cf. § 60). Voir aussi Lettre de Lambert à M. de Brisacier, le 16 novembre 1676, AMEP, vol. 858, p. 361 ; cf. L. n° 172 : « La seulle peine que cette nouvelle me donna fut si je devois faire arrester ce provincial estant en pouvoir de le faire et il ne m'en eust cousté qu'une parolle au ministre qui est gendre du Roy et au gouverneur de province qui ne cherchoient que les occasions de m'obliger. Mais apres metre mis aux pieds du crucifix je neus poin dautre veüe que de suivre les conseils evangeliques et de laysser cette affaire a la conduite de dieu ».

Donateur de tout bien) sont étroitement liés pour lui comme il en témoigne à propos de l'institution des Amantes de la Croix au Siam :

> « La seule chose qui semble menacer la joie que nous en éprouvons, c'est le défaut de l'argent nécessaire pour réaliser cette œuvre, mais nous gardons au cœur l'espérance que Dieu, dont la providence a créé toute cette affaire, fournira en son temps les moyens pour la faire durer et la stabiliser par certains moyens inconnus de nous. C'est en s'appuyant sur une telle espérance que les missionnaires ont établi au Tonkin trois communautés de ce genre, et une en Cochinchine et qui toutes n'ont aucun revenu annuel assuré. Nous avons déjà goûté dans cette œuvre la douce providence de Dieu par la donation que fit une dame, amante de la vertu et de la piété, et qui professe maintenant la vie religieuse dans un couvent de Paris très célèbre et très fervent, dans un mouvement venu certainement du Saint Esprit, parce qu'elle n'était au courant de rien sur cette œuvre, ni de notre projet. Et donc, comme jusqu'ici la ressource meilleure et principale des missionnaires n'a pas été autre que de semblables bienfaits de Dieu, ils sont devenus de jour en jour plus audacieux pour entreprendre des actions qui procurent la gloire de Dieu, même si elles dépassent leurs forces »[1].

Lambert a eu personnellement plusieurs lumières au sujet de la relation à la croix que doivent avoir ceux qui rentreraient dans la mission continue de Jésus sur la terre. Ce sont ces éclairages qui seront férocement critiqués par les membres du séminaire à Paris[2]. L'échec de la proposition

---

1. *Ibid.*, Autres nouvelles de Macao au sujet du Tonkin, AMEP, vol. 876, p. 722-723 : « *Unum est quod solummodo lætitiam ex hoc ortam minuit videre, scilicet defectum pecuniæ ad hoc exequandum opus necessariæ, sed spes ad huc in corde nostro viget quod Deus, cujus providentia totum hoc negotium peractum est, media suppeditabit successu temporis ad firmandum stabiliendumque illud mediis quibusdam nobis ignotis ; eadem spe freti stabilierunt missionarii in Tunkino tres hujusmodi communitates, et unam in Cocincina quæ omnes redditum nullum annuum habent stabilitum ; jam suavem Dei providentiam in hoc opere experti sumus in donatione mille nummorum quam fecit domina virtutis et pietatis amatrix quæ nunc in celeberrimo et in pietate florentissimo conventu Parisiensi religiosam vitam profitetur motu sane Spiritus Sancti, cum nihil adhuc rescivisset de hoc opere, nec de nostro intento ; cum igitur melior et præcipuus missionariorum proventus non alius fuerat hactenus quam similia Divina beneficia, audaciores fiunt quotidie ad majora suscipienda opera ad gloriam Dei procurandam, etiam si vires eorum superent* » (trad. Ruellen).

2. Voir Lettre des directeurs du séminaire à Mgr Lambert datée du 28 juillet 1667 (AMEP, vol. 4, p. 199) : « Monseigneur nous n'avons pas de ces hautes lumieres qui nous decouvrent la possibilité de ces proiets si releves, ainsi aies compassion de nous pendant que nous prierons Dieu quil nous fasse toujours accomplir ce qui est de meilleur pour vos missions mais non pas ce qui vous paroistra le plus elevé car il y a quelque fois du peril a aller si haut et il est dangereux de se persuader quon a decouvert une nature de perfection qui jusques a present a esté inconnue et que tous les patriarches de ces grands ordres qui ont procuré tant de bien à leglise nont jamais mis en pratique » ; cf. Lettre de Gazil à Mgr Lambert du 14 novembre 1664 (AMEP, vol. 4, p. 55-58) : « Je vous suis obligé des bontez que vous tesmoignez de me faire part des memes transports dont dieu enrichit votre ame ie veux dire des memes lumieres dont il vous eclaire. Iay receu avec un singulier respect ce que Votre Grandeur m'a ecrit de

de la Congrégation Apostolique peut apparaître comme un manque de discernement de la part de Lambert, une illusion sur sa soumission au Saint-Esprit.

Dans une lettre de 1663 Lambert a exposé à son frère ses vues sur le discernement des esprits en l'incitant d'abord à prendre l'avis de ses amis et à le suivre.

> « Je vous avoüe que iaye une joye extreme de croire que le bon dieu vous appelle a la vie parfaitte. Ie le juge par les fortes pensées quil ma divers fois reiteré, par lesquels iay connus que vous pouvez venir vous consumer avec nous dans nos missions pour lamour de J.-C. et du prochain. Comme laffaire est de la derniere consequence prenez lavis de nos tres chers amis et les suivez. Cependant de quelque maniere que la divine providence dispose de vous, estudiez tout le long de vostre vie a connoistre les grandeurs de Dieu en luy meme, ses bontez sur vous et J.-C. crucifié, puisque cest l'assuré moyen d'acquerir sa connoissance et son amour, en quoy consiste le bonheur de la creature. "*Haec est vita aeterna ut cognoscant te solum Deum verum et quem misisti J C*"[1]. Vous trouverez dans ces divines meditations tant de science, tant de doctrine, tant de merveille, tant de charité que vous n'aurez pas la force den soutenir les impressions. Surtout attachez vous a avoir la veüe continuelle d'un Dieu homme veneu en ce monde pour estre le createur de la grace dans le cœur de tous les hommes sans quoy nous serions privez de laimer en cette vie et a toute eternité. Que cette pensée me paroist forte ! Si vous adjouté a cela la consideration de tous les moyens quil a tenus pour cela et specialement de le voir en un gibet mourir aux yeux de toute la nature, il y a de quoy tomber en deffaillance, mais cela ne suffit pas, il faut que cette connoissance nous fasse observer les stes lois, faute de quoy nous sommes abuzez suivant le sentiment du bien aymé disciple : *In hoc signus quoniam cognovimus eum si mandata ejus observamus*[2] »[3].

Lambert donne à son frère les principes généraux pour discerner les choix de la « divine Providence », la volonté de Dieu sur nous. C'est d'abord, dans l'oraison de chaque jour, la reconnaissance de la grandeur de Dieu, des

Siam le 9 juillet 1663 sur lobligation que nous avons de nous conduire par la pure foy. C'est mon intention de vous imiter dans le regret de m'en estre non pas ecarté mais plustost de ny estre jamais entré, me contentant d'une conduite basse et commune qui nous laisse exposes aux plus grandes tentations auxquelles enfin on succombe » ; cf. Lettre de X à M. Gazil du 25 juillet 1667 (AMEP, vol. 201, p. 25) : « Iay faict parler a ce cher amy [Mgr Pallu] deux personnes a qui il a eu beaucoup douverture pour luy representer le suiet quil a de se deffier des lumieres de M. de Berythe ».

1. Jn 17, 3 : « La vie éternelle, c'est qu'ils te connaissent, toi, le seul véritable Dieu, et celui que tu as envoyé, Jésus-Christ ».

2. I Jn 2, 3 : « À ceci nous savons que nous le connaissons : si nous gardons ses commandements »

3. P. Lambert de la Motte, Lettre à Nicolas Lambert de juin 1663, AMEP, vol. 121, p. 545 ; cf. Guennou, transc., L. n° 43.

grâces personnelles reçues de lui et de la façon dont Jésus-Christ s'est donné à nous sur la croix. C'est la contemplation continuelle de la sainte humanité de Jésus et la recherche permanente d'appliquer ses conseils en toute chose : « À ce signe nous savons que nous le connaissons, si nous gardons ses commandements » (1 Jn 2, 3) :

> « Javois encore une pensée plus particuliere sur le sens de cet axiome c'est qu'outre cela, jestimerois que les Disciples de J.-C. sont obligé dans la derniere exactitude A pratiquer tous les mouvements singuliers que le St Esprit donne a lame lesquels luy doivent tenir lieu de commandements dans lestat passif »[1].

En juin 1663, Lambert a montré à M. Tiersaut les mêmes éléments de discernement qu'il a indiqués à son frère :

> « Cependant comme ie me puis tromper au sujet de vostre vocation et que le desir de vous voir dans cest estat mest suspect prenez lavis de Mr Beriot [correction : Bertot[2]] ou de quelque autre qui marche dans sa voye puis vous soumettant entierement au sentiment de nos tres chers amis faites ce quils ordonneront de vous a Dieu mon tres cher frere redoublé vostre fidelitez augmentez vostre oraison apauvrissez vous des fagultez de vostre ame priez pour moy et me croyez veritablement »[3].

En février 1664, Lambert a commencé à se douter que les membres du séminaire ne souhaitaient pas que les deux frères se rejoignent (Lambert aurait aimé aussi qu'un neveu soit du voyage). Il réitère ses conseils à Nicolas Lambert en l'incitant à prendre conseil auprès de personnes dont le jugement ne puisse être altéré par l'amour familial (comme aurait pu l'être celui de Lambert). Pour opérer vraiment le discernement des esprits, on ne doit pas prendre le conseil de n'importe qui. Pour les décisions les plus importantes Lambert ne se limitait pas à un seul avis mais à la convergence de plusieurs avis de personnes qui témoignaient par leur vie de la présence de l'Esprit Saint en elles :

> « Consultez sur cet important sujet les personnes qui font voir par leurs œuvres et par leurs degagement que lesprit de dieu regne emminemment en elles. Jespere quoutre cette voye qui est necessaire pour connoitre le bon plaisir de N. S. sur nous qui [correction : il] vous donnera une Lumiere Interieure pour

1. *Idem.*

2. Jacques Bertot est un auteur spirituel normand très proche de Bernières, Mgr Pallu conseille aussi de consulter le Père Bertot au sujet de la Congrégation Apostolique (*Lettres de Monseigneur Pallu*, p. 82, Lettre de Pallu n° 21, aux directeurs du Séminaire des Missions Étrangères, du 3 mars 1667 (AMEP, vol. 116, p. 539)).

3. P. Lambert de la Motte, Lettre à M. Tiersaut, AMEP, vol. 121, p. 531 ; cf. Guennou, transc., L. n° 31, juin ?, 1663.

vous declarer son dessein pour peu que ces deux choses se rencontrent vous serez en seuretté vous determinant a la vie la plus parfaite »[1].

La même année Lambert précisait à son frère qu'avant de partir en mission il fallait :

> « Commencer a mener la vie d'un veritable Disciple de N.S.J.C. qui demande necessairement une grande oraison et une vie fort penitente. La raison de cette obligation est questant appellé a lapostolat on devient mediateur par estat entre Dieu et les hommes et quon ne peut sacquitter de ces hautes fonctions sans recevoir imediatement les lumieres de lesprit de sacrifices de J.-C. qui n'est communiqué que par ces deux voyes »[2].

Lambert donnait plusieurs exemples de sa méthode de discernement, l'un des plus intéressants était présenté dans une lettre circulaire aux Amantes de la Croix. Elle rappelait comment une communauté de femmes chrétiennes s'était formée spontanément au Tonkin. En 1667, François Deydier voulait fournir une règle à deux de leurs maisons qui pouvaient en rassembler une trentaine mais il n'avait aucun livre pour l'aider à la composer[3]. Lambert leur écrivit :

> « J'ay apris avec une extreme joye que vous vous estes consacrees a Dieu par un veu particulier : comme cest engagement est une marque evidente d'une speciale misericorde de Dieu sur vous il est bien juste que vous soyez plus reconnaissantes vers luy[4] que celles auxqueles il n'a pas fait une si grande grace, c'est dans cette pressante veue que jay en pensee de vous proposer un genre de vie qui me paroist fort advantageux a sa gloire. Je vous l'enseigne avec d'autant plus de confiance que je puis vous assurer que devant que de vous cognoistre, ny iamais avoir ouy parler de vous j'ay este sollicite interieurement des il y a long temps de les dresser en faveur de quelques ames extraordinairement cheries de Dieu »[5].

Le discernement de Lambert consiste à constater l'unité de la grâce du Saint-Esprit dans les autres et en lui. Il est chez lui le fruit de l'oraison quotidienne. Après avoir constaté la grâce du Saint-Esprit chez les Amantes de la croix, Lambert reconnaît avoir été sollicité intérieurement depuis longtemps en faveur de femmes « extraordinairement cheries de Dieu ». Pour lui, le discernement des esprits est d'abord une affaire de raison ; il le prouvera notamment à propos des obsessions maladives de Chevreuil après

1. *Id.*, Lettre à Nicolas Lambert, AMEP, vol. 121, p. 559 ; cf. L. n° 57, février 1664.

2. *Id.*, Lettre à Nicolas Lambert, AMEP, vol. 121, p. 579 ; cf. L. n° 73, en 1664.

3. Lettre de Deydier à Mgr Pallu du 1er novembre 1667 (AMEP, vol. 677, p. 27); cf. *Extrait de la Relation de M. de Bourges contenant ce qui s'est passé dans le Royaume de Tonkin au suiet de la religion chrestienne pendant l'année 1670* (AMEP, vol. 677, p. 245).

4. Mgr Lambert a constaté cette reconnaissance (Lettre à Lesley du 20 octobre 1670, AMEP, vol. 858, p. 189.191 et vol. 876, p. 631-633 ; cf. L. n° 123).

5. P. Lambert de la Motte, *Abrégé de Relation*, AMEP, vol. 677, p. 209 ; cf. § 121.

les souffrances psychiques que celui-ci avait endurées du fait des mauvais traitements des Portugais lors de sa captivité. Quand Chevreuil commença à dénoncer à Rome des activités secrètes imaginaires, en ancien magistrat Lambert décida de faire une enquête et d'avertir le cardinal Bona de ses résultats :

> « Il y a déjà deux ou trois ans, a été transmise à votre Éminence un récit dans lequel l'un d'entre nous, nommé Louis Chevreuil, expose différents types de méfaits qui, dit-il, se déroulent en différents points de la région. Comme ils ne sont pas tous très bien connus, nous n'avons pas encore pu bien les élucider. Mais ce qui paraissait être le plus grave de tout, il prétendait qu'on lui avait très souvent présenté des hosties en farine de riz et que de nombreux prêtres utilisaient un tel pain dans le sacrifice de la messe. Mais après une longue enquête, nous avons enfin découvert que ces hosties étaient conformes à la loi chrétienne et il fut très clairement établi que des hypothèses hasardeuses l'avaient induit en erreur. Nous avons estimé de notre devoir d'en avertir Votre Éminence »[1].

Dans son *Journal*, Lambert écrit à la date du 28 juillet 1675 : « Les évêques [Lambert et Laneau] ont escrit une lettre a Mgr le cardinal Bona pour lavertir que Mr Chevreuil a esté trompé dans le discernement des hosties de farine de riz qu'il a reconnue depuis estre de bled par la confession quil en a faite aux evesques »[2].

Pallu, réagissant beaucoup plus rapidement que Lambert, avait demandé à Chevreuil de faire un rapport qu'il cautionna en l'envoyant lui-même à Rome[3]. Mais si le discernement de Lambert était toujours contrôlé par la raison, il n'en gardait pas moins un aspect charismatique ; c'est ce qui le rendait suspect pour les gens du séminaire de Paris qui, après l'échec subi à Rome par la proposition de Congrégation Apostolique, faisaient, le 2 février

---

1. *Id.*, Lettre au cardinal Bona du 30 août 1675, AMEP, vol. 858, p. 309-311 ; cf. L. n° 162 bis : *Duobus aut tribus abhinc annis tradita est E. V. relatio quaedam alicujus e nostris nomine M. Ludovici Chevreuil in quâ varia enarrantur maleficiorum genera, quae passim his in regionibus asserit grassari, quae quidem cum sint obscurissima, nondum potuimus dilucide cognoscere. Sed quod omnium videbatur esse gravissimum, sibi multoties administratas esse hostias contendebat ex orizae farinâ, aliosque complures hujusmodi panem in sacrificii usum adhibere contendebat, sed post diuturnum examen comperimus tandem legitimeas fuisse hostias, ipsumque levibus conjecturis esse delusum, clarissime nobis innotuit, quâ de re nostrum esse duximus qui monitam faceremus E. V.* (trad. M. Dolfosse, revisée par I. Noye).

2. *Id.*, *Journal* du 28 juillet 1675, AMEP, vol. 877, p. 563 ; cf. Simonin, transc., p. 121.

3. F. Pallu, *Lettres de Monseigneur Pallu*, p. 168, Lettre de Pallu n° 54, aux procureurs de Vicaires apostoliques du 8 janvier 1672 (AMEP, vol. 106, p. 103) : « Monsieur Chevreuil est arrivé icy fort à propos pour me donner le moyen d'informer le Saint-Siège de touttes ses affaires. Après m'en estre entreteneu avec luy durant toutte une nuit, je l'ay engagé à mettre la main à la plume pour en faire luy mesme le recit. Vous serez surpris autant que je l'ay esté à la lecture de sa relation ; prenez la peine de lire ce que j'escris au Pape et au Cardinal Bona là-dessus ».

1670, jurer à Pallu de ne plus tenir compte du discernement de Lambert, de « ne plus appuyer aucun dessein sur toutes les veuës qui peuvent lui venir dans l'oraison, estant nous mesmes certainement convaincus qu'elles sont suspectes et dangereuses, et qu'il y a plus de seurete de suivre les conduites ordinaires quoyque moins parfaites en apparence que son sens particulier quoyque plus elevé »[1].

Pour Lambert, le discernement des esprits était aussi une affaire communautaire. Quand Pallu rejoignit Lambert le 27 janvier 1664 à Juthia, aucun n'avait la préséance sur l'autre, puisqu'ils n'étaient pas dans leurs vicariats ni dans un territoire placé sous leur administration. Ils durent se concerter sur les projets qu'il fallait mettre en œuvre pour exécuter les missions qui leur étaient confiées par Rome[2].

C'est cette concertation qui constitua le premier synode de fondation organisé au Siam le 29 février 1664[3]. C'est d'ailleurs le code du pouvoir épiscopal du Concile de Trente qui demandait, à la suite du Concile de Latran IV, des synodes diocésains périodiques (annuels)[4]. Lambert organisa plus tard deux autres synodes de fondation, l'un en février 1670 au Tonkin où il agit par procuration de Pallu alors en Europe, et l'autre en Cochinchine en 1672. Les actes de ces synodes ont prévu la tenue de synodes annuels[5].

À plusieurs occasions, Pallu a raconté comment le projet de création de Congrégation Apostolique a été conçu au Siam lors du premier synode qui a duré plusieurs mois :

> « Après avoir parcouru les missions de presque tout l'Orient et avoir auparavant considéré et bien reconnu tout ce qui peut les promouvoir ou les retarder,

1. Déclaration de Mgr d'Héliopolis, AMEP, vol. 116, p. 300.

2. B. Vachet, *Mémoires*, AMEP, vol. 110, p. 109.

3. P. Lambert de la Motte, *Abrégé de Relation*, AMEP, vol. 121, p. 661 ; cf. Guennou, transc., § 25.

4. Décret de réformation de la XXIVe Session, c. 2, demande la tenue de synodes provinciaux tous les trois ans et de synodes diocésains tous les ans (A. Michel, « Les Décrets du Concile de Trente », art. *cit.*, p. 567-568). En 1600, le Cérémonial des évêques propose aux évêques français un rituel pour les synodes qui durent ordinairement trois jours et commence par une messe du Saint-Esprit. Le Code de droit canonique de 1917 consacre 7 canons (356-362) sur les synodes qui doivent se réunir au moins tous les 10 ans, toutes les questions proposées doivent être soumises à la libre discussion des membres présents (Louis Trichet, *Le synode diocésain*, Paris, Cerf, Fides, 1992, p. 57. 89).

5. Le 9e article du synode du Tonkin, réuni le 14 février 1670 par Lambert sur délégation de Pallu alors en Europe, prévoit en effet : « qu'il sera faict tous les ans une assemblée synodale devant nous ou nostre grand vicaire general ou les dits administrateurs seront tenus de se trouver pour y traicter des affaires de la religion » (P. Lambert de la Motte, *Abrégé de Relation*, AMEP, vol. 677, p. 206 ; cf. Guennou, transc., § 120). Le synode à Fai-fo (Hoi An) en Cochinchine le 19 janvier 1672 sera une réplique de celui de 1670.

ils ont d'abord tenu à ce sujet un Synode très important, et bien regardé autour d'eux, au cœur même de ces terres infidèles, tout ce dont il faut tenir compte sur les personnes, le climat et les tâches. Après avoir organisé autour de ce travail de multiples prières et de nombreuses consultations, ils ont d'abord expérimenté avec leurs principaux missionnaires les pratiques assez difficiles de ce Projet, au point qu'ils n'ont pas craint de se consacrer à Dieu et à l'Église en le suivant »[1].

En 1667, une lettre en latin de Pallu au pape à l'occasion de la demande d'accord pour les actes du synode de Juthia et pour la Congrégation Apostolique, montre comment fonctionne le discernement de Lambert :

« Monseigneur de Bérithe avait reçu de Dieu l'idée de cette congrégation, quoique très confuse et obscure, déjà depuis 15 ans et plus, pourtant ignorant complètement à ce moment là du projet de Dieu en cette idée. Cette idée devint plus claire, quoique non parfaite en tout, quand il arriva en Chine, car le Seigneur daigna l'imprimer dans son esprit à plusieurs reprises, quand, poussé par le Saint Esprit, dans la solitude il se représentait ses charges et qu'il sentait leur poids l'obliger à fixer fortement son attention à cette idée. Il produisit aussitôt quelques articles et, en chercheur passionné de l'humilité et de la charité, il voulut que je me charge de les mettre en ordre et s'appliqua à repousser loin de lui la pensée d'un si grand projet.

« Mais ensuite avec extrême insistance pendant quelques mois, il n'a pas cessé de l'offrir et la recommander à Dieu ; devant cette situation, ayant pesé promptement toutes ses parties et les mots eux-mêmes, il les a soumis à notre examen commun chaque jour. Il n'a rien voulu estimer valable sauf ce que l'avis mutuel de l'un et de l'autre aura défini. Enfin, nous avons fait participants de nos délibérations nos Missionnaires dont il en a choisi deux qu'il a indiqué comme mieux préparés que tous les autres, pour qu'ils expriment les vœux de la vie parfaite avec nous, quoi que ceux-ci exercent et suivent cette vie bienheureuse »[2].

À Deydier qui avait fait vœu avec lui, Pallu en rappellera les circonstances dans une lettre du 28 décembre 1670 ; ce texte montre comment fonctionne le discernement de Pallu :

« Nous avons agi simplement et sincèrement, ne recherchant que Dieu seul et sa sainte volonté, dans la perfection de nostre estat. Je vous confesse, pour mon particulier, que je n'ay jamais esprouvé plus de grâce et de miséricorde, et une protection de Dieu plus sensible que depuis le moment que je me suis engagé

1. F. Pallu, *Explanatio ideæ Congregationis Apostolicæ*, vol. 169, p. 28-29 : « *Post peragratas totius ferme Orientis missiones, perspectis anteà, et bené cognitis omnibus, quæ eas promovere, ac retardare possunt ; habitâ prius super iisdem amplissima synodo, ipsismet in terris Infidelium circumspectis omnibus, quæ attendi debent circa personas, Climata et munera, Post habitas super illud opus multas preces, et multa Consilia : expertis prius cum suis missionariis præcipuis a difficilioribus hujus Ideæ exercitiis, adeo ut non sint veriti secundum eam Deo et Ecclesiæ sese devovere* ».

2. F. Pallu, *Lettres de Monseigneur Pallu*, p. 429, L. n° 187 au pape Clément IX (AMEP, vol. 116, p. 465), trad. Noye.

dans ces vœux. A Dieu ne plaise que je ne veuille par là justifier nostre conduitte et maintenir ce qui a esté très justement censuré. Je vois fort bien en quoy nous avons excédé, et ce qu'il y a à retenir et à rejetter. J'aymerois mieux mourir que de m'escarter d'un yota des bornes qui nous ont esté prescrites, et quand ce ne serait que pour marquer le respect et l'obéissance que je dois et veux rendre toutte ma vie au Saint-Siège, et mesme aux docteurs, dont il luy plaist quelquefois de prendre les advis. Si je me sens jamais porté à me mortifier par l'observance des choses extérieures que nous avions vouées, j'affacteray toujours, au moins au dehors, de faire le contraire. Je vous envoye une coppie de la censure de nos vœux, et de la lettre que la Sacrée Congrégation escrit à Monseigneur de Berythe sur ce sujet »[1].

Pallu, dans une lettre du 3 mars 1667, avait proposé aux directeurs du séminaire une méthode de discernement communautaire pour juger la proposition de Lambert sur la Congrégation Apostolique et les Amateurs de la Croix. Elle consiste en 6 points :

– Attendre 3 jours avant de faire la lecture de la proposition, une fois reçue.

– Employer ces 3 jours à simplifier son esprit, purifier son cœur, demander l'aide de la Sainte Vierge et de saint Joseph, se remettre constamment dans l'oblation quotidienne que l'on fait de soi-même au Christ.

– Le jour de la lecture, implorer l'assistance du Saint-Esprit et se recueillir un bon quart d'heure, puis faire deux ou trois fois la lecture communautaire de la proposition sans qu'aucun des auditeurs ne marque son opinion, et se mettre ensemble en oraison pendant une demi-heure ou une heure, « apres quoy on pourra dire quelque chose de ce qu'on aura pensé ».

– Le même jour ou le suivant, on lira les commentaires de Pallu et les différentes explications données au pape, et durant quinze jours on fera de la proposition le sujet des oraisons, des entretiens et des conférences, l'objet de l'offrande des messes.

– Se faire aider pendant ce temps par des personnes réputées pour leur esprit et leur grâce.

– Les quinze jours accomplis, que chacun en particulier, parmi les directeurs et les personnes choisies pour donner leur avis, écrive à Pallu ce que « Nostre Seigneur luy aura donné sur ce grand dessein, ses attraits, ses repugnances et ses difficultez »[2].

On peut difficilement penser que Pallu n'ait pas appliqué cette méthode quand il a lui-même été dans les mêmes conditions que ses correspondants. Cette démarche de discernement communautaire est sans doute dans l'esprit

1. *Id.*, p. 141-142, Lettre de Pallu n° 47, à M. Deydier du 28 décembre 1670 (AMEP, vol. 107, p. 14).

2. *Id.*, p. 82-83, L. n° 21 aux Directeurs du Séminaire des Missions Étrangères (AMEP, vol. 116, p. 539).

de celle que Pallu avait pratiquée lui-même avec Lambert et les membres du Synode de février 1664 à Juthia et qui avait abouti à la proposition que Pallu soumit aux directeurs du séminaire de la Rue du Bac. Mais à partir d'une vision spirituelle de Lambert, Pallu a semblé vouloir multiplier les détails concrets comme il le fit en multipliant les vœux de la Congrégation Apostolique. On comprend aussi que les détails que Pallu apportait à sa méthode étaient liés à la certitude que ses correspondants n'avaient pas l'habitude de la pratiquer et qu'ils réagissaient en fonction de leurs préjugés et des pressions des uns et des autres.

C'est en février 1670, au cours du premier synode du Tonkin, que furent débattues les créations des Amateurs de la Croix et des Amantes de la Croix alors que la création de la Congrégation Apostolique avait été débattue au premier synode du Siam en février 1664. Dans le cadre de ce Synode de 1670, la version initiale prévoyait l'extension aux laïcs de la proposition des Amateurs de la Croix (article 21 supprimé dans la version définitive approuvée par le Saint-Siège), et la création des Amantes de la Croix y était déjà évoquée (article 18).

L'esprit du synode de 1664 s'est maintenu dans les autres synodes en parvenant à un accord unanime ; il s'agissait toujours d'établir des règlements d'un commun accord « afin que chacun observât plus facilement les lois qu'il aurait lui-même proposées ou du moins approuvées »[1]. Il s'agissait de dresser une conduite générale pour les missionnaires, « affin quils se trouvassent uniformes autant que cela se peut dans leur façon d'agir interieure et exterrieure »[2].

Après avoir achevé leur synode de 1664 et jeté les fondements de la mission, les deux évêques et les quatre missionnaires se lamentaient de n'avoir procédé qu'à un seul baptême malgré leurs efforts de prédication, ils en ressentaient « un grand sujet d'abjection » dans le sens de Bernières. Cela les conduisit à davantage de pénitence et de mortification[3].

Si l'on juge que les échecs sont causés par des erreurs de discernement, Lambert en aurait fait à propos de la création de la Congrégation Apostolique puisque Rome l'a refusée. Selon Lambert le premier appel de Dieu avait été cette vision des Amateurs de la Croix auxquels le Seigneur lui demandait d'appartenir. Ce fut le point de départ de son discernement sur sa vocation, et au cours du temps cela se précisa jusqu'au projet qu'il s'agissait de soumettre au pape. L'échec final fut-il le signe que son premier appel avait été une illusion ?

---

1. G. Espie, « Avant-Propos » in F. Pallu et P. Lambert de la Motte, *Monita*, p. 6.
2. P. Lambert de la Motte, *Abrégé de Relation*, AMEP, vol. 121, p. 661 ; cf. Guennou, transc., § 25.
3. *Ibid.*, p. 675 ; cf. § 31.

Pallu était-il celui qui pouvait convaincre le Saint Siège de la justesse d'une cause, puisque jadis il avait tenté en vain pendant dix-huit mois à Rome d'obtenir ce que Lambert avait obtenu en quelques heures ? Lambert avait ainsi obtenu la levée des obstacles qui s'opposaient à la nomination de Français à la tête des vicariats d'Asie. Lambert jugeait absolument nécessaire l'accord de Rome pour la Congrégation Apostolique. Le choix de Pallu comme négociateur par Lambert n'était-il pas lui aussi une erreur de discernement ?

La décision commune de prononcer les vœux de cette Congrégation a conduit à hâter la demande d'accord du Saint-Siège. Lambert en avait fait part à son frère :

> « Jusque a present le projet nous a semblé si beau et si conforme a nostre vocation que nostre st prelat et tous nos amis qui sont icy l'ont deja mis en pratique et ie me sens comme forcé de les imiter. Jay esté trompé dans cette entreprise la croyant plus difficile quelle nest pas mais apres y estre entré et avoir experimenté la bonté divine je conseilleroy hardiment a tous ceux qui seront appellez a lestat apostolique de surmonter toutes les diffigultez qui se presentent alabort [correction de J. G : à l'abord]. "*Gustate et videte quoniam suavis est Dominus*"[1]. Après cela ne trouvez pas estrange si ie vous exorte dc lcmbrasser et si le desir que iay de vostre perfection me fait vous en prier, je souhaite un pareille bonheur a tous nos amys, je vous supplie de leur tesmoigner et de tenir toujours »[2].

Ainsi ce n'est pas Lambert qui a entraîné ses compagnons à expérimenter la Congrégation Apostolique avant d'obtenir l'accord du Saint-Siège ; ses principes de discernement ne lui permettaient pas de se contenter de l'avis unanime de ses compagnons. En effet, comme il le fera pour les trois synodes qu'il présidera, seul ou avec Pallu, les décisions prises en commun devront toujours pour lui être approuvées par Rome[3].

Puisque Lambert ne pouvait lui-même entreprendre ce voyage du fait de son état de santé, c'est Pallu qui dut s'y résigner ; le processus de l'échec s'est alors mis en route sans qu'on puisse dire qu'il y avait erreur de discernement de Lambert.

La réaction de Paris face aux dénonciations de Lambert n'alla pas dans le sens qu'il escomptait. Même si on ne niait pas en bloc les accusations portées par Lambert contre le commerce des religieux, surtout après le témoignage de Jacques de Bourges, on les trouvait fort mal à propos en déclenchant des réactions d'hostilité de la part des jésuites en France, réactions dont les supérieur et directeurs du séminaire se seraient bien passés. Ceux-ci, Gazil

---

1. Psaume 34, 9 : « Goûtez et voyez comme le Seigneur est bon ».

2. P. Lambert de la Motte, Lettre à Nicolas Lambert, AMEP, vol. 121, p. 582 ; cf. Guennou, transc., L. n° 76, le 19 octobre 1664.

3. *Id.*, Lettre à Pallu, AMEP, vol. 876, p. 555-556 ; cf. *Abrégé de Relation*, § 90.

en tête, comprirent qu'il fallait réduire l'influence de Lambert et surveiller davantage ses initiatives. Une lettre du 28 juillet 1667 adressée à Lambert lui reprochait d'avoir manqué gravement de discernement en privant, aussi longtemps et sans raison valable, les missions d'Asie de la présence et de l'action de Pallu[1].

Pour Lambert, le discernement des esprits évite de tomber dans les pièges du démon et de prendre nos idées pour les idées de Dieu ; le discernement doit reposer d'une part sur la critique permanente de la raison avec l'aide de l'Esprit Saint qui connaît le fond des choses et des êtres, d'autre part sur l'autorité de l'Église s'exerçant par la hiérarchie régulièrement instituée.

Lambert reconnaissait que, pour son projet, la décision pouvait en rester à l'échelon épiscopal, mais pour lui le discernement des esprits est assuré quand il repose sur l'obéissance au pape[2] et c'est pour cela qu'il imposa à Pallu de faire contrôler par le Saint-Siège le projet de Corps apostolique et de leurs vœux intérieurs. Les fruits du Saint-Esprit ne sont en effet ni la dévotion[3], ni les conversions extérieures[4], ni les miracles[5], car ce ne sont pas des signes suffisants pour parler de bons fruits. La désobéissance aux autorités de l'Église régulièrement instituées était pour Lambert un poison caché qu'on consomme avec les fruits apparents comme lors du schisme de Cochinchine ou du Tonkin occasionné par les missionnaires jésuites. Le pape devait brandir la menace d'excommunication pour faire cesser ce schisme. Pour que les fidèles restent dans l'obéissance au pape et à la doctrine chrétienne, il faut que ceux qui les évangélisent leur montrent l'exemple ; c'est le cas pour les missionnaires, et encore davantage pour l'évêque à qui, à cette époque, l'Église demandait un engagement spécial.

Les vœux de l'évêque modèles des vœux de l'évangélisateur

Lambert disait que les missionnaires devaient entrer dans la vie parfaite pour accomplir leur mission. C'est par l'anéantissement d'eux-mêmes que le Christ est rendu libre d'agir en eux et par eux. C'est par les trois vœux de

1. Lettre des supérieurs et directeurs du séminaire à Mgr Lambert du 28 juillet 1667 (AMEP, vol. 4, p. 197-200).

2. P. Lambert de la Motte, Lettre à Mgr Pallu, AMEP, vol. 876, p. 556 ; cf. Guennou, transc., *Abrégé de Relation*, § 90.

3. Jésus ne dit-il pas : « Ce n'est pas en me disant "Seigneur ! Seigneur !" qu'on entrera dans le Royaume des cieux, mais en faisant la volonté de mon Père » (Mt 7, 21-23).

4. Les conversions opérées par les pharisiens ne sont pas considérées par Jésus comme des bons fruits car ces fruits diffusent aussi le pharisaïsme (Mt 22, 15).

5. Jésus avertit ses disciples de ne pas se laisser abuser par des signes et des prodiges (Mc 13, 22).

perfection (pauvreté, chasteté et obéissance intérieures), que le missionnaire apostolique fait la consécration de ses facultés pour parvenir à l'anéantissement de lui-même que requiert la vie apostolique. Pallu et Lambert ont déjà prononcé ces vœux en tant qu'évêques :

> « Je né pas une petitte joye que vous ailliez enseigner ces maximes a paris et a Rome vous estes Monseigneur de droit et par estat Mre de la perfection en qualité dEvesque et en qualité dEvesque envoyé du St Sège pour la conversion des Gentils, vous la deves enseigner et pratiquer dans toutte son estendue, estant certain que si N. S. la demande de quelquun, cest de celuy qui tient le rang ou sa misericorde vous a esleve, pour mon honneur il est bon que je nen dise pas davantage a cause de la mesme obligation que jé a faire et a pratiquer touttes ces choses »[1].

Lambert utilisait parfois des termes empruntés au vocabulaire des religieux pour parler des vœux de la Congrégation Apostolique comme il l'a fait avec M. Duplessis après le départ de Pallu : « Nous avons icy lexperience de nos chers missionnaires qui marchent a grands pas dans la vie parfaite depuis quils en ont fait les veux. Cependant il faut avoüer que nous ne sommes que les novices d'une vie dont nous devrions estre profes de plusieurs années »[2].

Il disait la même chose à Pallu : « Je suis contraint d'avoüer que la pratique de ma vie ne respond point tout a fait a celles que jé en theorie. Si jé quelque consolation dans cette disgrace cest que ne pouvant pas mourir profes de la vie parfaite je mourré sil plaist a Dieu dans le novitiat »[3].

En parlant ici de profès et de novice, il faisait aussi référence aux étapes de la vie spirituelle où on parle de commençants, de profitants et de parfaits[4].

Lambert associait tout en les distinguant les vœux que prononce l'évêque et ceux que le missionnaire apostolique serait appelé à formuler dans le cadre de la Congrégation Apostolique qu'il évoquait à Luc Fermanel : « Je me fonde sur les maximes infaillibles du st Évangile, lesquelles si elles

1. P. Lambert de la Motte, Lettre à Mgr Pallu du 4 novembre 1666, AMEP, vol. 876, p. 420 ; cf. Guennou, transc., L. n° 103.

2. *Id.*, Lettre à M. Duplessis, AMEP, vol. 121, p. 591 ; cf. L. n° 87.

3. *Id.*, Lettre à Mgr Pallu du 4 novembre 1666, AMEP, vol. 876, p. 420-421 ; cf. L. n° 103.

4. *Id.*, *Abrégé de Relation*, AMEP, vol. 121, p. 762 ; cf. § 89 : « Cette sainte congregation à un avantage special en ce que ces obligations sont propres pour tous les estats de la Sainte Église, puisque les commençants y trouveront un moyen admirable de vaincre les vices et acquérir les vertus, les profitants de s'unir de plus en plus avec Dieu, et les parfaits de parvenir à une union intime avec Jesus Christ passible et souffrant quoyque la pratique de tous soit semblable, ils auroient neanmoins des veües et des motifs bien differents dans leurs operations les premiers agiroient pour plaire à Dieu, les seconds parce que Dieu leur plaist, et les troisiemes par la seule operation de Jesus Christ operant et souffrant en eux duquel ils ne se considereront que comme de simples ministres ».

regardent quelquun cest sans doute un Evesque, un vicaire du st siege et un missionnaire apostolique et dans une telle personne ces admirables doctrines doivent tenir lieu de commandemens »[1].

Les Pères de l'Église insistent sur le rapport de la sainteté et du sacerdoce[2]. Le Concile de Trente rappelle aux évêques leur responsabilité de transmettre à leur troupeau la lumière de Dieu, non seulement par la Parole et les sacrements mais aussi par l'exemple selon la conception hiérarchique du Pseudo-Denys[3] Saint Charles Borromée disait aussi qu'un évêque est obligé à la perfection[4].

Le *Pontifical Romain* du Concile de Trente qui a servi au sacre de Lambert montre clairement ce vœu de perfection formulée par l'ordinand. C'est en raison de « l'antique doctrine des saints Pères » que, dans l'Examen préparatoire de la consécration épiscopale, l'ordinand répond aux demandes de l'Évêque consécrateur en formulant des vœux de perfection qui concernent en particulier l'obéissance (au pape), la chasteté (et la sobriété) et la pauvreté (rester étranger aux affaires du monde et à ses gains honteux). Lambert a lui-même vécu cette forme d'engagement à rendre sa vie conforme à ce qui est contenu dans les Saintes Écritures et qu'il doit enseigner, en évitant toute sorte de mal et en faisant toute sorte de bien avec l'aide de Dieu[5].

---

1. *Id.*, Lettre à Luc Fermanel du 11 février 1664, AMEP, vol. 858, p. 69 ; cf. L. n° 58.

2. Cf. le Deuxième Discours de Grégoire de Nazianze (*Apologeticus de Fuga*), les six Discours sur le Sacerdoce de Chrysostome, des Lettres d'Isidore de Péluse, la Règle Pastorale de Grégoire le Grand (liste proposée par Joseph Lécuyer dans *Le sacrement de l'ordination, recherche historique et théologique*, coll. « Théologie historique », n° 65, Paris, Beauchesne, 1983, p. 269-270).

3. A. Michel, « Les Décrets du Concile de Trente », p. 610-611 : Session XXV, De Réformation générale, c. 1 : « Il est à souhaiter que ceux qui reçoivent le ministère de l'épiscopat connaissent quelles sont leurs obligations et qu'ils comprennent qu'ils sont évêques, non pour leur propre commodité, non pour une vie de richesses et de luxe, mais pour travailler avec sollicitude à la gloire de Dieu. Car il n'y a aucun doute que tout le reste des fidèles s'enflamment plus facilement pour la religion et l'innocence (de la vie), s'ils voient leurs chefs soucieux, non des choses de ce monde (cf. 1 Co 7, 33), mais du salut des âmes et de la patrie céleste ».

4. Léonce Celier, *St Charles Borromée (1538-1584)*, Paris, Gabalda, 1923, p. 165.

5. *Pontificale Romanum Clementis VIII. ac Urbani VIII. jussu editum et a Benedicto XIV*, Recognitum et Castigatum, Romae, Ex Typographia Polyglotta, S.C. De Propaganda Fide, 1879, *Examen*, p. 75, traduction in *Sacre d'un Evêque selon le Pontifical romain*, Desclée et Compagnie, Paris-Tournay-Rome, 1927, p. 9-10 : Demande de l'Évêque consécrateur dans l'Examen préparatoire de la consécration : « Voulez-vous enseigner par vos paroles et par vos exemples, au peuple que vous dirigerez, ce que vous savez être contenu dans les Saintes Écritures ?» Réponse de l'Élu : « Je le veux ». Demande : « Voulez-vous recevoir avec respect, enseigner et garder les traditions des saints Pères, les décrets canoniques et les constitutions du Saint Siège apostolique ?" Réponse : « Je le veux ». Demande : « Voulez-vous montrer en tout fidélité, soumission et obéissance, selon l'autorité des canons, au Bienheureux apôtre Pierre, auquel Dieu a donne le pouvoir de lier et de délier ; à son Vicaire notre saint Pere le Pape...

Le *Pontifical du sacre de l'évêque* précise que ces vœux seront accomplis autant qu'il le pourra avec l'aide de Dieu, autant que la fragilité humaine le permette, sachant que Dieu qui lui a remis la crosse pastorale est l'appui de la faiblesse humaine. Comme pour le premier des dix commandements, il nous faut mettre dans l'application de nos vœux « tout notre cœur, toute notre âme et tout notre pouvoir » (Dt 6, 5), sachant que Dieu nous donne son Esprit Saint pour suppléer à notre faiblesse, comme saint Paul nous répète.

Saint Thomas d'Aquin parle de la consécration épiscopale comme le moment où le futur évêque prononce ses vœux de perfection :

> « Les évêques pareillement s'obligent aux choses de la perfection lorsqu'ils assument l'office pastoral à charge de donner leur vie pour leurs brebis (Jn 10, 15). C'est ce qui fait dire à S. Paul (1 Tm 6, 12) : "Tu as fait la belle profession devant un grand nombre de témoins", c'est-à-dire, explique la Glose, "lors de ton ordination". Et cette profession s'accompagne d'une solennelle consécration. "Ressuscite, écrit S. Paul (2 Tm 1, 6) la grâce de Dieu que tu as reçue par l'imposition de mes mains", ce que la Glose entend de la grâce épiscopale. Denys écrit de son côté : "Le souverain prêtre, c'est-à-dire l'évêque, se voit imposer sur la tête, dans son ordination, la sainte Parole, pour signifier qu'il reçoit la plénitude du pouvoir hiérarchique et qu'il lui appartient d'interpréter toutes les formules et les actions saintes et de les communiquer aux autres" »[1].

Saint Thomas dit dans la *Somme théologique* que les religieux portent le nom de parfaits du fait de leur intention finale : ils ne font pas « profession d'être parfaits mais de s'appliquer à le devenir. Pas plus que celui qui entre à l'école ne fait profession d'être savant, mais de vouloir étudier pour le devenir »[2]. Et il ajoute : « On peut dire que quelqu'un est dans l'état de perfection non parce qu'il fait un acte de parfait amour, mais du fait qu'il s'oblige, avec une certaine solennité, à faire ce qui tend à la perfection »[3].

---

et à ses successeurs les Pontifes Romains ? » Réponse : « Je le veux ». Demande : « Voulez-vous dans votre conduite éviter toute sorte de mal, et faire toute sorte de bien, autant que vous le pourrez avec l'aide de Dieu ? », Réponse : « Je le veux ». Demande : « Voulez-vous, avec l'aide de Dieu, observer et prêcher la chasteté et la sobriété ? », Réponse : « Je le veux ». Demande : « Voulez-vous être toujours attaché aux choses de Dieu, et étranger aux affaires du monde et à ses gains honteux, autant que la fragilité humaine vous le permettra ? », Réponse : « Je le veux ». Demande : « Voulez-vous conserver en vous l'humilité et la patience, et les enseigner aux autres ? », Réponse : « Je le veux ». Demande : « Voulez-vous, pour l'amour de Dieu, être affable et miséricordieux envers les pauvres, les étrangers et tous les indigents ? », Réponse : « Je le veux » ».

1. Saint THOMAS d'AQUIN, *Somme théologique, La vie humaine, ses formes, ses états,* IIa IIae, *questions 179-189*, traduction française par A. Lemonnier, O.P., Deuxième édition mise à jour par J.-P. TORRELL, O.P., Paris, Cerf, 2010, p. 158-159 : qu. 184, art. 5, conclusion.

2. *Ibid.*, IIa IIae, qu. 186, art. 2, sol. 1, p. 252.

3. *Ibid.*, IIa IIae, qu. 184, art. 4, conclusion, p. 152-153.

C'est dans l'Évangile que saint Thomas d'Aquin place la source des vœux particuliers que les évêques prononcent à leur consécration. Alors qu'au jeune homme riche Jésus propose la perfection en l'encourageant à vendre tous ses biens et à le suivre, ses apôtres lui disent qu'ils ont effectivement tout quitté pour le suivre (Mt 19, 21 et 27). Saint Thomas d'Aquin voit là le fondement de ce qui différencie l'évêque du religieux, la perfection en projet ou en réalisation. Les évêques en tant que successeurs des apôtres ont fait vœu de perfection tandis que les religieux n'ont fait que le vœu de vouloir être parfaits et d'y tendre[1]. C'est après lui avoir demandé s'il l'aimait plus que les autres que Jésus fait de Pierre le pasteur de ses brebis (Jn 21, 15-17). Car il s'agit pour l'évêque d'être le modèle du troupeau (1 P 5, 1-3).

C'est par leur responsabilité que les membres de la Congrégation Apostolique étaient au niveau des évêques car « le seul objet auquel ils doivent viser est de pouvoir enseigner Jésus-Christ aux nations et de procurer le salut aux âmes délaissées »[2].

Saint Thomas d'Aquin dit encore : « L'état religieux, avons-nous dit, est un état de perfection dans le sens de voie par laquelle on tend à la perfection. L'état épiscopal, lui, est un état de perfection en qualité de magistère de la perfection »[3]. En distinguant l'état de perfection à acquérir qui est celui des religieux et l'état de perfection à communiquer qui convient aux évêques, saint Thomas souligne bien que la différence ne se trouve pas dans le libellé des vœux qui concernent toujours la pauvreté la chasteté et l'obéissance mais qu'elle se trouve dans l'objectif recherché.

Pour Lambert, c'était la mission continue de Jésus qui était la raison d'être de la Congrégation Apostolique et de ses vœux. Le détachement de sa volonté propre ne devait laisser subsister en chacun que la volonté du Christ qui consiste à se sacrifier pour le salut du monde. Dès lors ce n'est plus le missionnaire qui tend vers la sainteté mais c'est le Christ qui est saint

1. *Ibid.*, IIa IIae, qu. 88, art. 4, sol. 3 ; qu. 185, art. 1, sol. 2, p. 192 et art. 4, sol. 1, p. 213 ; qu. 189, art. 1, sol. 3, p. 441. Dans la note explicative 37 sur la qu. 185, art. 4, A. Lemonnier écrit : « L'évêque se trouve dans l'état de perfection en qualité d'agent de perfection. Donc dans l'état de perfection acquise.

Pour S. Thomas, l'épiscopat représente un Ordre hiérarchique, plutôt qu'un Ordre sacramentaire distinct. C'est le plus élevé des Ordres hiérarchiques : épiscopat, presbytérat, diaconat, dont l'existence, signalée par Denys, a été définie par le Concile de Trente. Or, d'après Denys, l'Ordre des Pontifes est *consummativus et perfectivus.* L'évêque tient donc le rôle de principe ou agent de consommation et de perfection à l'égard du peuple chrétien, y compris les religieux. D'autre part, la charge d'âmes qu'il assume, à titre principal et perpétuel, place l'évêque dans l'état extérieur de perfection. Leur état suppose donc la perfection acquise et active ».

2. F. Pallu, *Explanatio ideæ Congregationis Apostolicæ*, p. 35.

3. Saint Thomas d'Aquin, *Somme théologique*, *La vie humaine,* IIa IIae, qu. 185, art. 8, conclusion, p. 236-237.

en lui. C'était un bon projet, mais malheureusement la santé de Lambert ne lui permettait pas d'entreprendre un si long voyage pour le défendre lui-même à Rome.

Lambert avait écrit les *Monita* en collaboration avec tous les missionnaires réunis au Siam en 1664, Pallu et lui les avaient cosignées quelle que soit la part que chacun y avait prise. Pour Pallu, cette unité intellectuelle n'allait pas résister à la séparation physique. L'exemple le plus marquant des divergences qui vont apparaître entre les conceptions de Lambert et la présentation que Pallu en fait à Rome, c'est bien l'utilisation des vœux de l'évêque. Pour Lambert, les vœux de l'évêque servent à montrer qu'on peut prononcer les trois vœux de pauvreté, chasteté et obéissance sans entrer dans la vie religieuse, pour Pallu, ils permettent d'élargir les chemins de perfection à un autre état qui serait intermédiaire entre l'état religieux et l'état épiscopal.

C'est avec une certaine fierté que Pallu crut pouvoir souligner la nouveauté du point de perfection qu'il avait introduit lui-même entre la perfection demandée aux religieux et la perfection demandée à l'évêque :

> « Vous estes dans le mesme etonnement que moy ; c'est la nouveauté qui cause cette admiration, et ce doit estre le sujet d'une grande confusion d'avoir esté jusques à present, vous et moy et une infinité d'autres, sans conoistre et mesme sans rechercher suffisamment en quoy consiste le point de perfection, que demande nostre estat ou au moins nos offices, nos emploi »[1].

Pallu était prêt à renoncer à toutes ses propositions plutôt qu'à celle-là disant que « si on examine de pres le point de perfection que nous croions estre conforme à l'estat apostolique, je ne crois pas qu'on me rabate rien »[2].

Pallu a été particulièrement séduit par l'idée que les vœux de la Congrégation Apostolique pouvaient être les mêmes que ceux de l'évêque lors de sa consécration épiscopale. Pallu proposait la création d'une nouvelle voie de perfection située entre celle des religieux et celle des évêques. Il invitait les religieux à y voir un moyen de progresser spirituellement. Les religieux qui seront appelés par Rome à examiner cette proposition de Pallu n'y seront peut-être pas aussi favorables qu'il l'espérait :

> « Ce nouvel Institut de la vie apostolique, bien compris, sera agréable et devrait être présenté non seulement au souverain Pontife, mais aussi aux évêques, au clergé des villes et aux religieux eux-mêmes. De cette manière cet Institut fournira des missionnaires, devant être envoyés par le pape, et aux évêques des ministres capables, jusqu'à ce qu'ils soient formés et fassent leur l'apprentissage dans la

1. F. Pallu, *Lettres de Monseigneur Pallu*, p. 95, Lettre de Pallu à M. Gazil du 14 juin 1667, n° 26 (AMEP, vol. 101, p. 352).

2. *Idem.*

vie apostolique. En vérité quel honneur, quel service en découlera sur les clercs, puisqu'il établit un état de perfection entre eux distinct de l'épiscopat, par rapport auquel existera un degré propre à tous les ordres religieux. C'est pourquoi, cet Institut est vraiment désirable pour de bons religieux, puisqu'il peut y avoir certainement progression à partir de leur état vers un état plus sublime et plus parfait »[1].

Dans son *Explication de l'Idée de Congrégation Apostolique*, Pallu reprenait une distinction traditionnelle entre vie perfectible, vie parfaite et vie perfective pour définir trois étapes de la vie spirituelle. Dans ce cas, les religieux ne seraient qu'au début du chemin de perfection et l'évêque en aurait atteint le bout et pour Pallu il y a une troisième voie pour les missionnaires :

> « La vie perfective est celle qui est toute tournée vers le prochain, dont l'action se fait par l'oraison et le ministère de la parole, tant sacramentelle que de prédication : et elle demande les mêmes dispositions que la vie parfaite, puisque son surplus est la source d'où celle-ci en effet découle et se répand. Elle requiert en outre la pratique assidue de la contemplation, qui est toujours le résultat de l'amour parfait dont se nourrit et s'accroît le zèle brûlant de la gloire de Dieu et du salut des âmes »[2].
>
> « Jusqu'ici, on n'admet dans l'Église que deux états de perfection : l'état de perfection à acquérir, ce qui est proprement celui des Religieux, et l'état de perfection à communiquer, ce qui convient aux Evêques »[3].
>
> « En vérité, rien n'empêche d'ajouter aux deux états de Religieux et d'Evêques un troisième : de même en effet qu'on distingue trois degrés de vie face à la perfection, et chaque degré a ses buts bien distincts et ses dispositions spécifiques, de même cela aiderait beaucoup s'il y avait trois états de perfection correspondants : cela serait à l'honneur de l'Église et pour le bien des peuples »[4].
>
> « Ces différences tiennent surtout au but distinct qui détermine très nettement l'une et l'autre vie »[5].

---

1. Quelques remarques à faire autour de *l'Idée de la Congrégation Apostolique* (AMEP, vol. 116, p. 469-471).

2. F. Pallu, *Explanatio ideæ Congregationis Apostolicæ*, p. 14 : « *Vita perfectiva quæ tota circa proximum versatur, cujus actus oratione, et ministerio verbi, tum sacramentalis, cum prædicationis continetur, easdem cum vitæ perfectæ dispositiones desiderat cum illius dumtaxat exuberantia sit, ex qua sc/et [scilicet] hæc profluit, ac dimanat : Insuper requirit assiduum contemplationis exercitium, perfecti utique effectum amoris, quo flagrans gloriæ dei, et sa lutis animarum zelus nutritur, et crescit* »

3. *Ibid.*, p. 17 : « *Hactenus in Ecclesia duo tantum status perfectionis admissi sunt : Status videlicet perfectionis acquirendæ, qui proprius Religiosorum est : et status perfectionis communicandæ, qui convenit Episcopis* ».

4. *Ibid.*, p. 36 : « *Verum duobus Religiosorum et ep/orum statibus tertium adjungere nihil vetat : sicut enim circa perfectionem tres gradus vitæ distinguntur, quorum singuli suos habent fines distinctos suasque speciales dispositiones ; itaque tres perfectionis status ipsis correspondentes existere plurimum juvaret, et ad Ecclesiæ decorem, et ad publicam utilitatem* ».

5. *Ibid.*, p. 38 : « *Hæ differentiæ maxime petuntur ex diverso fine utriusque vitæ, in quo eminenter continentur* ».

Quand Pallu parlait de la vie perfectible qui consiste dans l'effort pour atteindre la perfection, de la vie parfaite qui consiste dans l'effort pour pratiquer la perfection, et de la vie perfective qui consiste dans l'effort pour communiquer la perfection[1], il n'est pas sûr qu'il voyait clairement ce qui sépare la vie perfectible et la vie perfective de la vie parfaite, Lambert, s'il parlait souvent de la vie parfaite ne la mettait jamais en rapport avec la vie perfectible et la vie perfective[2].

L'*Elucidatio Formularii votorum ad vitam perfectam pertinentium* se contente de dire que les religieux suivent la vie perfectible sans dire que la vie perfective correspond à celle des évêques et que c'est au stade intermédiaire de la vie parfaite que devraient se situer les vœux des missionnaires apostoliques. C'est dans l'*Explanatio ideae Congregationis Apostolicae* que Pallu a développé ce qui correspond aux vœux de l'évêque mais, bien qu'étant évêque lui-même, il ne paraissait pas à l'aise avec le sujet et c'est une des raisons qui lui faisait demander l'aide de ses amis de Paris, sans exprimer clairement son embarras qui aurait pu lui faire perdre la face. Il avait des questions à poser aux théologiens de Paris « pour rendre service à l'Église ».

Ainsi Pallu prit en 1667 une initiative qui n'était pas justifiée par sa mission : il proposa à Gazil de prendre à Paris le point de vue de la Sorbonne avant que Rome ne fasse appel à ses propres théologiens sur la question des vœux propres aux évangélisateurs par rapport à ceux des religieux et ceux de l'évêque :

> « Faisons une chose, je vous prie, et ce ne sera pas un petit service que nous rendrons à l'Église ; demandons à autant de mystiques éclairés que nous conoistrons, aux docteurs les mieux intentionnés, tant seculiers que religieux, qu'il leur plaise de donner leur réponse par escrit, chacun en particulier, sur trois points : 1° En quoy consiste la perfection à laquelle tendent les religieux et que les esvesques professent par estat ? Quelle est la notion distincte et specifique de cette perfection et qui en doit estre capable en cette vie, puisque les uns travaillent pour y arriver et les autres sont obligés de l'avoir ? 2° Quelles sont les dispositions immediates à cette perfection, de sorte que, comme on dit que par les trois vœux ordinaires de pauvreté, de chasteté et de religion, le religieux entre dans son estat et est dans une puissance prochaine de tendre à la perfection suivant l'obligation

1. *Elucidatio Formularii votorum ad vitam perfectam pertinentium*, AMEP, vol. 169, p. 1-23.

2. Mgr Lambert parle de la vie perfective comme synonyme de la vie apostolique (cf. P. LAMBERT DE LA MOTTE, Lettre à Messieurs de la Communauté de Saint-Josse, AMEP, vol. 121, p. 587 ; *Abrégé de Relation*, AMEP, vol. 121, p. 610 et p. 657). Il parle souvent de la vie parfaite comme étant celle des évangélisateurs (cf. *Journal*, 25 août 1674 ; Lettre à M. d'Argençon, AMEP, vol. 121, p. 518-519 ; Lettre à M. Gazil, AMEP, vol. 121, p. 530 ; Lettre à Nicolas Lambert, AMEP, vol. 121, p. 545 ; Lettre à Vincent de Meur du 3 novembre 1663, AMEP, vol. 116, p. 560 ; Lettre à Mgr Pallu du 17 octobre 1666, vol. 858, p. 127 ; *Abrégé de Relation*, AMEP, vol. 121, p. 664, § 26 ; p. 678, § 32 ; p. 696, § 41 ; p. 699, § 43 ; p. 755, § 82 ; p. 757, § 83 ; p. 760, § 88 ; p. 762, § 89).

qu'il a contractée, de mesme par quelles voies ou moiens sera-t-on introduit dans le degré de perfection où finit le religieux et que l'evesque suppose par estat ? 3° Quels sont les actes propres à cet estat ou la perfection acquise ; quelle en est la vie et quelles sont les obligations de ceux qui doivent estre parfaits par estat ? »[1]

Il semble que les points de réflexion proposés par Pallu au sujet des vœux des évêques représentaient des questions qui restaient pour lui non résolues. Évidemment c'était une naïveté de Pallu que de s'en remettre à Gazil pour le choix des personnalités parisiennes capables de donner leurs lumières sur ce sujet. C'était un piège qui se refermerait sur Pallu qui aura échoué en fait avant même de débarquer en Europe.

Pour les membres du séminaire de Paris qui la dénoncent le 28 juillet 1667, cette nouveauté est une des pierres d'achoppement de la proposition de Pallu : « Il est dangereux de se persuader qu'on a découvert une nature de perfection qui jusqua present a esté inconnue et que tous les patriarches de ces grands Ordres qui ont procuré tant de bien a l'Eglise n'ont jamais mis en pratique »[2].

En 1669, le Père Bona exprimera aussi la prudence qu'on doit avoir pour toute nouveauté :

> « Les Saints ne condamnent rien plus fréquemment que la singularité. Car la providence divine conduit pour ainsi dire le plus souvent par le chemin plat et ordinaire. Or le diable pousse à des nouveautés qui provoquent à la fois l'admiration et l'opinion de sainteté. De plus, la dépravation de notre nature fait qu'on cherche à paraître supérieur aux autres, et à ne pas être comme le reste des hommes ; mais d'autre part il est évident et sûr que l'Esprit de Dieu pousse quelquefois à des choses insolites, qui dépassent la façon commune d'agir, comme Il a ordonné à Abraham d'immoler son fils, et Il a conduit certains Saints par des chemins cachés et impraticables aux autres, par lesquels d'autres essayent de marcher mais leur effort est vain »[3].

Les Archives des Missions Étrangères conservent les deux premiers chapitres d'un texte latin intitulé : *De la Perfection, Quelques observations au*

1. F. PALLU, *Lettres de Monseigneur Pallu*, p. 95, Lettre de Pallu n° 26, à Gazil du 14 juin 1667 (AMEP, vol. 101, p. 352).

2. Lettre des supérieurs et directeurs du séminaire à Mgr Lambert du 28 juillet 1667 (AMEP, vol. 4, p. 197-200).

3. Censure (1669) du Père Giovanni BONA (AMEP, vol. 201, p. 63-64) « *Frequentius damnant sancti, quam singularitatem. Nam divina providentia ducit ut plurimum per iter planum et usitatum. Diabolus autem ad res novas instigat quae admirationem et sanctitatis opinionem concilient. Pravitas quoque naturae nostrae super reliquos apparere appetit, et non esse sicut caeteri hominum, at ex altera parte constat evidenter Spiritum Dei movere nonnunquam ad res insolitas, quae communem operandi modum excedunt, sicut praecepit Abrahae, ut immolaret filium ; et quosdam Sanctos duxit per semitas occultas reliquis impervias, per quas alii irrito conatu ambulare nituntur* » (trad. avec I. Noye).

sujet de la perfection possible de l'homme en cette vie ; la suite de ce texte se trouve aux Archives Historiques de la Propagation de la Foi à Rome. Le premier chapitre de la première partie intitulé « *Essence de la perfection possible en cette vie* » repose sur les mêmes références que *l'Explication de l'Idée de Congrégation Apostoliqueles* de Pallu, c'est-à-dire essentiellement sur les questions 24 et 184 à 186 de la *Seconda Secondae* de la *Somme Théologique* de Saint Thomas d'Aquin où les vœux de perfection sont encouragés même si la perfection ne peut être atteinte en ce monde. Ce premier chapitre entièrement thomiste est tout à fait favorable à Pallu. L'auteur admet qu'au sujet de la perfection de l'amour, on doit distinguer trois types de vie selon les diverses attitudes que celui qui cherche la perfection peut avoir envers elle ; soit qu'il y tend, soit qu'il s'y exerce, soit qu'il l'enseigne ou la communique à d'autres. C'est ainsi qu'autre est la vie perfectible, autre la vie parfaite et autre la vie perfective.

Par contre le deuxième chapitre intitulé « *Diversité de vie et États de perfection* », le troisième chapitre intitulé « *De la vie perfectible* » et les deux premiers articles du quatrième chapitre intitulé « *De la vie parfaite* » s'opposent à la proposition de Pallu de faire de la vie parfaite un troisième état de perfection intermédiaire entre les deux autres, celui des religieux et celui des évêques :

> « Si vous regardez de plus près chacun des deux états, vous vous apercevrez qu'il n'y a rien dans aucun d'eux qui ait jusqu'ici manqué dans l'Église et qu'il n'y a rien de plus à désirer, pourvu que chacun des deux groupes, évêques et religieux, remplisse dans son état son rôle plus unique et satisfasse à la foi donnée à Dieu et à l'Église. En effet, comme on l'a démontré, la vie parfaite est contenue dans ces deux états de perfection, et un troisième, dont il est question, est totalement impossible, car l'état de perfection inclut essentiellement quelque chose d'externe ; il y a en effet une condition extérieure de la vie, ou une obligation d'actes extérieurs de perfection induite de la profession publique et solennelle d'actes dont l'Église peut juger, et c'est pourquoi S. Thomas l'appelle état soumis au jugement de l'Église, en tant qu'il se distingue de l'état intérieur de perfection qu'il appelle état soumis au jugement de Dieu ; mais la vie parfaite, soit que vous en considériez l'essence, ou les dispositions nécessaires, ou les caractéristiques, ou quoi que ce soit qui puisse la concerner, est totalement interne et connue de Dieu seul, et ne peut donc devenir un état, sinon selon le jugement de Dieu »[1].

---

1. *Observanda quædam circa perfectionem hominis in hac vita possibilem*, ch. 2, art. 3 : *Præter religiosorum episcoporumque status alter vitæ perfectæ respondens non modo non necessarius, sed impossibilis est* (*Il n'est pas nécessaire, et il est même impossible, qu'il y ait un autre état qui corresponde à la vie parfaite en dehors de celui des religieux et des évêques*) : « *si tamen propius singula intuearis, perspicies nihil in hac parte hactenus in Ecclesia defuisse, nec aliquid amplius in ea desiderandum, dummodo uniquior in suo statu partes suas obeant et episcopi et religiosi, datæque fidei Deo et Ecclesiæ faciant satis; vita enim perfecta uti demonstratum est in duobus perfectionis statibus continetur; tertius autem de quo sermo est, omnino impossibilis est, nam status*

La suite de ce quatrième chapitre traite de la nécessité préalable d'une purification de la mémoire (article 3), de l'intelligence (article 4) et de la volonté (article 5), en citant la prière de saint Ignace de Loyola : « Reçois, Seigneur, ma liberté tout entière, reçois ma mémoire, mon intelligence et toute ma volonté ; tout ce que j'ai ou possède tu me l'as donné ; je te le rends entièrement et le livre complètement à ta volonté pour le diriger » Ce thème du sacrifice des facultés de l'âme est essentiel pour Lambert mais ne se trouve pas dans les arguments de Pallu. Pour Lambert, c'est une condition pour que Jésus poursuive en nous la mission qu'il a reçue du Père. Ici dans les deux derniers articles, l'auteur en s'appuyant sur l'exemple des saints s'attache à montrer que le sacrifice de la volonté rend possible la contemplation.

Le malentendu qui a causé le rejet du projet par Rome

La transformation du projet de Mgr Lambert par Pallu

Dans une lettre du 28 décembre 1670, Pallu rappela à Deydier les circonstances de son engagement dans le projet qu'il avait été le dernier à approuver :

> « Nous avons agi simplement et sincèrement, ne recherchant que Dieu seul et sa sainte volonté, dans la perfection de nostre estat. Je vous confesse, pour mon particulier, que je n'ay jamais esprouvé plus de grâce et de miséricorde, et une protection de Dieu plus sensible que depuis le moment que je me suis engagé dans ces vœux »[1].

Comme il l'a écrit à son frère Nicolas, Lambert[2] accepta d'anticiper l'accord de Rome en prononçant les vœux avec Pallu, Laneau et Deydier, ce qui

perfectionis externum aliquid essentialiter includit; est enim exterior quædam vitæ conditio, seu obligatio exteriorum actuum perfectionis indicta ex professione publica et solemni de quibus Ecclesia judicare potest; unde hunc vocat S. Thomas statum in iudicio Ecclesiæ, prout distinguitur a statu perfectionis interiori, quem appellat statum in judicio Dei; vita autem perfecta, sive eius essentiam consideres, sive necessarias dispositiones, sive proprietates, aut alia quævis quæ ad eam absolute spectare possint, omnino interna est, et uni Deo nota, quæ proinde statum efficere non potest nisi in judicio Dei » (APF, Acta CP, vol. 1A, fol. 150r-151 ; trad. Ruellen).

1. F. Pallu, *Lettres de Monseigneur Pallu*, p. 141-142, Lettre de Pallu n° 47, à M. Deydier du 28 décembre 1670 (AMEP, vol. 107, p. 14).

2. P. Lambert de la Motte, Lettre à son frère Nicolas, AMEP, vol. 121, p. 582 ; cf. Guennou, transc., L. n° 76, le 19 octobre 1664 : « Jusque a present le projet nous a semblé si beau et si conforme a nostre vocation que nostre st prelat et tous nos amis qui sont icy l'ont deja mis en pratique et ie me sens comme forcé de les imiter. Jay esté trompé dans cette entreprise la croyant plus difficile quelle nest pas mais apres y estre entré et avoir experimenté la bonté divine je conseilleroy hardiment a tous ceux qui seront appellez a lestat apostolique

fut fait le 6 janvier 1665, mais il exigea l'envoi en urgence d'un négociateur auprès du Saint-Siège pour régulariser cette décision ; il aurait été normal que ce soit Lambert qui défende ses vues à Rome mais son état de santé ne le permettait pas alors et Pallu accepta de le remplacer[1].

Lambert, Pallu, Laneau et Deydier se préparèrent à prononcer trois vœux intérieurs auxquels l'un d'entre eux avait proposé d'ajouter les deux vœux propres aux jésuites. La position de Laneau est connue par son livre théologique sur la déification des justes qu'on étudiera plus loin. Pour Deydier, il fallait qu'on sache en Europe qu'un missionnaire qui se lançait dans l'apostolat de l'Asie devait se préparer à changer complètement son mode de vie, car c'était le pays de mission qui lui imposerait le sien.

Pallu précisa les conditions de son retour en France dans une *Relation* écrite et publiée à Paris en 1668, il y parlait d'abord des *Monita* :

> « Nous avons pensé premierement a nous garantir de tout ce qui pouvoit tendre au relaschement, auquel nous aurions pû insensiblement nous engager par quelques raisons apparentes, qui sembloient en devoir authoriser l'usage. Secondement, nous avon crû qu'il estoit de nostre devoir de penser de bonne heure aux moyens de les retrancher entierement & de nous establir d'abord en de saintes pratiques, & un peu plus severes, qui peussent servir de modele à tous, donnants pour cela tout le soin & toute l'application que l'importance de la chose, & l'honneur de nostre dignité demandoit de nous »[2].

Pallu précisa les demandes à adresser au pape :

> « Cet examen nous fit entrer insensiblement en la discussion de plusieurs matières ; & enfin nous jugeames M. de Beryte & moy, avec l'avis de nos Ecclesiastiques, que pour donner un fondement solide à nos desseins, il estoit absolument necessaire : en premier lieu, d'obtenir du Saint Siege, que le Vicaire Apostolique pour le païs & la Ville de Siam fust comme le Chef, & eust quelque direction generale sur toutes nos Missions »[3].

Rome finit par nommer administrateur général des Missions non pas Laneau, vicaire apostolique du Siam, mais Lambert en résidence au Siam où fut construit ce qui devait être le Séminaire général. Dans sa *Relation abrégée*, Pallu ne mentionnait pas d'une manière explicite la vraie raison de son retour en Europe, la création de la Congrégation Apostolique et les vœux pour y adhérer. Il y avait là une censure qui venait sans doute de Pallu lui-même.

---

de surmonter toutes les diffigultez qui se presentent alabort. « *Gustate et videte quoniam suavis est Dominus* ».

1. F. Pallu, *Relation Abregée des Missions et des Voyages des Evesques François*, p. 49.
2. *Ibid.*, p. 44.
3. *Ibid.*, p. 46.

« Les choses ainsi resoluës après une longue & meure déliberation, nous crûmes qu'il estoit necessaire que l'un de nous vinst en Europe, afin de poursuivre l'executiom & la decision, tant des choses projettées, que des questions à resoudre qu'on jugeoit, d'un si grand poids & si importantes en leur suite, qu'elles ne pouvoient estre proposées, expliquées, & poursuivies, comme il sembloit necessaire, que par un des Evesques, du devoir desquels il seroit, de les faire observer, apres qu'elles auroient esté resoluës & terminées à Rome. Cet avis, qui fut ouvert par M. de Beryte, fut examiné lontemps, & enfin suivy de celuy de tous ceux, avec qui nous jugeasmes à propos d'en conferer. Mais comme il se trouva pour lors fort foible de santé, on ne crût point qu'il fust en estat de s'exposer une seconde fois aux travaux & aux perils d'un voyage de deux années. C'est pourquoy pour l'interest de la conservation de ce Prelat, m'estant, grâce à Dieu, trouvé lors plein de vigueur, je fus obligé de m'offrir pour cette Negociation »[1].

Ce fut donc le 17[2] ou le 20 janvier 1665[3] que Pallu partit pour l'Europe alors qu'il était arrivé avec Laneau un an auparavant le 27 janvier 1664. Si l'on compte quatre mois pour le synode inauguré le 29 février 1664[4] avec l'élaboration en commun des *Monita*, il y a les six mois pendant lesquels Pallu refusa d'entendre parler du Corps apostolique après l'exposé qu'en fit Lambert au sein du synode.

Une fois que Pallu changea d'attitude, il ne restait plus que deux mois pour envisager un voyage en Europe car les chemins de terre qu'on devait emprunter n'étaient plus praticables pendant la mousson ; Lambert n'étant pas en état physique de partir lui-même la décision fut prise d'envoyer Pallu à sa place. Lambert n'eut alors que deux mois[5] pour lui expliquer la théologie de la mission continue de Jésus à laquelle se rattachent les trois vœux de la Congrégation Apostolique, la vie spirituelle de ses membres et les règles communautaires, deux mois aussi pour expliquer qu'il ne s'agissait pas là d'un nouvel ordre religieux.

Pallu partit avec le courrier de Lambert dans lequel sa pensée était résumée ; l'ascèse et les règles de vie n'y étaient présentées que comme facilitant l'oraison[6], mais l'essentiel était contenu dans la soumission à l'Esprit Saint et dans l'offrande au Christ des propres facultés humaines de chacun comme

1. *Ibid.*, p. 48-49

2. Date mentionnée dans F. Pallu, *Relation Abregée des Missions et des Voyages des Evesques François*, p. 51.

3. Six lettres de Lambert sont datées du 20 janvier 1665 et signalent le départ de Mgr Pallu ce jour-là; c'est confirmé dans l'*Abrégé de Relation*, AMEP, vol. 121, p. 683.

4. P. Lambert de la Motte, *Abrégé de Relation*, AMEP, vol. 121, p. 661 ; Lettre à Gazil du 11 février 1664, AMEP, vol. 121, p. 567; vol. 858, p. 72.

5. F. Pallu, *Lettres de Monseigneur Pallu*, p. 81, Lettre de Pallu n° 21, aux directeurs du Séminaire des Missions Étrangères du 3 mars 1667 (AMEP, vol. 116, p. 539).

6. Mgr Pallu montre aussi que l'ascèse a pour effet de faciliter l'oraison comme on l'a vu plus haut (F. Pallu, *Explanatio ideæ Congregationis Apostolicæ*, p. 58).

c'était inscrit dans les trois vœux intérieurs dont l'objectif était plus l'apostolat que la perfection de soi :

> « Nostre saint prelat retournant en Europe, pour l'interest general de la ste Eglise et de nos missions me donne lieu de vous asseurer de mon petit souvenir devant N.S. et de vous dire des nouvelles de ces extremités du monde, vous n'en attendez pas de temporelles si ce n'est quelles soient dans l'ordre de nostre vocation et vous apprendrez celles la par l'abregé de la relation. Pour ce qui regarde les spirituelles nous vous pouvons assurer que nous ne trouvons point de condition si heureuse que la nostre regrettant tous les jours de l'avoir embrassée si tard. Nous en avons particulierement gousté le bonheur depuis que nous couchons sur la dure, que nous ne buvons que de l'eau a nostre ordinaire, que nous faisons caresme continuel et que nous avons resolu de ne nous servir dans nos infirmités que du souverain remede de la foy. Il n'est pas croyable combien ces choses ont contribué a nostre bonne fortune. Cependant il faut avoüer que ce qui a le plus servi ça a esté la demission que nous avons faite entre les mains de Dieu et en sa faveur de lusufruit et de la proprieté des operations de nostre ame. Jamais, nous ne pouvions consentir a un traité plus avantageux que celui la, puisqu'il nous rend les veritables pauvres de notre pere qui est aux Cieux et qui nous donne la premiere des beatitudes : *beati pauperes spiritu* [Mt 5, 3]. Dans cette disposition nous attendons tout de la bonté divine et gemissons a ses pieds le plus que nous pouvons pour tascher daprendre ce qu'elle demande de nous pour le dehors et sitost que nous avons reçeu ses ordres, nous quittons la contemplation pour descendre a l'action et au salut du prochain ou ensuite nous rencontrons beaucoup de benediction. La petite experience que nous avons nous fait connoistre qu'il en faut user ainsi dans nos divins emplois pour travailler efficacement a la conversion des ames. Autrement si l'on va parler de la religion catholique aux païens par soy mesme, quoy que souvent on les convainque par la raison, il est neanmoins rare de leur toucher le cœur par cette voye »[1].

Il semble que c'est Pallu qui a voulu présenter à Rome la Congrégation Apostolique comme une structure indépendante, car le projet de Lambert lui paraissait peu clair. À l'origine, il s'agissait pour Lambert d'un projet d'établissement perpétuel appelé *Congrégation des Amateurs de la Croix* dont les missionnaires apostoliques seraient les membres dirigeants (« observateurs et directeurs ») tout en formant un Corps comme le Clergé le forme dans l'Église[2].

Force est de constater de grands écarts entre la façon qu'a eue Pallu de présenter la Congrégation Apostolique et ce que Lambert en dit dans ses écrits et que nous venons d'exposer.

---

1. P. Lambert de la Motte, Lettre à M. d'Argençon du 20 janvier 1665, AMEP, vol. 858, p. 112-113 ; cf. Guennou, transc., L. n° 85.
2. *Id.*, Lettre à Mgr Pallu, AMEP, vol. 876, p. 556 ; cf. *Abrégé de Relation*, § 90.

Pallu ne s'attachait pas à placer la Congrégation Apostolique dans le contexte de la mission continue de Jésus auquel tenait Lambert, mais il la plaçait dans la recherche de la perfection personnelle qui convient à un emploi particulier, celui de l'apostolat. L'ascèse, c'est ce que Bénigne Vachet a retenu de la Congrégation Apostolique ; il la mettait en relation avec les activités missionnaires en 1681 dans sa nécrologie de Lambert, mais dans ses *Mémoires* qu'on date au plus tôt de 1692 il aurait oublié l'objectif apostolique de cette ascèse[1].

C'est ainsi que Pallu interprétait l'introduction des trois vœux qui avait été sans doute composée par Lambert, car ce dernier y voulait présenter d'abord leur objectif qui n'était pas l'entrée dans un Ordre religieux mais bien l'accomplissement d'une mission d'évangélisation en terre païenne: « Nous, les pécheurs les plus vils et les derniers de tous, nous n'ignorons cependant pas que c'est par une divine disposition que nous sommes envoyés aux nations pour prêcher l'Évangile, et qu'ainsi nous sommes donc aussi appelés par Dieu à une perfection qui corresponde avec une responsabilité aussi sublime »[2].

Pour Pallu, l'état apostolique requérait un niveau supérieur de sainteté qui ne pouvait être atteint que par un plus grand renoncement:

> « Une fois ces principes posés, il n'est pas difficile d'établir quel degré de perfection doit atteindre la Congrégation Apostolique. En effet ses membres y mèneront la vie parfaite et la sainteté même que requiert l'état apostolique, et pour qu'ils puissent y parvenir, ils renonceront à tout, même à la maîtrise des facultés de leur âme et de leur travaux: ils n'admettront aucun amour volontaire soit pour eux-mêmes soit pour quelque créature que ce soit, et en tout ce qu'ils feront ils se laisseront guider par la grâce intérieure »[3].

On reconnaît là les vœux et la manière dont y sont expliquées la pauvreté, la chasteté et l'obéissance par Lambert, le renoncement intégral, notamment le renoncement à la maîtrise des facultés de notre âme (pauvreté), le renoncement à la jouissance affective qu'apportent les créatures (chasteté) et

---

1. B. Vachet, [*Nécrologie de Lambert*], AMEP, vol. 877, p. 694-695 ; *Mémoires imprimés*, p. 124-125 et *Mémoires Manuscrits*, AMEP, 110 B, p. 110.

2. « *Nos vilissimi licet peccatores, et omnium novissimi, divina tamen dispensatione ad prædicandum Christi Evangelim missi ad gentes, haud ignari, sic nos etiam a Deo vocati ad perfectionem tam sublimi officio congruentemu* » (AMEP, vol. 116, p. 375-376 ; vol. 169, p. 21-23).

3. F. Pallu, *Explanatio ideæ Congregationis Apostolicæ*, Première Partie, 3e Chapitre, p. 14 : « *His positis fundamentis difficile non est statuere, ad quem perfectionis gradum pertinere debeat Congregatio apostolica : In ea enim viri apostolici vitam perfectam colent, eamque sanctitatem, quam apostolicus status requirit ; ad quam ut pervenire queant, omnibus sese abdicabunt, atque etiam facultatum animæ, ac operationum dominio : nullum voluntarium erga se, vel quidquid Creatum est, amorem admittent, et in omnibus quæ acturi sunt, interiori gratia regendos se permittent* ».

le renoncement à l'autonomie pour se laisser guider par la grâce intérieure, l'Esprit Saint (obéissance). Pour Lambert, l'objectif était de laisser le Christ apparaître en chacun dans sa perfection pour y poursuivre son œuvre de salut. C'est au Christ de se montrer parfait en nous. On a vu que Lambert aurait été heureux d'atteindre le noviciat dans le domaine de la perfection, mais ce qu'il visait était d'abandonner au Christ la direction de sa vie.

Certes le but des trois vœux intérieurs était d'amener à rejeter Satan en toute occasion comme ce fut promis à chaque baptême, sans aucune compromission avec le mal, sans acceptation du péché, même véniel :

> « On suppose tousiours qu'un missionnaire lequel a esté appellé a ce divin estat et qui a esté fidelle a veceu une si abondante grace qu'elle s'establit dans une impossibilité morale de commettre aucune faute venielle volontaire contraire au tres pur amour qu'elle doit à Dieu de sorte qu'il ne s'agist icy que des infidelités qu'ils commettent par omission, ou pour les bien connoistre il faut scavoir qu'une ame qui a esté eslevée au rang des Apostres et des disciples de J. Ch. en a reçeu les avantages dont le principal est d'estre uni a Dieu par un mariage indissoluble et eternel de foy, d'esperance et de charité. C'est par ce don special de ces trois vertus infuses qu'elle a esté rendue capable d'estre l'espouse de J. Ch. qui ne contracte iamais mariage qu'avec des ames vierges cest a dire dans les sentiments de saint Augustin qui ont une entiere foy, une solide esperance, et une charité sincere : *Virginitas mentis est integra, fides solida, spes sinceras, charitas*[1], etc... C'est encore par ce moïen que se conserve et subsiste cette union laquelle ne peut estre rompue que par la perte d'un de ces divins liens avec lesquels elle s'est si fort attachée a cause de cette hautte grace de protection particuliere interieur et exterieure qui la previent, qui l'accompagne et qui le suit dans toutes ses operations qu'il est comme impossible que cela arrive. Mais enfin, parce qu'une telle ame est voyagere, elle tombe par la necessité de sa condition dans des fautes venielles qui lui donnent souvent plus de douleur que n'en causent les offenses mortelles dans le cœur des veritables penitents. Il est bon de secourir la cause de ces infidelités pour pouvoir plus aisement y remedier l'ame donc doit a cette fin se ressouvenir continuellement qu'estant unie a Dieu par les vœux de la vie parfaite d'obeyssance, de pauvreté et de chasteté interieure qui respondent aux trois vertus infuses, de foy, d'esperance et de charité qu'elle doit tousiours operer conformement a ses obligations »[2].

1. En fait : "*Virginitas mentis est integra, fides solida, spes sinceras, charitas*" veut dire : la virginité de l'esprit est une entière foi, une solide espérance et une sincère charité". Attention ! Il n'y a pas d'erreur, c'est bien là la bonne ponctuation, la place de la virgule est en effet déplacée en latin à la fin du Moyen Âge et encore au XVIIe siècle pour unir l'adjectif au substantif, marquer ici le lien entre "*fides*" et "*integra*", "*spes*" et "*solida*", "*charitas*" et "*sinceras*". La même construction se trouve pour des groupes de mots et des phrases dont on veut marquer le lien étroit.

2. P. Lambert de la Motte, *Abrégé de Relation*, AMEP, vol. 121, p. 754-755 ; cf. Guennou, transc., § 82.

La pauvreté, la chasteté et l'obéissance en vue de la perfection, c'est le sens même des vœux des religieux. Une des formules de vœux présentées par Pallu parle même de religieuses pauvreté, chasteté et obéissance :

> « Nous faisons vœu de religieuses[1] pauvreté, chasteté et obéissance, et surtout de ce qui est signifié par ces trois vœux : le parfait dépouillement de l'âme et de ses puissances, le total renoncement à en faire libre usage, le refus complet de toute délectation volontaire qu'on puisse percevoir de quelque créature que ce soit et même des dons spirituels, enfin la soumission totale et l'obéissance en toutes choses autant qu'il sera donné d'en haut sous l'inspiration et la direction du Saint-Esprit »[2].

Elle est commentée dans *l'Explication du formulaire*[3] *des vœux* concernant la vie parfaite où on lit :

> « Il est dit 1° Nous vouons la pauvreté, la chasteté et l'obéissance religieuses ; "religieux" ne signifie pas que ceux qui émettent ces vœux sont censés instituer un état de la même façon que ceux qui font des vœux en connaissance de cause, mais cela veut seulement dire que ceux-ci font profession de la même perfection que les Religieux par ces trois vœux de religion »[4].

Comme saint Vincent de Paul[5], on peut se demander si Pallu ne rêvait pas d'être à l'origine d'un nouvel ordre religieux, car il avait consacré sa vie aux missions dans la chapelle de Montmartre où saint Ignace avait fondé la

1. Le mot "religieuses" a été rayé sur une copie de formulaire à Rome (APF, Acta CP, vol. 1A, fol. 121) comme à Paris (AMEP, vol. 169, p. 21) et il a été maintenu dans une autre (AMEP, vol. 109, p. 119; AMEP, vol. 201, p. 274).

2. *Formula votorum Congregationis Apostolicæ* (F. Pallu, *Explanatio ideæ Congregationis Apostolicæ*, p. 119) : « *Vovemus religiosam paupertatem, castitatem, et obedientiam, ac potissimum quæ tribus his significantur votis, perfectam scilicet animæ, ac potentiarum ejus nuditatem, liberique earum usus plenam abdicationem, voluntariæ oblectationis, quæ ex quacumque re creatâ, atque etiam ex cœlestibus donis percipi potest, integram renuntiationem, omnimodam denique in omnibus, quantum erit datum desuper, s/pus S^ti inspiratione, et directione submissionem, ac obedientiam* ».

3. Il s'agit du formulaire qui avait été distribué lors des vœux et dont Lambert parle à Hainques (P. Lambert de la Motte, Lettre à Mgr Pallu du 21 janvier 1669, AMEP, vol. 858, p. 151 ; cf. Guennou, transc., L. n° 117).

4. *Elucidatio formularii votorum ad vitam perfectam pertinentium* (AMEP, vol. 116, p. 377-383) : « *Dicitur 1° Vovemus Religiosam paupertatem chastitatem et obedientiam 'religiosam' non significat quod qui ea emittent vota censeantur statum constituere quem ad modum qui vouent in cognitione approbata, sed solum denotat quod illi eandem quam Religiosi per illa tria vota religionis perfectionem profiteantur* » (trad. avec I. Noye).

5. Saint Vincent de Paul, *1. Correspondance*, t. VI, lettre 2467 du 23 novembre 1657, p. 621 : « Je ne pense pas que ces Messieurs du Tonkin passent à demander à être érigés en congrégation et quand ils le demanderaient, il n'est pas vraisemblable que cela leur fût accordé, tant à cause du dessein qu'a le pape d'établir un séminaire de prêtres pour les envoyer aux missions étrangères, que parce qu'on ne peut rien ajouter à la congrégation des jésuites, qui par vœu s'obligent d'aller partout où le Saint-Siège trouvera bon de les envoyer ».

Compagnie de Jésus[1]. Cela pourrait expliquer la présence, dans *l'Explication de l'Idée de Congrégation Apostolique*, des deux promesses complémentaires dans la formule de vœux qui semblent d'abord n'être qu'un développement du vœu d'obéissance qui les précède :

> « Nous promettons l'obéissance spéciale au Souverain Pontife, évêque de Rome : nous le reconnaissons comme l'unique vicaire du Christ Seigneur sur terre et nous lui promettons de lui obéir si bien que nous sommes prêts à partir immédiatement où il voudra nous envoyer pour travailler où et comme il voudra pour gagner des âmes, pour répandre la foi, et à quelque charge d'Église qu'il voudra. De plus, nous promettons de ne jamais postuler aucun bénéfice, aucune dignité ou charge de quelque genre que ce soit, directement ou indirectement, et de ne pas les accepter si on nous les offre, sans avoir d'abord consulté notre supérieur, et avec son consentement »[2].

Pour Lambert, l'obéissance des jésuites au pape ne concernait pas seulement leur disponibilité à toute mission ordonnée par lui mais aussi leur obéissance à tous ceux qui sont nommés pour gouverner l'Église et qu'ils doivent aider dans leur ministère. Or ce sont les missionnaires apostoliques que le pape a choisis pour constituer la hiérarchie ecclésiastique, ce qui réduit beaucoup la portée pour eux de ces deux engagements. Les missionnaires apostoliques ne semblent pas concernés par ces deux vœux complémentaires propres aux jésuites. Lambert va devoir préciser le sens pour les jésuites des vœux d'obéissance qui leur sont propres, et s'opposer à une extension de ce sens pour les vœux des missionnaires apostoliques qui ne sont pas des religieux :

> « Depuis que les papes ont envoyé des evesques dans les lieux ou sont les religieux et qu'il y a des curés establis les religieux ne peuvent confessér, preschér, administrér les sacrements ou faire aucun acte de juridiction sans l'aprobation et la permission des mesmes evesques et le consentement desdits curés. La raison de cela est que les religieux sont pour aider leglise et non pour la gouverner, cela est conforme a l'institut des peres Jesuites qui font veu de ne posseder aucune charge dignité ou benefice directement ou indirectement, et mesme a esté decidé par un decret solemnel en 1648 par le pape Innocent X^e^ en faveur de l'evesque d'Angenopolis et contre les Jesuites. Cela suposé il est aisé de regler les pretentions du p. fuciti touchant le pouvoir qu'il a de sa compagnie et ceux qu'il dit que le pere Marini a apporté de Rome luy accordant qu'il peut travaillér en ce royaume, mais que cela se doit tousiours faire avec la dependance, subordination et la direction des evesques et le consentement des curés »[3].

1. L. Baudiment, *François Pallu, Principal fondateur des Missions Étrangères*, p. 42 et *Un mémoire anonyme sur François Pallu*, p. 34.
2. *Formula votorum* (F. Pallu, *Explanatio ideæ Congregationis Apostolicæ*, p. 120 ; cf. AMEP, vol. 116, p. 375).
3. P. Lambert de la Motte, *Abrégé de Relation*, AMEP, vol. 677, p. 201 ; cf. Guennou, transc., § 117.

Deydier semble devoir expliquer à ses amis de Toulon quel sens il donne à ces deux propositions d'obéissance qui les rapprochent des jésuites alors que les missionnaires apostoliques ne sont pas des religieux, il n'y voit qu'une explicitation du vœu d'obéissance à son vicaire apostolique, pour lui ce vœu permet de conserver l'unité entre les vicariats, car dans chaque vicariat l'évêque qui est son supérieur, assure à la fois, du fait de l'épiscopat, une relation directe (l'immédiat) au pape et, du fait du vicariat apostolique, une relation indirecte (le médiat) par l'intermédiaire de la Sacrée Congrégation de la Propagation de la Foi :

« Pour l'interieur on fait les veus ordinaires de pauvrete, chasteté et obeyssance religieuse, veu dobeissance particulyere au pape pour estre employé ou et comment il luy plairra, aux missions estrangeres, et de ne rechercher ou accepter aucun benefice ou emplois sans la permission et consantement du superieur qui sera toujours Evesque j'entens le mediat pour l'immediat il sera le pape et la Sacrée Congregation »[1].

Il semble que très tôt dans l'esprit de Pallu, ce « supérieur qui sera toujours évêque » soit le supérieur d'une nouvelle Congrégation religieuse qu'il appelle lui aussi Congrégation apostolique, et qu'il y ait eu très vite un premier malentendu sur ce sujet avec Lambert et les deux autres participants aux vœux. Dans le projet de Pallu, il y aurait un évêque spécialement délégué par le pape pour prendre la tête de la Congrégation dans laquelle on aurait fait profession comme dans un Ordre religieux. Dans *l'Explication de l'Idée de Congrégation Apostolique*, Pallu présentait la Congrégation Apostolique dans ses rapports avec le pape qui s'apparentaient à ceux de la Compagnie de Jésus, à savoir le vœu spécial d'obéissance au Souverain :

« Elle ne doit pas seulement tirer son origine du Souverain Pontife qui est le plus concerné par le souci de la conversion des Infidèles, mais encore être dirigée directement par lui. Tous ceux qui s'offriront pour y être acceptés doivent être habilités par un évêque délégué par ce même Souverain Pontife[2], qui ait son esprit et qui puisse le transmettre à d'autres, tant du fait du caractère et de la grâce de l'épiscopat que du fait qu'ayant fait profession dans cette Congrégation Apostolique[3] il en aura bien connu tous les membres et il se sera signalé en elle plus que d'autres. Enfin, le Souverain Pontife enverra où il voudra tous les membres de cette Congrégation : au temps voulu ils recevront de lui, avec tout le respect qui s'impose, ses décisions, ils les accepteront avec dévouement et les observeront avec zèle. Il faut ici ajouter qu'il y a des signes assez nets que c'est

1. F. DEYDIER, lettre à ses amis de Toulon du 20 janvier 1665, AMEP, vol. 116, p. 562.
2. Cet évêque délégué est-il le supérieur de la Congrégation ?
3. "Faire profession dans la Congrégation" est une terminologie de la vie religieuse, ce qui permet de penser que Mgr Pallu a bien l'idée de proposer une nouvelle congrégation religieuse.

le Saint Esprit qui est l'auteur de ce projet de Congrégation. Elle a été en effet conçue par des Evêques envoyés par l'autorité apostolique pour la conversion des Infidèles »[1].

La suite du texte de Pallu envisageait une Règle qui tienne compte des personnes, du climat et des tâches. Il est difficile de ne pas penser que cette Règle ne soit pas celle de la nouvelle Congrégation religieuse envisagée par Pallu :

« Après avoir parcouru les missions de presque tout l'Orient et avoir auparavant considéré et bien reconnu tout ce qui peut les promouvoir ou les retarder, ils ont d'abord tenu à ce sujet un Synode très important, et bien regardé autour d'eux, au cœur même de ces terres infidèles, tout ce dont il faut tenir compte sur les personnes, le climat et les tâches. Après avoir organisé autour de ce travail de multiples prières et de nombreuses consultations, ils ont d'abord expérimenté avec leurs principaux missionnaires les pratiques assez difficiles de ce Projet, au point qu'ils n'ont pas craint de se consacrer à Dieu et à l'Église en le suivant »[2].

La mission continue de Jésus que Lambert voulait servir par les trois vœux, restait assez floue pour Pallu. Il en restait à une théologie de l'imitation. Tout se passait pour lui dans l'effort personnel vers la sainteté de la conduite, dans l'application de règles d'ascèse :

« Une fois ces principes posés, il n'est pas difficile d'établir quel degré de perfection doit atteindre la Congrégation Apostolique. En effet ses membres y mèneront la vie parfaite et la sainteté même que requiert l'état apostolique, et pour qu'ils puissent y parvenir, ils renonceront à tout, même à la maîtrise des facultés de leur âme et de leur travaux : ils n'admettront aucun amour volontaire soit pour eux-mêmes soit pour quelque créature que ce soit, et en tout ce qu'ils feront ils se laisseront guider par la grâce intérieure. Ces dispositions

---

1. F. Pallu, *Explanatio ideæ Congregationis Apostolicæ*, p. 27-28 : « *ea non tantum emanare debet à Summo Pontifice ad quem maximé spectat cura conversionis infidelium, sed etiam ab ipso immediaté dirigenda est. Omnes qui sese offerent in ea recipiendos institui debent per episcopum ab eodem Summo Pontifice delegatum, qui spiritum ejus habeat, illumque in alios effundere possit tam ratione caracteris, et gratiæ episcopatus, quam quod in Congregatione apostolica professus omnes illius partes rite expleverit, et præ aliis in eadem emicuerit. Summus denique Pontifex alumnus omnes ejusdem Congregationis, quo visum fuerit mittet, qui suis temporibus ab ipso cum debita reverentia oracula recipientes devoté ea amplectentur, et sedulo observabunt. Huc referri debet non levia esse indicia hujusce Congregationis Ideæ authorem esse Spiritum Sanctum ; hæc enim concepta est ab Episcopis authoritate apostolica missis ad conversionem Infidelium* ».

2. *Ibid.*, p. 28-29 : « *Post peragratas totius ferme Orientis missiones, perspectis anteà, et bené cognitis omnibus, quæ eas promovere, ac retardare possunt ; habitâ prius super iisdem amplissima synodo, ipsismet in terris Infidelium circumspectis omnibus, quæ attendi debent circa personas, Climata et munera, Post habitas super illud opus multas preces, et multa Consilia : expertis prius cum suis missionariis præcipuis a difficilioribus hujus Ideæ exercitiis, adeo ut non sint veriti secundum eam Deo et Ecclesiæ sese devover* ».

sont bien les mêmes par lesquelles, je l'ai dit, ceux qui recherchent la perfection doivent être amenés à la vie parfaite et à la pratique de la perfection (2a-2ae, qu. 184, art. 1-2c). Saint Thomas les a toutes comprises quand il a dit que la perfection possible en cette vie, c'est l'amour qui fait exclure de l'affection humaine tout ce qui empêche qu'elle soit totalement dirigée vers Dieu. Les Saints Pères ont parlé de ces mêmes dispositions ; d'abord Saint Basile et Saint Grégoire, dont je citerai plus loin les opinions. Saint Ignace aussi, le fondateur de la Compagnie de Jésus, dans son oblation au Christ Seigneur, définit tout à fait de la même façon le candidat à la perfection. Si à ces trois dispositions tu ajoutes les vœux, c'est bien alors que Saint Thomas (2a-2ae, qu. 186, art. 7c) affirme que l'état de religieux est parfait et complet quand, par la pauvreté sont totalement offerts à Dieu tous les biens extérieurs, par la chasteté tous ceux du corps, et par l'obéissance les biens de l'âme : par le vœu d'obéissance, en effet, quand on offre à Dieu sa volonté propre, toutes les facultés lui sont consacrées, ainsi que les façons de penser, puisque c'est en fait par elle que l'homme peut s'en servir »[1].

Comme les vœux de tous les Ordre religieux, celui qui prononce ses vœux dans la Congrégation apostolique les termine par la promesse d'en observer la Règle : « Et nous promettons ainsi que nous observerons en même temps de tout cœur toutes les règles de cette Congrégation, telles qu'elles ont été largement présentées dans l'Exposé de ce Projet »[2]. Ainsi dans *l'Explication de l'Idée de Congrégation Apostolique* de Pallu, il y a, après les cinq premiers vœux, plusieurs règles que les quatre examinateurs de la Sacrée Congrégation de la Propagation de la Foi ont interprété comme des

1. *Ibid.*, p. 15-16, Chapitre troisième : « *Quel degré de perfection réclame la Congrégation Apostolique : « His positis fundamentis difficile non est statuere, ad quem perfectionis gradum pertinere debeat Congregatio apostolica : In ea enim viri apostolici vitam perfectam colent, eamque sanctitatem, quam apostolicus status requirit ; ad quam ut pervenire queant, omnibus sese abdicabunt, atque etiam facultatum animæ, ac operationum dominio : nullum voluntarium erga se, vel quidquid Creatum est, amorem admittent, et in omnibus quæ acturi sunt, interiori gratia regendos se permittent. Hae sane dispositiones eædem sunt, quibus ad vitam perfectam, exercitiumque perfectionis introducendos dixi perfectionis studiosos (2ª-2ªᵉ, qu. 184, art. 1-2c) quas omnes complexus est S. Thom. cum dixit perfectionem in hac vita possibilem, eum esse amorem, quo ab affectu hominis omne illud excluditur, quod impedit ne totaliter ad deum dirigatur. Easdem dispositiones tradunt Sti patres, Imprimis vero s. Basilius, et s. Gregorius, quorum sententias infrà referam. S. quoque (Exerc. spir. hebdom. 9) Ignatius Societatis Jesu fundator in oblatione sui ad Christum d/num eodem prorsus modo instituit perfectionis studiosum. His tribus dispositionibus si vota adiicias, tunc quidem s. Thomas (2ª-2ªᵉ, qu. 186, art. 7c) asserit statum religionis perfici, et integrari, cum per paupertatem omnia exteriora bona totaliter deo offeruntur : per castitatem vero omnia bona corporis, et per obedientiam omnia item animæ bona ; obedientiæ enim voto, dum offertur Deo propria voluntas consecrantur etiam ipsi omnes potentiæ, et habitus animæ, cum per illam dumtaxat homo iis uti possit* ».

2. *Ibid.*, p. 120 : « *Porro ea omnia sic promittimus, sicut in hac Idea plenius declaratur, simul etiam omnes Congregationis hujus regulas studiosé observaturos* ».

vœux : dormir sur la dure, s'abstenir du vin et de la viande et jeûner chaque jour, même le dimanche, excepté à Pâques, à Noël et à la Pentecôte et en voyage, faire oraison deux ou trois heures chaque jour et de ne pas prendre de remèdes en cas de maladie.

Pour Mgr Pallu, ces obligations précises d'ascèse semblaient rentrer dans les exercices qui permettent aux religieux d'atteindre la perfection comme le dit saint Thomas d'Aquin « l'état religieux est principalement institué pour l'acquisition de la perfection par le moyen de certains exercices, grâce auxquels se trouvent écartés les obstacles à la parfaite charité »[1]. Pour Lambert, l'ascèse rentrait dans la mise à disposition de Jésus de toutes nos facultés humaines et non dans la recherche de la perfection pour elle-même.

L'ascèse proposée par Lambert dans les règles du Corps apostolique devait réveiller des souvenirs chez Pallu car, à propos de la communauté de la rue Coupeau avec le Père Bagot, Adrien Launay a écrit : « Ils suivaient un règlement fort peu compliqué, dont l'un d'eux, François Pallu, avait été le rédacteur, et qui consistait surtout dans l'indication de l'heure des prières, des exercices de piété et des repas »[2]. Le 16 mars 1662, Pallu recommande la pratique de sept points de vie spirituelle, caritative et communautaire[3]. Il a toujours donné de l'importance à l'ascétisme comme en témoigna une carmélite de Paris, Mère Marie de Saint-Bernard qui écrit à son sujet : « Le jeune chanoine vivait dans l'ascétisme et la prière : rude discipline quatre fois la semaine, d'un quart d'heure chacune, pénitences, lever à quatre heures, coucher jamais avant minuit… »[4]

Par contre pour Lambert ce qu'il y avait à présenter à Rome n'était ni les vœux simples, ni la règle de vie, dont Pallu et lui, pouvaient juger l'orthodoxie en tant qu'évêques, mais bien l'érection d'un Corps regroupant tous les vicaires apostoliques, les missionnaires et tous ceux qui contribuaient à l'évangélisation, l'approbation des vœux et de la règle de vie de ce Corps n'intervenant, s'il y a lieu, qu'après celle du principe de cette érection. Si Pallu passe tout de suite à la présentation des vœux, c'est qu'il n'est pas attaché aux mêmes priorités que Lambert et qu'il a le désir secret de la création d'un nouvel ordre religieux. Rome comprendra sa démarche en ce sens puisqu'il confiera l'examen des propositions de Pallu à un collège de quatre religieux.

---

1. Saint Thomas d'Aquin, *Somme théologique*, *La vie humaine*, IIa IIae, qu. 186, art. 1, conclusion 4, p. 247.
2. A. Launay, *Histoire générale de la Société des Missions Étrangères*, t. I, p. 13.
3. F. Pallu, *Lettres de Monseigneur Pallu*, p. 26-29, Lettre de Pallu n° 2, à ses amis du 16 mars 1662 (AMEP, vol. 101, p. 129). Pour la rue Coupeau, voir aussi *Mémoires imprimés* de Vachet, n° 1, 1865, p. 12 sq ; P. Collet, *Vie de Henri-Marie Boudon, grand archidiacre d'Évreux*, p. 33 sq.
4. A. Perbal, « Projets, fondation et débuts de la Sacrée Congrégation », p. 147.

Dans son *Abrégé de Relation* Lambert donne les cinq raisons du retour de Pallu en 1665 :

> « La 1e pour rendre compte de l'estat ou est le Christianisme en tous ces quartiers et particulierement aux lieux des missions. La 2e a esté pour tascher de perpetuer le dessein qui afait venir les missionnaires françois en ces extremitez du monde par lerection d'un Corps qui fit profession specialle d'embrasser la Vie apostolique et de porter toujours la Croix de J.-C. La 3e est pour contribuer a la reformation de tous les religieux des provinces des Indes du Japon et de la Chine qui sont dans le dernier oubly de leur vocation et voir sil ny auroit pas moyens d'unir par un lien de veritable Charité sous des mesmes superieurs en ce qui regarde les missions les Ecclesiastiques et les reguliers en ostant les deux grandes Imperfections qui se rencontrent ordinairement et dans les uns et dans les autres, dans les premiers sous pretexte de vouloir maintenir la hierarchie de léglise et dans les seconds pour vouloir trop soutenir leur privileges. La 4e est pour solliciter en Europe d'envoyer des ouvriers Evangeliques non seulement dans les lieux de nos missions mais encor dans les royaumes de Sian, du pegu dans les grandes îles de Sumatra de Java, de macassar et de Borneo, en plusieurs desquelles estats le Mahometisme est florissant par la diligence et le faux zele que les ministres de l'alcoran ont euës d'y aller prescher la loy de Mahomet. La 5e est pour donner avis du procedé des hollandois a légard denviron 2000 françois et de plusieurs autres Catholiques lesquels sont dans limpossibilité moralle de faire leur salut tant quil seront au service de cette nation, et enfin faire connoistre qu'ils se declarent dans toutes les Indes et ailleurs les ennemis jurez de la religion Catholique »[1].

On voit que Pallu est chargé de rédiger pour Rome un état des lieux avec les difficultés internes, la conduite des religieux en mission, et des difficultés externes, le développement de l'Islam en Indonésie et l'opposition des Hollandais à la religion catholique dans cette même région. Pour régler les difficultés internes, Pallu devra proposer un cadre rassemblant d'une part le clergé régulier et d'autre part le clergé séculier dont les missionnaires apostoliques font partie, les religieux et les séculiers restent ce qu'ils sont mais le Corps apostolique devrait permettre de les faire travailler ensemble. Pour régler les difficultés externes, il faut que l'Europe envoie davantage de missionnaires, de ministres de l'Évangile, là où l'Islam envoie les siens, les ministres du Coran qui bénéficient en Indonésie du choix de la Hollande de s'opposer aux Catholiques. Lambert ne parle pas ici de la France mais de l'Europe, il invite donc la Sacrée Congrégation de la Propagation de la Foi à diversifier le recrutement des missionnaires apostoliques. Il n'est pas sûr que Pallu justifie son retour de la même façon que Lambert.

La chose la plus importante à régler pour les missionnaires apostoliques sur le terrain n'était pas la forme que devrait prendre la structure d'encadrement

1. P. Lambert de la Motte, *Abrégé de Relation*, AMEP, vol. 121, p. 680 ; cf. Guennou, transc. § 33.

des missionnaires d'Asie dépendant de la Sacrée Congrégation de la Propagation de la Foi, mais que cette structure soit rapidement mise en place, et comme on ne pouvait attendre les quatre années de délais de route, ce fut de manière pragmatique qu'on s'organisa comme Lambert en témoigna à Pallu dans une lettre du 21 janvier 1669 :

> « Estant obligé de retourner encor une autre fois a Siam pour y assigner le lieu des missions d'un chacun, y faciliter leur passage au plutost et y regler beaucoup de choses importantes touchant nostre maniere de vie et nostre establissement dont on me parle. Car tous sont dacort qu'il faut un Corps[1] sans lequel nos missions ne peuvent subsister, cependant comme nous attendons des resolutions de Rome touchant ce suiet nous ne ferons qu'un reglement par provision et tousiours subordonné. Japrend qu'on est fort scandalizé de nostre Idee Apostolique. Je my sens neanmoins porté de plus en plus a cette grande obligation ou je benis dieu d'estre engagé mais je ne crois pas qu'elle aye lapprobation de ceux qui ne sont pas appellés à la vie apostolique et qui ne sont pas dans le service actuel de ce divin employ. Mr Haincque me tesmoigna l'an passé qu'il avoit envie de professer ce genre de vie, me priant de luy envoyer nostre formulaire, ce que jé fait. Jusques a ce que Rome y ait trevé a redire, nous sommes dans la resolution dy vivre et dy mourir. Je ne scé si ce n'a pas esté en vue du sacrifice que nous avons fait de tout nous mesmes à N. S. qu'il nous a donné un Amour extresme d'imiter sa vie souffrante, en suite de cette grace nous avons cru qu'il demandoit de nous dans l'oraison de la nuit dy prendre tous les jours quelque part, ce qui est fait avec grande benediction. Plusieurs de nos seminaristes nous imitent en ce point, aussi bien que Mr Joseph, prestre cochinchinois, et Mr François Perez qui dist sa premiere messe le jour de Pasques dernier. Il ma desia demandé mission pour vostre Tonkin ou le bon dieu opere de grandes conversions par nostre cher A my Mr Deydier »[2].

Alors qu'on contesta à Rome la possibilité pour les missionnaires d'adopter la rigueur de vie prévue pour les membres de la Congrégation Apostolique, ce fut un argument pour Pallu de dire que son expérimentation était en cours sans qu'elle suscite de rejet de la part des participants, cela depuis plus de trois ans[3] :

1. Dès son arrivée en 1662, dans son écrit du 6 septembre 1662, envoyé à Vincent de Meur (AMEP, vol. 116, p. 553), Lambert pensait déjà créer un établissement permanent dans les lieux de mission et non à Paris, d'où l'opposition que cela va immédiatement susciter chez ceux qui voulaient tout diriger de Paris comme le projet de la Compagnie du Saint-Sacrement l'envisageait.

2. P. Lambert de la Motte, Lettre à Mgr Pallu du 21 janvier 1669, AMEP, vol. 858, p. 151 ; cf. Guennou, transc., L. n° 117.

3. Pour calculer le temps de l'expérimentation de la Congrégation Apostolique il faut partir du départ de Pallu du Siam en janvier 1665 jusqu'au jour où la décision romaine parvint à Lambert, Laneau et Deydier. Bien qu'il fut chargé par Rome de transmettre de vive voix la décision romaine à Lambert et donc de ne la communiquer à personne d'autre. Pallu diffusa

> « Il est bon de noter que ces Vicaires Apostoliques ont fait les vœux en question avec grande maturité, après de nombreuses consultations et délibérations et beaucoup de prières et d'oraisons à Dieu pour leur inspirer quelle serait sa plus grande gloire. Bien qu'ils pratiquent les choses ci-dessus depuis déjà plus de trois ans, ils ne se sentent pas portés ou enclins en quelque manière que ce soit à en demander dispense ou modification pour aucune des choses en question »[1].

Évidemment il ne pouvait y avoir de rejet de la part des missionnaires puisqu'ils partageaient volontairement cette rigueur de vie avec les habitants des pays qu'ils voulaient évangéliser. Un an plus tard, en 1668, Pallu reprit le même argument contre les conclusions négatives du Père Tartaglia[2], notamment à propos des scrupules que les vœux engendreraient : « Je puis dire en toute sécurité que après plus de quatre ans que j'aie fait pour la première fois les vœux de perfection, j'en ai toujours reçu consolation, j'en ai tiré de grands avantages, et je n'ai été en rien inquiété dans l'âme ».

Comprenant que ses propositions de vœux ne seraient pas acceptées facilement par Rome, Pallu changea l'ordre de ses demandes et présenta d'abord à la Sacrée Congrégation de la Propagation de la Foi une demande d'avis concernant les *Monita*, ensuite une demande d'extension au Siam de la juridiction des Vicaires apostoliques et d'un soutien financier du Séminaire général d'Ayuthya, enfin la demande d'approbation de la règle de vie des Missionnaires apostoliques et des vœux qui leur seraient demandés pour intégrer une Congrégation Apostolique[3].

En débarquant à Livourne en 1667, Pallu écrit au pape que c'est lui qui a mis en ordre les idées confuses de Lambert[4], c'est-à-dire en fait les idées que Pallu ne comprend pas, ainsi il n'est pas arrivé à distinguer Congrégation Apostolique et Amateurs de la Croix :

> « Ceci étant mis au clair, l'idée de base et la nature de la Congrégation Apostolique sont évidentes et manifestes à tout un chacun. Et si quelqu'un veut la définir, il ne se trompera pas, s'il l'appelle société des Amateurs de la Croix

---

l'information et l'annonça à Lambert par une lettre du 6 décembre 1669 qui ne parvint pas à celui-ci avant juillet 1671.

1. *Règle de vie que se sont proposée les vicaires apostoliques de Chine, Cochinchine et Tonkin*, APF, Acta CP, vol. 1A, fol. 186v, texte original en italien, transcription par J. Ruellen et traduction par Itsaïna, MEP.

2. Expert choisi par la Sacrée Congrégation de la Propagation de la Foi, le Père Giovanni-Agostino Tartaglia (Jean-Augustin de la Nativité) est également carme déchaux et philosophe et consulteur du Saint-Office, actif dans la bataille contre le jansénisme.

3. Assemblée particulière de la *Propagation de la Foi* concernant les affaires de Chine du 14 décembre 1668 (APF, Acta CP, vol. 1A, fol. 33v-34r ; Lettere 53, fol. 30rv), citée par Josef Metzler, *Die synoden in Indochina* (1625-1934), Paderborn, F. Schöningh, 1984, p. 30.

4. F. Pallu, *Lettres de Monseigneur Pallu*, p. 731, L. n° 187 au pape Clément IX (AMEP, vol. 116, p. 465), trad. I. Noye.

du Christ, unis intérieurement par les trois vœux de pauvreté, chasteté et obéissance. C'est dans cette assemblée qu'ils vivent la charité parfaite et la sainteté que requiert leur état apostolique : ainsi, avec la grâce de Dieu, pourront-ils être acceptés par l'Église pour aller prêcher l'Évangile du Christ Seigneur aux nations, et procurer partout le salut des âmes, surtout celui des plus délaissées »[1].

C'est ici la seule mention que Pallu a faite des Amateurs de la Croix, considérés comme qualificatifs des membres de la Congrégation Apostolique. Cependant il a retenu le principe de deux structures mais l'explication qu'il en donne est aux antipodes de la pensée de Lambert ; influencé peut-être par l'idée d'une congrégation religieuse il distingue en effet deux types de membres de la Congrégation Apostolique comme on les trouve chez les religieux avec les Pères et les Frères :

> « Cette Congrégation prendra deux genres d'hommes : l'un d'eux sera celui de ceux qui se rapprochent le plus des apôtres et, ayant fait profession plus spécialement et plus étroitement de vie apostolique, porteront la fonction et les charges plus lourdes des apôtres. L'autre groupe sera formé de ceux qui se référeront plutôt aux disciples par la similitude de leur vie : ils rechercheront toujours de toutes les forces de leur esprit la sainteté requise par la fonction apostolique, et ils assumeront, sous la direction de leurs supérieurs, les charges dont on les aura jugés capables »[2].

C'est ainsi que Pallu proposait une formule de vœux pour les membres de la Congrégation Apostolique, assimilés aux douze apôtres et appelés à la vie parfaite[3]. Il prévoyait d'autres dispositions pour les « autres missionnaires » ou « ministres évangéliques », assimilés aux soixante douze disciples[4]. Ceux-ci comme les premiers devaient prononcer les trois vœux religieux en y ajoutant les deux vœux jésuites, celui d'obéissance au Souverain Pontife et celui de refus des charges honorifiques[5], mais ils n'étaient tenus qu'à deux heures d'oraison quotidienne et qu'aux ascèses habituellement pratiquées en Europe[6]. Pallu présentait les deux groupes dans *l'Idée de la Congrégation*

1. F. Pallu, *Explanatio ideæ Congregationis Apostolicæ*, vol. 109, p. 41.
2. *Ibid.*, p. 102.
3. *Ibid.*, p. 116.
4. *Ibid.*, p. 105-107.
5. *Ibid.*, p. 106.
6. *Ibid.*, p. 107 : « Tous les jours, ils consacreront au minimum deux heures à l'oraison mentale. Ils s'habitueront à coucher sur la dure, car quand ils seront dans leur territoire de mission ils n'auront pas de lit plus doux, et à s'abstenir de vin, car ils auront parfois à en manquer. Pour ce qui est de l'abstinence de viande, du jeûne et des produits pharmaceutiques, il leur sera possible de faire selon ce que font d'ordinaire les missionnaires européens. Il faut cependant parfois rappeler combien on peut tirer de profit d'une vie plus austère et expiatrice, et dépendant de la seule providence divine, particulièrement du fait que la nécessité même oblige quelquefois à l'embrasser ou à la supporter. Les Religieux qui auront été admis dans

Apostolique qui devait précéder *l'Explication de l'Idée de la Congrégation Apostolique*[1].

Pallu exposa ses vues à propos de Madagascar convoité par la Compagnie française des Indes Orientales, il distinguait alors le clergé destiné aux Français installés sur l'ile et les missionnaires qui auraient pour charge l'évangélisation des païens :

> « Comme l'isle de Madagascar est de grande etendue et peuplée, et que pour convertir les Barbares il faudra qu'il y ait des missionnaires qui travaillent principalement à cela, la Compagnie peut faire choix de deux sortes d'ouvriers dont les uns soient pour les colonies françoises, et les autres soient seulement occupez à la conversion des infideles »[2].

Dans le cas de la Congrégation Apostolique, les plus vertueux devront être les missionnaires formés au séminaire des Missions Étrangères de Paris, mais on veillera à ce que l'autre clergé ne crée pas de contre-témoignage qui pourrait nuire à l'évangélisation. Dans l'esprit de Pallu, il y aurait en Asie la place pour deux sortes d'Églises : « Il y aura longtemps une Esglise establie au milieu du chritianisme, et une commencée parmy les Idolastres où elle n'a aucun des advantages que les autres supposent, soyt pour le langage, soyt pour les lettres »[3].

On a vu que Pallu ne faisait pas que traduire la pensée de Lambert, il exposait des vues personnelles qu'il allait tenter de justifier : il raconta comment il ne cessait de travailler à l'explication de la Congrégation Apostolique depuis le moment où il avait su qu'il aurait à défendre lui-même le projet et pendant son trajet en bateau jusqu'à Madras pour mettre de l'ordre dans ses idées[4]. Pallu prit des notes qu'il rassembla durant l'étape de Madras pour en faire un petit traité qui ne fut achevé qu'à Surate, de sorte qu'il put en faire des copies à son arrivée à Bagdad (Babylone) :

> « Nous n'avons point eu d'autre entretien, Monseigneur de Berite et moy, durant plus de deux mois, que des choses qui sont comprises dans ce projet. J'ay

---

cette Congrégation seront tenus d'observer les mortifications, abstinences et jeûnes de l'Ordre religieux dans lequel ils se seront engagés auparavant ».

1. Pallu a également écrit des remarques à l'attention des examinateurs sous le titre de : *Animadvertenda quaedam circa Ideam Congregationis Apostolicae* (Quelques remarques à faire autour de l'Idée de la Congrégation Apostolique) pour montrer qu'elle n'est ni nouvelle, ni impossible, ni téméraire, ni inutile (AMEP, vol. 116, p. 469-471).

2. F. PALLU, *Lettres de Monseigneur Pallu*, p. 597, Lettre aux Directeurs de la Compagnie des Indes Orientales de 1667, n° 253 (AMEP, vol. 101, p. 301). Le séjour de Pallu à Madagascar est raconté dans la lettre de Marie-Ignace Roguet à René Alméras, à Fort-Dauphin, le 26 octobre 1671 (*Mémoires de la Congrégation de la Mission*, t. 9, p. 481-482).

3. *Ibid.*, PALLU, p. 743, Lettre de Pallu n° 340, à Mr X (AMEP, vol. 102, p. 311).

4. *Ibid.*, p. 64, Lettre de Pallu n° 16, à Mgr de la Motte-Lambert de 1665 (AMEP, vol. 101, p. 243).

recueilli soigneusement tout ce que ce prelat tres eclairé m'y a fait decouvrir. J'ay recherché par touttes sortes de voyes l'eclaircissement de ces belles matieres, depuis Sian jusqu'à Madraspatam où, après un ou deux mois de sejour, j'eus une legere maladie, dans laquelle il me sembla qu'il me fut interieurement demandé si mes affaires estaient dans l'estat qu'un autre que moy les pust poursuivre et, comme je vis pour lors qu'elles estoient toutes confuses, il me fust intimé, comme je crois, de les mettre dans l'ordre, auquel je devois souhayter qu'elles fussent, si je venois à mourir. Aussitost je conceus le dessein et l'explication du projet de nostre Congregation apostolique à laquelle j'ay travaillé incessamment, incontinent après. J'ay tracé ensuitte trente ou quarante questions dont l'eclaircissement donnera bocoup de lumieres aux missionnaires. Je me suis par apres appliqué à un traité très important, de plus longue haleine, que je n'ai pu finir avant d'arriver à Surate. En m'embarquant pour la Perse, je me sentis obligé de revoir et corriger l'explication que j'avois fait à Madras. Etant arrivé à Babylone, apres estre un peu reveneu de la maladie que j'ay eue, l'ordre de mettre mes affaires en estat me poursuivant toujours, il me fallut revoir une autre fois ladite explication, en faire une coppie, et mettre ensuitte par escrit l'ordre qu'on doibt tenir à Rome dans la poursuite de touttes mes affaires »[1].

La Congrégation Apostolique a donné lieu à plusieurs justifications dont on a les textes en latin et en italien : *Idea Congregationis Apostolicæ*[2], *Explanatio ideæ Congregationis Apostolicæ*[3], *Explicatio Praecipuarum observationum Ideæ Congregationis Apostolicæ*[4], *Formula votorum Congregationis Apostolicæ*[5], *Elucidatio Formularii votorum ad vitam perfectam pertinentium*[6], *Institutione di Vita che si Seno proposti gli Vicarii Apostolici della China, della Cocincinna e del Tonchino*[7]. De façon indirecte ces textes témoignent de l'importance du débat organisé par la Sacrée Congrégation de la Propagation de la Foi, signe de l'attention et de la considération portées par Rome à ses vicaires apostoliques en Asie. Les censures des examinateurs et des études particulières comme un traité sur la perfection, *Observanda quædam circa perfectionem hominis in hac vita possibilem,* apparemment écrit spécialement pour répondre à Pallu, n'indiquent en aucune façon une suspicion ou une

1. *Ibid.*, p. 81-82, Lettre de Pallu n° 21 aux directeurs du Séminaire des Missions Étrangères du 3 mars 1667, (AMEP, vol. 116, p. 539). Dans cette lettre (p. 84) Pallu prétendait ne pas être un grand théologien et ne pas savoir bien le latin.

2. *Idée de la Congrégation Apostolique,* AMEP, vol. 169, p. 1-23.

3. *Explication de l'Idée de la Congrégation Apostolique,* AMEP, vol. 109, p. 1-120.

4. *Explication des principaux principes de l'Idée de la Congrégation Apostolique,* AMEP, vol. 201, p. 54-57

5. *Formule des vœux de la Congrégation Apostolique*, AMEP, vol. 116, p. 375-376 ; vol. 169, p. 21-23 ; vol. 201, p. 269.274 ; APF, Acta CP, vol. 1A, fol. 120v-121r.

6. *Explication du formulaire des vœux concernant la vie parfaite*, AMEP, vol. 116, p. 377-383.

7. *Règle de vie que se sont proposée les vicaires apostoliques de Chine, Cochinchine et Tonkin,* APF, Acta CP, vol. 1A, fol. 168-187.

condamnation pour manquement à la doctrine catholique mais Rome se contente de répondre à la demande d'avis que lui ont faite ceux qu'elle considère comme ses envoyés.

Pallu introduisait son *Explication* en présentant la Congrégation Apostolique comme le remède[1] au scandale que provoquait le clergé des Indes :

> « Puisque Dieu désire notre coopération quand il nous fait savoir dans sa bonté, quoique nous soyons indignes et sans forces, qu'il veut se servir de nous pour quelque ouvrage, et que cette idée apostolique contienne presque autant de paradoxes qu'elle présente de vérités, au point qu'elle puisse paraître à certains autant opposée à la propagation de la foi chez les Infidèles qu'elle y est en réalité utile, et nécessaire : j'ai en tout cas estimé qu'il était de mon rôle d'ajouter une explication de cette idée, dans laquelle je présente exactement tout ce qui la concerne, pour que ceux qui seront appelés par Dieu à ce genre de vie puissent être bien formés sur tous les points, aient le même sentiment et agissent de même. Mais puisque cette condition de notre époque est en effet si désastreuse et la vie des pasteurs a tellement dégénéré, surtout dans les Indes, que, si on ne tourne pas les yeux vers les temps passés, on a du mal à comprendre l'importance de la vie apostolique, sa sainteté et ses devoirs. Aussi ai-je composé cette explication à partir des paroles d'évêques illustres et d'hommes apostoliques et de leurs actions, comme d'un modèle absolument exemplaire de la vie pastorale »[2].

Explanatio ideae Congregationis Apostolicae[3] comporte ensuite deux parties et a été achevé lors de l'escale de Pallu à Madras. Il devait comporter une

1. F. Pallu, *Lettres de Monseigneur Pallu*, p. 736, Lettre de Pallu n° 334, à M. du Duplessis Montbar du 1er avril 1667, AMEP, vol. 101, p. 316 : « Pour suivre leur grace et estre fidelle à leur attrait qui les presse d'aider les plus abandonnés, je les crois obligés de s'appliquer serieusement à rechercher la cause d'un mal si universel qui a ruiné des Missions, et a arresté le cours et le progrez de beaucoup d'autres. C'est à quoy nous nous sommes tres particulierement appliqués, Monseigneur de Berythe et moy, depuis que nous sommes sortis de France, et je crois que nous ne nous trompons pas dans cette vue que nous proposons dans nostre synode et dans l'idée d'une Congregation apostolique, que nous avons dressée avec toutes les precautions qu'on peut deviner, dans laquelle nous declarons tout ensemble le seul remede qu'on peut emploier pour remedier un si grand mal ».

2. F. Pallu, *Explanatio ideæ Congregationis Apostolicæ*, p. 4 : « *Cum Deus cooperationem nostram desideret, quando nobis pro sua bonitate, quamvis indignis et imbecillibus, ad aliquod opus uti se velle significat, hæcque apostolica Idea tot fere paradoxa contineat, quot veritates asserit, adeo ut etiam fidei propagationi apud infideles tantum quibusdam videri possit adversari, quantum sanè ad eam utilis est, et necessaria : mearum utique partium e/e (esse) duxi huic Ideæ explanationem adjungere, in qua omnia, quæ ad ipsam spectant planè declarem, ut qui ad hoc vitæ institutum a Deo vocabuntur, rité de omnibus institui possint, idem sentiant, et sequantur. Quia autem ea est temporum nostrorum calamitosissima conditio, eoque defluxit vita pastorum maxime in Indiis, ut nisi oculos ad præterita tempora convertamus, vix intelligi possit vitæ apostolicæ amplitudo, ejusque sanctitas, et officia : Ideo ex illustrium Antistitum, virorumque apostolicorum dictis, factisve, velut absolutissimo Pastoralis vitæ exemplari, hanc textui explanationem* ».

3. F. Pallu, *Explanatio ideæ Congregationis Apostolicæ*, p. 1-120.

troisième Partie pour répondre à dix ou douze questions[1]. Dans la Première Partie est expliquée la nature de Congrégation Apostolique à partir des trois degrés de perfection, vie perfectible, vie parfaite, vie perfective. Dans la seconde Partie il est montré combien la Congrégation Apostolique conduit à propager la foi chez les Infidèles à partir des vœux d'oraison et d'ascèse. Mais traiter d'abord des moyens d'atteindre la perfection, c'est un trait commun à toutes les familles religieuses. Et parler ensuite de l'apostolat, c'est le situer au niveau des emplois comme il y a des religieux qui se consacrent à la contemplation, d'autres à l'éducation des jeunes ou au soin des malades. Du même coup, il devenait difficile d'empêcher Rome d'en déduire qu'on lui présentait le projet d'un nouvel Ordre religieux dont on savait alors par ailleurs que le Saint-Siège n'en voulait pas.

Le cas des trois vœux intérieurs proposés par Lambert peut être éclairé par les explications que donnait Vincent de Paul sur la question des vœux simples qui ne devraient pas être confondus avec les vœux religieux :

> « La seconde raison est qu'on allègue que la compagnie deviendrait une religion, les vœux étant approuvés du Pape, selon Lessius, lib. 2, *De justicia et jure*, cap. 41 *de statu religioso,* qui dit, parlant des vœux simples : *Non est necessarium ad essentiam status religiosi ut vota ista sint solemnia.* À quoi l'on répond : premièrement, que, si cela était ainsi, cette partie de la compagnie qui ferait les vœux, comme on le propose, serait donc religieuse, ce qui serait le même inconvénient. Secondement, on répond qu'une compagnie devient religieuse, quand l'Église approuve ses vœux simples à l'effet que ladite compagnie dans laquelle ils se font soit censée une religion, comme les paroles suivantes de l'auteur le font voir : *Sufficit,* dit-il, *ut ab Ecclesia in eum finem acceptentur*, et ajoute ensuite l'exemple des premiers vœux simples des Pères jésuites, que l'Église approuve, en sorte qu'ils aient l'efficace des vœux de religion. Or est-il que tant s'en faut que la congrégation désire que les vœux soient de cette nature, qu'au contraire elle déclare par l'acte d'approbation de Monseigneur l'archevêque de Paris (du 19 octobre 1641), qu'encore qu'elle fasse ces vœux simples de pauvreté, chasteté, d'obéissance et de stabilité, elle n'entend pas pour cela être censée une religion, ains au contraire d'être toujours du corps du clergé. Selon cela, cette seconde objection parait manifestement nulle »[2].

À Paris, Gazil qui avait obtenu de Pallu tout le dossier, consulta quatre docteurs de la Sorbonne pour avoir des éléments à fournir contre le projet de Lambert ; il s'agissait de professeurs de théologie de tendance ultramontaine et en lien avec la Compagnie du Saint-Sacrement[3], défenseurs

1. F. Pallu, *Lettres de Monseigneur Pallu*, p. 66, Lettre de Pallu n° 16 à Mgr Lambert (AMEP, vol. 101, p. 243).

2. Saint Vincent de Paul, *Correspondance,* t. V (août 1653-juin 1656), Lettre 1842, p. 315-323.

3. Cf. H. Sy, *La Société des Missions Étrangères – La fondation du Séminaire*, p. 100 et 217 note 221 : « Quatre Docteurs de Sorbonne furent consultés : MM. Bail, Grandin,

des jésuites contre les jansénistes, c'étaient Martin Grandin (1604-1691), professeur de théologie morale à la Sorbonne en 1638 et docteur de la maison, Jacques Dumetz professeur de théologie morale au séminaire de Saint-Nicolas du Chardonnet, Pierre Guischard (1614-1701), professeur de théologie au Collège de Navarre, et Louis Bail (1610-1669), auteur de la *Théologie affective ou Saint Thomas en méditation*. Ils n'eurent pas de difficultés à trouver que les propositions attribuées à Lambert frisaient l'hérésie et étaient opposées à la bonne théologie[1]. Gazil écrit à Brindeau :

« L'on a fait de fortes objections contre ces 3 vœux interieurs de pauvreté, chasteté, obeissance internes. Les docteurs de Sorbonne les ont rejettez et noté de quelq censure je veux dire les 4 docteurs qui furent assemblez pour les examiner. Mais quoiqu'on les puisse exempter d'erreurs probablement, cependant nul n'a pu les approuver comme convenant a personne en particulier, encore moins pour aucune societé, congregation ou corps.

« Quant au projet de congregation fondée sur ces vœux, l'on n'a pas ozé les proposer. En effet il y avoit des choses en quelque façon contradictoires, on vouloit que les Evesques puissent estre membres dependant et liez a ce corps par le vœu d'obeissance et l'Eglise porte exemption de cette dependance puisque l'épiscopat est fait "*quidam principatus*" [quelqu'un de première place][2].

« Les vœux de trois heures d'oraison, de jeusne perpetuel avec abstinence mesme de toute autre boisson que de la pure eau et une totale abstinence de remedes ont esté regardez comme de veritables tentations, puisque obliger par vœu a des choses si difficiles c'est demander des miracles.

« Le fruit que l'on peut tirer de tout cecy est de se bien souvenir de la maxime de st Paul : *probate spiritus si ex Deo sint*[3], *omnia probate quod bonum est tenete*[4]. Les causes de toute cette illusion viennent pour avoir manqué de discernements

---

Guichard et Dumetz. Bail et Grandin furent consultés à diverses reprises par la Compagnie du Saint-Sacrement (R. Allier, *La Cabale des Dévôts*, p. 170, 200, 373) – Mention est faite de Grandin dans les *Annales de la Compagnie*, p. 174 – de Dumetz, p. 158, 188, 214, 216, 217, 228, 235, 238 ».

1. Lettre des Directeurs du Séminaire à Lambert du 28 juillet 1667 (AMEP, vol. 4, p. 197) : « Comme il est tres constant après les deliberations et les consultations qu'on a faites a Paris par de tres habilles gens que ce proiet contient des choses tendantes a l'heresie opposées à la bonne theologie tres singulieres n'ayant point son exemple, dont les suittes vont directement a la ruine de vos missions, on sera surpris qu'un evesque aye quitté sa mission abandonné tant d'ames qui ont besoin de sa presence, entrepris un voiage tres penible et plein de dangers se mettre en estat d'estre absent de ses fonctions apostoliques pendant plus de six ans, et pourquoi ? pour aporter l'idee d'une congregation si mal digerée si mal fondée qui peche contre les principes de la theologie et du bon sens en verité quelle estime pourra on avoir de luy ».

2. Indépendemment des 4 docteurs de Sorbonne, c'est Michelangelo Ricci qui s'est chargé à Rome d'établir que les vœux ne conviennent pas aux évêques, voir censure de Michelangelo Ricci (APF, Acta CP, vol. 1A, fol. 334-335 ; AMEP, vol. 116, p. 385-390).

3. 1 Jean 4, 1 : « éprouvez les esprits pour voir s'ils viennent de Dieu ».

4. 1 Thessaloniciens 5, 21 : « vérifiez tout : ce qui est bon, retenez-le ».

théologiques pour s'estre accoutumé de longue main a juger de toutes choses par l'inspiration interieure et pour se plaire a ce qui est extraordinaire »[1].

Dans une lettre à Lambert écrite en 1665 après son départ du Siam, Pallu lui transmit le fruit de son travail sur les vœux de la Congrégation Apostolique pour d'éventuelles corrections qui de toute façon n'auraient pu lui parvenir en temps utile :

« Vous sçavés l'application que j'ay eue à Sian au projet de nostre Congregation apostolique, depuis qu'il a plû à Dieu m'en decouvrir la verité. Un mois apres mon arrivée à Madras, m'estant aperceu que mes jambes s'enfloient extraordinairement, il me fut demandé interieurement si les affaires pour lesquels je vas en Europe estoient en estat qu'on peut en quelque façon les poursuivre et les solliciter à mon défaut. Je vis aussitost qu'il y avoit bien à redire, tous mes memoires estant confus ; alors je commencé par ce que je jugeois le plus important, qui estoit l'eclaircissement des plus grandes difficultés qui pourroient naistre sur le susdit projet. Je n'eus pas de peine à me determiner sur l'ordre et sur les matieres. Depuis ce moment je n'ay point cessé d'y travailler, jusques à ce que cette explication ait esté en l'estat où je vous l'envoie »[2].

Après le départ de Pallu, la Congrégation Apostolique a existé au Siam et ailleurs jusqu'au moment où le rejet de Rome parvint aux missionnaires. Jacques de Bourges, étant parti du Siam avant l'arrivée de Pallu et y étant revenu après son départ pour Rome, ne rentra pas dans l'esprit de la Congrégation Apostolique. Pour Lambert et la communauté missionnaire, il n'aurait jamais dû y avoir de débat sur les vœux, car il s'agissait de s'accorder sur une action immédiate menée dans l'unité et dictée par les réalités de la vie missionnaire en Asie. Les responsables de la Sacrée Congrégation de la Propagation de la Foi ont été détournés de ce réalisme par l'importance donnée par Pallu à la question des vœux. Ils ont été conduits à confier son projet au discernement d'un collège de religieux qui a refusé qu'on crée en Asie une nouvelle congrégation missionnaire.

Le jugement des Religieux sur les vœux proposés par Pallu

À Rome, tout semblait aller pour le mieux pour les propositions de Pallu, les *Monita* étaient étudiées favorablement par Jean Bona et la règle de vie des missionnaires était bien accueillie par Dominique de la Très Sainte Trinité mais ce fut sur les vœux que se cristallisa l'opposition initiale de Tartaglia chargé de les étudier ; cela conduisit Pallu à en demander le

1. Lettre de Gazil à Brindeau, du 27 janvier 1670, AMEP, vol. 201, p. 324-325.
2. F. Pallu, *Lettres de Monseigneur Pallu*, p. 64, Lettre de Pallu n° 16, à Mgr de la Motte-Lambert datée de 1665 (AMEP, vol. 101, p. 243).

réexamen auprès de la Sacrée Congrégation de la Propagation de la Foi[1]. On désigna alors un collège de quatre examinateurs pour étudier ensemble le projet et les vœux de Pallu dont Tartaglia[2], Jean Bona[3], Dominique de la Très Sainte Trinité[4] et Michelangelo Ricci[5] qui avait déjà été contacté par Pallu pour donner son avis sur les vœux[6].

Aucun des quatre examinateurs n'avait d'expérience missionnaire et ils prétendaient statuer sur ce qui ne convient pas aux missionnaires et aux missions ; à l'inverse, désignés parmi les religieux ils étudiaient les vœux intérieurs de Pallu comme des vœux religieux destinés à la création d'un nouvel ordre missionnaire. Or, s'ils étaient intérieurs, ces vœux ne paraissaient pas adaptés pour servir de base à la vie communautaire.

François Deydier justifiait les vœux intérieurs de la Congrégation Apostolique auprès de ses amis de Toulon ; on voit l'influence de Lambert quand il parle de désappropriation et de sacrifice non seulement des biens extérieurs mais aussi des biens intérieurs, ceux-là même qui fondent une liberté inaliénable. C'est en se dépouillant de l'usage des puissances de son âme, que l'on permet à l'Esprit Saint d'y régner en Maître :

---

1. Supplique de Pallu au pape (APF, Acta CP, vol. 1A, fol. 53r et fol. 336r), trad. Lambert Vos.

2. Censure de Jean-Augustin de la Nativité (Tartaglia) : APF, Acta CP, vol. 1A, fol. 204-206 ; fol. 207-210 ; 300-301 ; 310-311 ; 316-318 (en italien, trad. Lambert Vos).

3. Censure de Giovanni Bona, en latin : AMEP, vol. 201, p. 59-64 = AMEP, vol. 116, p. 391-397 = APF, Acta CP, vol. 1A, fol. 322r-323v ; AMEP, vol. 116, p. 402-405 = APF, Acta CP, vol. 1A, fol. 324-325 ; AMEP, vol. 116, p. 398-401 = APF, Acta CP, vol. 1A, fol. 325-326.

4. Censure de Dominique de la Très Sainte Trinité, en latin : AMEP, vol. 116, p. 565-576 = APF, Acta CP, vol. 1A, fol. 328r-332r ; AMEP, vol. 201, p. 269-273 = p. 64-70 = vol. 116, p. 406-411. Le Frère Domenico Tandy (Dominique de la Très Sainte Trinité) était carme déchaux du couvent de Sainte Marie de la Victoire à Rome, il était l'auteur d'un traité de théologie, *Tractatus Polemicus de Anno Jubilaei* (1650). Il remit son rapport le 5 avril 1669. Pallu en parlait comme d'un très fervent religieux et un ami fort cordial (Lettre de Pallu à M. Fermanel du 19 mai 1669, AMEP, vol. 102, p. 113, in *Lettres de Monseigneur Pallu*, p. 113-114, n° 36) ; cf. H. Sy, *La Société des Missions Étrangères – La fondation du Séminaire*, p. 103-104 qui cite aussi l'exposé du même consulteur en AMEP, vol. 116, p. 565 et une autre consultation aux Archives Nationales M 203 et AMEP, vol. 201, p. 274.

5. Censure de Michel-Ange Ricci, en latin : APF, Acta CP, vol. 1A, fol. 334-335 = AMEP, vol. 116, p. 385-390 = AMEP, vol. 201, p. 57-58 = AMEP, vol. 201, p. 273.

6. Lettre de X à M. Gazil, Rome, 25 juillet 1667 (AMEP, vol. 201, p. 25) : il est question de deux experts sollicités pour convaincre Pallu de retirer son projet : « Lun est un ecclesiastique de condition, romain, fort employe dans toutes les congregations qui est un homme fort verse dans la mystique, grand amy du frere Luc peintre et qui sappelle Mr Michelangelo Ricci, lautre a este un pere capucin, oncle de madame la conservatrice de poitiers connue de Mr de Meur et autres amis qui a encor et la lumiere surnaturelle et celle de la science en un haut degre aussy bien que le premier ».

« Ce a quoy nous nous obligeons par les trois veus de pauvreté, de chasteté et d'obeyssance est au fonds et a l'interieur de ces trois vertus, c'est-a-dire a legard du premier non seulement au renoncement et desappropriation de tous biens exterieurs mais mesme des plus interieurs qui sont la raison en sorte que nous ne devons plus suivre que la lumiere de la foy et de tout ce qui constitue nostre essence et nous rend hommes, mesmes des richesses qu'on ne nous saurait oster qui sont les puissances de nostre ame et nostre propre liberte que dieu mesme ne violente point, nous nous depouillons de tout et du libre usage que nous en pouvons faire. Entre les mayns de Dieu et a l'esprit de Jesus Christ son fils qui s'est sy appauvri pour nous enrichir et sy aneanti pour nous faire estre quelque chose. Pour le second comme toute union de nostre cœur tout amour de quelque chose crée que ce soit est comme un adultère spirituel contre la fidelité que nous devons a nostre celeste Espoux, nous renoncons a l'amour de tout ce quil est crée pour n'aymer, et n'avoir du cœur que pour J.-C. »[1].

François Deydier citait beaucoup saint Paul et il donnait beaucoup de place à l'Esprit Saint dont les chrétiens sont les temples depuis leur baptême : c'est lui qui vient au secours de leur faiblesse, c'est lui qui prie en leurs cœurs, qui les fait répugner à accomplir ce qui n'est pas conforme à sa volonté et qui au contraire les attire à faire ce qui lui plaît comme en ce jour de l'Épiphanie où ils furent quatre à souscrire aux obligations d'un Corps apostolique qui dépassent en austérités ce qui est demandé en Europe :

« Enfin a legard de lobeyssance comme nous savons que dieu misit spiritum filii sui in cordibus nostris in quo clamamus etc et que nous sommes faits les temples du divin Esprit nescitis quod templum dei sanctum estis vos... Christum induisit. Et que c'est le divin sprit qui adiuvat infirmitate nostram[2], nous faisons veu dobeyr a ses mouvements autant que par sa grace. Il nous faira cognoitre estre de luy, come il ne sera pas malaisé à qui voudra prendre conduite de luy, de savoir ce qu'il veut ou ce qu'il ne veut pas, ce pourquoy il nous donne la repugnance vos semper spiritui sancto respicit ou ce aquoy il nous incline dans l'ordre de nostre vocation et touchant nos obligations, on approuvera ensuite a toutes choses au nouviciat a ceux qui ne seront pas encore jugés propres de cette proffession qui n'embrasserent que les réglements conformes à tous les missionnaires de France, aux infirmes, aux beneficiers, et enfin a beaucoup dautres que nous pouvons juger qui sont necessaires dans l'establissement du Corps quoy que sans preparation aucune, je me confie que vous aurez la discretion de ne le communiquer qu'a ceux qui en pourront retirer quelques subjets dedification ou dinstruction, voyla pourtant a quoy nous nous sommes obligés solennellement devant dieu et toute la Cour céleste le jour de l'adoration des trois rois, c'est le petit présent que le bon Jesus voulait que nous luy faisions après une retraite

1. F. Deydier, Lettre à ses amis de Toulon du 20 janvier 1665, AMEP, vol. 116, p. 563.

2. Ga 4, 6 : « Dieu a envoyé dans nos cœurs l'Esprit de son Fils, qui crie... » ; 1 Co 3, 16 : « Ne savez-vous pas que vous êtes le temple de Dieu » ; Rm 8, 26 : « l'Esprit aussi vient en aide à notre faiblesse ».

d'une quarantayne de jours, une preparation de plusieurs années par les austerites du corps »[1].

Avant qu'ils ne jugent le contenu des vœux, il aurait fallu que les juges sachent pour quelle destination ces vœux avaient été conçus. Or dans leurs avis, on s'aperçoit qu'il s'agisssait pour eux des conditions d'entrée en communauté, comme pour les religieux[2]. Pour le Père Ricci il s'agissait même de savoir si un évêque pouvait les prononcer. Le caractère intérieur qu'on donnait à ces vœux enlevait la possibilité à la communauté de vérifier s'ils étaient acccomplis, de sorte qu'on ne pouvait en faire une condition d'entrée. On voit alors que la présentation que Pallu en a fait ne permettait pas d'écarter l'option prise par les juges.

Le Père Bona comme le Père Ricci pensait que les vœux intérieurs ne sont pas des vœux communautaires mais des vœux personnels et individuels et il posait la question de la licéité des vœux portant sur des choses impossibles à réaliser :

> « À ceux qui sont poussés par l'inspiration divine, il n'est pas bon de délibérer selon la raison humaine, parce qu'ils sont poussés par un principe meilleur que ne serait la raison humaine. C'est ainsi que furent poussées à émettre des vœux semblables Sainte Thérèse et d'autres femmes pieuses évoquées par Ricci ; cependant ces vœux, comme le même Ricci en avertit sagement, doivent être expliqués de telle façon que celui qui émet un vœu ne veuille pas être coupable de transgression, sauf quand en pleine conscience de sa raison, en pleine liberté de sa volonté, il n'accomplit pas les choses promises : parce que autrement le vœu porterait sur une chose impossible, car l'homme ne pourrait pas éviter ces péchés et transgressions, qui arrivent par surprise et sans délibération parfaite »[3].

1. F. Deydier, Lettre à ses amis de Toulon du 20 janvier 1665, AMEP, vol. 116, p. 563-564.

2. Tartaglia (Jean-Augustin de la Nativité) écrit : « Pour porter un jugement sur les vœux prononcés par les missionnaires destinés à la Chine, je pense qu'il faut distinguer : 1. Les vœux seraient-ils utiles pour un homme en particulier ? 2. pour quelqu'un destiné aux Missions ? 3. pour une Congrégation formée de missionnaires ? » (*In ferendo iudicio de votis emissis a missionariis sinensibus, distinguendum puto.* p. *An expediant homini privato ; 2° An destinato ad Missiones; 3° An Congregationi, quae coalescit ex missionariis* ?) (APF, Acta CP, vol. 1A, fol. 204, trad. avec I. Noye).

3. Censure (1669) du Père Giovanni Bona, AMEP, vol. 201, p. 62-63 = APF, Acta CP, vol. 1A, fol. 323rv : « *His qui moventur per instinctum divinum non expedit consiliari secundum rationem humanam, quia moventur a meliori principio, quam sit ratio humana. Sic motae fuerunt sancta Theresia, et aliae piae mulieres a D. Riccio commemoratae ad similia vota emittenda : quae tamen ut idem Riccius Sapienter advertit, ita sunt explicanda, ut vovens nolit esse reus transgressionis, nisi quando promissa non implet ex plena advertentia rationis, ex plena voluntatis libertate : quia alioquin votum esset de re impossibili, cum non possit homo ea peccata et transgressiones evitare, quae ex surreptione et sine perfecta deliberatione contingunt* » (trad. avec I. Noye).

Pallu défendait la possibilité du vœu de perfection en s'appuyant sur saint Thomas d'Aquin :

« En effet, si vous regardez d'abord la nature de l'état Religieux, selon ce que l'ont définie Saint Thomas, et après lui tous les scolastiques, elle ne convient qu'à des hommes parfaits. C'est ce que Saint Denys affirme quand il dit que les Religieux sont établis, et sont appelés Religieux, parce qu'ils sont purement des serviteurs et domestiques de Dieu, unis par une vie en communauté inséparable dans de saintes occupations ou contemplations inséparablement faites en commun pour atteindre une unité 'déiforme' et la perfection d'amour de Dieu »[1].

Les arguments de Pallu sont tirés essentiellement de la *Secunda Secundae* de la *Somme théologique* de saint Thomas, en particulier la question 184 sur l'état de perfection en général où on distingue à l'article 7 l'état religieux et l'état épiscopal en précisant que l'état épiscopal est supérieur à l'état religieux. Reprenant la différence entre les deux états, Michelangelo Ricci s'appuya sur la question 185 pour empêcher Pallu de s'engager par vœu dans la Congrégation Apostolique qu'il considérait comme une forme de vie religieuse, car à l'article 4 de cette question il est dit : « La perfection de la vie religieuse tient à l'application de chacun à son propre salut. La perfection de l'état épiscopal tient au soin du salut d'autrui »[2]. En conséquence l'évêque ne peut revenir à l'état religieux en en prononçant les vœux.

Le débat concerne aussi la question 186 sur les éléments essentiels de l'état religieux, la question 187 sur les activités qui conviennent aux religieux, et la question 188 sur les diverses formes de vie religieuse. Pallu s'appuyait sur l'article 1 de la question 186 :

« C'est de ces paroles que Saint Thomas semble tirer argument : « Ils sont parfaits », de même qu'il dit qu'ils sont désignés sous le nom de religieux parce qu'ils se donnent totalement pour le service divin. Mais on voit clairement, d'après ce qu'il a dit auparavant, quelle est l'idée du saint Docteur : ainsi quand il dit que les Religieux portent le nom de parfaits du seul fait de leur intention finale[3] : et

1. F. Pallu, *Explanatio ideæ Congregationis Apostolicæ*, p. 49-50 : « *Primo enim si status Religiosi naturam spectes, prout S. Thomas, et post eum scholastiq'omnes illam definiunt, non nisi perfectis viris convenit, quod S. Dyonysius de ea asserit, cum dicit Religiosos constitui, et nominari Religiosos ex puro dei servitio et famulatu, indivisibilique vita uniente eos indivisibilium sanctis convolutionibus, seu contemplationibus ad deiformem unitatem, et amabilem dei perfectionem* » (trad. J. Ruellen).

2. Saint Thomas d'Aquin, *Somme théologique*, qu. 185, art. 4.

3. *Ibid.*, IIa IIae, qu. 186, art. 1 : « l'on donne par antonomase le nom de religieux à ceux qui se consacrent entièrement au service de Dieu et qui s'offrent pour ainsi dire en holocauste à Dieu. C'est ce qui fait dire à S. Grégoire : "Certains ne se réservent rien. Leur pensée, leur langue, leur vie et tout ce qu'ils peuvent avoir de biens, ils l'immolent au Dieu tout-puissant. Or la perfection consiste pour l'homme, nous l'avons vu, dans l'union totale à Dieu. C'est ainsi que l'état religieux désigne un état de perfection" » (*Somme théologique*, *La*

qu'ils professent porter leur effort sur la perfection, de la même façon que celui qui entre à l'école se dit étudiant venu acquérir la connaissance. Si l'on considère les dispositions de cet état de Religieux, on est bien obligé de reconnaître que les hommes parfaits et apostoliques sont les seuls à présenter à Dieu un holocauste par les trois vœux de pauvreté, chasteté et obéissance, même si saint Grégoire, et la plupart des docteurs après lui, disent que cela s'applique aux religieux et à tous ceux qui ont abandonné le monde. En effet, il n'y a holocauste, dit encore ce saint Père, que dans le cas où quelqu'un a voué à Dieu tout-puissant tout ce qu'il a, tout ce qu'il vit, tout ce qu'il ressent[1]. Et cela, les Religieux, même s'ils en font vœu, ne sont pas vraiment tenus de l'offrir. Par contre c'est intégralement réalisé par ceux qui vivent une vie parfaite, qui ne gardent rien pour eux-mêmes mais immolent à Dieu tout-puissant leur manière de voir, leur langue, leur vie et leurs moyens de vivre »[2].

Le Père Tartaglia résumait ce premier point de l'argumentation de Pallu :

« Sous l'autorité de St Thomas il prouve que la perfection consiste en ceci que l'âme s'attache totalement à Dieu, à partir de cela, on déduit que pour obtenir une adhésion totale, il est bon que quelqu'un s'oblige par trois vœux intérieurs, pauvreté, chasteté et obéissance par lesquels il renonce à tout attachement aux choses créées pour se servir de ses facultés et il s'oblige à obéir à toute inspiration du Saint-Esprit »[3].

---

vie humaine, p. 245). « La religion désigne un état de perfection à cause de la fin poursuivie. Aussi n'est-il pas requis que tout religieux soit déjà parfait. Ce qui est requis, c'est qu'il tende à la perfection » (*Ibid.*, p. 245-247).

1. *Ibid.*, art. 6, p. 282 : « De ce que nous avons dit il ressort que les religieux doivent être dans l'état de perfection. Or celui-ci requiert l'obligation à la perfection, et l'obligation envers Dieu, c'est précisément le vœu. D'autre part, nous avons établi que la perfection de la vie chrétienne postulait la pauvreté, la continence et l'obéissance. C'est pourquoi l'état religieux exige qu'on s'oblige à ces trois choses par vœu. C'est la pensée de S. Grégoire : "Lorsqu'un homme voue au Dieu Tout-Puissant tout ce qu'il a, tout ce qui fait sa vie, tout ce qu'il aime, c'est un holocauste. Et, ajoute-t-il, c'est ce que font ceux qui quittent le siècle présent" ».

2. F. Pallu, *Explanatio ideæ Congregationis Apostolicæ*, p. 19. 50 : « *Ex quibus verbis videtur S. Thomas arguere eos esse perfectos, sicut etiam cum dicit eosdem antonomasticé religiosos nuncupari, quia se totaliter mancipant divino servitio. Sed sancti illius doctoris mens ex antea dictis manifesté patet sicut cum dicit Religiosos perfectos nominari solum ex intentione finis, eosque profiteri se studium adhibere ad perfectionem, quemadmodum qui intrat scolam, se studentem profitetur ad scientiam acquirendam. Si ejusdem status Religiosi dispositiones attendas, fatearis necesse est non alios quam perfectos apostolicosque viros per tria paupertatis, Castitatis et obedientiæ vota holocaustum deo præsentare; quamvis id pertinere dicat S. Greg. et post eum plerique doctores ad religiosos quosque qui sæculum deserunt : tunc enim tantummodo holocaustum est, ait idem s. Pater, cum quis omne quod habet, omne quod vivit, omne quod sapit, omnipotenti Deo voverit, quod sane Religiosi, dum vovent, præstare non tenentur, integreque perficitur dumtaxat ab iis, qui vitam perfectam colunt, qui nihil sibi reservant, sed sensum, linguam, vitam, atque substantiam omnipotenti Deo immolant* ».

3. Censure (1669) du Père Tartaglia, APF, Acta CP, vol. 1A, fol. 204 : « *In primo Auctoritate Sti Thomae probat perfectionem consistere in hoc quod animus totaliter inhereat Deo, ex*

Le Père Tartaglia répondait en reprenant l'argumentaire de saint Thomas d'Aquin pour qui les trois vœux suffisent à nous permettre d'atteindre la perfection :

> « Je déclare que saint Thomas situe la perfection chrétienne en ce que l'âme s'attache totalement à Dieu. On a ainsi en 2a 2ae, q. 186 où par autorité, il traite de la perfection, et à l'article 7 il se demande si l'état religieux consiste et se forme dans les trois vœux, obéissance, chasteté et pauvreté, et dans le même texte il répond avec saint Grégoire que l'homme s'offre à Dieu en holocauste, quand il lui donne tout ce qu'il a. Or [c'est] tout l'homme qu'on offre totalement à Dieu par le vœu de pauvreté volontaire »[1].

Pour le Père Dominique de la Très Sainte Trinité, les difficultés des vœux se présentaient aussi sous forme de questions : « Sur tous ces vœux, il peut y avoir deux difficultés : d'abord pourrait-on faire validement ces vœux ? Ensuite supposant cette validité, serait-il utile que la Sacrée Congrégation approuve l'émission de ces vœux chez nos très Illustres Seigneurs Évêques de la mission de la Chine, les vicaires apostoliques et les autres missionnaires ? »[2]

---

quo infert ad consequend totalem in haesionem expediens esse ut quis se obliget tribus votis internis, puritatis, paupertatis et obedientie, quibus renunciet omnibus affectibus rei create usui suarum potentiarum, et obliget, se ad obdiendum omni inspirationi Spiritus Sancti » (trad. avec I. Noye).

1. *Idem.* : « *Ad Primum fateor Divum Thomam constituere perfectionem Christianam in hoc quod anima totaliter Deo inhaereat. Sic enim habet prima 2ᵉ, q. 186 (en fait 2ᵃ2ᵃᵉ, q.186) ubi ex professo agit de perfectione et artico 7° querit an Religionis status consistat, et integretur tribus votis, obedientie, continentie et paupertatis, et respondet cum Divo Gregorio, quod homo holocaustum se offere Deo, cum totum quod habet illi donat ; habet autem homo triplex bonum, primo exteriorum rerum, quas totaliter aliquis Deo offert per votum voluntariae paupertatis* ».

À partir de saint THOMAS, *Somme théologique*, 2ᵃ2ᵃᵉ, q. 186, a. 7 : « L'état religieux peut être considéré sous un triple aspect : 1. Comme un exercice par où l'on tend à la perfection de la charité ; 2. comme un régime de vie propre à affranchir le cœur humain des soucis extérieurs, selon cette parole : (1 Co 7, 32) : "je vous veux exempts de soucis" ; 3. Comme un holocauste par lequel on s'offre à Dieu tout entier, personne et biens. Sous ces divers aspects, l'état religieux se trouve réellement constitué par les trois vœux », «"L'holocauste est, d'après S. Grégoire l'offrande à Dieu de tout ce qu'on possède". Or l'homme possède, selon Aristote, un triple bien. Le premier consiste dans les biens extérieurs. Par le vœu de pauvreté volontaire, il les offre à Dieu totalement. Le deuxième est l'ensemble des jouissances dont son corps est le siège. Il y renonce pour Dieu principalement par le vœu de continence, ou il s'interdit tout usage volontaire des plus grandes délectations corporelles. Le troisième est le bien de l'âme. On l'offre totalement à Dieu par l'obéissance, grâce à laquelle on offre à Dieu sa volonté propre par laquelle l'homme est maître de toutes les puissances et habitus de son âme. C'est donc très justement que l'on fait consister l'état religieux dans ces trois vœux ».

2. Censure (1669) du Père Dominique de la Trinité, AMEP, vol. 116, p. 566 = APF, Acta CP, vol. 1A, fol. 328rv : « *De quibus omnibus votis potest esse duplex difficultas, prima an valide fieri possint ? Secunda an ita supposito sit expediens quod Sacra Congregatio approbet illorum emissionem in Illustrissimis Dominis Episcopis Missionis Chinensis, Vicariis Apostolicis aliisque Missionariis* » (trad. avec I. Noye).

En préalable les vœux intérieurs soulèvent la question de l'impeccabilité, car si celle-ci ne peut être atteinte en ce monde comme le souligne le Concile de Trente (Session 8, canon 23), elle ne peut pas faire l'objet de vœux, le vœu n'étant possible que si son objectif est réalisable. Le frère Dominique de la Très Sainte Trinité partait du principe qu'on ne peut s'engager par vœu que pour accomplir quelque chose de possible :

> « Si le vœu de ne pas commettre délibérément de péchés véniels est valide, parce qu'il s'agit d'une chose moralement possible ou bien qu'on a l'aide de la grâce divine qui ne dépasse absolument pas ce qu'elle fait d'habitude, on peut probablement soutenir aussi que les 3 vœux intérieurs dont on a parlé sont valides et portant sur une chose possible. Puisque ces hommes ne dépassent pas le vœu de ne pas commettre de péchés véniels délibérément, ils pourraient atteindre le sommet de la perfection, si les vœux ont été prononcés avec l'intention aussi qu'ils n'obligent que dans le cas d'un accomplissement totalement délibéré »[1].

La question de la validité tourne autour de l'impeccabilité et du péché véniel qui restreint la possibilité d'accomplir les vœux de perfection. En effet, seule la Vierge Marie a reçu la grâce d'être exempte de tout péché, même véniel. Le Père Ricci constate pourtant que l'Église a approuvé des démarches individuelles qui ne semblent pas tenir compte de cette restriction, il parle de l'ordre de la Visitation et de sainte Thérèse d'Avila :

> « L'une des premières religieuses de l'ordre établi par saint François de Sales, Marie Fabre[2], et avec l'approbation de celui-ci, fit vœu de ne jamais s'arrêter consciemment et en connaissance de cause sur des pensées qui ne seraient pensées sur Dieu ou seraient sans rapport avec Dieu ou avec son propre devoir à elle ou avec sa propre charité : cela se trouve dans sa vie imprimée à Annecy en 1659, chapitre 6, où l'auteur rappelle que Jeanne Frémiot[3] fondatrice du même ordre, avait, à l'imitation de sainte Thérèse (d'Avila) fait aussi vœu de faire ce qu'elle comprendrait être plus parfait, vœu que l'Église a approuvé dans l'office de sainte Thérèse. Il semble qu'il n'existe rien de plus sublime que ces vœux et qu'on ne peut rien penser de plus parfait ; et l'on ne trouve aucune difficulté dans les vœux de l'évêque d'Héliopolis ni rien en eux qui n'appartienne à la juste ou à la plus exigeante raison. Il faut remarquer qu'il y a dans le vœu de sainte Thérèse deux éléments que nous avons requis, un peu plus haut, comme

1. Censure (1669) du Père Dominique de la Trinité (AMEP, vol. 116, p. 569) : « *Si votum de non peccando venialiter deliberate est validum, utpote de re moraliter possibili seu cum auxilio divinae gratiae non excedentis absolute ordinarium eius cursum probabiliter quoque defendi potest tria praeadducta vota interna esse valida ac de re possibili, cum illud de non peccando venialiter deliberate non superent, sed ei ad summum in perfectione aequiparari possint si ea pariter intentione fiant ut non obligent nisi in casu omnino deliberatae observantiae* » (trad. avec I. Noye).

2. Jacqueline Favre, Fille d'Antoine Favre, président au Souverain Sénat de Savoie, pays indépendant à cette époque.

3. Sainte Jeanne de Chantal.

conditions nécessaires : la première, que cela soit fait avec l'aide de Dieu, c'est-à-dire en reconnaissant l'aide de l'inspiration du Saint-Esprit, qui exclut toute témérité de celui qui fait le vœu. Seconde condition, que la matière du vœu a été tout ce que celui qui le prononce comprendrait qu'il existe quelque chose de plus parfait, c'est-à-dire ce qu'elle remarquerait elle-même avec pleine connaissance. Isambert[1], sur la *Prima Secundae* de Saint Thomas, à la question 109, disp. 8, article 7, donne beaucoup de textes parmi lesquels chacun trouvera comment ces vœux sont dits possibles à l'homme »[2].

Le Frère Dominique de la Très sainte Trinité traitait aussi de sainte Thérèse d'Avila :

> « On lit dans l'histoire des saints que plusieurs choses non moins difficiles ont été abandonnés par eux ; le parfait modèle est celui de la sainte vierge Thérèse avec son vœu de toujours réaliser tout ce qu'elle comprenait être plus parfait. Ils ne sont pourtant pas catégoriquement estimés par l'Église comme impossibles ou invalides sans être loués au maximum et recommandés »[3].

La question de l'intériorité des trois vœux de perfection passait par l'application de la doctrine de la mission continue de Jésus. Les trois vœux intérieurs n'étaient pas présentés par Pallu comme l'application de cette théologie, mais plutôt comme une simple recherche de perfection personnelle.

Le Père Ricci rappelait que le vœu est une promesse qu'on a la possibilité de tenir. Ainsi lorsque le religieux prononce les trois vœux extérieurs de

1. Le célèbre Isambert, docteur et professeur de Sorbonne, mort en 1642.

2. Censure (1669) du Père Michelangelo Ricci, APF, Acta CP, vol. 1A, fol. 334v-335r ; cf. AMEP, vol. 116, p. 387-389 : « *Maria Fabri una ex primis monialibus ordinis a Sancto francisco Salesio instituti, eodem salesio Probante, vouit, numquam immoraturam se cum plena advertentia et deliberatione cogitationibus quae cogitationes Dei non essent, aut non referrentur ad Deum vel ad proprium officium, charitatemue non pertinerent, ut habetur in eius vita impressa Annesii anno 1659 ; cap. 6. ubi memorat vitae aucthor Joannam quoque Fremiot euisdem ordinis fundatricem, sanctae theresiae imitatione vovisse effecturam se quidquid perfectius esse intelligeret, cujusmodi votum Ecclesia in officio sanctae thersiae approbavit. Quibus votis nil perfecto sublimius, nil perfectius excogitari posse videtur : nec ulla difficultas in votis Episcopis Heliopolitani reperitur, quae in illis aeque aut difficiliori ratione non insit. Animadvertenda in voto sanctae theresiae sunt duo, quae tanquam conditiones necessarias paulo ante requisivimus, primum id Deo conciliante factum, id est ex agnita spiritus Sancti. Inspiratione, quae omnem voventis temeritatem excludit. Alterum est, materiam voti fuisse quid quid vovens ipsa perfectius esse intelligeret, nempe quod ipsa plena adverteret perfectius esse videatur Isambertus in 1am 2a S. Thomae ad quaestionem 109 disp. 8 articulo 7. plura tradit ex quibus unicuique patebit quo pacto possibilia dicantur homini haec vota* » (trad. avec I. Noye).

3. Censure (1669) du Père Dominique de la Trinité, AMEP, vol. 116, p. 570 = APF, Acta CP, vol. 1A, fol. 329v : « *Plura non minus difficilia in historiis sanctorum leguntur demissa ab eis fuisse vota, quale est omnium instar illud S. Theresiae Virginis efficiendi semper quidquid perfectius esse intelligeret : quae tamen pro impossibilibus, aut invalidis absolute non sunt ab Ecclesia reputata quin potius summopere laudata, et commendata* » (trad. avec I. Noye).

pauvreté, chasteté et obéissance, rien ne s'oppose à leur accomplissement par la mise en commun des biens, le maintien du célibat et l'obéissance au supérieur, responsable de sa communauté. Mais les vœux présentés par Pallu correspondaient seulement à la perfection intérieure :

> « Nous faisons vœu de pauvreté, chasteté et obéissance, et surtout ce qui est signifié par ces trois vœux, c'est-à-dire de nudité parfaite de l'âme et de ses puissances, de renonciation complète à leur libre usage, et de renoncement entier à la complaisance volontaire provoquée par n'importe quelle chose créée et même par les dons célestes, et enfin, autant qu'il nous sera donné d'en haut, de soumission et obéissance à l'inspiration et à la direction du Saint Esprit en toutes choses »[1].

Il s'agit bien là de l'application que Lambert a faite de la doctrine de la mission continue de Jésus. Les examinateurs ont soulevé toutes les questions que posait la réalisation des trois vœux intérieurs et qui convenaient dans le contexte de cette doctrine : Peut-on renoncer à son libre arbitre ? Peut-on refuser d'apprécier les dons de Dieu et de les utiliser ? Quand peut-on être sûr d'obéir à l'Esprit Saint et comment juger de son propre discernement des esprits ? Le Père Bona est d'accord avec Ricci :

> « En effet la nudité parfaite de l'âme, le renoncement à toutes choses sauf Dieu, même au plaisir qui peut être ressenti des dons célestes, et toute sorte de soumission à la direction et à l'inspiration du Saint Esprit, s'ils sont appréciés de façon régulière, ne sont rien d'autre qu'une disposition et une préparation de l'esprit à la perfection la plus haute de la vie chrétienne, évidemment puisqu'ils écartent tous les obstacles »[2].

C'est l'obéissance au Saint-Esprit et le discernement des esprits qui ont fait problème chez les examinateurs. Il n'y avait pas dans les pratiques proposées par Pallu quelque chose de répréhensible en soi, l'important, c'était d'exercer convenablement le discernement des esprits, c'est ce qu'écrit le Père Bona :

> « J'affirme que ces vœux peuvent honorablement et sans aucun reproche de témérité, être prononcés, quand quelqu'un y est incité par l'impulsion spéciale et

1. *Formules des vœux*, APF, Acta CP, vol. 1A, fol. 120v; AMEP, vol. 116, p. 375 et vol. 169, p. 21 : « *Deo optimo maximo promittimus et vovemus paupertatem, castitatem et obedientiam, et potissimum quae tribus his significantur votis, perfectam scilicet animæ, et potentiarum ejus nuditatem, liberique earum usus plenam abdicationem, volontariæ oblectationis, quæ ex quâvis re creatâ atque etiam ex cœlestibus donis praecipi potest integram renunciationem omnimodam denique in omnibus quantum nobis erit datum desuper Spiritûs Sancti Inspirationi et directioni submissionem ac obedientiam* » (trad. J. Ruellen).

2. Censure (1669) du Père Giovanni Bona, AMEP, vol. 201, p. 59 : « *Perfecta enim animae nuditas, rerumque omnium extra Deum abdicatio, etiam delectationis quae ex donis calestibus percipi potest, ac omnimoda submissio directioni et inspirationi spiritus sancti, si recte expendantur nihil aliud sunt, quam dispositio et praeparatio animi ad summam vitae christianae perfectionem, removendo scilicet omnia impedimenta* « (trad. avec I. Noye).

l'inspiration du Saint Esprit ; encore faut-il que ce mouvement ou cette inspiration soient reconnus être vraiment de Dieu, selon les règles sur le discernement des esprits que des Saints Pères ont transmises. Je reconnais qu'il est difficile de porter un jugement certain sur ce point ; en effet, d'habitude toute impulsion est suspecte par laquelle quelqu'un est poussé à quelque chose de singulier et d'extraordinaire. Et les Saints ne condamnent rien plus fréquemment que la singularité. Car la providence divine conduit pour ainsi dire le plus souvent par le chemin plat et ordinaire.

« Or le diable pousse à des nouveautés qui provoquent à la fois l'admiration et l'opinion de sainteté. De plus, la dépravation de notre nature fait qu'on cherche à paraître supérieur aux autres, et à ne pas être comme le reste des hommes ; mais d'autre part il est évident et sûr que l'Esprit de Dieu pousse quelquefois à des choses insolites, qui dépassent la façon commune d'agir, comme Il a ordonné à Abraham d'immoler son fils, et Il a conduit certains Saints par des chemins cachés et impraticables aux autres, par lesquels d'autres essayent de marcher mais leur effort est vain. C'est pourquoi, on doit rechercher si les esprits viennent de Dieu, ce qui peut être reconnu facilement, si la vie de celui qui est appelé à des choses extraordinaires de ce genre correspond à l'esprit de sa vocation »[1].

Le Père Tartaglia voyait dans le vœu d'obéissance à l'Esprit Saint une manière de conditionner les autres vœux. Pour lui, « le vœu est une promesse, une sorte de contrat avec Dieu, ainsi on ne peut pas en dispenser au choix et au jugement de celui qui fait le vœu » :

« Le vœu d'obéir à l'inspiration du Saint Esprit oblige seulement lorsqu'il y a clairement une telle inspiration, mais ce vœu aussi (lui-même), ou bien porte sur une chose inutile, car il est très rare que soit évidente l'inspiration du Saint Esprit, si non grâce à des ministres de Dieu, inspiration qui coïncide avec l'obéissance aux supérieurs, ou bien suppose une intime familiarité avec Dieu et la découverte de sa volonté, et finalement l'homme prend le moyen d'agir pour lequel il lui suffit de juger que c'est très probablement la volonté divine. Enfin le

1. Censure (1669) du Père Giovanni Bona, APF, Acta CP, vol. 1A, fol. 322v-323r : *Assero tertio tunc laudabiliter et absque ulla temeritatis nota posse eadem vota emitti, cum aliquis ex speciali impulsu, et instinctu Spiritus Sancti ad ea incitatur ; ita tamen ut illa motio sive inspiratio vere ex Deo esse cognoscatur, juxta regulas de discretione spirituum, quas Sancti patres tradiderunt. Fateor difficile esse certum de hac re iudicium ferre ; suspectus enim esse solet omnis impulsus, quo quis movetur ad aliquid singulare et extraordinarium, nihilque frequentius damnant sancti, quam singularitatem. Nam divina providentia ducit ut plurimum per iter planum et usitatum.*

Diabolus autem ad res novas instigat quae admirationem et sanctitatis opinionem concilient. Pravitas quoque naturae nostrae super reliquos apparere appetit, et non esse sicut caeteri hominum, at ex altera parte constat evidenter Spiritum Dei movere nonnunquam ad res insolitas, quae communem operandi modum excedunt, sicut praecepit Abrahae, ut immolaret filium ; et quosdam Sanctos duxit per semitas occultas reliquis impervias, per quas alii irrito conatu ambulare nituntur. Ideo probandi spiritus, si ex Deo sunt, quod facile cognosci potest, si vita eius qui vocatur ad huius modi extraordinaria cum spiritu suae vocationis consentiat (trad. avec I. Noye).

vœu tourmente l'âme par des inquiétudes et des scrupules et pour cela il ne faut pas l'approuver, du moins en ce sens.

« Cela montre que les autres vœux ne sont pas absolus mais conditionnés ; c'est-à-dire avec une condition sous-entendue (silencieuse) : Nous faisons vœu de nous abstenir de vin, de viande et de remèdes toutes les fois, et pas plus, que prudemment nous ne jugerons pas en tenant compte des circonstances qui arrivent de temps en temps, qu'il est meilleur et mieux reçu par Dieu de boire du vin, de manger de la viande et d'utiliser des remèdes.

« Ce sont ses paroles ; et à bon droit il explique ainsi : parce qu'autrement, elles ne concerneraient pas un bien meilleur et ni ne s'accorderaient pas à la prudence qui dirige les actes de toutes les vertus. Mais cette explication, tout en expliquant sagement les vœux, s'éteint quand on la transpose en une simple phrase : en effet le vœu est une promesse, une sorte de contrat avec Dieu, ainsi on ne peut pas en dispenser au choix et au jugement de celui qui fait le vœu. Car si l'obligation des vœux lie la volonté, qui donc est lié avec le pouvoir de le rompre chaque fois qu'il aura voulu ? ainsi il n'y aurait pas de vœu de chasteté. Si quelqu'un faisait vœu de ne pas se marier sauf dans les circonstances dans lesquelles il aura lui-même jugé que cela lui conviendrait de se marier, si ce jugement dépendait d'un autre, comme se marier quand soit le père, soit un autre supérieur en aura jugé, alors il y aurait le vœu de chasteté conditionné ; mais si la condition dépendait du seul jugement et arbitrage de celui qui fait de vœu, ce vœu est nul, ni absolu, ni conditionné.

« De plus en faisant ces vœux, eux-mêmes constituent la règle de la Congrégation ; et la règle doit être ferme, et stable, autrement il n'y a pas de règle : et si elle vacille selon le jugement du régulier, c'est lui qui pour soi-même est la loi et la règle »[1].

---

1. Censure (1669) du Père Tartaglia (APF, Acta CP, vol. 1A, fol. 204) : « *Votum obedientiae inspirationi spiritus sancti quod obliget tantum, dum clare constat de tali inspiratione, sed hoc etiam votum, vel est de re inutili ; rarissimo enim clare constat de inspiratione spiritus sancti, nisi per Dei ministros, quae coincidit cum obedientia suis praelatis, vel praesumit intimam familiaritatem cum Deo, et revelationem suae voluntatis, ac demum tollit modum operandi humanum, ad quem sufficit iudicium probabile divinae voluntatis ; Demum animam torquet anxietatibus, et scrupulis et ideo non approbandum, ne quidem in hoc sensu.*

« *Reliqua vota docet non esse absoluta, sed conditionata ; id est cum tacita conditione. Vovemus abstinentiam a vino, a carne, et a pharmacis toties, et non amplius, quoties prudenter non iudicabimus ratione circumstantiarum, quae quandoque occurrunt, melius esse, et deo acceptius bibere vinum, manducare carnes, et uti pharmacis. Haec sunt eius verba ; et merito sic explicat, quia alias non essent de meliori bono, neque consona prudentiae, quae dirigit actus omnium virtutum. Sed haec explicatio, dum vota prudenter interpretatur, extinguit transferendo in simplex propositum ; votum enim est promissio, et quidam contractus cum Deo ; ideo non dispensabilis ad arbitrium, et iudicium voventis : Nam si voti obligatio alligat voluntatem, quis unquam est ligatus, in cuius potestate sit solvere se ipsum quoties volverit ; sicuti non esset votum castitatis : siquis voueret non ducere uxorem nisi in ijs circonstantiis, in quibus ipse iudicaverit, quod sit conueniens uxorem ducere ; si hoc iudicium penderet ab alio, ut ducere uxorem quando vel Pater vel alius superior iudicaverit, tunc esset votum castitatis conditionatum ; At si conditio pendeat a solo iudicio, et arbitrio vouentis, nullum est votum, neque absolutum, neque conditionatum.*

Pour Tartaglia, il semble qu'on a introduit deux sortes de vœux: le vœu absolu qui s'applique en toutes circonstances et le vœu conditionné qui tient compte de conditions pas nécessairement explicites. Pallu s'empressa de développer ce sujet dans sa réponse à Tartaglia:

« À la question que Votre Révérence a posée je réponds brièvement que le vœu absolu est une chose et le vœu conditionné en est une autre. Celui qui est absolu oblige toujours, à moins que le supérieur n'en dispense, ou que quelqu'un en interprète raisonnablement la volonté, c'est-à-dire lorsque c'est un besoin urgent et qu'on ne peut recourir à lui. Le vœu conditionné par contre, c'est celui qui est fait avec une condition ajoutée, et quand c'est une condition qui modifie ou restreint la matière du vœu, chaque fois qu'elle intervient, on doit estimer qu'il n'y a pas alors de raison d'en dispenser d'autant qu'il est nul en fait. C'est pourquoi on ne peut déduire de la condition apposée à nos vœux de nous abstenir de vin de viandes et de médicaments qu'ils sont nuls ou amoindris, ou que nous avons nous-mêmes usurpé le droit d'en dispenser, ce qui n'appartient qu'à Dieu ou à ses ministres, les vœux n'étant nullement affectés dans leurs applications par telles ou telles conditions. C'est la même chose que si nous disions que « nous faisons vœu de nous abstenir de vin, de viande et de médicaments, seulement chaque fois que nous n'estimerons pas avec prudence, en raison des circonstances qui arrivent parfois, qu'il est mieux et plus agréable à Dieu de boire du vin, de manger de la viande et d'utiliser des médicaments »[1].

« Mais, quoiqu'il n'y a pas de condition explicitement ajoutée à ces vœux, ils font cependant penser que beaucoup y sont implicitement contenus, comme nous les avons toujours compris et observés à partir de leurs prémisses. Du reste, comme toute la perfection qu'on trouve dans ces vœux est éminemment contenue dans la profession de vie parfaite, comme il est facile de le démontrer, je ne pense pas qu'il faille beaucoup insister pour les désirer, car par ailleurs, je le dis ingénument, pour certains ils pourraient en faire toute une histoire. Il nous suffit que le sujet des vœux soit estimé sain, prudent et convenant à la vie apostolique pour que nous puissions les y insérer, et persévérer dans les observations ci-dessus présentées, particulièrement dans les lieux des missions, comme on l'a toujours fait jusqu'ici, selon ce que souhaite le jugement du Saint Siège »[2].

« *Insuper haec vota per ipsos constituunt regulam Congregationis, regula autem debet esse firma, et stabilis, alioquin non est regula: et si vacillat ad arbitrium regulati, ipse sibi lex, et regula est* » (trad. avec I. Noye).

1. C'est une phrase que Pallu emprunte à Tartaglia pour prétendre que les conditions de ses vœux étaient sous-entendues: « *Vovemus abstinentiam a vino, a carne, et a pharmacis toties, et non amplius, quoties prudenter non iudicabimus ratione circumstantiarum, quae quandoque occurrunt, melius esse, et deo acceptius bibere vinum, manducare carnes, et uti pharmacis* (APF, Acta CP, vol. 1A, fol. 204).

2. Réponse de Mgr Pallu au Révérend Père Tartaglia, APF, Acta CP, vol. 1A, fol. 338: « *Ad dubium quod Reverentia vestra proponit breviter respondeo votum aliud esse absolutum aliud conditionatum. Absolutum semper obligare nisi dispenset superior, aut rationabiliter quis interpretatur voluntatem ejus, cum scilicet necessitas urget nec recurrere ad illum potest. Conditionatum vero*

Le discernement des esprits était aussi une constante exigence de Lambert. Le Frère Dominique estimait que la difficulté de discerner vaut autant pour respecter les vœux extérieurs que les vœux intérieurs proposés et que cela devrait conduire à une unique condamnation des vœux proposés :

> « On ne peut pas nier que tous les vœux mentionnés, aussi bien intérieurs qu'extérieurs, soient très difficiles tant à cause de leur objet que de leur grand nombre ; en effet, leur obligation et leur observance ne doivent pas être traitées séparément ou à part, mais collectivement, surtout parce que les vœux qu'on appelle intérieurs, essentiellement le vœu d'obéissance, paraissent être inspirés et dirigés par l'Esprit Saint en toutes choses ; il s'agit d'une chose bien confuse, sujette à beaucoup d'illusion et qui lors de son exécution peut être discernée difficilement de façon humaine, alors que le vœu devrait être distingué du simple propos, non seulement sur une chose possible mais sur une chose déterminée qui moralement parlant pourrait être connue, au moins probablement quand on l'accomplit. Toutes ces choses sont supposées par la fragilité et l'inconstance de la nature humaine, de sorte qu'on ne peut pas ne pas avoir quelque impossibilité morale et provoquer de très grandes perplexités et gênes de l'esprit surtout parce que l'obligation de vœu comme promesse faite à Dieu est parfaitement stricte.
>
> Il suffit très largement que ce genre de vœux ne doit pas être approuvé par la Sacrée Congrégation, mais plutôt la dispense pourrait en être accordée si les évêques les ont voués »[1].

---

secundum appositam conditionem dumtaxat, quando autem conditio est modificans aut restringens materiam voti, quotiescumque ea intervenit, tunc non tam in illo dispensari quam de facto nullum esse censendum est. Quare inferri non potest ex conditione apposita nostris votis abstinendi a vino, a carnibus et a pharmacis, ea nulla esse aut infirmari ; aut certe jus in eis dispensandi, quod nonnisi Deo aut ejus ministris convenit, nos ipsos usurpare, vota enim non omnimodum in actus his aut illis conditionibus affectos. Idem est enim ac si diceremus vovemus abstinentiam a vino, a carne et a pharmacis toties et non amplius quoties prudenter non judicabimus, ratione circumstantiarum quæ quandoque occurrunt, melius esse et Deo acceptius bibere vinum, manducare carnes et uti pharmacis.

« *Quamvis autem prædictis votis hæc non fuerit explicitè apposita conditio, implicitè tamen in iisdem contineri multa persuadent, uti semper a principiis ea intelleximus et observavimus. Cæterum, cum tota perfectio quæ reperitur in illis votis eminenter contineatur in professione vitæ perfectæ, ut facile est demonstrare, non multum insistendum censeo in iis desiderandis, cum aliunde, quod fateor ingenue, quibusdam negotium fervescere possent. Sufficit nobis ut eorum materia sana, prudens, et vitæ apostolicæ consona existimatur quo possimus huic inserere, et in prædictis observationibus, præcipue in locis missionum, uti hactenus factum est, perseverare circa quod judicium S. Sedis exoptat* » (trad. J. Ruellen).

1. Censure (1669) du Père Dominique de la Trinité, AMEP, vol. 116, p. 574 : « *Negari non potest quin omnia praefata vota, tam interna, quam externa sint valde ardua tum ratione objecti tum ratione magni eorum numeri, illorum enim hic non divisive aut seorsim, sed collective attendi debet obligatio et observatio, tum maxime quia tria vota dicta interna praesertim vero obedientiae in omnibus spiritus sancti inspirationi et directioni videntur esse, de re valde confusa multis illusionibus obnoxia quaeque in ipsa executione vix potest humano discerni modo, cum tamen votum ad distinctionem simplicis propositi esse debeat non solum de re possibili sed etiam de re determinata quae moraliter loquendo possit cognosci saltem probabiliter dum impletur. Haec autem*

Le Père Tartaglia donnait aussi un verdict nuancé :

« Je conclus donc que ces vœux soit ne sont pas en accord avec la prudence, et n'apportent pas un bien supérieur, et ainsi ne doivent pas être approuvés, soit s'ils sont expliqués dans le sens qu'on a dit, ce ne sont pas des vœux mais un simple propos. Pour cela je croirais qu'il faut une dispense de la Sacrée Congrégation dans des vœux de ce genre déjà prononcés, pour qu'une telle obligation ne bloque pas des esprits, ne tourmente pas des consciences, ne détourne pas du zèle pour la conversion des infidèles, n'écarte pas les infidèles de la conversion, et que d'autres fidèles ne soient pas associés à une telle congrégation ; il faut exhorter des missionnaires si fervents pour qu'ils poursuivent leur fonction avec la simple intention de perfection, mais il faut les dégager des vœux »[1].

S'il n'y avait eu à juger que les trois vœux intérieurs, le Père Bona n'aurait peut-être pas opposé de censure définitive comme il l'a dit lui-même :

« Mais qu'il soit permis ou qu'il soit utile de se lier à ce renoncement par un vœu, c'est une question plus profonde, et j'écouterais volontiers quelqu'un de plus savant sur ce sujet. Mais puisque je dois obéir humblement à celui qui exige mon avis, je dirais brièvement ce que je pense [...] Les vœux et les suppositions ainsi exposés en ceux qui promettent par l'inspiration spéciale du Saint Esprit quoiqu'ils ne soient pas nécessaires à la perfection, ils sont cependant licites et ne contiennent rien qui mérite censure »[2].

Pallu lui-même pensait que les vœux intérieurs qu'il tenait de Lambert étaient mieux fondés que les vœux extérieurs qu'il avait ajoutés de sa propre autorité en prenant appui sur la règle de vie. Le 14 juin 1667 Pallu répète qu'il est prêt à négocier au sujet de ces points de règle :

---

omnia supposita naturae humanae fragilitate et inconstantia ut non posset annexam non habere quamdam veluti impossibilitatem moralem maximasque causare animi perplexitates angustias, praecipue quia obligatio voti utpote promissionis Deo facta stricti iuris est. Ita etiam plusquam satis esse videntur ut huiusmodi vota a S. Congregatione approbari non debeant sed eorum potius obtineri dispensatio si dicti DD Episcopi illa voverunt » (trad. avec I. Noye).

1. Censure (1669) du Père Tartaglia, APF, Acta CP, vol. 1A, fol. 204 : « *Concludo igitur haec vota, vel non esse consona prudentiae, nec de meliori bono, et sic non approbanda, vel si explicentur in sensu adlato, non esse vota, sed simplex propositum. Ideo crederem dispensandum a S. Congr. In eiusmodi votis emissis, ne talis obligatio ablaqueat animos, torqueat conscientias, distrahat a studio conversionis infidelium, deterreat ipsos Infideles a conversione, et alios fideles, ne aggregentur tali Congregationi ; Hortandos tam ferventes missionarios, ut per simplex propositum perfectionis suum munus prosequantur, sed deobligandos a votis* » (trad. avec I. Noye).

2. Censure (1669) du Père Bona, APF, Acta CP, vol. 1A, fol. 322r-323v : « *An vero liceat vel expediat ad eam abdicationem se voto obligare, altioris indaginis est, et libenter de hac re peritiorem audirem. Sed quia debeo meam sententiam exigenti humiliter obedire, dicam breviter quid sentiam. [...] Sic exposita vota et supposita, ut dixi, in voventibus speciali instinctu Spiritus Sancti quamvis ad perfectionem necessariae non sint, licita tamen sunt et nihil continent censura dignum. Ita censeo sub graviori censura* » (trad. avec I. Noye).

« Qu'on rabate ce qu'on voudra des jeunes et abstinences et de l'abdication des remedes, dans lesquelles quoyque je me trouve assés bien fondé et que je ne vois rien qui leur soit manifestement opposé, je confesse neantmoins qu'on peut dire beaucoup de choses ; au contraire, si on examine de pres le point de perfection que nous croions estre conforme à l'estat apostolique, je ne crois pas qu'on me rabate rien »[1].

Dans une lettre à Deydier, Pallu faisait allusion à l'opposition du Père Bona aux vœux externes qui ne sont que de bonnes résolutions que Pallu a transformées à tort en vœux: « Pour les autres qui regardent les observances extérieures, on a veu par les modifications que j'y ay apportées, qu'ils ne doivent estre considérés que comme de bonnes résolutions ; et encore que ce n'estoit nullement convenable à des missionnaires apostoliques de former de telles résolutions, principalement en commun »[2]. En août 1668 alors qu'il revenait de Goa où les Portugais l'avaient libéré et qu'il se trouvait à Masulipatam avec Mahot, Bouchard, Guiart et Jacques de Bourges qui venaient de France, Brindeau écrivit aux directeurs qu'il était mécontent des règlements proposés par Mgr Pallu à Rome[3].

Le Frère Dominique mettait en doute l'adaptation au terrain missionnaire des vœux extérieurs, il contestait le bénéfice qui pouvait en être tiré :

« Dans ces vœux dont on parle, il y a beaucoup d'éléments qui s'ils ne sont pas absolument opposés à l'état des Évêques et aux charges des Missionnaires, y sont pourtant bien peu proportionnés ainsi le jeûne perpétuel, dormir sur le dure, faire l'oraison mentale 3 heures par jour, ne peuvent raisonnablement être permis aux évêques et aux missionnaires sous l'obligation d'un vœu, mais il faut exhorter ceux-ci le plus possible à les avoir dans leur préparation spirituelle avec d'autres, même plus forts là où l'auront exigé le salut des âmes et la plus grande gloire de Dieu.

« Un bon nombre d'hommes d'Église, pieux et savants, approuvent de tels vœux et un tel genre de vie, ils voudraient les adopter pour imiter les évêques, mais ils ne le pourraient pas par manque de forces, ils seraient retardés et éloignés de leur application aux missions avec le très grand dommage pour eux ; et peut-être les infidèles eux-mêmes seraient empêchés de se convertir à la Foi, car ils pourraient facilement se persuader que l'austérité d'une telle vie qu'ils ont vue chez leurs Maîtres est nécessaire pour le salut »[4].

---

1. *Ibid.*, p. 95, Lettre de Pallu à M. Gazil du 14 juin 1667, n° 26 (AMEP, vol. 101, p. 352).

2. F. Pallu, *Lettres de Monseigneur Pallu*, p. 141-142, Lettre n° 47, à M. Deydier du 28 décembre 1670 (AMEP, vol. 107, p. 21).

3. Brindeau, Lettre aux Directeurs du séminaire, en août 1668, AMEP, vol. 971, p. 307-310.

4. Censure (1669) du Père Dominique de la Trinité, AMEP, vol. 116, p. 575 : « *Eo quod in praedictis votis multa continentur statui Episcopali Missionariorumque muneri si non absolute repugnantia, parum tamen proportionata ut ieiunorum perpetuitas, cubitus durior, onus orandi mentalitater singulis diebus per tres horas prudenter permitti non possunt epis. Et Miss. sub*

Ce dernier argument était repris par le Père Tartaglia, les juges semblaient ne pas savoir que c'était la proposition de missionnaires en activité qu'ils avaient à juger :

> « Ces vœux ne sont pas adaptés au but des missions, et par conséquence ne doivent pas être approuvés. Donc une vie aussi austère et si difficile n'attire pas des infidèles à la conversion, mais les en détourne. J'estime qu'il ne faut guère approuver une congrégation qui est composée de plusieurs membres, pas tellement robustes de corps, ni d'un esprit tellement brillant. Ce genre de vie si difficile détournerait sûrement d'autres d'entrer dans la congrégation »[1].

Sur le terrain du profit missionnaire, le Père Bona contestait que l'on doivent pratiquer l'ascèse des païens pour être bien considérés par eux. Pour lui il ne fallait pas copier « l'abstinence folle et opiniâtre des infidèles qui met la vie en danger: en effet celle-ci naît d'un esprit d'orgueil, et elle est très loin de la foi du Christ et de la prudence chrétienne, et par conséquent on doit la repousser »[2].

Le Père Bona se montrait aussi très réticent à propos des vœux d'ascèse présentés par Pallu comme un remède contre la mauvaise conduite des missionnaires portugais :

> « Lorsqu'on désire corriger un relâchement sans doute excessif de certains on les conduit au défaut contraire qui est la rigueur excessive. En effet, l'Écriture dit: ne sois pas juste à l'excès [Qo 7, 16]. Enfin, je les exhorte très humblement à s'avancer par la voie royale, qu'ils rejettent de tels vœux extraordinaires et jusqu'ici inconnus, et qu'ils demandent à en être dispensés par notre Saint Père ; et qu'ils servent Dieu et l'Église dans le ministère qu'il leur a été confiés avec cette liberté d'esprit que l'homme, sans aucun doute saint apostolique François de Sales, recommande tellement »[3].

---

obligatione voti, sed ad summum hortandi sunt, ut ea aliaque etiam maiora in praeparatione animi habeant ubi ita exigerit salus animarum majorque Dei Gloria.

Si talia vota tale que vitae genus approbarent plures viri ecclesiastici, pii et docti, qui vellent ad imitationem DD (dominorum) Episcoporum illud amplecti prae viribus autem non possent retardarentur a Missionum studio, cum maximo eorumdem detrimento forsanque ipsi Infideles, inde a conversione ad fidem detenerentur qui facile sibi persuadere possent eiusmodi vitae austeritatem, quam in suis viderent Magistris necessariam esse ad salutem » (trad. avec I. Noye).

1. Censure (1669) du Père Tartaglia, APF, Acta CP, vol. 1A, fol. 204: « *Haec vota non sunt proportionata ad finem missionum, nec consequenter approbanda. Vita etiam sic austera, et difficilis non allicit, sed retrahit infideles ad conversionem. Minus approbanda in Congregatione, quae coalescit ex pluribus, non tam robustis corpore, neque tanto spiritus ardore predito et plane hoc vivendi genus tam asperum deterreret alios ab ingressu Congregationis* » (trad. avec I. Noye).

2. Censure (1669) du Père Bona, AMEP, vol. 116, p. 398: « *Non infidelium stultam et obstinatam abstinentiam et cum discrimine vitae, haec enim a spiritu superbiae oritur, proculque distat a lege christi, et a christiana prudentia, ac proinde detestanda est* » (trad. avec I. Noye).

3. Censure (1669) du Père Bona, AMEP, vol. 116, p. 400: « *Cum eamque propterea ne dum quorumdam nimiam fortasse relaxationem corrigere cupiunt, in contrarium nimii rigoris vitium*

Le Frère Dominique de la Sainte Trinité jugeait aussi les vœux externes : « Au vu de tout cela, toute la difficulté des trois vœux qu'on dit externes est réduite au vœu de s'abstenir, en n'importe quelle maladie, de tout usage des médicaments ; je pense que ceci est complètement invalide et surtout illicite »[1].

Le Père Bona est plus nuancé, il y a des médicaments dont on peut se passer sans conséquence réelle sur la santé mais on ne peut s'engager par vœu à refuser les remèdes qui sont offerts par des personnes amies :

> « J'affirme qu'il est louable avant tout et bien adapté que tous ceux qui professent la vie spirituelle rejettent loin d'eux le soin excessif de leur santé, qu'ils repoussent les remèdes de préservation, qu'ils ne s'abstiennent pas de la mortification, des jeûnes et d'autres austérités par peur de s'affaiblir. 2° Je pense que bien que le rétablissement soit plus long et plus difficile, à condition que ce prolongement de la maladie n'empêche pas une plus grande gloire de Dieu. 3° Il est aussi permis en toute maladie de ne pas employer des remèdes coûteux et recherchés qui tout simplement ne sont pas nécessaires. 4° J'affirme que les hommes apostoliques établis dans l'état de perfection doivent avoir l'esprit préparé de telle façon que s'il arrive qu'ils sont malades et sont privés de tout secours des médecins et des remèdes, ils supportent cela non seulement avec patience mais même avec joie en confiant le soin d'eux-mêmes en Dieu qui fait mourir et fait vivre, qui conduit aux enfers et qui en ramène, mais ils ne doivent pas repousser le médecin qu'on a fait venir ni rejeter les remèdes qu'on a offerts, encore moins s'obliger à cela par un vœu, mais s'appuyer sur le jugement amical de ceux qui se tiennent auprès d'eux, aussi bien sur la gravité de la maladie que sur les remèdes et leur obéir humblement »[2].

---

indunt. Dicit enim scriptura noli esse iustus multum. Ipsos tandem humillime exhortor, ut via Regia gradiantur ; vota huius modi extraordinaria atque hactenus inaudita rejiciant eaque sibi a Sanctissimo domino nostro relaxari petant ; et sic Deo, ac Ecclesiae in tradito sibi ministerio serviant cum ea libertate spiritus quam vir procul dubio Apostolicus Sanctus franciscus salesius tantopere comendat » (trad. avec I. Noye).

1. Censure (1669) du Père Dominique de la Trinité, AMEP, vol. 116, p. 572 : « *Quocirca tota trium votorum dictorum externorum difficultas reducitur ad votum abstinendi, in quolibet morbo ab omni prorsus pharmacorum vel remediorum usu quod absolute invalidum, imo illicitum esse puto* » (trad. avec I. Noye).

2. Censure (1669) du Père Bona, AMEP, vol. 116, p. 402 : « *Assero in primis laudabile esse multumque conveniens, ut quicumque vitam spiritualem profitentur nimiam curam valetudinis a se abiiciant, pharmaca praeservativa respuant, nec propter timorem infirmitatis a mortificatione, a jejuniis, et aliis austeritatibus abstineant 2° fas esse puto in levioribus morbis medecinas respuere, licet valetudo dicturnior et Molestior futura sit, dummodo ea morbi prolongatio maiorem Dei gloriam non impediat. 3° Licitum quoque est in quocumque morbo medecinas praetiosas, et exquisitas quae simpliciter necessariae non sunt non adhibere 4° Assero viros Apostolicos, et in statu perfectionis constitutos, ita animo paratos esse debere, ut si contingat eos infirmari atque omni medicorum et pharmacorum subsidio destitui id non solum patienter sed etiam laeto animo ferant, omnem sui curam in Deum projicientes, qui mortificat et vivificat deducit ad in infernos et reducit : at vero actum rejicere medicum et oblata pharmaca respuere non debere multominus ad hoc ex vota*

Dans son *Idée de la Congrégation Apostolique* où il justifiait son vœu d'abstinence des médicaments, Pallu croyait pouvoir s'appuyer sur saint Charles Borromée qui a dit : « Personne ne doit être détourné de l'effort de l'ascèse par le souci de son corps ». Il citait aussi saint François Xavier qui, arrivant aux Moluques, refusa de prendre des antidotes contre les poisons des autochtones : « Comme j'avais mis toute mon espérance dans la protection de la divine providence, j'estimais qu'il me fallait éviter en comptant sur les protections humaines de perdre quelque chose de ma confiance en Dieu »[1].

Le Père Bona réfutait l'argument en faveur de l'abstention de médicaments selon lequel la foi doit nous conduire à nous abandonner à la Providence quand nous sommes malades. Il citait la position de saint Paul au sujet de l'usage de médicaments :

> « Il a conseillé à Timothée évêque duquel la vie était essentielle pour le salut de bien des gens, de ne pas boire de l'eau, mais de prendre un peu de vin, à cause de son estomac et de fréquentes faiblesses : il n'a pas dit qu'il se serve seulement de la foi, de la confiance dans la providence de Dieu comme remède plus certain et surnaturel : il ne l'a pas guéri de ses faiblesses en se servant du don qu'il avait reçu de soigner les maladies ; mais il a voulu utiliser le fait de boire du vin comme un remède naturel »[2].

Pourtant le Frère carme Dominique de la Très Sainte Trinité avait donné son avis sur un *Projet de vie que se sont proposé les Vicaires Apostoliques de la Chine, de la Cochinchine et du Tonkin*[3], et l'avait approuvé le 14 décembre 1667 :

> J'ai lu attentivement l'écrit intitulé « *Projet de vie que se sont proposé les Vicaires Apostoliques de la Chine, de la Cochinchine et du Tonkin* », dans lequel je n'ai rien trouvé de contraire aux bonnes mœurs, mais bien plutôt toute chose digne des hommes apostoliques et leur vertu héroïque par la sagesse, avec laquelle les limites de la vie ordinaire parmi des chrétiens sont égalés et même dépassés, selon l'exhortation de Saint Paul 'les meilleurs charismes'[4], de sorte qu'ils confir-

se obligare, sed teneri assistentium sibi judicio stare, tam quo ad morbi gravitatem quam quo ad remedia, eisque obedire humiliter » (trad. avec I. Noye).

1. F. Pallu, *Explanatio ideæ Congregationis Apostolicæ*, 2e Partie, 4e Chapitre, p. 67. 70 : « *omnino cura corporis hujus averti neminem à studio disciplinæ debere* », « *Cum enim spem omnem meam collocassem in divinæ providentiæ præsidio, cavendum mihi existimabam, ne humanis præsidiis fretus deperderem aliquidd de fiducia dei* ».

2. Censure (1669) du Père Bona (AMEP, vol. 116, p. 399) : « *Praecepit Timotheo Episcopo cujus vita multorum salus pendebat, ut aquam non biberet, sed modico vino uteretur propter stomachum et frequentes infirmitates : non dixit ut sola fide, et fiducia in Dei providentia tanquam certiori et supernaturali remedio utatur : nec utens dono sibi concesso curandi infirmitates ipsum sanavit a languoribus suis ; sed vinipotu tanquam remedio naturali uti voluit* » (trad. avec I. Noye).

3. *Projet de vie que se sont proposé les Vicaires Apostoliques de la Chine, de la Cochinchine et du Tonkin*, APF, Acta CP, vol. 1A, fol. 320.

4. 1 Co 13, 1-13

ment par leur exemple ce qu'ils enseignent en parole, surtout parmi des païens et des infidèles, pour la conversion desquels ils prouvent que ceux-ci voient dans les prédicateurs de l'Evangile leurs bonnes œuvres plus qu'ils reçoivent d'eux les paroles qui démangent plutôt leurs oreilles[1].

Les objections et la décision de Rome

D'Alep où il arriva à la fin de 1666, Pallu prévint de son arrivée les directeurs du Séminaire de Paris ; cela était convenu avec Lambert puisque le séminaire avait sa place dans la Congrégation Apostolique, à la fois pour les candidats et pour leurs formateurs :

> « Je crois que vous aurés receu ma derniere lettre de Bagdat par laquelle je vous donnois advis que je faisois estat d'aller droit a Rome, et vous priois de vous y rendre trois ou quatre au plus, surtout Messieurs de Meur et Fermanel. Une des principales cause de mon voiage, c'est l'idée d'une Congrégation Apostolique, qui surprendra bocoup de monde et qui sera contredite et combattue de plusieurs. Elle vous regarde comme nous, et j'espère que nous serons les premieres victimes de Jesus-Christ dans ce sublime estat »[2].

En fait Pallu déclenchait par cette lettre le processus qui aboutirait à la ruine du projet qu'il était chargé de faire aboutir. On peut dire qu'avant même d'avoir débarqué en Europe, Pallu a révélé assez de son projet pour que Paris se mobilise contre lui comme il s'était déjà mobilisé face à la dénonciation par Lambert du commerce des religieux. Tout fut fait pour le faire échouer et Lambert ne s'était pas trompé en considérant qu'il fallait un miracle pour qu'il réussisse[3]. Le premier effort de Gazil et de ses confrères de Paris fut de convaincre Pallu de passer d'abord par Paris au lieu d'aller à Rome directement.

Pour connaître et combattre les projets de Lambert, Gazil n'hésitait pas à utiliser l'amitié trop confiante de Pallu chargé de présenter ces projets à Rome, celui-ci s'en rendra compte plus tard, trop tard, comme l'indique sa lettre de 1673[4] :

---

1. 1re Censure (1667) de Dominique de la Très Sainte Trinité, APF, Acta CP, vol. 1A, fol. 320.

2. Lettre de Monseigneur Pallu aux directeurs des Missions Étrangères, le 29 décembre 1666 (AMEP, vol. 101, p. 269). Écrite à Alep après le passage de Mgr Pallu à Bagdad et avant son arrivée à Livourne.

3. F. Pallu, *Lettres de Monseigneur Pallu*, p. 91-92, Lettre de Pallu n° 24, à M. Gazil (AMEP, vol. 101, p. 341).

4. Vachet paraît crédible quand il mentionne qu'à Rome Gazil, quoiqu'opposé à la mission de Mgr Pallu « se logea avec lui et jamais il n'y eut entre eux aucune parole d'altercation. Sans rien se cacher ils se communiquèrent mutuellement le succez de leurs negotiations et, ce qui

« Vous avez produit au dehors l'idée de la Congregation Apostolique que je vous avois communiquée, avant de la presenter a Rome, sous ce secret que demandent toutes nos affaires, et particulierement celles qui paroissent plus delicates et plus difficiles à resoudre, vous l'avez exposée à la censure de plusieurs qu'il n'étoit pas necessaire ni même convenable de consulter ; on l'a même communiquée a nos émules, je veux dire aux Jésuites qui m'en ont fait des reproches »[1].

Pallu saura comment ses amis de Paris se sont ligués avec les jésuites pour faire échouer le projet de Congrégation Apostolique. Lambert en aura connaissance trois ans plus tard le 26 juin 1676[2].

Quand Pallu débarqua à Livourne en Italie le 27 mars 1667, il reçut plusieurs lettres de Gazil qui désapprouvait son voyage et son projet[3]. Il y répondit le 30 mars 1667[4]. Parvenu à Rome le 20 avril, Pallu prévoyait y rencontrer une forte opposition d'après ce que lui avait écrit Gazil dans sa lettre reçue à Livourne. Il trouva à Rome M. Thiersault qui tentait de le détourner de son projet et, faute d'y parvenir, affaiblit la confiance de Pallu dans la justesse de la cause qu'il avait à défendre[5].

À Rome le 22 mai 1667, Pallu écrit à Gazil :

« Il y a environ quinze jours que je coneus l'ordre que je devois garder dans la proposition de mes affaires, pour que les unes servissent de dispositions aux autres et que les plus difficiles ne nuisissent point à celles qui sont aisées et faciles. J'en ai fait part à Messieurs Lesley et Tiersault qui le goustent fort. Le projet qui est la pierre de scandale y doit tenir le dernier lieu ; je veux dire qu'il ne doit estre proposé qu'après que Nos Seigneurs auront fait leurs decrets sur plusieurs propositions, qui seront trouvées plausibles et qui reviendront plus à leur esprit ; et

faisoit un sensible plaisir au Pape et aux Cardinaux, estoit de voir si souvent ces hommes si opposez de sentiments venir ensemble comme les meilleurs amys du monde, solliciter à qui l'emporteroit sur la partie adverse » (AMEP, vol. 110, p. 99). A. Launay juge ainsi Gazil : « Gazil était le compatriote et l'ami particulier de Monseigneur Pallu ; sous un air de bonhomie parfaite, il cachait un sens fin et aiguisé, une étonnante souplesse d'esprit, il jugeait les hommes très bien et très vite, les caractérisait de même et les maniait avec une rare dextérité » (A. Launay, *Histoire générale de la Société des Missions Étrangères*, t. I, p. 174). Les arguments que Gazil a exposés à Rome en 1669 contre le projet de Mgr Pallu, sont sans doute proches de ceux qu'il a exposés à Lambert en juillet 1667 (Lettre des supérieurs et directeurs du séminaire à Mgr Lambert du 28 juillet 1667, AMEP, vol. 4, p. 197).

1. F. Pallu, Lettre aux Directeurs du 3 septembre 1673, AMEP, vol. 102, p. 509. Mgr Pallu s'est sans doute aperçu que son ami Gazil n'avait pas mérité sa confiance autant qu'il le pensait quand ils présentaient ensemble à Rome en 1668 leurs opinions contraires sur le projet de Congrégation Apostolique et de vœux.

2. P. Lambert de la Motte, *Journal* au 26 juin 1676, AMEP, vol. 877, p. 587 ; cf. Simonin, transc., p. 211.

3. H. Sy, *La Société des Missions Étrangères – La fondation du Séminaire*, p. 96.

4. F. Pallu, *Lettres de Monseigneur Pallu*, p. 86-88, Lettre de Pallu n° 22, à Gazil du 30 mars 1667 (AMEP, vol. 101, p. 309).

5. Thiersault, Lettre à Gazil du 25 juillet 1667 (AMEP, vol. 201, p. 25).

de plus cette proposition ne se doit faire que comme une manière de vie que nous avons creu devoir mener, sur laquelle il est bon de sçavoir le sentiment de leurs Eminences pour la continuer ou pour y changer ce qu'elles jugeront à propos »[1].

Le 31 mai 1667 Pallu écrit :

> « Il est tout à fait important que je sois à Rome. Je ne scay si au commencement du nouveau Pontificat[2] mes affaires seront en estat d'estre poursuivies ; maintenant que Monsieur Tiersault est déterminé de passer icy les grandes chaleurs, nous pourrons former un petit conseil de Monsieur Lesley, de luy et de moy »[3].

En fait comme on voit dans la suite de cette lettre, c'est Gazil qui a intimé l'ordre à Thiersault de ne pas quitter Rome tant que les affaires de Pallu seraient en cours.

Dès le 22 mai 1667 Pallu avait écrit à Gazil pour lui demander d'avoir dans cette affaire le même détachement que lui et de laisser la Providence agir. Il n'est pas sûr que son correspondant ait été dans le même état d'esprit :

> « Cette proposition ne se doit faire que comme d'une manière de vie que nous avons creu devoir mener, sur laquelle il est bon de sçavoir le sentiment de leurs Eminences pour la continuer ou pour y changer ce qu'elles jugeront à propos. Cette conduite est fondée sur deux choses que Monseigneur de Berite m'a dit avant de partir de Siam : la premiere, que le susdit projet renferme tant de difficultés qu'il faut un miracle pour le faire agreer, ou plutost que son approbation, si on l'obtient jamais, doit estre estimée miraculeuse ; la seconde, que l'abandon que nous devons à Dieu ne peut souffrir que nous aions trop d'attache à ce projet, et nous oblige, lorsque nous en ferons la proposition, à avoir au-dedans et au dehors une tres grande indiference. Voicy, apres cela, comment je suis disposé à suivre les advis que vous me donnés sur ce sujet : laissés faire Dieu, mon cher frere, et ne laissés pas d'agir, mais evités l'empressement et la trop grande reserve qui empesche l'ouvrage de Dieu et qui corrompt nos meilleures actions »[4].

Arrivé à Rome le 20 avril 1667, Pallu y écrit le 22 mai qu'il s'est contenté, par détachement et abandon à la Providence, de déposer son document à la

1. F. Pallu, *Lettres de Monseigneur Pallu*, p. 91, Lettre de Pallu à Gazil du 22 mai 1667, n° 24 (AMEP, vol. 101, p. 341).

2. Fabio Chigi, pape sous le nom d'Alexandre VII, meurt le 22 mai 1667 après 12 ans de pontificat; Clément IX le remplace le 20 juin 1667 pour peu de temps car il meurt le 9 décembre 1669. Après un long conclave c'est le 29 avril 1670 qu'est élu son successeur Clément X qui régna jusqu'au 22 juillet 1676. Mgr Casanata, secrétaire de la Sacrée Congrégation de la Propagation de la Foi, a été remplacé en 1668 par Mgr Baldeschi. Le cardinal Pallotta est mort alors que les demandes de Pallu lui avaient été confiées en premier.

3. F. Pallu, *Lettres de Monseigneur Pallu*, p. 93, L. n° 25 à un directeur du séminaire des Missions Étrangères du 31 mai 1667.

4. *Ibid.*, p. 91-92, Lettre de Pallu à Gazil du 22 mai 1667, n° 24 (AMEP, vol. 101, p. 341).

Sacrée Congrégation sans demander de rendez-vous pour l'expliquer verbalement aux responsables. Un compte rendu sur la conduite de Pallu, adressé à Gazil le 25 juillet 1667 par quelqu'un qui connaît les habitudes romaines, constate à propos de Pallu :

> « Pour la congregation apostolique nostre bon prelat est resolu de porter simplement le proiet a MM. les Cardinaux qui en iugeront ce quil leur plaira, il a fait un exposé lequel ils ne liront pas quoy quil y ayt de fort bonnes preuves et authorités, cependant comme il ne doit point montrer dattache a ces veües, il laissera toutes ces pieces et raisons pour exposer simplement les vœux quils ont faits pour remedier aux desordres qui se sont glisses parmy les missionnaires »[1].

Le 22 janvier 1668, le lendemain de son arrivée à Paris et à l'issue de la première période de ses négociations à Rome, Pallu put écrire à Lambert :

> « Monsieur le Secretaire de la Propagande a lu tout notre Synode, dont il a temoigné à diverses personnes estre tres tres satisfait comme d'une piece tres importante, tres solide et tres finie. Il la veut faire imprimer. Je la luy ay donnée en forme d'Instructions et distinguée par chapitres et par articles, dont j'ay retranché le point de l'erection du Seminaire de Sian et les decisions des doubtes dont j'ay trouvé que plusieurs avoient esté resolus et rangez ; les autres sont parmy plus de quarante belles questions si bien raisonnées que j'ay données à résoudre, outre le cas du Japon et les resolutions de la Chine qu'on examinera. Pour ce qui est de nos vœux dont j'ay desclaré les raisons et les fondements, Monsieur le Secretaire les regarde avec admiration et dit qu'ils seront loués. J'ay representé touttes choses avec une tres grande fidelité. Je n'ay treuvé ny à Rome, ny en France personne qui approuve qu'on les produise au-dehors à tous indifferemment. Il m'est aisé de justifier auprez de ceux axquels on parle le plus confidemment qu'il est au moins probable qu'on le peut et qu'il est convenable de le faire »[2].

---

1. Lettre de X à M. Gazil, Rome, 25 juillet 1667, AMEP, vol. 201, p. 25. Bénigne Vachet montre que l'hostilité contre le projet de Pallu s'est cristallisée sur les vœux d'ascèse. Pour le supérieur et les directeurs du séminaire de Paris : « Il paraissait très probable qu'il se trouverait très peu d'ouvriers qui voulussent s'engager à des conditions si capables d'effrayer et de rebuter la nature, et il y avait beaucoup d'apparence que le grand ouvrage des missions, qui avait coûté tant de peine et de frais, s'éteindrait après la mort de ceux qui avaient embrassé ce genre de vie ». Ce sont ces arguments qui devaient être défendus à Rome par Gazil pour obtenir le rejet de la proposition de Pallu (B. VACHET, *Mémoires imprimés*, p. 126).

2. F. PALLU, *Lettres de Monseigneur Pallu*, p. 108, Lettre de Pallu n° 32, à Mgr de la Motte-Lambert du 22 janvier 1668 (AMEP, vol. 102, p. 1) et note 3 : « Ces questions ou cas de conscience de la Chine dont parle ici Mgr Pallu ont été publiées dans les : *Constitutiones Apostolicae, Brevia, Decreta, etc., pro missionibus Sinarum, Tunquini, etc ad usum R.R.D.D. Episcoporum sacerdotumque a Summus Pontificibus, ab Eminentissimis D.D. Cardinalibus S. Congregationis de Propaganda Fide respective in Orientem missiorum ; juxta exemplar Romae. Parisiis apud Carolum Angot via Jacobea sub signo Leonis aures MDCLXXVI cum privilegio Regis*, 1 vol, in-16 (Divisé en 5 parties avec 5 paginations différentes). Deuxième partie, p. 29 ».

Après ces quelques mois d'interruption qui permirent à Pallu de retrouver la France, les négociations reprirent en 1669, nécessitant la présence de Pallu à Rome. Gazil ne le laissa pas seul et vint loger au même endroit, suivant le même programme de visites, passant après lui pour le contredire en tous points, retournant les esprits contre le projet des vœux. Pallu se félicita de cette confrontation qu'il croyait amicale[1].

Le 28 décembre 1670, Pallu tenta d'expliquer à Deydier, et indirectement à Lambert, comment on en était arrivé au rejet par Rome de la proposition de Congrégation Apostolique et de ses vœux. Il y voyait l'effet produit par une lettre dont il ne nommait pas l'auteur mais qui rejoignait l'action de Gazil qui faisait le tour de Rome à la suite de Pallu en défendant des idées contraires, proches de celles qui étaient évoquées à Lambert le 28 juillet 1667[2].

Pallu concevait l'obéissance au décret du pape comme un retour à sa disposition d'esprit préalable à ses vœux et aux signes extérieurs qu'il en donnait :

> « Je ne crois pas qu'on puisse plus travailler et agir que j'ay fait pour la defense de tous les vœux, cella m'a fait tort et en France et à Rome. J'ay avec moy tout ce que j'ay escrit sur touttes ces matières, et tous les sentiments des plus doctes et spirituels qui soient à Rome, que j'ay consultés tous en particulier, et que j'ay du depuis nommé au Pape pour leur commettre l'examen desdits vœux. Bref, il faut nous tenir à tout ce qui a esté resglé, sans donner liberté à nos esprits de faire la moindre reflexion sur le passé, demeurer dans l'estat et dans les dispositions où nous estions avant que de penser à faire tous ces vœux, tendre de touttes nos forces à la perfection, et nous employer entièrement à la sanctification des peuples dont nous sommes chargés. Pour le surplus, taschons de vivre dans une grande indifférence, et dans une sainte liberté qui establisse nos âmes dans la paix, et qui les tienne soumises au Saint Esprit, et qui les rende toujours susceptibles des plus purs mouvements de sa grace[3]. Cependant, mon très cher frère, il ne faut point

1. B. Vachet, *Mémoires*, AMEP, vol. 110, p. 99.

2. Lettre des supérieur et directeurs du séminaire à Mgr Lambert du 28 juillet 1667 (AMEP, vol. 4, p. 197-200).

3. Cf. *Réponse aux objections faites contre les vœux de perfection, de pauvreté, de chasteté et d'obéissance intérieurs*, APF, Acta CP, vol. 1A, fol. 340r-341r, traduction de l'Italien par le frère Lambert Vos, prieur de l'Abbaye de Chevetogne : « Une découverte de la grâce que l'on reçoit de la bonté de Dieu sur l'obligation que tous les chrétiens ont d'aimer Dieu de tout leur cœur, de toute leur âme, de tout leur esprit et de toutes leurs forces [...]. Si ces vœux imposent des obligations particulières outre celles communes qui regardent tous les chrétiens, ils ne doivent pas paraître excessifs à un évêque, et à un homme qui est appelé à l'apostolat, qui est obligé, en raison de son état, à la perfection de la charité possible en cette vie considérée selon son espèce et non selon les degrés de perfection dans lesquels on peut toujours grandir et se perfectionner toujours de plus en plus [...]. Pour dissiper le scandale que la simple proposition de ces trois vœux a occasionné dans quelques esprits, j'affirme hautement que je me reconnais comme je me suis toujours reconnu quand je fis ces trois vœux, très faible, très misérable et plein d'iniquité [...]. Tout cela fait assez voir que ceux auxquels Dieu a inspiré les vœux de perfection, pour autant que cela vienne de Dieu, sont bien loin de se croire sans

regretter ce que nous avons fait dans cette rencontre, puisque nous avons agi simplement et sincèrement, ne recherchant que Dieu seul et sa sainte volonté, dans la perfection de nostre estat. Je vous confesse, pour mon particulier, que je n'ay jamais esprouvé plus de grâce et de miséricorde, et une protection de Dieu plus sensible que depuis le moment que je me suis engagé dans ces vœux. A Dieu ne plaise que je ne veuille par là justifier nostre conduitte et maintenir ce qui a esté tres justement censuré. Je vois fort bien en quoy nous avons excédé, et ce qu'il y a à retenir et à rejetter. J'aymerois mieux mourir que m'escarter d'un yota des bornes qui nous ont esté prescrites, et quand ce ne serait que pour marquer le respect et l'obéissance que je dois et veux rendre toutte ma vie au Saint-Siège, et mesme aux docteurs, dont il luy plaist quelquefois de prendre les advis. Si je me sens jamais porté à me mortifier par l'observance des choses extérieures que nous avions vouées, j'affecteray toujours, au moins au dehors, de faire le contraire. Je vous envoye une coppie de la censure de nos vœux, et de la lettre que la Sacrée Congrégation escrit à Monseigneur de Berythe sur ce sujet »[1].

Un an auparavant, le 6 décembre 1669, Pallu était peut-être un peu plus clair sur sa responsabilité quand il mettait le rejet de toute la demande concernant la Congrégation Apostolique sur le compte de la rigueur de leur manière de vivre et des vœux qu'il avait ajoutés sur cet aspect (abstinence de nourriture carnée et de médicaments) :

« Les vœux ont esté extremement discutez, on les a tous considerés ensemble et à nostre esgard jugez nuls, et, en tant que besoing est, on les annule. Il y a encore quelques concessions, dont je n'ay point de coppies presentes pour vous les envoier, comme de pouvoir marier nos chrestiens avec les infidelles, (*gravibus ex causis*), en dispenser, *ex omnibus impedimentis jure divino naturali non prohibitis*. Il faut, s'il vous plaist, que vous fassiez cognoistre à tous ceux qui ont fait des vœux qu'ils sont dans leur premiere liberté et qu'ils ne doibvent point estre inquiets pour ce qu'ils ont fait, et des obligations dans lesquelles ils peuvent se trouver d'interpreter à se dispenser de la rigueur de leurs vœux ou propos. Cette affaire, qui renferme bien des points, m'a bien causé du temps et de la peine, pour donner un bon sens à bocoup de choses qu'il estoit assés difficile d'expliquer. On nous a traitté avec bocoup d'honneur. Comme nostre procedé s'est trouvé condamné generallement de tous, on n'a pas vouleu faire un decret

péché [...]. Ces trois vœux introduisent immédiatement l'âme à la perfection, et si on les considère comme il se doit, on reconnaîtra qu'ils sont aussi nécessaires à ceux qui embrassent l'état de vie parfaite, que les trois vœux ordinaires de religion à quelqu'un qui se fait religieux ».

1. F. PALLU, *Lettres de Monseigneur Pallu*, p. 141-142, lettre n° 47, à M. Deydier du 28 décembre 1670 (AMEP, vol. 107, p. 20-21). Dans sa lettre du même jour à Lambert (p. 129, Lettre n° 44, AMEP, vol. 102, p. 66), Pallu écrit : « Vous voirés par la lecture de la lettre que j'escris à Monsieur Deydier la suite de mes voyages jusqu'au Cap [...] Vous ferés, s'il vous plaist, extraire de la lettre ce que vous jugerés à propos, comme aussi de touttes les autres escritures, et vous prendrés la peine ensuitte de les luy faire tenir à la premiere commodité, bien que je luy en aye desja envoié des doubles par une autre voye ».

de la decision[1] ; on a ordonné seulement qu'on me diroit la decision de vive voix et qu'on vous manderoit de m'en croire avec ordre de deferer à ce que je vous en dirois. Il faut user de quelque temperament dans le jeusne, non seulement n'attirer pas les autres dans cette manière de vivre, mais mesme ne les y point admettre aisement. Notre determination pour l'usage des remedes est generallement condamnée, sellon qu'elle est conceue. Je sçay les temperaments qu'il y faut apporter que vous pouvés voir dans saint Charles et ailleurs. Retranchez le jeusne du dimanche ; tirons de cet usage ceux que nous cognoistrons par experience avoir besoing d'une nourriture plus solide »[2].

La Sacrée Congrégation de la Propagation de la Foi a traité le projet de Lambert présenté par Pallu conformément aux *Instructions* donnés aux vicaires apostoliques en 1659, c'est-à-dire comme une affaire interne à la Sacrée Congrégation de la Propagation de la Foi qui devait garder la haute main sur tout ce qui concernait les vicariats. En 1669, si la réponse de la Sacrée Congrégation fut négative concernant la demande de confirmation des vœux de la Congrégation Apostolique, elle fut positive pour toutes les autres demandes ; aux dates suivantes elle décida :

« Le 4 juin 1669 : l'extension à Ayuthia de la juridition du vicaire apostolique de Nankin (décret *Cum [sicut accepimus] civitas Iuthia*).

« Le 11 juin 1669 : le pouvoir aux vicaires apostoliques de dispenser les néophytes des empêchements de consanguinité et d'affinité, le premier degré excepté, pour les mariages contractés ou à contracter (*ut venerabiles Fratres Epicopi*).

« Le 17 juin 1669 : le renouvellement de la défense faite aux ecclésiastiques et aux religieux de faire du commerce dans les missions des Indes orientales et de l'Amérique (*Sollicitudo pastoralis officii*)[3].

---

1. Attention à la traduction du latin *decretum* qui veut dire à la fois décision et décret. En écrivant en français Pallu est plus précis, à Rome on ne fera pas de décret, on se contentera de la décision orale.

2. F. PALLU, *Lettres de Monseigneur Pallu*, p. 118, L. n° 38 à Mgr Lambert du 6 décembre 1669 (AMEP, vol. 102, p. 194-195).

3. J. METZLER, *Die synoden in Indochina* (1625-1934), p. 34-35. Le 17 juin 1669 parut le bref papal "*Sollicitudo pastoralis officii*", qui renouvelait la défense de faire du commerce d'Urbain VIII du 13 juin 1625. Le 13 septembre 1669 suivit le bref "*In excelsa Sedis Apostoli specula*", qui reprenait différentes anomalies déjà clouées au pilori dans l'écrit d'Alexandre VII "*Sacrosancti apostolatus officii*" du 18 janvier 1658 en les citant textuellement – exploitation des chrétiens indigènes pauvres, punition de ceux qui négligeaient l'enseignement du catéchisme, traitement différent des pauvres et des riches dans les écoles et les séminaires, ingérence dans la politique, écoute des confessions en recourant à l'aide d'interprètes, etc. – et qui les condamnait à nouveau et édicta des directives pour améliorer la situation des missions, comme par exemple la prescription que tout missionnaire étranger devait avoir avec lui un prêtre indigène auquel il laissait la charge de confesser et de prêcher, quand il ne maîtrisait pas lui-même la langue du pays, et la consigne de créer partout des écoles (traduction de l'Allemand par Sœur Gertrude-Marie Charlier, OSB).

« Le 13 septembre 1669 : la dépendance des religieux, même jésuites, dans le ministère des missions, à l'égard des vicaires apostoliques *(Speculatores domus Israël)*

« À la même date : la prorogation pour sept ans du pouvoir accordé aux vicaires apostoliques par Alexandre VII d'ordonner des indigènes sans titres et même s'ils ne comprennent pas le latin, et de commuer pour eux en d'autres prières la récitation du bréviaire (*Alias emanarunt*).

« À la même date : la confirmation des décrets d'Alexandre VII et de la Propagande contre certains abus dans les missions des Indes orientales (*In excelsa Sedis Apostoli specula*) »[1].

Mais dès que Pallu a appris la décision de Rome, il s'empressa d'en faire part à ses amis de Paris. À Brindeau, Gazil ironise sur la discrétion que Rome veut maintenir sur sa décision quand il lui écrit le 27 janvier 1670 : « La Congrégation des Cardinaux a fait examiner tout cecy et a voulu pour l'honneur des vicaires apostoliques que tout fust ensevely dans un éternel silence »[2]. En fait le cardinal Antoine Barberini écrit le 28 août 1669 une lettre à Lambert, lui annonçant une décision sans aucune précision sur sa nature sinon qu'elle concerne les vœux et qu'elle lui sera communiquée oralement par Pallu[3].

Mais Pallu ne cacha pas son amertume et accusa Lambert d'avoir des idées difficiles à expliquer, d'y avoir perdu beaucoup de temps et consacré beaucoup d'effort pour tenter de leur donner un sens. On comprend alors mieux les conditions qui ont conduit Pallu à renier Lambert par serment le 2 février 1670[4] en présence de Louis Abelly, évêque de Rodez, du R. P César

1. L. Baudiment, *François Pallu, Principal fondateur des Missions Étrangères*, p. 248.

2. M. Gazil, Lettre à Pierre Brindeau, 27 janvier 1670, AMEP, vol. 201, p. 325.

3. Cardinal Barberini, Lettre à l'Évêque de Bérithe du 24 août 1669, AMEP, vol. 116, p. 557 = vol. 169, p. 29 : « À Illustrissime et Révérendissime Seigneur et frère ! Parmi les affaires que Mgr l'Évêque d'Héliopolis a proposé à cette Sacrée Congrégation, l'exposé complet et lumineux des vœux prononcé n'a pas obtenu la dernière place autant de la part de votre Grandeur que de certains de ces Missionnaires qui avec une grande insistance demandait l'approbation de la Sacrée Congrégation. En effet, après mûre délibération sur une affaire de si grand importance, et après avoir écouté les opinions de très savants théologiens qui sont au service du Saint Siège, ces Seigneurs Éminents ont décidé de faire ces décisions qui furent communiqués et partagés à Mgr l'évêque d'Héliopolis et lui fut imposé de les communiquer à Votre Grandeur que cela arrive d'abord là aussi bien que vous et des autres Missionnaires se conforment pleinement à ces décisions, puisque ces hommes éminents se persuadent bien que vous tous serez remarqués pour votre zèle, votre prudence et votre soumission envers ce Saint Siège et de ce fait, ils espèrent que vous n'agissiez pas autrement en cette affaire ou en quelle côté mais que vous obéissiez rapidement et vivement, avec le souhait de la meilleure santé pour votre Grandeur ». Cette lettre annonce des soutiens de la part des missionnaires apostoliques concernant les vœux.

4. Pallu s'y engage par écrit devant Dieu le 2 février 1670 à faire connaître à Lambert « combien sa conduite a este improuvee generalement de tous ses amis, comme aussy de le

du Très Saint Sacrement, carme déchaussé, et de Mr Duplessis Montbar[1]. Pallu s'y engagea à n'agir qu'en conformité avec l'avis de la direction du séminaire de Paris et à ne plus tenir compte des avis et révélations de son confrère, qui dut supporter seul la responsabilité de l'échec de Pallu à Rome.

Désormais au séminaire les supérieur et directeurs inculquaient la défiance envers Lambert chez tous ceux qui allaient le retrouver au Siam et se placer sous son autorité, son manque de discernement étant ainsi démontré à leurs yeux. Jacques de Bourges, reparti de France pour le Siam en mars 1666, manifestait lui aussi une parfaite soumission aux décisions venues d'Europe ; il tint à affirmer le 23 octobre 1672 que c'était désormais à Paris que devaient être prises les décisions concernant les missions comme elles étaient prises à Lisbonne et à Madrid pour les patronats portugais et espagnol[2] :

> « J'apprends que l'idée de la congrégation apostolique n'a pas été approuvée à Rome et qu'elle a été universellement combattue à Paris de toutes les personnes de piété et de science qui en ont eu connaissance. Cette nouvelle ne m'a pas beaucoup surpris, elle m'a seulement humilié car en vérité si les clairvoyants se trompent, que ne doivent pas craindre les aveugles et qui est-ce qui pourra désormais s'appuyer sur ses pensées ? J'aurais été bien aise pour mon instruction de savoir le sentiment des sages de Rome et des docteurs de Paris sur ces vœux intérieurs et extérieurs. L'écrit qu'en a dressé le R. P César[3] m'aurait été une pièce précieuse ; tout cela nous est encore caché, aussi bien que ce qu'en a écrit M. Lesley, et l'accord fait du consentement de tous nos amis pour nous servir comme de règles et pouvoir garder une uniformité de conduite. Ce point

persuader de ne plus appuyer aucun dessein sur toutes les veües qui peuvent luy venir dans l'oraison, estant nous mesmes certainement convaincus qu'elles sont suspectes et dangereuses » (H. Sy, *La Société des Missions Étrangères – La fondation du Séminaire*, p. 127-128) ; L. Baudiment reconnut que ce désaveu officiel de la conduite et de la pensée de Lambert fut peut-être pour Pallu la seule faiblesse de sa vie, (*François Pallu, Principal fondateur des Missions Étrangères*, p. 260).

1. Il s'agit de membres de la Compagnie du Saint-Sacrement, Louis Abelly, curé de Saint-Josse, est devenu évêque de Rodez (Le Comte R. de Voyer d'Argenson, *Annales de la Compagnie du Saint-Sacrement*, p. 170). C'est l'auteur de la Moelle théologique (*Medulla theologica*), traité de théologie en deux tomes sans doute utilisé au séminaire de Juthia (Lettre de Laneau à Pallu du 4 octobre 1666, AMEP, vol. 858, p. 119).

2. Déclaration de Mgr Pallu qui promet d'accomplir les résolutions prises dans l'assemblée avec les directeurs du séminaire de Paris (AMEP, vol. 116, p. 287-298), après la consultation des quatre docteurs de Sorbonne et la communication d'une soi-disant copie du décret auquel Rome dit avoir renoncé pour faire transmettre oralement et secrètement sa décision par la bouche de Mgr Pallu. Les directeurs de Paris reprennent à leur compte la décision romaine en la transformant en un écrit ayant force de loi pour tous les missionnaires.

3. Il s'agit sans doute du Père César du Très Saint-Sacrement et non de César Pallu (1625-1702), le frère de François comme A. Launay le note (*Lettres de Monseigneur Pallu*, p. 111 note 1, Lettre de Pallu n° 34, à M. Fermanel de 1669, AMEP, vol. 102, p. 67 et p. 295 ; Lettre de Pallu n° 118, à M. Étienne Pallu du 12 avril 1679, AMEP, vol. 104, p. 570).

est de grande conséquence et je souhaiterais en avoir communication pour m'y conformer et m'y soumettre. Je vous prie d'assurer tous nos amis que, quoi qu'ils soient du côté du couchant, j'estimerai toujours que le soleil se lèvera pour moi de ce côté-là. Je n'ai point lu les articles de cet accord, je n'en saurais que dire, je souhaiterai seulement qu'il y en eût quelqu'un qui donnât quelques avis de prudence pour pouvoir ici faire des règlements pour la conduite des missionnaires et surtout que pas un règlement n'aurait ici de vigueur qu'après qu'il aurait été consulté entre tous nos amis de Paris [...]. Pour nous nous n'avons d'expérience qu'autant qu'il est nécessaire pour nous convaincre que nous n'en avons pas assez puisque après avoir pris un dessein avec autant de préméditation on nous oblige d'en prendre un autre, et il faut présentement improuver ce qui auparavant a été approuvé et reçu avec applaudissements. On peut encore appréhender qu'on ne prenne d'autres idées qui maintenant paraissent meilleures que les premières et qu'on sera obligé de quitter dans quelques années. Pour celle raison, il me semble à souhaiter qu'on se rapporte au sentiment de la S. Congrégation pour obvier aux surprises qu'on peut justement craindre. Je ne doute pas non plus que Mgr de Bérythe ne se conforme à la déclaration de la Sacrée Congrégation touchant à l'idée de Congrégation Apostolique, car je suis assuré qu'il n'avait suivi cette idée que dans la persuasion qu'elle était bonne. Lorsqu'il verra les sentiments de la Sacrée Congrégation, il changera de pensée »[1].

Le Père Tartaglia donna officiellement ses conclusions définitives aux cardinaux le 22 mars 1669 en confirmant ce qu'il avait dit précédemment[2], notamment qu'il y avait une racine sainte dans ces vœux mais qu'on ne pouvait les approuver parce qu'ils dépassaient la faiblesse humaine :

« J'ai déjà affirmé dans un autre écrit que, dans les vœux prononcés par les missionnaires pour la Chine, il y a une racine sainte, à savoir la recherche de la perfection chrétienne et le zèle pour les âmes : or les rameaux s'ils ne sont pas inutiles, ils sont certainement sublimes, dépassent la faiblesse humaine, et pour cela l'on n'a pas à les approuver. Maintenant il faut étudier brièvement les raisons et les fondements que le Très illustre évêque d'Héliopolis a ajoutés aux vœux en question »[3].

---

1. J. de Bourges, Lettre à M. Bésard, Tonkin 23 octobre 1672, AMEP, vol. 650, p. 265-266.

2. 1re Censure de Giovanni-Agostino Tartaglia (1667 ?) APF, Acta CP, vol. 1A, fol. 205r : « Cependant j'avoue sincèrement qu'il y a dans cette affaire une racine sainte, c'est-à-dire une recherche de perfection apostolique et le zèle pour les âmes, et des rameaux s'ils ne sont pas inutiles, ils sont sûrement très élevés, car ils sont au-dessus de la faiblesse humaine et il faut les retrancher » (*Ingenue tamen fateor, quod in hoc negotio sit radix sancta, quia studium Apostolicae perfectionis, et zelus animarum, rami autem si non inutiles, certe sublimes, quia supra hominum imbecillitatem et sic amputandi*) (trad. avec I. Noye).

3. 2e Censure de Giovanni-Agostino Tartaglia (1669) APF, Acta CP, vol. 1A, fol. 316r : « *Jam alio scripto asserui, quod in votis emissis a missionariis chinesibus sit radix sancta, id est studium christiane perfectionis et zelus animarum : rami autem si non inutiles, certe sublimes, humanam imbecillitatem excedentes ; et ideo non esse approbanda. Nunc breviter dissolvendae sunt*

Pour Tartaglia, s'il y a dans les vœux qu'on lui présente une nouveauté condamnable, elle se situe dans le caractère d'obligation de certaines pratiques :

> « Ce genre de vie si difficile détournerait sûrement d'autres d'entrer dans la congrégation. Enfin, cette nouvelle façon de vivre dont il n'y a aucune trace, ni dans les exemples des saints, ni dans des livres des savants, ni même dans l'Évangile quand le Christ a envoyé les disciples pour convertir le monde, ne paraît pas devoir être admis au simple titre de nouveauté »[1].

Pour les quatre examinateurs de Rome et pour tous les Européens, le mode de vie proposé aux missionnaires par les Vicaires apostoliques était tout simplement impraticable. Or Lambert avait déjà répondu à cette objection, bien avant qu'elle ne se pose, dans une lettre au pape du 20 février 1665, il y écrivait :

> C'est pour cette raison que nous envoyons à Votre Sainteté le présent synode que nous avons tenu à ce sujet, par Mgr l'évêque d'Héliopolis, pour que vous l'approuviez si vous le jugez bon. Mais comme les Instructions qui y sont contenues seraient inutiles et inefficaces si elles n'étaient pas mises en pratique, nous avons décidé de suivre un certain genre de vie qui convient à des hommes apostoliques. Depuis déjà longtemps cette façon de vivre a été tentée par plusieurs d'entre nous, et par d'autres elle l'a été par intervalles, pour mieux servir Dieu. Il se peut qu'il y ait en elle un signe de régénération. D'ailleurs nous avons fait l'expérience que notre règlement n'a eu aucune mauvaise conséquence sur la santé corporelle mais a plutôt apporté de la force d'âme ; et ce n'est pas étonnant, puisque N.S.J.C. a [recommandé] ce genre de vie non seulement pour les Apôtres des Indes mais même pour tous ceux qui veulent le suivre en disant (Luc, ch. 9) : « Si quelqu'un veut me suivre, qu'il renonce à lui-même, qu'il porte sa croix chaque jour et me suive : car celui qui veut sauver sa vie la perdra »[2].

Deydier pensait que ce mode de vie devait être présenté comme une condition pour faire partie des Ouvriers Évangéliques, mais il ne parlait pas d'en faire des vœux supplémentaires comme Pallu allait les présenter à Rome et à Paris. Après avoir présenté ses occupations apostoliques, occupation matérielle de la procure du Siam, occupation spirituelle, celle du séminaire Saint-Joseph et de la paroisse cochinchinoise avec l'étude de la

---

rationes et fundamenta, quae pro dictis votis adducit Illustrissimus episcopus Heliopolitanus » (trad. avec I. Noye).

1. Censure du Père Tartaglia, APF, Acta CP, vol. 1A, fol. 204-206 : « *Plane hoc vivendi genus tam asperum deterreret alios ab ingressu Congregationis. Demum haec nova vivendi forma, cujus nullum est vestigium, neque in exemplis sanctorum, neque in cruditorum libris, neque in ipso evangelio, quando misit Christus discipulos ad mundi conversionem, saltem titulo novitatis non uidetur admittenda* » (trad. avec I. Noye).

2. P. Lambert de la Motte, Lettre au pape du 20 février 1665, APF, SOCG, vol. 227, fol. 122 ; trad. J. Ruellen.

langue cochinchinoise, il s'agissait pour Deydier de présenter la vie quotidienne imposée par la mission comme suffisante pour l'aspect extérieur de l'ascèse chrétienne, tandis que les trois vœux en occupaient l'intérieur :

> « Le bon Dieu a inspire a Monseigneur leveque de Berite un dessain de faire une Compagnie ou Congregation d'Ouvriers Evangeliques pour perpetuer nos Missions qui sont si reduites au petit point par la mort de huyt ou dix de nos meilleurs subjets et qui finyraient en fort peu de temps sans cella. Et c'est ce qui porte Monseigneur d'Heliopolis principalement en Europe. Comme nous avons les plus st emplois de l'Eglise aussi faut il que nostre vie soit la plus sainte et la plus exemplaire. Pour cest effet, il luy a inspiré des reglements conforme a cet estat pour l'esterieur. Il y a trois heures d'oraison par jour, le jeune a perpetuité, les trois jours de Pasques, pentecoste et de Noel exceptes, coucher vetus et sur la dure, ne boyre a lordinaire que de leau pure, renonciation aux medicaments, et quelques autres semblables qui paroitront un peu extraordinaires et impossibles à un homme dans l'Europe, mais aquoy on s'acjuste aysement dans tous les quartiers, ne pouvant quasi faire autrement et tout le commun du peuple estant reduit a cette necessité, nous nous y sommes acoutumés. Et navons fait reflection combien cette vie paraitra difficile en Europe que lors que nous nous y sommes obliges »[1].

Les experts ont voulu écarter toute accusation d'hérésie. Le Père Bona l'a dit lui-même : « Rien n'est contenu dans les vœux proposés qui puisse être désapprouvé à bon droit, et qui soit exposé à la censure théologique »[2]. Pallu avoue qu'on a condamné les vœux à Rome seulement dans la mesure où on y voyait le fondement d'une Congrégation publique[3] comme il l'écrivait à Deydier le 28 décembre 1670 :

---

1. F. Deydier, lettre à ses amis de Toulon du 20 janvier 1665, AMEP, vol. 116, p. 562-563.

2. Censure (1669) du Père Giovanni Bona (AMEP, vol. 201, p. 59 = AMEP, vol. 116, p. 391 = APF, Acta CP, vol. 1A, fol. 322r) : « *In propositis votis nihil contineri quod improbari merito possit, quodque censurae theologicae obnoxium sit* » (trad. avec I. Noye).

3. Notes sur la Formule de certains vœux dont voici la teneur (APF, Acta CP, vol 1A, fol. 298v = AMEP, vol. 116, p. 479, trad. J. Ruellen) : « Par ces dispositions, les très sages Cardinaux disent ce qu'il faut penser de ces vœux : surtout, peuvent-ils être prudemment considérés comme des moyens valables pour instituer une Congrégation de parfaits ? On voit en effet que c'est là la pensée de ceux qui les ont émis. Ne faut-il pas plutôt les avertir, que désormais ils mettent les esprits à l'épreuve par une réflexion plus approfondie, qu'ils se méfient d'eux-mêmes, qu'ils évitent ce qui est nouveau et extraordinaire, qu'ils suivent les règles claires et conformées par l'usage de l'Église et qu'ils se reposent sur les définitions de la Sacrée Congrégation de la Propagation de la foi » (*Notæ super Formula quorumdam votorum cujus tenor sequitur*: *His ita dispositis judicent sapientissimi Cardinales quid de votis illis sentiendum sit, num præsertim prudenter assumi possint tanquam media idonea ad constituendam perfectorum Congregationem ? Hæc enim mens fuisse constat eorum qui illa emiserunt. An potius admonendi sunt, ut deinceps maturiori consilio probent spiritus, sibi diffidant, nova atque extraordinaria devitent, certas atque usu Ecclesiæ confirmatas regulas sequentur & in definitionibus Sanctæ Congregationis de Propagnada fide conquiescant*).

« Il n'y a que l'ydée de nostre Congrégation Apostolique qui n'a pu avoir aucun aprobateur ny à Rome, ny en France, quoiqu'elle aye esté veue et examinée par plusieurs personnes de grand mérite, fort doctes, spirituelles et intérieures. Elle a esté absolument rejettée de la Sacrée Congrégation de la Propagation de la foy, où tous nos vœux ont esté tous ensemble déclarés nuls et anulés, sans neantmoins qu'on en aye voulu en noter aucun en particulier, tant pour nous mesnager, que pour esviter le travail de la discussion qu'il en eut fallu faire. Quoi qu'il soit indubitable que la matière des trois premiers, bien expliquée et entendue, et non pas comme porte la lettre qui a donné lieu à plusieurs explications fort esloignées de nos pensées, est d'une grande perfection, on n'en peut neantmoins jamais faire des vœux que dans des hypothèses fort rares, et nullement pour servir de fondement à une Congrégation publique. Pour les autres qui regardent les observances extérieures, on a veu par les modifications que j'y ay apportées, qu'ils ne doivent estre considérés que comme de bonnes résolutions ; et encore que ce n'estoit nullement convenable à des missionnaires apostoliques de former de telles résolutions, principalemennt en commun »[1].

Plusieurs années plus tard, lors du deuxième séjour de Pallu au Siam, le 26 décembre 1673, Pierre Langlois, responsable du séminaire de Juthia, décrit à Bésard[2] ses conditions d'existence. On conçoit facilement que par ses contacts avec l'étranger, la capitale du Siam offrait bien des avantages par rapport au reste du pays, et qu'en brousse le missionnaire n'aurait pas d'autre choix que de manger et boire ce qu'on lui proposera (Lc 10, 7-8) et de partager les conditions d'existence des plus pauvres. Cette lettre de Langlois faisait savoir que Pallu arrivé le 27 mai 1673 rapportait au Siam le Livre des *Monita* imprimé à Rome et qu'il avait voulu aussitôt donner un règlement aux missionnaires tandis que Lambert n'en avait pas donné jusque-là. Mais, alors que Rome lui avait commandé de libérer de leurs vœux ceux qui les avaient prononcés et de dissuader les autres de les prononcer à leur tour, Pallu se comportait comme si Rome n'avait pas tranché et que les missionnaires apostoliques auraient à rentrer dans un Corps nouveau en souscrivant aux vœux qui avaient été ceux de la Congrégation Apostolique[3] :

---

1. F. Pallu, *Lettres de Monseigneur Pallu*, p. 141-142, L. n° 47, à M. Deydier du 28 décembre 1670 (AMEP, vol. 107, p. 14).

2. Pierre Langlois, Lettre à Bésard du 26 décembre 1673 (AMEP, vol. 876, p. 873-875).

3. Alors qu'à son arrivée au Siam, Langlois, a suivi Lambert en Cochinchine en 1671 et 1672 puis on lui donne en 1673 la responsabilité du séminaire de Juthia alors que Pallu est de retour depuis 7 mois (en mai 1673). La Congrégation Apostolique est refusée par Rome mais Langlois entend parler d'une nouvelle proposition, peut-être celle des Amateurs de la Croix, avec de nouveaux vœux. Ceux-ci devaient porter sur l'office nocturne, la perpétuelle abstinence de vin et le jeûne au moins trois fois la semaine et la discipline deux ou trois fois la semaine. Ceci s'ajoutait aux conférences spirituelles et aux deux heures d'oraison pratiquées chaque jour. Pendant deux ans Lambert n'a rien dit à Langlois, son compagnon de mission en Cochinchine et c'est sans doute pourquoi ce dernier attribue à Pallu la nouvelle proposition,

« On a voulu donner des réglements cette année, outre le Livre des Instructions qu'on a imprimé a Rome, lesquels estoient en beauoup de choses semblables a ceux des seminaires d'Europe et qu'on pourroit bien garder icy, les autres estoient non seulement au-dessus d'eux mais mesme sembloient tendre si haut que le seul ouy dire m'en estonna, doutant si mes forccs pourroient aller jusques la et pour cela j'en fis ma declaration a Mgr d'Heliopolis, entre autres qu'il sembloit a propos qu'on devoit reciter son office a minuit, qu'on ne devoit boire du vin du tout, qu'on devoit prendre la discipline deux ou trois fois la sepmaine, qu'on devoit jeusner trois fois au moins la sepmaine, et d'autres semblables ce surquoy on les fondoit estoit que nous devions estre plus parfaicts que des ecclesiastiques d'Europe ayant dautres emplois et courant dautres risques de nous perdre queux par les perils continuels ou nous nous rencontrons. Le dessein de nos Seigneurs apres avoir faict des rettraites et des conferences la dessus estoit de faire passer tout cecy en reglement et que nous les signassions pour y obliger les autres qui viendroient apres nous, Monsieur Chevreuil, Monsieur Bouchard et moy fusmes dadvis que nous ne pouvions ny signer ces choses ny mesme nous y obliger, que la vie que nous menions est suffisamment austere pour un missionnaire qui est dans loccupation depuis le matin jusques au soir sans repos. Voicy un peu pres comme j'en fis moy mesme ma declaration a Mgr d'Heliopolis en faisant cognoistre la vie que nous menons comme il le cognoist a present par experience pour la nourriture et le reste du temporel. » [...]

« On parle de s'unir et de faire un Corps nouveau il sera propos quon nous le propose et qu'on nous en représente les réglements et les obligations vouloit engager cependant on cache cela tant quon peut, au reste je vous asseure que la plus part de nos missionnaires qui m'ont déclare ouvertement leur sentiment ne s'obligeront a quoy que ce soit par vœu et ainsi il faut prendre garde que l'on n'aille pas se bouder et se diviser les uns contre les autres car si cela est adieu la mission nous observons assez bien les reglements que vous voyez cy dessus et il me semble que nous avons plus d'union, plus de charité et plus de condescendance les uns avec les autres que si nous estions obligez par vœu ou alors y estant necessitez par un dieu qui nous tiendrait attachez bon gré mal gré, un seul de mauvaise humeur ou de sentiment contraire perdroit tout, fairoit divorce dans la communauté et ce seroit plus tost une confusion alors qu'une societe jusques a present il y a beaucoup d'union entre nous autres et je peux dire que je ne scais s'il y a une communauté dans le monde ou il y en a eu davantage ? Dieu veuille que ce soit toujours de mesme »[1].

Langlois n'était pas le seul à penser que des vœux appliqués à une règle de vie aboutiraient à diviser la communauté missionnaire. Pour Lambert,

---

c'est pourquoi il va trouver Pallu au nom de Chevreuil et de Bouchard. Dans une lettre aux directeurs dont la date est incertaine Brindeau écrit qu'il est mécontent des règlements proposés par Mgr Pallu (AMEP, vol. 971, p. 307-310), il évoque les raisons dernières de la vocation missionnaire, il pense que les grandes mortifications ne sont pas bonnes pour les missionnaires.

1. Pierre LANGLOIS, Lettre à Bésard du 26 décembre 1673, AMEP, vol. 876, p. 873-875.

il ne pouvait y avoir que trois vœux intérieurs dont personne d'autre que soi ne vérifierait l'application si ce n'est l'Esprit Saint parlant à la conscience. Il n'était pas question de prononcer les trois vœux religieux sous leur seul aspect extérieur, mise en commun de tous les biens, célibat définitif, obéissance à un supérieur ; les religieux savent qu'à travers les trois vœux, ils s'engagent aussi dans leur aspect intérieur. Comme Lambert ne propose que l'aspect intérieur des trois vœux, leur application n'est pas constatable, et ils ne peuvent constituer la condition d'entrée dans une congrégation religieuse.

Depuis le synode de Juthia, les missionnaires ont été attentifs à maintenir leur unité, cela a été l'objectif des *Monita*, des règles de vie des missionnaires et de l'organisation du Corps apostolique.

En fait, Deydier a montré que les conditions particulières de la mission rendaient obligatoire l'ascèse[1] que Pallu proposait comme un choix pour le missionnaire apostolique, choix qu'il transforma en vœu. Mais si tous les vœux étaient soumis aux conditions particulières de la mission, on pouvait alors se demander s'il convenait encore d'en faire des vœux, c'est ce que pensa le Père Bona :

> « Bien que l'oraison infuse et passive ne dépende aucunement de l'effort de l'homme, mais est un don très spécial de l'Esprit Saint, cependant il faut s'efforcer, si peu que ce soit possible avec les secours ordinaires de la grâce, que tout ce qui y ferait obstacle soit écarté. Mais, s'obliger par vœu à consacrer chaque jour 2 ou 3 heures dans l'oraison, je ne le loue ni ne l'approuve parce qu'aucune nécessité ou utilité de ce vœu n'apparaît ; il est bien préférable de suivre l'inspiration divine sans prescription de temps et de prier brièvement ou plus longuement, selon que l'amour du prochain et la prudence chrétienne l'auront suggéré, ou l'auront permis »[2].

Pallu avouait avoir beaucoup modifié les résolutions du synode de Juthia en ce qui concernait le mode de vie des missionnaires apostoliques, mais Lambert s'aperçut que Pallu était le principal artisan de l'échec des négociations de Rome sur l'approbation des vœux, il lui reprocha amèrement d'avoir présenté à Rome un projet personnel de création d'un ordre religieux. À Paris, on se garda bien de faire mention d'un tel document :

---

1. F. Deydier, Lettre à ses amis de Toulon du 20 janvier 1665 (AMEP, vol. 116, p. 562-563).

2. Censure (1669) du Père Bona (AMEP, vol. 116, p. 398) : « *Quod licet oratio infusa et passiva nullo modo pendeat ab hominis conatu, sed donum specialissimum spiritus Sanctus sit, satagendum tamen est quantum cumque cum auxiliis ordinariis gratiae fieri potest ut omnia eius impedimenta removeantur. At vero obligare se voto ad duas vel tres horas quotidie in oratione insumendas nec laudo nec probo quia nulla apparet hujus voti aut necessitas aut utilitas multoque satius est divinam sequi inspirationem absque temporis praescriptione et orare vel brevius vel diutius, prout charitas proximi, et prudentia Christiana suggesserint, vel permiserint* » (trad. avec I. Noye).

« Au reste, les lettres que V. G. ma escrites m'ont rempli de confusion voyant que vous me voulez faire passer aupres du St Siege pour un homme a revelation d'un grand jugement, m'y proposer comme un instituteur d'un nouvel ordre et qu'enfin V.G. me traite comme si j'estois son superieur. Je né point de parolle pour vous expliquer le ressentiment que j'en é, c'est Monseigneur, la plus grande humiliation que j'eus de ma vie et je demande a N. S. la grace de la pouvoir porter dans toute son estendue »[1].

Ce qui apparaît comme un échec des propositions de Lambert sur le Corps apostolique n'a été en fait que le refus de Rome de souscrire à certains vœux d'ascèse présentés par Pallu seul. Pallu a voulu, il faut le dire, faire passer ce refus pour l'échec des propositions de Lambert et il n'a pas contredit l'accusation qu'on a portée contre Lambert de vouloir créer par la Congrégation apostolique une congrégation religieuse. Par ailleurs Pallu n'a demandé pour les Amantes de la croix que le statut de confrérie alors que Lambert voulait en faire les premières religieuses vietnamiennes et siamoises, Pallu a même parlé de confrérie d'Amateurs de la Croix de l'un et l'autre sexe, ce que le pape a approuvé.

Lambert s'est évidemment aperçu des malentendus créés entre Rome et Pallu, il a bien vu que la question de « l'établissement perpétuel » n'était pas tranché. Il a même conçu le projet d'aller lui-même à Rome pour traiter lui-même avec le Saint-Siège[2]. Le 22 mai 1674 Courtaulin et Laneau le pressent de profiter d'une offre du roi de Siam pour aller à Rome et à Paris pour « les affaires du Bon Dieu et de l'Église »[3], l'occasion demeure les années suivantes[4] « pour achever les affaires de nos missions et particulièrement de l'unité avec le séminaire St Sulpice »[5], « pour l'affermissement

1. P. Lambert de la Motte, Lettre à Pallu en 1668, AMEP, vol. 876, p. 575 ; cf. Guennou, transc., L. n° 111. Gazil trouva donc chez Pallu suffisamment d'arguments pour accréditer pendant des siècles auprès des membres des Missions Étrangères de Paris la version selon laquelle Lambert avait voulu transformer en ordre religieux la société missionnaire constituée au départ uniquement de prêtres séculiers. A. Launay reprenant cette thèse qui ne repose sur rien s'est félicité ainsi du rejet des vœux par Rome : « C'est à cet arrêt du Pape et de la Propagande qui une fois de plus affirmait son autorité sur les Missions Étrangères, que la Société doit d'être restée ce qu'elle fut à son origine : une association de prêtres séculiers, réunis entre eux et consacrés aux Missions par l'acte unique et continuel d'une volonté libre » (*Histoire générale de la Société des Missions Étrangères de Paris*, t. I, p. 178).

2. Lambert aurait profité de la demande du roi de Siam de participer à une ambassade en Europe auprès du pape et de Louis XIV, afin de répondre à leurs lettres (Lettre à Monsieur Chamesson du 3 décembre 1673, AMEP, vol. 858, p. 270). Cette demande lui fut faite dès 1674.

3. P. Lambert de la Motte, *Journal* du 18 au 22 mai 1674, AMEP, vol. 877, p. 539-540.

4. *Id.*, *Journal* des 3 juin et 9 octobre 1675, AMEP, vol. 877, p. 560. 568.

5. *Id.*, *Journal* du 17 juillet 1676, AMEP, vol. 877, p. 588

du grand ouvrage que la pure miséricorde divine nous a confié[1]. Le 8 janvier 1677, deux ans avant sa mort, Lambert écrit dans son Journal : « On a fort prié pour l'union du séminaire de Saint-Sulpice dont on a eu de grandes assurances et qu'il se formera un corps apostolique, après lequel il y a si longtemps qu'on soupire »[2].

Les résultats de Lambert et son héritage

Les Amateurs de la Croix

Pendant le voyage de Pallu et son séjour en Europe, Lambert était tenu au courant du dossier destiné à convaincre la Sacrée Congrégation de la Propagation de la Foi et il découvrait l'hostilité des membres du séminaire de Paris. Il voyait que Pallu imaginait que la demande de Congrégation Apostolique correspondait à la création d'un ordre religieux et Lambert s'y refusait absolument. Il avait compris qu'il fallait être plus explicite pour Pallu et pour Rome. C'est pourquoi il entreprit de faire une nouvelle proposition qu'il introduisit dans son *Abrégé de Relation* par des articles écrits de sa main qui présentaient la nature et les caractéristiques de la Congrégation Apostolique et des Amateurs de la Croix qui avaient échappé complètement à Pallu au point qu'il croyait que la Congrégation des Amateurs de la Croix était une autre appellation de la Congrégation Apostolique. Il s'agissait de sept petits articles et d'une lettre adressée à Pallu en 1668 qui les contenaient :

Le premier, le troisième et même le sixième et septième articles montrent la mission continue de Jésus comme raison d'être de la Congrégation Apostolique et de l'établissement des Amateurs de la Croix en insistant sur le sacrifice du soir (la discipline) qui complète le sacrifice du matin (l'Eucharistie) comme mémorial de Jésus.

Le deuxième article explique le titre de la Congrégation des Amateurs de la Croix qui devra être érigée dans la capitale du Siam, Juthia, pour rayonner sur les trois vicariats apostoliques comme le séminaire et la procure générale des missions.

Le quatrième article désigne les membres de la Congrégation des Amateurs de la Croix comme faisant partie de l'un ou l'autre sexe.

Le cinquième article touche aux obligations des Amateurs de la Croix qui comprennent six points[3] : l'aumône spirituelle (ici c'est l'enseignement de la

1. *Id.*, Lettre aux directeurs de Paris du 8 juillet 1675, AMEP, vol. 858, p. 301.
2. *Id.*, *Journal* du 8 janvier 1677, AMEP, vol. 877, p. 596
3. *Id.*, *Abrégé de Relation*, AMEP, vol. 876, p. 555 ; vol. 121, p. 758 ; cf. Guennou, transc., § 87.

Parole de Dieu et l'apostolat), l'oraison (une demie heure par jour), le jeûne (tous les vendredis), la pénitence (par la discipline), la dilection parfaite de ses ennemis (en les rendant bénéficiaires de son testament) et l'union actuelle aux souffrances de Jésus-Christ (par l'eucharistie). On remarquera l'implication de Lambert dans cet article, il renonce à critiquer désormais les jésuites[1], il les couche sur son testament[2] et il invite les Amateurs de la Croix à faire de même[3].

Le sixième article montre le rapport entre la Congrégation Apostolique à qui on demande les trois vœux intérieurs et les Amateurs de la Croix qui forment le vrai Peuple de Dieu.

Le septième article montre comment Jésus veut faire de tous les ministres de l'Évangile des membres de la Congrégation Apostolique et les Sauveurs des âmes avec lui. La Congrégation Apostolique est ouverte à tous ceux qui sont impliqués dans l'apostolat quels que soient leurs états de vie, séculiers ou religieux, missionnaires ou catéchistes, clercs ou laïcs, hommes ou femmes.

Cette proposition mettait de côté le dossier élaboré péniblement par Pallu pour obtenir l'accord de Rome sur l'érection de la Congrégation Apostolique, elle ne gardait que les trois vœux intérieurs. On constate en effet que Lambert effaçait tous les autres vœux y compris les deux vœux propres à la Compagnie de Jésus que Deydier reconnaissait pourtant avoir prononcés avec Lambert, Laneau et Pallu, cela confirmerait que ces deux vœux avaient été proposés aux trois autres par Pallu. Pour Lambert, les trois vœux intérieurs devaient suffire et étaient motivés par l'engagement de participer à la mission continue de Jésus pour le salut du monde et c'est cela qui donnait son sens à la vie parfaite.

1. *Ibid.*, p. 557 ; cf. § 90 : « Je né plus de pensee de rien escrire doresenavant des ministres de l'evangille ny des jesuites de tous ces quartiers, quoy que leurs dereglements augmentent tousiours, me croyant suffisamment dechargé de lobligation que javois de le faire par la response que M. de Bourges me mande avoir reçeüe de nostre St pere le pape sur ce suiet par laquelle Sa Sainteté luy a tesmoigne que les Avis que je luy donnois de leurs extresmes dereglemens estoient moindres que ce quil en scavoit dailleurs. Comme je ne pretendois, en donnant connoissance de ce que jen avois remarque, autre chose que de ne pas interesser ma conscience en passant ces choses sous silence et que de rendre service a dieu, a leglise et a tant de corps religieux en procurant leur reformation, il me semble a présent que Sa Sainteté est informee de tout, il en faut demeurer la ».

2. *Id.*, Lambert écrit dans son testament : « Je laisse à lEglise des Reverends Peres jesuittes de Macao pour tesmoignage de lamitié que je leur porte, le Crucifix que feu mon frere me laissa peu de jours avant sa mort » (AMEP, vol. 8, p. 151).

3. *Id.*, *Abrégé de Relation*, AMEP, vol. 876, p. 555 ; vol. 121, p. 758 ; cf. § 87 : « Ils feront une profession speciale d'aymer leurs ennemys, leur procurant tous les avantages qu'ils pouront, par leurs bons offices, services, assistances secrettes, et par leurs prieres extraordinaires à Dieu pour eux, ce seroit une action digne de la generosité de ceux qui entreront dans les obligations de cette ste société de leur en donner des marques dans leur testament, par quelques legs qui egallattent au moins celuy qu'ils feroient à leurs meilleurs amys ».

Lorsque les vœux furent annulés par Rome, Pallu se précipita pour exprimer sa soumission de manière très extérieure en mangeant de la viande et en buvant du vin ostensiblement, mettant en lumière l'incompréhension de Rome pour les problèmes locaux. Laneau écrivit aux directeurs de Paris le 20 octobre 1671 :

> « Je puis vous assurer de la derniere soumission avec laquelle nous avons reçeu les responses de Rome sur toutes nos affaires, nommement les reglemens qui avoient icy esté proiettes, ie vous supplie nean-moins de ne pas croire que ce soit par desobeissance ou par attache a ce que i'avois accouttumé de premier, si ie continüe encore l'abstinence a mon ordinaire, les grandes infirmites auxquelles iay esté suiet depuis la perse ne me permettent pas d'agir autrement, car le climat est bien different de celuy de paris, et ne peut souffrir qe l'on use des viandes si solides ny en si grande quantité comme en france ou en Europe, cest ce qui est la cause de tant de morts aux Europeens qui viennent dans les Indes, qu'ils veulent y vivre comme ils faisoient dans leur païs, les medecins qui ont parlé touchant ces matieres dans les Indes ont aporté assez de raisons palpables pour prouver cette verité si certaine ; outre qu'un missionnaire qui sera accoustumé a la bonne chere aura grande difficulté a faire mission dans les villages ou il n'y a presq rien, ce que iay bien éprouvé quand ie suis sorti de cette maison, et que M. Peres eprouve bien dans l'isle de Tuncalam, car de tuer des animaux devant les gentils c'est leur donner un'aversion de nous comme d'un tres grand pecheur »[1].

Laneau continua son abstinence alimentaire pour trois raisons : pour sa propre santé, pour lui permettre de partager la vie de ceux à qui il devait annoncer l'Évangile, et pour ne pas compromettre cette évangélisation par une attitude qui scandalise. Laneau considérait aussi qu'il avait le devoir d'éclairer le jugement de ceux qui avaient trop vite condamné la règle de vie des missionnaires apostoliques.

En 1668, Lambert s'était aperçu que Pallu cherchait seulement à créer un nouvel ordre missionnaire, projet qu'on attribua pendant plus de trois siècles à Lambert avec une grande injustice[2] ; celui-ci a alors cru bon de relancer les Amateurs de la Croix dont Pallu n'avait pas parlé à Rome, il demanda à Pallu de faire au pape une proposition complémentaire ne comportant pas de vœux, celle des Amateurs de la Croix qui lui avait été révélée

1. Lettre de Laneau aux directeurs de Paris le 20 octobre 1671, AMEP, vol. 858, p. 230.

2. À propos des projets de "ces Messieurs du Tonkin" et dans la mesure où ils chercheraient à constituer un ordre religieux nouveau, Saint Vincent de Paul a écrit qu'on ne peut rien ajouter à la congrégation des jésuites (Saint VINCENT de PAUL, *Correspondance,* t. VI, lettre 2467 du 23 novembre 1657, p. 621). Lambert s'en est aperçu comme en témoigne sa lettre à Pallu du 1er janvier 1668 (AMEP, vol. 876, p. 575 ; cf. Guennou, transc., L. n° 111) : « Au reste, les lettres que Votre Grandeur m'a écrites m'ont rempli de confusion voyant que vous me voulez faire passer auprès du Saint-Siège pour un homme à révélation d'un grand jugement, m'y proposer comme un instituteur d'un nouvel ordre et qu'enfin Votre Grandeur me traite comme si j'étais son supérieur ».

à 9 ans dans sa Normandie natale et qui lui fut souvent rappelée par la reconnaissance spéciale des Tonkinois envers Notre Seigneur Jésus Christ crucifié et mort pour le rachat de tout le genre humain[1]. Pour Lambert, il convenait aux membres du séminaire de faire partie des Amateurs de la Croix puisqu'ils avaient à utiliser, comme critère de discernement des vocations missionnaires, l'acceptation de leurs obligations. Les missionnaires sur place devaient en être « les observateurs et les directeurs » :

> « Monseigneur, Notre Seigneur me donnant pensée d'aller à la Cochinchine, j'ai tâché devant mon départ de mettre le meilleur ordre que j'ai pu ici particulièrement pour le spirituel. Il a plu a Dieu de meclaircir sur les anciennes idées quil mavoit fait la misericorde de me donner, touchant une congregation des Amateurs de la Croix de J. C. Jen viens descrire les articles cy dessus qui sont court, mais qui renferment les plus belles pratiques de lEvangile[2], et qui attirent une benediction

1. P. Lambert de la Motte, Lettre à Lesley du 20 octobre 1670, AMEP, vol. 858, p. 189 ; cf. Guennou, transc., L. n° 123.

2. *Id.*, *Abrégé de Relation*, AMEP, vol. 876, p. 555 ; vol. 121, p. 758-759 ; cf. § 87 : « Les obligations que ces genereux amateurs de la Croix de J. Ch. contracteront, estant admis dans cette ste union, se rapportent aux six suivantes :

« La première est : qu'ils enseigneront et suivront la voye estroitte de LÉvangilc ct fuiront celle de la vie large.

« La seconde : qu'ils frequenteront le plus qu'ils pourront les sacrements suivant toutefois l'avis de leur Directeur.

« La troisième : est qu'ils feront tous les iours une demy heure de méditation sur la vie souffrante, passion et mort de J. Ch.

« La quatrième : qu'ils prendront tous les iours, sur le soir ou dans la nuict, la discipline durant le Miserere en memoire des cruels tourments que le fils de Dieu a enduré, joignant ce petit sacrifice aux veües et aux motifs qu'il avoit dans ses souffrances, que si cette penitencc sc faict en commun, comme il se pratique à Rome, Rome et ailleurs, devant de la faire on récitera les Litanies des Sts, avec les prieres et oraisons accoutumées, ensuite le Confiteor, le Misereatur et l'Indulgentiam ; puis on continuera cette penitence pendant le Miserere qu'on dira posément dans un véritable esprit de douleur, l'offrant à Dieu pour satisfaire pour ses propres pechés, pour lui demander la conversion des infidelles et des pecheurs et pour toutes les necessités de LEglise. Le Miserere achevé, on finiera par l'oraison Respice qui se dcit à Tenebres.

« La cinquième : Le dimanche des Rameaux et les 4 iours suivants, on redoublera cette penitence, et le Vendredy St on la triplera pour solemniser ce st temps de la passion, et particulierement le iour de la mort du fils de Dieu. Ceux qui auront quelqu'empeschement raisonable, qui leur oste le moïen de prendre la discipline en particulier ou en general, satisferont à cette obligation prenant quelque chaisne ou pratiquant quelque mortification qui esgale celle de la discipline. Ils jeuneront tous les vendredy en reconnaissance de la mort et de la passion du Sauveur du monde, ils offriront le st sacrifice de la messe où ils communieront reellement ou spirituellement à ce dessein, et célébreront les iours de la Circoncision, de Linvention de la Sainte Croix et de son Exaltation avec une devotion particuliere.

« La sixième : ils feront une profession speciale d'aymer leurs ennemys, leur procurant tous les avantages qu'ils pouront, par leurs bons offices, services, assistances secrettes, et par leurs prieres extraordinaires à Dieu pour eux, ce seroit une action digne de la generosité de ceux qui entreront dans les obligations de cette ste société de leur en donner des marques dans leur testament, par quelques legs qui egallattent au moins celuy qu'ils feroient à leurs meilleurs amys.

si extraordinaire sur ceux qui les observent que je puis assurer V. G. que nous en ressentons dans nous et voyons dans les autres des effets merveilleux. Comme je sousmets touttes mes petittes veües aux vostres. V. G. me permetra dachever celles que jai veues sur cette matiere. Jai connu dans plusieurs fois dans loraison dune maniere speciale que N. S. demandoit que tous les missionnaires fussent les observateurs et les directeurs de cette ste societé : quil estoit mesme fort convenable de navoir dans le seminaire que des personnes qui en fussent que le superieur du seminaire proposeroit a tous ceux qui demanderoient destre admis aux missions les obligations de cette Congregation comme une condition que les Evesques desirent de ceux qui veulent sy consacrer, que sils refusent de sy engager on peut douter de leur vocation que si au contraire ils lacceptent, cen est une grande marque. Je suis si fort dans cette pensee que jé resolu de nordonner personne in sacris pour les missions qui ne soblige a cette ste pratique »[1].

Pour éviter toute interprétation religieuse de l'établissement des Amateurs de la Croix, Lambert exclut qu'ils prononcent des vœux et demanda au pape sa bénédiction et une indulgence plénière comme s'il s'agissait d'une confrérie :

« Outre ces veües qui nous regardent particulierement, jé eu touttes les assurances possibles pour croire que N. S. veut lerection de cette Congregation non seulement a légard des missionnaires et des missions, mais encor pour toutes sortes de personnes, ainsi que V. G. remarquera dans les veües qui mont esté données. Si vous trouvez monseigneur avec tous nos amis que ces veües viennent de dieu je vous convie tous au nom de lamour que vous portez a N.S.J.C. den procurer au plutost lestablissement partout, quoyque je ne vois rien que de fort pieux dans cet establissement et quil semble que lapprobation de Mgrs les Evesques fut suffisante cependant ne faisons rien sans celle du St Siège qui est la source et la benediction de tous les instituts. V. G. la fera donc proposer a nostre St Pere le Pape. S'il la confirme, tâchez d'obtenir une indulgence plénière applicable par ceux qui en pratiqueront les obligations chaque jour ; de cette façon nous aurons moyen d'obliger nos amis et particulièrement les saintes âmes du purgatoire »[2].

Lambert proposait là une véritable spiritualité appuyée sur la théologie de la mission continue de Jésus. Cette spiritualité ne peut être comprise et mise en pratique que si l'on a déjà assimilé cette théologie qui l'éclaire et lui donne tout son sens. Tout part pour Lambert de l'eucharistie. C'est par la consommation du Corps et du Sang de Jésus que, participant à tout l'être de Jésus, un apôtre participe aussi à la mission que le Père lui a confiée, le salut du monde.

« Voyla toutes les obligations de cette ste congregation reduittes en peu d'articles, dans lesquels tout le plus grand bien qui se peut pratiquer en cette vie est renfermé, c'est a dire l'aumosne spirituelle, l'oraison, le jeusne, la penitence, la dilection parfaite de ses ennemys, et l'union actuelle aux souffrances de J. Ch ».

1. *Id.*, Lettre à Pallu de 1668, AMEP, vol. 876, p. 555-556 = p. 568-569 ; cf. *Abrégé de Relation,* § 90.

2. *Ibid.*, p. 556.

Pour vivre cela par toute sa vie il lui faut, à chaque eucharistie, rentrer dans une communion étroite avec le Christ en se mêlant intimement à son sacrifice, faisant l'offrande de soi-même sur la croix. Certes c'était pour Lambert l'objet des trois vœux intérieurs, mais dans le quotidien, l'oraison devait pouvoir donner un contenu à sa communion au Christ. Lambert comme les autres vicaires apostoliques et tous ceux qui participaient à la propagation de la foi par l'annonce de l'Évangile, se devaient de donner l'exemple en abandonnant à l'Esprit Saint la conduite de leur vie et l'usage de leurs facultés et en permettant à Jésus de poursuivre son sacrifice dans leur corps passible. La Croix est le comble de l'amour pour Jésus[1] et ceux qui veulent le suivre :

> « J'ay eû un grand desir de tesmoigner un amour extraordinaire à N. S. J. Ch. Je me suis donc adressé à luy pour scavoir comme ie le pouvois faire. La réponse intérieure a été qu'on m'en avait déjà donné l'idée autrefois, laquelle m'a paru aujourd'hui et plus claire et jointe à une envie extrême de l'exécuter jusqu'à la mort. L'effort de cette lumiere estoit que ie me trouvois fortement meû doffrir, de prester et de donner mon corps à J. Ch., affin qu'il exerça par luy des actes de penitence et de mortification, il puisse continuer tous les iours un sacrifice laborieux dans un corps passible, emprumpté et par luy choisy à cet effet, dans ces temps la iay veû que çavoit esté la pratique de St Paul suivant qu'il l'avoüe par ces paroles, *adimpleo ea quae desunt passionum Christi*, ce nouveau secret de plaire à J. Ch. ma charmé ie luy en ay instament demandé Lexecution, ct pour obtenir cette grace ie me senti porté d'aller dire la messe, dans la pensée que la volonté de Nostre Seigneur me seroit descouverte par le moyen de cet ineffable sacrifice »[2].

Avec saint Jean et saint Paul, Lambert montrait que c'est l'amour qui donne son sens à la croix, pour lui la croix est le signe par lequel Dieu révèle à la créature de quel amour elle est aimée ; c'est par le même langage que la créature peut exprimer sa reconnaissance à son créateur en permettant au Fils de Dieu de poursuivre dans le temps et l'espace la révélation de l'amour de Dieu à l'humanité pécheresse. Alors que le corps de Jésus est désormais impassible, éternellement ressuscité et glorieux, et se situe à la droite de son Père, Lambert voyait dans l'eucharistie un échange entre le Christ et le chrétien. Celui-ci offrait la passivité de sa nature humaine et recevait la nature divine de celui-là en consommant son corps ressuscité, de sorte que pouvait se poursuivre dans l'âme du fidèle la délivrance de son message d'amour à toute l'humanité dans le temps et l'espace :

---

1. Saint Jean unit très fortement l'amour et le sacrifice de soi-même. Jésus choisit l'offrande de sa souffrance au lieu de la souffrance subie : “Ma vie nul ne la prend car c'est moi qui la donne” (Jn 10, 18) ; “Jésus, sachant que son heure était venue de passer de ce monde vers le Père, ayant aimé les siens qui étaient dans le monde, les aima jusqu'à la fin” (Jn 13, 1), “Il n'y a pas de plus grand amour que de donner sa vie pour ceux qu'on aime” (Jn 15, 13), “Aimez vous les uns les autres comme je vous ai aimés” (Jn 13, 34 ; 15, 12.17).

2. P. Lambert de la Motte, *Abrégé de Relation*, AMEP, vol. 876, p. 553 ; vol. 121, p. 756 ; cf. Guennou, transc., § 83.

> « Ensuite ie connû que ce qu'il demandoit de moy estoit que tous les iours sur le soir ou dans la nuict dans le temps de Loraison ie prisse la discipline Lespace d'un miserere pour solemniser son grand sacrifice de la croix et pour accomplir la seule chose qui manque à celuy de Lautel qui est d'estre penible.
>
> « Dans cet instant ie me suis profondement humilié voyant Lexcés de sa grace que N. S. me faisoit de me choisir pour ce supplement, cependant mon ame disoit interieurement : qu'elle gloire serasce, Seigneur, que vous exerciés un sacrifice de penitence par un coupable, il semble que vous me feriés plustost pratiquer une œuvre de justice que de surerogation, alors iaperceû une veüe qui ravissoit mon esprit et qui me faisoit connoistre que tout seroit de J. Ch. dans cette action, et que son divin pere n'envisageroit dans un corps et un bras emprumpté que les souffrances de son fils que cette sorte d'acceptation du pere Éternel devoit estre la regle comme ie me devois comporter dans cette occasion, et qu'elle m'enseignoit de demeurer dans une disposition interieure et exterieure toute passive »[1].

Lambert comprenait qu'il permettait à Jésus de poursuivre en lui l'offrande de la croix. Certes il était conscient qu'il avait d'abord à souffrir pour ses propres péchés avant de permettre à Jésus devenu impassible d'utiliser son corps passible pour racheter l'humanité. Ce qui le réjouissait le plus dans cette idée, c'est que si Jésus emprunte ainsi le corps passible de Lambert pour que s'y accomplisse la mission de salut que le Père lui a confiée, alors le Père ne voyait plus en Lambert que son Fils. L'eucharistie s'éclairait alors d'un jour nouveau pour Lambert. En tant que prêtre il disposait du corps et du sang de Jésus et il lui paraissait juste qu'il y ait réciprocité et que Jésus puisse disposer lui-même du corps de Lambert et d'en être le sacrificateur :

> « L'heure de dire la messe estant venüe, iay esté célébrer, après quoy ie continué mon oraison tout rempli de ioye, de consolation et de resolution d'accomplir le bon plaisir de Dieu ensuite iay esté quelque temps à considerer la convenance qu'il y avoit du sacrifice que N. S. souhaittoit de moy et celuy de l'autel qu'il offre tous les iours par mes mains, sur quoy faisant attention sur le pouvoir qu'il me donnoit sur son premier corps et sur son premier sang que ie pouvois appliquer comme je voulois, ie me suis escrié interieurement : Il est bien plus iuste Seigneur que ie vous donne un pouvoir absolu sur mon corps et mon sang pour en disposer tout comme il vous plaira. Soyés donc desormais, ô mon Dieu, le sacrificateur de mon corps et de mon sang comme une chose qui est entierement à vous, et sur laquelle ie ne pretends plus rien, sinon que d'estre le ministre de vos sacrés vouloirs pour agir sur luy conformement à ce que vous m'ordonnerés »[2].

Lambert comprenait alors que la diffusion de cette théologie du salut par la croix du Christ était la raison d'être à la fois du Corps apostolique et des Amateurs et Amantes de la Croix car Lambert savait qu'il devait tenir compte de niveaux de foi différents. C'est ainsi que les plus concernés

1. *Idem*.
2. *Ibid.*, p. 553-554.

devront être ceux qui ont fait profession de vie parfaite pour annoncer convenablement l'Évangile à tous les hommes. Ils auront à pratiquer eux-mêmes la discipline et à la proposer à tous les membres des Amateurs de la Croix dont ils ont la charge et qui constituent le vrai Peuple de Dieu :

> « Ne me possedant pas trop alors il m'estoit avis qu'il me faisoit une plus grande grace du pouvoir qu'il me donnoit de cette sorte sur moy même que de celuy qu'il m'avoit donné sur luy, à cause du privilege admirable attache aux persones qu'il a choisi pour continuer en eux sa vie souffrante, lequel consiste à n'estre point refusés de toutes les graces qu'ils demandoient à Dieu après cela, ie connû que cestoit un des principaux desseins de Dieu, en formant une congrégation d'hommes apostoliques de les obliger chaque iour à ce sacrifice du soir, et bien que cela ne regardast proprement que ceux qui avoient faict profession de la vie parfaite, et tous ceux qui sont dans Lemploy actuel des missions comme sont tous les missionnaires et les catechistes, cependant il me paraissoit clairement que Dieu seroit extremement glorifié si l'on erigeoit sous la direction de ces persones, une congregation de gents d'une eminente vertu et d'oraison, de toutes sorte de sexes et de conditions, comme aussi de tous ceux qui auroient un veritable desir de se donner entierement à Dieu, lesquels s'obligeroient tous à faire ce sacrifice du soir chaque iour en memoire de J. Ch. souffrant et mourant en croix et que pour cette raison, elle pouvoit justement estre appellée la Congregation des Amateurs de la Croix »[1].

Les Amateurs de la Croix rassemblaient tous ceux, hommes et femmes, qui avaient été régénérés par le baptême, entièrement donnés à Dieu et appelés à la sainteté avec la grâce du Saint-Esprit. C'est le témoignage donné par les Amateurs de la croix qui permettait aux membres du Corps apostolique d'évangéliser le monde et de travailler efficacement à la conversion des âmes :

> « Au reste le but particulier de cette ste societé sera de professer une reconnoissance speciale vers N. S. J. Ch. crucifié et mort pour le rachast de tout le genre humain, et de procurer par ses oraisons et penitances que le dessein que le fils de Dieu a eû de sauver tous les hommes aye souffert non seulement à Legard des infidelles, mais encore à Légard des pecheurs, et que par ce moyen les missionnaires Apostoliques reçoivent un puissant secours pour travailler efficacement à la conversion des ames. Ceste veüe m'inclinoit fortement de solliciter Lestablissement de ceste congregation du St Siege et de supplier très humblement Sa Sainteté d'accorder des indulgences tous les jours applicables pour les vivants et les morts à tous ceux qui y seraient admis. Voilà un éclaircissement plus particulier et plus ample de la vue qui m'avait été donnée il y avait plus de trente et cinq ans de l'érection et de l'obligation de la congrégation des Amateurs de la Croix »[2].

Lambert a mis à jour son *Abrégé de Relation* en développant la raison qui l'a poussé à adopter l'usage de la discipline. Les vertus héroïques qui se sont manifesté durant plus de deux siècles de persécution s'appuyaient sur l'invitation de

1. *Ibid.*, vol. 876, p. 554 ; vol. 121, p. 757.
2. *Idem.*

Lambert de la Motte à « se montrer reconnaissants pour la mort et la passion du Sauveur du monde »[1] et à leur vouer « un amour spécial »[2]. Car la proposition qu'il a faite à tous, quel que soit son état et son sexe, au travers des Amateurs de la Croix, c'était pour lui un appel universel à la sainteté dans l'esprit des *Instructions de 1659*. Comme pour les fondations de saint Jean Eudes, la dévotion et la spiritualité des Amateurs de la Croix et des Amantes de Croix s'enracinaient dans une théologie très élaborée, la mission continue de Jésus :

> « Jay veu que ce qu'il y avoit de grace et de sainteté dans les hommes qui ont esté, qui sont et qui seront, provenant de la croix de J. Ch., il y avoit de quoy s'estonner extremement comme on na chercheu ailleurs les choses qui sont necessaires à sa sanctification, les missionnaires françois fort persuadé de cette grande verité et que cest la devotion des devotions que de porter la croix du sauveur du monde interieurement et exterieurement, ont exhorté les fidelles de suivre cette bienheureuse et assurée voye dont quelques ames ayant esté esprises ont faict des instances pour qu'on eust à former une societé de personnes qui feroient profession de la suivre toute leur vie. Cette belle sollicitation qui estoit un effet d'une grace extraordinaire en eux obligea les missionnaires de ieter les premiers fondements d'une congregation à Siam pour tous les lieux des missions, a laquelle on a donné le nom de celle des Amateurs de la Croix de J. Ch. »[3].

Les Amateurs de la Croix constituaient un objectif pour Lambert de la Motte et pour les missionnaires français. Lambert avait voulu que les Amateurs soient présents à Juthia (et de là à tous les lieux de mission), à Paris et à Rome[4] pour y diffuser l'amour pratique de la croix, c'est-à-dire de méditer les souffrances du Fils de Dieu et de lui exprimer notre reconnaissance en y prenant réellement part par une mortification sensible comme les convertis des vicariats apostoliques ont désiré spontanément le faire :

> « Le but principal qu'on a eu formant cette société a esté de procurer partout l'amour pratique de la croix du fils de dieu, et qu'il y eut dans les villes et les villages un nombre de fidelles qui, après avoir médité tous les jours les souffrances de J. Ch., ils y prissent reellement part par une mortification sensible. La pratique de ce st exercice a desjà operé tant de graces en ces quartiers que ceux qui ont eu le bonheur de les esprouver ont beaucoup de regret de l'avoir commencé si tard, ou, pour mieux dire de n'en avoir pas eu la connaissance plus tost, mais enfin *Venit tempus et nunc est quando veri adoratores adorabunt patrem in spiritu et veritate nam et pater tales quaerit qui adorent eum* [Jn 4, 23][5]. Aussitot

1. P. Lambert de la Motte, Lettre à Lesley du 20 octobre 1670, AMEP, vol. 858, p. 189; vol. 876, p. 632 ; cf. Guennou, transc., L. n° 123.

2. *Id.*, Lettre au pape du 12 octobre 1670, AMEP, vol. 650, p. 186; cf. L. n° 121.

3. *Id.*, *Abrégé de Relation*, AMEP, vol. 876, p. 554 ; vol. 121, p. 757; cf. § 84.

4. *Id.*, Lettre à Vincent de Meur du 6 septembre 1662, AMEP, vol. 116, p. 554 ; cf. L. n° 6.

5. « Le temps vient et c'est maintenant que les vrais adorateurs adoreront le Père en esprit et vérité et le Père cherche ceux qui l'adorent de cette façon ».

que la méditation et l'imitation de la croix de J. Ch a esté proposée aux chrestiens de ces lieux icy, pour la pratiquer chaque jour, plusieurs l'ont embrassé avec une fidelité incroyable et ont ainsy adoré Dieu en esprit et en verité qui est la maniere dont il veut estre adoré »[1].

« Toutes sortes de personnes ayant une indispensable obligation de reconnoistre les souffrances du Sauveur du monde, nul n'en doit estre exclu de quelque sexe ou condition qu'il soit, pourveu qu'il ayt une soif ardente de boire le calice du fils de Dieu qui appelle à soy et veut rassasier tous ceux qui sont dans cette disposition, ainsy qu'il le dit en st Jean, ch. 7 Siquis sitit veniat ad me et bibat [Jn 7, 37][2]. »

Dans sept articles de son *Abrégé de Relation* et dans sa lettre à Pallu qui les suit, Lambert cherchait à expliquer ce que Pallu n'avait pas compris dans les rapports entre la Congrégation Apostolique et les Amateurs de la Croix. C'est Lambert qui envisageait ici de donner à l'assemblée de croyants offerts en sacrifice comme Isaac le fut par Abraham, le nom de Congrégation des Amateurs de la Croix[3], tout en désignant les missionnaires sous le nom de « Corps Apostolique »[4] et

1. P. Lambert de la Motte, *Abrégé de Relation*, AMEP, vol. 876, p. 554 ; vol. 121, p. 758; cf. Guennou, transc., § 85.

2. *Id.*, vol. 876, p. 555 ; vol. 121, p. 758; cf. § 86.

3. "Amateurs de la Croix" dans P. Lambert de la Motte, Lettres à Vincent de Meur du 6 septembre 1662 (AMEP, vol. 116, p. 554), du 3 novembre 1663 (AMEP, vol. 116, p. 560); Lettre à Mgr Pallu (AMEP, vol. 876, p. 555); *Abrégé de Relation* (AMEP, vol. 121, p. 757, § 84; p. 758, § 87; vol. 876, p. 555, § 90; vol. 677, p. 207, § 120; p. 209, § 122; en latin vol. 663, p. 10-13). "Amantes de la Croix" dans P. Lambert de la Motte, *Journal* du 26 février 1676 (AMEP, vol. 877, p. 581); *Journal* du 29 avril 1677 (p. 599); *Journal* du 18 juillet 1677 (p. 602); Lettre à M. Lesley du 20 octobre 1670 (AMEP, vol. 858, p. 190); Lettre à Mme de Longueville du 16 novembre 1676 (AMEP, vol. 419, p. 295); Lettre à Dominique George du 19 novembre 1676 (*La Semaine Religieuse de Bayeux*, mai 1918); *Abrégé de Relation* (AMEP, vol. 677, p. 210, § 122; p. 216, § 128; en latin vol. 663, p. 7-10); Mgr Pallu parlait d'une congrégation féminine pour le Tonkin, son vicariat apostolique, dans F. Pallu, *Lettres de Monseigneur Pallu*, p. 162 ("Congrégation de filles du Tonkin"), n° 52 lettre aux Procureurs du 11 novembre 1671 (AMEP, vol. 107, p. 60) ; p. 173 (union et association de bonnes veuves et filles du Tonkin) et p. 180 (association des filles amatrices de la Croix), n° 55, lettre à M. Sevin (AMEP, vol. 107, p. 120).

4. "Corps Apostolique" dans Pierre Lambert de la Motte, *Journal* du 8 janvier 1677 (AMEP, vol. 877, p. 596) ; Lettre à Vincent de Meur (AMEP, vol. 116, p. 560); Lettre à M. Duplessis du 23 novembre 1663 (AMEP, vol. 121, p. 556) ; Lettres à son frère Nicolas du 25 novembre 1663 (AMEP, vol. 121, p. 558) ; du 19 octobre 1664 (AMEP, vol. 121, p. 582) ; Lettre à Jacques de Bourges du 20 janvier 1665 (AMEP, vol. 858, p. 104) ; Lettre à son frère Nicolas du 20 janvier 1665 où il parle aussi de "notre congrégation" (AMEP, vol. 121, p. 594). Il nomme "corps apostolique" la Sacrée Congrégation de la Propagation de la Foi (Lettre de Lambert au Clergé de France, AMEP, vol. 121, p. 510). Il parle de "missions apostoliques" là où exercent les missionnaires apostoliques et les vicaires apostoliques et où ils mènent la vie apostolique sous la direction du Siège apostolique (*Abrégé de Relation*, AMEP, vol. 121, p. 615. 622. 627, cf. § 5. 9. 12).

tout en les intégrant aux Amateurs de la Croix en tant qu'« observateurs »[1] et « directeurs » :

> « Jay connû que le dessein du fils de Dieu dans Lestablissement d'une congregation apostolique et de celle des Amateurs de la Croix de N. S. J. Ch. estoit de renouveler les douleurs et les graces de sa passion, et d'agir dans l'une et dans l'autre comme Abraham avoit faict avec Isaac et ses autres enfants, Gen ch. 28. En effect il me paroissoit qu'ils partagerent fidellement le precieux heritage de sa Croix durant tout le cours de la vie de ceux lesquels par une miséricorde particuliere il admettoit de la premiere congregation ; pour ceux qui auroient le bonheur d'estre de la seconde qu'il les gratifioit de toute sorte de biens, et que s'ils estoient fidelles à la pratique de leurs obligations on verroit tant de difference de leurs graces, de leur conduite et de leur maniere d'agir avec celle du reste des chrestiens, que tout le monde diroit d'eux ce que les infidelles disoient autrefois des Israélites : *Hic est populus Dei* »[2].

C'est par les trois vœux intérieurs, d'obéissance, de pauvreté et de chasteté intérieure que les membres du premier Corps obtenaient l'anéantissement d'eux-mêmes pour que Jésus-Christ agisse en eux et par eux. Lambert ne se cache pas que la croix du Christ suscite l'horreur plus que l'envie et qu'on a besoin d'y être conduit par un vrai détachement de soi-même, un renoncement à l'usage de sa liberté et des puissances de l'âme, un abandon de sa volonté propre au profit de celle de Dieu comme tous les chrétiens le demandent au Père avec Jésus en récitant le Notre Père :

> « Par ceux de la seconde congregation, ie voyois que pour avoir esté après le fils de Dieu, pour avoir renoncé à eux mesmes, porté leur Croix, et suivi pendant leur vie le chemin du Calvaire, ils avoient parfaitement accomply la volonté de Dieu conformement à leurs vocations si bien que les uns et les autres, satisfaisoient totalement au bon plaisir de Dieu de la maniere qu'il tesmoigne le souhaitter dans l'oraison dominicale lorsqu'il oblige tous les chrestiens à luy demander que sa volonté soit faicte en la terre comme au Ciel, *fiat voluntas tua sicut in cælo et in terra* [Mt 6, 10]. Ce qui me ravissoit le plus dans ces veües estoit que le Sauveur du monde ayant rencontré les dispositions necessaires dans ces hommes apostoliques qu'il ne s'estoit pas seulement emparé de toutes les puissances de leurs ames, mais ce qui me sembloit tout à faict admirable est qu'il s'estoit aussi rendu proprietaire de leur corps pour y continuer sa vie voyagere et souffrante par plusieurs sacrifices penibles qu'il faisoit à son gré par ces victimes divinisées. Nul ne peut s'imaginer les richesses, les satisfactions, ny les grandeurs de cet estat, ce sont des lettres qui seront eternellement closes à tous ceux qui n'auront gousté ny Croix, ny les consolations. On aura moins de peine à le iuger si l'on faict reflection que les operations de semblables personnes sont meües par

1. P. Lambert de la Motte, Lettre à Pallu de 1668, AMEP, vol. 876, p. 556 ; cf. Guennou, transc., *Abrégé de Relation*, § 90.

2. *Id.*, *Abrégé de Relation*, AMEP, vol. 876, p. 565 ; vol. 121, p. 759 ; cf. § 88.

l'esprit de Jesus Christ qui les applique sans cesse à la gloire de Dieu son pere et aux interests generaux et particuliers de la Ste Église par une suite de sacrifices laborieux d'esprit et de corps. Il ne faut pas croire pour cela que telles ames aient aversion pour les grandes souffrances qu'elles patissent. au contraire elles se sentent tousiours plus fortement poussées a les endurer par des artifices admirables, et tout ensemble amoureux dont uze J. Ch. à leur endroit, qui leur fait connoistre que c'est luy qui est la cause de leurs maux qui leur compatit extremement et que s'il estoit possible de pouvoir souffrir en leur place il le feroit assurement.

« On a pensé qu'il estoit bon de donner connaissance de ces veües pour oster ou du moins diminuer l'horreur qu'on a de porter la Croix du Sauveur du monde »[1].

On comprend bien que la spiritualité de Lambert de la Motte n'était pas, comme on pourrait le croire à première vue, un mysticisme particulièrement débridé, mais c'était, au contraire une théologie fondamentale du salut et de la grâce, fondée rationnellement dans l'esprit de saint Thomas d'Aquin. Lambert en a développé toutes les implications sur le baptême et l'eucharistie, sur la vie éternelle et la Trinité, sur la communion des saints et évidemment sur la catéchèse chrétienne et l'évangélisation du monde. Lambert a été séduit par cette théologie très structurée et rationnelle qu'on pourrait appelée aujourd'hui celle de la mission continue de Jésus, initiée pour lui par son maître Jean Eudes. Lambert écrit à propos de Jésus et de l'évangélisation :

> « Cestoit la plus hautte faveur qu'il pouvoit faire en cette vie aux Ministres de l'Evangile que de les admettre de la premiere congregation, puisquils devenoient par cette grace excessive les sauveurs du monde avec luy [...] Il me fut donné une veüe en même temps fort avantageuse pour les Saintes Vierges et les autres personnes qui ayant incapacité d'estre promeus aux Sts ordres seroient appelés à estre de la premiere congregation, parce quils ne laisseroient pas de recevoir la grace de cooperer à la conversion des infideles et des pecheurs semblables à ceux qu'il appelle à la vie parfaite et apostolique, je recevois aussi un contentement que ie ne pouvois exprimer considerant que la Congregation des Amateurs de la Croix de Nostre Seigneur J. Ch. seroit fort nombreuse et de ce que un infinité de personnes de rare vertu, de toutes sortes de sexe de conditions, et de nations demanderoient d'y estre admis, meu particulierement de ce saint motif de vouloir reconnoistre, honorer, et imiter Jesus Christ foüetté, souffrant et patissant en Croix pour le salut de tous les hommes par un sacrifice laborieux qu'ils lui offriroient chaque iour »[2].

Le Corps Apostolique selon Lambert n'était pas la Congrégation Apostolique de Pallu, mais c'était le terme qui permettait d'identifier ceux qui travaillaient à la propagation de la foi, hommes et femmes, prêtres ou laïcs, catéchistes, religieux et religieuses. Lambert aurait voulu que le terme recouvre aussi une réalité structurelle qu'il proposait à nouveau dans le cadre

1. *Ibid.*, vol. 121, p. 760.
2. *Id.*, AMEP, vol. 876, p. 566 ; vol. 121, p. 761-762 ; cf. § 89.

du synode du Tonkin de 1670. Ce synode intéressa l'ensemble des vicariats apostoliques avec le même souci d'unité que lors du synode du Siam en 1665 quand furent rédigées les *Monita*. Pour Lambert, les Amantes de la Croix et les Amateurs de la Croix auraient les mêmes statuts où qu'ils soient institués. Mais cela ne pourra se faire que dans le Corps apostolique institué dans le cadre de la Sacrée Congrégation de la Propagation de la Foi, sinon les futurs vicaires apostoliques ne se sentiraient pas engagés par les décisions de leurs prédécesseurs, notamment celles qui concernaient les Amateurs et les Amantes de la Croix lors des premiers synodes.

L'outil de coordination constitué par le Corps apostolique devait recevoir l'approbation de la Sacrée Congrégation de la Propagation de la foi, parce qu'il remettait en question certaines directives des *Instructions romaines de 1659* qui imposaient à chacun de rester dans les limites de son vicariat. À cause du rejet des vœux proposés par Pallu, cet outil de coordination a été refusé. Mais pour les Amateurs et les Amantes de la Croix, Lambert savait que les règles canoniques lui permettaient de les instituer sans passer par un accord du pape, par contre il tenait à obtenir pour ses fondations la bénédiction et les indulgences pontificales. Aussi après la fondation des Amantes de la Croix en 1670 au Tonkin, Lambert a demandé au pape de leur accorder les indulgences prévues pour les confréries et il rappela à Pallu de faire aboutir cette demande :

> « Cela achevé, le synode fut célébré, dont je soumets les statuts en toute obéissance au jugement de votre Sainteté, comme aussi la forme d'un institut double : une partie a été instituée en faveur du peuple chrétien qu'on trouve en ces lieux de missions. Comme ils ont pour la mort et la croix du Seigneur Jésus un amour spécial, il a paru justifié d'encourager une dévotion aussi fondée. Bien qu'une société de cette sorte soit déjà reconnue par beaucoup, elle a néanmoins besoin de l'approbation du Saint-Siège et des indulgences que votre Sainteté daignera accorder à ceux qui y adhéreront pour qu'ils puissent obtenir en plénitude la grâce et la fermeté qui leur sont nécessaires.
>
> « L'autre partie a été conçue en faveur des femmes pieuses qui au Tonkin semblent avoir attendu depuis des années celui qui leur montrerait la voie d'une vie plus parfaite, donc leur vocation ; l'étude des choses de Dieu, de l'esprit, du cœur, et des dons du sort ; quelqu'un qui par surcroît aurait scruté le dessein céleste de Dieu sur elles, sans refuser qu'elles persévèrent dans leur premier propos de servir Dieu, certaines règles étant ajoutées, pour qu'elles soient en accord avec la pensée de l'Église, autant que le permet le statut d'autorité étrangère, je les envoie et soumets au jugement de votre Sainteté pour que chacune soit approuvée ou blâmée. Que si elles ne sont pas refusées, je supplie votre Sainteté de les confirmer d'autorité pontificale et d'accorder les Indulgences qu'elle voudra bien »[1].

1. *Id.*, Lettre au pape du 12 octobre 1670, AMEP, vol. 650, p. 185-186 (trad. M. Dupuy).

Dans sa lettre à Lesley du 20 octobre 1670, huit jours après celle du pape, Lambert renversait l'ordre de ses propositions en parlant de femmes pieuses pour fonder clairement une congrégation religieuse féminine :

> « Si cette nouvelle vous est agreable, comme ie n'en doute pas, celle que vous apprendrez, que quelques femmes veufves pieuses ont jetté les fondemens de la vie Religieuse en ce Royaume là, ne le sera pas moindre, ayant examiné leur grace, leur attrait, la conduite de Dieu sur elles, et leurs pratiques depuis plusieurs annees, je leur ay donné les statuts que i'addresse au St Siege pour les exposer a sa censure et en obtenir la confirmation, sil le juge à propos. Je me sers de cette occasion pour demander à Sa Sainteté lapprobation dune congregation des amateurs de la Croix de N. S. J. C., que i'ay proposée après avoir reconnu que la grande devotion des fideles de ces quartiers est de se montrer reconnaissants envers la mort et passion du Sauveur de tous les hommes. Je vous conjure, Monsieur, au nom de l'amour que vous lui portez, de vous emploer pour obtenir du St siege lapprobation de l'un et de l'autre de ces statuts avec le plus dindulgences que vous pourrez en faveur de ceux et de celles qui les pratiqueront lesquelles puissent etre appliquées pour le soulagement des ames du purgatoire »[1].

Le 28 août 1678, dans une réunion spéciale de la Sacrée Congrégation de la Propagation de la Foi au sujet des affaires de Chine, demande est faite

> « que soient accordées aux Confréries fondées par les Vicaires apostoliques au Tonkin et en Cochinchine sous le nom d'Amateurs de la Croix, dans les lieux de leurs Missions, les Indulgences habituelles, et particulièrement une plénière pour le jour d'entrée, pour le jour de fête à déclarer par le Vicaire apostolique, et à l'article de la mort; et d'autres indulgences particulières pour les fêtes de l'Epiphanie, de l'Annonciation, des Saints Pierre et Paul, de l'Ange gardien, et aussi pour tous les offices et œuvres de piété qui seront habituellement accomplis par les membres des dites Confréries : il est décrété que soient données les indulgences demandées et [qu'on le signale] au Secrétaire avec le Secrétaire de la Congrégation des Indulgences »[2].

Le 2 janvier 1679, le pape fit une réponse favorable à la proposition faite le 28 août 1678, et il souligna que les fondations qui avaient été faites et celles qui le seraient à l'avenir étaient tout à fait légales canoniquement en ce qui concernait les Amateurs de la Croix de l'un et l'autre sexe. Le pape a indiqué deux fois l'aspect canonique des fondations existantes et détaillé

---

1. *Id.*, Lettre à Lesley du 20 octobre 1670, AMEP, vol. 858, p. 189; vol. 876, p. 631-632 ; cf. L. n° 123.

2. Decretum le 28 août 1678, n° 8 (AMEP, vol. 204, p. 461 ; vol. 276 p. 97, trad. Ruellen). Mgr Pallu parle alors de confrérie des couvents de la Croix (F. Pallu, *Lettres de Monseigneur Pallu*, p. 285-286, le 25 janvier 1679) ; il parle de confrérie des Amantes de la Croix dans sa lettre datée de Rome le 10 mai 1679 (*Ibid.*, p. 298).

toutes les conditions des indulgences[1]. Il s'en suivit que c'est bien la règle proposée aux sœurs Agnès et Paule le 19 février 1670 qui a donné leur existence juridique aux Amantes de la Croix.

Les Amantes de la Croix

Lambert a fondé les premières communautés des Amantes de la Croix[2] au Tonkin le 19 février 1670, en Cochinchine[3] en 1671 et au Siam[4] en 1672. Il ne fait pas de doute que Lambert de la Motte envisageait une unité structurelle pour toutes les Amantes de la Croix, parce qu'il les avait instituées lui-même dans les deux vicariats apostoliques alors qu'il résidait au Siam. De plus il les intégrait au Corps apostolique. Le but de l'institut des Amantes de la Croix était ainsi exprimé :

1. Saint-Siège, *Collectanea: constitutionem, decretorum, indultorum ac instructionum Sanctae Sedis*, Parisiis, Typis Georges Chamerot, 1880, n° 641, p. 310 : « Comme notre vénérable frère, l'évêque d'Héliopolis, l'un des Vicaires apostoliques députés en Chine par ce Saint Siège, nous l'a rapporté récemment, ces Vicaires ont établi canoniquement ou ont fait établir par leurs provicaires, en Cochinchine et au Tonkin quelques pieuses Confréries de dévotion de fidèles des deux sexes sous le nom d'Amateurs de la Croix, dont les membres, hommes et femmes séparément, ont coutume de pratiquer nombre d'œuvres de piété et de charité chrétienne sous des règles bien établies. Ces Vicaires ont d'ailleurs l'intention de fonder des Confréries de ce genre sous le même titre et avec les mêmes règles dans les royaumes de Chine, du Tonkin, de Cochinchine et de Siam, ainsi que dans les autres provinces qui sont respectivement confiées à leur administration. Pour que des confréries de ce genre fassent de jour en jour plus de progrès, Nous, qui avons reçu autorité de Dieu tout-puissant et des Saints Apôtres Pierre et Paul, nous accordons par la miséricorde de Dieu aux fidèles chrétiens hommes et femmes, qui entreront dans ces Confréries, déjà fondées canoniquement ou qui le seront par ces Vicaires apostoliques ou leur provicaires, dans les limites des leurs Vicariats apostoliques respectifs, le premier jour de leur entrée, l'Indulgence plénière et la rémission de tous leurs péchés s'ils se sont bien confessés, et qu'ils aient reçu la sainte Eucharistie ; à tous les membres hommes et femmes qui se sont inscrits dans ces Confréries ou le seront, nous accordons aussi cette Indulgence plénière au moment de leur mort, s'ils se sont bien confessés et ont reçu la communion, ou, dans le cas où ils ne peuvent le faire, s'ils ont prononcé le nom de Jésus avec contrition, de bouche s'ils le peuvent, ou du moins de cœur... » (trad. Ruellen).

2. Dans cette partie consacrée aux Amantes de la Croix on trouvera des éléments déjà publiés par l'auteur en français sous le nom usuel de Marie Tuyết Mai, "Adaptation et rupture des religieuses Amantes de la Croix par rapport à la société confucéenne du Vietnam", in *Le don des aînés*, Bulletin de l'Alliance Inter-Monastères, 2009, n° 96, p. 93-99 (éd. française, anglaise, portugaise) ; in *Annonce de l'Évangile et interculturalité*, revue Mission de l'Église, n° 165, octobre-décembre 2009, p. 20-26 ; in Catherine Marin (dir.), *Femmes missionnaires en Asie,* Angers, Frémur, 2011, p. 69-90 ; et en vietnamien sous le nom de religieuse Marie Fiat, in *Về với cội nguồn Giáo Hội Việt Nam* (Aux sources de l'Église du Vietnam), Lưu hành nội bộ, 2009, p. 95-131.

3. A. Launay, *Histoire de la mission du Cochinchine*, p. 97.

4. *Id.*, *Histoire de la mission du Siam*, p. 24.

> « La fin de cet institut sera de faire profession speciale de mediter tous les iours les souffrances de J. C. comme le moyen le plus avantageux pour parvenir a sa cognoissance et a son amour. Le premiér des employs de ceux qui l'ambrasseront sera d'unir continuelement leurs larmes, leurs oraisons, et leurs poenitences aux merites du Sauveur du monde, pour demander a Dieu la conversion des infideles qui sont dans lestendue des trois Vicariats apostoliques et particulierement de ceux du Tonkin »[1].

L'intention de Lambert pour les Amantes de la Croix était probablement de créer un institut interdiocésain, selon le caractère interdiocésain du séminaire de Juthia, de la procure générale et de son projet d'Amateurs de la Croix[2]. Les vicaires apostoliques se sont habitués à régler d'abord entre eux leurs problèmes et à les faire approuver ensuite par Rome. Pour les missionnaires, Juthia était le centre naturel d'où l'on partait et où l'on venait, d'où le courrier partait et où il arrivait. C'est dans ce même esprit d'unité que Lambert a fondé les Amantes de la Croix. Pour lui, leur fondateur unique, il s'agissait au sein de la Congrégation Apostolique d'un seul Institut implanté en plusieurs vicariats avec une seule règle. Après l'abandon de la Congrégation Apostolique, la coordination entre les trois vicariats apostoliques fut en principe assurée par un administrateur général[3], mais cela ne fut pas suffisant pour assurer au-delà l'unité des Amateurs et des Amantes de la Croix.

Pourtant Lambert avait eu de grandes ambitions pour ses Amateurs et Amantes de la Croix de Jésus-Christ qui seront pour lui les dépositaires de la théologie de la mission continue de Jésus. Il l'expliquait spécialement par une lettre destinée aux premières Amantes de la Croix :

> « J'eusse desiré vous entretenir aprés vos vœux que vous fistes publiquement le Jour des cendres, en ma praesance, pour vous dire encore quelque chose de la grandeur de vostr'estat et de la perfection a laquelle la misericorde de Dieu vous apélle, mais ayant esté obligé de partir ce iour la pour faire mon retour

1. P. Lambert de la Motte, *Abrégé de Relation,* AMEP, vol. 677, p. 210 ; cf. Guennou, transc., § 123 : Règles des Amantes de la Croix.

2. *Id.*, AMEP, vol. 876, p. 554 ; vol. 121, p. 757 ; cf. § 84. Ils ont le même but comme les Amantes de la Croix : « Les missionnaires françois fort persuadés de cette grande verité et que cest la devotion des devotions que de porter la Croix du Sauveur du monde interieurement et exterieuremen, ont exhorté les fidelles de suivre cette bienheureuse et assuré voye dont quelques ames ayant esté esprises ont faict des instances pour qu'on eust à former une societé de personnes qui feroient profession de la suivre toute leur vie. Cette belle sollicitation qui estoit un effet d'une grace extraordinaire en eux obligea les missionnaires de ietter les premiers fondements d'une congregation à Siam pour tous les lieux des missions, à laquelle on a donné le nom de celle des Amateurs de la Croix de J. Ch. ». C'est à Juthia (Siam) que se crée des structures interdiocésaines comme un séminaire et une procure.

3. Decretum, die 17 julii 1678 (A. Launay, *Documents historiques relatifs à la Société des Missions Étrangères,* p. 70-72).

> j'ay eu pensée de vous escrire ce mot pour vous avertir que vous n'estés plus a vous ; mais toutes a J. C., auquel vous vous estés totalement données pour ne vaquér plus desormais qu'a sa connoissance et a son amour par la meditation et imitation de sa vie souffrante et par l'aplication aux obligations de vostre institut, auxquelles ie vous exhorte autant que je le puis d'estre fidéles, scachant bien le grand avantage que vous en recevrés et toute cest'eglise. Je vous recommande aussi tres particulierement, d'avoir un soign extreme de vos novices que vous devrés considerer comme des sacrés depots que Dieu vous a mis entre les mains. Souvenés vous de leur inculquer souvent la principale fin de vostre institut qui est de continuér la vie souffrante de J. C. en elles, et de luy demandér tous les iours, par vos oraisons, vos larmes, vos employs, vos sacrifices, la conversion des infideles, et celle des mauvais chrestiens, mais il importe extremement de practiquer toutes les choses en la place de J.-C. lequel les desirant faire par luy mesme et ne le pouvant plus se sert des certaines personnes choisies qu'il remplit de son esprit de mediateur pour continuer ainsy sa vie voyagère et de sacrifice jusqu'a la consommation des siecles . Vous voyés par la mes seurs la grandeur de vostre vocation et que vous estés mortes au monde cest a dire aux sens, a la nature, et a la raison humaine pour ne vivre dessormais des maximes, des practiques, et de la vie de J. C., faictes je vous prie une reflection continuele sur cela et ne m'oubliés pas devant Dieu »[1].

Il faut bien considérer que ce projet de création d'une congrégation religieuse féminine ne vient pas au milieu d'une Église locale développée et reconnue mais au sein d'une communauté chrétienne encore embryonnaire et sujette à la persécution.

Avant la venue de Lambert de la Motte au Vietnam, il y avait des communautés qui étaient rassemblées par des missionnaires. En Cochinchine, quelques jeunes filles ont demandé à M. Hainques d'écrire à Mgr Lambert car « elles avaient découvert le désir de se consacrer à Dieu de la manière la plus parfaite »[2] ; au Tonkin, François Deydier a écrit à son évêque, François Pallu, son désir de faire des règles pour deux maisons où des jeunes filles et quelques veuves voulaient vivre en commun, (elles étaient près d'une trentaine), mais il n'avait aucun livre pour l'aider à les faire[3].

Tout était prêt, comme Pallu n'est jamais venu au Tonkin, Lambert devait l'aider dans son domaine de responsabilité. Il est arrivé au Tonkin le 30 août 1669 et il a fondé la première communauté des Amantes de la Croix le 19 février 1670 par la réception des vœux des deux premiers membres tonkinois en secret vraisemblablement dans un bateau[4], elles ont

1. P. Lambert de la Motte, Lettre à Agnès et Paule du 26 février 1670, AMEP, vol. 677, p. 216 ; cf. Guennou, transc., § 128.

2. A. Launay, *Histoire de la Mission de Cochinchine*, t. 1, p. 95.

3. F. Deydier, Lettre à Pallu, AMEP, vol. 677, p. 27.

4. ĐỖ Quang Chính, s.j., *Dòng Mến Thánh Giá, những năm đầu*, (*Amantes de la Croix, les premières années*), Antôn và Đuốc Sáng, 2007, p. 60.

rassemblé des autres jeunes filles et des veuves, mais elles ont dû se partager en deux petites maisons pour que les non-chrétiens ne les découvrent pas[1]. Le 13 décembre 1675, pour la première fois, Lambert a reçu les vœux des 4 vierges cochinchinoises publiquement « en l'assemblée des fidèles à la messe de l'évêque avec édification »[2]. Six ans après leur fondation, les Amantes de la Croix sont une centaine répartie en beaucoup de communautés[3], Lambert limitant chacune d'entre elles à une dizaine de membres[4]. Après sa mort en 1679, la congrégation s'est propagée au Cambodge en 1772, au Japon en 1878 et au Laos en 1887[5].

C'était vraiment une grâce de Dieu, Lambert a fondé leur communauté pendant le temps de persécution, le bagage qu'il leur a laissé était, comme nous l'avons dit, seulement composé de quelques règles et d'une lettre spirituelle. Elles se développèrent sans modèle en appliquant ces règles à leur comportement, à leur manière de vivre et à leur culture, mais le résultat associait le nombre et la qualité, même du temps de leur fondateur. Quelle inculturation ! Plus on les persécutait, plus elles se développaient. Lambert a cru au plan de Dieu sur elles dans la durée ; dans son journal il a écrit souvent sur elles : « Le 29 avril 1677, on a lu une lettre que les Amantes de la Croix du Fils de Dieu écrivent à l'évêque de Bérithe, au nombre de quatre-vingt-deux, toute pleine de consolation »[6], « elles mènent une vie fort exemplaire »[7], « on a eu sujet de rendre grâces à Dieu de ce qu'elles vivent fort bien »[8]. « Ce sont des âmes d'élite »...[9] « qui ont besoin qu'on mette des bornes à leur ferveur »[10].

En effet, selon les règles de l'époque, la clôture et les vœux solennels étaient la caractéristique des religieuses, donc si elles ne prononçaient que des vœux simples et temporaires, renouvelés annuellement, en communauté sans clôture, elles n'étaient que confrérie. Ce sont aussi des confréries que saint Vincent de Paul avait créées en 1617 sous le nom de Dames de la Charité (restées laïques) et en 1633 sous le nom de Filles de la Charité

1. A. Launay, *Histoire de la mission du Tonkin*, p. 105. Lambert de la Motte écrit à Charles Sevin le 27 novembre 1672 qu'il y a cinq communautés de filles depuis 3 ans (AMEP, vol. 858, p. 253)

2. P. Lambert de la Motte, *Journal 1676*, AMEP, vol. 877, p. 574.

3. *Relation des missions et des voyages des évesques*, 1676 et 1677, Paris, Charles Angot, 1680, p. 115.

4. P. Lambert de la Motte, *Abrégé de Relation*, AMEP, vol. 677, p. 210 ; cf. Guennou, transc. § 124.

5. J. Đinh Thực, *Les sœurs* Amantes de la Croix *au Vietnam*, p. 45-46.

6. P. Lambert de la Motte, *Journal* du 29 avril 1677, AMEP, vol. 877, p. 599.

7. *Id.*, *Journal* du 18 juillet 1677, AMEP, vol. 877, p. 602.

8. *Id.*, *Journal* du 11 décembre 1675, AMEP, vol. 877, p. 574.

9. *Id.*, Lettre à Mme de Longueville, le 16 novembre 1676, AMEP, vol. 419, p. 295.

10. *Id.*, Lettre à Mgr de Laval, le 14 novembre 1676, AMEP, vol. 858, p. 354.

(devenues religieuses). *De jure*, c'est-à-dire selon le droit[1], les Amantes de la Croix ne peuvent être considérées autrement qu'une confrérie puisque Rome les désigne ainsi mais, bien entendu, *de facto*, dans les faits, dès le début elles furent considérées comme religieuses[2].

Dans le cadre social et religieux et le contexte historique du Vietnam de ce temps-là on ne pouvait pas ouvrir des monastères de femmes en clôture mais les Amantes de la Croix étaient vraiment des « religieuses » du siècle. Et par la suite les évêques qui ont succédé à Lambert de la Motte ont montré la reconnaissance officielle des Amantes de la Croix, par le Saint-Siège, celles du Tonkin comme celles de la Cochinchine[3]. Et enfin le 8 décembre 1900 elles bénéficièrent officiellement du statut de religieuses accordé par Léon XIII à celles qui faisaient le vœu simple sans vivre en clôture. Jusque-là et depuis le XVIe siècle, les vœux simples n'étaient considérés comme vœux religieux que pour les jésuites[4].

Dès le début on a pu s'étonner de l'engouement des jeunes tonkinoises à embrasser la chasteté chrétienne[5]. Toute l'éducation vietnamienne reposait sur la formation humaine enseignée par Confucius, il s'agissait d'abord de pratiquer les 5 vertus : *Nhân*, c'est la sociabilité-humanité (respect des autres, avoir un cœur bon) ; *Nghĩa*, c'est la piété filiale (reconnaissance, respect des parents et des ancêtres) ; *Lễ*, c'est la bienséance (respect des rites, des coutumes) ; *Trí*, c'est l'esprit studieux (courage intellectuel, "celui qui est sans étude est aussi sans vertu") ; *Tín*, c'est la crédibilité (être digne de foi, dans la vérité). Au Vietnam, tout le monde sait par cœur neuf mots d'or : Tu Thân, Tề Gia, Trị Quốc, Bình Thiên Hạ (d'abord Se rendre parfait, pour pouvoir après Gérer la famille, pour pouvoir ensuite Gouverner le pays, pour pouvoir enfin Pacifier le monde). Cela veut dire que Se rendre parfait, c'est la base pour tout le reste. Pour les filles, on insiste sur quatre vertus : *Công*, c'est le travail domestique ; *Dung*, c'est la beauté ; *Ngôn*, c'est

---

1. Le droit dans l'Église existait avant qu'il ne soit rassemblé dans un Code écrit en 1917 qu'on appelle le droit Canon.

2. J. ĐINH Thực, *Les sœurs Amantes de la Croix au Vietnam*, p. 162-164 : l'auteur montre que si les Amantes de la Croix ne correspondaient pas dans les faits à la définition de « religion », les rentrer dans le cadre des confréries paraissait ne pas davantage correspondre à la réalité ; il ne pouvait en être autrement avant les précisions apportées par le Code de droit Canon en 1917. Cette terminologie vague imposée aux Amantes de la Croix permettait cependant une souplesse dont les vicaires apostoliques ont su jouer, notamment au niveau des vœux.

3. Lettre de Mgr Reydellet, en 1766, AMEP, vol. 690, p. 464 ; Rapport de Mgr Longer à la *Propaganda Fide*, le 15 septembre 1801, AMEP, vol. 693, p. 521 ; Réponse au questionnaire de la *Propaganda Fide* de Mgr Labartette pour l'année 1806 (AMEP, vol. 747, p. 341), de Mgr Taberd pour l'année 1829 (AMEP, vol. 747, p. 1073).

4. ĐỖ Q. Chính, s.j., *Dòng Mến Thánh Giá, những năm đầu*, p. 53-54.

5. ALEXANDRE DE RHODES, *Histoire du royaume du Tonkin*, Paris, Kimé, 1999, p. 178-179.194.

la bonne parole ; *Hạnh*, c'est la bonne attitude ; et ces 4 vertus ne se concevaient pas pour elles sans les 3 soumissions au père avant le mariage, au mari une fois mariée et au fils aîné une fois veuve. On enseignait aux filles à se préparer à être une belle-fille douce (par rapport à sa belle-mère) et une épouse obéissante (à son mari).

Tout cela se résumait à se perfectionner soi-même, à devenir une personne parfaite. Et si les filles étaient attirées par la vie consacrée, c'est parce qu'elle se présentait comme une vie de perfection. D'ailleurs, dans la langue vietnamienne, le même terme *TU* s'applique à la recherche de la perfection et à la vie consacrée. Le christianisme accomplissait en quelque sorte l'aspiration à la perfection contenue dans le confucianisme. Cela ne veut pas dire qu'il n'y avait pas de difficulté à vivre ensemble à dix femmes qui n'étaient pas de la même famille, les missionnaires eurent à régler des conflits[1].

Ces femmes habillées quotidiennement comme toutes les vietnamiennes mais revêtant pour la messe la tunique de fête aux larges manches, se mêlant quotidiennement à toutes les activités de la population, se sont toujours considérées et ont toujours été considérées au Vietnam comme de vraies religieuses, menant avec courage une vie des plus rigoureuses avec une ascèse et une mortification inspirées de la contemplation quotidienne de la croix, et s'engageant sans conditions dans la voie de la chasteté, de la pauvreté et de l'obéissance.

C'est ce statut souple des Amantes de la Croix qui leur permit de passer à travers les plus terribles persécutions ; disparaissant à un endroit elles se développent à nouveau rapidement à partir des foyers encore en activité ailleurs. C'est pourquoi, après 250 ans de persécution, elles existaient toujours. En 1884, il y avait 2000 Amantes de la Croix au Tonkin et 1200 en Cochinchine[2].

Le caractère confucéen des communautés d'Amantes de la Croix était renforcé par le poids du missionnaire qui assurait le rôle du père de famille dans ces communautés féminines. Mais la femme vietnamienne gardait ses prérogatives, plus étendues qu'elles n'étaient en Chine. Le domaine où elle dirige, l'intérieur de la maison, s'est trouvé étendu à la communauté, le soin des malades, l'éducation des enfants, la nourriture à ceux qui en ont besoin, ces activités qui seront celles des religieuses apostoliques en Europe venaient là non seulement comme une spécificité de la religieuse mais elles étaient la poursuite de la fonction maternelle étendue à la communauté chrétienne. Les fidèles se rappellent souvent combien elles sont utiles pour eux : elles

---

1. A. Launay, *Histoire de la mission de Cochinchine* I, p. 172-174 : L'auteur signale un rapport de 1675 du Père de Courtaulin à Lambert de la Motte au sujet de la communauté de Bao Tay en Cochinchine, exposée à de graves désordres et à l'insubordination, cela avait été réglé par le Père Vachet qui avait remis les sœurs dans la prière et l'observance de leur règle.
2. L.-E. Louvet, *La Cochinchine religieuse*, t. II, Paris, 1885, p. 452-453.

vivent pauvres au milieu des pauvres, elles instruisent les femmes et les filles, baptisent les enfants mourants ; de plus « elles s'appliquent surtout à aller faire les prières dans les maisons où il y a des malades et à les assister dans leurs besoins spirituels et temporels… les consoler, les aider à bien mourir et réciter les prières avec les chrétiens pour demander à Dieu une bonne mort ou leur guérison qu'elles obtiennent assez souvent »[1].

Alexandre de Rhodes dit que, même dans les familles du peuple, mais surtout dans le monde aisé et dans les familles de la noblesse mandarinale, c'est la mère de famille qui commande, pour ce qui regarde l'organisation du travail, les dépenses, les enfants, les domestiques, et « personne n'ose contredire ». C'est ce qui fait la force de la famille annamite, tant au point de vue de la discipline qu'au point de vue de la stabilité et de la fortune[2]. Mais, selon le principe confucéen, la femme doit se garder d'affirmer son autorité, extérieurement et vis-à-vis des enfants, et de faire ainsi perdre la face à son mari[3].

C'était une bénédiction pour un village d'avoir en son centre une *Nhà Phước* (maison du bonheur)[4], le nom qu'on donnait spontanément à une communauté d'Amantes de la Croix car les villageois savaient que leurs malades seraient soignés et nourris, leurs enfants instruits[5]. On retrouve dans ce terme de *Nhà Phước* le même attachement sentimental que le Vietnamien éprouve pour son *Đình*, la maison communale de son village natal[6].

Le champ d'action du Confucianisme, c'est la vie familiale, tout le monde, chrétiens ou non-chrétiens les appellent les Amantes de la Croix *Dì* (tante, signe d'une certaine intégration de la religieuse dans la famille de chacun), *Dì Phước* (la tante qui fait le bien) ou *Cô Mụ, Bà Mụ* au Tonkin (mademoiselle ou dame honorable). Ce sont les marques les plus respectueuses, les sentiments les plus profonds qu'on leur a réservés. Quand des religieuses viendront d'Europe on les appellera : *Sơ*, transcription de *Sœur*. Pour les prêtres, on a choisi aussi de les désigner par un terme familial, le summum de la considération familiale ; mais les noms étaient différents,

1. A. Launay, *Histoire de la mission du Tonkin*, p. 461-462.

2. Cité par L. Cadière. MEP, *Bulletin des Amis du Vieux Huế*, 26e Année n° 2, avril-juin 1939, p. 70 (Alexandre de Rhodes, *Voyages et Missions du p. A de Rhodes, S.J. en la Chine et autres royaumes de l'Orient, avec son retour en Europe par la Perse et l'Arménie.* Nouvelle édition, Desclée De Brouwer, 1884) ; voir aussi Léopold Cadière, MEP, *Croyances et Pratiques religieuses des annamites*, Hà Nội, Société de géographie, 1944, p. 78 ; Pierre Huard et Maurice Durand, *Connaissance du Viêt-nam*, Hà Nội, 1954, Paris, École française d'Extrême-Orient, 2002, p. 94.

3. *Ibid.*, P. Huard et M. Durand, p. 100, 102-105.

4. Ce nom a été traduit dans le Compte-rendu de Mgr Mossard du 10 octobre 1899 (AMEP, vol. 757, p. 65).

5. A. Launay, *Histoire de la mission du Tonkin*, p. 461-462.

6. Trần Ngọc Thêm, *Recherches sur l'identité de la culture vietnamienne*, Hà Nội, Éd. Thế Giới, 2006, p. 254-255.

les prêtres vietnamiens étaient appelé *Cụ* (arrière-grand-père, vieillard, avec un sentiment plus familial), tandis que les prêtres européens étaient appelé *Cố* (arrière-grand-père aussi, mais avec un sentiment plus de respect)[1].

La traduction vietnamienne du terme « congrégation » par *Dòng* est un bon exemple d'inculturation. *Dòng* ne porte pas sur l'aspect institutionnel, sur la structure et les règles, mais le mot signifie « grande famille », « clan », mais aussi « ascendance », « lignée », « filiation », regroupant toutes les générations unies par les liens du sang.

Proposer la nouvelle congrégation comme *Dòng* aux jeunes vietnamiennes, cela répondait bien d'abord à un contexte confucéen. Dès les premières communautés on a voulu mélanger les âges de sorte que les jeunes respectaient les plus âgées et les plus âgées considéraient les jeunes comme leurs filles ou leurs nièces. Pour elles, la communauté était considérée comme une nouvelle famille[2].

Le soin de Lambert de la Motte à limiter les communautés des Amantes de la Croix à dix membres permit de multiplier les implantations et chaque communauté servit aussi de lieu de culte discret. En effet face à la persécution on ne pouvait construire d'églises trop voyantes. Ainsi le missionnaire parcourant les villages chrétiens trouvait chez les Amantes de la Croix tout le nécessaire pour dire la messe.

Alors que prêtres et catéchistes étaient itinérants pour l'exercice de leur ministère, les Amantes de la Croix assuraient habituellement l'accueil de la communauté chrétienne, et c'est vers elles qu'on se tournait pour connaître les nouvelles ou en apporter, surtout pendant le temps des persécutions. Il arrivait parfois aussi que les Amantes de la Croix fassent des tournées dans les villages autour de chacun de leurs centres et dorment chez les chrétiens pour exercer leur mission[3]. Lorsque le missionnaire n'avait plus de catéchiste à envoyer en mission, ce sont deux Amantes de la Croix qu'il envoyait prêcher sur les marchés et dans les villages non-chrétiens[4].

On ne soulignera jamais assez le sens de cette position de la maison des Amantes de la Croix dans les villages vietnamiens. Au temps des persécutions les Amantes de la Croix servaient de courriers, accueillaient dans leurs maisons les prêtres et les chrétiens en fuite et allaient visiter ceux qui étaient en prison, leur portant l'aide et la communion[5], car au début les autorités ne

1. En 1880 le Synode de Cochinchine prescrivait : « *On appellera* Cố *les Européens et* Cậu (Cụ) *les Annamites, conformément aux anciens usages* » (Cité par NGUYỄN Hữu Trọng, *Les origines du Clergé Vietnamien*, thèse de Doctorat en théologie à l'Institut Catholique de Paris, Saigon, 1959, p. 35 et p. 286 (Note additive).

2. ĐỖ Q. Chính, *Dòng Mến Thánh Giá, những năm đầu*, p. 14-15.157-158.

3. J. Đinh Thực, *Les sœurs* Amantes de la Croix *au Vietnam*, p. 114.

4. *Annales de la Société des Missions Étrangères*, Paris, année 1908, p. 11.

5. A. Launay, *Histoire générale de la Société des Missions Étrangères de Paris*, t. I, p. 144.

leur prêtaient pas attention, ce n'était que des femmes ! et « il y a peine de mort contre celui qui s'aviserait de fouiller sous les habits d'une femme »[1]. Mais bientôt, constatant leur remarquable efficacité, on recommanda de les surveiller particulièrement et elles devinrent la cible prioritaire en cas de persécution. L'empereur Tự Đức les considérait comme des « mauvaises femmes ». En 1860, il signait un édit spécial contre elles : « Les chrétiens se servent de femmes qu'ils appellent vierges, pour receler les objets de piété et pour se communiquer les nouvelles les uns aux autres... Si l'on vient à arrêter de ces mauvaises femmes, il faut se conformer aux sentences portées contre elles dans les provinces de Hânôi et de Phúyen, pour les punir afin qu'elles se corrigent »[2].

Elles étaient dignes des éloges des missionnaires :

> « Elles sont vraiment l'édification des lieux qu'elles habitent », « Pauvres et saintes filles, elles l'ont bien mérité ce nom (Amantes de la Croix), elles ont supporté tout ce qu'il exprime de douleurs, d'angoisses, d'amertumes humaines ; mais aussi elles ont savouré tout ce qu'il prophétise de joie céleste et d'amour divin. Elles ont mené une vie de pauvreté, de travail, d'humiliation, parcourant tous les chemins de l'Annam, visitant ses bourgades et ses villes, afin de régénérer les enfants dans les eaux du baptême ; au péril de leur vie, elles ont caché les prêtres pendant les persécutions ; elles ont porté le pain des forts (eucharistie) aux martyrs, jusque dans leur cachot ; et pour couronner tant de vertus et tant d'héroïsme, elles ont confessé le nom de Jésus Christ dans les tourments et dans la mort. Les Amantes de la Croix ont montré à l'Extrême-Orient la grandeur de l'humilité, la gloire de l'obéissance, la splendeur de la virginité »[3].

Ce n'est pas le christianisme qui a introduit la vie en communauté pour les femmes. La vie communautaire féminine n'était pas inconnue au Vietnam puisqu'il existait des monastères bouddhistes féminins. L'ordre des Nonnes (Bikkhuni) établi au Siam et au Cambodge, en Chine et au Vietnam était soumis à la même discipline monacale, observant les mêmes règles et les mêmes interdictions que l'Ordre des Moines[4]. Il semble qu'à cette époque les moniales bouddhistes étaient composées essentiellement de veuves et de femmes répudiées, elles se retiraient du monde, elles se rasaient le crâne et s'habillaient de robes monastiques comme les moines[5].

---

1. *Annales de la Propagation de la Foi*, t. 8, Lyon, 1835, p. 392, note.

2. *Ibid.*, t. 34, Lyon, 1862, p. 10.

3. A. Launay, *Histoire générale de la Société des Missions Étrangères de Paris*, t. 1, p. 144 ; *Annales de la Propagation de la Foi*, t. 1, Lyon, 1822-1825, p. 10.

4. Joseph Nguyễn Huy Lai, *La tradition religieuse, spirituelle et sociale au Vietnam, sa confrontation avec le christianisme,* thèse de doctorat en théologie à l'ICP en 1979, p. 470 ; A. Launay, *Histoire générale de la Société des Missions Étrangères de Paris*, t. 1, p. 144-146.

5. L. Cadière, MEP, *Croyances et Pratiques religieuses des annamites*, p. 76 ; J. Đinh Thực (*Les sœurs* Amantes de la Croix *au Vietnam*, p. 91) note que du temps où Mgr Davoust

Le *Journal* de Lambert à la date du 21 novembre 1674[1] rapporte que quatre membres d'une communauté religieuse païenne (religieuses des idoles) étaient venus trouver Laneau (Mgr de Métellopolis) pour qu'il leur parle du christianisme. Cela fait penser au sujet de son livre: *Rencontre avec un sage bouddhiste*[2]. Le même *Journal* de Lambert rapportant la tournée de Lambert en Cochinchine en décembre 1675 parle de plusieurs petites communautés villageoises formées de vierges réunies chez des veuves, de façon spontanée, semble-t-il. Il donne même de sa main la formule des vœux qui leur a été proposée en cochinchinois: « *Toi la Anna tlão tai duc thai vispo khan hua cũ duc chua bloi giu minh doũ tling tũ den khi chet va o cũ chĩ em lam moi su chung* »[3].

Mgr Lambert de la Motte avait pensé se rapprocher de l'ascèse bouddhique notamment en pratiquant le jeûne perpétuel (l'absence de toute nourriture carnée), mais cette imitation des bonzes convenait en Thaïlande et au Cambodge en pays de Petit Véhicule (Hinayana) mais convenait moins au Tonkin et en Cochinchine en pays de Grand Véhicule (Mahayana) introduit à partir de la conquête chinoise, au Vietnam en effet l'aspect rigoureux, ascétique, avait disparu du Bouddhisme[4]. En particulier dans les pays mahayanistes le moine ne mendie pas sa subsistance mais travaille[5].

Lambert a sous les yeux le modèle des monastères bouddhistes féminins, il a des contacts avec les moines et n'hésite pas à copier leur habit et leurs règles alimentaires et, au Tonkin, depuis Alexandre de Rhodes, il y a des jeunes filles qui aspirent à vivre ensemble en recluses[6]. Pourtant, ce n'est pas le type

était vicaire apostolique du Tonkin (1780-1789), les Amantes de la Croix ont converti une bonzesse, déclenchant la colère de ses consœurs, et elle rentra dans une des communautés des Amantes de la Croix, éloignée de son ancien monastère.

1. P. Lambert de la Motte, *Journal* au 10 février 1674, AMEP, vol. 877, p. 532; cf. Simonin, transc., p. 8 : « On a baptizé ce matin cette femme moribonde quon fut visiter avant hier: cest un grand coup de la grace parce quelle sestoit consacrée au service des idoles comme sont nos religieuses a Dieu » ; au 21 novembre 1674, vol. 877, p. 551 ; cf. transc., p. 73: « Mgr de Métellopolis a parlé de nostre ste religion a quatre religieuses des idoles qui le sont venues voir ».

2. Louis Laneau, *Rencontre avec un sage bouddhiste,* traduit du siamois, introduction et notes de Pierre-Yves Fux, Ad Solem-Cerf-MEP, 1998.

3. P. Lambert de la Motte, *Journal,* le 13 décembre 1675, AMEP, vol. 877, p. 574 ; cf. Simonin, transc., p. 162 : Moi, Anna, entre les mains de l'Évêque, je promets au Seigneur du Ciel (*sic*) de me garder dans la Chasteté jusqu'à la fin de ma vie et de demeurer avec mes sœurs en mettant tout en commun.

4. Alfred Schreiner, Les *Institutions annamites en Basse-Cochinchine avant la conquête française*, t. II, Saigon, Claude et Cie, 1901, p. 134 ; Jean GUENNOU, *Missions Étrangères de Paris*, p. 131.

5. J. Nguyễn Huy Lai, *La tradition religieuse, spirituelle et sociale au Vietnam, sa confrontation avec le christianisme,* p. 466.

6. Alexandre de Rhodes, *Histoire du royaume du Tonkin,* p. 178-179.194.

de vie religieuse le plus approchant qu'il a choisi d'implanter au Tonkin. Alors que la vie contemplative est le seul modèle existant à son époque en Europe où la clôture est encore obligatoire pour les femmes, Lambert de la Motte demande à ses religieuses de s'engager dans la vie contemporaine, à l'inverse des moniales bouddhistes autant que des moniales chrétiennes.

Il les envoie dans les villages pour éduquer les jeunes filles et leur porter assistance, allant non quémander leur nourriture mais se faire les servantes de tous, le 2 décembre 1677, Deydier écrit à propos des Amantes de la Croix qu'elles forment : « une Congrégation de femmes et de filles qui vivent ensemble sous une règle assez austère et sans autre fonds pour leur entretien que cela qu'elles peuvent acquérir à la sueur de leurs visages »[1].

Dans l'esprit de Lambert de la Motte qui veut aussi la discrétion par sécurité, les Amantes de la Croix ne sauraient se rapprocher du modèle bouddhique très présent dans le contexte vietnamien, elles ne se font pas remarquer par l'aspect extérieur de leurs maisons et dans leur tenue vestimentaire et leur crâne rasé, elles n'ont pas d'uniforme religieux et portent l'habit traditionnel de la femme vietnamienne avec sa coiffure, sa chemise et son pantalon noirs, et elles gardent leur beauté naturelle. À l'époque, même si elles vivaient en communauté à l'esprit familial, les Amantes de la Croix présentaient donc un nouveau modèle de femme, une femme s'imposant dans la société, hors du cadre familial, contrairement aux traditions confucéennes.

Si les Amantes de la Croix s'adaptaient à l'esprit du confucianisme, il n'y avait pas conformité car pour Confucius c'était en se mariant qu'on devenait vertueux, et il considérait en même temps que les occupations des hommes et celles des femmes ne devaient pas être semblables. Or, pour les religieuses, « *il importe extrêmement de pratiquer toutes les choses en la place de Jésus Christ* » (un homme !)[2], et elles collaboraient dans une certaine mesure avec les prêtres dans le domaine de la pastorale, surtout auprès des femmes.

Le yin et le yang sont des qualificatifs qui correspondent à la manière dont sont vus la femme (yin = ombre, froideur, faiblesse, soumission, ignorance, inaction et finalement tout ce qui est mal) et l'homme (yang = lumière, chaleur, force, commandement, savoir, action, et finalement tout ce qui est bien) dans la société chinoise primitive, c'est une bénédiction du Destin que d'être un homme, c'est une malédiction du Destin que d'être une femme et elle n'y peut rien. La pensée de Confucius a contribué à figer cette manière de voir qui se traduit par un Rite qu'on ne saurait modifier sans mettre en péril l'ordre du monde, telle est la vision de la femme que le Vietnam hérite du monde chinois. La maternité est la seule gloire de la femme, même si

1. A. Launay, *Histoire de la mission du Tonkin*, p. 106.

2. P. Lambert de la Motte, Lettre à Agnès et Paule (les deux premières Amantes de la Croix) le 26 février 1670, AMEP, vol. 677, p. 216.

elle ne lui enlève pas sa soumission à l'homme, tous deux ayant le sentiment d'être soumis inexorablement au Destin selon l'esprit confucéen[1].

Mais il faut aussi considérer qu'en Europe il y avait au XVIIe siècle, malgré le christianisme, les mêmes préjugés contre les femmes[2], et que, si l'on acceptait qu'elles échappent au mariage forcé pour embrasser la vie religieuse, c'était à condition qu'elles passent leur vie derrière une clôture, entre les murs d'un cloître[3].

Pour améliorer la condition de la femme, c'est une tâche de formation et d'éducation des jeunes filles que Lambert va donner en priorité à la nouvelle congrégation par rapport aux œuvres caritatives[4]. C'est ensuite que lui revient la charge de soigner les femmes et filles malades et de tirer les femmes et les filles débauchées de leur mauvaise vie[5].

À propos du vœu de chasteté, christianisme et confucianisme se trouvent en conflit et en rupture. Là les positions sont irréconciliables. La femme confucéenne n'a pas la possibilité d'engager sa vie, elle ne dispose ni de son corps ni d'elle-même, elle n'a aucune autonomie pour s'engager. Elle ne peut ni choisir son mari ni le refuser. Aussi n'était-il pas possible pour les confucéens de prendre au sérieux le vœu de chasteté, de lui donner une quelconque valeur. Or c'est sans doute la rupture contenue dans la proposition de Lambert de la Motte qui séduisit les jeunes tonkinoises car, bien avant 1670, des veuves chrétiennes avaient commencé à se regrouper et des jeunes filles s'étaient jointes à elles pour garder la chasteté et éviter de se faire marier contre leur gré par leurs parents ou devenir concubines (la monogamie permettant des concubines à côté de l'épouse officielle).

Les activités des Amantes de la Croix s'effectuant en lien constant avec les prêtres, Lambert de la Motte a précisé dans le Synode de Phố Hiến : « Que lesdits administrateurs auront aussi un soin spécial des filles et des

1. P. HUARD et M. DURAND, *Connaissance du Viêt-nam*, p. 94-95.

2. Dans la session « *Les femmes dans l'École française : défis d'hier et d'aujourd'hui* » du samedi 7 juillet au lundi 9 juillet 2007 au Bon Pasteur Angers, Madame Le Gall rappelle que sur le plan juridique, la femme du XVIIe siècle passe de la dépendance de son père à la dépendance de son mari avant d'être soumise à l'autorité du fils majeur et que la société du XVIIe siècle ne voit pas l'utilité d'apprendre à lire et à écrire à des petites filles qui sont destinées à assurer des tâches ménagères ou à occuper des emplois manuels, notamment dans l'industrie textile où on leur demande de filer la laine ou de tisser éventuellement.

3. La levée de l'obligation de clôture va être au centre de la Réforme religieuse du XVIIe siècle après la fondation des Ursulines, en 1544 (Session « *Les femmes dans l'École française* »).

4. Dans la première Constitution des Amantes de la Croix, Lambert de la Motte leur demande : « *d'instruire les jeunes filles tant chrétiennes que païennes, aux choses que les personnes de leur sexe doivent savoir ; que si à raison des affaires pressantes où se trouve la religion cela ne se peut accomplir, elles se souviendront que lorsqu'elles le pourront ce doit être une de leurs principales occupations* » (AMEP, vol. 677, p. 210).

5. *Idem.*

veuves, qui veulent garder la continence, se voueront au service de Dieu toute leur vie, pour vivre en commun suivant les statuts par Nous dressés exprès à cet effet » (18e art)[1].

C'est pourquoi, on pensa que ces contacts ne pouvaient qu'entraîner la débauche. Une femme qui accueillait les Amantes de la Croix fut accusée d'entretenir des jolies filles pour attirer les missionnaires afin d'en tirer profit. Cela aboutit à la dispersion de cette communauté[2]. Mais plus souvent ces maisons des sœurs étaient considérées comme un lieu de refuge de filles insoumises qu'il s'agissait pour les confucéens de remettre dans la voie de la soumission, fut-ce par la violence, et parfois aussi on pensait y trouver des filles à marier qu'on prétendait ensuite pouvoir enlever à la communauté[3]. Cela imposait de n'établir de maison pour les Amantes de la Croix qu'en environnement chrétien. La communauté chrétienne assurait en effet leur protection et cela renforçait le lien entre elles et le reste de la communauté, donnant un visage particulier à la paroisse vietnamienne, en un temps où le Vietnam ne connaissait pas d'autres communautés religieuses que les Amantes de la Croix.

Mais les Amantes de la Croix ont payé un large prix pour leur fidélité à leurs vœux, notamment entre 1857 et 1861 des centaines sont mortes, en particulier entre août et septembre 1885 où 270 religieuses périrent[4]. L'histoire garde encore les renoms et les morts douloureuses des sœurs martyres[5].

Finalement, c'est la diffusion de la mission continue de Jésus de sauver le monde par la croix qui était première pour Lambert de la Motte par rapport au développement de la congrégation religieuse des Amantes de la croix et on peut dire que le succès est venu pour l'un et l'autre point. Il est vrai que pour Lambert de la Motte, c'est cette congrégation qui devait avoir la charge de diffuser, à travers toute l'Église du Vietnam au niveau des paroisses et du peuple chrétien, cette théologie de la Mission continue de Jésus et la spiritualité qui s'y appuie, la spiritualité de la Croix.

Le traité théologique de Laneau, disciple de Lambert

Alors que Lambert exprima sa théologie de la mission continue de Jésus dans tous les écrits et actes de sa vie, Laneau, son disciple, la développa

1. A. Launay, *Histoire de la Mission du Tonkin*, p. 96-97.
2. *Id.*, *Histoire de la Mission de Cochinchine* I, p. 224-226.
3. *Id.*, *Histoire de la Mission du Tonkin*, p. 349.
4. G. Cussac, « Les missions de la péninsule indochinoise et des philippines », dans *Histoire universelle des missions catholiques*, (sous la direction de Mgr Simon Delacroix), Paris, 1957, t. 3, p. 238.
5. E.-M. Durand, "Les martyrs du Binh Thuan (Sud-Annam)", in *Annales de la Société des Missions Étrangères*, Paris, année 1929, p. 89-105.

essentiellement dans un traité qui l'évoque dans son titre : *la déification ou divinisation des justes par Jésus-Christ.* C'est une œuvre écrite en latin à partir de 1693, imprimée en 1887 et traduite en français par Jean-Paul Lenfant pour être publiée en 1987. Après la partie doctrinale qui intéresse notre sujet, c'est un recueil de divers points de spiritualité sans beaucoup de liens entre eux si ce n'est qu'on énumère section après section les devoirs des chrétiens[1]. En

1. Louis LANEAU, *De Deificatione Iustorum per Iesum Christum*, AMEP, vol. 1314 ou 1314B pour la première partie sous le titre de *Opusculum Asceticum in quo ex triplici titulo Adoptionis in filios Dei, Incorporationis cum Christo et Inhabitationis Spiritus Sancti exponitur demonstraturque Justorum per Jesum Christum Deificatio* ; et vol. 1315 ou 1315B pour la seconde partie sous le titre *Secunda pars de Deificatione quantum ad praxim caput primum de exercitio quod justi in quantum deificati a Christo tenere debeat quod et exercitium Xti nuncupari potest* (publié pour la première édition *La divinisation par Jésus-Christ*, traduit du latin par Jean-Paul LENFANT, Paris, MEP, 1987, et pour la seconde édition *De la déification des justes*, Genève, Ad Solem, 1993). On peut voir dans « un exemple d'examen particulier » une sorte de table des matières primitive (*La divinisation par Jésus-Christ*, p. 327-329) :

1) « Que chacun voie d'une certitude morale s'il n'est pas en état de péché mortel, s'il ne vit pas en dehors de la grâce, s'il s'estime vraiment enfant de Dieu, membre du Christ, temple du Saint Esprit ? Si vraiment, par suite d'une si éminente dignité il ne s'est pas détourné de cette croyance, ou s'il n'est pas dans l'incertitude et le doute ? Ici il ne s'agit pas du sens à donner aux mots adoption et incorporation car, pour ce qui est de la pratique, peu importe la façon dont on les interprète pourvu que l'on se conforme à la foi et au sens de l'Église.

2) « A-t-il pris soin de ne pas mener une vie indigne de l'adoption divine, et de l'incorporation au Christ, et de l'inhabitation du Saint Esprit ?

3) « S'est-il efforcé de s'adapter au Christ comme à son chef en ce qui concerne les motions et les impulsions ?

4) « A-t-il toujours œuvré en dépendance du Christ ? Lorsqu'il n'y avait pas d'impulsion sensible du Saint Esprit, a-t-il omis de demander au Christ la permission de travailler ou de ne pas travailler ?

5) « A-t-il été attentif à prolonger la vie du Christ, selon son état et sa condition ?

6) « A-t-il voulu avoir les vertus et la perfection plus en lui-même que dans le Christ, et croître par l'exercice de ces vertus davantage en lui-même que dans le Christ ?

7) « A-t-il éprouvé le sentiment requis envers les autres en tant qu'ils sont ses membres ?

8) « A-t-il considéré seulement le Christ dans le prochain et même dans les saints qui règnent au ciel, ou a-t-il négligé de vénérer et d'imiter le Christ dans ses saints ?

9) « À cause des nombreux ennuis qu'entraîne l'abstention des actions permises, ne s'est-il pas autorisé à les faire malgré le scandale des autres, soit fidèles, soit infidèles ? N'a-t-il pas été cause que des fidèles, sont moins fervents, que des infidèles ne sont pas vivifiés par le Christ, et ne sont pas attirés vers Lui ?

10) « A-t-il eu la témérité d'attenter à la charité envers le prochain et de créer une division dans le corps du Christ, pensant à tort être obligé d'agir ainsi à cause de la renommée et de la gloire de sa communauté à réparer ou à promouvoir ?

11) « A-t-il cherché à exhorter à la vertu par des motifs provenant du mystère du Christ, ou par d'autres provenant des philosophes ou des rhéteurs ?

12) « S'est-il proposé un autre but que le Christ dans ses exercices spirituels ?

13) « A-t-il respecté son corps comme il convient à un temple du Saint Esprit, et l'a-t-il orné grâce à la modestie et à la mortification ? Ou l'a-t-il souillé par les fastes du siècle et une manière voluptueuse de vivre ?

préface il est écrit: « À mes très aimés frères en Christ les Missionnaires apostoliques et tous les autres Clercs demeurant au Séminaire de Saint Joseph »[1] avec la date du 8 juillet 1693. Ce traité théologique de Laneau avait sans doute fait l'objet d'un cours lorsqu'il était directeur du séminaire à Juthia. Alors que Rome avait fixé l'objectif prioritaire de former un clergé autochtone[2], ce clergé destiné à toute l'Asie sera formé dans un seul séminaire dans lequel les séminaristes recevront le même enseignement théologique proposé par Laneau, disciple de Lambert, de sorte que tout le clergé autochtone d'Asie de cette époque recevrait l'héritage théologique de Lambert. La Providence s'était chargée d'accélérer les choses et, dès que le séminaire fut achevé, d'appeler des candidats au sacerdoce pour moitié de la Chine et pour moitié des Indes, comme en témoigne Lambert dans son *Abrégé de Relation*:

> « Les habitans de Macao n'ayant point vu d'evesque depuis plus de 30 ans, mirent en deliberation s'ils ne devoient pas convier Mgr de Berithe allant a la Chine de faire quelque sejours en leur ville. Cette proposition fut generalement reçeüe de tous les corps a la reserve de Celuy des Jesuittes qui assurement ne s'y opposerent que pour que des personnes d'europe ne connussent pas la source de leurs dereglemens. ;Cette resolution ayant été prise le vicaire general de l'evesché et le gouverneur de la ville et un des principaux de Macao escrivirent a monseigneur de Berytte et luy envoyerent 3 personnes des plus considerables de la ville le priant de les ordonner dans l'extreme besoin quils ont des prestres. On a reçeu les lettres de Civilité et les ordinans avec beaucoups de temoignage d affection et leur ayant fait connoistre quils n'estoient pas en état de recevoir si tost les sts ordres parce qu'auparavant toutes choses il faloit examiner leur vocation et les instruire d'une profession la plus dificile, la plus relevée et la plus divine qui soit dans le monde, s'estant soûmis a cela et a tout ce qu'on jugeroit necessaire devant les pouvoir ordonner, on les a admis pour les eprouver pendant un temps considerable. Voilà comme sans y penser on se trouve heureusement engagé de commencer un seminaire qui est la chose la plus utile a la Ste Église et surtout

14) « Pendant l'oraison, a-t-il cherché autre chose qu'à s'unir au Père par Jésus Christ et à prier autrement que dans le Saint Esprit? A-t-il examiné les vertus et les autres sujets d'oraison en dehors du Christ, comme indépendamment du Christ? ».

1. Préface traduit du latin manuscrit par J. Ruellen.

2. P. Lambert de la Motte, Lettre à Pallu du 19 octobre 1667, AMEP, vol. 857, p. 224, cf. Guennou, transc., L. n° 109: « Il y a quelques temps que i'ay fort en veüe de vous escrire touchant trois grands services qu'on peut rendre a l'eglise dans ce royaume et qui y seroient bien reçeus. Le premier est d'y establir un Seminaire et college perpetuel de toutes sortes de nations qui pust contenir pres de cent personnes, c'est ce dont nous avons deia ietté les fondements, dans l'esperance que dieu y donnera des progrés considerables ». Les deux autres services sont la création dans le même lieu d'une communauté de religieuses et d'un hôpital. Un an auparavant, le 17 octobre 1666 Lambert écrivait à Pallu (AMEP, vol. 858, p. 131 ; cf. L. n° 102) qu'il avait reçu du roi de Siam des moyens pour construire une cathédrale qui ne figure pas dans les priorités qu'il cite ici.

en ces quartiers ou la discipline ecclesiastique et religieuse sont abolies. Outre ces 3 personnes il y a encore un jeune homme de 22 ans, originaire de levéché de Meliapour dont la grace paroist grande qui sest venu offrir aux missionnaires et qui demeure avec eux. Il y a encore deux autres personnes des Indes qui ont demandé d'entrer en ce seminaire de sorte que dans la suite des temps il y a lieu de croire que par le moyen des petites escholes qu'on a commencées il se trouvera bon nombre douvriers Evangeliques »[1].

En 1665, il y a donc six séminaristes à Juthia et trois professeurs, Lambert, Deydier (puis Langlois) et Laneau qui sera le directeur jusqu'en 1671, pendant le temps où il étudie les langues locales auprès des bonzes.

L'histoire des écrits attribués à Laneau est difficile à établir parce que tout ce qu'il n'a pas transmis à Paris a été détruit en 1688 au moment de la révolution siamoise. Le *De Deificatione* a été dicté en prison à un jeune de 17 à 18 ans[2] et d'autres textes ont été reconstitués ensuite presque intégralement en caractères latins grâce à diverses personnes qui en possédaient les brouillons ou les exemplaires[3].

Jean Guennou qui a écrit une Préface pour l'édition de 1987 de la *Divinisation par Jésus-Christ*, n'a pu s'apercevoir de cette filiation doctrinale entre Lambert et Laneau, il se contentait d'affirmer que Laneau avait puisé l'amour filial envers le Père des cieux chez saint François de Sales, l'adhérence aux adorations de Jésus-Christ chez Bérulle, la docilité au Saint-Esprit chez Louis Lallemant. Mais plus simplement Laneau intitulait le Livre premier : « Les justes deviennent enfants de Dieu, membres de Jésus-Christ et temples du Saint-Esprit », parce que cela correspondait à sa définition théologique de la déification qui est pour chaque baptisé l'adoption divine, l'incorporation du Christ et l'inhabitation du Saint-Esprit. Pour Laneau trois grâces complémentaires reconstituaient la relation étroite de l'homme avec la Trinité, il s'agit de l'adoption pour le Père lors du baptême, l'incorporation pour le Fils dans le baptême et dans l'eucharistie et l'inhabitation pour le Saint-Esprit par la confirmation ; le chrétien devient alors un enfant de Dieu, un membre du Christ, un temple du Saint-Esprit, de sorte que se poursuive en lui l'œuvre de la Rédemption du monde. La divinisation est l'achèvement de l'unité entre nous et le Christ par notre participation au mystère pascal de mort et de résurrection.

C'est évidement l'incorporation qui permet à Jésus de continuer lui-même en nous sa mission sur toute l'étendue de la terre et jusqu'à la fin des temps, associant chacun de nous à sa prédication, à sa passion et à sa croix

1. *Id.*, *Abrégé de Relation*, AMEP, vol. 121, p. 692-693 ; cf. § 40.

2. L. Laneau, Lettre aux directeurs du séminaire, le 15 décembre 1690, AMEP, vol. 880, p. 395.

3. *Id.*, Lettre à M. de La Loubère du 9 décembre 1690, perte de livres composés ou traduits par les missionnaires, AMEP, vol. 862, p. 439.

pour le salut des âmes. Laneau savait que c'est cette association qui pose le plus de problème, car elle suppose une abdication de la volonté personnelle de l'homme en ce qu'elle se différencie de la volonté de Dieu, comme Jésus l'exprime à Gethsémani : « Non pas ma volonté mais ta volonté » (Lc 22, 42). Laneau allait devoir démontrer que :

> « Nous sommes vraiment incorporés au Christ, par le baptême, mais surtout par l'auguste sacrement de l'eucharistie.
> « Nous sommes les membres du Christ, os de ses os et chair de sa chair (cf. Gn 2, 23).
> « Nous sommes réellement des enfants de Dieu, car le Fils naturel de Dieu nous transforme en Lui.
> « La sainte Église qui fond en un tous les membres du Christ n'est pas un corps moral ou métaphorique du Christ, mais son corps réel, édifié de sa chair et de l'Esprit »[1].

L'ordre choisi par Laneau a son importance. L'Église en tant que Corps du Christ ne se comprend que si on admet que l'eucharistie n'est pas symbole ou simple présence spirituelle mais une union charnelle qui rappelle celle que Dieu a créée à l'origine entre l'homme et la femme et que Jésus, en tant que nouvel Adam[2] a renouvelé avec l'Église, son Épouse, l'os de ses os et la chair de sa chair, pour laquelle il a quitté la maison de son Père[3].

Laneau avait compris la dynamique de la théologie de Lambert. Il compléta les références données par Lambert pour justifier la participation des chrétiens à la Rédemption. Ce n'est pas incompatible avec l'affirmation que Jésus est seul Médiateur, seul Sauveur comme il est le Fils unique de Dieu ; c'est d'ailleurs par la compatibilité de cette dernière affirmation avec

---

1. *Id.*, *La divinisation par Jésus-Christ*, traduit du latin par J.-P. Lenfant, 1987, p. 73.

2. Jésus-Adam : Rm 5, 11.14; 1 Cor 15, 22.45 ; Église-Épouse : Jn 3, 29 ; Ga 4, 26-27 ; Ap 18, 23 ; 19, 7.

3. L. Laneau, *La divinisation par Jésus-Christ*, p. 58 : « Nous devenons donc des hommes qui ont le même corps que le Christ, comme le dirent les Pères, nous sommes confondus en Lui, comme de la cire liquéfiée, nous avons atteint avec Lui une union vraie, réelle, proprement dite ; ne nous étonnons donc pas davantage de ce qu'Augustin déclarât : "Nous ne sommes pas seulement devenus des chrétiens, nous sommes devenus le Christ", et encore "ils sont moi"; et Grégoire le Grand : "Il entre en Lui par Lui". Nous devons encore moins mettre en doute que nous sommes enfants de Dieu quand le Christ, qui est naturellement Fils de Dieu, nous transforme en Lui grâce à la réception de son corps. C'est ce que nous disions plus haut : même si par la régénération baptismale, l'infusion de la grâce sanctifiante, le don du Saint-Esprit, nous n'étions pas devenus enfants de Dieu ni membres du Christ, par l'eucharistie nous obtiendrons de manière certaine tous ces bienfaits. Dans les autres sacrements nous recevons seulement quelques effluves de la grâce divine ; dans l'eucharistie le Christ Lui-même vient en nous, Il s'unit totalement à nous, non seulement par la foi et la charité, mais aussi par Lui-même, à tel point que plusieurs Pères rapportèrent à ce sacrement ces paroles : *"Voici l'os de mes os et la chair de ma chair"* (Gn 2, 23) ».

sa promesse de déification que nous pouvons comprendre comment tout ce qui est attribué à Jésus seul nous est promis : nous aussi nous serons fils et filles de Dieu, divinisés[1], temples permanents du Saint-Esprit. Nourris de son incorruptibilité[2] et morts en lui, nous aussi ressusciterons pour rentrer dans la gloire. Tout est possible si nous revêtons le Christ, prenant nous-mêmes notre part[3] dans la mission salvatrice du Christ[4].

Avec saint Jean Chrysostome commentant l'épître aux Galates (Ga 3, 26 : « Tous vous êtes enfants de Dieu »), Laneau écrit :

> « À quoi reconnaître que nous sommes devenus les enfants de Dieu ? À une seule chose, dit l'apôtre, c'est que nous avons été revêtus du Christ, le Fils de Dieu. Il en donne une seconde preuve, c'est que nous avons reçu l'Esprit d'adoption : « Fils, vous l'êtes bien : Dieu a envoyé dans vos cœurs l'Esprit qui crie : Abba, Père » (Ga 4, 6) »[5].

En commentant la seconde Épître de Pierre (1, 4), Laneau dit :

> « Qu'est-ce que Dieu pouvait en effet nous donner de plus précieux que de participer, non pas à sa puissance ou à sa science, ou à l'une de ses perfections, mais à sa nature divine au-dessus de laquelle il n'y a rien ? Ainsi nous entrons en communion avec Dieu et, selon la façon de parler habituelle des Pères, nous sommes transformés en Lui, nous Lui sommes conformés, nous sommes divinisés... Le pseudo-Denys écrivit que nul ne peut faire son salut s'il n'est

---

1. *Ibid.*, p. 93-94 : « C'est donc dans le Christ comme médiateur (cf. He 9, 15), avec le Christ comme conseiller (cf. Es 9, 5), par le Christ comme « imitateur » et « accomplissement » du salut (cf. He 12, 2), que nous sommes choisis et prédestinés, non pas pour posséder la grâce et la gloire en dehors du Christ, mais pour être adoptés en Lui. Une fois adoptés, nous ne demeurons pas en dehors de Lui, mais en Lui ; nous sommes transplantés dans son corps, nous devenons ses membres, et par conséquent enfants de Dieu comme II est Fils de Dieu, Lui, « *le premier*-né *d'une multitude de frères* » (Rm 8, 29). Ceci est la plus élevée de toutes les bénédictions spirituelles par lesquelles « *Dieu* nous a *bénis dans les cieux dans le Christ* » (Ép 1, 3) afin que nous n'obtenions pas seulement la rédemption et « *la rémission des péchés dans le sang du Christ* » (cf. Col 1, 14) mais, ce qui est infiniment plus, pour qu'une fois adoptés nous soyons transplantés dans le corps du Fils unique ».

2. *Ibid.*, p. 59 : « La nourriture naturelle ne demeure pas, mais se corrompt et se transforme en notre substance ou est évacuée. Tandis que le pain du Christ, source de toute incorruptibilité, demeure en celui qui le mange, et ce dernier demeure dans le Christ parce qu'il reçoit la vie du Christ qui est le pain vivant et dont la chair est vraie nourriture et le sang vraie boisson (cf. Jn 6, 55). Et ce pain n'est pas seulement vivifiant, mais vivant : il donne donc la vie sans la corruption de celle-ci. La conséquence en est que, si la vie surnaturelle est quelque chose de permanent en nous, la cause de cette vie demeure en nous ».

3. Dans le *De Deificatione* on trouve 66 fois le mot « participation » ou « participer » ; 38 fois le mot « communion ».

4. L. Laneau, *La divinisation par Jésus-Christ*, p. 99 (Le Christ continue sa vie terrestre) ; p. 198.

5. *Ibid.*, p. 24.

pas divinisé : « Le salut ne consiste en rien d'autre que ceux qui sont sauvés deviennent des dieux » (Hiérarchie VIII) »[1].

Dans la liturgie actuelle de l'eucharistie, par l'image de la goutte d'eau dans le calice, les fidèles sont invités à demander d'être unis à la divinité du Christ : « Comme cette eau se mêle au vin pour le sacrement de l'Alliance, puissions-nous être unis à la divinité de Celui qui a pris notre humanité ». Laneau ne doutait pas de parvenir à cette participation que demandent les chrétiens :

> « Le Christ s'est uni à notre humanité et s'est fait un vrai homme, non pas d'une façon imagée ou métaphorique, mais réellement. Aussi ne devons-nous pas douter que nous devenons unis à la nature divine et que nous devenons des dieux par participation »[2].

Laneau parle de notre union au Christ comme une incorporation à travers le mystère de l'Église et celui de l'eucharistie ; il rappelle que les Pères parlaient de l'eucharistie comme d'une bénédiction mystique :

> « Non certes parce qu'elle ne serait pas pleinement réelle et vraie – le dire serait une hérésie – mais parce qu'elle n'est pas sensible, et qu'elle dépasse de beaucoup l'intelligence que les hommes peuvent en avoir. Ainsi donc l'incorporation de chacun de nous et de toute l'Église au Christ, bien que qualifiée de mystique, ne doit pas être crue non véridique ou irréelle »[3].

C'est chez saint Augustin et chez le pape saint Grégoire le Grand que Laneau trouvait comment l'Église est Corps du Christ :

> « En attribuant à l'Église ce qui convient au Christ ; et vice versa, ils affirment du Christ ce qu'on dit de l'Église : c'est en effet leur enseignement, de même que celui des autres Pères de l'Église, que la tête et les membres, ou le Christ total, ne sont qu'une seule personne, une seule substance. Augustin affirme cela des centaines et des milliers de fois dans ses livres et dans ses admirables explications qu'il donne des psaumes, de l'évangile de saint Jean et des autres livres de l'Écriture »[4].

Ce qui est vrai de l'Église est vrai de chacun de ses membres[5] ; comme elle, ils sont tous corps du Christ, et c'est à travers eux comme à travers elle que devrait s'opérer la rencontre entre le Christ et le monde à sauver. C'est dans ce sens que Laneau disait de l'Église qu'elle est aussi médiatrice :

---

1. *Ibid.*, p. 29.
2. *Ibid.*, p. 29-30.
3. *Ibid.*, p. 45-46.
4. *Ibid.*, p. 53.
5. Le 21 novembre 1964, la proclamation de la Vierge Marie, Mère de l'Église, reprend la théologie du Corps du Christ. En étant la Mère de Jésus, elle est Mère du Corps ecclésial et de chacun de ses membres.

« Bien qu'il y ait un seul médiateur entre Dieu et les hommes, Jésus Christ, il faut également un médiateur entre chaque homme et le Christ. Mais ne désespérons pas ! Ce second médiateur est là, c'est le corps du Christ, l'Église. L'Église, dis-je, soit qu'elle triomphe aux cieux, soit qu'elle œuvre sur la terre. Comme les bienheureux et les fidèles appartiennent au même corps (Rm 12, 5), il n'est pas absurde de penser que les membres inférieurs accèdent à la tête par l'entreprise des membres supérieurs. Quand nous voulons nous rapprocher du Christ, il est évident que nous nous servons de la bienheureuse Vierge, le membre le plus éminent de tout le corps, des autres habitants de la patrie céleste, ainsi que de notre mère la sainte Église qui est l'épouse du Christ, comme médiateurs entre nous et notre chef »[1].

Pour Laneau, c'était l'eucharistie qui porte à la perfection notre incorporation au Christ. Il la comparait à l'union hypostatique :

« De même que le Christ, grâce à son union hypostatique, a la vie divine qui est la vie propre de Dieu, car tout ce qui est à Dieu est communiqué à la nature humaine du Christ, ainsi nous-mêmes, quand nous nous nourrissons du corps et du sang du Christ, nous faisons un avec Lui, et nous participons à la nature divine qui est en Lui. Par conséquent la vie divine du Christ devient notre vie, un peu comme, toutes proportions gardées, par l'union hypostatique, la vie divine la vie de la nature humaine. C'est pourquoi le Christ lui-même a déclaré : "Comme le Père qui est vivant m'a envoyé et que je vis par le Père, ainsi celui qui me mange vivra par moi" (Jn 6, 57) »[2].

Laneau concluait : « Nous devons encore moins mettre en doute que nous sommes enfants de Dieu quand le Christ, qui est naturellement Fils de Dieu, nous transforme en Lui grâce à la réception de son corps »[3]. En nous pénétrant et en se mêlant à nous, le corps du Christ nous garantit la résurrection et la vie éternelle.

Pour Laneau, le Christ assemble et unit étroitement ses membres entre eux et à Lui-même, formant un seul homme qui est le Christ total selon saint Augustin, récapitulant tout en Lui[4]. Dès lors, si ce n'est plus lui qui vit mais c'est le Christ qui vit en lui (Ga 2, 20), saint Paul peut dire «nôtres » la mort du Christ, sa sépulture, sa résurrection et sa place à la droite du Père (cf. Ép 2, 5 sq ; Rm 6, 44) :

« Certes, remarque Laneau, il est difficile de comprendre que nous soyons tous contenus dans le Christ et qu'en Lui nous ne fassions qu'un, c'est pourquoi,

1. L. Laneau, *La divinisation par Jésus-Christ*, p. 133.
2. *Ibid.*, p. 56.
3. *Ibid.*, p. 58.
4. Cf. B. Sesboüé, *Jésus-Christ, l'unique Médiateur*, t. II, p. 291 : « La résurrection de Jésus ne sera achevée que lorsque tous les hommes seront ressuscités avec lui et en lui. Alors seulement toutes choses seront récapitulées en lui ».

dit-il, saint Paul, en maître expérimenté, tourne et retourne son discours dans toutes les parties, qu'il se répète très souvent et qu'il use de termes variés et multiples comme de propos délibéré, pour nous permettre d'avoir une idée de réalités par ailleurs inscrutables »[1].

Dès lors, si nous prenons en compte le Corps total, les souffrances du Christ n'ont pas été supportées par la tête seule mais par le Corps tout entier, tête et corps. Laneau fait référence à Saint Augustin qui « pose aussi comme première règle pour l'intelligence de la Sainte Écriture qu'il faut savoir qu'on y fait mention du Christ et de l'Église comme étant une seule et unique personne »[2]. Cela s'applique au Christ en tant que Rédempteur et Laneau de conclure : « Le Christ n'est donc pas seulement cette personne unique qui unit les natures humaine et divine et qui accomplit l'œuvre de la rédemption, mais le Christ doit être pensé comme comprenant aussi l'Église universelle, tant céleste que terrestre »[3].

Évidemment reprend le thème de l'Épître aux Galates (1, 24) si utilisé par Lambert, il pose la question : « Que pouvait-il manquer à la passion du Christ, qui fut absolument complète, surabondante, si ce n'est une continuation ? »[4] Ce qui manque ne manque pas au Christ-Tête mais à son corps qui est l'Église qui a à croître jusqu'à la consommation des siècles, non pas seulement de façon quantitative mais surtout de façon qualitative en augmentant sa charité jusqu'à l'amour universel de la Croix en application du commandement : « Aimez-vous les uns les autres comme je vous ai aimés », c'est-à-dire jusqu'à l'achèvement de l'amour qui est pour le Christ d'offrir sa vie sur la croix pour nous sauver. Laneau écrit en effet :

> « Quand nous croissons dans le Christ, le Christ croît également, et Il croîtra jusqu'à la consommation des siècles ; alors Il remplira tout totalement (cf. Ép 1, 23). Le Christ ne s'accroît pas seulement par le nombre de ses membres, Il s'accroît surtout par leurs mérites, et c'est pourquoi le Christ sera un homme parfait, et l'on peut dire, quand le total des saints sera complet et que nous parviendrons "à l'état d'adultes, à la taille du Christ dans sa plénitude" (Ép 4, 13) »[5].
>
> « Le Christ joue pour nous le rôle de la tête dans un corps. Nous devons donc dépendre du Christ, que ce soit pour agir ou pour nous abstenir d'agir, tout autant que les membres dépendent de la tête soit pour se mouvoir, soit pour rester au repos. Il est cependant une différence ; sans influx de la tête les membres ne veulent ni ne peuvent se mouvoir ; sans impulsion spéciale de l'Esprit du Christ, nous pouvons agir, mais nous ne le devons pas »[6].

---

1. L. LANEAU, *La divinisation par Jésus-Christ*, p. 88-89.
2. *Ibid.*, p. 91.
3. *Ibid.*, p. 92.
4. *Ibid.*, p. 99.
5. *Ibid.*, p. 98.
6. *Ibid.*, p. 138.

C'est là où Laneau rejoint Lambert dans l'offrande de ses facultés de mémoire, de volonté et d'intelligence, dans l'engagement à la pauvreté, la chasteté et l'obéissance intérieure. « Car, dit-il, en nous tous donc, si nombreux que nous soyons dans le Christ, il ne doit y avoir qu'une seule et identique volonté du Christ qui fasse en nous le vouloir et le faire »[1]. Pour Laneau le rachat, c'est d'abord un achat, un achat qui entraîne un changement de propriétaire : le pécheur est l'esclave du démon et il est acquis par le Christ qui a le pouvoir de l'émanciper, et la monnaie utilisée pour cet achat, ce sont les souffrances du Christ en croix. Désormais nous sommes « au Christ ». Et c'est notre soumission au Christ par l'Esprit qui nous protège d'un retour à l'esclavage du péché :

> Le Christ « agit avec nous par un influx intime de son Esprit, par un influx intime de son Esprit, par des inspirations intérieures ainsi que des impulsions et des mouvements du cœur, toutes choses qui se manifestent très peu extérieurement. Il veut en effet gouverner son corps par Lui-même ; se servir de l'Esprit qui vivifie pour pousser chacun de ses membres, comme un instrument, à continuer sa vie terrestre, et s'unir à lui dans la mesure où il Lui semble bon. C'est pourquoi il ne paraît pas suffisant de faire le bien à cause du Christ ou pour le Christ, il faut aussi le faire mû par le Christ, sous sa dépendance, car il ne veut pas seulement que nous soyons saints, mais saints sous la dépendance de son Esprit »[2].

Comme Lambert, Laneau montrait comment rester dans l'obéissance au Christ et exercer le discernement :

> « Il n'est pas donné à tout le monde de sentir toujours l'impulsion du Christ, nous allons donc dire en peu de mots ce qu'il faut faire quand on ne la ressent pas. Tout d'abord, dans le cas où ce qu'on se propose de faire ne serait pas vraiment nécessaire ni utile, il est hors de doute qu'il convient de veiller à abandonner l'idée d'exécuter ce travail, sinon nous paraîtrions user à nouveau de notre liberté que nous avons livrée au Christ. Mais si cette nécessité ou cette utilité existent véritablement, il ne faut pas estimer que l'on doive différer le travail envisagé par suite du défaut de la motion interne (comme les novices en spiritualité pourraient se l'imaginer), ni que nous puissions au contraire œuvrer impunément sans avoir consulté le Christ et comme de nous-mêmes (ainsi que la multitude des hommes a coutume de le faire). Ces deux manières d'agir sont à rejeter, il nous faut donc trouver une voie médiane qui permette d'accomplir ce que nous sommes obligés de faire, mais non sans en avoir humblement demandé la permission au Christ : ainsi nous ne manquerons pas à nos devoirs, ni à la soumission et à la dépendance au Christ »[3].

1. *Ibid.*, p. 141.
2. *Ibid.*, p. 143-144.
3. *Ibid.*, p. 147.

Laneau ramenait alors la question de la soumission à l'Esprit Saint au vœu d'obéissance du religieux à son supérieur, d'autant que pour Laneau comme pour Lambert, c'est au Christ que « nous avons fait vœu d'entière obéissance à notre baptême ». Si le supérieur ne donne aucune consigne et qu'il faut pourtant répondre à une situation d'urgence, « le pieux religieux accomplit ce qu'il juge de bonne foi que le supérieur eût accepté, ou du moins n'eut pas refusé (ce qui est différent), ou encore ne prendra pas en mauvaise part ».[1] Mais celui qui se soumet à l'Esprit Saint y est aidé par la grâce. Comme dans un contrat, au baptême Dieu s'engage de son côté par la promesse de la vie éternelle dont le don de l'Esprit Saint constitue le gage et les arrhes[2] :

> « Quand l'apôtre dit : "Qu'il vous rende aptes à tout ce qui est bien", c'est comme s'il disait : quand apparaît une occasion d'agir, nous ne devons pas nous précipiter comme si nous jouissons d'autonomie sur nos actions, nous jeter dans cette œuvre sans attendre la motion du Saint Esprit. Il ne suffit pas en effet, comme nous l'avons déjà enseigné, de faire le bien, il faut que ce bien provienne non de nous mais de Dieu »[3].
>
> « Ce que saint Paul enseignait, il le réalisait à la perfection. Totalement mort à lui-même et aux mouvements et affections de la nature, entièrement transplanté dans le Christ et ne sentant rien que le Christ qui œuvrait en lui, bien plus, qui vivait en lui, il dépendait en tout du Christ, il ne vivait que de la vie du Christ. Aussi ne rougissait-il pas de dire : "Je vis, mais ce n'est plus moi, c'est le Christ qui vit en moi" (Ga 2, 20) »[4].

Laneau voulait mettre ses lecteurs en garde contre la poursuite de sa volonté propre au travers de l'imitation du Christ. Pour Laneau, c'est le Christ qui doit pouvoir s'imiter Lui-même en agissant en nous et par nous :

> « Puisque le Christ n'entreprit jamais rien de Lui-même, et qu'il se conduisit toujours dans la soumission totale au Père, la manière la plus complète d'imiter le Christ, et qui est au plus haut degré nécessaire aux missionnaires, c'est à mon avis, qu'ils n'entreprennent ni n'exécutent rien par eux-mêmes, mais qu'ils fassent tout dans la dépendance du Christ »[5].

Laneau n'était cependant pas aussi explicite que Lambert par rapport à l'effet rédempteur de notre participation au sacrifice du Christ en croix. Mais tous ses arguments y conduisent. L'essentiel c'est le partage : Jésus partage tout avec nous, y compris sa divinité ; a fortiori il partage la mission qu'il a reçue de son Père, le salut du monde par la croix :

1. *Ibid.*, p. 81.
2. *Ibid.*, p. 147.
3. *Ibid.*, p. 152.
4. *Idem.*
5. *Ibid.*, p. 161

« C'est pourquoi les souffrances du Christ n'ont pas été supportées par le Christ seul, ou, en un autre sens, les souffrances du Christ n'ont pas été supportées que par le Christ. Si en effet, par le Christ, vous entendez la tête et le corps, les souffrances du Christ appartiennent tout entières au Christ »[1]. « On dit que nous sommes morts, ensevelis et ressuscités avec le Christ (cf. Col 2, 12sq) parce que, comme le disent saint Augustin et saint Grégoire, tout ce qui convient au Christ nous convient également : Le corps et la tête parlent en effet. Et pourquoi parlent-ils comme une seule personne ? Parce que, dit l'Écriture, "ils seront deux en une seule chair" (Gn 2, 24). Et l'apôtre ajouta : "Ce mystère est grand : je déclare qu'il concerne le Christ et l'Eglise" (Ép 5, 32) »[2].

Laneau insistait sur le thème de la continuité[3] en développant la doctrine de la mission continue de Jésus[4] puisée chez son maître Lambert et diffusée à tous les séminaristes de l'Asie.

C'est ce souci d'unité qui a motivé à la fois les *Instructions* données par le synode aux futurs missionnaires (*Monita*), la commune règle de vie à adopter au milieu des païens, les vœux intérieurs de pauvreté, chasteté et obéissance à l'Esprit Saint et l'établissement d'une structure commune à tous les vicariats apostoliques permettant une évangélisation coordonnée, structure que Pallu était allé proposer à Rome sous le nom de Congrégation Apostolique[5]. Le rejet par Rome de la structure proposée par les missionnaires sur le terrain allait créer un vide qu'occupèrent aussitôt les membres du séminaire de Paris et il fallut près d'un siècle[6] pour que les missionnaires reprennent le pouvoir

---

1. *Ibid.*, p. 91.

2. *Ibid.*, p. 109.

3. Il a mentionné 41 fois le terme *continue* ou *continuer* ou *continuation* ou *continuité* dans son livre

4. L. Laneau, *La divinisation par Jésus-Christ*, p. 99 : « Il est nécessaire qu'il exerce et continue ses actions par ses membres qui vivent sur terre, de même qu'il continue sa passion par son apôtre qui disait : « Ce *qui manque aux détresses du Christ, je l'achève dans ma chair en faveur de son* corps *qui* est *l'Église* » (Col 1, 24) ».

5. F. Pallu, *Explanatio ideæ Congregationis Apostolicæ*, 2e Partie, 6e Chapitre, AMEP, vol. 109, p. 85 : « Pour prévenir la discorde entre missionnaires, rien n'est plus adapté que cette Congrégation, puisqu'elle doit les rassembler tous en un seul corps où, morts au monde et à eux-mêmes, il ne leur sera permis de vivre que pour Dieu et son Église. Pour la même raison, il ne sera pas difficile d'obtenir de tous ces missionnaires qu'ils enseignent les mêmes choses, suivent la même façon d'évangéliser, toutes choses dont on a abondamment parlé lors de notre synode ».

6. En 1751 les missionnaires écrivirent leurs revendications dans un *Mémoire pour les Évêques François, Vicaires Apostoliques pour les Royaumes de Siam, Tonquin, Cochinchine, etc., leurs Co-Adjuteurs, et Missionnaires François en ces Royaumes, Contre les Directeurs du Séminaire des Missions Étrangères, établi rue du Bacq, Fauxbourg Saint-Germain*. Et en 1767 ils écrivirent à nouveau un *Mémoire pour les Sieurs Girard, Manach et Le Loutre, Missionnaires du Séminaire des Missions Étrangères dans les Indes Occidentales* [Québec et Acadie], *Appellans comme d'abus, Contre les Supérieur et Directeurs du Séminaire des Missions Étrangères établi à Paris Rue du Bacq.* Finalement ce sera la fin de l'autorité puis de l'indépendance du séminaire.

qui leur avait été confisqué, tant en Asie qu'au Canada où le séminaire de Paris les envoyait alors. En même temps la prépondérance du Séminaire sur les Missions n'était d'aucun profit pour les missionnaires qui n'y trouvaient pas le bénéfice que les religieux trouvaient dans leur hiérarchie. Catherine Marin remarque à ce propos qu'en 1736 M. Delecourt notait dans son *Journal de mission* que les missionnaires se trouvaient démunis pour n'avoir « ni congrégation, ni ordre pour les soutenir »[1]. Le pape tout en demandant aux missionnaires et aux vicaires apostoliques de n'obéir qu'à lui et de ne dépendre que de lui, n'organisait rien pour eux dans l'ordre du temporel.

1. C. Marin, « Du refus d'un patronat royal à la française : un soutien contrôlé du Roi et des Grands » in *La Société des Missions Étrangères de Paris, 350 ans à la rencontre de l'Asie*, p. 91, note 20 (citant Journal de M. Delecourt, 1736, AMEP, vol. 740, p. 467).

CONCLUSION

On ne peut faire l'économie d'étudier la vie d'un homme dont on veut pénétrer la pensée, bien des événements et des rencontres ont été déterminants pour beaucoup de théologiens quant aux choix de leurs prises de position. Pour Lambert, ce sont ses engagements qui lui permettent d'élaborer la cohérence de sa pensée autant que les démonstrations de son intelligence et de sa raison. Il est donc encore plus nécessaire à son sujet que pour un autre de partir de sa biographie pour étudier sa pensée, mais c'était impossible si on prenait pour argent comptant ce que rapportait son premier biographe issu du groupe qui l'avait le plus contesté durant sa vie. Il a fallu d'abord, à partir de documents d'archives, rétablir la vérité historique fortement dénaturée.

Il reste nécessaire d'établir une édition critique des œuvres de Mgr Lambert appuyée, sinon sur les documents autographes, du moins sur l'ensemble des copies qui se trouvent à Paris et à Rome, tant en français, qu'en traduction latine ou italienne. Hors de la difficulté de la transcription des manuscrits, et même après la lecture qu'en a faite l'archiviste Jean Guennou au siècle passé, on se heurte encore à des erreurs manifestes des copistes qui rendent parfois le texte incompréhensible, il faudra un travail très long portant sur plus d'un millier de pages pour les corriger.

Alors que la biographie primitive désorientait le chercheur sans lui permettre de raccrocher la pensée de Lambert à une source précise, l'étude des documents aboutissait à placer la pensée de Lambert dans le prolongement direct de celle de saint Jean Eudes, de sa théologie de la « mission continue de Jésus » et de sa spiritualité de la miséricorde. Lambert développait plus largement que Jean Eudes toutes les répercussions de cette théologie ; certes il reprend l'aspect contractuel du baptême cher à Jean Eudes, mais il s'appuie sur son expérience d'évêque et de missionnaire *ad gentes* pour montrer la nécessité d'une vie « parfaite », vécue en Église, si l'on veut répandre l'Évangile dans le monde.

À travers les documents se découvre une évolution de la pensée de Lambert, sa théologie se modifie ou se développe à la faveur des trois étapes de son expérience spirituelle personnelle de laïc dévot, de prêtre missionnaire, et d'évêque bâtisseur d'Église. C'est peut-être son attachement au rôle du Saint-Esprit qui est le plus frappant dans la relation de sa vie et de sa pensée. L'importance de l'oraison et de la méditation de la croix dans sa vie ne le referme pas sur lui-même et sur ses expériences mystiques, bien au contraire. Pour lui sa foi dans l'Esprit Saint le pousse à rechercher sans cesse l'expérience et le point de vue des autres, c'est sa conception synodale de l'autorité qu'il met en œuvre en Asie tout en accordant toute sa place à la fonction hiérarchique de Rome, garante de l'unité et organisatrice de l'évangélisation. Mais à travers les médiations humaines, pour lui c'est toujours Jésus qui poursuit lui-même la mission de salut qu'il a reçue du Père pour l'accomplir sous la conduite de l'Esprit Saint lors de l'Incarnation et dans le sacrifice de la croix. En tant que membres de son Corps les chrétiens doivent faciliter à Jésus l'accomplissement de cette mission en eux sans l'entraver ni se substituer à lui.

Pour Lambert en effet la théologie de la mission continue de Jésus concerne la poursuite de l'œuvre de Rédemption par la croix, mission qui contient deux aspects indissociables, l'accomplissement de la justice qui consiste pour l'homme à reconnaître son péché et à rentrer dans la voie de réconciliation avec Dieu par la pénitence. L'autre aspect est celui de la miséricorde par lequel le Fils de Dieu prend sur lui les conséquences du péché, c'est le mystère de la croix. Dans ce processus de salut, la part du Christ est unique, mais au sein de son Corps, l'Église, l'homme est associé à son sacrifice et partage sa place sur la croix. Aussi, pour Lambert, la croix est à la première place comme l'indique le nom qu'il donne à un nouvel Institut: les Amantes de la Croix. Ce nom pourrait évoquer aujourd'hui plus le dolorisme que la vocation chrétienne, alors que Lambert avec saint Paul veut qu'il soit le rappel constant de l'essentiel de notre foi. Totalement associée à l'évangélisation de l'Asie, la croix est présentée par sa théologie en opposition avec la sagesse humaine qui l'évacue. À la fin de notre étude, nous ne pouvons éviter de revenir sur cette question toujours actuelle.

C'est la mise en valeur de la croix que Lambert considère comme le message central qu'il doit diffuser dans la fidélité à saint François-Xavier, aux premiers missionnaires jésuites et aux premiers martyrs de l'Asie, particulièrement ceux de son vicariat de Cochinchine dont il recueillera les reliques, comme ceux du Japon dont il diffusera en Europe le récit du sacrifice que des réfugiés japonais lui feront connaître. Le nombre des martyrs que le continent asiatique a donnés par la suite semble justifier pleinement l'orientation de sa pensée et de son ministère. Constatant avec ses compagnons que le commerce à grande échelle pratiqué par les religieux opacifie totalement le message des martyrs et en est le contre-témoignage permanent, Lambert n'hésite pas à envisager un nouveau commencement pour l'Église en Asie, rappelant les premiers temps du christianisme, tel que les Actes des Apôtres les décrivent. Il s'appuie pour cela sur les projets, que le Saint-Siège lui a communiqués, de ramener à Rome la direction de l'évangélisation qui avait été confiée au Portugal et à l'Espagne après les grandes découvertes opérées par ces Royaumes en Afrique, en Asie et en Amérique. Lambert vivait son ministère en dépendance de la Sacrée Congrégation de la Propagation de la Foi qui le soutenait sans faille, si ce n'est lors du rejet du projet d'organisation des Missions d'Asie sans doute mal présenté à Rome par Pallu. Lambert voyait dans ce projet une manière de mieux permettre à Jésus de vivre dans l'Église sa mission continue.

Lien entre vie et pensée, entre salut et souffrance, et renouveau de l'évangélisation en Asie, voilà les points que nous allons développer en conclusion de notre étude parce qu'ils sont particulièrement représentatif de Pierre Lambert de la Motte.

Le rapport entre la vie et la pensée de Mgr Lambert

La vie de Lambert et sa pensée ont été très imbriquées de sorte qu'on ne peut aujourd'hui proposer une biographie crédible de Lambert en ignorant sa pensée et qu'on ne peut davantage faire l'étude de sa pensée sans tenir compte des applications qu'il en donnait dans le quotidien de sa vie. L'évolution de la pensée de Lambert passe par les étapes de sa vie. La jeunesse de Lambert et son engagement professionnel dans la magistrature donnent lieu à une recherche spirituelle qui va aboutir au sacerdoce et à un nouvel engagement dans l'organisation d'une œuvre charitable, l'hôpital général de Rouen. La troisième étape commence lorsqu'il rejoint Pallu à Rome pour convaincre le Saint-Siège de choisir les Français pour sortir les missions d'Asie du patronat portugais dont les accords semblaient caducs.

Ces accords passés entre la papauté et la monarchie portugaise s'appuyaient sur le développement de l'influence des portugais en Asie, le pape leur confiait la responsabilité et le financement de l'évangélisation des terres païennes et le choix des évêques là où le Portugal était suffisamment implanté pour créer des diocèses comme à Macao en Chine et Goa en Inde. Or l'influence portugaise ne cessait de diminuer partout en Asie, et le Portugal n'y assurait plus le financement de l'évangélisation.

C'est dans ce contexte qu'intervient pour le Saint-Siège le choix de Lambert et de ses compagnons pour diriger des vicariats apostoliques entre les deux dernières possessions portugaises en Asie, Macao et Goa. En Lambert ce n'est pas un mystique qui est choisi mais un homme d'expérience et de bon jugement acquis par dix années de magistrature, car seul un homme déterminé peut être envoyé aux extrémités du monde en plein conflit, un homme capable d'analyser les situations et de prendre des initiatives comme celles qui lui avaient permis de réaliser l'Hôpital général de Rouen. Car le conflit entre Lisbonne et Rome est entré dans une phase active, le Portugal essaie de faire pression sur le pape en refusant de proposer des candidats quand les sièges épiscopaux étaient vacants. Alors que par le Nonce en France Rome transmet ses *Instructions* à Lambert en 1659, lui enjoignant de partir au plus vite le plus secrètement possible[1], de leur côté les autorités portugaises envoient à tous leurs représentants en Asie l'ordre d'arrêter Lambert et de le conduire au Portugal.

La vie spirituelle de Lambert a toujours été l'adéquation de l'homme à la volonté de Dieu. Elle devait donc sans cesse s'adapter à l'évolution de la connaissance qu'il avait de cette volonté, connaissance intime et intérieure, celle d'un cœur en oraison, mais aussi connaissance théologique où prime la raison. Les deux approches lui paraissaient également essentielles.

On sait très clairement comment la pensée de Lambert a évolué en fonction de ses divers engagements. Quand il a en 1663 révélé qu'à l'âge d'environ neuf ans il avait reçu l'intuition de sa vocation d'Amateur de la Croix, Vincent de Meur à qui Lambert en fait la confidence peut penser que la vie religieuse reste son objectif.

Il ne parle pas de participer à la Croix pour un autre but que la vie parfaite et ce n'est pas encore pour lui la gloire de Dieu et le salut du monde. La théologie de la mission continue de Jésus n'apparaît pas, elle viendra comme une révélation extérieure grâce à l'enseignement de Jean Eudes.

Si c'est très tôt que Lambert a fait l'expérience de la vie d'oraison, il n'est pas alors encore question que Jésus cherche à prolonger en lui sa vie sur la terre. D'ailleurs les guides spirituels de son temps proposaient la mort à soi-même, l'ascèse et la méditation pour la sainteté de l'homme plutôt que pour faciliter l'action de Dieu dans le monde.

Il semble que la pensée de Lambert de la Motte se soit structurée dans sa Normandie natale, notamment dans le groupe de l'Ermitage de Caen[2] mais ce groupe se retrouve aussi autour de Jean Eudes et de son inspiratrice, Marie des Vallées, à « l'école de Coutances »[3]. On peut penser que s'il s'agit d'une École, elle a deux Maîtres et deux lieux.

Jean Eudes exprime par une dévotion particulière ce désir de réparation envers le Cœur de Jésus et le Cœur de Marie[4], ce n'est pas le chemin que prend Lambert. Cependant il place une nouvelle paroisse siamoise sous le

1. B. Jacqueline, *Traduction française des Instructions de 1659*, Instruction pour avant de partir I, 7, le départ.

2. Lambert de la Motte est considéré par Souriau comme disciple de Jean de Bernières (cf. Maurice Souriau, *Deux mystiques normands au XVIIe siècle, M. de Renty et Jean de Bernières*, Paris, Perrin et Cie, 1913, p. 218).

3. É. Dermenghem, *La vie admirable et les révélations*, p. 276.

4. B. Sesboüé, *Jésus-Christ, l'unique Médiateur*, t. I, p. 316.

vocable de l'Immaculée Conception de Notre Dame à qui il confie l'Église du Siam le 28 juillet 1675[1].

Pierre Lambert de la Motte, qui est cité parmi ceux qui fréquentent l'Ermitage de Caen, y recherche sans doute plus le silence et la solitude qu'un enseignement particulier. Dans *l'Intérieur chrétien,* Bernières cite les étapes de la vie intérieure :

> « D'abord, renoncer à la vie du vieil Adam, mourir à soi-même et aux créatures ; ensuite entrer dans la vie crucifiée avec Jésus-Christ ; enfin s'unir à la divinité par l'oraison et la contemplation. Or le degré de notre évacuation d'Adam est celui de notre union avec Jésus-Christ crucifié ; et autant que nous sommes dans cette union de Jésus-Christ, autant nous avançons dans celle que nous cherchons avec la divinité. Qui veut arriver au troisième sans passer par l'ordre des autres se trompe et n'y arrivera jamais ? »[2]

Lambert va proposer aux nouveaux chrétiens l'Amour de la Croix avec ces trois étapes, pour parvenir à l'union intime au Christ agissant et souffrant en lui, mais il ne s'arrête pas là, pour lui il faut partager aussi l'objectif de Jésus, le salut du monde. Grâce à l'acquit de la connaissance théologique, Lambert considérera qu'il faut permettre à Jésus de se servir de nous pour sauver le monde en lui donnant le pouvoir sur notre mémoire, notre entendement et notre volonté, en nous en désappropriant et en prenant ainsi le contrôle de notre liberté avec notre total assentiment. Ce sera pour lui l'objectif des trois vœux.

Les trois vœux ne sont pas d'abord pour Lambert une introduction dans la vie religieuse, mais ils offrent à tous les chrétiens un renouvellement des vœux de leur baptême par lesquels ils se sont libérés définitivement du pouvoir de Satan pour se donner entièrement à Jésus-Christ en se plongeant dans sa mort et sa résurrection. Pour Lambert, les vœux du baptême correspondent à un engagement aussi ferme qu'un contrat comme le pense aussi Jean Eudes, le terme de vœu pour Lambert et pour Jean Eudes appartient à la vie chrétienne avant d'être l'apanage des religieux. Au XVIIe siècle en France, après les guerres de religion, on a conscience de la nécessité pour les baptisés de renouveler à l'âge adulte les promesses baptismales prononcées par le parrain et la marraine. Bérulle avec son vœu de servitude, Condren avec son vœu d'hostie, se heurtent à la même difficulté, la même incompréhension des religieux qui veulent garder l'exclusivité des vœux de perfection. Mais Lambert en tant qu'évêque a bien renouvelé lors de son sacre ses vœux baptismaux ; utilisant le pontifical romain de l'époque il a alors prononcé les trois vœux de pauvreté, chasteté et obéissance sans pour autant rentrer dans

1. P. Lambert de la Motte, *Journal* au 8 juillet 1674 et du 28 juillet 1675, AMEP, vol. 877, p. 543 et 563 ; cf. Simonin, transc., p. 42. 121.

2. Raoul Heurtevent, *L'œuvre spirituelle de Jean de Bernières*, Paris, Beauchesne, 1937, p. 106-107.

la vie religieuse. Ce qui intéresse Lambert c'est l'élargissement d'objectif qui différencie les vœux de l'évêque et les vœux des religieux.

Si, comme saint Thomas d'Aquin l'a écrit, les religieux ne font pas « profession d'être parfaits mais de s'appliquer à le devenir, l'évêque quant à lui se doit d'être le modèle de son troupeau dans sa charge épiscopale, et il a aussi la responsabilité d'y amener les brebis qui n'en font pas encore partie et de partir à la recherche de la brebis perdue. Cela s'applique à tous les missionnaires, car le missionnaire doit brûler les étapes de la vie intérieure pour qu'elle ne soit pas un contre témoignage de ce qu'il annonce par sa parole et pour qu'il n'en perde pas ainsi les fruits.

Lorsqu'il quitta l'Europe, Lambert était persuadé qu'il allait consumer sa vie dans le martyre. On était alors imprégné de récits édifiants sur le sacrifice des martyrs japonais et Lambert allait rechercher des reliques de ceux qui avaient donné leur vie pour le Christ en Cochinchine : il voulait fonder son vicariat sur leur sang, et il encourageait ses correspondants à venir le retrouver dans l'espoir de recevoir la palme du martyre au contact des païens. Mais ceux qui en voudront à sa vie ne sont pas des païens mais des chrétiens.

Le rapport entre salut et souffrance

Pour Olier, amour de la croix et esprit apostolique étaient inséparables[1]. Il faisait allusion à Col 1, 24 quand il disait qu'en répandant son Esprit dans son Église et en la revêtant des « inventions de sa pénitence » (la passion et la croix), Jésus-Christ « satisfait à Dieu son Père en son corps mystique »[2]. Quand Gaston de Renty voulait aider sa dirigée Elisabeth de la Trinité, une carmélite de Beaune, à supporter les épreuves qu'elle traversait, il lui proposait de participer ainsi à sa propre rédemption, en enlevant un peu de poids sur les épaules de Jésus[3]. Cette participation à l'œuvre de la Rédemption comprend déjà une contribution au salut du monde. Pour Lambert, il était « impossible destre un bon Missionnaire apostolique sans estre une victime souffrante par estat »[4] et que c'est par grâce que Jésus continue son divin

1. Argiro Restrepo, « Jean-Jacques Olier et l'amour de la croix », in *Bulletin de Saint-Sulpice*, n° 34, 2008, p. 403.

2. *Ibid.*, p. 403 (citant J.-J Olier, *Introduction à la vie et aux vertus chrétiennes*, Revu et annoté par François Amiot, Paris, Le Rameau, 1953, p. 69).

3. Bernard Pitaud, *Histoire d'une direction spirituelle au xviie siècle, Gaston de Renty, Elisabeth de la Trinité*, Paris, Cerf, 1994, p. 90 (citant Gaston de Renty, *Correspondance*, Lettre 190).

4. P. Lambert de la Motte, *Abrégé de Relation*, AMEP, vol. 121, p. 729 ; cf. Guennou, transc., § 65.

sacrifice en ses serviteurs et leur permet de devenir « les sauveurs du monde avec Luy »[1]. C'est dans le Christ sur la croix que se situait la participation du chrétien au salut du monde comme sa déification, car Jésus reste le seul Fils du Père comme le seul Médiateur et le seul Sauveur. Notre déification n'ajoute pas de Personne à la Trinité car c'est dans le Fils en croix qu'elle s'opère. La croix est le lieu où toute grâce nous est donnée.

Le thème de l'amour de la croix n'était pas aussi étranger aux chrétiens du xviie siècle qu'il l'est aux chrétiens d'aujourd'hui. Mais, en même temps, on peut dire que la fin du Moyen Âge a vu une évolution caractéristique de la représentation du Christ en croix qui met en avant ses souffrances et sa mort ; c'est l'aspect humain de Jésus qui va prédominer par rapport à sa majesté divine qu'on trouve encore dans le crucifix de Saint-Damien d'Assise[2]. Il n'y a rien d'extraordinaire à ce que Lambert ait proposé à ses compagnons l'usage de la discipline, les représentations de la flagellation du Christ ne sont pas rares à son époque, avec l'Ecce Homo et la Pieta elles appuient sur son humanité souffrante en tant que modèle pour les chrétiens.

Ce dont Lambert de la Motte avait d'abord rêvé, c'était que soit établie sur tous les lieux des missions « une congregation des amateurs de la croix de J. C. qui fissent profession de mediter toute leur vie et de prendre part chaque iour a ses souffrances »[3]. Dès l'âge de 9 ans à Lisieux, il avait eu l'inspiration de faire partie de ceux qu'il nommait déjà les Amateurs de la Croix, sans autre motif à l'époque que le désir de perfection[4], alors qu'à la fin de sa vie ces Amateurs de la Croix devaient, par leur sacrifice, devenir sauveurs du monde avec le Christ[5] et qu'ils devaient rassembler dans ce même objectif tous les membres de l'Église locale.

Lambert pensait devoir vivre en Asie comme aux premiers temps du Christianisme où c'était l'Église locale tout entière qui pouvait s'appeler Amateurs de la Croix, puisqu'elle avait à annoncer non seulement

1. *Id.*, AMEP, vol. 121, p. 761 ; cf. § 89.

2. Cf. Le cours de Madame Odile Celier, *De la puissance de l'art: la Résurrection dans les images*, donné à l'Institut Catholique de Paris, du 8 octobre 2009 au 12 février 2010. Au Moyen Âge encore il ne s'agissait pas pour les images d'illustrer une scène de la Bible de manière réaliste, mais, par une multitude de détails symboliques de rendre compte d'une théologie ; ces détails ne sont d'ailleurs pas toujours immédiatement interprétables pour les chrétiens de l'époque, ils ont une raison d'être ontologique, ils sont là pour rendre gloire à Dieu, ce qu'on ne peut comprendre immédiatement. Il y a un basculement au xve siècle, au moment ou le sujet devient le personnage central et non plus Dieu. Au xviie siècle la partie symbolique a déjà diminué considérablement au profit d'un réalisme tout humain.

3. P. Lambert de la Motte, *Abrégé de Relation*, AMEP, vol. 677, p. 209 ; cf. Guennou, transc. § 122.

4. *Id.*, Lettre à Vincent de Meur du 3 novembre 1663, AMEP, vol. 116, p. 559-560 ; vol. 121, p. 757 ; cf. L. n° 53.

5. *Id.*, *Abrégé de Relation*, AMEP, vol. 121, p. 761 ; cf. § 89.

Jésus-Christ mais Jésus-Christ crucifié, comme il modifia sa maxime pour ses correspondants en 1662, à son arrivée au Siam. Comme saint Paul, Lambert voulait présenter en Asie un Christ crucifié, folie pour les sages païens. Le sage serait naturellement enclin à considérer que le salut de l'homme est de fuir la souffrance, plutôt que de la subir ou de la provoquer.

Si c'est la suppression de ce qui conduit à la souffrance qui est l'objectif principal de la vie humaine chez les bouddhistes, l'amour de la croix n'a pas de sens pour eux. Leur solidarité et leur compassion pour les victimes ne sauraient conduire à souffrir à leur place. Laneau, disciple et assistant de Lambert, expliquait à son sage bouddhiste que « les hommes étaient tombés dans la faute, et devaient désormais en supporter les conséquences malheureuses, et en subir les peines, mais Dieu a bienveillance, compassion et pitié pour les hommes »[1]. Jésus accepta « de prendre sur lui-même le châtiment mérité par les fautes de l'humanité entière »[2], il « endura la souffrance, pour que l'humanité ne continue pas à errer éternellement, par aveuglement des plaisirs de la vie et des amusements de ce monde »[3]. Jésus « prêchait et dispensait la vérité à tous les êtres vivants et gratifiait tous les humains de la possibilité d'accueillir sa présence à l'intérieur d'eux-mêmes, d'être ainsi comme des demeures pour lui-même »[4]. C'est cette présence active de Jésus en nous, en même temps présence du Père et de l'Esprit, qui témoigne de la vérité et convertit les cœurs.

Pour Lambert, la conversion est un amour en retour, l'amour qui répond à celui du Crucifié ; c'est le sens qu'il donne aux titres d'Amateurs et d'Amantes de la Croix quand il écrit que les Tonkinois éprouvent de la reconnaissance envers Jésus apprenant de quel amour il les a aimés. C'est là où la croix du Christ est folie aux yeux du sage comme le reconnaît saint Paul. Même dans la bienveillance et la solidarité envers les autres le sage doit rechercher l'immuabilité, l'indifférence, le détachement pour ne pas souffrir lui-même. La croix ne s'inscrit pas dans la sagesse des hommes qui se servent d'abord eux-mêmes en faisant le bien. La croix qu'enseigne Lambert, c'est la révélation du véritable amour qui est d'offrir sa vie pour ceux qu'on aime et que Jésus a pratiqué en aimant chacun de nous de façon unique au prix de son sang. La conversion des Tonkinois et des Cochinchinois à Jésus-Christ n'est pas d'abord liée à la recherche de perfection inscrite dans leur sagesse, c'est la reconnaissance d'un amour sans mesure comme pour la pécheresse de saint Luc (7, 36-50). En tant que pratique de la mesure et du juste milieu, la sagesse s'oppose à la croix qui est signe d'un amour sans mesure.

---

1. L. Laneau, *Rencontre avec un sage bouddhiste,* p. 92.
2. *Ibid.*, p. 94.
3. *Ibid.*, p. 95.
4. *Ibid.*, p. 93.

Cela a une incidence sur l'évangélisation qui ne doit pas être d'abord le développement d'un enseignement moral qui conduise à la perfection, mais le rappel constant de la façon dont chaque chrétien est aimé par Jésus-Christ de façon à maintenir en nous cette reconnaissance que le Saint-Esprit exprime en nous. Ce rappel passe par la méditation quotidienne de la passion et de la mort de Jésus et doit faire l'objet pour les missionnaires eux-mêmes d'un examen de conscience quotidien : « Quel amour avons nous portéé a Jesus Christ ? quelles sentiments avons nous des Mistaires inefables de son incarnation de sa vie et de sa mort sur un gibet pour nostre Redemption ? quelle reconnoissance luy donnons nous particulierement de ce quil nous a fait chrestien ? »[1]

À propos des Tonkinois, Lambert écrit à Lesley en 1670 : « Je me sers de cette occasion pour demander à Sa Sainteté l'approbation dune congregation des Amateurs de la Croix de N S J C que jai proposee apres avoir reconnu que la grande devotion des fidelles de ces quartiers est de se montrer reconnoissants sur la mort et passion du Sauveur de tous les hommes »[2]. Dans son *Abrégé de Relation*, Lambert est dans la même admiration envers les Cochinchinois :

> « Mais pour revenir a nos pauvres cochinchinois si de laissez et si digne de compassion lesquels entendans parler des merveilles du Christianismes des obligations que nous avons a Dieu de son amour infiny dela sainteté dela religion et surtout de J. C. mort pour nous en Croix commencerent a reconnoistre leur bonheur et le malheur qu'ils avoient eu jusqu'alors d'avoir vescu sans connoître ni aimer un Dieu si bon et si remply de misericordes »[3].

Et Lambert trouve en Cochinchine les mêmes communautés féminines qu'au Tonkin : « Je fis la visite des fidèles dans plusieurs provinces. On y conféra le baptême a quantité d'infidèles et je rencontrai une communauté de vierges qui portent pour leur devise les Amantes de la Croix du Sauveur du monde, qu'elles tâchent d'imiter dans sa vie et dans sa souffrance. Ce sont des âmes d'élite, qui ont besoin qu'on mette des bornes à leur ferveur »[4].

Dans sa lettre au pape du 12 octobre 1670, Lambert de la Motte parle d'un double institut en faveur d'une part pour ceux qui « ont pour la mort et la croix du Seigneur Jésus un amour spécial » et d'autre part pour « les femmes pieuses qui au Tonkin semblent avoir attendu depuis des années

1. P. Lambert de la Motte, *Abrégé de Relation*, AMEP, vol. 121, p. 718 ; cf. Guennou, transc., § 54.

2. *Id.*, Lettre à Lesley du 20 octobre 1670, AMEP, vol. 858, p. 189 ; vol. 876, p. 632 ; cf. L. n° 123.

3. *Id.*, *Abrégé de Relation*, AMEP, vol. 121, p. 637 ; cf. § 15.

4. *Id.*, Lettre à Dominique George du 19 novembre 1676 (*La Semaine Religieuse de Bayeux*, mai 1918).

celui qui leur montrerait la voie d'une vie plus parfaite »[1]. En 1672, Lambert écrivait à M. Sevin : « Les personnes pieuses seront bien aize dapprendre, que nous avons depuis trois ans cinq communautés de filles qui vont bien à dieu »[2]. L'amour de la croix n'est pas alors un but à atteindre mais un point de départ.

Lambert a décidé de proposer aux Tonkinois puis aux Cochinchinois la création des Amateurs de la Croix en constatant la grande dévotion des fidèles de ces quartiers qui est de montrer leur reconnaissance envers la mort et la passion du Sauveur de tous les hommes. Quelques femmes au Tonkin ont désiré rentrer dans la société des Amateurs de la Croix qui feront profession de méditer toute leur vie et de prendre part chaque jour aux souffrances du Christ. Comme elles souhaitent se consacrer entièrement à Dieu, Lambert propose alors la création des Amantes de la Croix dont la fin est également de faire profession spéciale de méditer tous les jours les souffrances de Jésus-Christ[3]. Les missionnaires apostoliques chargés d'évangéliser sont aussi invités à vivre cette spiritualité, Lambert souhaite qu'elle s'étende à Paris et à Rome[4] et à toutes les nations[5].

Lambert explique ce qu'il entend par Amour de la Croix contenu dans ces titres d'Amateurs ou Amants de la Croix, il s'agit de répandre l'amour pratique de la croix, c'est-à-dire d'exprimer au Fils de Dieu notre reconnaissance en y prenant réellement part par une mortification sensible comme cela a déjà été souligné plus haut :

> « Le but principal qu'on a eû en formant ceste societé a esté de procurer partout l'amour pratique de la croix du fils de Dieu, et qu'il y eust dans les villes et les villages un nombre de fidelles qui après avoir médité tous les iours les souffrances de J. Ch. ils y prissent reellement part par une mortification sensible, la pratique de ce st exercice a desia operé tant de graces en ces quartiers que ceux qui ont eû le bonheur de les esprouver ont beaucoup de regret de l'avoir commencé si tard, ou pour mieux dire, de n'en avoir pas eû la connoissance plus tost ; mais enfin, *venit tempus et nunc est quando veri adoratores adorabunt Patrem in spiritu et veritate nam et Pater tales quaerit qui adorent cum.* St Jean c.4[6]. Aussitost que la meditation et l'imitation de la croix de J. Ch. a esté proposée aux chrestiens de ces lieux icy pour la pratiquer chaque iour plusieurs l'ont embrassé avec une

1. *Id.*, Lettre au pape du 12 octobre 1670, AMEP, vol. 650, p. 185-186 ; cf. L. n° 121 ; traduite du latin par Michel Dupuy.

2. *Id.*, Lettre à M. Sevin du 24 novembre 1672, AMEP, vol. 876, p. 819 ; cf. L. n° 136.

3. *Id.*, AMEP, vol. 677, p. 209-210; cf. § 122-123.

4. *Id.*, Lettre à Vincent de Meur du 6 septembre 1662, AMEP, vol. 116, p. 554 ; cf. L. n° 6.

5. *Id.*, *Abrégé de Relation*, AMEP, vol. 121, p. 762 ; cf. § 89.

6. Jn 4, 23 : « l'heure vient, elle est là, où les vrais adorateurs adoreront le Père en esprit et en vérité; tels sont, en effet, les adorateurs que cherche le Père ».

fidelité incroyable et ont ainsy adoré Dieu en esprit et en verité qui est la maniere dont il veut estre adoré[1]. »

« Toutes sortes de persones ayant une indispensable obligation de reconnoistre les souffrances du Sauveur du monde, nul n'en doit estre exclu de quelque sexe ou condition qu'il soit, pourveu qu'il ayt une soif ardente de boire le calice du fils de Dieu qui appelle à soy et veut rassasier tous ceux qui sont dans cette disposition, ainsy qu'il le dit en st Jean, ch.7 *Siquis sitit veniat ad me et bibat* »[2].

Pour Lambert, l'amour est la seule réponse possible à l'amour, c'est ce qu'il entend par l'amour pratique de la croix. Même si le sacrifice du Christ satisfait entièrement à la justice divine et justifie le pécheur en effaçant sa faute, il n'exclut pas la possibilité pour nous de participer à l'expiation de nos péchés même si Dieu n'en a nul besoin et s'il a tout pardonné. C'est notre amour pour Dieu qui rend pour nous l'expiation nécessaire au nom même de la réconciliation. Dans ce cas, le Christ accepte que nous prenions part à sa crucifixion aux côtés du bon larron. C'est ce qu'écrit Bernard Sesboüé, pour qui l'expiation « est la mise en œuvre concrète et existentielle de la conversion. Elle est intercession et arrachement souffrant à toute la part du péché qui m'habite. Elle n'est pas un châtiment arbitrairement voulu par Dieu ; elle est la conséquence du mal que mes fautes m'ont fait à moi-même. Elle est volonté de réparation. Mais, sur ce fond que nul pécheur ne peut oublier, elle peut enfin et surtout devenir participation à l'expiation aimante du Christ pour le salut du monde »[3].

Pour Lambert, dans le cadre de l'amour, la croix est transitoire. C'est sur cela qu'il médite après l'échec de sa tentative d'entrer en Chine, en 1663, la croix est pour lui le passage obligé pour ressusciter et régner dans la gloire avec le Christ[4]. Certes la souffrance reste un mal, Bernard Sesboüé écrit :

« Si l'amour conduit Jésus au cœur de la souffrance humaine, sa manière de souffrir convertit à son tour la souffrance en amour et en aliment de l'amour. À travers la souffrance son amour va jusqu'au bout de lui-même. Mais ce n'est pas sa souffrance en tant que telle qui nous sauve : c'est l'amour avec lequel il l'a acceptée, vécue et surmontée. Le combat de Jésus avec la mort est aussi un combat avec la souffrance : le Christ a été éduqué par elle, puisque "tout Fils qu'il était, il apprit par ses souffrances l'obéissance" (He 5, 8) »[5].

1. P. Lambert de la Motte, *Abrégé de Relation*, AMEP, vol. 121, p. 758, cf. Guennou, transc., § 85.

2. *Ibid.*, p. 758, § 86 (Jn 7, 37) : Si quelqu'un a soif, qu'il vienne à moi et qu'il boive ».

3. B. Sesboüé, *Jésus-Christ, l'unique Médiateur*, t. I, p. 325.

4. P. Lambert de la Motte, *Abrégé de Relation*, AMEP, vol. 121, p. 652-654 ; cf. Guennou, transc., § 20. Bernard Sesboüé rappelle l'unité du mystère pascal : c'est le Seigneur qui est sur la croix et c'est Jésus le crucifié qui est le Ressuscité (Mt 28, 5) ; la théologie de la croix est lumineuse et glorieuse (*Jésus-Christ, l'unique Médiateur*, t. I, p. 171-173).

5. *Ibid.*, B. Sesboüé, p. 321.

La reconnaissance des Tonkinois et des Cochinchinois envers Jésus tient plus à son amour pour eux qu'au prix de leur salut qu'il a payé sur la croix ; saint Paul exprime cela en se répétant en lui-même : « Il m'a aimé, il s'est livré pour moi » (Ga 2, 20). C'est la reconnaissance envers celui qui nous a aimés le premier qui nous conduit à être ses disciples et à le suivre, y compris dans sa passion et sur sa croix.

La mission que le Père a donnée à son Fils, c'est la révélation de son amour pour les hommes : « le Père a tant aimé les hommes qu'il leur a livré son Fils unique » (Jn 3, 16). C'est cette révélation qui doit être communiquée à tous les hommes de tous les temps et de tous les pays par le Christ en son Corps qui est l'Église. Le Christ invite tous les hommes à partager la gloire qu'il a à la droite du Père ; pour cela les hommes devront ne faire plus qu'un avec lui comme les membres avec le corps, comme les sarments avec la vigne ; avec lui ils mourront, avec lui ils ressusciteront, avec lui ils auront la vie éternelle et la gloire ; comme lui-même a partagé notre humanité, ils partageront alors sa divinité de Fils unique de Dieu comme aussi sa mission d'unique Médiateur et d'unique Rédempteur. Telle est la théologie de la mission continue de Jésus que Lambert rappelait à ses correspondants avec toutes ses incidences, notamment l'importance du rôle de l'Esprit Saint.

Pour l'évêque, l'obéissance passait par sa fidélité au successeur de Pierre, mais aussi par son écoute du Saint-Esprit. Lambert savait que l'Esprit Saint nous inspire tous mais que sa voix intérieure devait être confirmée. C'est sans doute parce qu'il bénéficiait de nombreuses motions intérieures que Lambert les discernait en les confrontant avec celles des autres et en les soumettant au Saint-Siège, en particulier à la Sacrée Congrégation de la Propagation de la Foi comme elle le lui demandait dans ses *Instructions* de 1659. Les trois Synodes qu'il a organisés sont des recherches de consensus. Le premier Synode réuni à l'arrivée de Pallu au Siam montrait que pour obtenir ce consensus Lambert ne cherchait pas à faire pression ni à recourir à son autorité épiscopale. Pour lui, les chrétiens sont des demeures que recherche l'Esprit Saint pour y accomplir le projet de Dieu sur l'humanité, et, s'ils l'acceptent, ils n'auront pas un rôle passif, ils ne cesseront pas d'agir pour enlever tous les obstacles à l'action du Christ en eux. Ces obstacles peuvent venir de la recherche d'autonomie de toutes les facultés humaines, l'entendement, la mémoire et la volonté que Lambert mettait en relation avec la pauvreté, la chasteté et l'obéissance, les trois vœux compris dans le sens le plus spirituel.

La théologie de la Croix et de la mission continue de Jésus entraînait chez saint Jean Eudes une spiritualité de la Miséricorde avec le culte et la dévotion des deux Cœurs, le Sacré-Cœur de Jésus et le Cœur Immaculé de Marie.

Notre vocation d'Amantes de la Croix tire sans doute son origine de ces deux Cœurs. En reprenant la pensée que Lambert exprime dans ses œuvres, on voit que sa théologie est une reprise de celle de Jean Eudes, mais que la dévotion des deux Cœurs n'est pas pratiquée chez Lambert. Par contre l'amour de la Croix, la méditation de la Passion et la contemplation du Crucifix tiennent une place très importante dans l'œuvre de Lambert. Dans la Passion, c'est l'amour miséricordieux de Jésus qu'on médite et dans le crucifix c'est bien la miséricorde divine qu'on contemple.

C'est dans ses retraites de quarante jours que s'exprime la spiritualité de Lambert, à la base toujours très profondément ignacienne, il leur donnait un thème à chacune. Pour celle commencée le 1er janvier 1677, son *Journal* transcrit brièvement le thème de l'union à Dieu : « L'évêque de Bérithe, a renouvelé d'abord toutes les promesses de sa vie à Dieu, dont il a eu de grandes assurances d'amour ». Le lendemain Lambert parle des « vues extraordinaires qu'il a reçues dans l'oraison touchant la pureté qu'il faut avoir pour arriver à l'ultime union avec Dieu ». Ces vues « l'ont humilié, parce qu'il s'en voyait si éloigné ». Aussi l'oraison du 4 janvier s'est passée à « demander a Dieu sa connoissance et son amour quil donne a ceux quil a elevé a son union intime. La cause de cette demande a esté la veüe quil a eüe qua moins de cela lon ne connoist et lon n'ayme Dieu que bassement et tres petittement ». Le 5 janvier, « l'oraison a toutte esté dun desir extresme pour cette divine union avec une resolution de tout faire pour oster tous les obstacles qui le peuvent empescher ». Le 6 janvier, « l'oraison a esté de desirs et de gemissements pour arriver a cet estat de parfaite union avec un regret et une crainte de n'y pouvoir parvenir ». Les jours suivants furent vécus dans le même état d'esprit qu'il justifie le 12 janvier 1677 en écrivant : « Les desirs de lestat parfait d union avec Dieu ont augmenté par la veüe quon a eue qu'on ne pouvait sans cela aimer Dieu parfaitement »[1]. L'union dont parle Lambert est celle qui permet la mission continue de Jésus et qui caractérise sa spiritualité toute dépendante de sa théologie.

Pour Lambert, l'union intime qui permet la connaissance et l'amour de Dieu constitue la grâce à demander constamment ; il en fait la caractéristique des Amantes de la Croix[2]. Elle permet de pratiquer l'amour miséricordieux de Jésus tel qu'il nous apparaît dans sa Passion et sur la Croix. Elle est directement associée à notre participation à la mission continue de Jésus, le salut du monde :

1. P. Lambert de la Motte, *Journal* du 1er au 12 janvier 1677, AMEP, vol. 877, p. 596 ; cf. Simonin, transc., p. 247.

2. En 2015, elles sont 7591 professes, 703 novices, 556 postulantes et 1854 regardantes (Les statistiques établies en août 2015 par le Groupe de Recherche sur la Spiritualité des Amantes de la Croix).

« La fin de cest institut sera de faire profession speciale de meditér tous les iours les souffrances de J. C. comme le moyen le plus avantageux pour parvenir a sa cognoissance et a son amour.

« Le premier des amploys de ceux qui l'ambrasseront sera d'unir continuelement leurs larmes, leurs oraisons, et leurs poenitences aux merites du Sauveur du monde, pour demandér a Dieu la conversion des infideles qui sont dans l'estandue des trois vicariats apostoliques et particulierement de ceux du Tonkin »[1].

Concrètement, chez les Amantes de la Croix, l'annonce de la miséricorde divine passe par quatre actes de miséricorde : l'instruction des jeunes filles, l'évangélisation des malades, le baptême des enfants moribonds, l'accueil des prostituées[2]. Par cet accueil des prostituées, c'est l'amour du Christ qui tend à continuer à se manifester comme il s'est manifesté avec la pécheresse, la Samaritaine et la femme adultère. Les Amantes de la Croix doivent « faire leur possible pour tirér les femmes et les filles debauchées de leur mauvaise vie »[3]. « Celles qui n'auront iamais failli » devront élargir leur cœur et vivre quotidiennement la miséricorde pour accueillir celles que le Seigneur a sauvées jusqu'à les recevoir en consœure à part entière : « Les femmes et les filles poenitentes qui voudront ambrassér cest Institut auront les mesmes fins, les mesmes employs, les mesmes obligations, et les mesmes régles, mais elles fairont une maison et une comunauté separées, et leur Superieure sera touiours prise de celles qui n'auront iamais failli »[4].

Cette attention privilégiée pour le relèvement des prostituées est une autre marque de la relation de Lambert avec son maître Jean Eudes qui a commencé par créer en 1641 l'Institut Notre-Dame de Charité spécialisé dans ce domaine de l'accueil des prostituées désireuses de changer de vie, avant de quitter l'Oratoire de Bérulle et de fonder en 1643 la Congrégation de Jésus et de Marie (les Eudistes) spécialisée dans la formation des prêtres. Lambert n'eut pas à privilégier cette dernière mission puisqu'elle était déjà inscrite dans les *Instructions romaines de 1659* comme l'objectif prioritaire des vicaires apostolique dans le cadre de la création d'un clergé autochtone. Chez saint Jean Eudes, l'accueil des prostituées s'inscrit dans la révélation de l'amour miséricordieux de Dieu pour tous les hommes qu'il situe au centre de la dévotion aux Sacrés Cœurs de Jésus et de Marie.

Chez Lambert, la miséricorde envers les prostituées va plus loin qu'un simple accueil de la part de religieuses vierges ; la miséricorde est pour lui oubli du péché pour rentrer dans une véritable fraternité avec le pécheur ;

1. P. Lambert de la Motte, *Abrégé de Relation*, AMEP, vol. 677, p. 210 ; cf. Guennou, transc., § 123.

2. *Idem*

3. *Idem*

4. *Id.*, *Abrégé de Relation*, 13e article des règles des Amantes de la Croix, AMEP, vol. 677, p. 212 ; cf. § 124.

c'est Jésus-Christ qui se comporte ainsi en nous, à travers nous, comme il s'est comporté autrefois sur la terre. Pour Jean Eudes comme pour Lambert, l'exercice de la miséricorde s'inscrit dans le témoignage que nous devons donner et par lequel nous reconnaissons que le Fils de Dieu nous a aimés et s'est livré pour nous sur la croix. Aussi ce n'est pas seulement les trois vœux religieux qui sont demandés par Jean Eudes aux sœurs de son Institut de Notre-Dame de Charité, c'est le « vœu de zèle pour la salut des âmes », c'est ce vœu qui leur permettra d'accomplir leur mission spécifique auprès des prostituées[1].

Ainsi chez les Amantes de la Croix comme au Calvaire où l'on voit côte à côte la Vierge Marie et Marie de Magdala, il y aura celles pour qui Jésus a obtenu sur la croix l'effacement de nombreux péchés[2] et celles pour qui Jésus a obtenu sur la croix la préservation de nombreux péchés selon la façon dont le dogme l'explique pour l'Immaculée Conception de la Vierge Marie, grâce obtenue par la Passion et la croix de son Fils. Saint Thérèse de l'Enfant-Jésus exprime aussi comment la croix nous obtient de ne pas tomber dans le péché quand elle dit : « Je sais aussi que Jésus m'a plus remis qu'à Ste Madeleine, puisqu'il m'a remis d'avance, m'empêchant de tomber »[3].

Si la dernière obligation des Amantes de la Croix est l'accueil des prostituées, en parallèle la dernière obligation des Amateurs de la Croix est l'amour des ennemis. Cela nécessite une même ouverture du cœur à la miséricorde de Dieu. Le cœur des Amantes de la Croix doit être rempli de miséricorde ou plutôt se laisser traverser par la miséricorde divine pour qu'elle parvienne à tous les hommes. Pour obéir de manière continue à la mission qu'il a reçue du Père, Jésus veut passer par nous non seulement pour parler, agir et s'offrir, mais d'abord et surtout pour aimer.

C'est au niveau de la miséricorde et du cœur transpercé de Jésus que se situe la spiritualité eudésienne[4] dans son rapport avec la théologie de la mission continue. Jusqu'à l'occurrence commune du vocabulaire[5], on peut dire qu'il y a chez Lambert la même insistance sur la miséricorde que chez Jean Eudes, même si cela ne se traduit pas par un culte particulier, une dévotion particulière aux Cœurs de Jésus et de Marie. Chez Lambert, « miséricorde »

---

1. Saint J. EUDES, *Œuvres complètes*, t. X , p. 99-100.

2. Comme la pécheresse de saint Luc (7, 47).

3. Sainte Thérèse de l'Enfant Jésus, situe cette découverte dans le contexte de la première année qui a suivi sa première communion (Manuscrit dédié en janvier 1895 à la Révérende Mère Agnès de Jésus, sa sœur Pauline Martin), c'est sans doute aussi le contexte de l'apprentissage de l'examen de conscience et du sacrement de pénitence lié à la réception de l'eucharistie.

4. Voir C. LEGARÉ, *Au cœur de la Miséricorde avec saint Jean Eudes*

5. La providence est parfois traitée de "pure miséricorde de Dieu", ou de "spéciale miséricorde de Dieu" ou encore d'"excès de la miséricorde de Dieu". "Miséricorde" comporte 126 occurrences chez Lambert. Il faut ajouter encore 153 occurrences pour "bonté" dont 42 pour "divine bonté" et 23 pour "bonté divine". Le mot "justice" a 52 occurrences, 53 pour le mot "jugement" et 52 pour le verbe "juger".

est assez proche de « providence » notamment au pluriel pour désigner des situations favorables[1]. Pour l'ancien magistrat qu'est Lambert, la miséricorde divine n'exclut pas la justice, au contraire elle la suppose car on ne peut faire appel à la miséricorde que si on a reconnu la réalité de sa faute et la justice d'une condamnation[2]. Cependant la miséricorde divine n'intervient pas seulement après le péché, elle est liée à l'acte créateur et au maintien de l'être créé ; le temps d'oraison est toujours trop court pour exprimer notre reconnaissance de la bonté de Dieu qui se manifeste dans nos vies :

> « Dans l'Interest que ie prends a vostre perfection et aux bienfaits extraordinaires que le bon Dieu nous fait, il me vient en pensée de vous supplier d'augmenter le temps de vostre oraison nous navons pas de meilleur moyens pour reconnoistre la misericorde de Dieu quen luy faisant le plus que nous pouvons nostre cour luy tesmognant nostre impuissance et demeurant dans une perpetuelle action de grace, a ce propos estant hier en la presence de Dieu cette ste parolle Deo gratias fit le sujet de mon oraison ie la trouvay si merveilleuse si savoureuse et si plaine de mistere que iestime quelle me paroist suffire de matiere de reflection iusque a la fin de mes iours en effet si nous considerons le bon heur de la creation de la conservation et Redemption de la vocation au christianisme des biens de la nature de fortune et de la grace aux moyens que Dieu a tenu pour nous attirer a luy a lInstitution du St-Sacrement a la participation de sa nature divine et une infinité d autres misericordes qui ne manquent pas de venir en veüe a celuy qui cherche Dieu en esprit et en vérité. Si nous Ioignons a cela tous les maux dont il nous a preservé il faut demeurer daccord que LEternité est trop courte pour sacquitter de cette multitude prodigieuse de bienfaits »[3].

Le plus grand péché est notre ingratitude vis-à-vis de la bonté de Dieu alors que Dieu seul est bon (Mt 19, 17 ; Mc 10, 18 ; Lc 18, 19), et si notre cœur nous accuse, nous avons encore à apprendre que Dieu est plus grand que notre cœur :

> « Quand aux maux Intérieurs il nous les faut supporter dans une perpetuelle veüe de nostre misere. Il faut regarder en nous le peché originel comme une

1. 40 occurrences pour "miséricordes" au pluriel.
2. P. Lambert de la Motte, Lettre à Messieurs de la rue Saint-Dominique, AMEP, vol. 121, p. 543 ; cf. Guennou, transc., L. n° 39, en 1663. À propos de la conduite des jésuites portugais : « La cause de ces dereglements ne venant que des maximes que tient cette compagnie dont nous connoissons maintenant les raisons les ayant jetté dabisme en abismes leur a fait trop presumer de la misericorde de Dieu en oubliant la justice » (Lettre à M. Fermanel, AMEP, vol. 857, p. 171 ; cf. L. n° 44, le 9 juillet 1663) : « Voyla ce que cest que de se jouer a Dieu et de vouloir que tout soit appuyé sur la prudence humaine Je ne scé si la divine justice s'arrestera la et si la colere nesclatera pas contre cet ordre et contre cette nation en Europe. Je supplie la divine bonté de les vouloir esclairer et moy aussi qui vis dans ma vocation en dextremes tenebres ».
3. *Id.*, Lettre à Messieurs de la rue Saint-Dominique, AMEP, vol. 121, p. 541-542 ; cf. L. n° 39.

source de tous maux nous devons avoir tousjours presentes devant nos yeux nos horribles Infidelitez qui ont laissé dans les puissances de nostre ame une habitude au peché, nous devons regetter jusqu'au dernier soûpir de nostre vie d'avoir si peu connû si peu aimé si peu adoré et si peu rendu grace a nostre Createur, mais LIngratitude que nous avons commise contre J. C. qui est venu en ce monde nous enseigner par ses paroles par ses exemples et par une mort la plus surprenante qui se puisse voir la Voye que nous avions a tenir dont cependant nous avons fait si peu de Conte nous doit percer le Cœur, tous ces grands maux et une infinité d'autres que l'ame decouvre a la faveur de la divine lumiere qui sont plus que cappables de la rendre Inconsolable et de la jetter dans le dernier desespoir doivent estre abandonnez entre les mains de la miséricorde de Dieu pour estre pardonnez ou chastiez suivant son bon plaisir l'ame desormais devant agir comme sil n'y avoit plus de paradis ou d'enfer de recompence ou de punition éternelles mais seulement pour vivre en Dieu de Dieu et pour Dieu »[1].

La divinisation est la conséquence de l'union entre l'homme et Dieu, mais il ne s'agit pas d'une alliance entre égaux, cette union ne peut se faire que si Dieu y tient toute sa place et si nous ne nous surestimons pas. En nous, Dieu désire parler, agir, s'offrir et surtout aimer. Lambert va chercher à s'appuyer sur l'Écriture et la Tradition, sur les Pères et les Docteurs de l'Église des siècles passés, et il prend sa part dans un débat qui est loin d'être clos aujourd'hui entre partisans et détracteurs de la participation de l'homme à la Rédemption. Comme il a toujours exposé sa démarche théologique en même temps qu'il la concevait, elle se trouvait particulièrement adaptée à son apostolat. La découverte de la pensée de Lambert reste donc utile pour notre temps, non seulement sur le plan théologique mais aussi dans la perspective de l'évangélisation embryonnaire du continent asiatique.

Le renouveau de l'évangélisation en Asie

Saint François Xavier était la référence unique pour Lambert dans les *Instructions* qu'il avait reçues du Saint-Siège en 1659 avant son départ de France ; on lui demandait de lire la biographie et la correspondance de l'Apôtre de l'Asie[2]. Rappelons-nous la Lettre au prince de Conti[3] que nous

1. *Id.*, *Abrégé de Relation*, AMEP, vol. 121, p. 649-650 ; cf. § 18.

2. B. Jacqueline, *Traduction française des Instructions de 1659*, III, sur le lieu même de la mission, F 17 : « Parmi ces livres nous vous recommandons la vie de saint François Xavier et surtout ses lettres ; vous y puiserez pour vous-mêmes des normes qui peuvent être regardées à l'égal des plus sûres, soit en ce qui concerne les rites de ces régions soit pour votre comportement au milieu des difficultés très grandes que vous pourrez avoir avec les habitants ».

3. P. Lambert de la Motte, Lettre au prince de Conti, AMEP, vol. 121, p. 586 ; cf. Guennou, transc., L. n° 79.

avons lu en Introduction, c'est au nom de saint François Xavier que Lambert y dénonçait la conduite des missionnaires en Asie. Cette dénonciation était au cœur de la réflexion des missionnaires rassemblés à Juthia en 1664 comme Lambert le rapportait à la Sacrée Congrégation de la Propagation de la Foi le 20 février 1665 :

« Ayant fait un examen complet de toutes les régions des Indes et de ces contrées, après mûre délibération, il a paru plus prudent, après avoir invoqué Dieu, de demander à Mgr l'évêque d'Héliopolis d'aller à Rome pour en signaler l'état lamentable. Bien des fois déjà j'ai fait savoir à Vos Éminences les causes d'un tel mal et il n'y a pas de raison que j'en cherche d'autre que la culpabilité des missionnaires qui ne se comportent pas en ministres mais comme des ennemis de la croix du Christ. Quand nous réfléchissons comment y remédier, cela nous a toujours paru difficile : car ce n'est pas seulement le pied, la main ou le bras mais le corps tout entier des Ordres religieux qui est corrompu dans ces pays ; les choses en sont arrivées au point qu'ils ont rejeté à la fois la retenue et l'obéissance. Nous en avons parlé sérieusement dans notre synode, de peur que nous ne tombions dans le même aveuglement. Mais que vont devenir les missions, s'il n'y a pas d'autres hommes apostoliques qui les remplacent ? Il est impossible de trouver dans ces territoires des gens capables de se charger de ce service divin ; même si on doit reconnaître que rien n'est impossible à Dieu qui relève le pauvre de son fumier ; aussi bien, comptant sur le secours divin et accablés de douleur que le Sang du Christ soit versé en vain, nous avons estimé qu'il nous fallait adopter une vie qui soit digne de disciples du Seigneur »[1].

Le renouveau de l'évangélisation en Asie était conditionné par la suppression du mauvais exemple que constituait le commerce des religieux. Pour Lambert c'est par la vision du délabrement de son Église et de son sacerdoce que le Christ le conduit à agir, il partageait cela avec un grand nombre de spirituels. C'était là le but premier du synode de 1664 tenu à l'arrivée de Pallu ; que ce soit les *Monita*[2] ou le projet de Corps apostolique, tout rentrait dans un seul thème, celui du Renouveau de l'évangélisation en Asie mise en péril par ce commerce :

« Le prétexte spécieux que prend cette compagnie est pour l'entretien de leurs missions et pour avoir de quoy subvenir a la pauvreté de plusieurs chrestiens, elle allegue que le commerce estant une chose bonne de soy les papes qui l'ont deffendue sous peine d'excommunication ont estés mal informez. Il ne faut pas estre si hardy que de contredire a ces maximes non plus que de reprendre les abus que commettent ces Peres dans leurs missions et dans l'administrations des sacremens, autremens on court risque de sa personne parce qu'en mesme temps

1. *Id.*, Lettre du 20 février 1665 à la Sacrée Congrégation de la Propagation de la Foi, APF, SOCG, vol. 227, fol. 123 ; trad. J. Ruellen.

2. F. Pallu et P. Lambert de la Motte, *Monita*, ch. 3, art. 2 : "le commerce est défendu à l'homme apostolique et indigne de lui".

l'on seme parmy le peuple que l'on n'est ennemy de la nation portugaise que l'on veut introduire des nouveautez et que l'on sent mal de la foy.

« Il ny a que trop d'exemples de ses choses dans plusieurs grands serviteurs de Dieu qui ont esté a cette occasion enchaisnés, emprisonnez, mis a linquisition et qu'on a accuse d'heresie, ces grands crimes qui tires apres eux les consequences d'un dernier aveuglement ne peuvent plus demeurer longtemps dans le silence et toute l'Europe sera bientost forcé de croire par un juste jugement de Dieu que si le grand st François Xavier a esté un des premiers qui a donné naissance au Christianisme dans les Indes en suivant les maximes du st Evangile ses successeurs l'ont fait perir entierement par leur extreme ambition leur avarice leur usure et leur horrible relâche et enfin par leur malheureuse prudence qui n'a rien n'y de chrestien n'y de moral. Les missionnaires cependant ne pouvant pas voir l'interest de J. C. et de la tres Ste Eglise si blessée sans larmes, dirent tout simplement leur sentiment sur tous ces incroyables desordres publics et particuliers, s'abandonnant bien volontiers aux evenemens qui ont de coustume d'en arriver à ceux qui ont eu le zele et l'obligation d'en parler »[1].

Pour Lambert, il n'y a pas de remède local à la crise spirituelle qui touche toutes les missions d'Asie au point où il devient nécessaire de revenir au point de départ en rapatriant tous ceux qui y ont été envoyés[2]. Lambert pense qu'il est encore possible d'opérer un tel échange, d'autant que les statistiques du nombre de chrétiens y sont, semble-t-il, largement surestimées. La référence sur laquelle l'Église doit s'attacher à nouveau est celle des premiers temps du Christianisme que l'on connaît par les Évangiles et les Actes des Apôtres. Les instructions que Jésus donne à ses Apôtres en les envoyant en mission insiste sur la pauvreté des moyens employés pour annoncer Jésus-Christ, c'est l'Esprit de Jésus-Christ qui doit parler en eux et à leur place. Il y a là une conception charismatique de l'Église, on insiste

1. P. Lambert de la Motte, *Abrégé de Relation*, AMEP, vol. 121, p. 633-634 ; cf. Guennou, transc., § 15.

2. Le Bref *Dominus ae Redemptor* de 1773 supprime la Compagnie de Jésus qui sera rétablie en 1814. Les Missions Étrangères de Paris seront appelées à s'occuper de leurs missions d'Asie et particulièrement dans le sud de la péninsule indienne dans la Mission Malabare comme Jean Guennou le rappelle (*Missions Étrangères de Paris*, p. 232) : « Après la dissolution de la Compagnie de Jésus par le Saint-Siège, en 1773, la Société des Missions Étrangères fut choisie par la Propagande, en 1776, pour succéder aux jésuites, qui évangélisaient le sud de l'Inde. Mgr Brigot, vicaire apostolique du Siam, nommé supérieur de la mission Malabare, y fut rejoint, en 1777, par deux nouveaux missionnaires venus de France. Sept autres lui furent envoyés avant la Révolution, puis quatre au début de la tourmente ». Évidemment la Révolution française faillit signifier la fin de toutes les missions françaises, il fallut attendre la Restauration monarchique en 1815 pour voir la réouverture du Séminaire des Missions Étrangères. Ce fur alors un extraordinaire essor puisque Jean Guennou nous signale (p. 241) qu'entre 1815 et 1970, il y eut 3.875 départs de missionnaires des MEP pour l'Asie, soit 14 fois plus que durant la période précédente de même durée, de 1660 à 1815 où il y eut 269 départs.

sur l'action du Saint-Esprit qui la dirige. Il s'agit là moins d'une orientation missiologique que de l'application de la théologie de la mission continue de Jésus. Pour Lambert, il s'agit de rendre à Jésus le gouvernement de l'Église usurpé par des commerçants et des profiteurs. Sans cette référence théologique on ne peut que se tromper sur la missiologie comme sur la spiritualité de Lambert.

C'est le sens du tirage au sort de Matthias pour succéder à Judas (Ac 1, 23-26). C'est ce procédé que Lambert et Pallu utilisent pour consacrer un successeur à Cotolendi[1]. On insiste aussi sur l'expression de la communion et non sur le pouvoir hiérarchique, car c'est l'amour qui résume tout l'enseignement à transmettre ; les disciples sont choisis et envoyés deux par deux. C'est avec un autre évêque, d'abord Pallu et ensuite Laneau, que Lambert va travailler au Siam pour y étendre le Royaume du Christ.

Au Siam, la conversion de moines bouddhistes n'est pas exceptionnelle comme on le voit dans le *Journal* de Lambert de 1674 à 1676. Lambert est aussi fortement impressionné par la foi charismatique de Chandebois qui opère des guérisons par l'eau et l'huile bénites[2]. Conversions et guérisons sont là des signes qui font dire à Lambert : « Je considere souvent dans mes pettittes meditations que nous sommes dans nos missions au premier siecle du christianisme, je fais reflection quelle estoit la pureté de vie de ceux de ce temps la dans la naissance de leglise, je regarde que nous tenons sans contredit la place des Apostres et des disciples de J.-C. Je rumine sur limportance quil y a denseigner et de prendre la voye estroite »[3].

Pour permettre la mise en application la meilleure possible de la mission continue de Jésus, Lambert rêvait de former en Asie une structure ecclésiale groupant le Corps Apostolique et les Amateurs de la Croix qui donnerait à l'Église un visage plus familial, tous les missionnaires pourraient vivre et agir en bonne entente avec la variété de leurs spiritualités respectives. De ce projet, élaboré ensemble lors de trois synodes locaux en 1664, 1670 et 1672, seule la composante féminine a subsisté sous le nom d'Amantes de la Croix, restreinte à chaque diocèse vietnamien et pour laquelle la pensée théologique de Lambert, la mission continue de Jésus, devrait fournir une spiritualité solide et unique.

Le sujet du synode de 1664 a été d'affiner une proposition de structuration des Missions d'Asie. Pour les participants au synode, c'est sous les ordres de la Sacrée Congrégation de la Propagation de la Foi que doit s'opérer la reconnaissance de la vocation missionnaire de ceux qui voudront s'engager dans les Missions d'Asie ou qui en reviendront pour y retourner. C'est donc

1. B. Vachet, *Mémoires*, AMEP, vol. 110B, p. 233.

2. P. Lambert de la Motte, *Journal* au 9 mai 1676, AMEP, vol. 877, p. 585 ; cf. Simonin, transc., p. 202.

3. *Id.*, Lettre à Mgr Pallu, le 21 janvier 1669, AMEP, vol. 858, p. 151-152 ; cf. L. n° 117.

le renouveau de l'évangélisation en Asie qui sera confié à un futur Séminaire des Missions. C'est ce projet qui justifie la rédaction des *Monita* comme une sorte de programme pour les séminaristes et la proposition de Corps apostolique qu'intégreraient les religieux autant que les séculiers désireux de donner leur vie au service du Christ en Asie. Le cadre de ce Corps englobera tous les types de vie consacrée, car ce sont des membres de toutes les familles religieuses qui devront voir leurs membres de retour en Europe pour y être réévalués et discernés.

Un tel projet ne peut être présenté que par un des deux vicaires apostoliques présents en Asie, Lambert ou Pallu. Le choix des missionnaires se portera sur Lambert mais, sa santé ne le permettant pas, c'est Pallu qui se chargera de tout expliquer à Rome. Mais Pallu ne semble pas sur la même ligne que ses compagnons. Sous couvert de Lambert, il présentera son propre projet, celui d'un nouveau type de vie religieuse adaptée à l'emploi missionnaire.

Certes il ressort du synode de 1664 que le Corps apostolique est présenté à Rome comme une évolution de la structure ecclésiale pour mieux l'adapter aux conditions de l'évangélisation. Alors que les *Instructions* données par Rome en reste à une stricte séparation entre les différents vicariats[1], l'installation des missionnaires sur un territoire pour laquelle ils n'ont reçu aucun mandat ni pouvoir ecclésiastique précis est la cause première du synode de 1664. Maintenir et développer l'unité va être leur premier souci. L'aspect hiérarchique de l'Église va passer au second plan par rapport à l'unité. Sur le plan matériel et financier, c'est le principe de la péréquation qui est adopté. On met aussi en commun la réalisation de l'exigence première de Rome, celle de former un clergé autochtone. C'est ainsi que le premier séminaire pour former sur place des prêtres autochtones servira à toutes les Missions d'Asie avec une formation commune sur la base des *Monita*.

En arrivant au Siam, les missionnaires ont fait le constat de l'état réel du christianisme en Asie qui était très éloigné des comptes rendus de mission publiés par la Compagnie de Jésus. À cause de la situation locale ils ont constaté l'impossibilité de gagner le territoire que le pape leur avait confié. Le Siam a été pour eux l'espace communautaire où ils pouvaient se replier en cas de persécution. L'unité était alors essentielle pour les missionnaires quel que soit le vicariat ou ils devaient exercer leur responsabilité. Dans leur esprit, cette unité devait être mise en place à Paris autant qu'au Siam, mais à Paris à l'époque on n'avait pas le même sens de l'unité, parce qu'on ne partageait pas la même expérience ni le même désir missionnaire.

1. B. Jacqueline, *Traduction française des Instructions de 1659*, p. 335 : « C'est intentionnellement que vos provinces ont été choisies éloignées les unes des autres, pour que nul d'entre vous ne se mêle de la mission d'autrui ».

Le 15 juillet 1671, quand Lambert cite au Père Simon Hallé[1], son directeur, la phrase de saint Paul aux Corinthiens : « *urget nos caritas Christi* »[2], il comprend que cette charité, c'est son désir que le Seigneur nous met dans le cœur, celui de sauver tous les hommes. En approchant de leur terre de mission, Lambert et les envoyés de la Sacrée Congrégation de la Propagation de la Foi ont eu cette expérience en leur cœur : « La charité de nostre seigneur J. C. pressoit les missionnaires de partir »[3]. Lambert a confié qu'il a eu le cœur rempli d'amour pour les Cochinchinois au moment même où la charge de ce peuple lui était donnée par Rome, comme il l'a rapporté :

> « Dez que je fus estably pasteur de la Cochinchine par une dispensation extraordinaire de la divine providence, N. S. me donna en mesme temps un amour pour vous inexplicable de la vient que ie partis des extemitez de L'europe le 8 iour de mon sacre pour vous venir ayder dans tous vos besoins et que les fatigues qui sont inseparables d'un si long voyage me donnerent de la satisfaction »[4].

C'est en fonction de cet amour miséricordieux de Jésus qui le pressait que Lambert a voulu renouveler l'évangélisation en Asie. Mais dès Ispahan Lambert a du improviser pour continuer son voyage, pensant qu'il avait le choix entre l'intérieur de l'Asie par le Turkestan chinois par la route de la soie et le sud-est asiatique par la mer. Ce choix avait des répercussions sur la connaissance du salut par les peuples selon qu'ils soient traversés ou évités par les missionnaires[5]. Mais Lambert n'est pas un janséniste comme l'oratorien Jean Le Jeune (1592-1672) pour qui « la mission prêchée dans une ville ou dans une paroisse est un effet, selon lui, de la prédestination des âmes. Aussi n'est-elle donnée efficacement qu'aux seuls prédestinés »[6]. Pour Lambert, c'est au contraire la seule miséricorde qui motive les choix de Dieu.

C'est aussi une interprétation de la mission de salut que Jésus souhaite continuer de réaliser lui-même à travers chaque chrétien jusqu'à la consommation des siècles. Lambert fera la relecture de l'action salvatrice de Jésus en Asie par l'action des missionnaires apostoliques envoyés par Rome, comme il l'écrit dans son *Abrégé de Relation* :

---

1. P. Lambert de la Motte, Lettre au Père Simon Hallé du 15 juillet 1671, AMEP, vol. 854, p. 221 ; cf. Guennou, transc., L. n° 127.

2. "La charité du Christ nous presse" (2 Co 5, 14).

3. P. Lambert de la Motte, *Abrégé de Relation*, AMEP, vol. 121, p. 626, cf. Guennou, transc., § 12.

4. *Id.*, Lettre aux fidèles de Cochinchine, AMEP, vol. 121, p. 689 ; cf. § 131.

5. *Id.*, Lettre au Père Hallé du 15 mars 1661, AMEP, vol. 136, p. 73-74 ; cf. L. n° 2.

6. P. Pourrat, *La spiritualité chrétienne*, t. IV : *Les Temps Modernes*, 2e Partie, *du Jansénisme à nos jours*, Paris, J. Gabalda et Fils, 1930, p. 327 et note 1 : Les sermons de Jean Le Jeune furent publiés sous le titre de *Le Missionnaire de l'Oratoire*, 1662-1666 (Réédition, Paris, Vivès, 1879-1880, 10 vol. in 8°).

« Quoy qu'il soit vray que le royaume de Siam aussy bien que ceux du pegu, de laos et de camboye ayent opposition a recevoir l'evangile incomparablement plus grande que plusieurs autres pour estre extraordinairement addonnés au culte des idoles et remplis d'estime de leurs prestres, lesquels ayants un extreme credit sur l'esprit de ses rois et de ses peuples ont empeché iusqu'a présant que les affaires de la religion catholique n'ayent pas avancés encore dans tous ces estats la : cepandant les missionnaires francois scachant que rien n'est impossible a Dieu prirent resolution auparavant que d'entreprendre le voyage du Tonkin, de travaillér a la conversion des ames dans le royaume de Siam ou la providence les a apellés sans considerér tous les grands obstacles qui pouvoient les en dissuadér. Pour l'execution d'un dessein si rempli des difficultés, ils tachent d'aportér les dispositions necessaires a ceux qui ont declare la guerre de la part de Dieu aux puissances de lenfér, en suite de quoy on trouva a propos de commencér cette mission par les plus abandonnés et d'en faire lun de ces plus ordinaires emplois qui est d'allér visitér les prisoniers qui sont si mal nourris et si rigoureusement traités en ce royaume qu'ils ne peuvent pas vivre long temps dans leur misère ces pauvres malheureux voyant des personnes de merite les consolér et compatir a leur extreme disgrace sans aucun interest que celuy d'une cordiale charité les escoutant parlér de Dieu, de l'éternité, et des choses qui concernent leur salut avec satisfaction, en suite de quoy il n'y avoit pas de peine de les disposér a recevoir le st baptesme que lon leur conferoit ordinairement peu de temps auparavant leur mort ... »[1]

Au terme de son voyage missionnaire depuis l'Europe, Lambert n'a pas pu accéder directement à son vicariat apostolique de Cochinchine. En méditant sur la miséricorde divine, il a compris que Dieu l'invitait à aimer les plus pauvres d'un amour de prédilection et que par rapport au trésor de la connaissance de Jésus-Christ c'était le Siam qui était le plus pauvre. La vocation missionnaire conduit donc Lambert à laisser dans la bergerie ceux qui ont déjà découvert l'amour dont ils sont aimés par Jésus-Christ et qui veulent lui exprimer leur reconnaissance comme les Tonkinois et les Cochinchinois. Il va chercher la brebis égarée qui se trouve prisonnière des ronces de l'incroyance, et c'est au Siam qu'il la trouve d'abord. Les Tonkinois et les Cochinchinois ne sont pas pour autant abandonnés par Lambert, le cadre des Amateurs de la Croix est fait pour eux tous afin que leur bergerie devienne attirante et accueillante pour tous ceux qui ne s'y trouvent pas encore.

La communauté est attirante et accueillante si elle révèle aux hommes l'amour de Dieu, si Jésus poursuit en elle sa mission, si en chacun de ses membres il continue à regarder tous les hommes de ses propres yeux, exprimant son amour qui le porte à tout donner et se donner lui-même.

Cette présente thèse pourrait aider à établir les vertus héroïques de Mgr Lambert, en tant que fondateur de l'Église du Vietnam ; missionnaire

1. P. Lambert de la Motte, AMEP, vol. 677, p. 217bis ; cf. § 131.

de Thaïlande où il a vécu, est mort et est enterré ; fondateur des congrégations d'Amantes de la Croix et cofondateur des Missions Étrangères de Paris ; et en tant que représentant de la Sacrée Congrégation de la Propagation de la Foi, qui l'a mandaté et soutenu sans faille comme l'un des siens.

Annexe 1

Repères chronologiques

1612 — Le christianisme est interdit au Japon et les portugais en sont chassés.

1622 — 6 janvier, fondation de la Sacrée Congrégation de Propaganda Fide à Rome.

1624 — 28 janvier, naissance de Pierre Lambert de la Motte à Lisieux.

1646 — 3 juin, nomination de Lambert comme magistrat de la Cour des Aides du Parlement de Rouen.

1649 — 27 juin, Alexandre de Rhodes est arrivé à Rome pour demander d'établir des diocèses et d'envoyer des évêques pour la Cochinchine et le Tonkin.

1650 — Fondation du séminaire eudiste de Coutances, participation financière de Lambert.

1655 — Ordination sacerdotale de Lambert.

1656 — 30 juin, nomination de Lambert en tant que Conseiller honoraire du roi.

1657-1659 — Fondation du séminaire eudiste de Rouen, grâce à l'intervention et l'argent de Lambert.

1658 — 29 juillet, nomination des deux évêques in partibus (François Pallu, évêque d'Héliopolis, et de Lambert de la Motte, évêque de Bérythe).

1659 — 9 septembre, nomination de deux vicaires apostoliques François Pallu et Lambert de la Motte pour les deux vicariats : la Cochinchine et le Tonkin.

1659 — 10 novembre, les Instructions sont envoyées aux deux vicaires apostoliques François Pallu et Lambert de la Motte.

1660 — 18 juin, départ de Paris de Lambert de la Motte (de Marseille le 27 novembre).

1661	début du pouvoir personnel et absolu de Louis XIV en France.
1661	3 septembre, départ de Marseille d'Ignace Cotolendi.
1662	2 janvier, départ de Marseille de François Pallu.
1662	16 août, mort de Ignace Cotolendi à Palacol.
1662	22 août, arrivée de Lambert de la Motte à Juthia, au Siam.
1664	27 janvier, arrivée de François Pallu, de Louis Laneau, et de leurs compagnons à Juthia.
1664	29 février, premier synode au Siam organisé par Lambert de la Motte.
1664	rédaction des *Monita* sous la responsabilité des vicaires apostoliques.
1665	17 janvier, François Pallu quitte Juthia pour l'Europe.
1666	20 août, arrivée de François Deydier à Thăng Long, capitale du Tonkin.
1668	Lambert de la Motte ordonne prêtres 2 catéchistes tonkinois à Juthia.
1669	juillet, impression des *Monita* à Rome par la Sacrée Congrégation de Propaganda Fide.
1669	30 août, arrivée de Lambert de la Motte au port de Phố Hiến au Tonkin.
1670	janvier, Lambert de la Motte ordonne prêtres 7 catéchistes tonkinois au Tonkin.
1670	14 février, synode de Phố Hiến au Tonkin, présidé par Lambert de la Motte.
1670	19 février, fondation de la première communauté des Amantes de la Croix au Tonkin par Lambert de la Motte.
1670	12 octobre, Lambert de la Motte demande au pape l'approbation d'un institut double : Amateurs de la Croix et Amantes de la Croix.
1671	décembre, fondation de la première communauté des Amantes de la Croix en Cochinchine par Lambert de la Motte.
1672	fondation de la première communauté des Amantes de la Croix en Thaïlande par Lambert de la Motte.
1672	19 janvier, synode à Fai-fo en Cochinchine présidé par Lambert de la Motte.
1674	25 mars, consécration épiscopale de Louis Laneau à Juthia en tant que vicaire apostolique du Siam.

1678	17 juillet, nomination de Mgr Lambert comme Administrateur Général des Missions du Tonkin, de Cochinchine, du Siam et du Cambodge.
1679	2 janvier, décret romain ratifiant la fondation des confréries d'Amateurs de la Croix.
1679	Clément IX décide que les rites chinois sont condamnés s'ils sont conformes au rapport Moralès et qu'ils sont approuvés s'ils sont conformes au rapport Martini.
1679	15 juin, mort de Lambert de la Motte à Juthia en Thaïlande.
1684	29 octobre, la mort de François Pallu à Fu-Kien en Chine.
1684	Louis Laneau devient administrateur général des missions d'Asie.
1685	janvier, consécration d'un évêque chinois, Grégoire Lao Wenzao.
1685	Louis Laneau écrit sa *Rencontre avec un sage bouddhiste.*
1688	mai, révolution au Siam, les Français sont chassés.
1696	16 mars, mort de Louis Laneau à Juthia en Thaïlande.

Annexe 2

Les lettres de Lambert transcrites par Jean Guennou et les références de leurs manuscrits[1]

N°	Dates*[2]	Destinataires	Références	F ou L	Traducteur
001	02.10.1660	Chevreuil	Vol. 136, p. 67-69	F	
002	15.03.1661	Simon Hallé	Vol. 136, p. 71-76	F	
003	Voir Lettre n° 22	Archevêque de Rouen	Vol. 858, p. 14 Vol. 121, p. 514-517	F	
004	23.01.1662	Conseiller Fermanel	Vol. 971, p. 1-4	F	
005	25.03.1662	Conseiller Fermanel	Vol. 971, p. 5-7	F	
006	06.09.1662	Vincent de Meur	Vol. 116, p. 553-554	F	
007	07.09.1662	Vincent de Meur et aux Amis de Paris	Vol. 116, p. 554-559	F	
008	10.10.1662	Conseiller Fermanel	Vol. 858, p. 1. 3	F	
009	10.10.1662	Fermanel prêtre	Vol. 858, p. 5. 7	F	
010	10.10.1662	Duchesse d'Aiguillon	Vol. 858, p. 9. 12	F	
011	10.10.1662	Propaganda Fide	Vol. 857, p. 137-139	L	I. Noye, PSS
012	10.10.1662	Cardinal Antoine Barberini	Vol. 857, p. 141	F	
013	10.10.1662	Propaganda Fide	Vol. 857, p. 145	L	I. Noye, PSS
014	10.10.1662	Pape	Vol. 857, p. 149. 151	L	M. Dolfosse
015	1663	Billet à M. Duplessis Montbar	Vol. 121, p. 505-506	F	

1. Les références des manuscrits ont été notées par Jean Guennou dans les cahiers à part qui se trouvent dans les boîtes AMEP, Lambert de la Motte, n° 5 et n° 13. Dans la boîte n° 13 se trouve aussi la liste des références des originaux et des copies de *l'Abrégé de Relation* avec mention des auteurs des copies.

2. * Date donnée par Jean Guennou, sans mentionnée dans la lettre.

016	06.03.1663*	Duplessis Montbar	Vol. 861, p. 1-3 Vol. 121, p. 506-510	F	
017	06.03.1663*	Duchesse d'Aiguillon	Vol. 858, p. 19. 21	F	
018	06.03.1663*	Simon Hallé	Vol. 121, p. 554-555	F	
018b	06.03.1663	Pape	Vol. 857, p. 153-155	L	M. Dolfosse
019	Voir Lettre n° 57	Nicolas Lambert	Vol. 121, p. 557-559	F	
019b	06.03.1663	Propaganda Fide	Vol. 857, p. 157 Vol. 857, p. 181-182	L	M. Dolfosse
020	06.03.1663*	Cardinal Antoine Barberini	Vol. 857, p. 161	F	
021	05.1663*	Clergé de France	Vol. 121, p. 510-514 Vol. 876, p. 97-99	F	
022	10.07.1663*	Archevêque de Rouen	Vol. 121, p. 514-517	F	
023	24.05.1663	Ignace Baudet	Vol. 121, p. 517-518	F	
024	05.1663*	d'Argençon	Vol. 121, p. 518-519	F	
025	06 ?. 1663*	Compagnie des Missions	Vol. 121, p. 520-522	F	
026	06 ?. 1663*	Mme de Miramion	Vol. 121, p. 522-523	F	
027	06 ?. 1663*	Roi Louis XIV	Vol. 121, p. 523-524	F	
028	10.07.1663	Prince de Conti	Vol. 857, p. 173-175 Vol. 121, p. 525-526	F	
028 bis	1663	Roi Louis XIV	Vol. 121, p. 127 Vol. 121, p. 527	F	
029	06 ?. 1663*	Vincent de Meur	Vol. 121, p. 527-529	F	
030	06 ?. 1663*	Gazil	Vol. 121, p. 529-531	F	
031	06 ?. 1663*	Tiersaut	Vol. 121, p. 531	F	
032	06 ?. 1663*	Ecclésiastiques de la Conférence	Vol. 121, p. 531-533	F	
033	06 ?. 1663*	Duchesse de Longueville	Lettre citée à la fin de la lettre précédente	F	
034	06 ?. 1663*	Abbé du Val Richer	Vol. 121, p. 533-534	F	
035	09.07.1663	Cardinal Antoine Barberini	Vol. 857, p. 165 Vol. 121, p. 534-535	F	
036	11.07.1663*	Lesley	Vol. 121, p. 535-537	F	
037	11.07.1663	Duplessis Montbar	Vol. 860, p. 1-4 Vol. 121, p. 537-541	F	
039	06 ?. 1663*	Communauté de la rue Saint-Dominique	Vol. 121, p. 541-544	F	

040-042	06 ?. 1663*	Duchesse d'Aiguillon Mme de Richelieu, Mme d'Agennois Mme de Fouxolle	Lettres citées dans la lettre précédente (p. 544)	F	
043	06 ?. 1663*	Nicolas Lambert	Vol. 121, p. 544-547	F	
044	09.07.1663*	Fermanel prêtre	Vol. 857, p. 169.171 Vol. 121, p. 547-549	F	
045	10.07.1663	Conseiller Fermanel	Vol. 858, p. 23. 25	F	
046	11.07.1663	Jacques de Bourges	Vol. 121, p. 549-552	F	
047	03.10. 1663*	Pape	Vol. 876, p. 101-103	L	
048	10.10.1663	Apostille à Duplessis Montbar	Vol. 860, p. 2 Vol. 121, p. 552-553	F	
049	11.10.1663	Apostille à Vincent de Meur	Vol. 121, p. 553-554	F	
050	11.10.1663*	Mme d'Aiguillon (simple mention)	Vol. 121, p. 554		
051	28.10.1663	Simon Hallé	Vol. 121, p. 554-555	F	
052	13.10.1663	Propaganda Fide	Vol. 857, p. 182-183	L	M. Dolfosse
053	12.07.1663	Propaganda Fide	Vol. 857, p. 177-179 Vol. 876, p. 105. 107	L	
053 bis	03.11.1663	Vincent de Meur	Vol. 116, p. 559-560	F	
054	25.11.1663*	Vincent de Meur	Vol. 121, p. 555-556	F	
055	25.11.1663*	Duplessis Montbar	Vol. 121, p. 556-557	F	
056	25.11.1663*	Nicolas Lambert	Vol. 121, p. 557-559	F	
057	mi février 1664*	Nicolas Lambert	Vol. 121, p. 559-561	F	
058	15.02.1664	Fermanel prêtre et communauté de Saint-Josse	Vol. 858, p. 67-69 Vol. 121, p. 561-562	F	
059	mi février 1664*	Fraguier	Vol. 858, p. 95 Vol. 121, p. 562-563	F	
060	mi février 1664*	Conseiller Fermanel	Vol. 121, p. 563-564	F	
061	mi février 1664*	Mme d'Aiguillon (simple mention)	Vol. 121, p. 564	F	
062	mi février 1664*	Mme de Miramion (simple mention)	Vol. 121, p. 564	F	
063	mi février 1664*	Jacques de Bourges	Vol. 121, p. 564-567	F	
064	11.02.1664	Gazil	Vol. 858, p. 71-73 Vol. 121, p. 567-569	F	

065	02.1664*	Fermanel (simple mention)	Vol. 121, p. 569	F	
066	10.02.1664	Bagot	Vol. 858, p. 55 Vol. 121, p. 569-570	F	
067	24.06.1664	Père Le Faure	Vol. 121, p. 570-571	F	
068	05.02.1664	Supérieurs de l'Ordre des Minimes de la Province de Paris	Vol. 857, p. 205	L	M. Dolfosse
069	09.02.1664	Propaganda Fide	Vol. 857, p. 201. 203	L	Irénée Noye M. Dolfosse
069 bis	10.02.1664	R.P. Apreste, supérieur des Minimes	Vol. 858, p. 59	F	
069t	24.06.1664*	Ignace Baudet	Vol. 121, p. 571-574	F	
069 (4)	1664*	Jacques de Bourges	Vol. 121, p. 574-575	F	
070	1664*	Gazil	Vol. 121, p. 575-576	F	
071	1664*	Fermanel prêtre	Vol. 121, p. 577-578	F	
072	1664*	Conseiller Fermanel	Vol. 121, p. 578	F	
073	1664*	Nicolas Lambert	Vol. 121, p. 578-579	F	
074	16.10.1664	Conseiller Fermanel	Vol. 858, p. 91-93 Vol. 121, p. 579-580	F	
075	19.10.1664*	Fermanel prêtre	Vol. 121, p. 580-582	F	
076	19.10.1664*	Nicolas Lambert	Vol. 121, p. 582	F	
077	21.10.1664*	Gazil	Vol. 858, p. 87 Vol. 121, p. 583	F	
078	1664*	Au roi Louis XIV	Vol. 121, p. 583-584	F	
079	1664*	Prince de Conti	Vol. 121, p. 585-586	F	
080	1664*	Clergé de France	Vol. 121, p. 586-587	F	
081	1664*	Archevêque de Rouen	Vol. 121, p. 587	F	
082	1664*	Communauté de Saint-Josse, nos Amis de Paris	Vol. 121, p. 587-589	F	
083	19.01.1665	Gazil et Fermanel	Vol. 858, p. 99-101 Vol. 121, p. 589-590	F	
084	20.01.1665	Jacques de Bourges	Vol. 858, p. 103-105	F	
085	20.01.1665	d'Argençon	Vol. 858, p. 111-113	F	
086	20.01.1665	Mme de Fouxolles	Vol. 858, p. 115-117	F	
087	20.01.1665	Duplessis-Monbar	Vol. 121, p. 590-591	F	
088	20.01.1665	Vincent de Meur	Vol. 121, p. 591-592	F	
089	20.01.1665	Simon Hallé	Vol. 121, p. 592-593	F	

090	20.01.1665	Tiersaut	Vol. 121, p. 593	F	
091	20.01.1665	Nicolas Lambert	Vol. 121, p. 594	F	
092	25.01.1667*	Pallu	Vol. 876, p. 464-466	F	
093	04.1665*	Capitaine général de Macao	Vol. 121, p. 595	F	
094	1665*	Ignace Baudet	Vol. 121, p. 535-536	F	
095	1665*	Paviot et Tousvens	Vol. 121, p. 596-597	F	
096	1666*	Thiersaut	Vol. 136, p. 385-386	F	
097	1666*	Roi de Cochinchine	Vol. 876, p. 443-447	F	
098	01.06.1666	Censure contre le père Fragoso	Vol. 854, p. 17-19 Vol. 876, p. 363-365 Vol. 876, p. 383-386	L	M. Dolfosse
098 bis	1666	Notes sur la censure contre le père Fragoso	Vol. 854, p. 43-46 Vol. 728, p. 349-350 (début) Vol. 728, p. 345-348 (suite) Vol. 728, p. 351-354 (suite)	L	M. Dolfosse
99	01.06.1666*	Hainques	Vol. 876, p. 400	F	
100	05.06.1666	Fragoso	Vol. 876, p. 365-366 Vol. 876, p. 386-388	L	M. Dolfosse
100 bis	09.06.1666	Fragoso	Vol. 876, p. 366-367 Vol. 876, p. 388-389 Vol. 854, p. 25	L	M. Dolfosse
101	12.06.1666*	Testimoniales	Vol. 876, p. 401		
102	17.10.1666	Pallu	Vol. 858, p. 123-134	F	
103	04.11.1666	Pallu	Vol. 876, p. 420-423	F	
104	30.11.1666	L'affaire Fragoso	Vol. 854, p. 1-4 ; 29-31 Vol. 854, p. 33-35 Vol. 876, p. 369-371 ; 439-442	L	M. Dolfosse
104 bis	1666	L'affaire Fragoso	Vol. 854, p. 5-6 Vol. 854, p. 35-36 Vol. 876, p. 372-373	L	M. Dolfosse
104 ter	1666	L'affaire Fragoso	Vol. 854, p. 39-42 Vol. 876, p. 375-379 Vol. 876, p. 391-397	L	M. Dolfosse
105	01.12.1666	Extrait de la lettre du Gouverneur de Malacca (24.12.1664)	Vol. 876, p. 424. 427	L	M. Dolfosse

105 bis	02.12.1666*	Pallu	Vol. 201, p. 5-7		
105 ter	24.01.1666	Déclaration de l'Évêque de Bérithe	Vol. 854, p. 9-11 Vol. 854, p. 37-38 Vol. 876, p. 379-380	L	M. Dolfosse
106	02.01.1667*	Pallu	Vol. 121, p. 724-725	F	
107	15.10.1667	Lettre pastorale	Vol. 876, p. 483-485 (Autographe) Vol. 856, p. 375-378 (Copie) Vol. 876, p. 467-470 (Copie) Vol. 876, p. 471-472 (Portugais) Vol. 876, p. 475-477 (Copie) Vol. 876, p. 479-482 (Copie)	L	J. Ruellen Mme Élisabeth de Pirey
108	19.11.1667	Pape	Vol. 876, p. 487. 489	L	M. Dolfosse
109	19.10.1667	Pallu	Vol. 857, p. 221-232 Vol. 876, p. 491-502 Vol. 876, p. 503-514 Vol. 876, p. 515-530 Vol. 876, p. 837-855	F	
109 bis	01.11.1667	Mémoire des jésuites sur Lambert (Observations)	Vol. 876, p. 531-536	L	J. Ruellen Mme Élisabeth de Pirey
110	23.11.1663	Ambroise	Vol. 876, p. 539-541	F	
111	01.1668	Pallu	Vol. 876, p. 571-575	F	
112	02.09.1668	Conseiller Fermanel	Vol. 858, p. 139-141	F	
114	11.1668	Le Faure	Vol. 877, p. 765	F	
115	1669	Propagation de la Foi	Vol. 660, p. 33-52	L	
115 bis	1668 ou 1670	Propaganda Fide	Vol. 201, p. 300-304	L	M. Dolfosse
116	Voir n° 179	Questions à poser à la Sacrée Congrégation	Vol. 201, p. 307-308	L	J. Ruellen Mme Élisabeth de Pirey
117	21.01.1669	Pallu	Vol. 858, p. 151-153 Vol. 677, p. 100-101	F	
118	13.07.1669*	Contre Marini	Vol. 660, p. 21-28	L	
119	07.1669	Le Faure	Vol. 876, p. 543-545	F	
120	12.10.1670	Directeurs du séminaire	Vol. 858, p. 185	F	

121	12.10.1670	Pape	Vol. 650, p. 185-186	L	M. Dupuy, PSS Mme Élisabeth de Pirey
122	12.10.1670	Propagation de la Foi	Vol. 650, p. 187-189	L	
123	20.10.1670	Lesley	Vol. 858, p. 189-191 Vol. 876, p. 631-633	F	
124	07.11.1670	Déclaration de Mgr Bérithe à Nicolas de Motta	Vol. 876, p. 639 Vol. 876, p. 641 Vol. 876, p. 645	L	Mme Élisabeth de Pirey
125	10.11.1670	Contestata denunciatio	Vol. 876, p. 641-644 Vol. 876, p. 645-650	L	M. Dolfosse
126	13.07.1671	Propaganda Fide	Vol. 961, p. 235-236	L	Mme Élisabeth de Pirey
127	15.07.1671	Simon Hallé	Vol. 854, p. 221	F	
128	15.07.1671	Lesley	Vol. 854, p. 222	L	
130	15.07.1671	Directeurs du séminaire	Vol. 858, p. 215 Vol. 854, p. 222-223	F	
131	15.07.1671	Brisacier	Vol. 858, p. 219	F	
132	12.1671	Directeurs du séminaire (relation)	Vol. 855, p. 269-278	F	
133	12.11.1672	Directeurs du séminaire	Vol. 858, p. 255	F	
133 bis	22.11.1672	Mme d'Aiguillon	(simple mention)	F	
134	25.12.1672	Propagation de la Foi	Vol. 857, p. 243-245	L	M. Dolfosse
135	24.12.1672	Inquisiteurs de Goa	Vol. 858, p. 247-248	L	M. Dolfosse
136	24.11.1672	Sevin	Vol. 876, p. 817-820 Vol. 858, p. 251-254	F	
137	29.01.1673	Cardinal Préfet de l'Inquisition	Vol. 857, p. 263	L	M. Dolfosse
138 bis	03.09.1673	Propagation de la Foi	Vol. 420, p. 277		
138	04.09.1673	Ratification du choix des procureurs	Vol. 876, p. 829-832	F	
139	04.09.1673	Cardinal Bona	Vol. 858, p. 259. 261	L	
140	04.09.1673	M. Bretonvilliers	Vol. 857, p. 273-275 Vol. 876, p. 855-861	F	
141	05.09.1673	Propaganda Fide	Vol. 857, p. 271-272	L	M. Dolfosse
142	08.11.1673*	Au Roi	Vol. 858, p. 263.265		
143	03.12.1673	Chamesson	Vol. 858, p. 270-271	F	
144	1674 (?)	Rapport sur leur situation à la cour de Siam	Vol. 854, p. 855-865	L	

145	14.04.1674	Concordat	Vol. 876, p. 917-919		
146	21.12.1674	Pape	Vol. 850, p. 203-207 Vol. 857, p. 335-338	L	Mme Élisabeth de Pirey
147	23.11.1674	Chamesson	Vol. 858, p. 277-279	F	
148	25.11.1674	Archevêque de Paris	Vol. 850, p. 209	F	
149	01.12.1674	Propaganda Fide	Vol. 857, p. 319-320 Vol. 857, p. 321-325	L	Mme Élisabeth de Pirey
150	29.12.1673	St Office	Vol. 857, p. 263-264	L	
151	29.12.1674	Pape	Vol. 857, p. 338-341	L	Mme Élisabeth de Pirey
152b	29.12.1674	Sevin	Vol. 858, p. 289. 291	F	
153	02.01.1675	Reconnaissance de dette de 6 000 livres par Lambert	Vol. 852, p. 1-4	L	
154	05.02.1675*	Propaganda Fide	Vol. 877, p. 9-12	L	
155	05.02.1675*	Pape	Vol. 877, p. 1-3	L	
156	07.1675	L'affaire de Jean d'Abreu	Vol. 854, p. 287-294	L	
157	07.07.1675*	Propaganda Fide	Vol. 857, p. 349-352 Vol. 877, p. 83-87 Vol. 877, p. 127-130	L	Mme Élisabeth de Pirey
158	07.07.1675	Pape	Vol. 854, p. 237-239 Vol. 857, p. 357-360 Vol. 877, p. 121-123 Vol. 877, p. 125-126	L	
159	07.07.1675	Cardinal, secrétaire de la Propagation de la Foi	Vol. 857, p. 361 Vol. 876, p. 131	L	
160	07.07.1675	Mgr d'Hierapolis (qui a autorité sur la côte occidentale de l'Inde)	Vol. 857, p. 353. 355	L	M. Dolfosse
161	08.07.1675	Directeurs du séminaire	Vol. 858, p. 301-303	F	
162	09.07.1675	Mgr d'Hierapolis	Vol. 858, p. 305	L	M. Dolfosse
162 bis	30.08.1675	Cardinal Bona	Vol. 858, p. 309-311	L	M. Dolfosse
162 ter	15.10.1675	Directeurs du séminaire	Vol. 117, p. 99-102	F	
163	25.10.1675*	Propagation de la Foi	Vol. 425, p. 127-134	L	
164	19.08.1676	Archevêque de Paris	Vol. 877, p. 445-447	F	
165	12.06.1676	M. Aeroorth	Vol. 861, p. 5	L	
166	27.11.1676	Mgr l'Archevêque de Sydoine	Vol. 419, p. 305	L	M. Dolfosse

167	27.11.1676	Propagation de la Foi	Vol. 419, p. 304-305 Vol. 850, p. 5	L	M. Dolfosse
168	01.11.1676	M. Bretonvilliers	Vol. 653, p. 51-53	F	
169	10.11.1676 ?	Directeurs du séminaire	Vol. 857, p. 377-380	F	
170	13.11.1676	Pape	Vol. 419, p. 318-319 Vol. 877, p. 425-426	L	M. Dolfosse
171	14.11.1676 ?	Montmorency-Laval, Mgr du Québec	Vol. 858, p. 353-355	F	
172	16.11.1676	Brisacier	Vol. 858, p. 361. 363	F	
172 bis	19.11.1676	Dominique George	*La Semaine Religieuse de Bayeux,* mai 1918	F	
173	16.11.1676	Le Président du Parlement de Paris	Vol. 858, p. 365-367	F	
174	16.11.1676	Baron	Vol. 850, p. 9-11 Vol. 419, p. 301-303	F	
175	16.11.1676	Mme de Longueville	Vol. 419, p. 295	F	
176	16.11.1676	Pallu	Vol. 419, p. 298-301	F	
176 bis	16.11.1676	Directeurs du séminairc	Vol. 419, p. 303-305	F	
177	14.12.1676	Chanoine Pallu à Saint-Martin de Rome	Vol. 877, p. 422-432	F	
178	1677	Bordereau d'envoi à Rome	Vol. 877, p. 519	L	
179	1677	Questions à poser à la Sacrée Congrégation	Vol. 877, p. 523-524	L	M. Dolfosse
180	09.10.1677	Cardinal Favoriti	Vol. 877, p. 459 Vol. 857, p. 435 Vol. 119, p. 169 (Extraits)	L	M. Dolfosse
181	08.10.1677	Pape	Vol. 877, p. 463-465	L	M. Dolfosse
182	29.11.1677	Archevêque de Paris	Vol. 858, p. 385-387	F	
183	29.11.1677	Pallu	Vol. 858, p. 413-416	F	
184	07.12.1677	Secrétaire de la P. F.	Vol. 857, p. 435	L	
185	10.12.1677	Gazil	Vol. 877, p. 515	F	
186	10.12.1677	Pallu	Vol. 858, p. 409-412		
187	10.12.1677	Bézard	Vol. 861, p. 37	F	
188	13.12.1677*	Pape	Vol. 857, p. 439-442	L	
189	13.12.1677*	Extraits de 180 et de 184	Vol. 119, p. 169-170	L	

190	1678?	Demande présentée par Pallu au nom de Lambert	Vol. 967, p. 407-408	L	
191	29.10.1678	Propaganda Fide	Vol. 859, p. 89. 91	L	M. Dolfosse
192[1]	29.10.1678	Pape	Vol. 859, p. 93-95	L	M. Dolfosse

1. Jean Guennou a mentionné quatre dernières lettres (n° 193-196) avec leurs références manuscrites, sans les transcrire (AMEP, vol. 877, p. 621s; vol. 858, p. 421-424; vol. 877, p. 641; vol. 877, p. 645).

Bibliographie

Sources

Manuscrits des Archives de la *Propaganda Fide* à Rome

- Acta Congregationis Particularis super rebus Sinarum et Indiarum Orientalium (Acta CP), vol. 1A

fol. 53r	Mgr d'Héliopolis (Mgr Pallu) : Demande au pape concernant l'étude des vœux de la Congrégation Apostolique, en italien
fol. 120v-121r	Formula votorum Congregationis Apostolicae
fol. 144-166	Observanda quædam circa perfectionem hominis in hac vita possibilem, triplex vita perfectionis
fol. 168-187	Institutione di vita chesi sono proposti gli Vicarii apostolici della China, Cocincina et del Tunchino
fol. 192-193	Quædam Missionariorum Proposita
fol. 204-206	Réflexions sur les vœux des vicaires apostoliques par Jean Augustin de la Nativité (Tartaglia), en latin
fol. 207-210	Réflexions sur les vœux des vicaires apostoliques par le Père Tartaglia, en italien
fol. 294r-298v	Notæ super Formula quorumdam votorum cujus tenor sequitur
fol. 300-301	Réflexions sur les vœux des vicaires apostoliques par le Père Tartaglia, en italien
fol. 308r. 314	Deux lettres d'accompagnement de documents de Tartaglia, en italien
fol. 310-311	Réflexions sur les vœux des vicaires apostoliques par le Père Tartaglia, en italien
fol. 316-318	Réflexions sur les vœux des vicaires apostoliques par le Père Tartaglia, en latin
fol. 320	Remarques de Dominique de la Très Sainte Trinité sur le texte de la Règle de vie, en latin
fol. 322-326	Examen des vœux des vicaires apostoliques par le cardinal Bona, en latin

fol. 328-332 Réflexions sur les vœux des vicaires apostoliques par le Père Dominique de la Trinité, en latin

fol. 334-335 Réflexions sur les vœux des vicaires apostoliques par Michelangelo Ricci, en latin

fol. 336 Mgr Pallu : Supplique au pape concernant l'étude des vœux de la Congrégation Apostolique, en italien

fol. 338-339 Mgr Pallu : Réponse au Père Tartaglia, en latin

fol. 340-342 Mgr Pallu : Réponse aux objections sur les vœux de perfection, en italien

fol. 381 Lettre de Mgr Lambert au Pape en juillet 1671, en latin

- Scritture riferite nei Congressi – Indie Orientali e Cina (SC – Indes orientales et Chine), vol. 1

fol. 128-129 Le Bref *Super Cathedram* sur les attributions de Mgr Pallu et Mgr Lambert, en latin

fol. 663-666 Actes du Synode du Tonkin, en latin, 14 février 1670

- Scritture Originali riferite nelle Congregazioni Generali (SOCG) vol. 226

fol. 3-10 Instructio vicariorum apostolicorum ad regna sinarum, Tunchini et Cocincinae proficiscentium anno 1659

- Scritture Originali riferite nelle Congregazioni Generali (SOCG) vol. 227 : Lettre de Mgr Lambert

fol. 28 au pape du 22 août 1659, en latin

fol. 32-33 au Secrétaire de la *Propaganda Fide*, 30-01-1660, en latin

fol. 56-59 au Secrétaire de la *Propaganda Fide*, Ispahan, sans date, en latin

fol. 60-61 au pape, Ispahan, 7-8-1661, en latin

fol. 62-63 au Secrétaire de la *Propaganda Fide,* Ispahan, 7-8-1661, en latin

fol. 122 au pape du 20-2-1665, en latin

fol. 123-124 à la *Propaganda Fide* du 20-2-1665, en latin

fol. 125 au pape, sans date, en latin

- Scritture Originali della Congregazione Particolare delle Indie e Cina (SOCP), vol. 3

fol. 148-149 Lettre de Mgr Lambert au Pape, 12-10-1670, en latin

fol. 150v-152 Synodus habita in Tunkino die 14-2-1670

fol. 152v-154 Institutum piarum virginum ac mulierum sub titulo Amantium Crucis D.N.J.Christi congregatarum.

fol. 154 Societas fidelium utriusque sexus Amantium Crucis Domini Nostri Jesu Christi

fol. 158-159 Lettre de Mgr Lambert 1670, en latin

Manuscrits des Archives nationales

M// 204	dossier 1, n° 3	Mémoire de l'origine du Séminaire des missions pour les pays étrangers
MM// 505	fol. 88-91	Testament de Mgr Lambert
MM// 527	fol. 14-15	Ancien catalogue des missionnaires des Missions Étrangères, les départs des missionnaires au temps de Lambert

Manuscrits de la Bibliothèque nationale

Ms Français 9772	fol. 131-140	Deux autres mémoires qui font voir la part que les jésuites ont eue dans la détention de l'évêque d'Héliopolis
Ms Français 25400	fol. 161-162	Précis de tout ce qui s'est passé à Rome sur l'institution des vicaires apostoliques de la Chine, du Tonkin, de la Cochinchine
Ms NAF. 9376	fol. 1-142	Mémoire sur la Motte-Lambert (copies de la biographie de Lambert par Brisacier, du faire-part de la mort de Lambert et de sa Nécrologie)

Manuscrits des Archives des Missions Étrangères de Paris

- Volume 4

p. 51-54	Lettre de Gazil à Mgr Pallu, au sujet des projets des directeurs
p. 55-58	Lettre de Gazil à Mgr Lambert du 14-11-1664, conseil de prudence et de modération
p. 127-130	Lettre de M. Duplessis à Mgr Pallu, conseils de modération vis-à-vis des jésuites
p. 197-200	Lettre d'un directeur du séminaire à Mgr Lambert, beaucoup de points contraires à la théologie dans le projet présenté par Mgr Pallu

- Volume 5

p. 51	Demande de Gazil à la *Propaganda Fide* sur le nom du séminaire de Paris : *Seminarium de Propaganda Fide*
p. 55-71	Discussions sur les projets de Mgr Pallu, sur les trois vœux
p. 189-202	Mgr Pallu : Éclaircissements sur la conduite de Mgr Lambert. Réponses aux plaintes faites contre lui
p. 497-504	Lettre de Gazil à Mgr Pallu, conseils de modération vis-à-vis des jésuites

p. 677-687 Lettre de Gazil à Mgr Pallu, autres conseils de modération vis-à-vis des jésuites

- Volume 8

p. 150-153 Testament de Mgr Lambert de la Motte

- Volume 9

p. 627. 629 Lettre de Brisacier à Lefèbvre du 29-6-1685 : Le Séminaire a rédigé une vie de Lambert

p. 635-636 Jacques-Charles Brisacier, lettre à Lefèbvre du 8-7-1685. Pour la vie de Lambert, Brisasier estime qu'on n'a pas besoin de demander « la permission de Rome »

p. 319-322 Lettre des Directeurs du Séminaire à Mgr Pallu au sujet des idées de Lefèbvre

- Volume 27

p. 322-335 Mgr Pallu aux Procureurs Généraux, 3-9-1673, (version complète par rapport à la lettre publiée) pour exhorter Brisacier, Gazil, Fermanel et Bésard à se réconcilier avec Lambert

- Volume 45

p. 1110-1112 Petite notice biographique familiale de Lambert accompagnant son portrait

- Volume 101

p. 183-184 Lettre de Mgr Pallu à un religieux jésuite sur le rapport du père Rigordy, vers 1663 (cette lettre a été retirée de la publication par Adrien Launay)

- Volume 102

p. 507-523 Mgr Pallu aux Procureurs Généraux, 3-9-1673, (version complète par rapport à la lettre publiée) pour exhorter Brisacier, Gazil, Fermanel et Bésard à se réconcilier avec Lambert

p. 145-148 Lettre de Mgr Pallu à Bésard, 30-7-1669, au sujet de 150 exemplaires des *Monita*, envoyés de Rome et égarés en France (cette lettre a été retirée de la publication par Adrien Launay)

- Volume 106

p. 277-352 Mémoire pour servir à la vie de Mgr Pallu

- Volume 109

p. 1-120 Mgr Pallu, Explanatio ideae Congregationis Apostolicae

- Volume 110, 110B

p. 1-304 Mémoires de Vachet

- Volume 111, 111B

p. 305-646 Mémoires de Vachet

- Volume 114

p. 432.434 Demande du 19-09-1653 adressée à la *Propaganda Fide* afin d'obtenir des évêques pour l'Asie ; Vincent de Paul est parmi les signataires.

p. 21-60 « Traduction de l'apologie des frères mineurs des Indes Orientales, dans laquelle ils font voir le grand fruit qu'ils ont fait au sujet de la conversion des infidèles et combien peu de raisons a eu Dom Mires dao Saldanha, vice-roi des Indes, de donner des lettres patentes aux jésuites par lesquelles il les installe en l'île de Ceylan en la place des frères mineurs où 1'on verra qu'il a été mal informé et les motifs qui l'ont obligés à cela »

- Volume 115

p. 113 Brevet donné par Louis XIV à Mgrs Lambert, Pallu, Cotolendi pour qu'ils soient réputés régnicoles (ressortissants) malgré leur longue absence, 9-10-1661

- Volume 116

p. 69-80 Mgr Pallu : Additions aux Instructions qui ont été données aux missionnaires ecclésiastiques envoyés dans la Chine, Cochinchine, Tonkin, pour se conduire dans leur voyage et dans les lieux de leur mission, faites à Ispahan, 10-9-1662

p. 287-298 Éclaircissements de quelques difficultés touchant les affaires de Mgr d'Héliopolis, 1669

p. 298-301 Déclaration de Mgr Pallu sur l'attitude qu'il aura désormais envers Mgr Lambert et Attestation des présents à cette déclaration du 2-2-1670

p. 372-375 Quædam Missionariorum Proposita

p. 375-376 Formula votorum Congregationis Apostolicae

p. 377-383 Elucidatio formularii votorum ad vitam perfectam pertinentium

p. 385-390 Réflexions sur les vœux des vicaires apostoliques par Michelangelo Ricci, en latin

p. 391-405 Réflexions sur les vœux des vicaires apostoliques par Giovanni Bona, 1669

p. 406-411 Réflexions sur les vœux des vicaires apostoliques par Dominique de la Très Sainte Trinité, en latin

p. 465-467 Lettre de Mgr Pallu au Pape Clément IX : demande d'approbation de la Congrégation apostolique, en latin

p. 469-471 Animadvertenda quaedam circa Ideam Congregationis Apostolicae

p. 473-476 Mgr Pallu à Mr X… sur l'idée de la Congrégation apostolique, 29-12-1666

p. 477-479 Notæ super Formula quorumdam votorum cujus tenor sequitur

p. 481-502 Observanda quædam circa perfectionem hominis in hac vita possibilem, triplex vita perfectionis

p. 505-534 Institutione di vita chesi sono proposti gli Vicarii apostolici della China, Cocincina et del Tunchino

p. 553-554 Lettre de Mgr Lambert à Vincent de Meur, 06-9-1662 : projet d'un Corps apostolique et des Amateurs de la Croix

p. 554-559 Lettre de Mgr Lambert à Vincent de Meur, 07-9-1662 : projet d'un Corps apostolique et des Amateurs de la Croix

p. 559-560 Lettre de Mgr Lambert à Vincent de Meur, 03-11-1663 : projet d'un Corps apostolique et des Amateurs de la Croix

p. 561-563 Lettre de François Deydier à ses amis de Toulon, 20 janvier 1665 sur la Congrégation Apostolique

p. 565-576 Réflexions sur les vœux des vicaires apostoliques par Dominique de la Très Sainte Trinité, en latin, 1669

p. 577 Lettre du cardinal Barberini à l'Évêque de Bérithe au sujet des vœux, 24-8-1669, en latin

- Volume 117

p. 103-124 Mgr Pallu : Éclaircissements sur la conduite de Mgr Lambert. Réponses aux plaintes faites contre lui

p. 274-283 État des affaires et des propositions qui doivent être exposées par Mr de Bourges, missionnaire apostolique, 1664

- Volume 121

p. 30-31 Mgr Rospigliosi à Mgr Pallu sur la permission de sacrer un nouvel évêque, d'ordonner prêtre des chinois sachant seulement lire le latin, 21-3-1665

p. 31-36 Lettre du Cardinal Albérici à Mgr Lambert du 26-12-1670 : Historique des décisions de Rome sur les rites chinois depuis 1645, en latin

- Volume 121 : Lettres de Mgr Lambert

p. 127, 527 au Roi Louis XIV, 1663

p. 505-506 Billet à M. Duplessis-Montbar

p. 506-510 à Duplessis Montbar, 06-3-1663

p. 510-514 à l'Assemblée Clergé, 5-1663
p. 514-517 à l'Archevêque de Rouen, 10.7.1663
p. 517-518 au Père Baudet Ignace, 24-5-1663
p. 518-519 à M. d'Argenson, 5-1663
p. 520-522 à la Compagnie des Missions, 6-1663
p. 522-523 à Mme de Miramion, 6-1663
p. 523-524 au Roi Louis XIV, 6-1663
p. 525-526 au Prince de Conti, 10-7-1663
p. 527-529 à Vincent de Meur, 6-1663
p. 529-531 à Gazil, 6-1663
p. 531 à Thiersault, 6-1663
p. 531-533 aux Ecclésiastiques de la Conférence, 6-1663
p. 533-534 au Père Abbé du Val-Richer, 6-1663
p. 534-535 au Cardinal Antoine Barberini, 09-7-1663
p. 535-537 à Lesley, 11.07.1663
p. 537-541 à M. Duplessis-Montbar, 11-7-1663
p. 541-544 à la Communauté de la rue St-Dominique, 6-1663
p. 544-547 à Nicolas Lambert, 6-1663
p. 547-548 à Fermanel prêtre, 09-7-1663
p. 549-552 à Jacques de Bourges, 11-7-1663
p. 552-553 Apostille à Duplessis-Montbar, 10-10-1663
p. 553-554 Apostille à Vincent de Meur, 11-10-1663
p. 554-555 au Père Hallé, 28-10-1663
p. 555-556 à Vincent de Meur, 25-11-1663
p. 556-557 à M. Duplessis Montbar, 25-11-1663
p. 557-559 à Nicolas Lambert, 25-11-1663
p. 559-561 à Nicolas Lambert, mi-2-1664
p. 561-562 à Fermanel prêtre et communauté de Saint-Josse, 15-2-1664
p. 563-564 à M. le Conseiller Fermanel, mi-2-1664
p. 564-567 à Jacques de Bourges, mi-2-1664
p. 567-569 à Gazil, 11.02.1664
p. 569-570 au Père Bagot, 10.02.1664
p. 570-571 au Père Le Faure, 24.06.1664
p. 571-574 au Père Ignace Baudet, 24-6-1664
p. 574-575 à Jacques de Bourges, 1664 ?
p. 575-576 à Gazil, 1664
p. 577-578 à Fermanel prêtre, 1664
p. 578 au Conseiller Fermanel, 1664

p. 578-579	à Nicolas Lambert, 1664
p. 579-580	au Conseiller Fermanel, 16-10-1664
p. 580-582	à Fermanel prêtre, 19-10-1664
p. 582	à Nicolas Lambert, 19-10-1664
p. 583	à Gazil, 21-10-1664
p. 583-584	au Roi Louis XIV, 1664
p. 585-586	au Prince de Conti, 1664
p. 586-587	au Clergé de France, 1664
p. 587	à l'Archevêque de Rouen, 1664
p. 587-589	à la Communauté de St-Josse, 1664
p. 589-590	à Gazil et Fermanel, 19-1-1665
p. 590-591	à Mr Duplessis Montbar, 20-1-1665
p. 591-592	à Vincent de Meur, 20-1-1665
p. 592-593	au Père Simon Hallé, 20-1-1665
p. 593	à Thiersault, 20-1-1665
p. 594	à Nicolas Lambert, 20-1-1665
p. 595	au Capitaine générale de Macao, 4-1665
p. 595-596	au Père Poncet, jésuite, 1665

- Volume 121 : Abrégé de Relation de Mgr Lambert (1660-1668)

p. 605-771

- Volume 122, 122B :

La vie de Lambert par Brisacier

- Volume 123 :

Mémoire pour servir à la vie de Mgr Pallu

- Volume 127 :

La vie de Hainques par Bénigne Vachet (p. 1-140)

- Volume 135 et 136 : Abrégé de Relation de Mgr Lambert (1660-1662)

Vol. 135	p. 314-346
Vol. 136	p. 1-66

- Volume 136

p. 67-69	Lettre de Mgr Lambert à Chevreuil, 02-10-1660
p. 71-76	Lettre de Mgr Lambert au Père Simon Hallé, 15-3-1661

p. 91-106 Relation de voyage de Cotolendi

p. 385-386 Lettre de Mgr Lambert à Thersault, 1666

• Volume 169

p. 1-25 Idea Congregationis Apostolicae

p. 27.29 Lettre du cardinal Barberini à Mgr Lambert au sujet des vœux, 24-8-1669, en latin

p. 31 Décision sur les vœux, 1669, en latin

• Volume 200

p. 37-38 Proposition présentée à la Propaganda Fide par la communauté de la rue St-Dominique pour qu'elle devienne Séminaire des Missions Étrangères, 1657-1658

• Volume 200 :

Lettres de Lesley

p. 63-71 à Mgr Pallu, 2-6-1659

p. 83-86 à Mgr Pallu, 18-8-1659

p. 161-180 à X. 17-7-1662

p. 249-264 à Gazil, 1664

p. 541-560 à Gazil, 1666

p. 577-586 à un directeur du séminaire, 1666

• Volume 200 :

Lettres de Jacques de Bourges

p. 327-330 à Gazil, 20-12-1664

p. 351-357 à Gazil, 6-1-1665

p. 364-366 à Gazil, 13-1-1665

p. 389-392 à Gazil, 27-1-1665

• Volume 201

p. 17-20 Lettre de Lesley à Gazil, 26-4-1667

p. 25-26 Lettre de Thiersault à Gazil, 25 juillet 1667

p. 35-40 22 accusations des jésuites portées contre Mgr Lambert, 1-11-1667

p. 54-57 Explicatio Praecipuarum observationum Ideae Congregationis Apostolicæ

p. 57-58 Réflexions sur les vœux des vicaires apostoliques par Michelangelo Ricci, en latin

p. 59-64 Réflexions sur les vœux des vicaires apostoliques par Giovanni Bona, 1669, en latin

p. 64-70 Examen des vœux par le Père Dominique de la Sainte Trinité, 1667, en latin

p. 75-82 Lettre de Lesley à Mgr Pallu, sur les vœux, 16-5-1668

p. 91-110 Lettre de Lesley à Gazil, 16-10-1668

p. 177-180 Lettre de Gazil à Besard : On a refusé de donner au séminaire le nom de *Seminarium de Propaganda Fide*, avril 1669

p. 269-273 Réflexions sur les vœux des vicaires apostoliques par Dominique de la Très Sainte Trinité, en latin

p. 273 Réflexions sur les vœux des vicaires apostoliques par Michelangelo Ricci, en latin

p. 274-279 Formule des vœux. Énumération des vœux. Examen détaillé par demandes et par réponses des vœux des vicaires apostoliques, 1969, en latin

p. 293-300 Mémoire de Gazil à la Propaganda Fide sur les différents avis que la *Propaganda Fide* pourrait donner à Mgr Lambert, 1667

p. 315-322 Lettre de Gazil à Mgr Lambert : Invitation à la modération, 27-1-1670

p. 323-334 Lettre de Gazil à Brindeau, 27-1-1670

p. 373-382 Lettre de Gazil à Brisacier, 5-8-1670

p. 483-485 Lettre de Lesley aux directeurs du séminaire, 16-8-1671

p. 535-552 Mgr Pallu : Éclaircissements sur la conduite de Mgr Lambert. Réponses aux plaintes faites contre lui

- Volume 204

p. 441 Décret du 17-7-1678 concernant la nomination de Mgr Lambert comme Administrateur général des Missions pour l'Asie du Sud-Est, en latin

p. 461-469 Décision du 28-8-1678, n° 8 concernant la confrérie des Amateurs de la Croix, en latin

- Volume 247

p. 45 Le Bref *Super Cathedram* sur les attributions de Mgr Pallu et Mgr Lambert, en latin

- Volume 249

p. 13-26 Jacques de Bourges, Mémoire adressé aux Cardinaux : Rapport et *Desiderata* en 1664

- Volume 253

p. 271 Décision sur les vœux, 1669

- Volume 276

p. 65 Décret du 17-7-1678 concernant la nomination de Mgr Lambert comme Administrateur général des Missions pour l'Asie du Sud-Est, en latin

p. 97-103 Décision du 28-8-1678, n° 8 concernant la confrérie des Amateurs de la Croix, en latin

- Volume 277 :

Le *Religiosus Negociator* du Père jésuite Tissanier, 1665, en latin

- Volume 419 :

Abrégé de Relation de Mgr Lambert (1667-1668) p. 268-282

- Volume 419 :

Lettre de Mgr Lambert

p. 295 à Mme de Longueville, 16-11-1676

p. 298-301 à Mgr Pallu, 16-11-1676

p. 301-303 à Baron, 16-11-1676

- Volume 426

p. 123-142 Lettre du Père Le Faure au Père Jacques de Machault, du 22-11-1670, pour servir de réponse à la lettre pastorale de Mgr Lambert sur le commerce, en latin

- Volume 650

p. 185-186 Lettre de Mgr Lambert au pape : Établissement des Amantes de la croix, 12-10-1670, en latin

p. 265-266 Lettre de M. de Bourges à M. Bezard, concernant le rejet des vœux de la congrégation apostolique, 23-10-1672

- Volume 653

p. 60-62 Lettre de Jacques de Bourges à Bésard du 27-12-1678

p. 63-74 Lettre de François Deydier et Jacques de Bourges à un directeur, 27-12-1678

- Volume 660

p. 21-32 Annotationes in duos quosdam libellos a patre Philippo de Marinis nomine patrum Soc. Jes. missos ad Episcopum Beritensem quibus titulus, expostulatio &c

p. 33-52 Réponse de Mgr Lambert au mémoire du Père Marini adressé à la Sacrée Congrégation de la Propagation de la Foi

- Volume 663

p. 2-7 Synodus habita in Tunkino die 14-2-1670

p. 7-10 Institutum piarum virginum ac mulierum sub titulo Amantium Crucis D.N.J.Christi congregatarum

p. 10-13 Societas fidelium utriusque sexus Amantium Crucis Domini Nostri Jesu Christi

p. 25-32 Synodus habita in Tunkino die 14-2-1670

- Volume 677

p. 25-27 Lettre de Deydier à Mgr Pallu : règle pour les religieuses, 1-11-1667

p. 216 Lettre de Mgr Lambert aux deux premières Amantes de la Croix : Agnès et Paule, 26-2-1670

p. 231-246 Extrait de la Relation de Jacques de Bourges contenant ce qui s'est passé dans le Royaume de Tonkin au sujet de la religion chrétienne pendant l'année 1670

p. 247-249 Lettre du Père Le Faure au Père Jacques de Machault du 22-11-1670, pour servir de réponse à la lettre pastorale de Mgr Lambert sur le commerce, en latin.

- Volume 677 :

Abrégé de Relation de Mgr Lambert (1669-1670)

p. 41-47, 115-136, 175, 179-218, 334-335 : Relation du voyage de Mgr Lambert au Tonkin

- Volume 733

p. 167 Lettre de Pierre Brindeau aux directeurs, 17-2-1670

p. 219-230 Bénigne Vachet, Vie de Pierre Brindeau

p. 409-410 Lettre de Claude Guiart aux directeurs, 6-2-1672

- Volume 851

p. 16-17 Lettre de Mgr Lambert à Mgr Pallu, du 16-12-1677

p. 21-27 22 accusations des jésuites portées contre Mgr Lambert, 1-11-1667

- Volume 854

p. 221-222 Lettre de Mgr Lambert à Simon Hallé, 15-7-1671

- Volume 855 :

Abrégé de Relation de Mgr Lambert (1666. 1669 -1670)

p. 245-265 en 1666
p. 159-180 en 1669-1670

- Volume 856

p. 363-369 Lettre du Père Le Faure au Père Jacques de Machault, du 22-11-1670, pour servir de réponse à la lettre pastorale de Mgr Lambert sur le commerce, en latin
p. 375-378 Lettre pastorale de Mgr Lambert, 15-10-1667, en latin
p. 403-421 François Pallu, *Histoire du schisme*, AMEP, vol. 856

- Volume 857

p. 189-196 Lettre de François Pallu aux Procureurs de Paris, décembre 1663. Launay ne publie qu'à la quatrième page du manuscrit (p. 192-196) qui parle de la formation des missionnaires et du discernement des qualités demandées par saint François-Xavier et omet le début de la lettre (p. 189-192) qui parle des jésuites.

- Volume 857 :

Lettres de Mgr Lambert
p. 137-139 au secrétaire de la *Propaganda Fide*, 10-10-1662, en latin
p. 141 au Cardinal Antoine Barberini, 10-10-1662
p. 145-146 à la *Propaganda Fide*, 10-10-1662, en latin
p. 149.151 au Pape, 10-10-1662, en latin
p. 153-155 au Pape, 6-3-1663, en latin
p. 157-158 à la *Propaganda Fide*, 6-3-1663, en latin
p. 161 au Cardinal Antoine Barberini, 06-3-1663
p. 165 au Cardinal Antoine Barberini, 09-7-1663
p. 169-171 à Fermanel prêtre, 9-7-1663
p. 173-175 au Prince de Conti, 10-7-1663
p. 177-179 au secrétaire de la *Propaganda Fide*, 12-7-1663, en latin
p. 179 au secrétaire de la *Propaganda Fide*, 6-3- 1663, en latin
p. 182-183 au secrétaire de la *Propaganda Fide*, 13-10-1663, en latin
p. 201-204 au secrétaire de la *Propaganda Fide*, 9-2-1664, en latin
p. 205 au Provincial des Minimes de Paris, 5-2-1664
p. 221-232 à Mgr Pallu, 19-10-1667
p. 273-275 à Bretonvilliers, 04-9-1673

- Volume 858

p. 79-81 Lettre de Mgr Pallu à Fermanel du 15-10-1664

p. 119-122	Lettre de Laneau à Mgr Pallu du 4-10-1666
p. 227-230	Lettre de Laneau aux directeurs de Paris le 20-10-1671
p. 267-269	Lettre de Pierre Langlois à M. Philippe de Chamesson, le 26-11-1673

- Volume 858 :

Lettres de Mgr Lambert

p. 1. 3	au Conseiller Fermanel, 10-10-1662
p. 5. 7	à Lambert Nicolas, 10-10-1662
p. 9-12	à la Duchesse d'Aiguillon, 10-10-1662
p. 14	à l'Archevêque de Rouen, 10-7-1663
p. 19-21	à la Duchesse d'Aiguillon, 06-03-1663
p. 23. 25	au Conseiller Fermanel, 10-7-1663
p. 55	au Père Bagot, 10-2-1664
p. 59	au R.P. Apreste, provincial des minimes de la province de Paris, 10-2-1664
p. 67-69	à Fermanel prêtre et communauté de Saint-Josse, 15-2-1664
p. 71-73	à Gazil, 11-2-1664
p. 87	à Gazil, 21-10-1664
p. 91-93	à Fermanel père, 16-10-1664
p. 99-101	à Gazil et Fermanel, 19-1-1665
p. 103-105	à Jacques de Bourges Bourges, 20-1-1665
p. 111-113	à M. Voyer d'Argenson, 20-1-1665
p. 123-134	à Mgr Pallu, 17-10-1666
p. 139-141	à Conseiller Fermanel, 02-9-1668
p. 151-153	à Mgr Pallu, 21-1-1669
p. 185	aux Directeurs de Paris, 12-10-1670
p. 189.191	à Lesley, 20-10-1670
p. 215	aux Directeurs, 15-7-1671
p. 255	aux Directeurs de Paris, 12-11-1672
p. 259.261	au Cardinal Bona, 04-9-1673
p. 263-265	à Louis XIV, 08-11-1673
p. 270-271	à M. Chamesson, 03-12-1673
p. 289.291	à Sevin, 29-12-1674
p. 309-311	au cardinal Bona du 30-8-1675
p. 361.363	à Brisacier, 16-11-1676
p. 365.367	au Premier Président, 16-11-1676
p. 385-387	à l'Archevêque de Paris, 29-11-1677

p. 413-416 à Mgr Pallu, 29-11-1677
p. 421-424 aux Directeurs de Paris, 04-10-1678

- Volume 859

p. 145-148 Lettre de Vachet à un directeur du séminaire du 20-7-1682

- Volume 860

p. 1-4 Lettre de Mgr Lambert à M. Duplessis Montbar, 11-7-1663
p. 2 Apostille de Mgr Lambert à Duplessis-Montbar, 10-10-1663
p. 25-28 Lettre de Laneau aux directeurs, 2-11-1679
p. 29-32 Lettre de Claude Gayme à Charles Sevin, 22-11-1679

- Volume 861

p. 1-3 : Lettre de Mgr Lambert à M. Duplessis Montbar, 06-03-1663

- Volume 862

p. 379-382 Lettre de Laneau du 24-11-1689
p. 439-442 Lettre de Laneau à M. de La Loubère du 9-12-1690

- Volume 876 :

Abrégé de Relation de Mgr Lambert (1660-1668, 1671-1672)
p. 1-95, 117-122, 133-169, 455-466, 547-578, 624-630 : en 1660-1668
p. 687-713, 715-730 : Relation de voyage de Mgr Lambert en Cochinchine en 1671-1672, en latin

- Volume 876 :

Lettres de Jacques de Bourges
p. 183-185 à Gazil, 26-5-1665
p. 203-204 à Gazil, 3-12-1665
p. 223-230 à Fermanel prêtre, 21-12-1665
p. 239-241 à Fermanel, 28-12-1665
p. 247-250 à Gazil, 31-12-1665
p. 251-254 à Gazil, 24-01-1666

- Volume 876 :

Lettres de Mgr Lambert
p. 420-423 à Mgr Pallu, 04-11-1666
p. 443-447 au Roi de la Cochinchine, 1666
p. 464-466 à Mgr Pallu, 25-1-1667

p. 483-485	Lettre pastorale, 15-10-1667, autographe en latin (3 copie dans le même volume : p. 467-470, p. 475-477, p. 479-482 ; en portugais : p. 471-472)
p. 555-558	à Mgr Pallu, vers 1668, autographe (une autre autographe : p. 568-570)
p. 571-575	à Mgr Pallu, 31-01-1668
p. 631-634	à Lesley, 20-10-1670
p. 817-820	à Sevin, 24-11-1672

- Volume 876

p. 165-167	Lettre des Père Joseph Tissanier et Pierre Albier à un jésuite d'Europe, 18-01-1665
p. 458-462	Traduction du Portugais en Français de l'Acte publié à Siam contre les Missionnaires. Éclaircissements envoyés par les Missionnaires français au Saint Siège, 02-12-1666
p. 873-875	Lettre de Pierre Langlois à Bésard, 26-12-1673

- Volume 877 :

Journal de Mgr Lambert (1674-1678)
p. 531-615

- Volume 877 :

Lettres de Mgr Lambert

p. 379-381	aux Directeurs, 1668
p. 445-447	à l'Archevêque de Paris, 1676
p. 625-631	à Mgr Pallu, 04-9-1678
p. 641-644	à Mgr Pallu, 12-10-1678
p. 645-648	à Mgr Pallu, 10-11-1678
p. 765	au Père Le Faure, 11-1668

- Volume 877

p. 617-618	Lettre de Gayme à Mgr Pallu, 31-8-1678
p. 676-709	Nécrologie : Détails biographiques sur la vie de Mgr Lambert, 1679
p. 710-714	Lettre de M. Gayme aux directeurs du séminaire, 22-9-1979

- Volume 880

p. 395	Lettre de Laneau aux directeurs du séminaire, 15-12-1690

- Volume 971

p. 1-4	Lettre de Mgr Lambert au Conseiller Fermanel, 23-1-1662

p. 5-7	Lettre de Mgr Lambert au Conseiller Fermanel, 25-3-1662
p. 215-270	Lettre de Jacques de Bourges à Vinvent de Meur, 10-3-1668
p. 307-311	Lettre de Brindeau aux Directeurs du séminaire, 8-1668

- Volume 1314 ou 1314 B ; 1315 ou 1315 B

Louis Laneau, De Deificatione Iustorum per Iesum Christum

Boîtes de Lambert de La Motte

Boîte 01	Henri Simonin et Jean Guennou, Transcription du Journal de Mgr Lambert
Boîte 02	Jean Guennou, Transcription de la Vie de Lambert par Brisacier
Boîte 03	Jean Guennou, Transcription des lettres en Latin de Mgr Lambert
Boîte 04	Jean Guennou, Transcription des lettres en Français de Mgr Lambert
Boîte 05	Jean Guennou, Inventaire et notes de lecture sur Mgr Lambert
Boîte 06	Jean Guennou, Lettres françaises corrigées
Boîte 07	Articles et sermons sur Mgr Lambert
Boîte 08	Jean Guennou, Transcription de l'Abrégée de Relation de Mgr Lambert
Boîte 09	Jean Guennou, Correspondance et recherche de documents sur Mgr Lambert
Boîte 10	Pierre Lambert de la Motte, *Relation spirituelle* – préparation pour publier par P. Gérard Moussay, Brigitte Appavou, Damien Fahrner, Julien Boury
Boîte 11	Traduction en Anglais du livre de Françoise Fauconnet-Buzelin, *Aux sources des Missions Étrangères, Pierre Lambert de la Motte.*
Boîte 12	Présentation et recensions du livre de Françoise Fauconnet-Buzelin (Le père inconnu de la mission moderne : Pierre Lambert de la Motte, premier vicaire apostolique de Cochinchine, 1624-1679).
Boîte 13	Voyages des trois vicaires apostoliques, depuis Paris jusqu'à Hispahan : Mgrs Lambert, Pallu, Cotolendi.
DB 131-1	Jean Guennou, Inventaire et notes de lecture sur Mgr Lambert
DB 131-2	Jean Guennou, Transcription de l'Abrégée de Relation de Mgr Lambert
DB 131-2	Henri Simonin et Jean Guennou, Transcription du Journal de Mgr Lambert

Ouvrages des archivistes (AMEP et APF)

Guennou Jean, « Monseigneur Lambert de la Motte, maître spirituel » in *Échos de la rue du Bac,* n° 256, février 1991, p. 33-36.

GUENNOU Jean, article « Lambert de la Motte », dans *Dictionnaire de Spiritualité*, tome IX, Paris, Beauchesne, 1976.

GUENNOU Jean, *Missions Étrangères de Paris*, Paris, Fayard, 1986, 263 p.

LAUNAY Adrien, *Documents historiques relatifs à la Société des missions étrangères*, Vannes, Lafolye frères, 1904, t. 1, 585 p.

LAUNAY Adrien, *Histoire de la mission de Siam – Documents historiques*, (1662-1811), t. I, 1re éd. Paris, Téqui, 1920 ; 2e éd. Paris, Missions Étrangères de Paris, Les Indes savantes, 2000, 344 p.

LAUNAY Adrien, *Histoire de la mission du Cochinchine*, Documents historiques (1658-1728), t. I, 1re éd. Paris, Téqui, 1923 ; 2e éd. Paris, Missions Étrangères de Paris, Les Indes savantes, 2000, 643 p.

LAUNAY Adrien, *Histoire de la mission du Tonkin*, Documents historiques, (1658-1717), 1re éd. Paris, Maisonneuve, 1927 ; 2e éd. Paris, Missions Étrangères de Paris, Les Indes savantes, 2000, 600 p.

LAUNAY Adrien, *Histoire générale de la Société des Missions Étrangères de Paris*, t. I, 1re éd. Paris, Téqui, 1894 ; 2e éd. Paris, Missions Étrangères de Paris, Les Indes savantes, 2003, 595 p.

LAUNAY Adrien, *Mémorial de la Société des Missions Étrangères*, Deuxième partie 1658-1913, Paris, Séminaire des Missions Étrangères, 1916, 659 p.

METZLER Josef, « Orientation, programme et premières décisions (1622-1649) », traduit de l'allemand par Auguste Ehrhard, dans *Sacrae Congregationis de Propaganda Fide memoria rerum, 1622-1972*, vol. I/1, 1622-1700, Herder, Rome-Fribourg-Vienne, 1971, p. 146-196.

MOUSSAY Gérard et APPAVOU Brigitte, *Répertoire des membres de la Société des Missions Étrangères (1659-2004)*, ordre alphabétique suivi de l'ordre chronologique, Paris, Archives des Missions Étrangères, 2004, 603 p.

PALLU François, *Lettres de Monseigneur Pallu*, écrites de 1654 à 1684, établi par Adrien Launay, présentation et appareil critique par Frédéric Mantienne, Paris, Les Indes savantes, 2008, 874 p.

SY Henri, « Guillaume Lesley et les Missions Étrangères de Paris » in *Nouvelle Revue de science missionnaire*, Suisse, Beckenried, 1948, Quatrième année, Fasc. 2, p. 117-120.

SY Henri, *La Société des Missions Étrangères – La fondation du Séminaire : 1663-1700*, Paris, Églises d'Asie, coll. « Études et Documents », n° 10, 2000, 231 p.

SY Henri, *La Société des Missions Étrangères – Les débuts : 1653-1663*, Paris, Églises d'Asie, coll. « Études et Documents », n° 6, 1999, 223 p.

Annales de la Propagation de la Foi, tomes 1, 8, 34, Lyon, 1822-1825, 1835, 1862.

Annales de la Société des Missions Étrangères, Paris, 1905, 1908.

Bulletin des Amis du Vieux Huế, 26e Année n° 2, avril-juin 1939.

Nouvelles Lettres Édifiantes des Missions de la Chine et des Indes Orientales, Tome VI, Paris, Le Clere, 1821.

Ouvrages du XVIIe siècle concernant Lambert

BOURGES Jacques de, *Relation du Voyage de Monseigneur l'Évêque de Beryte, vicaire apostolique au royaume de la Cochinchine, par la Turquie, la Perse, les Indes, & c. jusqu'au royaume de Siam & autres lieux*, 1re éd. Paris, Denis Bechet, 1666, 245 p. (2e éd. en 1668, 3e éd. en 1683), dernière éd. Paris, Gérard Monfort, 2000, 104 p.

LANEAU Louis, *La divinisation par Jésus-Christ*, 1re éd., traduit du latin par Jean-Paul Lenfant, Paris, MEP, 1987, 334 p ; 2e éd. : *De la déification des justes*, Genève, Ad Solem, 1993, 264 p.

LANEAU Louis, *Rencontre avec un sage bouddhiste*, traduit du siamois, introduction et notes de Pierre-Yves Fux, d'après une copie de 1691 conservée aux archives des MEP, Ad Solem-Cerf-MEP, 1998, 138 p.

LANEAU Louis, *Salut des infidèles et baptême*, texte annoté par Jean-Paul Lenfant, Paris, AMEP, Document intereglises, 1988, 37 p.

PALLU François et LAMBERT DE LA MOTTE Pierre, *Instructiones ad munera apostolica obeunda, perutiles missionibus Chinae, Tunchini, Cochinchinae, atque Siami accomodatae a missionariis S. Congregationis de Propaganda Fide, Juthiae Regia Siami congreganis (Monita)*, rédigées en 1665, 1re éd. en latin : Rome, Zachariam Dominicunt Aclamitek à Kronenfeld, 1669, 260 p ; dernière éd. : traduites du latin en français par Albert Geluy, Paris, Archives des Missions Étrangères, 2000, 158 p.

PALLU François, *Relation Abrégée des Missions et des Voyages des Evesques François, envoyez aux Royaumes de la Chine, Cochinchine, Tonquin, & Siam, par Messire François Pallu, evesque d'Heliopolis*, à Paris, chez Denys Bechet, ruë Saint Iacques, au Compas d'or, & à l'Escu au Soleil, 1668, 148 p.

Relation des missions des evesques françois aux royaumes de Siam, de la Cochinchine, de Camboye et du Tonkin, etc.. divisé en quatre parties (avec présentation du supérieur et des directeurs des Missions Étrangères), Paris, chez Pierre Le Petit, Edme Couterot et Charles Angot, 1674, 368 p.

Relation des missions et des voyages des evesques vicaires apostoliques, et de leurs ecclesiastiques, és Années 1672, 1673, 1674 & 1675, Paris, chez Charles Angot, 1680.

Relation des missions et des voyages des evesques vicaires apostoliques, et de leurs ecclesiastiques, és Années 1676 & 1677, Paris, chez Charles Angot, 1680, 171 p.

Relations des Missions et des Voyages des Evesques Vicaires Apostoliques, et de leurs Ecclesiastiques ès années 1672, 1673, 1674 et 1675, Paris, chez Charles Angot, 1680, 389 p.

Ouvrages théologiques

Pères de l'Église, magistères et théologiens

AUGUSTIN Saint, *Œuvres de saint Augustin 13*, *Les Confessions*, Livres I-VII, traduction par Eugène Tréhorel et André Bouissou, introduction et notes par Aimé Solignac, l'éd. de Martin Skutella, Paris, Desclée De Brouwer, 1962, 706 p.

AUGUSTIN Saint, *Œuvres de saint Augustin 15, Deuxième série : Dieu et son œuvre, La Trinité*, Livres I-VII, 1, *Le mystère*, texte de l'édition bénédictine, traduction et notes par M. Mellet et Th. Camelot, Introduction de Hendrikx Ephraem, Paris, Desclée de Brouwer, 1955, 613 p.

AUGUSTIN Saint, *Œuvres de saint Augustin 16, Deuxième série : Dieu et son œuvre, La Trinité,* Livres VIII-XV, 2, *Les images*, texte de l'édition bénédictine, traduction par P. Agaësse, notes en collaboration avec J. Moingt, Paris, Desclée de Brouwer, 1955, 708 p.

BOUYER Louis, *L'Incarnation et l'Église-Corps du Christ dans la théologie de saint Athanase*, coll. « Unam Sanctam », n° 11, Paris, Cerf, 1943, 160 p.

BRETON Valentin-Marie, *La communion des saints, histoire, dogme, piété*, Paris, Bloud et Gay, 1934, 192 p.

CAJETAN Vio, *Epistolae Pauli et aliorum Apostolorum ad Graecam veritatem castigatae et per Reverendissimum Dominum Thomam de Vio, Caietanum, Cardinalem sancti Xisti, iuxta sensum literalem enarratae,* Recens in lucem editae, Parisiis, Ambrosio Girault, Ad Colossenses (pp. 149-158), 1536, 233 p.

CELIER Léonce, *St Charles Borromée (1538-1584)*, 1re éd. 1911 ; 6e éd., Paris, Gabalda, 1923, 206 p.

CHANTRAINE Georges, « Synodalité, expression du sacerdoce commun et du sacerdoce ministériel ? » in *Nouvelle Revue Théologique,* n° 113/3, 1991, p. 340-362.

CHRYSOSTOME Jean Saint, Penthos, Jacques de, *Homélies sur les épîtres de saint Paul, t. 3 : Lettre aux Galates, Lettre aux Philippiens, Lettre aux Colossiens,* Paris, F.-X. de Guibert, 2009, 264 p.

CLÉMENT D'ALEXANDRIE Saint, *Les Stromates, Stromate VII,* introduction, texte critique, traduction et notes par Alain Le Boulluec, « Sources Chrétiennes », n° 428, Le Cerf, 1997, 350 p.

COMMISSION THÉOLOGIQUE INTERNATIONALE, *L'espérance du salut pour les enfants qui meurent sans baptême,* Paris, Pierre Téqui, 2008, 77 p.

CONCILE DE TRENTE, « Catéchisme du Concile de Trente », in la revue *Itinéraires, chroniques et documents,* n° 136, septembre-octobre 1969.

CONGAR Yves M.-J., « Saint Augustin et le traité scolastique *De gratia Capitis* » in revue *Augustinianum* de l'Institut patristique Augustinianum, coll. « Ecclesia orans » n° 20, août, 1980, Rome, p. 79-93.

CONGAR Yves M.-J., *Esquisses du Mystère de l'Église*, Paris, Cerf, 1941, 165 p.

CONGAR Yves M.-J., *Je crois en l'Esprit Saint,* t. II : *Il est Seigneur et Il donne la vie*, Cerf, 1983, 296 p.

CONGAR Yves M.-J., *Je crois en l'Esprit-Saint*, t. III : *Le Fleuve de Vie* (Ap 22, 1) *coule en Orient et en Occident,* Cerf, 1985, 356 p.

CONGAR Yves M.-J., *L'Église de saint Augustin à l'époque moderne*, Paris, Cerf, 1996, 483 p.

CONGAR Yves M.-J., *L'Église une, sainte, catholique et apostolique*, coll. « Mysterium Salutis », n° 15, Paris, Cerf, 1970, 280 p.

DABIN Paul, *Le sacerdoce royal des fidèles dans la tradition ancienne et moderne*, Paris, Desclée De Brower, 1950, 643 p.

DENIS Henri, « La théologie du presbytérat de Trente à Vatican II », in *Vatican II – Les prêtres : formation, ministère et vie,* coll. « Unam Sanctam », n° 68, Paris, Cerf, 1968, p. 193-232.

DENIS Henri, PALIARD Charles, TREBOSSEN Paul-Gilles, *Le baptême des petits enfants, histoire, doctrine, pastorale*, Paris, Le Centurion, 1980, 159 p.

DILLENSCHNEIDER Clément, « Marie est-elle l'associée de son Fils dans l'humaine Rédemption ? Rapport de théologie positive », in *Marie Corédemptrice*, Congrès marial national, Grenoble-La Salette, 1947, p. 68-104.

ÉMERY Pierre-Yves, *L'unité des croyants au ciel et sur la terre, la communion des saints et son expression dans la prière de l'Église*, Presses de Taizé, 1962, 240 p.

EUSÈBE DE CÉSARÉE, *Histoire ecclésiastique* 1. Livres I-IV, traduction et annotation par Gustave Bardy, coll. « Sources chrétiennes » n° 31, Paris, Cerf, 1978, 215 p.

EUSÈBE DE CÉSARÉE, *La théologie politique de l'empire chrétien – Louanges de Constantin*, Introduction, traduction originale et notes par Maraval Pierre, Paris, Cerf, 2001, 216 p.

GÉLIS Jacques, *Les enfants des limbes – Mort-nés et parents dans l'Europe chrétienne*, Paris, Louis Audibert, 2006, 396 p.

GIOIA Luigi, « La connaissance du Dieu Trinité chez saint Augustin par delà les embarras de l'analogie et de l'anagogie », in *Les sources du renouveau de la théologie trinitaire au XXe siècle,* sous la direction d'Emmanuel Durand et Vincent Holzer, Le Cerf, Paris, 2008, p. 97-139.

GOOSSENS Werner, *L'Église, Corps du Christ, d'après saint Paul, étude de théologie biblique*, Gabalda, 1949, 110 p.

GROUPE DES DOMBES, *Communion et conversion des Églises*, édition intégrale des documents publiés de 1956 à 2005, Paris, Bayard, 2014, 706 p.

HERMANS Théo, *Origène, Théologie sacrificielle du sacerdoce des chrétiens*, coll. « Théologie historique » n° 102, Paris, Beauchesne, 1996, 252 p.

JEAN-PAUL II, « Lettre apostolique à l'épiscopat de l'Église catholique pour le 1600e anniversaire du Premier Concile de Constantinople et le 1550e anniversaire du Concile d'Éphèse » in *Documentation Catholique*, 19 avril 1981, n° 1806, p. 367-371.

JEAN-PAUL II, *Ma vocation, don et mystère*, Paris, Téqui, 1996, 131 p.

JUSTIN, *Apologie pour les chrétiens*, introduction, texte critique, traduction et notes par Charles Munier, coll. « Sources chrétiennes », n° 507, Paris, Cerf, 2006, 390 p.

LAMIRANDE Emilien, *La Communion des Saints*, coll. « Je sais-Je crois », n° 26, Paris, Fayard, 1962, 130 p.

LÉCUYER Joseph, *Le sacrement de l'ordination, recherche historique et théologique,* coll. « Théologie historique », n° 65, Paris, Beauchesne, 1983, 281 p.

LIÉGÉ Pierre-André, Article « Communion des saints » in *Catholicisme hier, aujourd'hui demain*, Encyclopédie dirigée par G. Jacquemet, t. II, Letouzey et Ané, 1949, col. 1391-1393.

MERSCH Emile, *La théologie du Corps mystique*, t. 1, Livre I à III, *Introduction théologique et philosophique – La venue du Christ – Le Christ*, Paris, Desclée de Brouwer, 1944, 387 p.

MERSCH Emile, *Le Corps mystique du Christ, Études de théologie historique*, t. 1, première et deuxième parties, *Doctrine de l'Écriture et de la Tradition grecque*, Louvain, Museum Lessianum, 1933, 477 p.

MERSCH Emile, *Le Corps mystique du Christ, Études de théologie historique*, t. 2, troisième partie, *Doctrine de la Tradition occidentale*, Louvain, Museum Lessianum, 1933, 445 p.

MICHEL Albert, « Les Décrets du Concile de Trente », t. X, in HEFELE, *L'histoire des Conciles d'après les documents originaux*, Paris, Letouzey et Ané, 1938, 641 p.

Pontificale Romanum Clementis VIII. ac Urbani VIII. jussu editum et a Benedicto XIV, Recognitum et Castigatum, Romae, Ex Typographia Polyglotta, S.C. De Propaganda Fide, 1879.

PROPAGANDA FIDE, *Instructio vicariorum apostolicorum ad regna Sinarum Tonchini et Cocincinae proficiscentium 1659*, traduction française par Mgr Bernard Jacqueline dans « L'esprit missionnaire de la S.C. de Propaganda Fide d'après les Instructions aux vicaires apostoliques des royaumes du Tonkin et de Cochinchine (1659) », in *Documents* « Omnis Terra », LXXXI-5, mai 1971, p. 330-345 ; réédités par Jean GUENNOU et André MARILLIER, Paris, Archives des Missions Étrangères, 2008, 64 p.

RECKINGER François, *Baptiser des enfants, à quelles conditions ? Réflexions théologiques et pastorales*, Bruxelles, Nauwelaerts-Louvain, 1987, 236 p.

Sacre d'un Évêque selon le Pontifical romain avec notes et traduction, Paris-Tournay-Rome, Desclée et Compagnie, 1927, 83 p.

SAINT-SIÈGE, *Collectanea : constitutionem, decretorum, indultorum ac instructionum Sanctae Sedis*, Parisiis, Typis Georges Chamerot, 1880.

SESBOÜÉ Bernard, *Hors de l'Église pas de salut – histoire d'une formule et problèmes d'interprétation*, Paris, Desclée de Brouwer, 2004, 395 p.

SESBOÜÉ Bernard, *Jésus-Christ l'unique médiateur, essai sur la rédemption et le salut*, t. II, *Les récits du salut*, coll. « Jésus et Jésus-Christ », n° 51, Paris, Desclée, 1991, 472 p.

SESBOÜÉ Bernard, *Jésus-Christ, l'unique Médiateur, essai sur la rédemption et le salut*, t. I, *Problématique et relecture doctrinale*, coll. « Jésus et Jésus-Christ », n° 33, Paris, Desclée, 2003, 400 p.

TALLON Alain, *Le concile de Trente*, Paris, Cerf, 2000, 100 p.

THOMAS D'AQUIN Saint, *Commentaire de l'Épître aux Colossiens*, Juvisy, Cerf, 1926, 142 p.

THOMAS D'AQUIN Saint, *Le Credo*, Introduction, traduction et notes par un moine de Fontgombault, Paris, Nouvelles Éditions Latines, 1969, 233 p.

THOMAS D'AQUIN Saint, *Somme Théologique* :

Summa theologica S. Thomae aquinatis, per R. P. F. Joannem Nicolai, Parisiis, Apud Societatem, 1663.

Summa theologica S. Thomae aquinatis, Lugduni, Sumpt. Ioannis Girin & Francisci Comba, 1663.

La Trinité, Ia, *Questions 33-43*, traduction française par Hyacinthe François Dondaine, t. 2, 3e éd., Paris-Tournai-Rome, Cerf, 1962, 466 p.

La vertu, Ia IIae, *Question 61-70*, traduction française par R. Bernard, t. 2, 2e éd., La Revue des Jeunes, Paris-Tournai-Rome, Cerf, Desclée et Cie, 1953, 516 p.

Le péche, Ia IIae, *Questions 79-89*, traduction française par R. Bernard, t. 2, Paris-Tournai-Rome, La Revue des Jeunes, 1931, 388 p.

La grâce, Ia IIae, *Questions 109-114*, traduction, notes et appendices par Charles-Vincent Héris, mise à jour par Jean-Pierre Torrell, Paris, Cerf, 2011, 432 p.

La religion, IIa IIae, *Questions 88-100,* traduction française par I. Mennessier, t. 2, Paris-Tournai-Rome, Cerf, Desclée et Cie, 1953, 502 p.

La prophétie, IIa IIae, *Questions 171-178,* traduction et annotations par Paul Synave et Pierre Benoît, mise à jour par Jean-Pierre Torrell, Paris, Cerf, 2005, 403 p.

La vie humaine, ses formes, ses états, IIa IIae, *Questions 179-189*, traduction française par A. Lemonnier, 2e éd., mise à jour par Jean-Pierre Torrell, Paris, Cerf, 2010, 587 p.

Jésus le Christ chez saint Thomas d'Aquin – Texte de la Tertia Pars, traduit et commenté par Jean-Pierre Torrell, accompagné de données historiques et doctrinales et de cinquante textes choisis, Paris, Cert, 2008, 1462 p.

La pénitence – Les Indulgences, Suppl., Questions 21-28, traduction française par H.-D. Gardeil, Paris-Tournai-Rome, Éditions du Cerf, 1971, 160 p.

L'au-delà, Suppl., Questions 69-74, traduction française par J.D. Folghera, Paris-Tournai-Rome, La Revue des Jeunes, 1935, 352 p.

TORRELL Jean-Pierre, *Initiation à saint Thomas d'Aquin, sa personne et son œuvre*, Paris, Cerf et Fribourg, Éditions universitaires, 2002, 646 p.

VIDAL Maurice, *Cette Église que je cherche à comprendre*, Paris, Éditions de l'Atelier-Éditions Ouvrières, 2009, 288 p.

VIDAL Maurice, *l'Église, peuple de Dieu dans l'histoire des hommes*, coll. « Croire et Comprendre », Paris, Le Centurion, 1975, 144 p.

École française de spiritualité - Saint Jean Eudes

BERTHELOT DU CHESNAY Charles, *Les missions de saint Jean Eudes, contribution à l'histoire des missions en France au XVIIe siècle*, Paris, Procure des Eudistes, 1967, 403 p.

BOULAY Denis, *Vie du vénérable Jean Eudes, Instituteur de la Congrégation de Jésus et Marie et de l'Ordre de Notre-Dame de Charité, auteur du culte liturgique des Sacrés-Cœurs* (1653-1666), Paris, René Haton, 1907, 512 p.

DERMENGHEM Émile, *La vie admirable et les révélations de Marie des Vallées*, Paris, Plon-Nourrit, 1926, 326 p.

EUDES Jean, *La vie admirable de Marie des Vallées et son Abrégé, rédigés par Jean Eudes, suivis de Conseils d'une grande servante de Dieu*, textes présentés et édités par Dominique Tronc et Joseph Racapé, coll. « Sources Mystiques », Centre Saint-Jean-de-la-Croix, Mers-sur-Indre, 2013, 696 p.

EUDES Jean, *Œuvres complètes,* publiés par J. Dauphin et C. Lebrun, 12 tomes, Vannes, Lafolye Frères, et Paris, Gabriel Beauchesne et Cie, 1901-1911.

LEGARÉ Clément, « Le sens de la miséricorde dans les *Œuvres complètes* de Jean Eudes », in *Au cœur de la Miséricorde avec saint Jean Eudes,* sous la direction de Clément LEGARÉ, Montréal, Médiaspaul, 1995, p. 17-86.

LEGARÉ Clément, *La mission continue de Jésus et le bérullien Jean Eudes, sémiotique du discours religieux*, Presse de l'Université du Québec, 2006, 320 p.

MARTINE Julien, *Vie du Révérend Père Jean Eudes*, Caen, Le Blanc-Hardel, 1880, t. 2, 531 p.

MILCENT Paul, *Un artisan du renouveau chrétien au XVIIe siècle, S. Jean Eudes*, Paris, Cerf, 1985, 589 p.

PIOGER André, *Un orateur de l'École française, saint Jean Eudes* (1601-1680), Paris, Bloud et Gay, 1940, 463 p.

Autres auteurs de l'École française de spiritualité

AMELOTE Denis, *La vie du Père Charles de Condren,* Paris, Chez Henry Sara et au Palais, 1643, 406 p.

AMOURIAUX Jean-Michel, « «Pour que se fortifie en vous l'homme intérieur » (Ép 3, 16) L'intériorité à l'école de saint Jean Eudes », in *Cahiers Eudistes*, n° 23, 2015, p. 133-143.

ANONYME, *L'homme de douleurs ou Jésus-Christ souffrant et mourant continuellement pour les Hommes, divisé en deux Parties,* anonyme (un prêtre de l'Oratoire), Bruxelles, Martin de Bossuyt, 1649, 365 p.

BERCEVILLE Gilles, « Souffrance et sainteté dans la Croix de Jésus de Louis Chardon » dans *La Vie Spirituelle*, n° 767, novembre 2006, sur *Louis Chardon, théologien mystique*, p. 599-614.

BERNIÈRES-LOUVIGNY Jean de, *Le Chrestien interieur ou la Conformité interieure que doivent avoir les chrestiens en Jesus Christ,* Paris, Veuve d'Edme Martin, 1676, 1re partie 414 p., 2e partie 376 p. ; Marseille, chez Jean Mossy, 1834, 2 vol. in-12.

BÉRULLE Pierre de, *Œuvres complètes*, t. I-VIII, texte établi et annoté par Michel Dupuy Paris, Cerf, 1995-1997.

BÉRULLE Pierre de, *Opuscules de piété*, introduction par Gaston Rotureau, Paris, Aubier, 1944, 572 p.

BOUGEROL Jacques Guy, *Introduction à Saint Bonaventure*, Paris, J. Vrin, 1988, 304 p.

CALVET Jean, *Histoire de la littérature religieuse de saint François de Sales à Fénelon*, Paris, J. de Gigord, 1938, 656 p.

CHARDON Louis, *La croix de Jésus, ou les plus belles vérités de la théologie mystique et de la grâce sanctifiante sont établies*, Paris, Cerf, 2004, 912 p.

COCHOIS Paul, *Bérulle et l'École française*, Paris, Éditions du Seuil, 1963, 191 p.

COLLET Pierre, *La vie de M. Henri-Marie Boudon, grand Archidiacre d'Évreux,* t. I, Paris, chez Jean-Thomas Herissant, 1753, 473 p.

CONDREN Charles de, *Lettres du Père Charles de Condren* (1588-1641), publiées par Auvray Paul et Jouffrey André, Paris, Cerf, 1943, 596 p.

COSTE Pierre, *Le grand saint du grand siècle, Monsieur Vincent*, vol. III, Paris, Desclée de Brouwer, 1931, 636 p.

DODIN André, *St Vincent de Paul et la charité*, « Maîtres spirituels », Éditions du Seuil, 1960, réédition de 1965, 188 p.

DUPUY Michel, *Le Christ de Bérulle*, coll. « Jésus et Jésus-Christ », n° 83, Desclée, 2001, 241 p.

DUPUY Michel, *Se laisser à l'Esprit, l'itinéraire spirituel de Jean-Jacques Olier*, Paris, Cerf, 1982, 416 p.

FLORAND François, « Introduction » à Chardon Louis, *La croix de Jésus, ou les plus belles vérités de la théologie mystique et de la grâce sanctifiante sont établies*, Paris, le Cerf, 2004, p. 1-193.

GALY Jean, *Le Sacrifice dans l'École française de Spiritualité*, Paris, Nouvelles Éditions Latines, 1951, 403 p.

HEURTEVENT Raoul, *L'œuvre spirituelle de Jean de Bernières*, Paris, Beauchesne, 1938, 186 p.

HUIJBEN Dom J., « Aux sources de la spiritualité française du XVIIe siècle », in *La Vie Spirituelle*, Supplément, décembre 1930, p. 113-139.

KRUMENACKER Yves, *L'école française de spiritualité, des mystiques, des fondateurs, des courants et leurs interprètes*, Paris, Cerf, 1999, 660 p.

LUCA Don Giuseppe de et BREMOND Henri (1929-1933), *De l' « Histoire littéraire du sentiment religieux en France » à l' « Archivio italiano per la storia della pietà » d'après des documents inédits*, Roma, Ed. Di storia e letteratura, 1965, 240 p.

MAYNARD L'abbé, *Saint Vincent de Paul, sa vie, son temps, ses œuvres, son influence*, Paris, Ambroise Bray, 1860, t. 4, 288 p.

Mémoires de la Congrégation de la Mission, t. 9, Paris, Maison principale de la C.M., 1867, 636 p.

PIN Louis-Marie, *Vie du P. Charles de Condren*, Paris, Jacques Lecoffre et Comp. ; Marseille, Chauffard, 1855, 403 p.

PITAUD Bernard, « Le sacerdoce des prêtres chez Jean-Jacques Olier », in *Bulletin de Saint-Sulpice*, n° 34, 2008, p. 353-377.

PITAUD Bernard, *Histoire d'une direction spirituelle au XVIIe siècle, Gaston de Renty, Elisabeth de la Trinité*, Paris, Cerf, 1994, 218 p.

POURRAT Pierre, *La spiritualité chrétienne*, t. IV : *Les Temps Modernes*, 2e Partie, *du Jansénisme à nos jours*, Paris, J. Gabalda et Fils, 1930, 672 p.

QUARRÉ Jean-Hugues, *Thrésor Spirituel concernant les excellences du christianisme, et les addresses pour arriver à la Perfection Chrétienne par les voyes de la grace & d'un entier abandonnement à la conduite de Jésus-Christ*, 3e édition revue et corrigée par l'auteur, Bruxelles, Philippe Vieugart, 1657, 444 p.

RESTREPO Argiro, « Jean-Jacques Olier et l'amour de la croix », in *Bulletin de Saint-Sulpice*, n° 34, 2008, p. 380-404.

SOURIAU Maurice, *Deux mystiques normands au XVIIe siècle, M. de Renty et Jean de Bernières*, Paris, Perrin et Cie, 1913, 412 p.

Autres ouvrages concernant Lambert

Anonyme, *Mémoire pour les Évêques François, Vicaires Apostoliques pour les Royaumes de Siam, Tonquin, Cochinchine, etc., leurs Co-Adjuteurs, et Missionnaires François en ces Royaumes, Contre les Directeurs du Séminaire des Missions Étrangères, établi rue du Bacq, Fauxbourg Saint-Germain*, Paris, De l'imprimerie de J. Lamesle, 1751, 205 p.

Anonyme, *Mémoire pour les Sieurs Girard, Manach et Le Loutre, Missionnaires du Séminaire des Missions Étrangères dans les Indes Occidentales, Appellans comme d'abus, Contre les Supérieur et Directeurs du Séminaire des Missions Étrangères établi à Paris Rue du Bacq*, Paris, De l'imprimerie de L. Cellot, rue Dauphine, 1767, 200 p.

Baudiment Louis, *François Pallu, Principal fondateur des Missions Étrangères (1626-1684)*, Paris, Archives des Missions Étrangères, 2006, 572 p.

Baudiment Louis, *Un mémoire anonyme sur François Pallu*, Tours, René et Paul Deslis, 1934, 102 p.

Bousquet François, « L'"esprit de famille" des Missions Étrangères de Paris : les *Monita ad Missionarios* de 1665 », in *La Société des Missions Étrangères de Paris, 350 ans à la rencontre de l'Asie 1658-2008*, colloque à l'Institut Catholique de Paris (4 et 5 avril 2008), sous la direction de Catherine Marin, Paris, Karthala, 2011, p. 173-182.

Chappoulie Henri, *Aux origines d'une Église, Rome et les missions d'Indochine au XVIIe siècle, t. 1 : Clergé portugais et Évêques français dans les Royaumes d'Annam et de Siam*, Paris, Bloud et Gay, 1943, 452 p.

Chappoulie Henri, *Une controverse entre missionnaires à Siam au XVIIe siècle, le Religiosus negociator du jésuite français J. Tissanier*, suivi de quelques documents concernant le commerce des clercs, Paris, 1943, 77 p.

Costet Robert, *Siam – Laos, Histoire de la Mission*, Paris, Églises d'Asie, coll. « Études et Documents », n° 17, 2002, 445 p.

Delacroix Mgr. S., *Histoire Universelle des Missions Catholiques*, t. II, Les Missions Modernes, Paris, Grund, 1957, 423 p.

Đinh Thực Joachim, *Les sœurs Amantes de la Croix au Vietnam*, thèse de doctorat en droit canonique, Rome, Université Pontificale Grégorienne, 1960, 254 p.

Đỗ Quang Chính, s.j., *Dòng Mến Thánh Giá, những năm đầu*, (*Amantes de la Croix, les premières années*), Antôn và Đuốc Sáng, 2007, 168 p.

Fauconnet-Buzelin Françoise, *Le père inconnu de la mission moderne : Pierre Lambert de la Motte, premier vicaire apostolique de Cochinchine, 1624-1679*, Paris, Archives des Missions Étrangères, 2006, 639 p.

Floquet Amable, *Histoire du Parlement de Normandie*, Rouen, Edouard Frère, 1842, t. V, 773 p.

Forest Alain, *Les missionnaires français au Tonkin et au Siam, XVIIe-XVIIIe siècles. Analyse comparée d'un relatif succès et d'un total échec*, Paris, l'Harmattan, 1998, t. 1 : *Histoire du Siam*, 461 p ; t. 2 : *Histoire du Tonkin*, 301 p ; t. III : *Organiser une Église, convertir les infidèles*, 495 p.

Frondeville Henri de, *Les Présidents du Parlement de Normandie, 1499-1790 – Recueil généalogique,* Paris, Picard et Rouen, Lestringent, 1953, 636 p.

Frondeville Henri de, *Pierre Lambert de la Motte, Évêque de Béryte*, 1624-1679, Paris, Spes, 1925, 85 p.

Gérin Charles, *Louis XIV et le Saint-Siège,* Paris, Librairie Victor Lecoffre, 1894, t. 1, 573 p.

Gira Dennis, « Annoncer l'Évangile en "terres bouddhiques" hier et aujourd'hui », in *La Société des Missions Étrangères de Paris, 350 ans à la rencontre de l'Asie 1658-2008*, colloque à l'Institut Catholique de Paris (4 et 5 avril 2008), sous la direction de Catherine Marin, Paris, Karthala, 2011, p. 183-196.

Grenade Louis de, *Traité du devoir et de la vie des evesques*, Paris, Leonard, 1670, 344 p.

Jacques Roland, *Le premier synode du Tonkin – 14 février 1670*, mémoire de licence de droit canonique de l'Institut Catholique de Paris, 1993, 109 p.

Jacques Roland, *De Castro Marim à Faïfo, naissance et développement du padroado portugais d'Orient des origines à 1659*, Lisbonne, 1999, 215 p.

La Tour Bertrand de, *Mémoires sur la vie de Monsieur de Laval, premier évêque de Québec*, Cologne, Jean Frédéric Motiens, 1761, 235 p.

Locard, *Histoire de l'établissement du christianisme dans les Indes Orientales par les évêques français et autres missionnaires apostoliques*, Paris, Mme Devaux libraire, 1803, 2 vol., 299. 335 p.

Logié Paul, *La Fronde en Normandie*, t. II, Amiens, chez l'auteur, 1952, 207 p.

Louvet L.-E., *La Cochinchine religieuse*, Paris, Challamel Aîné, 1885, t. 1, 567 p. ; t. 2, 548 p.

Marin Catherine, « Du refus d'un patronat royal à la française : un soutien contrôlé du Roi et des Grands » in *La Société des Missions Étrangères de Paris, 350 ans à la rencontre de l'Asie 1658-2008*, colloque à l'Institut Catholique de Paris (4 et 5 avril 2008), sous la direction de Catherine Marin, Paris, Karthala, 2011, p. 81-94.

Maroteaux Vincent, Marie-Christiane de La Conte, *Cour des Aides (1440-1790)*, Sous-série 3B, Rouen, Archives départementales de la Seine-Maritime, 2006, 247 p.

Migne Abbé, « Amantes de la Croix » (Religieuses annamites des), in *Dictionnaire des Ordres Religieux,* (t. IV), Paris, éditeur Migne, 1859, colonnes 94-95.

Néez Mgr Louis, *Documents sur le Clergé Tonkinois au* XVII*e et* XVIII*e siècles*, Téqui, 1925, 273 p.

Nguyễn Hữu Trọng Auguste, *Les origines du Clergé Vietnamien*, thèse de Doctorat en théologie à l'Institut Catholique de Paris, Saigon : Groupe littéraire Tinh-Việt, 1959, 289 p.

Perbal Albert, « Projets, fondation et débuts de la Sacrée Congrégation de la Propagande » (1568-1649), in Mgr Simon Delacroix, *Histoire universelle des missions catholiques*, t. 2 : *Les Missions modernes*, Paris, Grund, 1957, p. 109-131.

PHẠM Quốc Sử, *La « Maison de Dieu », une organisation des catéchistes au Viêt-Nam*, thèse de doctorat en Droit Canonique de l'Université Pontificale Urbanienne, Rome, 1975, 248 p.

RHODES Alexandre de, *Histoire du royaume du Tonkin*, Paris, Kimé, 1999, 216 p.

SUIRE Eric, *La sainteté française de la Réforme catholique (XVIe-XVIIIe siècles) d'après les textes hagiographiques et les procès de canonisation*, Presses Universitaires de Bordeaux, 2001, 506 p.

SUIRE Eric, *Sainteté et lumières. Hagiographie, Spiritualité et propagande religieuse dans la France du XVIIIe siècle*, Paris, Honoré Champion Éditeur, 2011, 519 p.

VACHET Bénigne, « Mémoires pour servir à l'histoire générale des missions et aux archives du séminaire de Paris », in *Annales de la Congrégation des Missions Étrangères*, t. I, n° 1-5, Paris, Imprimerie Victor Goupy et Compagnie, 1865-1868, 270 p.

VAUMAS Guillaume de, *L'Éveil missionnaire de la France – d'Henri IV à la fondation du séminaire des Missions Étrangères*, thèse de doctorat de Lettres, Lyon, Imprimerie Express, 1942, 454 p.

VOYER D'ARGENSON Le Comte René de, *Annales de la Compagnie du Saint-Sacrement*, édité par Henri Beauchet-Filleau, OSB, Marseille, 1900, 319 p.

ÉTUDE D'ENSEMBLE ET MONOGRAPHIES

Écriture sainte

ALETTI Jean-Noël, « Lettres pauliniennes et théologie du Nouveau Testament », in *Recherches de Sciences Religieuses*, avril-juin 2011, t. 99/2, p. 265-286.

ALETTI Jean-Noël, *Saint Paul, Épître aux Colossiens*, introduction, traduction et commentaire, « Études bibliques », n° 20, Paris, J. Gabalda et Cie, 1993, 311 p.

BRIÈRE-NARBONNE Jean-Joseph, *Le Messie souffrant dans la littérature rabbinique*, Paris, Librairie orientaliste, Paul Geuthner, 1940, 180 p.

CALVIN Jean, *Commentaires sur le Nouveau Testament, t. 6 : Épître aux Galates, Éphésiens, Philippiens et Colossiens*, Genève, Labor et Fides, 1965, 411 p.

COTHENET Edouard, « Les épîtres aux Colossiens et aux Éphésiens », *Cahiers Évangile*, n° 82, Paris, Cerf, 1992, 64 p.

COUSIN Hugues, « Le Serviteur souffrant dans le Nouveau Testament » in *Le Serviteur Souffrant* (Isaïe 53), Supplément aux *Cahiers Évangile*, n° 97, Paris, Cerf, 1996, p. 19-25.

DEFELIX Chantal, « Lectures juives » in *Le Serviteur Souffrant* (Isaïe 53), Supplément aux *Cahiers Évangile*, n° 97, Paris, Cerf, 1996, p. 27-68.

DETTWILER Andreas, « L'Épître aux Colossiens », in *Introduction au Nouveau Testament, son histoire, son écriture, sa théologie,* sous la direction de Daniel Marguerat, « Le Monde de la Bible », n° 41, Genève, Labor et Fides, 2008, p. 287-299.

Dupont-Roc Roselyne, « Saint Paul : une théologie de l'Église ? », *Cahiers Évangile*, n° 147, avril 2009.

Furter Daniel, *Les épîtres de Paul aux Colossiens et à Philémon*, Vaux-sur-Seine, Edifac, 1988, 271 p.

Gosse Bernard, « La descendance du juste soufrant dans les livres de Job et d'Isaïe », in de Gruyter, *Zeitschrift für die alttestamentliche wissenschaft*, Berlin, vol. 125, n° 4, 2013, p. 622-634.

Grelot Pierre, *Les poèmes du Serviteur de la lecture critique à l'herméneutique*, coll. « Lectio Divina », n° 103, Le Cerf, 1981, 282 p.

Hugedé Norbert, *l'Épître aux Colossiens*, Genève, Labor et Fides, 1968, 228 p.

Kowalski Thomas, *Les oracles du serviteur souffrant et leur interprétation*, coll. « Cahiers de l'École Cathédrale », n° 49, Paris, Parole et Silence, 2003, 151 p.

Legrand Lucien, *Le Dieu qui vient, la mission dans la Bible*, Paris, Desclée, 1988, 235 p.

Sauvy Anne, « Lecture et diffusion de la Bible en France » in *Le siècle des Lumières et la Bible*, sous la direction de Yvon Belaval et Dominique Bourel, Paris, Beauchesne, 1986, p. 27-46.

Spicq Ceslas, « L'Église du Christ » in *La Sainte Église universelle*, *Cahiers Théologiques de l'Actualité Protestante*, Hors série, n° 4, Delachaux et Niestlé, Neuchâtel-Paris, 1944, p. 175-219.

Vanhoye Albert, « Le message de l'Épître aux Hébreux », *Cahiers Évangile*, n° 19, Paris, Cerf, 1977, 58 p.

Vanhoye Albert, « Sacerdoce commun et sacerdoce ministériel », in *Nouvelle Revue Théologique*, 1975, p. 193-207.

Histoire de la spiritualité

Anonyme, *Imitation de Jésus-Christ*, traduction française de Lamennais, présentation par le R. P. Chenu, Paris, Cerf, 1989, 285 p.

Brucker Jacques, *La doctrine spirituelle de l'Imitation de Jésus-Christ*, Lille, Desclée de Brouwer et Cie, 1885, 445 p.

Coumoul Jules, *Les Doctrines de l'Imitation de Jésus-Christ*, Lille-Bruges, Desclée de Brouwer et Cie, 1924, 404 p.

Devriendt Jean, « La naissance de Dieu dans l'âme dans les Sermons latins de Maître Eckhart », in *La naissance de Dieu dans l'âme chez Eckhart et Nicolas de Cues*, ouvrage collectif sous la direction de Marie-Anne Vanier, Paris, Cerf, 2006, p. 39-54.

Ignace Saint, *Les Exercices Spirituels*, traduits et annotés par François Courel, Paris, Desclée de Brouwer, Coll. « Christus » n° 5, 1984, 232 p.

Mercier Victor, *Concordance de l'Imitation de Jésus-Christ et des Exercices de Saint Ignace*, Paris, H. Oudin, 1885, 476 p.

Noblesse-Rocher Annie, « «La formation du Christ en nous » selon Guerric d'Igny », in *La naissance de Dieu dans l'âme chez Eckhart et Nicolas de Cues*, ouvrage collectif sous la direction de Marie-Anne Vanier, Paris, Cerf, 2006, p. 135-152.

OTT Olivier, « Amour de loin et amour d'en haut, Autobiographie et première biographie d'Ignace de Loyola, essai d'imaginaire comparé » in *La Biographie dans le monde hispanique (XVIe-XXe siècles)*, sous la direction de Jacques Soubeyrous, Cahiers du G.R.I.A.S. n° 8, Publication de l'Université de Saint-Étienne, 2000, p. 13-46.

THÉRÈSE DE L'ENFANT-JÉSUS, *Manuscrits autobiographiques*, Lisieux, Office central de Lisieux, 1961, 315 p.

VANNIER Marie-Anne, *De la Résurrection à la naissance de Dieu dans l'âme, retraite avec Maître Eckhart*, Paris, Cerf, 2008, 106 p.

Ouvrages divers

ALBRECHT von MANDELSLO Johann, *Voyage en Perse et en Inde*, le journal original traduit et présenté par Françoise de Valence, coll. « Magellane » n° 42, Paris, Chandeigne, 2008, 269 p.

ALLIER Raoul, *La cabale des dévots 1627-1666*, Paris, Armand Colin, 1902, 448 p.

ANONYME, *Recueil des décrets apostoliques et des ordonnances du Roi du Portugal*, Amsterdam, Chez M. Michel Rey, 1760, 278 p.

BABEAU Albert, *La vie rurale dans l'ancienne France*, Paris, Librairie Académique, Didier et Cie, 1885, 365 p.

BABEAU Albert, *Les bourgeois d'autrefois*, Paris, Librairie Firmin – Didot et Cie, 1886, 417 p.

BAZIN Raymond, *Les grandes époques normandes, la Fronde en Normandie*, ouvrage historique, Dieppe, Imprimerie Dieppoise, 1908, 167 p.

BONNEAU-AVENANT Alfred, *La duchesse d'Aiguillon*, nièce du Cardinal de Richelieu. Sa vie et ses Œuvres charitables, *1604-1673*, Paris, 1879, 492 p.

BONNEAU-AVENANT Alfred, *Madame de Miramion, sa vie et ses Œuvres charitables*, 1629-1696, Paris, Didier, 1873, 472 p.

BORGES Charles Julius, *The Economies of Goa Jésuits 1542-1759, An explanation of their rise and fall*, New Delhi, 1994, 215 p.

Bulletin de la Commission des Antiquités de la Seine-Inférieure, t. VI : 1882-1884, Rouen, imprimerie Espérance Cagniard, 1885, 520 p.

CADIÈRE Léopold, MEP, *Croyances et Pratiques religieuses des annamites*, t. 1, 1re éd. Hanoi, Société de géographie, 1944; 2e éd. Paris, École française d'extrême-orient, 1992, 243 p.

CHAILLOT J.-L., *Pie VII et les jésuites d'après des documents inédits*, Rome, Imprimerie Salviucci, 1879, 496 p.

CHALINE Olivier, *Le règne de Louis XIV*, Paris, Flammarion, 2005, 808 p.

DESREUMAUX Alain (Trad.), « Histoire du roi Abgar et de Jésus » présentation et traduction du texte syriaque intégral de *La doctrine d'Addaï*, Brepost, 1993, 184 p.

DIDIER Hugues, « Acheter, vendre et produire dans la Compagnie de Jésus aux XVIe-XVIIIe siècles » in *Les conditions matérielles de la mission. Contraintes, dépassements et imaginaires XVIIe-XXe siècles,* collectif sous la direction Pirotte de Jean) coll. « Mémoires d'Église », Paris, Karthala, 2005, p. 305-317.

DUFOURCQ Elisabeth, *Les congrégations religieuses féminines hors d'Europe de Richelieu à nos jours histoire naturelle d'une diaspora*, Paris, Librairie de l'Inde, 1993, 4 vol., 1140 p.

DUNNE George H., *Chinois avec les Chinois – Le Père Ricci et ses compagnons jésuites dans la Chine du XVIIe*, Paris, Éditions du Centurion, 1964, 416 p.

HILAIRE Yves-Marie, *Histoire de la papauté,* Paris, Seuil, 2003, 572 p.

HUARD Pierre et Maurice DURAND, *Connaissance du Việt Nam*, Hà Nội, 1954, École française d'Extrême-Orient, Paris, 2002, 356 p.

JACQUIN Frédéric, *Le voyage en Perse au XVIIe siècle*, Paris, Belin, 2010, 222 p.

JANCZUKIEWICK Jérôme, « Le renouvellement de la Paulette en 1648 » in revue *Dix-septième siècle*, Paris, P.U.F., 2002/1, n° 214, p. 3-14.

LACOUTURE Jean, *Jésuites, une multibiographie*, 1. *Les conquérants*, Paris, Seuil, 1991, 509 p.

LAS CASAS Bartolomé de, *De l'unique manière d'évangéliser le monde entier,* traduit par Marianne Mahn-Lot, Paris, coll. « Sagesses chrétiennes », Paris, Cerf, 1990, 145 p.

LAS CASAS Bartolomé de, *L'Évangile et la force*, présentation, choix de textes et traduction par Mahn-Lot Marianne, coll. « Trésors du christianisme », Paris, Cerf, 2008, 225 p.

LAS CASAS Bartolomé de, *La controverse entre Las Casas et Sepulveda*, Paris, Vrin, 2007, 315 p.

LAS CASAS Bartolomé de, *Très brève relation de la destruction des Indes*, Paris, La Découverte, 1996, 151 p.

LAS CASAS Bartolomé de, *Une plume à la force d'un glaive, Lettres choisies*, coll. « Sagesses chrétiennes », Paris, Cerf, 1996, 412 p.

LÉCRIVAIN Philippe, « La fascination de l'Extrême-Orient, ou le rêve interrompu » in *Histoire du Christianisme des origines à nos jours,* sous la direction de J.-M. Mayeur, Ch. et L. Pietri, A. Vauchez, M. Venard, t. IX, Paris, Desclée, 1997, p. 755-834.

LUTHER Martin, « À la noblesse chrétienne de la nation allemande » dans *Œuvres*, t. II, Genève, Labor et fides, 1966, p. 57-156.

MANGUIN Pierre-Yves, *Les Portugais sur les côtes du Vietnam et du Campa*, Paris, École française d'Extrême-Orient, 1972, 324 p.

MANTIENNE Frédéric, *Les relations politiques et commerciales entre la France et la péninsule Indochinoise*, XVIIe siècle, Paris, Les Indes savantes, 2001, 395 p.

MENTION Léon, *Documents relatifs aux rapports du clergé avec la royauté de 1705 à 1789*, t. II, Paris, Alphonse Picard, 1903, 270 p.

MEYER Jean, *La noblesse française à l'époque moderne (XVIe-XVIIIe siècle)*, coll. « Que sais-je ? », Paris, Presses Universitaires de France, 1991, 127 p.

MILCENT Paul, « Les missions populaires au XVIIe siècle », in *2000 ans de Christianisme*, t. VI, Paris, Aufadi, Société d'histoire chrétienne, 1976, p. 123-127.

Molière, *Le Tartuffe*, édition de Jean Serroy, folio classique, Gallimard, 2013, 240 p.

Nguyễn Huy Lai Joseph, *La tradition religieuse, spirituelle et sociale au Vietnam, sa confrontation avec le christianisme*, thèse de doctorat en théologie à l'ICP, 1979, 3 vol., 843 f

Nguyễn Văn Huyên, *La civilisation annamite*, Collection de la Direction de l'Instruction Publique de l'Indochine, 1944, 281 p.

Reynaud Théophile *Le moine marchand ou traité contre le commerce des Religieux*, Amsterdam, Pierre Brunel, 1714, 263 p. L'original en latin : RENATI A VALLE, *Hipparchus de religioso negotiatore disceptatio Mediastinum inter ac Timotheum quae negotiatio a religioso statu abhorreat*, Francopoli, Apud Petrum Saluianum, par, 1642, 224 p.

Schreiner Alfred, *Les Institutions annamites en Basse-Cochinchine avant la conquête française*, t. II, Saigon, Claude et Cie, 1901, 324 p.

Tallon Alain, *La Compagnie du Saint-Sacrement (1629-1667) : Spiritualité et société, 1629-1667*, Paris, Cerf, 1990, 189 p.

Tavernier Jean-Baptiste, *Les six voyages de Jean-Baptiste Tavernier, Ecuyer Baron d'Aubonne, en Turquie, en Perse et aux Indes*, Première partie, Paris, Gervais Crouzier et Claude Barbin, 1676, 698 p.

Trần Ngọc Thêm, *Recherches sur l'identité de la culture vietnamienne*, Hà Nội, Éditions Thế Giới, 2006, 836 p.

Trichet Louis, *Le synode diocésain*, Cerf, Fides, 1992, 124 p.

Van Der Cruysse Dirk, *Louis XIV et le Siam*, Paris, Fayard, 1991, 587 p.

Vaulchier Jean de, Saulieu Jacques Amable de, Bodinat Jean de, *Armorial de l'ANF* (Association d'entraide de la Noblesse Française), précédé de *Héraldique et Noblesse* par Hervé Pinoteau, ANF, éd. du Gui, 2004, blason n° 581

Vodoff Vladimir, *Naissance de la chrétienté russe, la conversion du prince Vladimir de Kiev (988) et ses conséquences (xie-xiie siècles)*, Paris, Fayard, 1988, 489 p.

Outils

Dictionnaire de Spiritualité, ascétique et mystique, doctrine et histoire, 16 tome, Paris, Beauchesne, 1937-1994.

Dictionnaire de l'Académie française, 2 tomes, dédié au Roy, Paris, Chez Jean Baptiste Coignard, 1694.

Cayrou Gaston, *Le français classique – Lexique de la langue du xviie siècle*, Paris, H. Didier ; Toulouse, Éd. Privat, 1937.

Furetière Antoine, *Dictionnaire universel concernant generalement tous les mots françois, tan vieux que modernes, & les termes de toutes les sciences et des arts*, divisé en 3 tomes, 1690.

Gaffiot Félix, *Dictionnaire latin-français*, troisième édition revue et augmentée sous la direction de Pierre Flobert, Paris, Hachette, 2010.

HUGUET Edmond, *Petit glossaire des classiques français du XVIIe siècle concernant les mots et locutions qui ont vieilli ou dont le sens s'est modifié*, Paris, Librairie Hachette et Cie, 1907.

POULLE Emmanuel, *Paléographie des Écritures cursives en France du XVe au XVIIe siècle*, Genève, librairie Droz, 1966, 60 p.

PROU Maurice, *Manuel de Paléographie latine et française du VIe au XVIIe siècle, suivi d'un dictionnaire des abréviations*, Paris, Picard, 1892, 403 p.

Index

A

B

C

D

E

F

M

N

P

Q

R

S

T

U

V

Z

Table des abréviations

Abréviations générales

Acta CP	Acta Congregationis Particularis
AMEP	Archives des Missions Étrangères de Paris
AN	Archives nationales
APF	Archives de la *Propaganda Fide*
BnF	Bibliothèque nationale de France
Ms	manuscrit
NAF	Nouvelles Acquissions Françaises
SOCG	Scritture Originali riferite nelle Congregazioni Generali
Trad.	Traduction ou traducteur

Abréviations dans les manuscrits de Lambert

N.S.J.C.	Notre Seigneur Jésus-Christ
S.M.	Sa Majesté
V.A.	Votre Altesse
V.G.	Votre Grandeur

Transcriptions de Jean Guennou et Simonin

Il y a trois ensembles de transcriptions des documents de Mgr Lambert de la Motte :

1. Journal, AMEP, vol. 877, p. 531-616, transcrit par Henri Simonin et Jean Guennou, dans Lambert de la Motte, boîte n° 1, p. 1-331 (Référence : transc., Simonin, p. ••).

2. Abrégé de Relation, AMEP, vol. 121, p. 605-772 ; vol. 677, p. 187-218, transcrit par Jean Guennou, dans Lambert de la Motte, boîte n° 8, p. 1-387 (Référence : transc., Guennou, §...).

3. Lettres, AMEP, 196 lettres transcrites par Jean Guennou, dans Lambert de la Motte, boîte n° 3 (en latin, 173 p.), boîte n° 4 (en français, 381 p.), (Référence : transc., Guennou, L. n° ..., date ajoutée s'il y a lieu par J. Guennou).

Dans la suite de la même note citée ou dans le cas d'un *Ibid.*, d'un *Id.*, nous notons seulement : « § » pour la *Relation*, « L. n° » pour les *Lettres* et « transc., p. » pour le *Journal.*

Table des matières

DEUXIÈME PARTIE
LA THÉOLOGIE DU SALUT CHEZ LAMBERT DE LA MOTTE
La mission que Jésus continue en nous

TROISIÈME PARTIE
LE PROJET DE LAMBERT DE LA MOTTE POUR LE SALUT DES PAÏENS
Les Amateurs de la Croix

cerf PATRIMOINES

Association francophone œcuménique de missiologie, *Sagesse biblique et Mission*
Élisabeth Abbal, *Paroisse et territorialité dans le contexte français*
Christophe Bellon, *La république apaisée*, vol. 1 : Comprendre et agir*
Christophe Bellon, *La république apaisée*, vol. 2 : Gouverner et choisir*
Jean Boboc, *La grande métamorphose. Éléments pour une théo-anthropologie orthodoxe**
Serge Bonnet, *Défense du catholicisme populaire**
Anne Bonzon, Philippe Guignet et Marc Venard, *La paroisse urbaine**
Olivier Boulnois, Brigitte Tambrun, *Les Noms divins*
Christian-Noël Bouwé, *L'union conjugale et le sens du sacré*
Brigitte Cholvy, *Le surnaturel incarné dans la création**
Elbatrina Clauteaux, *L'épiphanie de Dieu et le jeu théologique*
Michel Corbin, *La contemplation de Dieu**
Michel Corbin, *Une catéchèse pascale de saint Grégoire de Nysse**
Michel Corbin, *Louange et veille III*
Michel Corbin, *Louange et veille IV*
Élian Cuvillier et Bernadette Escaffre (dir.), *Entre exégètes et théologiens : la Bible**
Dominique-Marie Dauzet et Claude Langlois (dir.), *Thérèse au tribunal en 1910**
Chantal Delsol, Joanna Nowicki, Michel Maslowski, *Mythes et symboles politiques en Europe centrale*
Henri Derroitte, Isabelle Morel, Joël Molinario, *Les catéchètes dans la mission de l'Église*
Chantal Delsol, Michel Maslowski, *Histoire des idées politiques de l'Europe centrale*
Jean Divo, *L'Aubier, la JOC et la JOCF dans le diocèse de Besançon (1927-1978)*
Emmanuel Durand et Luc-Thomas Somme (dir.), *Prêcher dans le souffle de la parole**
Michel Espagne, Nora Lafi et Pascale Rabault-Feuerhahn (dir.), *Silvestre de Sacy**
Fabrice Espinasse, Catherine Masson, Jacques Tyrol, *Au cœur du monde*
François d'Espiney, *Un arc vivant*
Francisco Esplugues Ferrero, *Christologie du témoignage*
Yannick Essertel, *Jean-Baptiste Pompallier**
Étude d'histoire de l'exégèse 7, *Lévitique 17, 10-12**
Étude d'histoire de l'exégèse 8, *Actes 2, 44-47**

* Ces titres bénéficient d'une nouvelle édition.

Étude d'histoire de l'exegèse 9, *Genèse 2, 17*
Mathieu Fabrice Évrard Bondobo, *Le conseil épiscopal selon le C. 473 § 4 CIC 83**
Michel Fattal, *Du logos de Plotin au logos de saint Jean**
Philippe Faure (dir.), *René Guénon**
Marc-Antoine Fontelle, *L'exorcisme. Un rite chrétien**
Christine Gautier, o.p., *Collaborateurs de Dieu*
Philippe Geneste, *Humanisme et lumière du Christ chez Henri de Lubac*
Didier-Marie Golay, *Thérèse d'Àvila : actualité d'une naissance*
Wojciech Golonka, *Gilbert Keith Chesterton. Portrait philosophique d'un écrivain (1874-1936)*
Jean-François Gosselin, *Le rêve d'un théologien : pour une apologétique du désir**
Jean-Marie Gueullette (dir.), *La mémoire chrétienne**
Dan-Alexandru Ilies, *Sur le chemin du palais*
Albert Jacquemin, *Le Clerc dans la Cité*
Mariusz Jagielski, *L'Église dans le temps**
Aduel Joachin, *Enjeux éthiques et théologiques de la parole autour de la souffrance*
Alain Juranville, *Les cinq époques de l'histoire**
Alain Kabamba Nzwela, *Le théologien catholique*
Pierre Michel Klein, *Métachronologie**
Simon Knaebel et Sylvain Ponga (dir.), *François-Xavier Durrwell. Théologien et auteur spirituel**
Abla Koumdadji, *La sécularisation de la répudiation*
Abla Koumdadji, Khalidja El Mahjoubi, *Les violences conjugales : le couple sous haute surveillance*
Sylvaine Landrivon, *La femme remodelée**
Vincent La Soudière, *Le firmament pour témoin. Lettres à Didier, t. III**
Bernard Laurent, *La Théologie, une anthologie V – La Modernité*
Christophe Leblanc, *Le Déluge**
Charbel Maalouf, *Une mystique érotique chez Grégoire de Nysse**
Eugen Maftei, *L'incarnation du Verbe**
Patrice Mahieu, *Se préparer au don de l'unité*
Ninon Maillard, *Réforme religieuse et droit*
Michel Mallèvre, *L'unité des chrétiens*
Charlemagne Didace Malonga Diawara-Doré, *La conférence des évêques*
Sylvia Massias, *Vincent La Soudière, la passion de l'abîme*
Jocelyne Michel, *La poésie à l'œuvre**

Paul Han Min Taeg, *La connaissance naturelle de Dieu chez Henri Bouillard (1908-1981)**

Jean-Luc Molinier, *Solitude et communion*, t. I : Fuite du monde*

Jean-Luc Molinier, *Solitude et communion*, t. II : Fuite du monde et vie communautaire*

Marie Monnet, *Homo viator**

Isabelle Morel, Joël Molinario et Henri Derroitte, *Les catéchètes dans la mission de l'Église*

Antoine Victoire Nouwavi, *La Pâque de l'Afrique. Jalons pour un renouveau théologique*

Éric Palazzo, *Les cinq sens au Moyen Âge*

Manoël Pénicaud, *Le réveil des Sept Dormants**

Jean-Christophe Peyrard, *Fondements pour une théologie de la chair*

Brigitte Picq, *À l'image de Dieu**

Sophie Ramond, *Tradition et transmission*

Yann Richard, *François d'Espiney*

Nicole Roland, *Jacques Maritain. La sanctification du monde profane*

Jean Louis Roura Monserrat, *La conception paulinienne de la Foi**

Florence Salvetti, *Judaïsme et christianisme chez Kant**

Simon Schwarzfuchs et Jean-Luc Fray, *Présence juive en Alsace et Lorraine médiévales**

Sorin Selaru et Patriciu Vlaicu (dir.), *Primauté des primats**

Gérard Siegwalt, *Le défi interreligieux. Écrits théologiques I**

Gérard Siegwalt, *Le défi monothéiste. Écrits théologiques II**

Gérard Siegwalt, *Le défi scientifique. Écrits théologiques III*

Gérard Siegwalt, *Le défi ecclésial. Écrits théologiques IV*

Marie de la Trinité, *Carnets 4. Le mystère de la paternité**

Marie de la Trinité, *Carnets 5. En holocauste sur l'autel**

Marie-Anne Vannier (dir.), *Intellect, sujet, image chez Eckhart et Nicolas De Cues**

Catherine Vialle, *Sagesse biblique et mission*

Marie-David Weill, *L'humanisme eschatologique de Louis Bouyer*

Raymond Winling, *Le salut en Jésus Christ dans la littérature de l'ère patristique*, t. 1 et t. 2

Imprimé en France

Composition : Atlant'Communication

Achevé d'imprimer : mai 2016
Dépôt légal : mai 2016

Imprimé en France
FROC01n1400010616
15839FR00004BF/5/P

9 782204 115094